Das Buch

Eigentlich sollte das Geschlecht kein Auswahlkriterium für Autorinnen und Autoren sein. Tatsächlich gibt es aber einen geschlechtsspezifischen Nachholbedarf. Wachsende Aufmerksamkeit für den Beitrag von Frauen zum literarischen Prozeß hat in den letzten Jahren deutlich erkennen lassen, wie wenig geschlechtsneutral Literaturgeschichtsschreibung und -forschung waren, wie sehr der literarische Beitrag von Frauen vernachlässigt oder auch – mit einem an Werken männlicher Autoren geschulten Blick – nur begrenzt verstanden wurde. Notwendig ist daher heute gleicherweise die Hinwendung zu der vernachlässigten Tradition schreibender Frauen wie auch die Auseinandersetzung mit vorliegenden Interpretationen und Einschätzungen.
In diesem Lexikon werden über 200 Schriftstellerinnen, häufig mit Bild, aus Deutschland, Österreich und der Schweiz vorgestellt, die – eine Beschränkung war notwendig – zwischen 1800 und 1945 veröffentlicht haben.
Jeder Artikel enthält eine Biographie, die vollständige Liste der Einzelwerke und Werkausgaben, Angaben zu Übersetzungen und zum Nachlaß sowie ein Verzeichnis der über die Autorin in Büchern und Zeitschriften erschienenen Literatur.
Über die Fülle an sachlicher Information hinaus ist dieses Lexikon in den Lebensschicksalen auch ein spannendes »Lesebuch«, eine farbige Kultur- und Sozialgeschichte dies

Die Autorinnen

Gisela Brinker-Gabler, D. … unterrichtet am Institut für Deutsche Sprache und Literatur der Universität Köln; Herausgeberin der Taschenbuchreihe ›Die Frau in der Gesellschaft – Frühe Texte und Lebensgeschichten‹ im Fischer Taschenbuch Verlag. – Buchveröffentlichungen: ›Deutsche Dichterinnen vom 16. Jh. bis zur Gegenwart. Gedichte und Lebensläufe‹, 1978, [3]1986; ›Poetisch-wissenschaftliche Mittelalter-Rezeption‹, 1980; (Hrsgin.) ›Zur Psychologie der Frau‹, 1978; (Hrsgin.) ›Frauenarbeit und Beruf‹, 1979; (Hrsgin.) ›Fanny Lewald. Meine Lebensgeschichte‹, 1980; (Hrsgin.) ›Frauen gegen den Krieg‹, 1980; (Hrsgin.) ›Toni Sender. Autobiographie einer deutschen Rebellin‹, 1981; (Hrsgin.) ›Kämpferin für den Frieden: Bertha von Suttner‹, 1983. Aufsätze, besonders zur Frauenliteratur und -geschichte, in Zeitschriften und Sammelbänden.
Karola Ludwig, cand. M.A., studiert Germanistik, Theaterwissenschaft und Pädagogik in Köln; schrieb ihre Magisterarbeit über die Schriftstellerin Fanny Lewald.
Angela Wöffen studiert Germanistik und Bibliothekswesen in Köln.

Gisela Brinker-Gabler
Karola Ludwig
Angela Wöffen

Lexikon deutschsprachiger Schriftstellerinnen 1800–1945

Deutscher
Taschenbuch
Verlag

Die Bildvorlagen wurden angefertigt von Günter Keim, Bochum, und der Photostelle der Universitätsbibliothek Köln.

Originalausgabe
Oktober 1986

Umschlaggestaltung: Celestino Piatti
Gesamtherstellung: C.H. Beck'sche Buchdruckerei, Nördlingen
Printed in Germany · ISBN 3–423–03282–0

Inhalt

Für

Kai

Agathe und Alfred

Freya

Meisterwerke sind keine
einsamen Einzelleistungen;
sie sind das Ergebnis vieler
Jahre gemeinsamen
Nachdenkens, des Nachdenkens der Gesamtheit
der Menschen, so daß hinter
der einzelnen Stimme
die Erfahrung der Masse steht.

Virginia Woolf,
Ein Zimmer für sich allein
(1929)

Vorwort

Zielsetzung

Das vorliegende Buch enthält bio-bibliographische Informationen zu rund 200 deutschsprachigen Schriftstellerinnen des 19. und 20. Jahrhunderts. Es wendet sich an alle, die einen ersten Überblick über das literarische Schaffen von Frauen dieses Zeitabschnitts suchen oder sich eingehender mit Leben und Werk einzelner Schriftstellerinnen beschäftigen wollen. Wachsende Aufmerksamkeit für den Beitrag von Frauen zum literarischen Prozeß hat in den letzten Jahren erkennen lassen, wie wenig geschlechtsneutral Literaturgeschichtsschreibung und -forschung waren, wie sehr der Beitrag von Frauen vernachlässigt oder auch – mit einem an Werken männlicher Autoren geschulten Blick – nur begrenzt verstanden wurde. Notwendig ist daher heute gleicherweise die Hinwendung zu der vernachlässigten Tradition schreibender Frauen wie auch die Auseinandersetzung mit bisher erfolgten Einschätzungen und Interpretationen. Unser Ziel war es, durch überschaubar zusammengestellte Informationen den oft schwierigen Zugang zu Schriftstellerinnen und ihrem Werk zu erleichtern und Anstöße zur Auseinandersetzung zu geben.

Zeitabschnitt

Eine zeitliche Abgrenzung war aus Zeit- und arbeitstechnischen Gründen unumgänglich. Für den Einschnitt 1800 (als Erscheinungsdatum von Werken) sprach die Überlegung, daß seit der Wende vom 18. zum 19. Jahrhundert die Zahl der Schriftstellerinnen sich rasch vergrößert und daher ein erster Überblick besonders hilfreich ist. Die Grenzziehung 1945 erschien uns sinnvoll mit Rücksicht darauf, daß Informationen zu Autorinnen nach 1945 heute leichter zugänglich sind, als das für Schriftstellerinnen vor 1945, besonders auch Exilautorinnen, der Fall ist. Darüberhinaus ist ein Nachschlagewerk für den Zeitraum nach 1945 in Vorbereitung.

Auswahl

Aus der großen Zahl der Schriftstellerinnen des 19. und 20. Jahrhunderts mußte notwendigerweise eine Auswahl getroffen werden, in der Regel der umstrittenste Punkt bei Werken dieser Art. Berücksichtigt wurden in diesem Falle deutschsprachige Schriftstellerinnen aus Deutschland, Österreich und der Schweiz, die zwischen 1800 und 1945 wenigstens *ein* erzählerisches Werk veröffentlicht haben, was im gegebenen Fall selbstverständlich auch die vorrangig als Lyrikerinnen oder Dramatikerinnen bekannt gewordenen Schriftstellerinnen umfaßt. Von ihnen werden sämtliche Werke und dazu erschienene Sekundärliteratur bis 1985 verzeichnet. Dieses Auswahlprinzip drückt keineswegs unsere Geringschätzung anderer traditioneller oder nicht traditioneller Literaturformen aus, sondern war lediglich ein Hilfsmittel für uns bei der schwierigen, aber unerläßlichen Eingrenzung für einen ersten Überblick. Auf dieser Grundlage wählten wir die Schriftstellerinnen unter der Perspektive ihrer literarhistorischen oder im weiteren Sinne kulturhistorischen Bedeutung aus. Dabei haben wir versucht, die Beschränkung auf einen, wie auch immer begründeten, einseitig fixierten Kanon zu vermeiden. Wir sind uns aber im klaren darüber, daß diese Auswahl das Ergebnis subjektiver Entscheidung und der Ausdruck unseres gegenwärtigen Kenntnisstandes ist. Sie hätte demnach auch anders ausfallen können.

Gliederung der Artikel

Die Schriftstellerinnen erscheinen in alphabetischer Reihenfolge. In vielen Fällen werden sie mit Bild vorgestellt. Die einzelnen Artikel enthalten, soweit es der Informationsstand erlaubt, Biographie, Werkinformation, Werkverzeichnis, Nachlaßort und Verzeichnis der Sekundärliteratur. In der Hauptsache stützten wir uns auf die im Anhang genannten Nachschlagewerke und Referatorgane. Zum Teil konnten wir aufgrund neuerer Darstellungen oder eigener Kenntnisse und Nachforschungen fehlerhafte Daten korrigieren und Angaben ergänzen.

a) Es wird von *dem Namen* der Autorin ausgegangen, unter dem sie vorwiegend veröffentlicht hat oder unter dem sie bekannt geworden ist. Das kann der Mädchenname sein, ein Pseudonym, im Falle einer Heirat der Name des Mannes oder ein Doppelname. Diesem Namen folgt die Angabe von Pseudonymen, soweit sie erschlossen sind. Im Register am Ende des Lexikons sind die Schriftstellerinnen unter allen ihren Familiennamen und Pseudonymen aufgeführt, jeweils mit dem Hinweis, unter welchem Namen die bio-bibliographischen Informationen nachzuschlagen sind.

b) Ein *biographischer Abriß* verzeichnet die bisher bekannten Lebensdaten; Zweifelsfälle sind kenntlich gemacht.

Um Herkunft, Entwicklung und Lebenssituation der Schriftstellerinnen zu verdeutlichen, erscheinen, wenn vorhanden, Informationen zu den Eltern (was im Fall der Mutter bedauerlicherweise häufig nicht möglich war), zu Ausbildung, Berufstätigkeit, Reisen, Freundschaften, Ehrungen. Die Länge der Darstellung steht in keinem Zusammenhang mit einer Wertung der Autorin unsererseits. Bei gut erforschten Schriftstellerinnen waren wir bemüht, uns kurz zu fassen. Bei weniger bekannten haben wir versucht, ausführlicher zu sein. Zu vielen Autorinnen erscheinen nur sehr knappe Angaben, eine Folge der schwierigen Forschungslage. Wir konnten nicht in jedem einzelnen Fall Quellenstudien betreiben.

c) Wenn möglich haben wir zur Orientierungshilfe knappe *Informationen zu einzelnen Werken,* zu Themen, Formen, Zeitbezügen gegeben. Bei diesen Angaben wie auch in der Frage der Wertung waren wir zurückhaltend; denn Vorbedingung wäre jeweils eine genaue Kenntnis des Gegebenen und ein fundierter Gesamtüberblick gewesen. Dagegen fehlen sehr häufig zu den Schriftstellerinnen Forschungsarbeiten neueren Datums. Ebenso mangelt es an übergreifenden Darstellungen des Beitrags der Frauen zum literarischen Prozeß mit Rücksicht auf ihre Stellung in der Kultur- und Sozialgeschichte, was unserer Meinung nach Voraussetzung einer Wertung und Einordnung wäre. Zum Teil haben wir Einschätzungen aus der Sekundärliteratur zitiert.

d) Das *Werkverzeichnis* führt die von der Schriftstellerin verfaßten und herausgegebenen, in Buchform erschienenen Erstausgaben in chronologischer Reihenfolge auf. Erscheinungsorte werden nur dann genannt, wenn, wie z.B. bei Veröffentlichungen im Ausland oder in kaum bekannten Zeitschriften, diese Angaben zur Literaturbeschaffung hilfreich sind.

Was Erzählungen und Novellen betrifft, so ging aus den uns vorliegenden bibliographischen Angaben nicht immer eindeutig hervor, ob es sich um Erstausgaben oder um Auszüge aus bereits veröffentlichten Sammlungen handelte. In den Fällen, wo uns eine frühere Publikation bekannt war, haben wir das vermerkt.

Soweit uns Informationen zu Zeitschriftenbeiträgen vorlagen, haben wir sie entweder aufgenommen oder darauf verwiesen, wo die Angaben nachzuschlagen sind.

Leider nur spärliche Hinweise fanden wir in der Regel zu Übersetzungen und zu aufgeführten Bühnenstücken, verfilmten Drehbüchern, Arbeiten für Rundfunk und Fernsehen, von denen nur Manuskripte vorhanden sind. Trotz der Lückenhaftigkeit dieser Informationen wollten wir nicht auf die Weitergabe verzichten.

Bei fremdsprachigen Erstausgaben, wie sie z.B. bei Exilautorinnen vorkommen, richtet sich die Reihenfolge der Angaben nach dem Erscheinungsjahr der Erstausgabe. Der Titel der deutschen Übersetzung und deren Veröffentlichungsjahr erscheinen in Klammern dahinter. Auch nicht übersetzte Erstausgaben werden angegeben, sofern uns Informationen darüber vorlagen.

Da die Beschaffung älterer Bücher oft mit großen Schwierigkeiten verbunden ist, haben wir, soweit ermittelbar, Neuerscheinungen ab ca. 1960 angezeigt, im Falle mehrerer Neuausgaben ist jeweils die letzte angegeben. Im Falle eines neuen Titels erfolgt dessen Angabe in Klammern. Diese Neuausgaben lassen im übrigen interessante Rückschlüsse auf die Schwerpunkte der Rezeption von Schriftstellerinnen und ihrer Literatur zu.
Hat eine Schriftstellerin unter mehreren Namen publiziert, so haben wir das, soweit möglich, kenntlich gemacht. Und zwar: trifft dies nur für ein Werk zu, dann wird dieser Name (oder die Angabe »anonym«) dem entsprechenden Titel nachgestellt; trifft dies für mehrere Werke zu, dann wird der entsprechende Name vorangestellt und ist bis zur nächsten Namensnennung verbindlich (siehe z.B. Lily Braun).
Eines unserer größten Probleme stellten die abweichenden Angaben zu den Erscheinungsjahren von Werken in den verschiedenen Bibliographien dar. Wir haben die uns vorliegenden Daten immer wieder verglichen, wo möglich überprüft, oft ohne letzte Gewißheit zu finden. In schwer entscheidbaren Zweifelsfällen führen wir mehrere Daten auf.
e) Dem Verzeichnis der Einzelwerke jeder Schriftstellerin folgen, falls vorhanden, die *Veröffentlichungen aus dem Nachlaß, Werkausgaben, Übersetzungen* und Angaben, wo der *Nachlaß* oder Teile davon zu finden sind.
f) Jeder Artikel wird abgeschlossen mit einem Verzeichnis der ermittelten *Sekundärliteratur* und gegebenenfalls einem Hinweis auf vorliegende *Bibliographien.* Die in den Nachschlagewerken und Referatorganen vorgefundene uneinheitliche Zitierweise konnte nicht immer mit den von uns gesetzten Richtlinien in Übereinstimmung gebracht werden. Wir haben zum Teil Uneinheitlichkeit in Kauf genommen, um so viel bibliographische Angaben wie möglich zu geben. Beiträge und Rezensionen in Zeitungen und Zeitschriften konnten nicht vollständig erfaßt werden. Redaktionsschluß war der 1. August 1985.

Wir haben uns um Genauigkeit und Vollständigkeit bemüht. Die Erfahrungen während der Arbeit an diesem Lexikon, der Umgang mit den vorliegenden Nachschlagewerken und ihren häufig abweichenden Daten haben uns die Grenzen solchen Vorhabens erkennen lassen. Fehler, Vernachlässigungen und Lücken sind daher nicht auszuschließen. Wir sind aber zuversichtlich, mit dem von uns zusammengetragenen Material wertvolle Hinweise und Informationen sowie einen interessanten Überblick über Leben und Werk von Schriftstellerinnen des 19. und 20. Jahrhunderts zu bieten.

Wir danken dem Ministerium für Wissenschaft und Forschung des Landes Nordrhein-Westfalen für fördernde Unterstützung durch Personalmittel (K. L. und A. W.) und Sachmittel.

Ahlefeld, Charlotte Elisabeth Sophie Louise Wilhelmine Gräfin von (Ps. C. Elisa[beth] Selbig, Ernestine, Natalie, Verfasserin der ›Erna‹, Verfasserin der ›Felicitas‹, Verfasserin der ›Marie Müller‹), * 6. 12. 1781 in Stedten b. Weimar, † 27. 7. 1849 in Teplitz, Böhmen.
Wuchs als Tochter der Albertine Wilhelmine geb. v. Ingersleben und des hannov. Obersten Alexander Christoph August von Seebach in gebildeten Kreisen in Weimar auf. Veröffentlichte bereits als 16jährige ihren ersten Roman ›Liebe und Trennung‹ (u. d. Ps. Elise Selbig). Heiratete 1798 den Gutsbesitzer Rudolf Joh. Graf v. Ahlefeld (1757–1848). Wurde gleichzeitig mit zwei Geschwistern durch Herder getraut. Trennte sich 1807 von ihrem Mann wegen dessen Untreue und Heftigkeit. Lebte danach in Schleswig, ab 1821 wieder in Weimar, wo sie neben ihrem Sohn auch Waisenkinder erzog. War mit vielen bedeutenden Persönlichkeiten ihrer Zeit befreundet. Ihre Schwester war eine Schwiegertochter Charlotte von Steins. Zog 1846 aus gesundheitlichen Gründen nach Bad Teplitz. Dort wurde ihr ein Denkmal gesetzt.
Ch. v. A. s umfangreiche literarische Tätigkeit sicherte ihren Lebensunterhalt. Ihre damals viel gelesenen Unterhaltungsromane und Erzählungen folgen dem Muster des klassizistischen Romans bzw. rationalistischen Familienromans und behandeln häufig (in die Ritterzeit versetzt) Liebeskonflikte, die mit Entsagung enden.

Werke: Liebe und Trennung, R. 1797; Maria Müller, R. 1799; Einfache Darstellungen aus dem menschlichen Leben, 1799; Die Bekanntschaft auf der Reise, 1801; Louise und Mailand, 1802; Therese, Br.-R. 1805; Melanie, das Findelkind, 1805; Gräfin Pauline, 1806; Bekenntnisse einer schönen Seele, 1806; Gedichte, 1808; Der junge Franzose, 1810; Die Stiefsöhne, 1810; Klosterberuf, 1812; Rose, oder: Der Findling, R. 1812; Franziska und Annelie, 1813; Albert und Albertine, R. 1817; Briefe auf einer Reise durch Deutschland und die Schweiz, 1818; Myrthe und Schwert, E. 1819; Erna. Kein Roman, 1820; Der Mohrenknabe, R. 1821; Gesammelte Erzählungen, 2 Bd. 1822; Friedrich, E. 1823; Der Bote aus Jerusalem, R. 1823; Felicitas, R. 1825; Clara, R. 1825; Die Sicilianerin, E. 1825; Die Kokette, R. 1826; Bunte Blätter zur flüchtigen Unterhaltung, 1826; Amadea, R. 1827; Römhild-Stift, E. 2 Bd. 1827; Rosamunde und andere Erzählungen, 1827; Bilder aus der großen Welt, 1827; Die Frau von 40 Jahren, E. 1829; Hedwig, Königin von Polen und andere Erzählungen, 1831; Der Stab der Pflicht, E. 1832.
Nachlass: Landeshaupt-Archiv Weimar [Nachlaß-Rest].
Literatur: *Goedeke,* C. S. L. W. v. A. In: ADB I. *H. Gross,* Deutschlands Dichterinnen und Schriftstellerinnen, 1882, 82 ff. Goethe-Hdb., hrsg. v. *J. Zeitler,* I(1916). *Ch. Touaillon,* Der dt. Frauenroman des 18. Jh., 1919, 501 ff. *W. Frels,* Dt. Dichterhandschriften v. 1400–1900, 1934. *W. Kunze,* C. E. S. L. W. Gräfin z. A. In: NDB, 1953.

Andrea, Silvia (Ps. f. Johanna Garbald), * 22. 3. 1840 in Zuoz/Oberengadin, † 4. 3. 1935 in Castasegna/Graubünden.
Ihr Vater war der Lehrer und rätoromanische Dichter Thomas Gredig. Besuchte mit 15 Jahren ein deutsches Institut in Chur. Heiratete 1861 den Zolleinnehmer Agostino Garbald.
Schrieb Erzählungen, Romane und ein Drama. Novellistische Arbeiten erschienen seit 1878 in Zeitschriften. Ein kleiner Teil davon ist gesammelt worden. Wurde von J. V. Widmann gefördert.

WERKE: Der Apostel, E. 1882; Donath von Vaz, E. 1884; Erzählungen aus Graubündens Vergangenheit, 1888 (Inhalt: Donath von Vaz; Ein Apostel; Dem Licht entgegen); Faustine, R. 1889; Wilhelm Tell, hist. E. 1891; Die Rähtierin, 1899; Das Bergell. Wanderungen in der Landschaft und ihre Geschichte, 1901; Die Sommerkur, 1902; Festspiel der Thurgauischen Zentenarfeier, Dr. 1903; Violanta Prevosti, hist. R. 1905; Wir und unsere Lieblinge, 1914; Die Million, 1920; Einer der weiß, was er will, 1921; Die Schule des Lebens, 1924; Die Rüfe, E. 1926.
VERÖFF. A. D. NACHLASS: Elisabeth, N. 1939.
LITERATUR: S. A. In: Schweizer Frauen der Tat, Bd. 2, 1929. S. A. In: Jb. der Schweizer Frauen, 1936. Biographische Skizze und Bibliographie. In: S. A., Elisabeth, 1939.

Andreas-Salomé, Lou (eig. Louise; Ps. Henry Lou), * 12. 2. (31. 1.) 1861 in St. Petersburg, † 15. 2. 1937 in Göttingen.
Tochter der Louise geb. Wilm (deren Vater war der dt. Zuckerbäcker Wilm in St. Petersburg) und des russ. Generals französ.-hugenott. und dt.-balt. Abkunft Gustav v. Salomé (1804–1879). Verbrachte ihre Kindheit in Petersburg. 1878 dort Begegnung mit dem holl. ref. Prediger Hendrik Gillot, der ihr Lehrer wurde. 1880/81 Studium der Religionsgeschichte und Philosophie in Zürich. Auf einer Erholungsreise nach Italien befreundete sie sich in Rom mit Malvida von → Meysenbug. Lernte in deren Kreis im Frühjahr 1882 den Schriftsteller und späteren Arzt Paul Rée kennen und durch ihn Friedrich Nietzsche. Mit diesem später erneutes Zusammentreffen in Tautenburg und Leipzig; danach trennten sich ihre Wege. Lebte anschließend fünf Jahre in freundschaftlicher Gemeinschaft mit Paul Rée in Berlin. 1887 Heirat mit dem Iranisten F. C. Andreas; seit seiner Berufung nach Göttingen 1903 dort mit ihm wohnhaft. Freundschaftlicher Umgang u. a. mit den Schriftstellern Hauptmann (Berlin), Wedekind (Paris), Schnitzler (Wien), befreundet mit der Schriftstellerin Frieda v. → Bülow. Im Mai 1897 Begegnung mit Rilke, die für beide bedeutsam wurde. Unternahm mit ihm 1899 und 1900 zwei Rußlandreisen. 1911 Teilnahme am Kongreß der Psychoanalytiker in Weimar. 1912/13 Studienjahr bei Sigmund Freud in Wien. Danach widmete sie sich der psychoanalytischen Forschung und unterhielt später eine psychoanalytische Praxis.

Vielseitige literarische und wissenschaftliche Tätigkeit. Biographin (Nietzsche, Rilke), Essayistin (›Henrik Ibsens Frauengestalten‹, ›Die Erotik‹), Erzählerin mit besonderem Interesse für die psychologische Entwicklung von Mädchen und jungen Frauen (›Ruth‹, ›Im Zwischenland‹), für Möglichkeiten eines selbstbestimmten und erfüllten Frauenlebens (›Fenitschka‹, ›Eine Ausschweifung‹, ›Ma. Ein Porträt‹). Veröffentlichte zahlreiche Aufsätze, ebenso Beiträge zur Psychoanalyse (›Narzißmus als Doppelrichtung‹). Eine autobiographische Form eigener Art stellt ihr bedeutsamer Lebensrückblick dar (›Grundriß einiger Lebenserinnerungen‹). In der zeitgenössischen Diskussion der Frauenfrage Vertreterin weiblicher Eigenwertigkeit.

WERKE: Im Kampf um Gott, R. 1885 (Ps. Henry Lou); Henrik Ibsens Frauengestalten, Ess. 1892; Friedrich Nietzsche in seinen Werken, Biogr. 1894 (N 1983); Ruth, E. 1896; Aus fremder Seele. Eine Spätherbstgeschichte, E. 1896; Fenitschka. Eine Ausschweifung, En. 1898 (N 1983); Menschenkinder, Nn. 1899; Ma. Ein Porträt, R. 1901; Im Zwischenland, En. 1902; Die Erotik, Ess. 1910 (N 1979); Drei Briefe an einen Knaben, 1917; Das Haus. Familiengeschichte vom Ende des vorigen Jahrhunderts, 1919; Die Stunde ohne Gott und andere Kindergeschichten, 1922; Der Teufel und seine Großmutter, Traumsp. 1922; Ródinka. Eine russische Erinnerung, 1923; Rainer Maria Rilke. Buch des Gedenkens, 1928; Mein Dank an Freud. Offener Brief, 1931. Zahlreiche Aufsätze, u.a. in ›Freie Bühne‹, ›Neue Rundschau‹, ›Zukunft‹, ›Imago‹.

VERÖFF. A.D. NACHLASS (sämtl. hrsg. und mit Erläuterungen versehen v. E. Pfeiffer): Lebensrückblick. Grundriß einiger Lebenserinnerungen, 1951 (vollst. Werk-Verz.); Rainer Maria Rilke/Lou Andreas-Salomé. Briefwechsel, 1952; 2. erw. Ausg., 1957; In der Schule bei Freud. Tagebuch eines Jahres. 1958; Sigmund Freud/Lou Andreas-Salomé. Briefwechsel, 1966 (N 1980); Friedrich Nietzsche, Paul Rée, Lou von Salomé. Die Dokumente ihrer Begegnung, 1970; Amor. Jutta. Die Tarnkappe. Drei Dichtungen, 1981; Eintragungen. Letzte Jahre, 1982.

LITERATUR: *A. Heine,* L.A.-S. In: Das lit. Echo, 14 (1911/12), 80ff. *G. Bäumer,* L.A.-S. In: Die Frau 44 (1937), 305ff. *E.F. Podach,* F. Nietzsche und L.S., 1937, *Ratinger-Spitzer,* Eine Dichterin spricht über junge Menschen. In: Tagesbote, Brünn. (1937) 539. *G. Bäumer,* L.A.-S. In: *G.B.,* Gestalt und Wandel, 1939. *G. Schaeder,* R.M. Rilke und L.A.-S. In: Sammlung 8(1953), 431ff. *E. Heimpel,* L.A.-S. In: NDB 1953. *H.J. Bab,* L.A.-S.s Dichtung und Persönlichkeit. Diss. FU Berlin 1955 (Masch.). *I. Schmidt-Mackey,* L.S. Inspiratrice et interprète de Nietzsche, Rilke et Freud, [Paris] 1956. *D.L. Hobman,* L.A.-S. In: Hibbert Journal 58(1960), 149ff. *Th. Heuss,* L.A.-S. (1908). In: Th.H., Vor der Bücherwand, 1961, 243ff. *P. Grappin,* L.A.-S. et les psychoanalystes. In: Etudes 17(1962) 1, 54ff. *H. Meyer-Benfey,* L.A.-S. In: H.M.-B., Welt der Dichtung, 1962, 312ff. *H. F. Peters,* My sister, my spouse. A biography of L. A.-S., 1963 (London), dt. 1964 (N 1980). *E. Pfeiffer,* L. A.-S. In: Hdb. der dt. Gegenwartslit. 1965 (²1969). *S. A. Leavy,* L. A.-S.s Freud-Tagebuch. In: Psyche 19 (1965), 219ff. *L. Gerloff,* Zwei unbekannte Briefe von Ricarda Huch an L. A.-S. In: Jb. d. Raabe-Ges. (1966), 92ff. (Dat. 20. 4. 1895 u. 25. 12. 1895). *R. Binion,* Frau Lou. Nietzsche's wayward disciple. With a foreword by Walter Kaufmann, 1968 (Princeton/N. J.). *J. Günther,* Die Lou-Affäre in Dokumenten. In: Neue dt. Hefte 18(1971) 2, 124ff. Friedrich Nietzsche, Paul Rée, L. v. S.: Die Dokumente ihrer Begegnung. Auf der Grundlage der einstigen Zusammenarbeit mit K. Schlechta und E. Thierbach (†) hrsg. v. E. Pfeiffer, 1971. L. A.-S.: Mitleben: Tier und Pflanze. In: I. Buck u. G. K. Schauer (Hrsg.), Alles Lebendige meinet den Menschen. Gedenkbuch für Max Niehans, [Bern] 1972, 129ff. *P. Moortgat,* L. A.-S. et Simone de Beauvoir. In: Revue d'Allemagne 5(1973), 938ff. *L. Müller-Loreck,* Die erzählende Dichtung L. A.-S.s. Ihr Zusammenhang mit der Literatur um 1900 (mit engl. summary) 1976. *W. Sorell,* Three women. Lives of sex and genius, [London] 1977 [u. a. zu L. A.-S.]. L. A.-S.: An den Schmerz. Afgeschr. door F. Nietzsche, [Oosterbeek] 1978 (Geschriften van het Lou Salomé Genootschap. 1.). *K. Hamburger,* L. A.-S. In: H. J. Schultz (Hrsg.), Frauen. Porträts aus 2 Jh., 1981, 186ff. *I. Frowen,* L. A.-S. In: Duitse Kroniek. Orgaan voor culturele betrekkingen met Duitsland, [Amsterdam] 32(1981/82) 1/2, 4ff. *E. Pfeiffer,* »Denn Rainer starb ›trostlos‹«. Eine Betrachtung. In: Lit.wiss. Jb. 23(1982), 297ff. *B. Martin,* Zur Politik persönlichen Erinnerns. Frauenautobiographien um die Jahrhundertwende. In: R. Grimm/J. Hermand (Hrsg.), Vom Anderen und vom Selbst. Beitr. zu Fragen der Biogr. und Autobiogr., 1982, 94–104. *C. Koepcke,* L. A.-S., ein eigenwilliger Lebensweg. Ihre Begegnung mit Nietzsche, Rilke und Freud, [Freiburg, Basel, Wien] 1982. *J. Schlicker,* »... aber das Rodin-Buch soll bei Dir bleiben«. Ein unveröffentl. Gedicht Rilkes für L. A.-S. In: Blätter der Rilke-Ges. 9(1982), 47–51 [»Ich will vom Leben eines schönen Dinges«.]. *U. Schenk,* Rez. zu ›Amor. Jutta. Die Tarnkappe‹. In: Neue dt. Hefte 29 (1982) 2, 386–88. *W. Leppmann,* Rez. zu ›Eintragungen. Letzte Jahre‹. In: FAZ Nr. 240 v. 16. 10. 1982 (Beil.). *G. Brinker-Gabler,* Selbständigkeit oder/und Liebe: Über die Entwicklung eines Frauenproblems in der Literatur Anfang des 20. Jh.s. In: Frauen sehen ihre Zeit. Literaturausstellung des Landesfrauenbeirats Rheinland-Pfalz, [Mainz] 1984, 41–53 [zu ›Fenitschka‹]. *P. Fritz,* Die Legende von der Femme fatale. L. A.-S. in ihren Beziehungen zu skandinavischen Schriftstellern und zur skandinavischen Literatur. In: W. Butt/ B. Glienke (Hrsg.), Der nahe Norden. Otto Oberholzer zum 65. Geburtstag. Eine Festschrift, 1985, 215–234.

Anneke, Mathilde Franziska, * 3. 4. 1817 Gut Leveringhausen b. Blankenstein, † 25. 11. 1884 in Milwaukee (USA).

Tochter der Elisabeth Hülswitt und des Domänenrats Karl Giesler. Wuchs zunächst auf dem Gut der Großeltern zu Leveringhausen auf, die u. a. mit dem Freiherrn vom Stein befreundet waren. 1820 Umzug der Familie an die Ruhr nach Blankenstein. M. F. A. erhielt Privatunterricht und vielseitige Anregungen, auch zum Lesen, durch den gebildeten Freundeskreis der Eltern. Nach Vermögensverlusten zog die Familie nach Hattingen. 1836 Heirat mit dem begüterten Weinhändler Alfred von Tabouillot. Eine Tochter. 1843 (schuldlose) Scheidung. Beginn ihrer schriftstellerischen und journalistischen Tätigkeit. 1847 Heirat mit dem ehem.

preußischen Offizier Fritz Anneke. Zwei Söhne und Zwillingsmädchen. In Köln sozialdemokratisch-republikanisches Engagement. Nach Verhaftung Annekes 1848 Herausgeberin der ›Neuen Kölnischen Zeitung‹, die sie wegen der Zensur zeitweise unter dem Titel ›Frauen-Zeitung‹ führte. 1849 Teilnahme am Badisch-Pfälzischen Feldzug. Flucht nach Straßburg, in die Schweiz, schließlich in die USA. Dort 1852 Gründung einer ›Deutschen Frauen-Zeitung‹. Ab 1860 Aufenthalt in der Schweiz, gemeinsam mit der Freundin Mary Booth († 1865). 1865 Rückkehr in die USA und Gründung einer Mädchenerziehungsanstalt in Milwaukee, gemeinsam mit der Freundin Cäcilie Kapp. War eine der aktivsten Mitarbeiterinnen in der amerikanischen Frauenbewegung und trat in zahlreichen öffentlichen Vorträgen für Stimmrecht und Gleichberechtigung der Frauen ein. Zu ihrem Freundes- und Bekanntenkreis gehörten u.a. Freiligrath, Emma und Georg → Herwegh, Lassalle, Gräfin Hatzfeld, Carl Schurz, Elizabeth Cady Stanton und Susan B. Anthony.
Vorwiegend Erzählerin und Journalistin, auch Dramatikerin und Lyrikerin. Begann mit Herausgabe von Gebetbüchern und Taschenbüchern und der Veröffentlichung von Erzählungen und Gedichten in Taschenbüchern und Zeitschriften. 1842 erfolgreiche Aufführung ihres Künstlerdramas ›Oithono‹ (das später auch in den USA in engl. Übersetzung gespielt wurde). Besondere Beachtung verdienen ihre Memoiren einer 1848erin (1853) und vor allem die in der Schweiz entstandenen Erzählungen im Geist der Antisklavenbewegung, in denen sie besonders das zweifache Joch der Frau in Sklaverei darstellt (›Die Sclaven-Auction‹, ›Gebrochene Ketten‹, ›Uhland in Texas‹). Veröffentlichung weiterer Novellen, Erzählungen, Kindergeschichten und Märchen in deutschen und amerikanischen Zeitungen und Zeitschriften, ebenso zahlloser Artikel zu Politik, Literatur und Frauenrechten (u.a. Streitschrift zur Verteidigung Louise → Astons ›Das Weib im Conflict mit den socialen Verhältnissen‹, 1847).

WERKE: (u.d.N. M.F. v. Tabouillot) (Hrsgin.) Des Christen freudiger Aufblick zum ewigen Vater, 1839; (Hrsgin.) Der Heimathgruß, 1840; (Hrsgin.) Der Meister ist da und rufet Dich, 1841; Die Melkerin von Blankenstein, E. In: Taschenbuch deutscher Sagen, 1841; (Hrsgin.) Damenalmanach, 1841; Oithono oder Die Tempelweihe, Dr. 1842; (Hrsgin.) Westfälisches Jahrbuch. Producte der Rothen Erde, 1846; Wilhelm Kaulbach, seine Jugend- und Lehrjahre bis zu seiner Meisterschaft. In: Producte der Rothen Erde, 1846; (u.d.N. M.F.A.:) Das Weib im Conflict mit den socialen Verhältnissen, Flugschrift, 1847; Vor Versaille. In: Republik der Arbeiter, 29. November 1851; Memoiren einer Frau aus dem badisch-pfälzischen Feldzuge, [Newark] 1853

(N 1982); Die Sclaven-Auction. In: Didaskalia, Nr. 174, Juni 1862; Gebrochene Ketten. In: Milwaukee Herold, Juli 1864 und Der Bund, November 1864; Das Geisterhaus in New York, R. 1864; Als der Großvater die Großmutter nahm. In: Chicago Sonntagsztg. Sonntagsausg. der Illinois Staatsztg., Januar 1864; Uhland in Texas, Illinois Staatsztg. April 1866.
Veröff. a. d. Nachlass: *M. Wagner,* M.F.A. in Selbstzeugnissen und Dokumenten, 1980.
Werkausgaben: Gebrochene Ketten. Erzählungen, Reportagen und Reden 1861–1873, hrsg. v. H. Mück, Vorw. v. M. Wagner, 1983.
Übersetzungen: (u.d.N. M.F. v. Tabouillot:) Der Erbe von Morton Park; A. Dumas, Michel Angelo, 1844.
Nachlass: Archiv der State Historical Society of Wisconsin, USA.
Literatur: Romanbibliothek: Erinnerungen an eine dt. Schriftstellerin. In: Kleine Kölnische Ztg. Bd. I, 1886; *R. Ruben,* M.F.A., die erste große Verfechterin des Frauenrechts, 1906. *A. Faust,* M.F.A.: ›Memoiren einer Frau aus dem Badisch-Pfälzischen Feldzuge‹ and a Sketch of her Career. In: German American Annals, N.S. XVI (1918) 3. 4, 73-140. *G. Fittbogen,* M.A. und Levin Schücking in Münster. In: Auf Roter Erde 12(1936) 1, 5. *Ders.,* Gedicht einer Deutsch-Amerikanerin auf Kossuth. In: Ungarische Jahrb. 16(1936), 257–64. *G. K. Friesen,* A Letter from M.A.: A Forgotten German American Pioneer in Women' Rights. In: Journal of German American Studies, Vol. XII (?) 2, 34f. *H. Heintzen* in collaboration with Hertha Anneke-Sanne: Biographical Notes in Commemoration of Fritz A. and M.F.A. In: Manuscript volumes in the State Historical Society of Wisconsin, Madison 1940. *W. Schulte,* Die Gieslers aus Blankenstein. Ein Beitrag zur märkischen Kultur- und Familiengeschichte. In: Der Märker VIII(1959), 120 *Ders.,* M.F.A. In: Westfälische Lebensbilder VIII(1959), 120ff. *Ders.,* Fritz A. Ein Leben für die Freiheit in Deutschland und in den USA, 1961. *W. Osten,* The Annekes. In: The Milwaukee Turner 26(1966), 2. *M. Henkel und R. Taubert,* Das Weib im Conflict mit den socialen Verhältnissen, 1976. *M. Wagner,* M.F.A. in Selbstzeugnissen und Dokumenten, 1980.

Arnim, Bettina von, * 4. 4. 1785 in Frankfurt a.M., † 20. 1. 1859 in Berlin.

Tochter (7. Kind) der Maximiliane La Roche und des Großkaufmanns Peter Anton Brentano; Enkelin der Dichterin Sophie La Roche und Schwester des Dichters Clemens Brentano. Wurde bis zu ihrem 13. Lebensjahr im Pensionat eines Ursulinen-Klosters in Fritzlar erzogen. Nach dem Tod ihrer Eltern wechselnder Aufenthalt bei ihren Geschwistern in Frankfurt und ihrer Großmutter La Roche in Offenbach, in deren Haus sie Künstler, Gelehrte, deutsche Jakobiner und französische Emigranten kennenlernte und vielfältige Anregungen erhielt. Zog eine Zeitlang zu ihrer verheirateten Schwester Gunda Savigny nach Marburg. Befreundete sich dort mit Karoline von → Günderrode, zu deren Andenken sie später den Briefroman ›Die Günderode‹ schrieb. Hatte ab 1806 Kontakt zum Goetheschen Hause. Lebte seit 1810 bei den Savignys in Berlin. Heiratete 1811 Achim von Arnim. Sieben Kinder. Seit der Eheschließung lebte sie abwechselnd auf Gut Wiepersdorf in der Mark Brandenburg und in Berlin, nach Arnims Tod (1831) fast ausschließlich in Berlin. Begann eine rege schriftstellerische Tätigkeit, hatte lebhafte Verbindung zu vielen be-

deutenden Zeitgenossen. Nahm offen Partei für die Demokratie, wirkte karitativ und sozialpolitisch, trat für die Rechte der Frauen ein.
B. v. A. s erste literarische Werke sind Briefbücher, in denen sie auf eine ihr ganz eigene, »Bettinische« Art dokumentarisches Material und Fiktion artistisch verbindet. Die Grundlagen bilden die Briefwechsel mit Goethe, der Freundin Günderrode, dem Bruder Clemens und später, als ältere Frau, mit dem jungen Ph. Nathusius (›Ilius Pamphilius und die Ambrosia‹). In den Vormärzjahren starkes politisches und soziales Engagement. Bat 1844 in einem öffentlichen Aufruf um Material für ihr ›Armenbuch‹, das erst 1969 (!) veröffentlicht wurde. Im Glauben, daß ein weiser »Volkskönig« die soziale Frage lösen könne, schrieb sie, an Friedrich Wilhelm IV. gerichtet, ›Dies Buch gehört dem König‹ (1843), dem als zweiter Teil 1852 eine enttäuschte Abrechnung folgte, ›Gespräche mit Dämonen‹.

WERKE: Goethe's Briefwechsel mit einem Kinde. Seinem Denkmal, 3 Bd. 1835 (N 1960); Tagebuch, 1835; Die Günderode. Den Studenten, 2 Bd. 1840 (N 1982); Dies Buch gehört dem König, 2 Bd. 1843 (N 1982); Reichsgräfin Gritta von Rattenzuhausbeiuns, 1843 (N u. d. T. Das Leben der Hochgräfin Gritta von Rattenzuhausbeiuns, 1980); Dedié à Spontini, 1843; Clemens Brentano's Frühlingskranz, aus Jugendbriefen ihm geflochten, wie er selbst schriftlich verlangte, 1844 (N 1974); Ilius Pamphilius und die Ambrosia, 2 Bd. 1848; An die aufgelöste Preussische National-Versammlung, 1849; Gespräche mit Dämonen. Des Königsbuch zweiter Band, 1852.
VERÖFF. A. D. NACHLASS: Bettine von Arnim und Friedrich Wilhelm IV., Br., hrsg. v. L. Geiger, 1902; Achim und Bettina von Arnim. Briefwechsel, hrsg. v. R. Steig, 1913; Briefwechsel mit Goethe, hrsg. v. F. Bergemann, 1927; Briefwechsel mit Achim von Arnim. In: Corona 7(1937) 1; Briefe an Clemens Brentano. In: Corona 7(1937) 1; Bettina von Arnim und Rudolf Baier, Br., hrsg. v. K. Gassen, 1937; Die Andacht zum Menschenbild. Unbekannte Br., hrsg. v. W. Schellberg u. F. Fuchs, 1942 (N 1970); Achim und Bettina in ihren Briefen, hrsg. v. W. Vordtriede, 2 Bd. 1961 (N 1981); W. Vordtriede, Bettina von Arnims Briefe an Julius Döring. In: Jb. d. Freien Dt. Hochstifts (1963), 341–488; Bettina von Arnims Armenbuch, hrsg. v. W. Vordtriede, 1969 (N 1981); Bettine Brentano und Max Prokop von Freyberg. Briefwechsel, hrsg. v. S. v. Steinsdorff, 1972.
WERKAUSGABEN: Sämtliche Schriften, 11 Bd. 1853; Sämtliche Werke, hrsg. v. W. Oehlke, 7 Bd. 1920–1922; Bettine. Eine Ausw. aus den Schriften und Br., 1952; Werke und Briefe, hrsg. v. G. Konrad, 5 Bd. 1959–1963; Romantisme et Révolution. Lettres et articles. Préface, notes et trad. inédites: M.-C. Hook-Demarle, [Paris] 1981; Aus meinem Leben, zusgest. u. kommentiert v. D. Kühn, 1982; »Meine Seele ist eine leidenschaftliche Tänzerin«, ausgew. u. eingel. v. O. Betz, 1982; (u. d. N. J. W.

Goethe) Goethes Briefwechsel mit einem Kinde. Aus dem Briefwechsel zwischen Goethe und B.v.A., ausgew. u. eingef. v. A. Kantorowicz, 1982.
NACHLASS: 1929 versteigert und zerstreut; Goethe Museum Frankfurt [Teilnachlaß]; Goethe- und Schiller-Archiv Weimar [Teilnachlaß]; Deutsche Staatsbibliothek Berlin [Slg.]; Stadt- und Universitätsbibliothek Frankfurt [kleine Br.Slg.].
LITERATUR: *G. F. Daumer,* B., 1837. *L. Fromm,* Die Ruchlosigkeit der Schrift ›Dies Buch gehört dem König‹, 1844 (Faksimilie-N 1926). *K. Rosenkranz,* Rahel, B. und Charlotte Stieglitz. Studien zur Literaturgeschichte, 1875. *G. v. Loeper,* B.v.A. In: ADB II. *H. Gross,* B.v.A. In: H.G., Deutschlands Dichterinnen und Schriftstellerinnen, [2]1882. *C. Alberti,* B.v.A., 1885. *M. Carriere,* B.v.A., 1887, wiederh. in: M.C., Gesammelte Werke 12, 1890.
L. Geiger, B.v.A. und Friedrich Wilhelm IV., 1902. *M. Strinz,* B.s Beziehungen zu Friedrich Wilhelm IV. In: Die Frau 10(1902/03), 673–83. *P. Ernst,* B.v.A. ›Die Günderode‹, 1904, wiederh. in: P.E., Völker und Zeiten im Spiegel ihrer Dichtung, Bd. 2, 1942. *G. Bäumer,* Dokumente einer Mädchenfreundschaft. In: Die Frau 12(1904/05), 142–50. *W. Oehlke,* B.'s Briefromane, 1905. *K. H. Strobl,* B.v.A., 1906 (N 1926). *F. Deibel,* Rahel und B. In: Das lit. Echo 10(1907/08), 1704–07. *W. Frels,* B.'s Königsbuch. Diss. Rostock 1912. *R. Steig,* Achim von Arnim und B. Brentano, 1913. *B. Zade,* B., en livsväg kring Goethe, 1916. *L. Geiger,* Eine unbekannte Charakteristik der B.v.A. In: Frankfurter Ztg. (1917) 13. *A. Leitzmann,* Beethoven und B. In: Dt. Revue über das gesamte nationale Leben der Gegenwart …, 1918. *W. v. Oettingen,* B.'s Goethedenkmal in Weimar, 1918.
E. v. Holten, Das grüne Kabinett. Episode aus dem Leben der B., 1920. *F. Bergemann,* Neues von und über B. In: Jb. d. Slg. Kippenberg 2(1922). *K. Escher,* B.'s Weg zu Goethe, 1922. *P. Ernst,* B., 1923, wiederh. in: P.E., Völker und Zeiten im Spiegel ihrer Dichtung, Bd. 2, 1942. *A. Stockmann,* Die jüngere Romantik, 1923. *E. v. Arnim,* Die Andacht zum Menschenbild, 1924. *H. Hesse,* Goethe und B., 1924, wiederh. in: H.H., Dank an Goethe, 1946. *P. Beyer,* B.'s Arbeit an ›Goethes Briefwechsel mit einem Kinde‹. In: Von dt. Sprache und Art, 1925. *E. Casse,* B.v.A. In: E.C., Fra Romantikkens Dage, 1925. *A. F. Cohn,* B.v.A. Schwedisch-deutsche Romantik. In: Dt.-nordisches Jb., 1926. *B. Allason,* B.B., 1927. E. v. Arnim/J.W. Goethe, B.s Leben und Briefwechsel mit Goethe, 1927. *H. Levin-Derwein,* Die Geschwister Brentano, 1927. *M. Susmann,* B. In: Frauen der Romantik, 1927. *L. Vincenti,* B. e Clemens Brentano, 1928.
K. Röttger, Traum der Bettina. Novellistische Sk. In: Köln. Volksztg., 1930. *W. A. Berendsohn,* B.v.A. und Das Volksmärchen. In: Handwörterbuch des dt. Märchens, Bd. 1, 1930/33, 122ff. *H. Evers-Milner,* Eine fröhliche Erinnerung an B. In: Frankfurter Ztg. (1931) Nr. 523–28. *O. Mallon,* Bibliographische Bemerkungen zu B.v.A.'s sämtlichen Werken. In: Zs. f. dt. Philologie 56(1931). *Ders.,* Die Berliner politischen Schriften der B. In: Forsch. zur brandenburgischen und preussischen Gesch. 45(1932). *Ders.,* B.-Bibliographie. In: Imprimatur 1933, 141–56. *W. Deetjen,* B.v.A. und A. Schöll, 1934. *R. Blut,* B. schaut, erlebt, verkündet. Weibliches Wissen, Wesen, Wirken in ihrem Wort, 1935. *H. Wyss,* B.v.A.'s Stellung zwischen der Romantik und dem Jungen Deutschland, Diss. Bern 1935 (BA 1935). *V. Prill,* Mein Bruder der Windhauch, R. 1936. *H. Goertz,* B. in München und Landshut. In: Goethe-Kalender, 1937. *J. Werner,* Maxe von Brentano, 1937. *E. Bansa,* B.'s Verhältnis zur Kunst, Diss. Frankfurt 1938. *A. v. Koenigsegg,* Die Frau, die die Romantik selber war, R. 1938. *G. Bäumer,* B. In: G. B., Gestalt und Wandel, 1939. *A. Germain,* Goethe et B., 1939.
G. Grambow, B.'s Weltbild, Diss. Berlin 1941. *K. J. Walde,* ›Goethes Briefwechsel mit einem Kinde‹ und seine Beurteilung in der Literaturgeschichte, Diss. Freiburg/Schweiz 1942. *I. Seidel,* B., 1944, wiederh. in: I.S., Drei Dichter der Romantik, 1956. *W. Milch,* B.v.A. In: Blick in die Welt (1946/47) 5. *Ders.,* B. und Marianne (v. Willemer), 1947. *H. Grimm,* B.v.A. In: H.G., Das Jahrhundert Goethes, 1948. *G. Meyer-Hepner* und *W. Victor,* B.v.A. In: Ost und West. Beitr. zu kulturellen und politischen Fragen der Zeit 2 (1948) 10. *L. van Dovski* (d.i. H. Lewandowskij),

B.v.A. In: L.v.D., Genie und Eros N.F. Bd. 2(1949). *W. Kaegi,* (Jacob) Burckhardt bei B. In: Hortulus amicorum. Fritz Ernst zum 60. Geb. (1949), 114ff. *H. Lilienfein,* B., Dichtung und Wahrheit ihres Lebens, 1949, [2]1952. *H. Beck,* Die Bedeutung der Natur in dem Lebensgefühl der B.v.A., Diss. Frankfurt/M. 1950. Charakteristiken. Die Romantiker in Selbstzeugnissen. In: Dt. Lit. in Entwicklungsreihen, Reihe Romantik I, 1950. *H. Nyssen,* Zur Soziologie der Romantik und des Vormarxistischen Sozialismus in Deutschland. B.v.A.'s soziale Ideen, Diss. Heidelberg 1950. *A. Siemsen,* B. In: A.S., Weg ins Freie, 1950. *C. Kahn-Wallerstein,* B. ohne Goethe. In: Neue Schweizer Rundschau. N.F. 1950/51. *Dies.,* B. und Achim v.A., eine unromantische Romantikerehe. In: Schweizer Rundschau 51(1951/52). *Dies.,* B., die Geschichte eines ungestümen Herzens, 1952. *L. Mallachow,* B., 1952. *G. Meyer-Hepner,* Das B.v.A.-Archiv in der Dt. Akademie der Künste zu Berlin. In: Börsenblatt, Leipziger Ausg. 119(1952) Redaktionsteil 326ff. *E. v. Arnim,* B.v.A., 1953. B. Ein Lesebuch für unsere Zeit, 1953. Ein bisher unveröffentlichter Brief (vom 11.2. 1831 an ihre Schwester Loulou). In: Neue lit. Welt 4 (1953) 2, 16. Briefe und Konzepte aus den Jahren 1849–1852. In: Sinn und Form 5(1953) 1, 38ff. u. 5(1953) 3/4, 27ff. *K. Gassen,* Rudolf Baiers Erinnerungen an B.v.A. In: Der Wächter 34(1953), 41ff. u. 73ff. *P. Kluckhohn,* B.v.A. In: NDB 1953. Lebensspiel. (B.'s geistiges Porträt in eigenen Worten.) Zusgest. u. hrsg. von W. Reich, 1953. *E. Wallace,* Die Günderode und B. In: Castrum peregrini 12 (1953), 5ff. *A. Hopfe,* Formen und Bereiche schöpferischen Verstehens bei B.v.A., Diss. München 1954. *G. Meyer-Hepner,* Das B.v.A.-Archiv. In: Sinn und Form 6(1954), 594ff. *H. Pross,* A romantic socialist in Prussia. In: The German Quarterly 27(1954). *W. Schlegelmilch,* B.v.A. und Annette von Droste-Hülshoff. In: Westfalen 34(1956), 209ff. *C. Bravo-Villasante,* Vita de B.B. de Goethe a Beethoven, 1957. *A. Helps* und *E. J. Howard,* B., a portrait, 1957. *W. Vordtriede,* B.'s englisches Wagnis. In: Euphorion 51(1957) 3, 271ff. *O. Heuschele,* B.v.A. In: O.H., Weg und Ziel, 1958. *W. Schoof,* Goethe und Bettina Brentano. In: Goethe. N.F. d. Jbs. d. Goethe Gesellschaft 20(1958), 213ff. *W. Vordtriede,* Ein unveröffentlichter B.-Br. (vom 23.6. 1837). In: Monatshefte 50(1958), 243ff. *M. J. Zimmermann,* B.v.A. als Dichterin, Diss. Basel 1958 (BA 1958). *T. P. Dehn,* B.v.A. und Rußland. In: Zs. für Slawistik 4(1959) 3, 334ff. *C. v. Faber du Faur,* Goethe und B.v.A. Ein neuer Fund. In: PMLA 75(1959) 3 (1960). *K. H. Hahn,* B.v. A. in ihrem Verhältnis zu Staat und Politik. Mit e. Anh. ungedr. Br., 1959. *G. Meyer-Hepner,* B. in Ost und West. In: NDL 7(1959) 6, 152ff. *Dies.,* Neues über B. In: ebda. 7(1959) 1, 148ff. *N. de Ruggiero,* B.B. Das Kind del Briefwechsel. In: Annali. Sezione Germanica 2(1959), 93ff. *W. Schoof,* B.v.A. und die Buchhändler. Zum 100. Geb. von B. am 20.1. 1959. Unter Benutzung des Arnimschen Familienarchivs. In: Börsenblatt, Frankfurter Ausg. 15(1959), 125ff. Frauen der Goethezeit. In Briefen, Dokumenten und Bildern. Von der Gottschedin bis zu B.v.A. Eine Anthologie v. *H. Haberland* und *W. Pehnt,* 1960. *G. Meyer-Hepner,* Ein fälschlich B. zugeschriebener Aufsatz (betr. Stirner). In: Weimarer Beitr. 6(1960) 1, 152ff. *Dies.,* Richtigstellende Kritik. Zu einem B.-Aufs. (Zu: W. Schoof, Goethe und B.B.) In: Goethe. N.F. d. Jbs. d. Goethegesellschaft 22(1960), 237ff. *Dies.,* Der Magistratsprozeß der B.v.A., 1960. *H. Neu,* Herzog Ludwig Engelbert von Arenberg und B. und Clemens Brentano. Eine Begegnung zwischen romanischer und deutscher Kultur, 1960. *N. Rost,* B.v.A. In: Germanica Wratislaviensa (1960) 6, 75ff. *G. Bianquis,* Amours romantiques en Allemagne. In: La Revue de Paris 68(1961), 84ff. *H. R. Liedke,* Vom Menschenbild der B. In: A.-Leschnitzer-Festgabe, 1961. *B. Zade,* B., 1961. *H. Boeschenstein,* Von den Grenzen der Ironie. In: H.B., Stoffe, Formen, Strukturen (1962), 43ff. *H. P. Collins* and *P. A. Shelley,* The reception in England and America of B.v.A.'s ›Goethe's correspondance with a child‹. In: Anglo-German and American-German crosscurrents. Vol. 2(1962), 97ff. *W. Grupe,* Gemeingefährlich! (zu ihrem Werk ›Dies Buch gehört dem König‹). In: NDL 10(1962) 1. *J. Mittenzwei,* B.B.'s Apotheose der Tonkunst. In: J.M., Das

Musikalische in der Lit., 1962. *U. Püschel,* B.'s Zorn. In: NDL 10(1962) 1, 151ff. *W. Vordtriede,* B.v.A.'s ›Armenbuch‹. In: Ber. bzw. Jb. d. Freien Dt. Hochstifts, 1962. *H. v. Arnim,* B.v.A., 1963. *J. Göres,* Jakob und Wilhelm Grimms Brief vom 9. 5. 1816 an B.v.A. In: Jb. d. Slg. Kippenberg N.F. 1(1963), 163ff. *W. Schoof,* B.v.A. In: Schweizer Rundschau 62(1963) 5, 252ff. *W. Vordtriede,* B.v.A.'s Briefe an Julius Döring. In: Jb. d. Freien Dt. Hochstifts (1963), 341ff. *A. Beck,* Christoph Theodor Schwab über B.v.A. Ein briefliches Porträt (1849), 50. Zugleich ein Beitrag zur Geschichte der Wirkung Hölderlins. In: Jb. d. Freien Dt. Hochstifts (1964), 366ff. *G. Meyer-Hepner,* Die Differenz. Nach B.'s Tod. In: NDL 12(1964) 3, 188ff. *M. Quercu,* B. das Kind. In: M.Q., Falsch aus der Feder geflossen, 1964, 147ff. *K. Scholl,* Goethe und B. Brentano-Arnim. In: Begegnung 19(1964), 133f. *W. Vordtriede,* B. und Goethe in Teplitz. In: Ber. bzw. Jb. d. Freien Dt. Hochstifts (1964), 343ff. *U. Püschel,* B.v.A.'s politische Schriften, Diss. Berlin 1965. *M. Langewiesche,* B.B., die erste Sozialistin. In: Jb. hrsg. von der Evangelischen Ak. Tutzing 15(1965/66), 236ff. *J. Peyraube,* La sensibilité d'Arnim dans sa correspondance avec B. In: Etudes Germaniques 21(1966) 2, 188ff. *P. Küpper,* B.B.-1936. In: Euphorion 61(1967) 1/2, 75ff. Auf frischen, kleinen, abstrakten Wegen. Unbekanntes und Unveröffentlichtes aus Rahels Freundeskreis. Briefe von B.v.A. u.a., 1967. *W. Milch,* Die junge B. 1785–1811. Ein biogr. Versuch, 1968. *L. Secci,* Per un nuovo »Gesamtbild« di B.v.A.-B. In: Studi germanici 6(1968) 3, 139ff. *I. Drewitz,* B.v.A. Romantik – Revolution – Utopie, 1969. *H.-W. Kelling,* The idolatry of poetic genius in ›Goethes Briefwechsel mit einem Kinde‹. In: Publications of the English Goethe society N.S. Vol. 39(1969), 16ff. *H. Murai,* Zwei Meister und eine Hexe – über ›Goethes Briefwechsel mit einem Kinde‹ (Jap.). In: Jahresbericht d. germanischen Instituts v. Kwanseigakuin Univ. 12(1969), 1ff.

M. Boveri, Eine neue B. In: Neue Rundschau 81(1970), 418–24 [Rez. zu der Biogr. v. I. Drewitz]. *A. Krätti,* Zu Clemens und B. Brentano. Ein Lit. ber. In: Schweizer Monatshefte 50(1970/71), 268ff. *P. Angel,* B. In: Etudes Germaniques 26(1971), 229ff. *E. Beck,* »... überhaupt bin ich an und für mich Revolutionär«. Ein Brief Gisela v.A.'s an ihre Mutter. In: Goethe-Almanach, 1971, 335ff. *O. Fambach,* Eine Brieffälschung der B.v.A. als Nachklang des Beethoven-Jahres. In: DVjS 45(1971), 773ff. *K.-H. Hahn,* »... denn du bist mir Vater und Bruder und Sohn«. B.v.A. im Briefwechsel mit ihren Söhnen. In: Wiss. Zs. d. Friedrich-Schiller-Univ. Jena/Thüringen. Gesellschafts- und sprachwiss. Reihe 20(1971), 485ff. *G. Konrad,* B.v.A. In: Dt. Dichter der Romantik. Ihr Leben und Werk. 1971, 310ff. *K. Feilchenfeldt,* Zur Bibl. d. Zs. ›Nach der Arbeit‹ von 1872. In: Philobiblon 16(1972), 34ff. *H. Koopmann,* Heine in Weimar. Zur Problematik seiner Beziehung zur Kunstperiode. In: Zs.f. dt. Philologie 91(1972), Sonderh., 46ff. *R. Minder,* Geist und Macht oder Einiges über die Familie Brentano, 1972. *Ders.,* Coup d'œil sur la famille Brentano ou l'esprit et la puissance (1771 à 1971). In: Hommage à Maurice Marache. 1916–1970, 1972, 317ff. *G. Sichelschmidt,* Große Berlinerinnen. 16 biogr. Porträts, 1972. *IJB,* B.v.A. In: Lex. der Kinder- und Jugendlit., Bd. 1, 1975, 64f. *W. Vordtriede,* Der Berliner Saint-Simonismus. In: Heine-Jb. 14(1975), 93ff.

L. Börne, Goethes Briefwechsel mit einem Kinde (1835). In: L.B., Spiegelbilder des Lebens: Aufs. über Lit., 1977, 72–83. B.v.A. Eine weibliche Sozialbiographie aus dem 19. Jh. Kommentiert und zusgest. aus Briefromanen und Dokumenten v. *G. Dischner,* 1977. *F. M. Renschle,* An der Grenze einer neuen Welt. B.v.A. Botschaft vom freien Geist, 1977. *D. Bellos,* Balzac und Goethes B. In: Actes du IXe congrès de l'Association Internationale de Littérature Comparée 2(1979), 359ff. *F. A. Kittler,* Ecrit dans le vent, B. In: Le genre [Strasbourg] 1979, 439–47. *U. Linnhoff,* B.v.A. In: U.L., »Zur Freiheit, oh, zur einzig wahren –.« Schreibende Frauen kämpfen um ihre Rechte, 1979, 17ff. *K. T. Plato,* Die Brentanos, einige Betrachtungen zur Familiengeschichte, 1979. *R. Nahrebekky,* Wackenroder, Tieck, E. T. A. Hoffmann, B.v.A. Ihre Beziehungen zur Musik und zum musikalischen Erlebnis, 1979.

D. Bellos, Balzac and Goethe's B. In: Proceedings of the IXth International Comparative Literature Association 2 [Innsbruck] 1980, 359–64. *I. Drewitz,* B.v.A. Porträt. In: Anstöße. Ber. aus d. Ev. Ak. Hofgeismar 27(1980), 48ff. *A. Fraling,* Zum Verhältnis von Kunstproduktion und Lebenspraxis in den Schriften B.v.A.s, 1980 (Staatsexamensarbeit, Masch.) *U. Püschel,* Weibliches und Unweibliches der B.v.A. In: U.P., Mit allen Sinnen. Frauen in der Lit., [Halle/Leipzig] 1980, 48–82. *C. Wolf,* Nun ja! Das nächste Leben geht aber heute an. In: Sinn und Form 32(1980), 392ff. *W. Wülfing,* Zur Mythisierung der Frau im Jungen Deutschland. In: Zs.f.dt. Philologie 99(1980), 559ff. *A. Tekinay,* Zum Orient-Bild B.v.A.'s und der jüngeren Romantik. In: Arcadia 16(1981), 47ff. *H. Watanabe,* [über Clemens Brentanos Frühlingskranz von B.v.A. Jap. mit dt. Zus.-fassg.] In: Doitsu Bungakuronkô. Forsch.ber. zur Germanistik 23(1981). *C. Wolf,* B.v.A. 1785–1859. In: Frauen. Porträts aus 2 Jh., 1981, 48ff. *R.-R. Wuthenow,* Das Hölderlin-Bild im Briefroman ›Die Günderode‹. In: Homburg vor der Höhe in der dt. Geistesgesch., 1981, 318–30. *O. Betz,* Der Boden von Berlin ist Zunder. Unbekannte Briefe B.v.A.s an ihren Sohn Siegmund. In: Die Zeit vom 30. 7. 1982, 31. *G. Effe-Stumpf/M. Kublitz,* »Ich bin nicht Bettina«. Schreibende Frauen der Romantik als Gegenstand subjektiver Erfahrung und literarischen Lernens. In: Diskussion Deutsch 13(1982), 560–84. *C. Kling/G. Schaaf,* »So hell bist Du«. In: Courage 7(1982) 9, 52f. [Rez. ›Die Günderode‹]. *U. Krechel,* Die frühe Freizügigkeit hinübergerettet. B.v.A.s Günderode-Buch in zwei neuen Ausgaben. In: Süddt. Ztg. (1982) 161, 104. *N. Kohlhagen,* Frauen, die die Welt veränderten, 1982. *G. Lindner,* Natürlich geht das nächste Leben heute an. Wortmeldung zu Christa Wolfs Brief über die Bettine. In: Weimarer Beiträge 28(1982) 9, 166–71. *G. Mander,* B.v.A., 1982 (= Preußische Köpfe). *F. Meyer-Gosau,* »Liebe Freundin, es ist nicht weit her mit all den wirren Worten«. Ein vertraulicher Brief der Caroline Schlegel-Schelling an B.v.A. In: alternative 25(1982), 82–88. *J.-L. Pinard-Legry,* B.v.A., géniale et passionée. In: La quinzaine Littéraire [Paris] (1982) 368, 17f. *G. Schulz,* Produktive Phantasie. Neue Brentano Literatur. In: FAZ vom 10. 3. 1983, 58 [Rez. zu Manders Biogr. u. Neuausg. Goethes Briefwechsel mit einem Kinde]. *F. Hetmann* (d.i. H.-C. Kirsch), B. und Achim. Die Liebesgeschichte von B. Brentano und A.v. Arnim, [3]1984. *G. Mattenklott,* B.v.A. – Versuch eines Porträts. In: Neue Slg. Zs. für Erziehung und Gesellschaft 24(1984), 301–14. *G. Schaaf,* Zum Verhältnis von Leben und Schreiben in B.v.A.s Briefbuch ›Die Günderode‹, Köln 1984 (Magisterarbeit, Masch.). *B. Schaad,* B. Brentanos Deutung einer Wandzeichnung ihres Bruders Christian im »Dichterzimmer« des Savignyschen Hofgutes Trages. In: Jb. des Freien Dt. Hochstifts 1984, 269–88. *J. Behrens,* B.v.A. und Felix Prinz Lichnowsky. Eine Episode. In: Archiv für Frankfurts Gesch. und Kunst (1985) 59, 327–46. *B. Gajek,* B.v.A. (1785–1859). Von der Romantik zur sozialen Revolution. In: W. Böhme (Hrsg.), »Die Liebe soll auferstehen«. Die Frau im Spiegel romantischen Denkens, 1985, 97f. [Auslieferung: W. Böhme, Ev. Akademie Baden, Postfach 2269, 7500 Karlsruhe 1]. *E. M. Gajek,* B.v.A. und Goethe. In: ebda., 27–44 u. 98ff.

Asenijeff, Elsa, * 1868 in Wien, † 1941.
Tochter einer angesehenen österr. Beamten- und Offiziersfamilie. Die Mutter, eine bekannte Malerin und Bildhauerin, unterstützte ihre künstlerischen Neigungen. Besuchte in Wien die Lehrerinnenbildungsanstalt und Kurse des Blindeninstituts. Heirat mit dem bulgar. Ministerialbeamten Nestonoff; die Ehe wurde auf ihren Wunsch nach kurzer Dauer wieder geschieden. Um 1898 in Leipzig; besuchte dort philosophische Vorlesungen an der Universität. Begegnung mit dem Maler und Bildhauer Max Klinger (1857–1920), dessen Lebensgefährtin und Modell sie für etwa 15 Jahre wurde. – Erzählerin, Lyrikerin. Auseinandersetzung mit Problemen des »modernen« Frauenlebens.

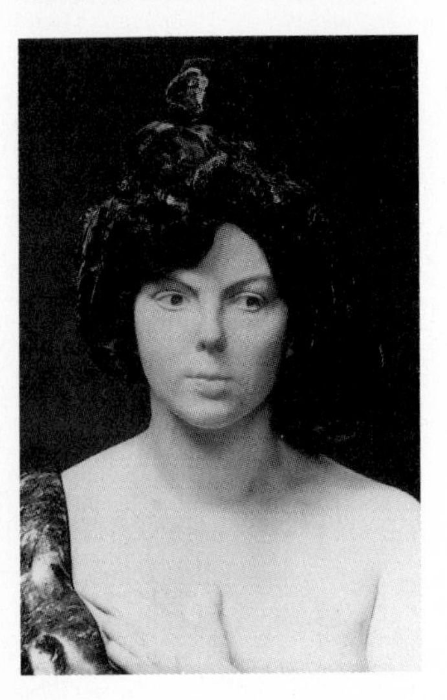

WERKE: Ist das die Liebe? Kleine psycholog. En. u. Betrachtungen, 1896; Sehnsucht, 1898; Aufruhr der Weiber und das dritte Geschlecht, 1898; Unschuld. Ein modernes Mädchenbuch, 1901; Tagebuchblätter einer Emancipierten, 1902; Max Klingers Beethoven. Eine kunsttechnische Studie, 1902; Der Kuß der Maja. Traumfugen über das Leben, 1903; Die Schwestern. Eine Novelle, 1905; Max Klinger: Epithalamia. Umrahmungen in Federzeichnungen, (eingedruckter) Text v. Elsa Asenijeff, 1907; Gedichte, 1912; Die neue Scheherezade. Ein Roman in Gefühlen, 1913; Hohelied an den Unbekannten. Lyr. R. 1913; Aufschrei. Freie Rhythmen, 1922.

Aston, Louise, * 26. 11. 1814 in Gröningen bei Halberstadt, † 21. 12. 1871 in Wangen/Allgäu.
Tochter des Konsistorialrats und Superintendenten Johann Gottfried Hoche und seiner Ehefrau Louise Charlotte, geb. Berning. Heiratete 1835 den 23 Jahre älteren engl. Industriellen Samuel Aston; Scheidung 1838; erneute Eheschließung mit ihm 1842 und 1844 zweite Scheidung. Die Geschichte dieser Verbindung (und Schilderung proletarischen Elends) findet sich in ihrem ersten Roman ›Aus dem Leben einer Frau‹. Seit 1845 lebte L.A. mit ihrer Tochter Jenny (zwei weitere Töchter starben im frühen Kindesalter) in Berlin und war u.a. mit dem Schriftsteller Rudolf

Gottschall befreundet, der ihr seine zwei Liebesdithyramben ›Madonna und Magdalena‹ widmete. L. A. bekannte sich zu ihrem Vorbild George Sand. Sie war Vertreterin eines Frühfeminismus und engagierte sich in der politischen Vormärzbewegung. Freimütige Äußerungen über die Religion, aber auch ihr unkonventioneller Lebensstil (u. a. Tragen von Hosen und Rauchen in der Öffentlichkeit) führten mehrfach zur Ausweisung aus Berlin (später auch anderen Städten), wogegen sie sich 1846 mit ihrer Schrift ›Meine Emancipation. Verweisung und Rechtfertigung‹ verteidigte. 1848 schloß sie sich den Freischaren an, die die schleswig-holsteinische Nationalbewegung unterstützten. Ende 1848 redigierte sie in Berlin die Zeitschrift ›Der Freischärler‹ bis zur erneuten Ausweisung. Ein Jahr später erschien ›Revolution und Contrerevolution‹, ein Achtundvierziger-Revolutions-Roman; er schildert die Ereignisse aus der Perspektive einer politisch engagierten Frau. Seit 1849 lebte L. A. in Bremen, heiratete dort 1850 den Bremer Krankenhaus-Arzt Daniel Eduard Meier und war weiter in der demokratischen Bewegung tätig. Nach der Entlassung Meiers durch den Bremer Senat 1855 (u. a. wegen seiner Verbindung mit L. A.) lebten beide an verschiedenen Orten im Ausland bis zu ihrer Rückkehr 1871 nach Wangen/Allgäu, wo L. A. im gleichen Jahr starb.

WERKE: Wilde Rosen, G. 1846; Meine Emancipation. Verweisung und Rechtfertigung, 1846; Aus dem Leben einer Frau, R. 1847; Lydia, R. 1848; (Redaktion) Der Freischärler. Für Kunst und sociales Leben, 1 Jg. (1848) Nr. 1 (1. 11.) bis Nr. 7 (16. 12.); Revolution und Contrerevolution, R. 1849; Freischärler-Reminiscenzen, G. 1850.
VERÖFF. A. D. NACHLASS: Trop tard, N. (Auszug), in: Heinrich Groß, Dt. Dichterinnen und Schriftstellerinnen in Wort und Bild, Bd. 1, 1885, 384f.
LITERATUR: *H. Nathan,* L. A. Ein Lebensbild aus den Anfängen der Frauenbewegung. In: Die Frau 21(1913/14), 650ff. *K. Kersten,* Eine Revolutionärin der Liebe (Luise Aston). In: Das Tagebuch, 4/5(1923/24) 4, 1303ff. *awe,* L. A. Eine Frauenrechtlerin aus Magdeburg. In: Die Volksstimme [Magdeburg] vom 5. 2. 1948. *E. Heimpel,* L. A. In: NDB, 1953. *M. E. Carico,* The Life and Works of L. A.-Meier, Knoxville (Univ. of Tennessee Phil.Diss.) 1977. *R. Möhrmann,* Groteskes Finale [L. A.]. In: R. M., Die andere Frau. Emanzipationsansätze dt. Schriftstellerinnen im Vorfeld der Achtundvierziger Revolution, 1977, 141ff. *Dies.,* L. A. In: Emma 1(1978) 1, 58ff. *Dies.,* L. A. In: R. M. (Hrsgin.), Frauenemanzipation im deutschen Vormärz. Texte und Dokumente, 1978, 65ff. *G. Brinker-Gabler,* L. A. In: Dt. Dichterinnen vom 16. Jh. bis zur Gegenwart. Gedichte und Lebensläufe, 1978, 197ff. *L. Secci,* L. A.: Una George Sand tedesca. In: Annali. Istituto universitario orientale di Napoli. Sezione germanica. Studi tedesci 21(1978) 3, 23ff. *U. Linnhoff:* L. A. In: U. L., »Zur Freiheit, oh, zur einzig wahren –«.

Schreibende Frauen kämpfen um ihre Rechte, 1979. *R.-E. Geiger,* L.A. In: H.J. Schultz (Hrsg.), Frauen: Porträts aus zwei Jahrhunderten, 1981, 88ff. *G. Goetzinger,* Für die Selbstverwirklichung der Frau: L.A. In Selbstzeugnissen und Dokumenten, 1983. *H. Schauerte,* L.A. Aus dem Leben einer Frau (1847). In: H.S., Die Fabrik im Roman des Vormärz, 1983, 200–208; *K. Fingerhut,* Das Proletariat im bürgerlichen Unterhaltungsroman. Über L.A. In: die horen 30(1985) 1, 40–50.

Bacheracht, Therese von (Ps. Therese), * 4. 7. 1804 in Stuttgart, † 16. 9. 1852 in Tjilatjap auf Java, wo sie seit 1849 mit ihrem zweiten Mann, Oberst Heinrich von Lützow, in Surabaya lebte.

Als Tochter des wissenschaftlich hochgebildeten Staatsrats Heinrich von Struve erhielt sie eine sorgfältige Ausbildung. Zahlreiche Zeitgenossen beschrieben sie als große Schönheit und betonten ihr Konversationstalent. Sie verkehrte in den ersten Gesellschaftskreisen Hamburgs, nachdem ihr Vater dort 1814 den russ. Gesandtschaftsposten erhalten hatte. Ging 1825 die Ehe mit dem russ. Generalkonsul Robert von Bacheracht ein (geschieden 1849); die Ehe galt als nicht glücklich. Liebesfreundschaft mit dem Schriftsteller Karl Gutzkow. Schrieb auf seine Anregung unter dem Pseudonym Therese. Th. v.B. unternahm viele große Reisen, u.a. an den Petersburger Hof, in den Orient. Die gewonnenen Eindrücke schilderte sie in ihren Reisetagebüchern bzw. -beschreibungen. Ihr erstes Buch ›Briefe aus dem Süden‹ wurde von F. K. v. Strombeck herausgegeben. Sie schrieb auch Romane und Novellen; verfaßte Feuilletons für Pariser Blätter; war Herausgeberin der ihr von Charlotte Diede vermachten ›Briefe an eine Freundin von W. v. Humboldt‹ (1847).

WERKE: Briefe aus dem Süden, 1841; Ein Tagebuch, 1842; Falkenberg, R. 1843; Am Teetisch, R. 1844; Lydia, R. 1844; Weltglück, R. 1845; Menschen und Gegenden, 1845; Heinrich Burkart, R. 1846; Paris und die Alpenwelt, 1846; Eine Reise nach Wien, 1848; Alma, R. 1848; Sigismund, R. 1848; Novellen, 1849.

VERÖFF. A.D. NACHLASS: T.v.B./Karl Gutzkow. Unveröffentlichte Briefe (1842–1849), hrsg. v. W. Vordtriede, 1971.

LITERATUR: *Fanny Lewald,* Meine Lebensgeschichte [1861–62], neu hrsg. von G. Brinker-Gabler (gek. Fassung), 1980, 275f. u. 281f. T.v.B. In: Neuer Nekrolog der Deutschen, Bd. II, 30. Jg., S. 937f. T.v.B. In: H. Groß, Deutschlands Dichterinnen und Schriftstellerinnen. Eine literarhistorische Skizze, ^{2}1882, 166f. *Beneke,* Frau von Lützow. In: ADB XIX.

Bäumer, Gertrud, * 12. 9. 1873 in Hohenlimburg (Westf.), † 25.(24.) 3. 1954 in Bethel (Bielefeld).
Stammte aus einer Theologenfamilie. Der Vater Emil Bäumer war seit 1876 Kreisschulinspektor in Cammin/Pommern. Dort unbeschwerte Kindheitsjahre. 1882 Versetzung des Vaters nach Mülheim an der Ruhr. Nach seinem frühen Tod 1883 Rückkehr mit der Mutter und den zwei jüngeren Geschwistern ins Elternhaus der Mutter nach Halle an der Saale; dort äußerst eingeschränktes Leben. Später Lehrerinnenexamen in Halberstadt. Erste Lehrerinnenstelle in Kamen in Westf., ab 1891 an der Mädchenvolksschule in Magdeburg-Neustadt. Dort die für ihr weiteres Leben bedeutsame Begegnung mit Helene Lange im Winter 1896/97. 1898 Beginn des Studiums an der Berliner Universität (A. v. Harnack, W. Dilthey, E. Schmidt, G. Roethe) und Promotion zum Dr. phil. 1904. Engagement in der bürgerlichen Frauenbewegung, Hinwendung zu sozialen und r Hinwendung zu sozialen und rechtlichen Fragen.
G. B. schrieb zahlreiche wissenschaftliche Arbeiten über die Stellung der Frau und zu verschiedenen pädagogischen Themen. Gab ab 1899 gemeinsam mit Helene Lange die Zeitschrift ›Die Frau‹ (1893–1944) heraus und ebenso das ›Handbuch der Frauenbewegung‹ (1901–1906). War 1910–19 Vorsitzende des Bundes Deutscher Frauenvereine und 1914–18 im Nationalen Frauendienst tätig. Leitete gemeinsam mit Marie Baum ab 1917 die Soziale Frauenschule in Hamburg. Gründete mit Friedrich Naumann die Deutsche Demokratische Partei; wurde 1919–33 als deren Mitglied in die Nationalversammlung und in den Reichstag gewählt. Ministerialrätin im Reichsinnenministerium. Dort arbeitete sie im Schulreferat und für die Jugendwohlfahrt, zeitweilig auch als Delegierte beim Völkerbund in Genf für internationale Jugendpolitik. Nach Hitlers Machtergreifung 1933 wurde sie aus dem politischen Leben ausgeschlossen. Lebte in Schlesien, Berlin und Bad Godesberg, wo sie sich vorwiegend ihrer schriftstellerischen Tätigkeit widmete. Veröffentlichte neben zahlreichen sozialpolitischen und kulturhistorischen Abhandlungen, ihren Beiträgen zur Frauenfrage und -geschichte auch zahlreiche, vor allem historische Romane.

WERKE: (Mithrsgin.) Handbuch der Frauenbewegung, 5 Tle, 1901–1906 (N 1980); Die Frau in der Kulturbewegung der Gegenwart. Auseinandersetzung mit Hochschulfragen, 1904; (MA:) Die höheren Lehranstalten und das Mädchenschulwesen im Deutschen Reich, 1904; Goethes Satyros, Diss. 1905; (MA:) Schiller und die Seinen, 1905; Geschichte der Gymnasialkurse für Frauen zu Berlin, 1906; (MA:) Die sozialen Forderungen der Frauenbewegung im Zusammenhang mit der wirtschaftlichen Lage der Frau, 1906; Neue Lebensziele. Ansprachen an junge Mädchen, 1907–1909; Was sind wir unserem geistigen Ich schuldig?, 1907; Von der Kindesseele. Beitr. zur Kinderpsychologie aus Dichtung und Biogr., 1908; Die Frauenbewegung und die Zukunft unserer Kultur, 1909; Goethes Freundinnen. Br. zu ihrer Charakteristik, 1909; Die soziale Idee in den Weltanschauungen des 19. Jh. Die Grundzüge der modernen Sozialphilosophie, 1910; Die Frau und das geistige Leben, 1911; (Hrsgin.) Die Religion und die Frau. Sieben Vorträge, 1911; Der Wandel des Frauenideals in der modernen Kultur. Eine Jugendansprache, 1911; Entwicklung und Stand des Frauenstudiums und der höheren Frauenberufe, 1912; (Hrsgin.) Der deutsche Frauenkongreß Berlin 1912. Sämtl. Vorträge, 1912; Ika Freudenberg. Ansprache bei der Trauerfeier, 1912; Die Frauenbewegung, 1913; Die Frau in Volkswirtschaft und Staatsleben der Gegenwart, 1914; Der Krieg und die Frau, 1914; Der weibliche Arbeitsmarkt im Krieg, 1914/15; (Mithrsgin.) Die Hilfe. Zs. f. Politik, Lit. und Kunst, 26 Jg. mit Sonderh., 1915–1940; Die Lehren des Weltkrieges für die deutsche Pädagogik. Vortrag, 1915; (Hrsgin.) Die deutsche Frau in der sozialen Kriegsfürsorge, 1916; (MA:) Kriegs- und Heimat-Chronik, Bd. 1, 1916; Weit hinter den Schützengräben. Aufs. aus dem Weltkrieg, 1916; Die Stellung der Frau in der politisch-sozialen Neugestaltung Deutschlands, 1917; Helene Lange. Zu ihrem 70. Geburtstag, 1918; Soziale Erneuerung. Amtl. Stenogramm der Rede in der Nationalversammlung vom 21. 2. 1919, 1919; Zwischen Gräbern und Sternen. August 1916 bis August 1918, 1919; (Mithrsgin.) Die Frau. Monatsschrift für das gesamte Frauenleben unserer Zeit, 1920–1944; Studien über Frauen, 1920; Fichte und sein Werk, 1921; Geschichte des Bundes Deutscher Frauenvereine, 1921; (Mithrsgin.) Das Reichsgesetz für Jugendwohlfahrt. Auf Grund amtl. Materials hrsg., 1923; Die seelische Krisis, 1924; Die Frau in der Krisis der Kultur, 1926; (Mithrsgin.) Teubners Handbuch der Staats- und Wirtschaftskunde, 1926–28; Europäische Kulturpolitik, 1926; Die politische Machtbildung der Frauen. Umfang und Grenzen überparteilicher Frauenarbeit, 1927; Das höhere Schulwesen für Mädchen. In: Handwörterbuch der Kommunalwiss. Erg.Bd. H–Z, 1927, 1185 ff.; Die Frauengestalten der deutschen Frühe, 1928; Grundlagen demokratischer Politik, 1928; Deutsche Schulpolitik, 1928; Nationale und internationale Erziehung in der Schule, 1929; Grundsätzliches und Tatsächliches in der Bevölkerungsfrage, 1929; Heimatchronik während des Weltkrieges, 1930; Neuer Humanismus, 1930; Schulaufbau, Berufsauslese, Berechtigungswesen, 1930; Sinn und Form geistiger Führung, 1930; Die Frau im neuen Lebensraum, 1931; Die Frau im deutschen Staat, 1932; Goethe – überzeitlich, 1932; Krisis des Frauenstudiums, 1932; Der freiwillige Arbeitsdienst der Frauen. Mit Anh.: Der freiwillige Arbeitsdienst der Mädchen. Denkschrift, 1933; Familienpolitik, 1933; Helene Lange, 1933; Lebensweg durch eine Zeitenwende, Autobiogr. 1933; Sonntag mit Silvia Monika, R. 1933; (Hrsgin.) Eine Hand voll Jubel. Aus dem Leben von Kindern in Familie und sozialen Erziehungsstätten. Mitgeteilt von jungen Müttern und Berufserzieherinnen, 1934; Männer und Frauen im geistigen Werden des deutschen Volkes, 1934; »Ich kreise um Gott«. Der Beter Rainer Maria Rilke, 1935; Adelheid, Mutter der Königreiche, R. 1936; Der Park. Geschichte eines Sommers, 1937; Der Berg des Königs. Das Epos des langobardischen Volkes, 1938; Krone und Kreuz, 1938; Wolfram von Eschenbach, 1938; Gestalt und Wandel. Frauenbildnisse, 1939 (Verm. Neuaufl. u. d. T. Bildnis der Liebenden, 1958, Auszug ›Eleonora Duse‹, 1958); Der ritterliche Mensch. Die Naumburger Stifterfiguren, 1941; Die Macht der Liebe. Der Weg des Dante Alighieri, 1941; Das hohe Mittelalter als christliche Schöpfung, 1946; Die Reichsidee bei den Ottonen. Heinrich I. und Otto der Große, Otto III. und Heinrich II., 1946; Der neue Weg der deutschen Frau, 1946; Der Dichter Fritz Usinger, 1947; Der Jüngling im Sternenmantel. Größe und Tragik Ottos III., 1947; Eine Woche im May. Sieben Tage des jungen Goethe, 1947; Die christliche Barmherzigkeit als geschichtliche Macht, 1948; Helene Lange. Zum 100. Geburtstag, 1948; Frau Rath Goethe. Die Mutter der Weisheit, B. 1949; Ricarda Huch, Biogr. 1949; Die drei göttlichen Komödien des Abendlandes. Wolframs Parsifal, Dantes Divina Commedia, Goethes Faust, 1949; Das geistige Bild Goethes im Lichte seiner Werke, 1950; (Hrsgin.) Der Denker, 1950; Das königliche Haupt, E. 1951; Otto I. und Adelheid, 1951; Im Licht der Erinnerung, Autobiogr. 1953.

SAMMELBAND: Der Traum vom Reich. Eine Auswahl, 1955.

VERÖFF. A. D. NACHLASS: Des Lebens wie der Liebe Band, Br., hrsg. v. E. Beckmann, 1956; Was ich hier geliebt, Br. v. G. B. u. H. Lange, 1957.

NACHLASS: Bundesarchiv Koblenz (Teilnachlaß).

LITERATUR: *K. Anthony,* G.B. In: K.A., Feminism in Germany and Scandinavia,

1915. *H. Lion* (Hrsgin.), Für G.B., die dritte Generation, 1923. *E. Saupe,* G.B. In: E.S., Dt. Pädagogen der Neuzeit, Bd. 1 (7-8 1929), 235ff. *H. W. Puckett,* G.B. In: H.W.P., Germany's Women go forward, 1930. *W. Goetz* u.a., Gabe für G.B., 1931. *Th. Heuss,* G.B. In: Frankfurter Zeitung (1933) 677ff. Vom Gestern zum Morgen. Eine Gabe für G.B., 1933. *K. M. Fassbinder,* Zu den letzten Werken G.B.s. In: Hochland 34(1936/37). *M. Treuge,* G.B. In: Sammlung 3(1948), 635ff. *Th. Heuss,* G.B. In: T.H., Würdigungen, 1955, 257f. *E. Beckmann,* Lebensbild G.B.s. In: E.B. (Hrsg.), Br. v. H. Lange, 1957. *H. Roesch,* G.B. In: Hdb. d. dt. Gegenwartslit., 2 1969, 77f. *M. Rhine,* G.B. In: Die Christengemeinschaft 45 (1973), 350ff. *E. Vogel,* Im Dienst der christlich-sozialen Idee. In: Die innere Mission 63 (1973), 393–99. *B. Greven-Aschoff,* G.B. (1873–1954). In: R. Stupperich (Hrsg.), Westfälische Lebensbilder, Bd. 12, 1979, 162–90. *I. Drewitz,* G.B. In: H.-J. Schultz (Hrsg.), Frauen. Porträts aus 2 Jh., 1981, 244–60.

Baum, Vicki, * 24. 1. 1888 in Wien, † 29. 8. 1960 in Hollywood.
Stammte aus einer Beamtenfamilie. Besuchte in Wien das Pädagogikum und anschließend das Konservatorium. Ließ sich zur Harfenistin ausbilden. Heirat mit dem Journalisten Max Prels; erste praktische Erfahrungen als Journalistin und Feuilletonistin und Teilnahme am intellektuellen Leben Wiens. Ab 1916 als Harfenistin in Darmstadt tätig. Begegnung mit dem Dirigenten Richard Lert, mit dem sie später eine zweite Ehe einging. Zwei Söhne. Beginn schriftstellerischer Tätigkeit. Ab 1926 Lektorin des Ullstein-Verlags in Berlin, wo auch zahlreiche ihrer Romane erschienen. Anläßlich der Verfilmung ihres erfolgreichsten Romans ›Menschen im Hotel‹ reiste sie 1931 nach Hollywood. Nach ihrer Rückkehr nach Deutschland entschied sie sich angesichts der politischen Verhältnisse zur Übersiedlung nach Hollywood. Von den Nazis wurden ihre Schriften in Deutschland verboten. 1938 erhielt sie die amerik. Staatsbürgerschaft. Bereiste Europa, Mexiko, Ostasien und Indonesien. Schrieb ab 1937 ihre Bücher auch in engl. Sprache.
V.B. schrieb spannende und milieugerechte Unterhaltungsliteratur mit aktueller Thematik, z.T. auch sozialer und ökonomischer Problematik. Ihr besonderes Interesse galt der Situation der selbständig künstlerisch und wissenschaftlich arbeitenden Frau (u.a. ›Stud.chem. Helene Willfüer‹). Verfaßte neben ihren zahlreichen Romanen und Erzählungen auch Filmdrehbücher und Bühnenstücke. Ihre Bücher wurden in viele Sprachen übersetzt. Gehörte zu ihren Lebzeiten zu den meistgelesenen Autoren der Welt.

WERKE: Frühe Schatten. Das Ende einer Kindheit, R. 1919; Der Eingang zur Bühne, R. 1920; Schloßtheater, N. 1921; Die Tänze der Ina Raffay. Ein Leben, R. 1921; Die andern Tage, Nn. 1921; Die Welt ohne Sünde. Der Roman einer Minute, 1923; Bubenreise. Eine Erzählung für junge Menschen, 1923; Ulle, der Zwerg, R. 1924; Das Christsternlein, Märchensp. 1924; Der Weg, N. 1925; Miniaturen, N. 1926; Tanzpause, N. 1926; Feme, R. 1927;

Hell in Frauensee. Ein heiterer Roman von Liebe und Hunger, 1929 (N 1982); Stud. chem. Helene Willfüer, R. 1929 (N 1972); Menschen im Hotel. Ein Kolportageroman mit Hintergründen, 1929 (N 1975); Zwischenfall in Lohwinckel, R. 1930 (N 1979); Er, R. 1930; Pariser Platz 13, Lustsp. 1931; Romane des Herzens, 8 Bd. 1931; Leben ohne Geheimnis, R. 1932 (N 1963); Passion, R. 1932; Das große Einmaleins, R. 1935 (ab 1951 u.d.T. Rendezvous in Paris, N 1975); Jape im Warenhaus, N. 1935; Die Karriere der Doris Hart, R. 1936 (N 1961), Der große Ausverkauf, R. 1937 (N 1983); Liebe und Tod auf Bali, R. 1937 (N 1975); Bomben über Shanghai, R. 1937; Hotel Shanghai, R. 1939 (N 1975); Die große Pause (= Grand Opera), R. 1941 (N 1981); The Christmas Carp, 1941; The Ship and the Shore, R. 1941 (dt. u.d.T. Es begann an Bord, 1963, N o.J.); Marion alive, R. 1942 (dt. u.d.T. Marion lebt, 1943); Das weinende Land, R. 1943; Cahucho. Strom der Tränen (= Kautschuk = The Weeping Wood), R. 1943 (Nachdr. des 14. Kap. u.d.T. Amerikanisches Familienporträt, 1965, N 1975); Hotel Berlin '43, R. 1943 (dt. u.d.T. Hier stand ein Hotel, 1947, N u.d.T. Hotel Berlin, 1975); Mortgage on Life, R. 1946 (Erstdr. u.d.T. The Long Denial, dt. u.d.T. Verpfändetes Leben, 1963, N 1976); Schicksalsflug, R. 1947 (Erstdr. u.d.T. Beyond This Journey, N 1984); Headless Angel, R. 1948 (dt. u.d.T. Clarinda, 1949, N 1976); Die fremde Nacht, R. 1951; Die guten Dinge, R. 1951; Marion, Autobiogr. 1951 (N 1975); Vor Rehen wird gewarnt (= Danger from Deer), R. 1951 (N 1980); Kristall im Lehm (= The Mustard Seed = Das Senfkorn), R. 1953 (N 1970); Die Strandwache, Nn. 1953; Tiburion, N. 1956; Flut und Flamme (= Written on Water), R. 1956 (N 1974); Die Haie, R. 1956; Einsamer Weg, Hörsp. 1958; Theme of a Ballet, R. 1958 (dt. u.d.T. Die goldenen Schuhe. Roman einer Primaballerina, 1959 (N 1983); Es war alles ganz anders. Lebenserinn., 1962; Verpfändetes Leben, R. 1963; Kein Platz für Tränen, ? (N 1982).

Filme: Grand Hotel. Adaption of the novel Grand Hotel by V.B. Director E. Goulding. MGM, 1932; The Woman Accused. Based on the story by R. Hughes, V.B., Z. Grey, V. Delmar, I. S. Cobb, G. Atherton, J. P. McEvoy, U. Parrot, P. Banks, S. Kerr. Director P. Sloane. Paramount, 1933; I Give My Love. From a story by V.B. Director K. Freund. Universal, 1934; The Night is Young. Based on a story by V.B. Adaption by E. A. Woolf and F. Schulz. Director D. Murphy. Producer H. Rapf. MGM, 1935; Helene. French adaption of V.B.'s novel Helene Willfüer. Director J. Benolt-Lévy, 1938; The Great Waltz. Screen Play by S. Hoffenstein and W. Reisch. Screen Story G. Reinhardt. Contributer to screen play V.B. MGM, 1938; Dance Girl Dance. Screen play by T. Slesinger and F. Davis. Based on a story by V.B. Director D. Arzner. Producer E. Pommer. RKO Radio, 1940; Unfinished Business. Screen Play by E. Thackrey and G. La Cava. Contributer to screen play V.B. Producer and Director G. La Cava. Universal, 1941; Powder Town. Screen Play by D. Boehm. From an original idea by V.B. and the novel by M. Brand. Producer C. Reid. RKO Radio, 1941; Girl Trouble. Screen Play by L. Fodor and R. R. Crutcher. From an original story by L. Fodor, V.B. and G. Trosper. Director H. Schuster. Producer R. Bassler. Twentieth Century Fox, 1942; The Great Flammarion. Screen Play by A. Wigton, H. Herald and R. Weil. From a story by A. Wigton. Source »Big Shot«, a character created by V.B. Collier's Magazine. Director A. Mann. Producer W. Wilder. Republic, 1945; Hotel Berlin. Screen Play by J. Pagano and A. Bessie. From the novel by V.B. Director P. Godfrey. Producer L. Edelmann. Warner Brothers, 1945; Week-End at the Waldorf. Screen Play by S. and B. Spewack. Suggested by a play by V.B. Adaption by G. Bolton. Director R. Z. Leonard. Producer A. Hornblow jun. MGM, 1945; Honeymoon. Screen Play by M. Kanin. Based on a story by V.B. Director W. Keighley. Producer W. Duff. RKO Radio, 1949; She Returned at Dawn (Retour à l'aube). Scenario by P. Wolf. From a story by V.B. A French film directed by H. Decoin, 1947. A Woman's Secret. Screen Play and Producer H. J. Makiewicz. From the novel Mortgage on Life by V.B. RKO Radio, 1949; School for Love. Based on the novel by V.B. NTA Pictures (French) 1960.

NACHLASS: State Univ. of New York at Albany, Department Germanic Languages and Literatures (Slg.); New York Public Library at Lincoln Center (Manuskripte).

LITERATUR: *E. G. N.,* Unterhaltungsliteratur? [Die Karriere der Doris Hart]. In: Das Wort (Moskau) I (1936) 3, 86–88. *E. H. W.,* The Glyn Tradition [Die Karriere der Doris Hart]. In: NYTBR, 9. 8. 1936, 7 u. 15. *F. Erpenbeck,* Zwei Unterhaltungsromane [Die Karriere der Doris Hart u. W. Speyers ›Zweite Liebe‹]. In: Internationale Literatur VII (1937) 3, 141ff. Conquest in Bali [Liebe und Tod auf Bali]. In: LT XXXVI (1937) 909. Baneful News form Decay and Fall of Indies Eden Told by V.B. [Liebe und Tod auf Bali]. In: Newsweek XI (1938) 1, 28. *E. H. Walton,* V.B.s Stirring Tale of Bali. In: NYTBR, 2. 1. 1938, 7. *F. Woodward,* Smooth Brown Secrecy [Liebe und Tod auf Bali]. In: SRL XVII (1938) 10, 5. *R. A. Cordell,* Appointment in Shanghai [Hotel Shanghai]. In: SRL XX (1939) 15, 11f. *E. H. Walton,* Shanghai '37. In: NYTBR, 6. 8. 1939, 7.

B. Sherman, A New Garland of Stories about Christmas [The Christmas Carp]. In: NYTBR, 14. 12. 1941, 25. Ship's Company [The Ship and the Shore]. In: LTLS XL (1941) 485. *M. Hauser,* A Woman's Story [Marion]. In: NYTBR, 25. 1. 1942, 6f. *F. R.,* Zum letzten Roman von V.B. [Die große Pause]. In: California Staats-Zeitung, 21. 5. 1943. ›Editors‹ Choice ... Villain Rubber [Cahuchu, Strom der Tränen]. In: The Commonweal XXXIX (1943) 9, 233f. *N. B. Baker,* Jungle Gold [Cahuchu, Strom der Tränen]. In: NYTBR, 17. 10. 1943, 4. *E. Weeks,* The Weeping Wood [Cahuchu, Strom der Tränen]. In: Atlantic CLXXII (1943) 6, 139. *Ph.-L. Adams,* Hotel Berlin '43. In: Atlantic CLXXIII (1944) 6, 127. *L. Bell,* Hotel Berlin '43. In: Weekly Book Review, 2. 4. 1944, 6. *H. L. Reich,* Hotel Berlin '43. In: Book Week, 2. 4. 1944, 1. *C. V. Terry,* Marylynn & Co [Verpfändetes Leben]. In: NYTBR, 13. 10. 1946, 28. Headless Angel [Clarinda]. In: LTLS XLVII (1948) 2, 581. *I. Mallet,* Derring-Do [Clarinda]. In: NYTBR, 2. 5. 1948, 22.

J. Voiles, Danger from Deer [Vor Rehen wird gewarnt]. In: San Francisco Chronicle, 11. 2. 1951, 20. *Ch. Stephan,* V.B. in vielen Sätteln [Die große Pause]. In: Die Neue Zeitung (Berlin), 273, 23. 11. 1952, 13. *R. Lardner,* A Healer Comes to Hollywood [Kristall im Lehm]. In: NYTBR, 27. 9. 1953, 34. *F. C. Weiskopf,* Traum von der Stange [Die Karriere der Doris Hart]. In: Literarische Streifzüge. Betrachtungen, Rezensionen, Polemiken, Berlin-Ost 1956 (N in: F. C. W., Gesammelte Werke, Berlin-Ost 1960, Bd. VIII, 147–151). *S. P. Mansten,* Duly Noted [Flut und Flamme]. In: SRL XXXIX (1956) 50, 34. *R. Lardner,* Fight a Horse, Fight a Gale, Fight a Man [Flut und Flamme]. In: NYTBR, 18. 1. 1957, 26. *J. Christ,* Theme for Ballet [Die goldenen Schuhe]. In: NYTBR, 27. 7. 1958, 6.

Fool's Gold [Es war alles ganz anders]. In: Newsweek LXIII (1964) 3, 120. *B. Bergonzi,* ›I know What I'm Worth‹ and ›Nanking Road‹ [Es war alles ganz anders]. In: New Statesman LXVII (1964) 456. *G. Berglund,* V.B.: Hier stand ein Hotel. In: Dt. Opposition gegen Hitler in Presse und Roman des Exils. Eine Darstellung und ein Vergleich mit der hist. Wirklichkeit, 1972 (Stockholm), 255–63. *R. F. Bell,* V.B. In: Dt. Exillit. seit 1933. Kalifornien, Bd. 1, Tl. 1, 1976, 259ff. und Bd. 1, Tl. 2, 1976, 5ff. u. 156ff. (Ausf. Verz. der

Primärliteratur: Bücher, Zeitschriftenbeiträge, Interviews, Filme; der Sekundärliteratur: Zu Lebzeiten V.B.s verfaßte Artikel, Todesanzeigen, Rezensionen und kritische Literatur zu einzelnen Werken; Quellenkunde). *R. E. Ziegfeld,* The exile writer and his publisher: V.B. and Doubleday. In: Dt. Exilliteratur, 1981, 144–153. *U. Krechel,* V.B. Immer kam der nächste Roman. In: Bücher. Brigitte-Sonderheft Herbst 1983, 102–105. *J. Holzner,* Zur Ästhetik der Unterhaltungsliteratur im Exil am Beispiel V.B. In: *A. Stephan/ H. Wagener* (Hrsg.), Schreiben im Exil. Zur Ästhetik der deutschen Exilliteratur 1933–1945, 1985, 236–249.

Berens-Totenohl, Josefa (eigentl. Berens), * 30. 3. 1891 in Grevenstein im Sauerland, † 6. 6. 1969 in Meschede.
Tochter eines Schmieds. Die Mutter starb bei der Geburt. Wuchs bei schwerer Arbeit, ohne Bücher, aber vertraut mit Märchen und Sagen durch mündliche Überlieferung, bei den bäuerlichen Großeltern heran. Besuchte als Zwanzigjährige das Lehrerinnenseminar in Arnsberg und war ein Jahrzehnt als Lehrerin im Weserland tätig. Studierte nebenbei Malerei in Düsseldorf. Lebte seit 1923 als Malerin zunächst in Höxter-Godelheim, kehrte 1925 ins »Totenohl« an der Lenne zurück (daher der Namenszusatz). Schrieb hier ihre Romane ›Der Femhof‹ und ›Frau Magdlene‹, die im 14. Jahrhundert auf westfälischem Boden spielen. Sie gehören zu den literarischen Beispielen des Blut- und Bodenkults und stellen mütterliche Frauengestalten ins Zentrum. Erhielt dafür 1936 den westfälischen Literaturpreis. Nahm an der »Kulturarbeit« der NSDAP teil. Lebte später als Schriftstellerin in Gleierbrück (Lennestadt). Schrieb neben Romanen auch Gedichte, Märchen und Erzählungen.

Werke: Aus der Götteredda, 1933; Aus der Heldenedda, 1933; Mutzpeter, Märchen 1933; Der Femhof, R. 1934; Frau Magdlene, R. 1935 (beide Re. 1958 u.d.T. Die Leute vom Femhof); Das schlafende Brot, G. 1936; Eine Dichterstunde, 1937 (Auszug aus den Werken); Die Frau als Schöpferin und Erhalterin des Volkstums, Rede 1938; Einer Sippe Gesicht, Ep. 1941; Im Elternhaus. In: Die neue Lit. 11(1942); Der Fels, R. 1943; Heimaterde, 1944 (Auszug aus den Werken); Im Moor, R. 1944; Der Alte hinterm Turm, E. 1949; Die Stumme, R. 1947; Die goldenen Eier, Märchen, 1949; Das Gesicht, 1950; Die Liebe des Michael Rother, N. 1951; Westfalen. Land der roten Erde, Bildbd. 1956; Die heimliche Schuld, R. 1960.

Nachlass: Westfälisches Lit. Archiv Hagen (Teilnachlaß).

Literatur: *A. Aulke,* J.B.-T. In: Sauerländischer Gebirgsbote (1941) 3. *E. Starkloff,* J.B.-T. In: Berliner Börsen-Ztg. 1941, 150/1. *K. Ziesel,* J.B.-T. In: Die Lit., Sept. 1941. *F. Lennartz,* J.B.-T. In: Ders., Dt. Dichter und Schriftsteller, 8. erw. Aufl. 1959, 56f. *R. v. Heydebrand,* Literatur in der Provinz Westfalen, 1983, 206ff.

Bernhardi, Sophie, * 1775 in Berlin, † 1. 10. 1833 in Reval.
Ihr Vater war der Seiler Johann Ludwig Tieck. Wuchs im engen Anschluß an ihre beiden Brüder auf, den Schriftsteller Ludwig Tieck (1773–1853) und den Bildhauer Friedrich Tieck (1776–1851). Vor allem der ältere Bruder Ludwig unterstützte ihre literarischen Interessen und Arbeiten. Erste Veröffentlichungen erfolgten anonym in der von ihm hrsg. Erzählsammlung ›Straußfedern‹. Nach der Eheschließung Ludwigs 1798 heiratete sie ein Jahr später seinen Freund und ehemaligen Lehrer, August Ferdinand Bernhardi, Direktor des Friedrich Werderschen Gymnasiums in Berlin. Drei Söhne. 1804 trennte sich Sophie von ihrem Mann (Scheidung 1807). Weiter literarisch tätig. Freundschaftliche Beziehung zu August Wilhelm Schlegel (1767–1845) und dem baltischen Gutsbesitzer Karl Gregor von Knorring (1769–1837). 1805 gemeinsame Reise mit Bruder Ludwig nach Rom. 1807 Reise über München und Prag nach Wien (1808). Von dort gemeinsam mit dem Bruder Ludwig nach München, wo beide drei weitere Jahre wohnten. Das Verhältnis zwischen den Geschwistern blieb nicht ohne Spannungen. S. B. wandte sich dem jüngeren Bruder Friedrich zu. 1810 Heirat mit Knorring und zwei Jahre später Übersiedlung auf dessen Landgut Arroküll in Estland. 1820 Aufenthalt in Heidelberg. Letztes Treffen mit dem ihr entfremdeten Bruder Ludwig in Dresden. Rückkehr 1822 nach Estland auf das Familiengut Erwita. Briefkontakt bestand nur noch mit dem Bruder Friedrich.
S. B. beteiligte sich an den Zeitschriften der Romantiker und schrieb u. a. einen Roman, Märchen und romantische Schauspiele. Ihr 1805 begonnenes romantisches Gedicht ›Flore und Blancheflur‹ gehört zu den in Romantikerkreisen beliebten Neubearbeitungen mittelalterlicher Dichtung. Ihren zweiten Roman, den sie vergeblich dem Verleger Brockhaus angeboten hatte, gab Ludwig Tieck nach ihrem Tod heraus.

Werke: Erzählungen. In: Straußfedern (1795–1798) Nr. 25, 26, 28, 29 (Tl. 6), Nr. 32 (Tl. 7). Die vernünftigen Leute, Lustsp. In: Bambocciaden, 2. Tl. [Berlin] 1799; (u. d. N. ihres Mannes:) Bambocciaden, 3. Tl. (mit Ausn. Nr. 5), [Berlin] 1800; Julie St. Albain, R. 2 Tl. 1801; Wunderbilder und Träume, in elf Mährchen, 1802; Dramatische Fantasien, drei romantische Schausp., 1804; (zus. mit Pellearin [d.i. Fr. Bar. de la Motte Fouqué]:) Schillers Todtenfeier, ein Prolog, 1806; Donna Laura, Lustsp. (im Druck erschienen?); Egidio und Isabelle, Trauersp. In: Dichter-Garten von Rostorf [d.i. K. C. A. von Hardenberg], 1807; Flore und Blancheflur. Romantisches Gedicht in zwölf Gesängen. Hrsg. und mit Vorrede begleitet von A. W. Schlegel, 1822. Beiträge veröffentlicht in: A. W. Schlegels und L. Tiecks Musenalmanach, 1802 (zwei Gedichte); Athenäum v. A. W. und F. Schlegel, 2tes Stück (Lebensansicht); Berliner Archiv der Zeit und des Geschmacks (einige Theaterkritiken); Raßmanns Sonette der Deutschen, Bd. II, 309 (Klagen); Europa v. F. Schlegel (Gedichte).
Veröff. a. d. Nachlass: Evremont. R. Hrsg. v. Ludwig Tieck, 1836, verb. Aufl. 1845; J. Trainer, Sophie an Ludwig Tieck: neu identifizierte Briefe. In: Jb. der Dt. Schillergesellschaft 24(1980), 162–181.
Nachlass: Staatsbibliothek Preußischer Kulturbesitz, Berlin.
Bibliographie: J. F. von Recke u. K. E. Napiersky, Allgemeines Schriftsteller- und Gelehrtenlexikon der Provinzen Livland, Esthland und Kurland, 1966 (photomechan. Reprodruck der Ausg. v. 1829), Bd. 2, 468 f. (Verzeichn. der Werke).

Literatur: S.B. In: *C.W.O.A. von Schindel,* Die deutschen Schriftstellerinnen des 19. Jh., Bd. 1, 1823, 257f. (u.d. N.S.v. Knorring); *Hettner,* S.B. In: ADB II. *H. Gross,* S.B. In: H.G., Deutschlands Dichterinnen und Schriftstellerinnen, ²1882, 36f. *K. Goedeke,* Grundriß zur Geschichte der deutschen Dichtung 6, ²1898, 46. *M. Breuer,* S.B. geb. Tieck als romantische Dichterin. Ein Beitrag zur Geschichte der deutschen Romantik (Diss. Tübingen), 1914. *R. Kaulitz-Niedeck,* Eine Romantikerin im Baltenlande. In: Baltische Monatshefte 12(1933); *J. Körner,* Krisenjahre der Frühromantik, I, 1936 (Briefwechsel), III, 1958 (Anm.). *G. Bianquis,* Amours romantiques en Allemagne. In: La Revue de Paris LXVIII (1961) décembre, 84–100 [zu Caroline Schelling, Sophie Bernhardi, geb. Tieck]. *J. Trainer,* Anatomy of a debt: Friedrich ›Maler‹ Müller and the Tiecks. With unpublished correspondence. In: Oxford German Studies [Oxford] 11(1980), 146–177.

Beutler, Margarete, * 13. 1. 1876 in Gollnow (Pommern), † 3. 6. 1949 in Gammertingen b. Tübingen.

Der Vater, ein ehemaliger Hauptmann, war Bürgermeister in Gollnow. Die Eltern übersiedelten später nach Berlin. M.B. besuchte dort das Lehrerinnenseminar. 1897 veröffentlichte sie erste Gedichte und Prosastücke im ›Simplicissimus‹. 1902 erschien ihr erster vielbeachteter Gedichtband. Geburt eines Sohnes. Um 1903 übersiedelte sie nach München und arbeitete als Redakteurin an der Zeitschrift ›Jugend‹. Heirat mit dem Schriftsteller Kurt Friedrich-Freksa (1882–1955). Ein Sohn. War befreundet mit Christian Morgenstern, Wedekind, M. G. Conrad und G. Hirth. Entschied sich nach Machtergreifung der Nazis gegen einen Beitritt zur Reichsschrifttumskammer und verzichtete damit auf weitere Veröffentlichungen.

Lyrikerin, Dramatikerin, auch Erzählerin und Übersetzerin aus dem Französischen. Soziale und zeitkritische Thematik; Auseinandersetzung mit Problemen des »modernen« Frauenlebens.

Werke: Gedichte, 1902, 1903; Neue Gedichte, 1908; Leb wohl, Boheme! Ein Gedichtbuch, 1911; Das Lied des Todes, Versdr., 1913; (Hrsg.) J. J. Chr. v. Grimmelshausen, Trutz-Simplex oder Ausführliche und wunderseltsame Lebensbeschreibung der Erzbetrügerin und Landstörzerin Courage, 1921; unveröff.: Schwabinger Legenden; Die Kätterle von Leonberg, Theaterst.; Das Lächeln der Frau Li, Theaterst.; Kindheit, autobiogr. Prosa; An der Ehe Narrenseil, R.

Übersetzungen: Clement Marots Epigramme, 1908; Molière, Dramen; Beaumarchais, Dramen.

Literatur: *A. Soergel/C. Hohoff,* Dichtung und Dichter der Zeit. Vom Naturalismus bis zur Gegenwart, 1. Bd. 1964, 300f. *Kosch* III (fehlerhaft).

Binzer, Emilie von (geb. von Gerschau, Ps. Ernst Ritter), * 6. 4. 1801 in Berlin, † 9. 2. 1891 in München.

Lebte längere Zeit bei der Herzogin Dorothea von Kurland, später in Wien, Aussee, Linz und in der Steiermark. Heiratete 1822 den Schriftsteller August Daniel von Binzer (1793–1868). Bekannt mit Stifter und Grillparzer. Freundin des Schriftstellers Joseph Christian Frhr. von Zedlitz-Nimmersatt (1790–1862), den sie während seiner letzten Krankheit bis zum Tod pflegte. – Dramatikerin und Erzählerin. Ihre Dramen wurden am Wiener Burgtheater aufgeführt.

WERKE: Williams Dichten und Trachten, Dr. o.J.; Die Gauklerin, Dr. o.J.; (MA:) Erzählungen und Novellen, 3 Bd. 1836; Mohnkörner, En. 2 Bd. 1846 (Inhalt: Das Schloß; Gerhardine; Die Verlobung; Ulysses; Herbstwochen am See); Karoline Neuber, Dr. 1847; Erzählungen, 2 Bd. 1850 (Inhalt: Der Gelehrte; Ein Jugendabenteuer; Meine alte Wärterin; Das Falkenmädchen; Die Reise nach Karlsbad; Wolan, der Töpfer; Der Ring); Charaktere, En. 1855; Ruth, Dr. 1868; Drei Sommer in Löbichau. 1819–21, 1877.

LITERATUR: E.v.B. In: H. Groß, Deutschlands Dichterinnen und Schriftstellerinnen. Eine literarhistorische Skizze, [2]1882, 122. *J. Bindtner,* Eine Freundin A. Stifters: E.v.B. In: Der Wächter 6(1923). *G. Wilhelm,* Aus dem Briefwechsel des Kaisers Maximilian von Mexiko mit E.v.B. In: J. Buchowiecki, A. Stifter im Briefwechsel der E.B. mit ihren Freunden. In: A. Stifter-Institut 8(1959). *T. Pistulka,* E.v.B. Leben und Werk, Diss. Graz 1967 (Masch.). *T. Zacharasiewicz,* Die Dichterin E.v.B. und der Linzer Kulturkreis der Stifterzeit. In: Hist. Jb. der Stadt Linz, 1976/77, 79ff.

Blüthgen, Clara (geb. Kilburger, verh. Eysell-Kilburger), * 25. 5. 1856 in Halberstadt, † 24. 1. 1934 in Berlin.

Einziges Kind einer Fabrikantenfamilie. Erhielt eine sorgfältige Erziehung. Heiratete 1875 Dr. A. Eysell, von dem sie sich nach 1½ Jahren wieder trennte. Seit 1879 Ausbildung in Berlin und Düsseldorf zur Porträtmalerin. Folgte dann ihren journalistischen und literarischen Neigungen. Wurde Mitarbeiterin bei verschiedenen Zeitungen und Journalen, in denen sie u.a. Kunst- und Modeberichte, Reisebriefe, humoristische Lokalplaudereien, sowie kurze Novellen veröffentlichte. Ihren besonderen Sinn für Humor und ihr Talent für die humoristische Produktion hatte sie, eigenem Urteil nach, von der Mutter geerbt. War drei Jahre lang Mitarbeiterin in der Redaktion der ›Illustrierten Frauenzeitung‹ und der ›Modenwelt‹ in Berlin. Seit ihrer Heirat 1889 mit dem Dichter und Redakteur Viktor Blüthgen (1844–1920) in Freienwalde a.d. Oder ansässig. Weiterhin vielfältige literarische Arbeiten (Romane, Novellen, Dramen, Schwänke, Gedichte).

WERKE: Aus der Art geschlagen, Nn. 1893; Gute Kameraden. Das weiße Kleid. Frau Hedwig. Im Sonnenschein. Illusion perdue. Die Ichform, Nn. 1897; In Seeleneinsamkeit, G. 1897(1898); Tintentropfen. Aphorismen, 1898;

(MA:) Hand in Hand, Nn. 1899; Meine Frau hintergeht mich, Schwank 1901; Frauenehre. Zwischen Gräbern. Nur eine Episode. Nn. 1901; Liebesleute, Nn. 1901; Wenn die Flocken fallen, Dr. 1902; Im Sonnenschein, Lustsp. 1902; Das böse Buch. Moderne Skizze, 1902; Dilettanten des Lasters, R. 1902; Klänge aus einem Jenseits. Ein Mysterium, G. 1902; Geburtstagsvorbereitungen. Dramat. Plauderei, 1903; Wenn die Schatten wachsen, R. 1903; Vom Baume der Erkenntnis, Nn. 1904; Brillanten und andere heitere Geschichten, Nn. 1904; Zwischen zwei Ehen, R. 1905; Königin der Nacht, Nn. 1906; Dreiklang, Nn. 1907 (Inhalt: Caprize. Die Vorgängerin im Reich. Der Kommende); Neue Gedichte, 1907; Spätsommer. Stiefmama, 2 Nn. 1909; Kathia, R. 1909; Heimkehr, Dr. 1910; Am Tage der goldenen Hochzeit, Dr. 1910; Die große Neugier, Dr. 1912; Herrenloses Gut, R. 1912; Flieger, Dr. 1913; (MA:) Hinter der Front, G. 1916; Frauenlaune, N. 1917; Der Kommende, 1917; Aus der Jugendzeit. Erinnerungen, 1919; Prinzeß Lolotte, R. 1919; Träumelinchen, R. 1919; Meine fixe Idee und andere Geschichten, 1919; Yolanthe Galiardi, R. 1920; Schlösser im Monde, R. 1920; Eine Stimme aus dem Jenseits, Nn. 1921; Eine Versuchung, N. 1921; Hell-dunkel, Nn. 1921; Das macht die Liebe, Liebesgesch. 1921; Götzendienst, R. 1922; Menschenschicksal, R. 1924; Die große Umschichtung, R. 1925; Morphium, R. 1929.

Böhlau, Helene, * 22. 11. 1859 in Weimar, † 26. 3. 1940 in Widdersberg bei Herrsching/Ammersee.

Tochter der Therese geb. Thon und des Verlagsbuchhändlers Hermann Böhlau. Erhielt eine sorgfältige Erziehung durch Privatunterricht. Vertiefte ihre Bildung auf Reisen innerhalb Deutschlands sowie nach Italien. Veröffentlichte seit 1882 Novellen und Romane. Der sich einstellende Erfolg nahm auch die anfangs skeptischen Eltern für ihre schriftstellerische Arbeit ein. Lernte auf einer Reise durch den Orient den Architekten und Privatgelehrten Friedrich Arndt kennen, der, um sie als zweite Frau heiraten zu können, vom jüdischen Glauben zum Islam übertrat und sich von da an Omar al Raschid Bey nannte. Nach der Hochzeit 1886 lebte das Ehepaar zunächst in Konstantinopel, später in München. Ein Sohn. Nach dem Tod ihres Mannes 1910 wohnte H. B. in Ingolstadt und München.

Gehörte zu ihrer Zeit zu den bedeutendsten Schriftstellerinnen. Wurde vor allem bekannt durch ihre humorvollen Geschichten aus der Altweimarer Vergangenheit und ihre vom Naturalismus beeinflußten gesellschaftskritischen Romane, in denen sie sich für die Rechte der Frauen einsetzte (›Der Rangierbahnhof‹, ›Das Recht der Mutter‹, ›Halbtier!‹). H. B. erhielt den Preis der Deutschen Schillerstiftung.

WERKE: Novellen, 1882 (N u. d. T. Salin Kaliske, 1902; Inhalt: Im Banne des Todes; Salin Kaliske; Maleen); Der schöne Valentin. Die alten Leutchen, 2 Nn. 1886; Reines Herzens schuldig, R. 1888; Herzenswahn, R. 1888; Rathsmädelgeschichten, 1888; Im Trosse der Kunst und andere Novellen, 1889; In frischem Wasser, R. 2 Bd. 1891; Der Rangierbahnhof, R. 1896; Das Recht der Mutter, R. 1896; Altweimarische Liebes- und Ehegeschichten, 1897; Ratsmädel- und Altweimarische Geschichten, 1897; Das alte Rödchen bei Weimar. Das ehrbußliche Weibchen, 2 Nn. 1897; Die verspielten Leute. Des Zuckerbäckerlehrlings Johannisnacht, 2 Nn. 1897; Verspielte Leute, R. 1898; Schlimme Flitterwochen, Nn. 1898; Glory, Glory Hallelujah, R. 1898; Das Brüller Lager, R. 1898; Halbtier!, R. 1899; Philister über dir!, Schausp. 1900; Sommerbuch. Altweimarische Geschichten, 1903; Die Kristallkugel. Eine Altweimarische Geschichte, 1903; Sommerseele. Muttersehnsucht, 2 Nn. 1904; Die Ratsmädchen laufen einem Herzog in die Arme, 1905; Das Haus zur Flamm', R. 1907; Kußwirkungen, E. 1907 (Auszug aus: Ratsmädel- und Altweimarische Geschichten); Isebies, R. 1911; (Hrsgin.) Omar al Raschid Bey, Das hohe Ziel der Erkenntnis, 1912; Gudrun, 1913; Der gewürzige Hund, R. 1916; Ein dummer Streich, 1919; Im Garten der Frau Maria Strom, R. 1922; Die Ratsmädel gehen einem Spuk zu Leibe, E. 1923 (Auszug aus: Ratsmädel- und Altweimarische Geschichten); Die leichtsinnige Eheliebste. Ein Liebeswirrwarr, R. 1925; (MA:) Die Teufelsmauer, 1927; Die kleine Goethemutter, R. 1928; Kristine, R. 1929; Böse Flitterwochen, R. 1929; Eine zärtliche Seele, R. 1930; Föhn, R. 1931; Spuk in Alt-Weimar, E. 1935 (Auszug aus: Ratsmädel- und Altweimarische Geschichten); Die drei Herrinnen, R. 1937; Goldvogel, E. 1939; Jugend zu Goethes Zeit, 1939.

WERKAUSGABEN: Ges. Werke, 9 Bd., 1929.

LITERATUR: *A. Schapiro,* B.'s ›Halbtier‹. In: Die Neue Zeit. Wochenschrift d. dt. Sozialdemokratie 18(1900) 20. *A. Soergel,* H.B. In: Dichtung und Dichter der Zeit, 1911, 309ff. *F. Zillmann,* H.B., 1919. *R. Voss,* H.B. In: R.V., Aus einem phantastischen Leben. Erinnerung, 1920. *R. M. Meyer,* H.B. In: H. Bieber (Hrsg.), Die dt. Lit. des 19. u. 20. Jhs., 1921, 550ff. *K. Martens,* H.B. In: K.M., Schonungslose Lebenschronik, Tl. 2, 1921–24. *G. Witkowski,* H.B.'s Selbstbildnis. In: Miniaturen, 1922, 233ff. *E. v. Wolzogen,* H.B. In: E.v.W., Wie ich mich ums Leben brachte. Erinnerungen und Erfahrun-

gen, 1923. *H. Naumann,* H.B. In: Die dt. Dichtung der Gegenwart, 1924, 174ff. Echo der Zeitungen zu H.B.'s 70. Geburtstag. In: Das lit. Echo 32(1929/30). *W. Salewski,* H.B. In: Bücherei und Bildung. Fachzs. d. Vereins dt. Volksbibliothekare 11(1931). *A. Nuri,* H.B., der Roman ihres Lebens, 1933. *F. Graetzer,* Dank an H.B. In: Köln. Zeitung (1934) 592. *T. Lessing,* H.B. In: T.L., Einmal und nie wieder, 1935, 291ff. *P. Fechter,* H.B. In: Die dt. Lit. vom Naturalismus bis zur Lit. d. Unwirklichen, 1938, 350ff. *E. R. Weihing,* H.B. In: E.R.W., Ethical aspects of the modern Frauen-Entwicklungsroman in Germany. In: Univ. of Minnesota Summaries of Ph. D. Theses 3(1949). *H. Schwerte,* H.B. In: NDB 1955. *M. Langenbucher Rowe,* A typology of women characters in the German naturalist novel, Diss. Rice Univ. 1981 (DA 42. 1981/82, 2, 721 A). *A. B. Petersen,* »Macht etwas Ganzes aus ihr.« Eksemler på den tyske kvindeutviklingsroman i slutningen af det 19. århundrede. In: Udviklingsromanen – en genres historie [Odense] 1982, 317–335 u. 442–443. *C. Katzmaier,* Die Frau als Naturwesen – eine Entmythifikation. Zur Wandlung des Naturbegriffes am Beispiel des emanzipatorischen Frauenromans am Ende des 19. Jh. In: Frauen sehen ihre Zeit. Katalog zur Literaturausstellung, 1984, 54–61.

Böhme, Margarete (geb. Feddersen, Ps. Ormános Sandor), * 8. 5. 1869 in Husum, † Mai 1939 in Hamburg-Othmarschen.

Journalistische Tätigkeit als Berichterstatterin norddeutscher und österreichischer Zeitungen. Heiratete 1894 den früheren Zeitungsverleger Th. Böhme in Boppard/Rhein. Eine Tochter. Widmete sich seitdem vorwiegend der Romanschriftstellerei. Wohnte seit 1902 in Berlin-Friedenau. Trennte sich von ihrem ersten Ehemann und heiratete später den Fabrikanten Theodor Schlüter. Aufsehen erregte sie durch ihr Werk ›Tagebuch einer Verlorenen‹, das 1905 erschien und bis 1910 eine Auflage von 160000 erreichte (verfilmt 1929).

WERKE: Im Irrlichtschein, R. 1903; Zum Glück, R. 1903; Wenn der Frühling kommt ..., R. 1904; Fetisch, R. 1904; Abseits vom Wege, R. 1904; Tagebuch einer Verlorenen, R. 1905; Die grünen Drei, R. 1905 (N u.d.T. Anna Nissens Traum 1913); Des Gesetzes Erfüllung, R. 1906; Die graue Straße, R. 1906; Johann, Sk. 1906; Dida Ibsens Geschichte. Ein Finale zum ›Tagebuch einer Verlorenen‹, R. 1907; Apostel Dodenscheit. Briefe an eine Dame, 1908; Rheinzauber, R. 1909; W.A.G. M.U.S., R. 1911; Im weißen Kleide, R. 1912; Christine Immersen, R. 1913; Das Telegramm aus Meran, R. 1913; Sarah von Lindholm, R. 1914; Treue, 1914; Kriegsbriefe der Familie Wimmel, 1915; Siebengestirne, R. 1915; Herzensirren, R. 1917; Lukas Weidenstrom, R. 1918; Millionenrausch, 1919; Die grüne Schlange, R. 1920; Frau Ines' Firnenwanderung, R. 1922; Die goldene Flut, R. 1922; Marianne Wendels Leidensgang, R. 1922; Meine Schuld, meine große Schuld. Bekenntnisse einer armen Sünderin, R. 1922; Narren des Glücks, R. 1923; Roswitha, R. 1923; Frau Bedfords Tränen, R. 1924; Die Maienschneider, R. 1925.

Bölte, Amely (eigentl. Amalie), * 6. 10. 1811 in Rhena/Mecklenburg-Schwerin, † 15. 11. 1891 in Wiesbaden.

Tochter der Amalie geb. Tarnow und des Johann Christoph Bölte, Bürgermeister in Rhena. Zwölf Geschwister. Erhielt Privatunterricht. Seit ihrem 11. Lebensjahr wiederholte Aufenthalte bei ihrer Tante, der Schriftstellerin Fanny → Tarnow, im Seebad Doberan. Verlobte sich mit 15 Jahren. Löste die Verlobung aber nach 2 Jahren auf, die sie bei der Tante in Güstrow verbracht hatte. Inzwischen war der Vater gestorben,

der ihre Verehelichung gewünscht hatte, damit sie kein »gelehrtes Frauenzimmer« wie die Tante würde. Um selbständig zu sein, entschloß sie sich, Erzieherin zu werden. Hatte ab 1828 eine Stellung bei dem Kammerherrn von Könnenmann auf Pritzier, wo sie nicht nur unterrichtete, sondern auch ihre eigene Bildung vervollständigte. Mit dem dort ersparten Geld reiste sie 1839 nach England, um die englische Sprache zu erlernen. Verkehrte in London im Hause des Schriftstellers Thomas Carlyle. Übersetzte Romane vom Englischen ins Deutsche (für die erste längere Romanübersetzung erhielt sie 20 Taler) und später auch vom Deutschen ins Englische. Gleichzeitig begann sie eigene Novellen und Romane zu verfassen. Durch Vermittlung Varnhagens von Ense (der eine von ihr mit männlichem Verfassernamen unterzeichnete Novelle dem Verlag Cotta anbot) wurde sie Mitarbeiterin des im gleichen Verlag erscheinenden ›Morgenblatts‹. Berichterstatterin auch für andere deutsche Blätter. Kehrte 1852 nach Deutschland zurück. Zunächst Aufenthalt in Dresden. Kam dort mit den Schriftstellern Auerbach und Gutzkow zusammen. Reiste 1866 nach Paris und Rom. Wohnte vorübergehend auch in Karlsruhe und ab 1879 bis zu ihrem Tod in Wiesbaden.
Schilderte in ihren ersten Werken das Gesellschaftsleben der höheren Stände Englands. Schrieb dann »im Stile des sog. Gouvernantenromans der Engländerin Currer Bell [Charlotte Brontë]« (L. Fränkel). Bevorzugte später die Form des biographischen und des historischen Zeitromans. R. Gottschall zählt sie in seiner Literaturgeschichte (^{4}1875) zu den gesellschaftskritischen Autorinnen. A.B. setzte sich für die Emanzipation der Frau ein, insbesondere für die Verbesserung der Situation arbeitender und unversorgter Frauen.

WERKE: Luise, oder: Die Deutsche in England, E. 1846; Erzählungen aus der Mappe einer Deutschen in London, 1848; Visitenbuch eines deutschen Arztes in London, 2 Bd. 1852; Eine deutsche Palette in London, E. 1853; Männer und Frauen, Nn. 2 Bd. 1854; Das Forsthaus, R. 1855; Eine gute Versorgung, R. 2 Bd. 1856; Liebe und Ehe, En. 1857; Frau von Staël, R. 3 Bd. 1859; Maria Antonia, oder: Dresden vor 100 Jahren, Zeitbild, 1860; Winkelmann, oder: Von Stendal nach Rom, kulturhist. R. 3 Bd. 1861; Juliane von Krüdener und Kaiser Alexander. Zeitbild, 1861; Vittorio Alfieri und seine vierte Liebe, oder: Turin und Florenz, hist. R. 2 Bd. 1862; Frauenbrevier, 1862; Harriet Wilson, R. 1862; Moderne Charakterköpfe, 3 Bd. 1863; Franziska von Hohenheim. Eine morganatische Ehe, R. 2 Bd. 1863; Die Mantelkinder, R. 2 Bd. 1864; Der Edelhof, Schausp. 1865; Fanny Tarnow. Ein Le-

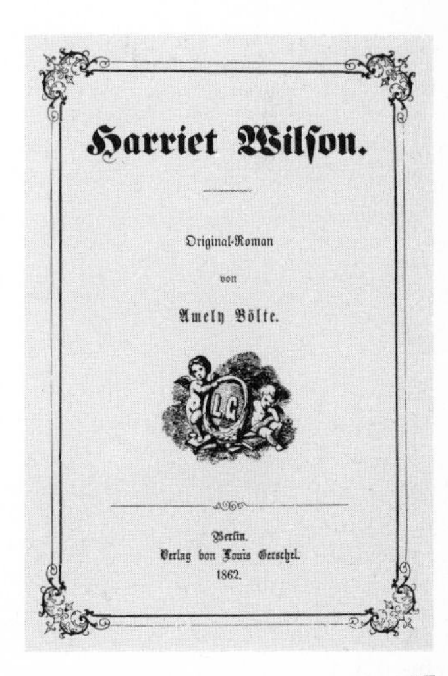
Harriet Wilson.

Original-Roman

von

Amely Bölte.

Berlin.
Verlag von Louis Gerschel.
1862.

bensbild, 1865; Weiter und weiter, R. 1867; Die Welfenbraut, R. 1867; Streben ist Leben, 3 Bd. 1868; Prinzessin Wilhelmine von Preußen, hist. R. 1868; Ein Thron und kein Geld, R. 2 Bd. 1869; Sonnenblume, N. 1869; Die Töchter des Obersten, R. 2 Bd. 1872; Elisabeth, oder: Eine deutsche Jane Eyre, R. 2 Bd. 1873; Wohin führt es?, R. 2 Bd. 1874; Neues Frauenbrevier, 1876; Die Gefallene, E. 1882.

LITERATUR: *L. Fränkel,* A.B. In: ADB XLVII. *L. Morgenstern,* A.B. In: Die Frau des 19. Jh., 2. Bd. 1889, 124ff. *A. Behrens,* Studien zu A.B.'s Briefen aus England an Varnhagen von Ense (1844–1858), Diss. Marburg 1954.

Boy-Ed, Ida, * 17. 4. 1852 in Bergedorf bei Hamburg, † 13. 5. 1928 in Travemünde. Tochter der Friedericia A. P. Seltzau und des Verlegers und Buchdruckers Christoph Marquard Ed.

Lebte seit 1865 in Lübeck. Ihr Vater unternahm weite Reisen mit ihr. Heiratete 1869 (1870) den hanseatischen Großkaufmann Carl Joh. Boy. Vier Kinder. Da wegen ihrer schriftstellerischen Tätigkeit Auseinandersetzungen mit ihrem Mann und dessen Familie stattfanden, ging sie ein Jahr nach Berlin, um die Ernsthaftigkeit und Notwendigkeit ihrer Arbeit deutlich zu machen. Kehrte danach wieder zur Familie zurück. Ihr Lübekker Haus wurde später ein Zentrum des geistigen Lebens der Hansestadt.

Erzählerin; zu ihrem umfangreichen Werk gehören holsteinische Dorfgeschichten, Darstellungen des hanseatischen Bürgerlebens, »Frauenromane« und Biographien der Charlotte von Kalb, Charlotte von Stein und Germaine de Staël.

WERKE: Ein Tropfen, N. 1882; Getrübtes Glück, N. 1883; Männer der Zeit, R. 3 Bd. 1884; Seine Schuld, R. 2 Bd. 1885; Dornenkronen, R. 1886; Abgründe des Lebens, Nn. 1887; Masken, R. 1887 (Neue Bearb. u. d.T. Die Glücklichen, 1916); Ich, R. 1888; Fanny Förster, R. 1889; Eine Lüge?, R. 1889; Nicht im Geleise, R. 2 Bd. 1890; Aus Tantalus' Geschlecht, R. 2 Bd. 1891; Malergeschichten. Psychologische Studien, 1892; Lea und Rahel, R. 1892; Empor, R. 1892; Ein Kind, N. 1892; Zuletzt gelacht und andere Noveletten, 1893; Sturm, Nn. 1894; Sieben Schwerter, R. 1894; Die Schwester, R. 1894; Werde zum Weib, R. 2 Bd. 1894; Novellen, 1894; X, R. 1896; Hermione von Preuschen und Konrad Telmann, Ninfa, 3 Nn. [?] 1895; Die Lampe der Psyche, R. 1896; Nichts, R. 1897; Eine reine Seele, R. 1897; Ein kritischer Moment. Eine Kreuzträgerin, Nn. 1897;

Die Sünderin, R. 1898; Die Flucht, R. 1898; Zwei Novellen, 1898; Die Schuldnerin, R. 1899; Zwei Männer, R. 1899; Nur ein Mensch, R. 1900; Um Helena, R. 1901; Aus einer Wiege. Roman aus dem hanseatischen Familienleben, 1901; Die säende Hand, R. 1902; Das ABC des Lebens, R. 1903; Gesina. Erdrückt, Nn. 1903; Die große Stimme, Nn. 1903 (Inhalt: Die große Stimme; Der Dorfdiplomat; Treulose Treue; Nur im Kreise; Eine Brutalität; Das letzte Wort; Die Moral ist gerettet; Ein Testament; A.; Ein Handel); Ketten, R. 1904; Heimkehrfieber. Roman aus dem Marineoffiziersleben, 2 Bd. 1904; Der Festungsgarten, R. 1905; Eine Wohltat, R. 1906; Um ein Weib, R. 1906; Die holde Törin, R. 2 Bd. 1907; Fast ein Adler, R. 1907; Ein Echo, R. 2 Bd. 1908; Der Mutter Fluch. Dorfgeschichte, 1908; Die Kadettenmutter und andere Marine-Erzählungen, 1909; Geschichten aus der Hansestadt, 1909; Nichts über mich!, R. 1909; Ein königlicher Kaufmann, R. 1910; »Nur wer die Sehnsucht kennt ...«, R. 1911; Hardy von Weinsbergs Leidensgang, 2 Bd. 1911; Charlotte von Kalb. Eine psychologische Studie. »Das heißt: Ich bin kein ausgeklügelt' Buch, ich bin ein Mensch in seinem Widerspruch«, 1912; Ein Augenblick im Paradies, R. 1912; Eine Frau wie Du!, R. 1913; Stille Helden, R. 1914; Vor der Ehe, R. 1914; Des Vaterlands Kochtopf. Allerlei Rezepte für Küche und Herz in kriegerischen Tagen, 1915; Jugenderinnerungen, in: Als unsere großen Dichterinnen noch kleine Mädchen waren, v. I. B.-E., H. Dohm u. a., o. J.; Selbsterlebtes, in: Aus dem Jugendland. Selbsterlebtes, erzählt v. L. Fulda, K. Rosner, A. Wildbrand, I. B.-E., H. Dohm, D. Biebia, 1915; Das Martyrium der Charlotte von Stein. Versuch ihrer Rechtfertigung, 1916; Alter Haß und alte Liebe, En. 1916; Die Opferschale, R. 1916; Erschlossene Pforten, R. 1917; Die Stimme der Heimat, R. 1918; Des Freundes Weib, 1918; Mit tausend Masten, R. 1919; Glanz, R. 1920; Der Theoretiker und andere Novellen, 1920; Germaine von Staël, Biogr. 1921; Brosamen, N. 1922; Annas Ehe, R. 1923; Harte Probe, R. 1923; Das spärliche Brünnlein. Novellen aus der Biedermeier Zeit, 1924; Das Eine, R. 1925; Aus alten und neuen Tagen, Nn. 1926; Gestern und Morgen, R. 1926; Mein ist die Rache. Geschichte aus der Hansestadt, 1931.

VERÖFF. A. D. NACHLASS: Erinnerungen, in: Velhagen & Klasings Monatshefte, 43(1928), 457–59.

LITERATUR: *J. Havemann,* I. B.-E. In: Gesch. der schönen Lit. in Lübeck, 1926. *F. Endres,* I. B.-E. In: Dt. Biogr. Jb. 10(1931), 24. *H. Heyen,* I. B.-E., die Hanseatin. In: Der Volksbote. Illustriertes Sonntagsblatt des Lübecker Volksboten vom 9. 5. 1936. *H. Ewers,* Die große Ida. In: H. E., Lübeck, 1948. *F. Endres,* Bei I. B.-E. In: Lübecker Bl. 86(1950). *E. Alker,* I. B.-E. In: NDB 1955. *A. Bock,* Eine Erinnerung an I. B.-E. In: Der Wagen. Ein Lübecker Jb. (1961), 96–99. *T. Mann,* Briefe an O. Grauthoff 1894–1901 und I. B.-E. 1903–1928, 1975.

Brachmann, Karoline Louise (Ps. Klarfeld, Sternheim, Louise B.), * 9. 2. 1777 in Rochlitz/Sachsen, † 17. 9. 1822 in Halle/Saale.

Tochter der Friederike Louise geb. Vollhard und des Christian Paul Brachmann. Der Vater war Kreissekretär in Rochlitz, später in Döbeln, Cölleda und ab 1787 in Weißenfels tätig. Die Mutter, eine gebildete Pfarrerstochter, unterrichtete ihre Kinder selbst. In Weißenfels lernte L. B. die Geschwister Sidonie und Friedrich von Hardenberg (Novalis) kennen. Mit Sidonie verband sie eine innige Freundschaft. Novalis empfahl ihre Gedichte Schiller, der mehrere in den ›Horen‹ und seinem ›Musenalmanach für 1798 und 1799‹ veröffentlichte. Dreiundzwanzigjährig unternahm sie

wegen einer Ehrverletzung einen Selbstmordversuch. In den darauffolgenden vier Jahren starben ihre Eltern, die Schwester Amalie, Sidonie und Novalis. Versuchte, da sie völlig mittellos war, ihren Lebensunterhalt als Schriftstellerin zu verdienen. Sie fand Unterstützung bei Schiller wie auch bei Sophie → Mereau und Brentano. War durch ihre Situation zur Vielschreiberei gezwungen. Versuche, Verbindungen zu einem bedeutenden Verlag herzustellen, mißlangen. Unglückliche Liebesbeziehungen, ihre ungesicherte Existenz und die scheinbare Mißachtung ihres Talents (A. Müllner nannte sie »die deutsche Sappho«) gaben ihr schließlich das Gefühl, ihr Leben verfehlt zu haben. Mit einem Stein im Umschlagtuch ertränkte sie sich in der Saale.
Lyrikerin, auch Erzählerin. Ihre Gedichte und novellistischen Arbeiten erschienen häufig in zeitgenössischen Taschenbüchern und Unterhaltungsblättern (Becker's Taschenbuch, Kind's Harfe, Taschenbuch der Liebe und Freundschaft, Urania, Aglaja u.a.).

WERKE: Lyrische Gedichte, 1800 (N 1808); Eudora, I. Bdchen, 1804; (MA:) Gesänge deutscher Frauen, 1810; Einige Züge aus meinem Leben in Beziehung auf Novalis. In: Kind's Harfe 2(1815) (N in: Novalis, Schriften, hrsg. v. P. Kluckhohn, 4. Bd. 1929, 413–17); Romantische Blüten, En. 1. Bd. 1817; Das Gottesurteil. Rittergedicht in fünf Gesängen, 1818; Novellen, 1819; Schilderungen aus der Wirklichkeit, Nn. 1820; Novellen und kleine Romane, 1822; Romantische Blätter, 1823 (2. Tl. der ›Romantischen Blüten‹); (Hrsgin.) (?) Verirrungen oder die Macht der Verhältnisse, R. 1823.
WERKAUSGABEN: Auserlesene Dichtungen, hrsg. v. F. K. J. Schütz, 2 Bde. 1824 (m. Biogr. und Charakteristik K.L.B.'s); Auserlesene Erzählungen und Novellen, hrsg. v. K. L. M. Müller, 4 Bde. 1825–26.
NACHLASS: Museum Weißenfels.
LITERATUR: *A. Müllner,* Sappho. In: Morgenblatt für gebildete Stände, Okt. 1822, 343–44. *C. W. O. A. v. Schindel,* Die dt. Schriftstellerinnen des 19. Jh.s, Bd. 1, 1823, Bd. 3, 1825, 22ff. *I. Hub,* Deutschlands Balladen- und Romanzendichter, Bd. 1, 1864, 318ff. *H. Gross,* K.L.B. In: H.G., Deutschlands Dichterinnen und Schriftstellerinnen, [2]1882, 79. *L. Speidel/H. Wittmann,* Bilder aus der Schillerzeit, 1885, 312–54. *F. Brümmer,* K.L.B. In: ADB XLVII. *A. Mäding,* Die Dichterin K.L.B. In: Rochlitzer Tagebl. (1908), 142–47. K.L.B. In: Marbacher Schillerbuch, Bd. 3; 1909, 31ff. *K. Goedeke,* Grundriß zur Gesch. der dt. Dichtung, Bd. 10, 1913, 137–45. Erinnerungen an L.B. und den Schiller-Körner-Kreis, Privatdruck o.O. u. o.J. [1937] (Abb. eines Gemäldes v. L. Kupelwieser, Wien). *M. Franzen,* Landschaft und Menschen in den Novellen L.B.s, Diss. Halle 1949 (Masch.). *A. Elschenbroich,* K.L.B. In: NDB 1955. *G. Brinker-Gabler,* L.B. In: G.B.-G. (Hrsgin.), Dt. Dichterinnen vom 16. Jh. bis zur Gegenwart, 1978, 153–157.

Brachvogel, Carry (eigentl. Caroline), * 16. 6. 1864 in München, † nach 1935.

Der Vater war der wohlhabende Privatmann Hellmann. Erhielt die Durchschnittserziehung der Kinder höherer Stände. Früh entwickelte sich eine Vorliebe für Literatur, Theater und fremde Sprachen. Beschäftigte sich besonders mit französischer und skandinavischer Literatur. Heiratete 1887 den Schriftsteller Wolfgang Brachvogel († 1892). Schrieb zunächst kleinere Feuilletons für Zeitschriften und entwarf das Schauspiel ›Vergangenheit‹, das 1894 in Frankfurt a.M. und München aufgeführt wurde. Veröffentlichte ab 1895 zahlreiche Romane sowie Novellen, Jugendbücher und Biographien historisch bedeutender Frauen.

WERKE: Alltagsmenschen, R. 1895; Der Erntetag und Anderes, Nn. 1897; Die Wiedererstandenen. Cäsaren-Legende, 1900; Die große Pagode, R. 1901; (MA:) Der kommende Mann, Dr. 1901; Der Nachfolger. Ein R. aus Byzanz, 1902; Die Erben. R. aus Neudeutschland, 1904; Die Marquise de Pompadour, hist. Monogr. 1905; Katharina II. von Rußland, hist. Monogr., 1906; Ihr Dichter und andere Novellen, 1906; Der Abtrünnige, R. 1907; Madame Mère, hist. Monogr. 1909; Der Kampf um den Mann, R. 2 Bd. 1910; Maria Theresia. Lebensbild, 1911; Komödianten, Nn. 1911 (Inhalt: Komödianten; Das große Schweigen; Dichters Liebestod; Neue Frauen; Tragödie aus der Sommerfrische); Hebbel und die moderne Frau. Vortrag, 1912; Die Könige und die Kärrner, R. 1912; Gesammelte Feuilletons, 1913; Herbstspuk, R. 1914; Die große Gauklerin, R. 1915; Das Herz im Süden, R. 1916; Schwertzauber, R. 1917; Das Glück der Erde, R. 1919; Eva in der Politik. Ein Buch über die politische Tätigkeit der Frau, 1920; Phantastische Geschichten und Legenden, 1920; Das Grammophon, E. 1920; Das Vermächtnis der Pompadour, 1921; Der Berg der Mütter, R. 1922; Weißes Gold, Jgdb. 1923; Im weiß-blauen Land, 1923; Der Pionier der Königin, Jgdb. 1925; Der silberne Berg, 1925; Die Tochter Marie Antoinettes, eine Bannerträgerin der Legitimität, 1925; Robespierre, hist. Monogr. 1925; Die Schauspielerin, R. 1927; Das große Feuer, hist. R. 1929; Zwei Ehen, R. 1931; Der Mord an der Grenze, Kriminal-R. 1932.

Brackel, Ferdinande Freiin von, * 24. 11. 1835 auf Schloß Welda bei Warburg (Westf.), † 4. 1. 1905 in Paderborn.
Ihr Vater war der Gutsbesitzer Ferdinand Frhr. v. Brackel. Verließ wegen Kränklichkeit selten das elterliche Haus. Erhielt vom 8. bis 18. Lebensjahr Unterricht vom Dorfpfarrer. Lebte später mehrere Jahre bei ihrem verwitweten Bruder in Plön/Holstein, später Kassel, um seine Kinder zu erziehen; seit 1898 wieder auf Schloß Welda als Stiftsdame.
Schriftstellerin mit starkem Interesse an sozialen Fragen. Veröffentlichte zunächst in den Kriegsjahren 1864, 1866 und 1870 Zeitgedichte, gab ihre erste Gedichtsammlung 1873 heraus. Wandte sich dann »auf Anraten eines Kritikers« der Prosa zu. Vielgelesene volkstümliche Erzählerin. Ihr erfolgreichster Roman ›Die Tochter des Kunstreiters‹ (1875) wurde in fünf Sprachen übersetzt und erschien in mehreren Auflagen.

WERKE: Gedichte, 1873; Heinrich Findelkind. Eine Erzählung für Volk und Jugend, 1875; Die Tochter des Kunstreiters, R. 1875 (^{25}1912); Nicht wie alle andern. Aus fernen Landen, 2 Nn. 1877; Daniella, R. 1879; Am Heidstock, R. 1881; Erinnerungen während dreier Sommermonate auf Reisen, 1882; Prinzeß Ada, N. 1883; Der Spinnlehrer von Carrara. Eine Künstlernovelle, 1887; Vom alten Stamm, N. 1889; Im Streit der Zeit, R. 2 Bd. 1897; Novellen, 1898 (Inhalt: Frühlingsrausch und Herbststürme; Nur eine kleine Erzählung); Eine Nähmamsell, N. 1900; Chic!, N. 1901; Mein Leben, 1901; Wem gebührt die Palme? Talisman, 2 En. 1905; Letzte Ernte, 5 Nn. 1905.
VERÖFF. A. D. NACHLASS: Die Enterbten, R. 1906; Der Lenz und ich und du. Herzensinstinkte, 2 Nn., hrsg. v. E. M. Hamann, 1910.
LITERATUR: *O. Floeck,* F.B. In: Borromäus-Bl. 2(1905). *E. M. Hamann,* F.B. In: Dt. Hausschatz 31(1905). *Dies.,* F.v.B., 1907. *M. Werhahn,* F. Freiin v.B. Ihr Leben und ihre Werke, im besonderen ihre Romane. Diss. Münster 1920. *A. Grassi,* F.v.B. 1835–1905. In: Der Weg 3(1926). *A. Wolf,* F.v.B. In: Köln. Volkszeitung (1935) 326.

Braun, Lily, * 2. 7. 1865 in Halberstadt, † 9. 8. 1916 in Berlin-Zehlendorf.
Tochter der Jenny geb. v. Gustedt und des Offiziers und späteren Generals Hans von Kretschman. Führte in den wechselnden Garnisonen des Vaters bis zu dessen Entlassung das Leben einer begüterten Offizierstoch-

ter; erhielt ausschließlich Privatunterricht. Begann ihre literarische Tätigkeit 1891 mit der Herausgabe der Memoiren ihrer Großmutter, der illegitimen Tochter des Königs Jérôme Bonaparte von Westfalen und Goethe-Freundin Jenny von Gustedt. Wurde Mitarbeiterin des Goethe-Jahrbuchs, der Westermannschen Monatshefte, der Deutschen Rundschau u.a. Lernte in Berlin, wo sie seit 1890 lebte, den (gelähmten) Philosophen Georg v. Gizycki kennen; wurde durch ihn mit der ethischen und der sozialistischen Bewegung bekannt. Mit ihm Mitbegründerin der »Deutschen Gesellschaft für ethische Kultur« und Leiterin (ab 1893) der Wochenschrift ›Ethische Kultur‹. 1893 Heirat mit v. Gizycki. Anschluß an die radikale Frauenbewegung (Verein »Frauenwohl«). Gemeinsam mit Minna Cauer Gründung der Zeitschrift ›Die Frauenbewegung‹. Nach dem Tod v. Gizyckis (1895) Aufgabe der Mitarbeit für die o.g. Zeitschriften und gegen den Widerstand der Familie Bekenntnis zur sozialdemokratischen Partei. 1896 Heirat mit dem Sozialpolitiker Heinrich Braun. Ein Sohn. Mitarbeiterin an dem von Braun herausgegebenen ›Archiv für soziale Gesetzgebung und Statistik‹. Ebenso Mitarbeiterin an der von Clara Zetkin herausgegebenen sozialistischen Frauenzeitschrift ›Die Gleichheit‹. Wegen Auseinandersetzungen, vor allem mit C. Zetkin, Publikationsverbot in der ›Gleichheit‹ 1906. Rückzug aus ihrem Engagement in der sozialistischen Frauenbewegung. Zunehmende Isolation des Ehepaars Braun auch innerhalb der Partei (Vorwurf des Revisionismus); gemeinsam Gründung der Wochenzeitschrift ›Die neue Gesellschaft‹. In den letzten Lebensjahren überwiegend literarische Tätigkeit. In Berlin-Spandau ist ein Gymnasium nach ihr benannt.

Erzählerin, Publizistin. Ihr bekanntestes Werk sind die als Roman erschienenen autobiographischen ›Memoiren einer Sozialistin‹ (1909–11). Im Mittelpunkt ihrer publizistischen Tätigkeit stand die wirtschaftliche, soziale und geistige Stellung der Frau. Ein bedeutsamer theoretischer Beitrag ist ihr Buch ›Die Frauenfrage. Ihre geschichtliche Entwicklung und wirtschaftliche Seite‹ (1901). Versuchte zwischen bürgerlicher und sozialistischer Frauenbewegung zu vermitteln.

WERKE: (u.d.N. L.v. Kretschman:) (Hrsgin.) Aus Goethes Freundeskreis. Erinnerungen der Baronin Jenny von Gustedt, 1892; (u.d.N. L.v. Gizycki:) Deutsche Fürstinnen, 1893; Die Bürgerpflicht der Frau. Vortrag, 1895; (Mithrsgin.) Die Frauenbewegung. Revue für die Interessen der Frauen, 1895; (Mithrsgin.) Brüder Grimm: Kinder und Hausmärchen, 1895; Die Stellung der Frau in der Gegenwart. Vortrag, 1895; Zur Beurteilung der Frauenbewegung in England und Deutschland,

1896; Die neue Frau in der Dichtung, 1896; (u.d.N. L. Braun-Gizycki) Frauenfrage und Sozialdemokratie. Reden anläßlich des internationalen Frauenkongresses in Berlin, 1896; (u.d.N. L. Braun) Die Frauenfrage, ihre geschichtliche Entwicklung und wirtschaftliche Seite, 1901 (N 1979); Frauenarbeit und Hauswirtschaft, 1901; Die Frauen und die Politik, 1902 (N 1983); (Hrsgin.) Hans von Kretschmans Kriegsbriefe 1870/71, 1903; (Mithrsgin.) Die neue Gesellschaft. Sozialistische Wochenschrift, 1906; Die Mutterschaftsversicherung. Ein Beitrag zur Frage der Fürsorge für Schwangere und Wöchnerinnen, 1906; Im Schatten der Titanen. Erinnerungsbuch an Jenny von Gustedt, 1908; Memoiren einer Sozialistin, R. 2 Bd. 1909–1911 (Inhalt: I. Lehrjahre, II. Kampfjahre) (N 1983, Bd. II); Die Emanzipation der Kinder. Rede an die Schuljugend, 1911 (N 1983); Die Liebesbriefe der Marquise, R. 1912; Mutter Marie. Eine Tragödie in fünf Akten, 1913; Lebenssucher, R. 1915; Zwischen Krieg und Frieden, 1915; Die Frauen und der Krieg, 1915 (N 1983).

WERKAUSGABEN: Gesammelte Werke, 5 Bd. 1923.

LITERATUR: *J. Braun-Vogelstein,* L.B. Ein Lebensbild, 1922. *Dies.,* L.B. In: L.B., Ges. Werke, Bd. I, 1923. *R. Dill,* L.B. In: R.D., Aus der Philosophenecke, 1923. *G. Gärtler,* L.B., eine Publizistin des Gefühls, Diss. Heidelberg 1935. *J. Kühn,* Zur Lebensgeschichte Jenny von Gustedts. In: Preuß. Jb. 239, 1935. *E. Heimpel,* L.B. In: NDB 1955. *F. Mehring,* L.B. In: F. M., Ges. Schriften, Bd. 12, 1961. *J. Braun-Vogelstein,* Was niemals stirbt – Gestalten und Erinnerungen, 1966. *I. Stolten,* L.B. 1865–1916. In: H.J. Schultz (Hrsg.), Frauen. Porträts aus 2 Jh. 1981, 212–224. *A. Lixl,* Zur Politik persönlichen Erinnerns. Frauenautobiogr. um die Jahrhundertwende. In: R. Grimm/ J. Hermand (Hrsg.), Vom Anderen und vom Selbst. Beitr. zu Fragen der Biogr. und Autobiogr. 1982, 105–115. *D. Borkowski,* Rebellin gegen Preußen. Das Leben der L.B., 1984.

Bré, Ruth (Ps. f. Elisabeth Bouness, früheres Ps. E. Michael), * in Breslau, † 7. 12. 1910 in Herischdorf bei Hirschberg (Schlesien).
Lebte in Hermsdorf und Kynast. War Lehrerin. Setzte sich in ihren Schriften besonders für alle Mütter ein. Forderte z.B. das Recht auf Liebe und Mutterschaft für unverheiratete Frauen und wehrte sich gegen die bestehende Zölibatsforderung an die berufstätige Frau. Kämpfte gegen die herrschenden Sittengesetze und für freie Ehe und Mutterschaft. Wünschte eine Umkehrung der bestehenden Familienordnung im Sinne des Mutterrechts und berief sich dabei auf das Beispiel primitiver Kulturen. Mitinitiatorin des »Bundes für Mutterschutz« (1905).

WERKE: Worulf der Rattenfänger, 1899; Die Frau an der Jahrhundertwende, Dichtung 1900; Liebe auf Erden, Märchensp. 1900; Das Recht auf die Mutterschaft. Eine Forderung zur Bekämpfung der Prostitution, der Frauen- und Geschlechtskrankheiten, 1903; Nochmals das Recht auf die Mutterschaft. R.B. an Frau Loeper-Houselle, 1903 (Entgegnung auf e. Kritik v. Frau L.-H. in ›Die Lehrerin‹ v. 8. Aug. 1903); Kaiserworte, Fürsorgegesetz und Lehrerschaft, 1903; Staatskinder oder Mutterrecht? Versuche zur Erlösung aus dem sexuellen und wirtschaftlichen Elend, 1904; Keine Alimentationsklage mehr! Schutz den Müttern! Ein Weckruf an alle, die eine Mutter hatten, 1905; Ecce mater!, R. 1905.

LITERATUR: *F. Radel,* Die uneheliche Mutter in der Dichtung und im Leben [Gautsch b. Leipzig] 1912.

Brueck, Christa Anita (Ps. f. Christa Jaab, später Christa Ladisch), * 9. 6. 1899 in Liegnitz, † ?
Lebte 1934 als Angestellte in Berlin. Schildert in ihrem Roman ›Schicksale hinter Schreibmaschinen‹ die schwierige Berufslage der weiblichen Handelsangestellten.

WERKE: Schicksale hinter Schreibmaschinen, R. 1930; Ein Mädchen mit Prokura, R. 1932; Der Richter von Memel, R. 1933; Die Lawine, R. 1941 (erstmals u.d.T. ›Fräulein, bitte schreiben Sie‹ in: Die Koralle; unter diesem Titel auch verfilmt).

Brüning, Elfriede, * 8. 11. 1910 in Berlin.
Ihr Vater war Tischler. Besuchte die Oberschule. War danach als Büroangestellte und Redaktionssekretärin tätig. Schrieb 1929 für das ›Berliner Tageblatt‹, die ›Vossische Zeitung‹ und die ›Frankfurter Zeitung‹. 1930 Eintritt in die KPD und Mitarbeit bei der ›Roten Fahne‹. 1933 illegale Tätigkeit. Wurde 1935 verhaftet und in das Frauengefängnis Barnimstraße in Berlin eingeliefert. Heiratete 1937 den Schriftsteller Joachim Barckhausen. Nach 1945 zeitweise als Redakteurin tätig, u.a. bei der DDR-Wochenzeitschrift ›Sonntag‹. Seit 1950 freie Schriftstellerin. Lebt in Ost-Berlin.
Zentrale Themen ihrer unterhaltsamen Romane sind vielfach die Mann-Frau- und die Mutter-Kind-Beziehung. Vor allem seit 1945 setzt sie sich im besonderen mit der Stellung der Frau in der sozialistischen Gesellschaft auseinander. Ihre Erzählung ›Septemberreise‹ gab 1967 in der Zeitschrift ›Neue Deutsche Literatur‹ Anlaß zu einer Diskussion um die Notwendigkeit einer spezifisch sozialistischen Unterhaltungsliteratur. Die Erzählung schildert nach Jahren die Wiederbegegnung einer Mutter mit der Tochter, die in einem anderen Gesellschaftssystem aufwuchs. E.B. gehört zu den meistgelesenen Schriftstellerinnen in der DDR. Autorin auch von Fernsehspielen, u.a. nach ihrem erfolgreichsten Roman ›Rom, hauptpostlagernd‹.

WERKE: (z.T. erschienen in der DDR) Und außerdem ist Sommer, R. 1934 (N 1980); Junges Herz muß wandern, R. 1936; Auf schmalem Land, R. 1938; Die Umkehr. Das ist Agnes, 2 Nn. 1949; ... damit du weiterlebst, R. 1949 (N 1978); Ein Kind für mich allein, R. 1950; Vor uns das Leben, R. 1952; Regine Haberkorn, R. 1955 (N 1970); (MA:) Hammer und Feder, 1955; Gabriele. Ein Tagebuch, 1956; Rom, hauptpostlagernd, R. 1958 (N 1961); (MA:) Des Sieges Gewißheit, 1959; Sonntag, der Dreizehnte, R. 1960; (MA:) Tapferkeit des Herzens, 1961; Wege und Schicksale. Frauen unserer Zeit, 1962; Septemberreise, E. 1967 (N 1982); (MA:) Unterhält uns die Unterhaltungsliteratur? In: NDL 15(1967) 8, 165–170; Kinder ohne Eltern. Reportage, 1968; Kleine Leute, R. 1970 (N 1978); Gabriele, Kb. 1971; Jasmina und die Lotosblume, Kb. 1976; Zu meiner Zeit. Ausgw. aus 4 Jahrzehnten, 1977 (N 1981); Partnerinnen, 1978 (N 1983); Sich selbst verwirklicht. Ruth

Werner: ›Sonjas Rapport‹. In: NDL 26(1978) 4, 19–23; Wie andere Leute auch, 1983.
FERNSEHSPIELE: Rom, via Margutta, U. 1963; Nach vielen Jahren, U. 1965; Die Heiratsanzeige, U. 1965; Hochverrat. Chronik einer Familie im 2. Weltkrieg, Bühnensp. 1975.
LITERATUR: E.B. In: Lexikon sozialistischer dt. Lit., 1963. *L. v. Balluseck,* E.B. In: L.v.B., Dichter im Dienst, [2]1963. *H. J. Geerdts,* Bemerkungen zu E.B.s ›Septemberreise‹. In: NDL 15(1967) 2, 173–182. *E. Simons,* Interview mit E.B. In: Weimarer Beitr. 30(1984), 610–619. *Dies.,* »Eigenes Erleben von der Seele schreiben«. Bemerkungen zum lit. Schaffen von E.B. In: ebda. 30(1984), 620–628.

Bruns, Marianne, * 31. 8. 1897 in Leipzig.
Der Vater war kaufmännischer Angestellter. Studierte nach dem Besuch der Oberschule in Leipzig Gesang in Breslau. Leitete ab 1926 den elterlichen Wäschereibetrieb. Lebte seit 1945 als freie Schriftstellerin in Dresden, ließ sich später in Freital-Niederhäslich bei Dresden nieder.
M. B. schrieb Gedichte, Romane, Erzählungen und Kinderbücher. In ihren Romanen setzt sie sich häufig mit aktuellen Problemen auseinander; ihr besonderes Interesse gilt der gesellschaftlichen Entwicklung der Frau und ihrer Stellung in der DDR. Auch Herausgeberin, u. a. von Jean Pauls ›Ausgewählten Werken‹ (1925) und ›Deutsche Stimmen 1956. Neue Prosa und Lyrik aus Ost und West‹ (1956).
Erhielt mehrere Auszeichnungen, u. a. den Martin-Andersen-Nexö-Preis der Stadt Dresden 1969 und die Johannes R. Becher-Medaille.

WERKE: (z.T. erschienen in der DDR) Seliger Kreislauf, G. 1925; (Hrsgin.) Jean Paul, Ausgewählte Werke, 1925; Reise durch Schweden, 1926; Telemachos, N. 1927; Jau und Trine laden ein, Kb. 1933; Die Schwedin und die drei Indianer, Kb. 1934; Willi und Kamilla. Zwei Kinder wachsen heran, Kb. 1935; Die Dioskuren in Olympia, R. 1936 (1937 u.d.T. Die Auserwählten. R. aus Alt-Griechenland); Das rechtschaffene Herz, R. 1939; Über meinen grünen Garten fliegen die Schwalben, R. 1940; Die Tochter der Parze, R. 1943; Flugsamen, R. 1948; Wiegand der Feuerträger, N. 1949; Tobbys Buch. Eine Theatergesch., E. für Kinder 1949; Das verschwundene Messer, Laiensp. für Kinder 1950; Geht Christel Peters zur Bühne?, Jugend-R. 1951; Uns hebt die Flut, R. 1952 (N 1979); Glück fällt nicht vom Himmel, R. 1954 (N 1961); Darüber wächst kein Gras, R. 1956 (N 1962); Bauer und Richter, R. 1956; (Hrsgin.) Deutsche Stimmen 1956. Neue Prosa und Lyrik aus Ost und West, 1956; Frau Doktor privat, R. 1957; Der Junge mit den beiden Namen, Jugend-R. 1958; Die Silbergrube, Jugend-R. 1959 (N 1971); Das ist Diebstahl, N. 1960; (Hrsgin.) Briefe aus Zittau, 1960; Schuldig befunden, E. 1961; Zwischen Pflicht und Kür. R. einer Eisläuferin, 1962; Hausfrauenbrigade. Eine Szene, 1962; Verständnis für die Neunte, R. 1962; Die Lichtung. En. aus 9 Jh. 1965 (N 1980); Der neunte Sohn des Veit Stoß, R. 1967; Fahrt zum Bahnhof, Kb. 1967; Großaufnahme leicht retuschiert, R. 1972 (N 1980); Die Spur des namenlosen Malers, R. 1975; Zeichen ohne Wunder, R. 1977; Der grüne Zweig, Kurz-R. 1979; Der Geheimrat im Gewitter. Zu Goethe ›Der Schatzgräber‹. In: Goethe-Jb. 97(1980), 244–250.
HÖRSPIELE: Und dennoch leben wir …, U. 1925; Zweimal Othello, U. 1926; Luz, du hast die Gans gestohlen, U.

1932; Fahrrad und Stiefmutter, 1950; Ungelogen – so war's, U. 1964.
WERKAUSGABE: Ausgewählte Werke, hrsg. v. G. Noglik [Halle/Leipzig] 1982 (Inhalt: Zeichen ohne Wunder, R.; Der grüne Zweig, R.).
LITERATUR: M. B.: Erfüllungen. In: NDL 30(1982) 8, 107–114 [Gedichte].

Büchner, Luise, * 12. 6. 1821 in Darmstadt, † 28. 11. 1877 ebda.
Tochter der Luise geb. Reuss und des Obermedizinalrats Dr. Ernst Karl Büchner. Schwester des Dichters Georg Büchner und des Naturwissenschaftlers Ludwig Büchner. Bildete sich nach Abbruch der Schule durch private Lektüre weiter und erwarb vor allem umfassende historische Kenntnisse. Wirkte als Miterzieherin ihrer Nichten und Neffen.
Setzte sich zeitlebens für Frauenrechte ein, vor allem hinsichtlich Ausbildung und Erwerbsmöglichkeit. Verfaßte zahlreiche Schriften zu diesem Thema. Trat aber erst an die Öffentlichkeit, als ein Verleger sie zum Niederschreiben ihrer Gedanken über weibliche Erziehung und Bildung veranlaßte. ›Die Frau und ihr Beruf‹ (1855) erschien noch anonym. Veranstaltete von 1860 bis 1870 in ihrem Haus einen alljährlich wiederkehrenden Vorlesungs-Zyklus über ›Weltgeschichte für Damen‹. Machte 1866 die Bekanntschaft der Prinzessin Alice, später Großherzogin von Hessen, Tochter der Königin Viktoria von England, mit deren Hilfe sie 1867 den gemeinnützigen Alice-Verein für Frauenbildung und Erwerb gründete. Wurde dort Viezpräsidentin und Stellvertreterin der Fürstin. Aus diesem Verein entwickelten sich der Alice-Bazar, das Alice-Lyceum und eine Industrieschule für Mädchen. Besuchte im November 1869, als Abgesandte des Alice-Vereins, eine Versammlung von Vertreterinnen verschiedener deutscher und ausländischer Frauenvereine in Berlin. Dort wurde der Verband deutscher Frauenbildungs- und Erwerbsvereine gegründet, der sie zur Ehrenpräsidentin ernannte. War Mitbegründerin und Mitarbeiterin der Monatsschrift ›Frauenanwalt‹.
L. B. ging auch ihrer literarischen Begabung nach; veröffentlichte u. a. Gedichte, Erzählungen und einen Roman. Erhielt Anregungen dazu durch Reisen nach Holland, in die Schweiz, in die Normandie und durch Aufenthalte in Paris. Ihre ›Weihnachtsmärchen für Kinder‹ wurden mehrfach aufgelegt. Darin verknüpft sie phantasievoll alte Frau-Holle-Sagen mit dem Glauben ans Christkind, das als Adoptivtochter der Frau Holle erscheint (M. Dierks).

WERKE: Das Od. Eine wiss. Sk., 1854; Die Frauen und ihr Beruf. Ein Buch der weibl. Erziehung. In zusammenhängenden Aufs. niedergeschrieben von Frauenhand, 1856 (anonym); (Mithrsgin.) Dichterstimmen aus Heimat und Fremde. Für Frauen und Jungfrauen. Slg. von dt., engl. und frz. G., 1859; Aus dem Leben. En. aus Heimat und Fremde, 1861; Der lederne Bräutigam, E. 1861; Frauenherz, G. 1862; Das Schloß zu Wimmis, R. 1864; Weihnachtsmärchen für Kinder, 1868 (N 1980); Weibliche Betrachtungen, 1869; Praktische Versuche zur Lösung der Frauenfrage, 1870; Über weibliche Berufsarten, 1872; Über Verkaufs- und Vermittlungsstellen für weibliche Handarbeit, insbesondere den Darmstädter Alice-Bazar, Vortrag 1873; Clara Dettin. Erzählendes G. 1874; Deutsche Geschichte von 1815–1870. 20 Vorträge, 1875.

VERÖFF. A. D. NACHLASS: Die Frau. Hinterlassene Aufs., Abh. und Ber. zur Frauenfrage, 1878; Nachgelassene Belletristische und vermischte Schriften, 2 Bd. 1878; Ein Dichter. N.-Fragment. Mit Georg B.'s Cato-Rede, hrsg. von Anton Büchner, 1965.

LITERATUR: Alice Großherzogin von Hessen und bei Rhein, Prinzessin von Großbritannien und Irland. Mitteilungen aus ihrem Leben und aus ihren Briefen, 1884. *A. Bousset,* Zwei Vorkämpferinnen für Frauenbildung (L. B., Marie Calm), 1893. *E. Mensch,* L.B. In: Hessische Biogr., Bd. 1, 1918, 81–83. *M. Jung,* Vorkämpferin der menschlichen Frau. In: Darmstädter Tagblatt vom 15. 12. 1977. *R.E. Boetcher Joeres,* ›Ein Dichter‹: An introduction to the world of L.B. In: The German Quarterly 52(1979), 32–49. *M. Dierks,* L.B. In: Lex. der Kinder- und Jugendlit., Bd. 4, 1982, 102. *R.-E. Boetcher Joeres,* L.B. (1821–1877) oder ›Wir sind mehr als wir scheinen‹. In: L. Pusch (Hrsgin.), Im Schatten des großen Bruders – Schwestern berühmter Männer, 1984.

Bülow, Frieda Freiin von (Ps. F. v. Osta), * 12. 10. 1858 in Berlin, † 12. 3. 1909 in Jena.

Ihre Mutter war eine geb. v. Münchhausen, der Vater der preußische Konsul Hugo von Bülow. Der Konsul ging 1861 mit seiner Familie nach Smyrna, die Familie kehrte noch vor seinem Tod nach Thüringen zurück. F. v. B. erhielt ihre Erziehung teils im Kaiserswerther Diakonissenhaus in Smyrna, teils in der Brüdergemeine in Neudietendorf in Thüringen. Aufenthalt in England 1876–1878. Siedelte 1881 nach Berlin über. Gründete dort 1886 den Frauenverein für Krankenpflege in den Kolonien. Reiste 1887 zu ihrem Bruder Albrecht nach Deutsch-Ostafrika, um selbst die ersten Pflegestationen einzurichten. Enge Beziehung zu dem einstigen Gouverneur Dr. Carl Peters. Rückkehr nach Berlin 1889 und Beginn schriftstellerischer Tätigkeit. Lebte zunächst in Berlin, ab 1890 in Bad Godesberg, 1892 wieder in Berlin und ging ein Jahr später erneut nach Deutsch-Ostafrika, um den von ihrem Bruder hinterlassenen Landbesitz zu verwalten. Seit 1895 lebte sie wieder in Berlin. War sehr viel auf Reisen. Hatte ihren letzten Wohnsitz in Dornburg, Thüringen. War eng befreundet mit der Schriftstellerin Lou → Andreas-Salomé. Ihre jüngere Schwester → Margarethe von Bülow war ebenfalls Schriftstellerin.

Schrieb Romane, Erzählungen, Novellen. Thematische Schwerpunkte sind Darstellungen des deutschen Koloniallebens in Ostafrika, soziale Fragen und Probleme der zeitgenössischen Frauengeneration. Gilt als Schöpferin des deutschen Kolonialromans.

WERKE: Reiseskizzen und Tagebuchblätter aus Deutsch-Ostafrika, 1889; Am anderen Ende der Welt, R. 1890; Der Konsul. Vaterländischer R. aus unseren Tagen, 1891; Deutsch-Ostafrikanische Novellen, 1892; Ludwig von Rosen. Eine E. aus zwei Welten, 1892; Margarethe und Ludwig, R. 2 Bd. 1894; Tropenkoller. Episode aus dem dt. Kolonialleben, R. [2]1897; Einsame Frauen, Nn. 1897; Kara, R. 1897; Anna Stern, R. 1898; Wir von heute, 2 En. 1898; Im Lande der Verheißung. Ein dt. Kolonial-R. 1899; Abendkinder, R. 1900; Im Hexenring. Eine Sommergesch. vom Lande, R. 1901; Hüter der Schwelle, R. 1902; Die stilisierte Frau. Sie und er, 2 Nn. 1902; Allein ich will!, R. 1903; Im Zeichen der Ernte. Ital. Landleben von heute, R. 1904; Irdische Liebe. Eine Alltagsgesch., R. 1905; Die Tochter, R. 1906; Das Portugiesenschloß. E. von der ostafr. Küste, 1907; Wenn Männer schwach sind, R. 1908; Freie Liebe, N. 1909; Die Schwestern. Gesch. einer Mädchenjugend, R. 1909; Frauentreue, R. 1910.

LITERATUR: *S. Hoechstetter,* F. Freiin v.B., 1910. *M. Geißler,* F.v.B. In: Führer durch die deutsche Literatur des 20. Jahrhunderts, 1913. F.v.B. In: Lexikon der deutschen Dichter und Prosaisten vom Beginn des 19. Jahrhunderts bis zur Gegenwart, bearb. v. F. Brümmer, [6]1913.

Bülow, Margarethe Freiin von, * 23. 2. 1860 in Berlin, † 2. 1. 1884 ebda. Tochter des preußischen Konsuls Hugo von Bülow, der seit 1861 in Smyrna tätig war. Schwester von → Frieda von Bülow. M. v. B. verbrachte ihre frühe Kindheit zunächst in Smyrna. Übersiedelte 1865 mit Mutter und Geschwistern nach Thüringen, wohin der Vater 1867 folgte, aber bereits ein Jahr später wieder nach Smyrna zurückkehrte. Als er erkrankte, zog M. v. B. zum Vater und besuchte in Smyrna die Schule der Kaiserswerther Diakonissinnen, lernte u. a. Neugriechisch. Nach dem Tod des Vaters 1869 Rückkehr zu Mutter und Geschwistern nach Thüringen, auf das Gut Ingersleben bei Neudietendorf. 1876 bis 1878 Aufenthalt in England, seit 1881 wohnhaft in Berlin. Sie ertrank im Rummelsburger See beim Versuch, einen im Eis eingebrochenen Jungen zu retten.
M. v. B.s Novellen und ihr Roman ›Jonas Briccius‹ erschienen erst nach ihrem Tod. »Vielseitig gebildet und dabei tiefer Gefühle wohl kundig, hat sie damit Zeugnisse einer äußerst verheißungsreichen dichterischen Anlage hinterlassen, die einen ausgeprägten, fast männlich festen Charakter voll Geist und Gemüth verraten. Sie findet ihre Probleme im nervösen Berlin wie im Herbst und Winter der Thüringer Landschaft.« (L. Fränkel) Der Literarhistoriker R. M. Meyer verglich Aufbau und Ausdruck ihres Werks mit dem von Louise v. François.

WERKE: Novellen, 1885 (Inhalt: Der Oberlieutenant Percy, Der Herr im Hause, Gabriel, Tagesgespenster [m. e. Vorw. v. J. Schmidt]); Jonas Briccius, R. 1886; Aus der Chronik derer von Riffelshausen, E. 1887; Neue Novellen, 1890 [mit einer Biogr. v. F. Mauthner].

LITERATUR: *L. Fränkel,* M. v. B. In: ADB 47. *G. K. Brand,* M. v. B. In: G. K. B., Die Frühvollendeten, 1929. *P. Lindenberg,* Es lohnte sich gelebt zu haben, 1941.

Bunsen, Marie von, * 16.(oder 17.) 1. 1860 in London, † 28. 6. 1941 in Berlin.
Ihr Vater war der liberale preußische Politiker und Reichstagsabgeordnete Georg von Bunsen. Lebte hauptsächlich in Berlin und war dort als Schriftstellerin und Aquarellmalerin tätig. Unternahm mehrfach Reisen in Italien, nach Ägypten und in die USA. War Gründerin des Deutschen Lyceumklubs in Berlin. Freundin Carmen Sylvas (d.i. Königin von Rumänien). – Erzählerin, Reiseschriftstellerin, Biographin historischer Frauen. Von besonderem Interesse ist auch ihre Autobiographie ›Die Welt, in der ich lebte‹.

WERKE: Gegen den Strom. Ein Stimmungsbild aus dem neuen Berlin, 1893; Udo in England. Eine Reise-E., 1899; Auf Riedenheim und andere Erzählungen, 1899; Georg von Bunsen. Ein Charakterbild aus dem Lager der Besiegten, aufgez. von seiner Tochter, 1900; John Ruskin. Sein Leben und Wirken. Eine krit. Studie, 1903; Allerhand Briefe, Nn. und Sk. 1903; Sizilien. Gesch., Kunst, Kultur. Ein Begleitbuch, 1910; Im Ruderboot durch Deutschland (Havel, Werra, Weser und Oder), 1914; Die Frau und die Geselligkeit, 1916; Von kühlen Wassern, Rohr und Schilf. Eine Ruderboot-E. 1926; Die Welt, in der ich lebte. Erinn. aus den glückl. Jahren 1860–1912, Autobiogr. 1929; Zeitgenossen, die ich erlebte (1900–1930), 1932; Im fernen Osten. Eindrücke und Bilder aus Japan, Korea, China, Ceylon, Java, Siam, Kambodscha, Birma und Indien, 1934; Talleyrands Nichte, die Herzogin von Sagan. Biogr. 1935; Wanderungen durch Deutschland. Eindrükke und Bilder aus meiner Skizzenmappe, 1936; Kaiserin Augusta, 1940; Maria Tudor. Das Lebensschicksal einer engl. Königin, 1941.
NACHLASS: Deutsches Zentral-Archiv Abtlg. Merseburg.
LITERATUR: *R. Voss,* M.v.B. In: R.V., Aus einem phantastischen Leben, 1920. M.v.B. Nachruf. In: Dt. Rundschau 268(1941). *J. Orabuena,* M.v.B. In: J. O., Im Tale Josaphat, 1964.

Burow, Julie, * 24. 2. 1806 in Kydullen (Ostpr.), † 20. 2. 1868 in Bromberg (Prov. Posen).
Der Vater war Zollbeamter und Salzinspektor. Lebte mit der Mutter, die sich vom Vater getrennt hatte, ab 1816 in Tilsit, seit 1819 in Langgarben. Wurde Erzieherin in Pohiebels bei Rastenburg in Ostpreußen. Kehrte 1823 gemeinsam mit der Mutter zum Vater zurück, der in Danzig eine Stelle als Regierungssekretär erhalten hatte. Lernte dort den Baubeamten Pfannenschmidt kennen, den sie 1831 heiratete. Zog mit ihm nach Neufahrwasser. Durch wiederholte Versetzungen ihres Ehemanns lebte sie später in Driesen (Neumark), Züllichau und Bromberg. Widmete sich erst nach beendigter Erziehung ihrer Kinder der Schriftstellerei.
Schildert hauptsächlich das Leben in den kleinen Städten unter besonderer Berücksichtigung der Stellung der Frau in der kleinbürgerlichen Familie. Ein Teil ihrer zahlreichen Romane und Novellen erschien im ›Album. Bibliothek schöner Romane‹ (Prag, Kober u. Markgraf) und in der ›Hausbibliothek der Jugend‹ (Berlin, Hasselberg).

WERKE: Frauen-Los, R. 2 Bd. 1850; Aus dem Leben eines Glücklichen, R. 3 Bd. 1852; Der Augenarzt. Eine E. für die Jugend, 1853; Novellen, 2 Bd. 1854 (1857 u.d.T. Aus dem Frauenleben); Ein Arzt in einer kleinen Stadt, R. 2 Bd. 1854; Der Weg in den Himmel, N. 1854; Bilder aus dem Leben, 1854; Über die Erziehung des weiblichen Geschlechts, 1854; Ein Lebenstraum, R. 3 Bd. 1855; (MA:) Das Buch der Erziehung in Haus und Schule, 2 Bd. 1855 (Inhalt: Bd. 1: Des Kindes Wartung und Pflege und die Erziehung der Töchter in Haus und Schule. Bd. 2: Die Erziehung der Knaben in Haus und Schule); Erinnerungen einer Großmutter, R. 2 Bd. 1856; Johannes Kepler, hist. E. 3 Bd. 1857; Der Armut Leid und Glück, R. 3 Bd. 1857; Versuch einer Selbstbiographie, 1857; Der Glücksstern, N. 1857; Lebensbilder, 2 Bd. 1858 (Inhalt: Bd. 1: Nenuphar. Der Sohn einer Amme. Bd. 2: Ein weißes Kätzchen. Der Geist des Martin Grünewald); Gedichte, 1858; Herzensworte. Eine Mitgabe auf dem Lebenswege. Deutschlands Töchtern gewidmet, 1859 ([25]1895); Künstlerliebe, N. 1859; Laute Welt. Stilles Herz, N. 1860; Das Glück eines Weibes, 1860; Walter Kühne, R. 1860; Denksprüche für das weibliche Leben. Ges. Perlen, zur Veredelung für Geist, Gemüth und Herzen, 1860; Blumen und Früchte deutscher Dichtung. Ein Kranz gewunden für Frauen und Jungfrauen, 1860; In stillen Stunden. Gedanken einer Frau über die höchsten Wahrheiten des Menschen-Daseins, 1861; An der polnischen Grenze. Ein Lebensbild, E. 1861; Gesammelte Früchte aus dem Garten des Lebens, 1862; Ein Bürgermeister, hist. R. 3 Bd. 1862; Die Kinder des Hauses, Familien-R. 1863; Die Liebe als Führerin der Menschheit durchs Erdenleben zu Gott, 1863; Den Frieden finden, N. 1864; Aus der letzten polnischen Revolution. Ein Lebensbild, 1864; Frauenleben. Goldene Stufen auf dem Wege des Weibes zu Gott, [5]1865; Die Preußen in Prag. Hist. R. aus dem letzten dt. Bruderkriege und der Occupation Prags durch die Preußen, 1867.

VERÖFF. A. D. NACHLASS: Im Wellenrauschen, R. 2 Bd. 1869; Ein Grab an der Kirchhofsmauer, 1887; Frauen – Liebe und Leben. Ein Brautgeschenk, [2]1884.

LITERATUR: *v. L.,* J.B. In: ADB III. *F. Brümmer,* J. Pfannenschmidt. In: ADB XXV. *C. Krollmann,* J.B. In: Altpreußische Biogr. I, 1941.

Calm, Marie (Ps. Marie Ruhland), *3. 4. 1832 in Arolsen/Waldeck, †22. 2. 1887 in Kassel.

Der Vater war Kaufmann und Bürgermeister in Arolsen. Früh wissenschaftlich interessiert, entschied sie sich für den Lehrerinnenberuf, zunächst gegen den Willen der Eltern. Besuchte ein Genfer Pensionat zur Vervollständigung ihrer französ. Sprachkenntnisse. Nahm 1853 eine Stelle als Erzieherin in England an, 1858 in Rußland. Nach dem Tod des Vaters übernahm sie 1861 die Leitung einer höheren Töchterschule in Lennep. Ging dann zum zweiten Mal nach England und zog schließlich auf Wunsch der Mutter mit dieser nach Kassel. Dort gründete sie eine Fachschule für Frauen und eine Fortbildungsschule für junge Mädchen. Ihre erzieherische Tätigkeit gab sie zuletzt zugunsten ihres Einsatzes in der Frauenbewegung und ihrer schriftstellerischen Arbeit auf. Beschäftigte sich vor allem mit der Stellung der Lehrerinnen und der höheren Frauenbildung.

WERKE: Die Stellung der deutschen Lehrerinnen, 1870; Bilder und Klänge, G. 1871; Weibliches Wirken in Küche, Wohnzimmer und Salon. Praktische Winke für Frauen und Jungfrauen, 1874; Leo, R. 3 Bd. 1876; Ein Blick ins Leben. Confirmationsgabe für junge Mädchen, 1877; Wilde Blumen. Zwei Novellen, den deutschen Frauen gewidmet, 1880; (Hrsgin.) Lectures choisies des demoiselles, 3 Bd. (Inhalt: I. A Paris. Trois histoires, 1880; II. Tableaux de famille. Trois morceaux; III. Nouvelles historiques. Trois histoires); Bella's Blaubuch. Geschichte einer häßlichen Frau, 1883; Echter Adel. Eine Erzählung in Briefen, ihren jungen Freundinnen gewidmet, 1883; Daheim und draußen. Erzählungen für junge Mädchen, 1883; Die Sitten der guten Gesellschaft. Ein Ratgeber für das Leben in und außer dem Haus, 1886; Durch Arbeit frei, R. In: Illustrierte Familienzeitung (?).

LITERATUR: M.C. In: *H. Groß,* Deutschlands Dichterinnen und Schriftstellerinnen. 1882, 207f. M.C. In: *L. Morgenstern,* Die Frau des 19. Jahrhunderts. Biogr. und culturhist. Zeit- und Charaktergemälde, Bd. 3, 1891, 248–251. *A. Boussel,* Zwei Vorkämpferinnen für Frauenbildung. L. Büchner, M.C., 1893.

Chézy, Helmina von (eigentl. Wilhelmine Christiane; Ps. Sylvandra[y]), * 26. 1. 1783 in Berlin, † 28. 2. 1856 in Genf.

Enkelin der bekannten Dichterin Karschin (Anna Louise Karsch, 1722–1791), Tochter der Schriftstellerin Karoline von Klenke geb. Karsch (1754–1802) und des Offiziers Karl Friedrich von Klenke. Zum Zeitpunkt ihrer Geburt waren die Eltern bereits geschieden. Sie wuchs in ungeregelten Verhältnissen, zum Teil bei der Großmutter auf. Heiratete 16jährig 1799 Gustav Frhr. von Hastfer. 1800 wurde die Ehe aufgelöst. Angespornt durch die literarische Familientradition und ebenso durch den Erfolg zeitgenössischer Schriftstellerinnen wandte sie sich früh literarischen Arbeiten zu. Stand zunächst stark unter dem Einfluß Jean Pauls, mit dem sie befreundet war. Einer Einladung der Comtesse de Genlis folgend, siedelte sie 1801 nach Paris über. Gab dort 1803/07 die Zeitschrift ›Französische Miscellen‹ (Cotta) heraus. Ihr Buch ›Leben und Kunst in Paris seit Napoleon I.‹ (2 Bde. 1805–07) ließ Napoleon beschlagnahmen. Durch F. Schlegel lernte sie den Orientalisten Antoine Leonard de Chézy kennen, den sie 1805 heiratete. Zwei Söhne. Nach fünfjähriger Ehe trennte sie sich von Chézy und lebte abwechselnd in Heidelberg, Frankfurt am Main, Aschaffenburg und Darmstadt. Während der Freiheitskriege 1813 war sie in den Lazaretten tätig. Später wurde sie wegen Verleumdung der Invaliden-Prüfungs-Kommission in Berlin angeklagt, aber freigesprochen. Seit 1817 lebte sie in Dresden, ab 1823 in Wien, seit 1830 in München. Ihre letzten Lebensjahre verbrachte sie in Genf, wo sie, fast erblindet, ihrer Großnichte Erinnerungen diktierte. Autobiographische Züge trägt auch ihr Roman ›Emmas Prüfungen‹ (1817). Durch ihr bewegtes Leben hatte sie Kontakte zu vielen bekannten Zeitgenossen und -genossinnen: A.v. Chamisso, A.W. und F. Schlegel, F. Creuzer, Bettina v. → Arnim, E. T. A. Hoffmann, Amalie v. Helvig, Karoline v. Rudolphi,

Karoline Louise → Brachmann, L. Tieck, C. M. v. Weber, für dessen Oper ›Euryanthe‹ sie das Libretto schrieb. H. v. Ch. war in vielfältiger Weise literarisch tätig und veröffentlichte in zahlreichen Zeitschriften, Almanachen und Taschenbüchern.

WERKE: (Hrsgin.) Französische Miscellen, 18 Bd. 1803–1807; Geschichte der schönen und tugendsamen Euryanthe, 2 Bd. 1804; Leben und romantische Dichtungen der Tochter der Karschin, 1805; Leben und Kunst in Paris seit Napoleon dem Ersten, 2 Bd. 1805–1807; Gedichte der Enkelin der Karschin, 2 Bd. 1812; Blumen in die Lorbeeren von Deutschlands Rettern gewunden. Zur Erinnerung des Deklamatoriums, 1813; Die Silberlocke im Brief. Schauspiel nach Calderóns ›Urania‹, 1815; Gemälde von Heidelberg, Mannheim, Schwetzingen, dem Odenwalde und dem Nekkarthale. Ein Wegweiser für Reisende und Freunde dieser Gegend, 1816; Neue auserlesene Schriften der Enkelin der Karschin, 1817; Emmas Prüfungen, E. 1817; Emma und Eginhard, Dr. 1817; Blumen der Liebe auf den Sarg der früh verklärten Lodoiska Freyin von Oelsen, 1818; (Hrsgin.) Altschottische Romanzen, 1818; Aurikeln. Eine Blumengabe von deutschen Händen. Mit Selbstbiogr., 1818; (Mithrsgin.) Iduna. Schriften deutscher Frauen gewidmet den Frauen. Hrsg. von einem Verein deutscher Schriftstellerinnen, 2 Bd. 1820; Erzählungen und Novellen, 2 Bd. 1822 (Inhalt: Bd. I: Siegfried und Wallburg; Die Probe; Die Begegnung; Ernst von Felseck; Rosalba; Bilder-Zauber; Kühnheit, Liebe und Glück; Die wunderbare Kur; Bd. II: Liebe ist stärker als der Tod; Die Seelenmesse; Die Rettung; Die Ahnenbilder; Achilles und Swanelind; Die freiwillige Sklavin; Die Unterhändlerin ihrer selbst; Graf Lukanor); Euryanthe. Große romantische Oper (Musik von C. M. v. Weber), 1824; Der Wunderquell. Eine dramatische Kleinigkeit, 1824 (ursprünglich u. d. T. Der neue Narziß); Esslair in Wien, 1824; Stundenblumen. Eine Slg. von En. und Nn., 4 Bd. 1824–1827; Jugendgeschichte. Leben und Ansichten eines papiernen Kragens, von ihm selbst erzählt (Seitenstück zu der N. Die Zeit ist hin, wo Bertha spann), 1829; (MA:) Novellenkranz deutscher Dichterinnen. Erster Kranz, aus Beiträgen von H. v. C., E. v. Hohenhausen, S. May und H. v. Montenglaut gewunden von C. Niedmann, 1829; Herzenstöne auf Pilgerwegen, G. 1833; Norika. Neues ausführliches Handbuch für Alpenwanderer und Reisende durch das Hochland in Österreich ob der Enns, Salzburg, die Gastein, die Kammergüter, Lilienfeld, Mariazell, St. Florian und die obere Steyermark, 1833; Unvergessenes. Denkwürdigkeiten aus dem Leben von H. v. C. Von ihr selbst erzählt, 2 Bd. 1858.

ÜBERSETZUNGEN: F. v. Genlis: Die Herzogin v. Lavallière, 1804; Euryanthe von Savoyen. Aus dem Manuscript der K. Bibliothek zu Paris: ›Histoire de Gérard de Nevers et de la belle et vertueuse Euryant de Savoye‹ übertragen, 1823.

NACHLASS: Lit.archiv der Ak. der Wiss. der DDR Berlin [Nachlaß]; Briefsammlung verloren, früher Dt. Staatsbibliothek Berlin; Fürstl. Leiningische Bibliothek Amorbach [Br. u. Slg.]; Schiller Nationalmuseum und Dt. Lit.archiv Marbach [Slg.].

LITERATUR: H. v. C. In: *H. Groß*, Deutschlands Dichterinnen und Schriftstellerinnen, 1882, 38–40. *W. Hosäus,* H.v.C. In: Mitt. des Vereins für anhalt. Geschichte, 1890; *E. Reitz,* H.v.C., Diss. Frankfurt a.M. 1923; *J. Petersen u. H. Rogge* (Hrsg.), A.v. Chamisso und H.v.C. Bruchstücke ihres Briefwechsels. In: Mitt. aus dem Lit.-Archiv in Berlin 19(1923). *H. v. Müller,* E.T.A. Hoffmann und Jean Paul, M. Dörffer und C. Richter, H.v.C. und Adelheit von Bassewitz. Ihre Beziehungen zueinander und zu gemeinsamen Bekannten im Rahmen der Zeitgeschichte, 1927. *D. R. Hupfeld,* Schriftstellernde Frauen vor 150 Jahren. In: Ruperto-Carola 15 (1933). *K. Riedel,* Karl Krauses Spuren im schöngeistigen Schrifttum v. F. G. Wetzel, H. v. Kleist, Jean Paul, Goethe, H.v.C. u.a., [2]1941. *I. Meyer-Lüdtke,* H.v.C.'s Stellung in der Pseudoromantik. Diss. Berlin 1944. *A. Götze,* Frau v. Staël, Chamisso und H.v.C. In: Archiv 189(1952–53). *F. Martini,* H.v.C. In: NDB 1957.

Christ, Lena, * 30. 10. 1881 in Glonn/Oberbayern, † 30. 6. 1920 in München.

Uneheliche Tochter der Köchin Magdalene Pichler und (vermutlich) des Bedienten Karl Christ. Verbrachte bis zum 8. Lebensjahr eine glückliche Kindheit bei den Großeltern auf dem Lande. Erlebte dann bei ihrer Mutter, die einen Gastwirt geheiratet hatte, schwere Jugendjahre. Half in der Wirtschaft ihrer Eltern, ging wegen ständiger Zerwürfnisse mit der Mutter 1898 ins Kloster Ursberg, aus dem sie 1900 wieder zu den Eltern zurückkehrte. Heiratete 1901 den Buchhalter Anton Leix. Drei Kinder. Nach der Trennung von ihm 1909 und erfolgter Scheidung 1912 heiratete sie im gleichen Jahr Peter Jerusalem (später Benedix), der ihre schriftstellerische Arbeit förderte. 1919 trennte sie sich von ihm wegen eines jüngeren Musikers. Der Bildfälschung angeklagt, nahm sie sich 1920 mit von Benedix besorgtem Zyankali das Leben.

Lena Christs Stärke war die wirklichkeitsnahe, kenntnisreiche und zum Teil humorvolle Schilderung des bayrischen Volkslebens. Der Roman ›Die Rumplhanni‹ wurde verfilmt. Ihr erstes Buch ›Erinnerungen einer Überflüssigen‹ (1912) enthält die bedrückende Geschichte des eigenen Lebenswegs.

WERKE: Erinnerungen einer Überflüssigen, 1912; Lausdirndlgeschichten, 1913 (N 1983); Unsere Bayern anno 14/15, En. 1914–15; Mathias Bichler, R. 1914; Die Rumplhanni. Eine Erzählung, 1916; Bauern. Bayerische Geschichten, 1919; Madam Bäurin, R. 1920.

VERÖFF. A. D. NACHLASS: Aus meiner Kindheit, Autobiogr. 1938.

WERKAUSGABEN: Gesammelte Werke,

1970 (N 1981) (Inhalt: Erinnerungen einer Überflüssigen; Mathias Bichler; Die Rumplhanni; Madam Bäurin).
LITERATUR: *J. Hofmiller,* L.C. In: Der Kunstwart 44(1931). *I. Weithase,* L.C. In: Völkischer Beobachter (1931) 303. *A. Valter,* L.C. und ihr Werk. Diss. Wien 1937. *P. Benedix,* Der Weg der L.C. (Erinnerung), 1940. *G. Troll,* L.C. Diss. München 1945. *E. Hederer,* L.C. In: NDB 1957. *A. v. Gugel,* L.C. Leben und Werk, Diss. München 1959. *G. Goepfert,* Das Schicksal der L.C., 1971 (N 1981). *K. Wieninger,* L.C. Die altbayrische Dichterin. In: K.W. Bayerische Gestalten, 1981, 369–76.

Christaller, Helene, * 31. 1. 1872 in Darmstadt, † 24. 5. 1953 in Jugenheim/Bergstraße.
Tochter der Elisabeth geb. Walther und des Rechtsanwalts Friedrich Heyer. Besuchte bis zum 15. Lebensjahr die höhere Töchterschule. Wichtig für ihren Lebensweg war der Einfluß ihres Konfirmandenlehrers, des Darmstädter Pfarrers Karl Pahnke. Heiratete 1890 den 15 Jahre älteren Schriftsteller und Pfarrer Erdmann Gottreich Christaller. Lebte mit ihm in kleinen Pfarrstellen des Schwarzwaldes. Drei Töchter, ein Sohn. Begann für Kindergottesdienste kleine Geschichten zu schreiben. Erdmann Christaller wurde wegen seines satirischen Romans ›Prostitution des Geistes‹ 1903 seines Amtes enthoben. Daraufhin Umzug nach Jugenheim. Seitdem trug H.C. mit ihrer literarischen Tätigkeit zum Lebensunterhalt der Familie bei. Zwischen 1902 und 1943 erschienen zahlreiche Werke in z.T. hohen Auflagen. Reiste nach Schweden und Italien; seit 1927 ein eigenes Haus am Lago Maggiore.
Schrieb Romane, Novellen, Erzählungen, die viel Autobiographisches enthalten. Es sind zunächst Schwarzwälder Dorferzählungen, Pfarrhausromane (so ihr größter Erfolg ›Gottfried Erdmann und seine Frau‹, 1908, ^{28}1927) und Ehegeschichten, später Darstellungen aus der eigenen Familie. »So schlicht und flach ihr Schriftwerk künstlerisch wirkt, ist es doch, zumal im prot. Bereich, hunderttausenden Lesern helfende Lebenskraft gewesen.« (H. Schwerte) Erhielt 1917 den Rheinischen Dichterpreis. Im Dritten Reich wurde ihr Werk unterdrückt.

WERKE: Weihnachten in den Bergen. Weihnachtssp. für 10 Mädchen und 8 Knaben für Schulen und Sonntagsschulen, 1902; Frauen, Nn. 1904; Magda. Gesch. einer Seele, 1905; Meine Waldhäuser. Bilder aus einem Dorfe, 1906; »Wer aber nicht hat ...«, N. 1906; Gottfried Erdmann und seine Frau, R. 1908; (^{28}1927, N 1984); Aus niederen Hütten. Gesch. aus dem Schwarzwald, 1908; Kinder und Helden, Gesch. 1909; Schiffe im Sturm, Nn. 1909 (Inhalt: Ins Dunkel hinein; Helge); Das Gotteskind, R. 1910; Junge Helden. En. aus dem Kinderleben, 1910; Ruths Ehe, R. 1910; Wie die Träumenden ... Tagebuchblätter, 1910; Heilige Liebe. Eine Gesch. aus Assisis alten Tagen, 1911; Lichter im Strom. En. und Legenden, 1912; Die Wege des Willfried Holm, R. 1913; Von Liebe, Nn. u. Sk. 1915; (MA:) Stille Opfer. Den dt. Frauen und Jungfrauen in großer Zeit, 1915; Wir daheim, 1915; Der Himmelsbrief, E. 1916; Die unsere Hoffnung sind. Ein Buch von jungen Menschen, die den

Krieg erlebten, 1916; Und Marmorbilder stehn und sehn mich an, En. 1916; (MA:) Kriegsnovellen, Bd. 1, 1916; Berty, der Schornsteinfegerlehrling, 1917 (Auszug aus: Kinder und Helden, 1909); Fürchte dich nicht. Eine E. für junge Mädchen, 1918; Mutter Maria, R. 1918; Das Geheimnis, Nn. 1918; Drei Schicksale, Nn. 1918; Die Liebe und der Tod. Novellenkranz, 1920; Unser Freund Hannes, 1920; Wie die Träumenden, R. 1921; Verborgenheit, R. 1922; Das Reich des Markus Neander, R. 1924; Der Spielmann Gottes, En. 1925; Aus Assisis großen Tagen. Legenden vom hl. Franziskus, 1926; Das Tagebuch der Annette. Ein Stück aus dem verborgenen Leben der Annette von Droste-Hülshoff, 1926; Als Mutter ein Kind war. Eine Gesch. aus dem Leben, 1927 (N 1981); Die dankbare Erde und andere Erzählungen, 1927; Der Weg ins Leben, 3 En. 1927; Berufung, R. 1928; Geheimnisse des Lebens. En. und Legenden, 1928; Das vierblättrige Kleeblatt. Aufzeichnungen eines Kindes, 1928; Meine erste Reise und andere Erzählungen für die Jugend, 1928; Der Ruf des Herzens. Eine Auswahl heimatlicher En., 1928; Im Zeichen des Wassermanns. Die Gesch. einer Jugend, 1929; Von Mutterglück und Kinderfreude, 1930; Peterchen. Eine Gesch. für Kinderfreunde, 1930 (N 1983); Die neue Mutter, E. 1931; Kennst du das Land …? Eine abenteuerliche Reisegeschichte, 1931; Der Menschenbruder, R. 1931; Hier darf gebettelt werden, R. 1932; Albert Schweitzer. Ein Leben für andere, 1932; (Bearb.) J. Spyri, Heidi, 1932; Wenn die Lichter verlöschen. Der Alte, 2 En. 1932; Weihnachtsgeschichten, 1932 (N 1964); Die Weihnachtspredigt, 1932; Die Beichte der Königin, hist. E. 1933; Das blaue Haus. Eine Gesch. aus dem Leben, 1934 (N 1963) (Bd. 2 zu: Als Mutter ein Kind war, 1927); (Einl.) Junges Leben. Bilder aus dem Kinderland, hrsg. von F. Lometsch, 1934; Aus Wanderjahren. Ein Zwischenstück in Einzelbildern aus ›Das Reich des Markus Neander‹ (1924), 1934; Eine Kerze, die an zwei Enden brennt, Autobiogr. In: E. Fischer (Hrsg.), Schaffende Frauen, 1935; Stephan und Claudia. Gesch. einer Liebe, 1935; Adam geht auf Wanderschaft. Ein Lebenslauf, 1936; Gottes Hammer, E. 1936; Aus meinem Leben, 1937; Die Brücke, R. 1938; Meine Mutter. Ein erfülltes Leben, 1939 (N 1966); »Der Bien schwärmt« und andere Erzählungen, 1940; Von großen und kleinen Leuten, En. 1940; Christine. Eine Lebensgeschichte, 1941; Fenella. Wie der heilige Antonius den Fischen predigte. Aus der Schulzeit, 1942; Was Marie wollte. Die Vogelmamsell, 1942; Kurze Geschichten, 1944; Junge Menschen, 3 En. 1945; Meine Freundin aus China und andere Erzählungen, 1947; Eine kleine Heldin. Der lebende Stoff, 2 En. 1948; Aus einem fröhlichen Pfarrhaus, 1954 (Auszug aus: Als Mutter ein Kind war, 1927); Der Held, 1967.

WERKAUSGABEN: 4 × 4 Geschichten zum Vorlesen, 1959 (N 1963); Das Weihnachtsgeschenk und andere Erzählungen, 1981.

ÜBERSETZUNG: Luigi Clerici, Märchen vom Lago Maggiore, 1931.

LITERATUR: *O. B.,* H. C. ›Magda‹. In: Monatsschrift für die kirchliche Praxis, [Tübingen] 1906. *G. Prellwitz,* H. C. ›Wer aber nicht hat‹. In: Preußische Jb., Dez. 1906. H. C. ›G. Erdmann und seine Frau‹. In: Allg. ev.-luth. Kirchenzeitung, 1908. *E. G. Christaller,* H. C. In: Das lit. Echo 12(1909/10), 1647ff. H. C. ›Gotteskind‹. In: Ev. Freiheit, [Tübingen] 1911. H. C. ›Magda‹. In: Neue metaphysische Rundschau 19(1912). *M. Fuhrmann,* H. C. ›Heilige Liebe‹. In: Preußische Jb., Januar 1912. H. C. ›Die unsere Hoffnung sind‹. In: Heimdall 22(1917) 21. H. C. ›Die unsere Hoffnung sind‹. In: Blätter des schwäbischen Albvereins, [Tübingen] 29(1919), Beil. 3/4. H. C. ›Fürchte dich nicht‹. In: Blätter für Bücherfreunde, 1919. *K. Fuchs,* H. C. ›Drei Schicksale‹. In: Die schöne Lit. 20(1919). *E. Triebnigg,* H. C. ›Drei Schicksale‹. In: ebda. 21(1920). *F. Herweg,* H. C. ›Mutter Maria‹. In: Hochland 16(1921). *J. Merk,* H. C. ›Die Liebe und der Tod‹. In: Die Bücherwelt 18(1921). *M. Behler,* H. C. ›Verborgenheit‹. In: Die schöne Lit. 23(1922). H. C. ›Das Reich des Markus Neander‹. In: Auf Dein Wort, [Freiburg] 23(1924). H. C. ›Aus Assisis großen Tagen‹. In: Die Eiche, [Berlin] 15(1926). H. C. ›Tagebuch der Annette‹. In: Der Gral 21(1926). H. C., ›Das Tagebuch der Annette‹. In: Allg. Rundschau 24(1926). H. C. ›Heilige Liebe‹, ›Der Spielmann Gottes‹, ›Tagebuch der

Annette‹. In: Benediktinische Monatsschrift, [Beuron] 1927. *E. v. Kirchbach,* H. C. ›Als Mutter ein Kind war‹. In: Ekkart. Ein dt. Lit.blatt, 1928. H. C. ›Berufung‹. In: Benediktinische Monatsschrift, [Beuron] 11(1929). *Ried,* H. C. ›Berufung‹. In: Die Bücherwelt 26(1929). *R. Bahmann,* H. C. ›Albert Schweitzer‹. In: Populäre Zs. für Homöopathie, [Berg] 62(1930). *H. Frick,* H. C. In: 30 Jahre Verlag Friedrich Reinhardt, [Basel] (1930), 55ff. *Schmitz,* H. C. ›Peterchen‹. In: Die Bücherwelt 23(1931). *E. Schmidt,* H. C. In: Geisteskampf der Gegenwart 68(1932) 5, 182ff. H. C. ›Beichte der Königin‹. In: Reformierte Kirchenzeitung, [Freudenberg] 83(1933). H. C. ›Adam geht auf Wanderschaft‹. In: Dein Wort, [Freiburg] 35(1935/36). H. C. ›Aus meinem Leben‹. In: ebda. 36(1936/37). *R. Thyssen,* H. C. ›Im Zeichen des Wassermanns‹. In: Die Bücherei NF 4 (1937). *M. Tanner,* H. C. – heute. In: Basler Nachrichten (1947) 407. *K. A. Kutzbach,* H. C. In: Autorenlex. der Gegenwart (1950), 63f. H. C. In: Neue Zürcher Zeitung (1952) 225. *I. Frohnmeyer,* H. C. In: Basler Nachrichten (1953) 216. *H. Schwerte,* H. C. In: NDB 1957. *K. Esselborn,* H. C. In: K. E., Hessische Lebensläufe, 1979, 67–75.

Christen, Ada (Ps. f. Christi[a]ne v. Breden), * 6. 3. 1839 in Wien, † 23. 5. 1901 ebda.

Tochter der Kaufmannsfamilie Friderik (Frederik, Friederik). Der Vater wurde wegen seiner Beteiligung an der 1848er-Revolution verurteilt und starb früh. Die Familie verarmte. A. C. arbeitete als Blumenverkäuferin und Handschuhnäherin. Mit 15 Jahren ging sie zum Theater und spielte an deutschen Wanderbühnen in Ungarn. Im Zusammenhang mit ihrer schauspielerischen Tätigkeit entstand 1860 ihre erste literarische Arbeit, eine Posse mit Gesang. 1864 heiratete sie den ungar. Stuhlrichter und Großgrundbesitzer Siegmund von Neupauer, der bereits zwei Jahre später starb. Ihr einziges Kind verlor sie 1866 kurz nach der Geburt. Sie begann Gedichte und Skizzen in Zeitschriften zu veröffentlichen und lebte erneut in dürftigen Verhältnissen. Erst eine 1873 geschlossene zweite Ehe mit dem Rittmeister a. D. und Militärschriftsteller Adalmar von Breden brachte ihr finanzielle Sicherheit.

Bekannt wurde A. C. mit ihrer ersten Gedichtsammlung ›Lieder einer Verlorenen‹ (1868), die wegen ihrer erotischen und sozialen Thematik großes Aufsehen erregte. Sie griff darin auf die Lyrik der Jungdeutschen und des Vormärz zurück (besonders auf H. Heine) und beeinflußte ihrerseits die Generation der Naturalisten. In ihrer schriftstellerischen Tätigkeit wurde sie von Ferdinand von Saar unterstützt, der auch den Druck der ersten Gedichtsammlung vermittelte. Es folgten weitere Gedichtausgaben, erzählerische Prosa und Theaterstücke, in denen sie häufig wirklichkeitsnah das ihr vertraute Wiener Volksleben schildert.

WERKE: Das Loch in der Wand. Posse mit Gesang in 1 Akt, 1860; Die Häuslerin. Volksstück in 4 Aufzügen, 1867; Lieder einer Verlorenen, 1868; Schotter, G. 1869; Aus der Asche. Neue G. 1870; Faustina, Dr. 1871; Schatten, G. 1873; Ella, autobiogr. R. 1873; Vom Wege. Sk. und Nn. 1874; Aus dem Leben. Sk. 1876; Aus der Tiefe. Neue G. 1878; Wehrlos, 1880; Unsere Nachbarn. Neue Sk. 1884; Als sie starb. Sk. 1888; Jungfer Mutter. Eine Wiener Vorstadtgeschichte, 1892; Wiener Leut, Volksdr. 1893; Wie Lottchen nähen lernte, 1897; Das Nelkenbett, E. 1897; Hypnotisiert. Lustsp. in 2 Aufzügen, 1898; Evchens letzte Puppe, 1901; Neckpeter. Ernas Träume, 1902; Als er heimkehrte, 1912; Geschichten aus dem Haus »Zur blauen Gans«, 1929; Ein Alt Wiener Vorstadtroman, 1947.
WERKAUSGABEN: Ausgewählte Werke, hrsg. von W. A. Hammer, 1911.

NACHLASS: Stadtbibliothek Wien (Nachlaß); Heine-Institut Düsseldorf (Teilnachlaß).
LITERATUR: A.C. In: *H. Groß,* Deutschlands Dichterinnen und Schriftstellerinnen, 1882, 136f. *H.Sittenberger,* A.C. In: Biogr. Jb. und Dt. Nekrolog 7(1905). *A. B. Ernst,* Frauencharaktere und Frauenprobleme bei L. Anzengruber, 1922. *E. Behr,* A.C. Ihr Leben und ihre Werke., Diss. Wien 1922. *A. Damaschke,* A.C. In: A.D., Aus meinem Leben, [2]1928. *M. Lebner,* A.C. Eine Monographie. Diss. Wien 1933. *H. Gronemann,* A.C. Leben und Wirken, 1947. *O. Katann,* Storm als Erzieher. Seine Briefe an A.C., 1948. *K. Vancsa,* A.C. In: NDB 1957. *P. Reimann,* A.C. In: P.R., Von Herder bis Kisch, 1961, 34–39. *G. Brinker-Gabler,* A.C. In: G.B.-G., Dt. Dichterinnen vom 16. Jh. bis zur Gegenwart, 1978, 219–23.

Clément, Bertha, * 25. 8. 1852 in Ludwigslust/Mecklenburg, † 22. 8. 1930 ebda.
Tochter eines lange Zeit im Süden ansässigen Malers. Erhielt erste Anregungen zur schriftstellerischen Tätigkeit durch die Reise- und Erlebnisschilderungen ihres Vaters. Später unternahm sie selbst ausgedehnte Reisen. Ihr erstes Buch veröffentlichte sie 40jährig.
Erfolgreiche und sehr produktive Autorin von Mädchenbüchern. Ihre Bücher gehören in die Tradition der inhaltlich auf bürgerliche Verhaltensnormen fixierten Backfischbücher der Wilhelminischen Ära (H. Kieser).

WERKE: Tage des Glücks. E. für junge Mädchen, 1893; Der Geigersepp und sein Enkel. Eine wahre Geschichte für die Jugend, 1893; Seine kleine Frau. E. für erwachsene Mädchen, 1894; Das Rebenhäusel. E. für die Jugend, 1895; Für brave Kinder. Mit lustigen Reimen und Verschen, 1896; Stranddistel. E. für junge Mädchen, 1896; Hauptmanns Puck. E. für Mädchen, 1896; Im Lande der Sonne, R. 1896; Der silberne Kreuzbund. E. für junge Mädchen, 1897; Prinzeß Ilse. E. für erwachsene Mädchen, 1897; (Hrsgin.) Frühlings-Blüten. Eine Gabe für die junge Mädchenwelt, 1897; Unika. E. für junge Mädchen, 1898; Komteß Wally. Neues vom »Silbernen Kreuzbund«. E. für erwachsene Mädchen, 1898; Im Rosenhause. Eine E. für die junge Mädchenwelt, 1898; Die Rosenkette. Fortsetzung von ›Komteß Wally‹. E. für junge Mädchen, 1899; Die Rose von Jericho. E. für junge Mädchen, 1899; Engelsfittiche, 1899; Am Klausenwasser, E. 1899; Nur unser Fräulein. Eine E. für heranwachsende Mädchen, 1900; Die Turmschwalbe. E. für junge Mädchen, 1900; Jung-Deutschland. E. für die Jugend, 1900; In den Savannen. Fortsetzung von ›Im Rosenhause‹. Eine E. für junge Mädchen, 1900; Goldene Zeiten. E. für junge Mädchen, 1901; Ein Fürstenkind. E. für junge Mädchen, 1901; Glückliche Kinderzeit. Ein Bilderbuch mit Versen, 1901; Libelle, 2 Bd. 1901–1902 (Bd. I: Backfischzeit; Bd. II: Lenz und Brautzeit); Jungfer Hochhinaus. Eine E. für junge Mädchen, 1902; Der Kinder Welt in Wort und Bild, 1902; Im Schwalbenneste. E. für junge Mädchen, 1902; Sonnige Tage, wonnige Stunden. Ein Bilderbuch mit En. und Versen, 1903; Deutsche Treue, E. 1903; Amtsrichters Töchter. E. für junge Mädchen, 1903; Junker Wolf. E. aus dem 13. Jh., 1903; (Hrsgin.) Willkommen. Ein Mädchenbuch zur Unterhaltung und Belehrung, 1903; Großvater und Enkel, 1904; Weihnachtsüberraschungen. Eine Burengeschichte, 1904; Die treuen Kameraden, 1904; Von Engeln behütet, E. 1904; Die Reise in die Welt, 1904; Erblüht an einem Stamm. E. für junge Mädchen, 1904; Die Linde am Abersee. Nach einer wahren Begebenheit, 1904; Der kleine Patriot, 1905; Auf dem Ulmenhofe, 1905; Mutters Kleeblatt, E. 1905; Goldene Zeiten. Text zu einem Bilderbuch von A. Kook, 1905; Kinderfüße, E. 1905; Nachbarskinder, E. 1906; Die Heimchen, E. 1906; Auf der Eisscholle. E. für Jung und Alt, 1906; Schuster Hann, E. 1906; Liselotte, E. 1907; Lebensziele, 1907; Sonntage, E. 1909; Fräulein Wildfang und andere Erzählungen, 1909; Die Waldkinder, E. 1910; Siebengestirn, 1910; Die nächste Pflicht, E. 1910; Jörge Just. E. aus den Harzer Bergen, 1910; Ins Leben hinaus, E. 1911; Heimatboden, E. 1912; Liesel ohne Sorgen, E. 1912; Das Röseli vom Ötztal, E. 1912; Susis Paradies, E. 1913; Villa Trautheim. E. für junge Mädchen, 1913; Das Dreigespann, E. 1914; Unter dem Holunderbaum, E. 1915; Sturmgebraus. E. aus dem Kriegsjahr 1914, 1915; Tante erzählt, E. 1915; Neue Märchen aus dem Walde für die Kleinen, 1916; Morgenrot. E. aus dem Krieg, 1916; O du mein gülden Krönlein, E. 1919; Im Glückshafen, E. 1919; Trauts Sonnenjahre, E. 1919; Professor Alver's Töchterlein, E. 1920; Edelweiß, E. 1920; Die Lilie von Eden, E. 1922; Das Singerlein, E. 1922; Wiltruds Werdegang, E. 1926; Das singende Holz. Roman aus dem bayerischen Hochgebirge, 1927; In Treue fest. E. für Knaben, 1929.

Veröff. a. d. Nachlass: Die zwei Lieben des Grafen Ulrich, R. 1932; Der Weg ins Glück, E. 1939.

Literatur: *H. Kieser,* B.C. In: Gedenktage des mitteldeutschen Raumes, [Bonn] 1980, 137ff. *Ders.,* B.C. In: Lex. der Kinder- und Jugendlit. Bd. 4, 1982, 124.

Courths-Mahler, Hedwig (Ps. Relham, Hedwig Brand), * 18. 2. 1867 in Nebra/Unstrut (Thüringen), † 27. 11. 1950 in Rottach-Egern/Tegernsee.

Uneheliche Tochter der aus einer Kleinbauernfamilie stammenden Henriette Mahler und des vor ihrer Geburt an Verwundungen und der Cholera bei Königgrätz verstorbenen (1866) Korporals E. F. Schmidt. Wuchs, vom Stiefvater Max Brand gemieden, ohne häusliche Geborgenheit auf. Mutter und Stiefvater starben früh. Arbeitete zunächst als Dienstmädchen, war dann Vorleserin bei einer älteren Dame, schließlich Verkäuferin. Heiratete 1889 den Maler und Dekorateur Fritz Courths. Lebte in

Leipzig, Chemnitz, Berlin und von den dreißiger Jahren an am Tegernsee. Ihre beiden Töchter Friede Birkner und Margarete Elzer haben sich auch schriftstellerisch betätigt.
Unterhaltungsschriftstellerin. Begann früh zu schreiben, u.a. angeregt durch die Romane ihres Vorbilds Eugenie → Marlitt. Veröffentlichte ihren ersten Roman aber erst 38jährig (›Scheinehe‹, 1905). Mit einer Gesamtauflage von über 40 Millionen ihrer mehr als 200 Romane war sie die »erfolgreichste« deutsche Autorin der ersten Hälfte des 20. Jh. Über 20 ihrer Bücher wurden verfilmt. Die gegenwärtig über 70 lieferbaren Titel belegen ihren andauernden Erfolg. Ihre Romane schildern immer wieder mit dem Klischee der Heirat von Arm und Reich den Aufstieg von Menschen aus kleinbürgerlichen Verhältnissen in die bewunderten Kreise des Adels oder der Großbourgeoisie und damit zu den Quellen des Reichtums und des Glücks. Die nicht ernst genug zu nehmende Sehnsucht nach dem Glücksversprechen dieser Romane verführte vor allem Leserinnen zu Ausflügen in Traumwelten, die die ungenügende Gegenwart vergessen, aber auch unbegriffen und damit unverändert lassen.

WERKE: Scheinehe, 1905; Untreu, 1907 (u.d.T. Es war keine Untreue, 1953); Welcher unter euch?, 1907 (auch u.d.T. Geliebte Frau, verzage nicht); Im Waldhof, E. 1909 (auch u.d.T. Wen liebst du, Annedore); Auf falschem Boden, 1910; Es irrt der Mensch, 1910; Der Sohn des Tagelöhners. E. aus dem Leben von Relham, 1910 (u.d.N. Relham) (u.d.T. Ich werde deine Frau, 1955); (u.d.N. Hedwig Brand) Der Wildfang. E. aus der Gegenwart, 1910 (auch u.d.T. Bleib tapfer, Rosemarie, 1959 und Kleine Rosemarie); König Ludwig und sein Schützling, E. Erinnerungsblätter zur 25. Wiederkehr des Todestages König Ludwigs II. von Bayern, 1911; Das Gänsemädchen von Dohrma, E. 1911; (u.d.N. H.C.-M.) Liselottes Heirat, 1911; Die wilde Ursula, 1912; Ich lasse dich nicht!, 1912 (N 1974); Gib mich frei, 1912; Des anderen Ehre, 1912 (u.d.T. Das Testament von Rochambeau, 1919); Das Halsband, 1912 (N 1974); Der stille See, 1913 (N 1982); Aus erster Ehe, 1913 (N 1980) (auch u.d.T. Dein Zauber war es, nicht dein Geld); Was Gott zusammenfügt, 1913; Ein Schritt vom Wege, 1913; Unser Weg ging hinauf, 1914 (auch u.d.T. Du gabst mir mehr als Geld und Gut); Hexengold, 1914 (N 1985) (auch u.d.T. Das Geheimnis von Schloß Ravenau); Käthes Ehe, 1914; Die Bettelprinzeß, 1914 (N 1980) (u.d.T. Hab kein Herz auf dieser Welt, 1929); Deines Bruders Weib, 1915 (N 1975); Die schöne Miss Lilian, 1915 (N 1977) (dramatisiert u.d.T. Miss Lilian, die schöne Deutsch-Amerikanerin, o.J. [um 1917], zus. mit M. Birkner); Ich will, 1915 (u.d.T. Das Glück steht am Wege, 1951); Die Kriegsbraut, 1915 (N 1977) (u.d.T. Die Rose von Lossow, 1916) (dramatisiert o.J. [um 1917], zus. mit M. Birkner); Sanna Rutlands Ehe, 1915 (auch u.d.T. Susannes Jahr der Prüfung); Mamsell Sonnenschein. E. für junge Mädchen, 1915 (u.d.T. Fräulein Sonnenschein, 1921); Die Testamentsklausel, 1915; Durch Liebe erlöst, 1915 (N o.J. [VLB 1984/85]), Arme kleine Anni, 1916 (N 1975); Der tolle Hassberg, 1916; Vergib, Lori. Eine E. für junge Mädchen, 1916 (N o.J. [VLB 1984/85]); Die drei Schwestern Randolf, 1916 (N o.J. [VLB 1984/85]); Lena Warnstetten, 1916 (N 1974); Prinzess Lolo, 1916 (dramatisiert u.d.T. Prinzess Lolos Liebe, Lustsp. o.J. [um 1921], zus. mit J. Wendt); Frau Bettina und ihre Söhne, 1916 (N o.J. [VLB 1984/85]); Seine Frau, 1916; Meine Käthe und andere Erzählungen, 1916; Ein deutsches Mädchen und andere Erzählungen, 1916; Die Assmanns, 1916 (auch u.d.T. Schon immer hab ich dich geliebt); Griseldis, 1916 (N 1977) (dramatisiert o.J. [um 1917], zus. mit M. Birkner); (MA:) Arme Liane. Lustsp. in 5 Akten, o.J. um 1917; Eine ungeliebte Frau, 1918; Das Amulett der

Rani, 1918; Die schöne Unbekannte, 1918 (N 1982); Die Adoptivtochter, 1919 (N 1977); Diana, 1919 (N 1978) (auch u.d.T. Diana, die Gutsherrin von Dorneck); Das Drama von Glossow, 1919 (N 1978) (auch u.d.T. Ohne dich gibt es kein Glück für mich); Amtmanns Käthe, 1919; Sein Kind, 1919 (N 1980); Liane Reinhold, 1919 (N o.J. [VLB 1984/85]) (auch u.d.T. Tochter aus erster Ehe); Hans Ritter und seine Frau, 1919; Der Scheingemahl, 1919 (N o.J. [VLB 1984/85]); Armes Schwälbchen. Eine E. für junge Mädchen, 1919; Friede Sörrensen, 1919 (auch u.d.T. Geliebt auf immerdar); Verschmäht, 1920; Zwei Frauen, 1920 (N 1981) (auch u.d.T. Solange ich lebe, werde ich hoffen); Die Kraft der Liebe, 1920; Im Buchengrund, 1920 (auch u.d.T. Das Glück zog ein auf Hohenegg); Rote Rosen, 1920 (N 1974); Die Geschwister, 1920 (u.d.T. Bezwungene Liebe, 1950); Ohne dich kein Glück, 1920; Zur linken Hand getraut, 1920; Die Herrin von Retzbach, 1920 (N 1976); Dein ist mein Herz, 1920 (N 1980); Was tat ich dir?, 1920 (N 1985); Annedores Vormund, 1920; O du mein Glück, 1920; Die Stellvertreterin, N. 1920; Opfer der Liebe, 1921; Sommerfrische und andere Erzählungen, 1921; Glückshunger, 1921; Ich darf dich nicht lieben, 1921 (N o.J. [VLB 1984/85]); Licht und Schatten, 1921; Die Menschen nennen es Liebe, 1921 (N 1981); Der Müssiggänger. Da zog ein Wanderbursch vorbei, 1921; Der Mut zum Glück, 1921; Die Stiftssekretärin, 1921 (auch u.d.T. Ihr Weg in die Fremde); Wer wirft den ersten Stein, 1921; Arbeit adelt, 1921 (auch u.d.T. Vater gib uns deinen Segen!); Die schöne Kalifornierin, 1922 (N 1980); Eine fromme Lüge, 1922; O du Jungfer Königin, 1922; Die Pelzkönigin, 1922 (N 1982) (auch u.d.T. In der Fremde lockt das Glück); Das stolze Schweigen, 1922 (N 1975); Von welcher Art bist du?, 1922; Wem nie durch Liebe Leid geschah, 1922 (N 1983); Durch Leid zum Glück, 1923; Dora Linds Geheimnis, 1923; Menschenherz, was ist dein Glück?, 1923; Der Australier, 1924; Der verhängnisvolle Brief, 1924 (N 1981); Wenn zwei sich lieben, 1924; Das ist der Liebe Zaubermacht, 1924 (N 1975) (u.d.T. Der Liebe Zaubermacht, 1964); Fräulein Domina, 1924; Es gibt ein Glück, 1924 (auch u.d.T. Dein Weg zu mir hat Glück gebracht); Das Heiligtum des Herzens, 1924; Versöhnt, 1924; Betrogene Liebe, E. 1924; Die schöne Melusine, 1924 (N 1984) (auch u.d.T. Die seltsame Ehe auf Wildenau); Die Sonne von Lahori, 1924 (N 1978); Vergangenheit, 1924; Verstehen heißt verzeihen, E. 1924; Britta Riedbergs Fahrt ins Glück, 1925 (N u.d.T. Brittas Weg ins Glück, 1984) (auch u.d.T. In der Fremde suchte sie Vergessen); Feenhände, 1925; Herz, nicht verzag! und andere Novellen, 1925; Mein liebes Mädel, 1925; Nur dich allein, 1925 (N 1983) (auch u.d.T. Nur du allein); Wenn Wünsche töten könnten!, 1925 (N 1974); Wo du hingehst, 1925 (N 1982); Willst du dein Herz mir schenken?, 1925; Das verschwundene Dokument, 1926 (N 1983) (auch u.d.T. Heimatlos durch fremde Schuld); Seine indische Ehe, 1926; Das Geheimnis einer Namenlosen. R. aus der Vorkriegszeit, 1926 (N o.J. [VLB 1984/85]); Frau Majas Glück, 1926; Ich liebe dich, wer du auch bist, E. 1926: Hannelores Ideal, N. 1926; Im fremden Lande, 1926 (N 1983); Verschwiegene Liebe – Verschwiegenes Leid und eine andere Erzählung, 1926; Ihr Retter in der Not, N. 1926; Die Verbannten, 1926 (N o.J. [VLB 1984/85]); Fräulein Chef, 1927; Die verschleierte Frau, 1927; Sein Mündel, 1927; Nun ist alles anders geworden, 1927 (N 1981); Die Perlenschnur, 1927; Sie hatten einander so lieb, 1927 (auch u.d.T. Es gab kein Vergessen); Aschenbrödel und Dollarprinz, 1928; Frau Juttas Befreiung, 1928; Die Erbin, 1928; Ich hab so viel um dich geweint, 1928 (auch u.d.T. Wem das Glück verzeiht); Die Inselprinzessin, 1928 (N 1974); Der verlorene Ring, 1928; Die heimlich Vermählten, 1928; Du bist meine Heimat, 1929 (N o.J. [VLB 1984/85]); Hab kein Herz auf dieser Welt, 1929; Harald Landry der Filmstar, 1929 (auch u.d.T. Bei dir wohnt das Glück); Nach dunklen Schatten das Glück, 1929 (N o.J. [VLB 1984/85]); Magdalas Opfer, 1929 (N 1984); Verkaufte Seelen, 1929 (N 1979) (auch u.d.T. Über Länder und Meere zu dir); Allen Gewalten zum Trotz sich erhalten, 1930; Um Diamanten und Perlen, 1930 (N 1984); Schwester Mariens Geheimnis, 1930; Liebe ist der Liebe Preis, 1930; Schweig still, mein Herz, 1930; Die Tochter der zweiten Frau, 1930 (N 1979); Die verstoßene Tochter, 1930 (N o.J. [VLB 1984/85]); Trotz allem lieb ich dich!, 1930 (N 1974); Der Abschiedsbrief, 1930; Die Liebe höret nimmer auf, 1931; Mit dir bis in den Tod, 1931; Die ungleichen Schwestern, 1931; Des Schicksals Wellen!, 1931 (N o.J. [VLB 1984/85]); Du meine Welt, 1931 (N 1981) (auch u.d.T. Waren alle deine Worte Lüge?); Unschuldig schuldig, 1931 (N 1974); Die Flucht vor der Ehe, 1931 (N 1983); Erika und der Einbrecher, 1932; Auf der Jungfernburg, 1932; Wie ist mein armes Herz so schwer, 1932; Wo ist Eva?, 1932; Judys Schwur, 1932; Helen Jungs Liebe, 1932 (u.d.T. Helen Jung, 1961); Da sah er eine blonde Frau, 1932 (N 1974) (auch u.d.T. Mit dir gehe ich Hand in Hand); Ihr Reisemarschall, 1932 (N 1978); Das Erbe der Rodenberg, 1932 (N 1976); Die Herrin von Armada, 1932 (N 1975); Des Herzens süße Not, 1932; Das Findelkind von Paradiso, 1933 (N 1974); Heide Rosenaus Kampf ums Glück, 1933 (N u.d.T. Heide Rosenau kämpft um ihr Glück, 1981); Was ist denn Liebe, sag?, 1933; Ich liebe einen anderen, 1933; Gerlinde ist unschuldig, 1933; Ihr Geheimnis, 1933; Ich glaube an dich, 1933; Was ist mit Rosemarie?, 1933 (N 1983); Das Rätsel um Valerie!, 1933 (auch u.d.T. Das Stiefkind zweier Mütter); Siddys Hochzeitsreise, 1934; Ich heirate Bertie, 1934; Ich kanns dir nimmer sagen, 1934 (N 1975); Seine große Liebe, 1934; Nur wer die Sehnsucht kennt, 1934 (N o.J. [VLB 1984/85]); Heimchen, wie lieb ich dich, 1934 (u.d.T. Wie lieb ich dich, 1951); Ich weiß, was du mir bist, 1934 (N 1980); Was tut man nicht für Dorothy?, 1935; Was wird aus Lori?, 1935; Frauen in Not!, 1935; Dorrit in Gefahr, 2 Bd. 1935 (N 1978); Dorrit und ihre Schwester, 1935 (auch u.d.T. Es war Liebe auf den ersten Blick); Wills tief im Herzen tragen, 1935; Ich hab dich lieb, 1935 (N 1979); Heidelerche, 1935 (N 1975); Die entflohene Braut, 1936 (N 1975); Weit ist der Weg zum Glück, 1936 (N 1978); Sag, wo weiltest du so lange?, 1936 (N 1978); Zwischen Stolz und Liebe, 1936; Du darfst nicht von mir gehen, 1936 (N 1979); Lissa geht ins Glück, 1936 (N 1984) (auch u.d.T. Deine Augen sagten alles); Eine andere wirst du küssen, 1937; Hilfe für Mona, 1937; Daniela, ich suche dich, 1937; Lady Gwendolins Ebenbild, 1937 (auch u.d.T. Die späte Beichte); Unser Tag wird kommen, 1938 (N 1984) (auch u.d. T. Opfergang einer selbstlosen Liebe); Jolandes Heirat, 1938; Wir sind allzumal Sünder, 1938 (N 1977) (auch u.d.T. Ich sühne für dich); Nur aus Liebe, Marlies, 1939 (auch u.d.T. Geliebter Trotzkopf); Flucht in den Frieden, 1948 (auch u.d.T. Nun kann dich nichts mehr von mir lösen).

NACHLASS: Amerika-Gedenk-Bibliothek, Berlin/West (Slg.).

BIBLIOGRAPHIEN: *W. Krieg,* Bibliographie des gedruckten Werkes von H.C.-M. und ihrer beiden Töchter Margarete Elzer und Friede Birkner. In: W.K., »Unser Weg ging hinauf«. H.C.-M. und ihre Töchter als literarisches Phänomen. Ein Beitr. zur Theorie über den Erfolgsroman und zur Gesch. und Bibl. des modernen Volkslesestoffes, 1954, 27–52 (Primärlit.: Verz. der Buchveröff. m. Angabe der Neuaufl. u. der Aufl.höhe von H.C.-M.: 30–43, von M. Elzer: 44–47, von F. Birkner [d.i.F. Stein]: 48–52). *G. Sichelschmidt,* H.C.-M. Deutschlands erfolgreichste Autorin. Eine literatursoziologische Studie, 1967 (Primärlit.: chronologisches Verz. selbst. und unselbst. Veröff. einschl. Neuaufl.: 58–77; Nachdrucke in der Delphin-Roman-Reihe des Parabel Verlages: 77–83).

LITERATUR: *H. Reimann,* H.C.-M. Schlichte Geschichten fürs traute Heim, 1922. *F. Taucher,* Das Geheimnis der alten Mamsell. In: Frankfurter Ztg. (1942) 222/23. *L. Enderle,* Das Jubiläum der Traumfabrikantin. In: Die Weltwoche (1947) 697. *Dies.,* So schön müßte das Leben sein. In: Die Neue Ztg. vom 21.2. 1947. *L. Hillenbrandt,* Fünfzig Jahre C.-M. In: Westdt. Ztg. vom 19.8. 1950. *K. Schwedhelm,* Glück nach Hausmacherart. In: Lit. Dtd. I(1950) 4, 2. *V. Sturm,* H.C.-M. In: FAZ vom 1.12. 1950. *C.O. Frenzel,* Gesamtauflage dreißig Millionen. In: Handelsblatt vom 6.8. 1954. *H. Furstner,* De romans van H.C.-M. als sociaal verschijnsel. In: Nieuwsblat voor de Boekhandel, 1954, 861f. *W. Krieg,* »Unser Weg hinauf«. H.C.-M. und ihre Töchter als literarisches Phänomen. Ein Beitr. zur Theorie über den Erfolgsroman und zur Gesch. und Bibl. des mo-

dernen Volkslesestoffes, 1954. *H. Neumeister,* Was tat ich dir? H.C.-M. und ihre Kritiker. In: FAZ vom 4. 6. 1954. *H. v. Podewils,* Ihr Leben schloß mit einem Happy-End. In: Das grüne Blatt vom 16. 5. 1954. *L. Wege,* C.-M. und die Folgen. In: Süddt. Ztg. vom 23. 10. 1954. *W. Drews,* C.-M. oder das Geheimnis des Erfolges. In: Der Tagesspiegel vom 16. 7. 1955. *L. Knabe,* Teebesuch bei Frau C.-M. In: Neue Württembergische Ztg. vom 4. 6. 1955. Märchen für Lieschen. In: Der Spiegel vom 13. 8. 1955. *L. Forster,* »Folk reading stuff«. In: German Life and Letters, NS. 9(1955/56), 26–28. *T. Koch,* Nicht weit vom Knie. In: T. K., Zwischen Grunewald und Brandenburger Tor, 1956, 62–64. *G. Weise,* Das erfolgreiche Gemüt. C.-M. als Doktor-Thema. In: Christ und Welt vom 8. 3. 1956. *W. Haas,* Das Geheimnis der Namenlosen. In: Kölner Stadt-Anzeiger vom 16. 2. 1957. *W. Kunze,* H.C.-M. In: NDB 1957. *F. Taucher,* Das Geheimnis der alten Mamsell. Ein Versuch über den Kitsch. In: F. T., Die wirklichen Freuden. Literarische Profile, 1958, 55–65. *L. Enderle,* Träume vom schönen Leben. In: Münchner Merkur vom 26. 11. 1960. *C. Riess,* H.C.-M. schreibt: Rote Rosen. In: C.R., Bestseller. Bücher, die Millionen lesen, 1960. *H. F. Schulz,* Ein Kapitel C.-M. In: H. F. S., Das Schicksal der Bücher und der Buchhandel. System einer Vertriebskunde des Buches, [2]1960. *C. Selle,* Literatur in Veilchenblau. Zum 10. Todestag der Romanschriftstellerin H.C.-M. In: Berliner Morgenpost vom 26. 11. 1960. *H. Erman,* Ihre Romane wurden Bestseller. In: Der Tag vom 14. 5. 1961. *G. Willenborg,* Die Arbeitswelt gilt nur als dekorative Kulisse. C.-M.-Romane einmal kritisch gesehen. In: Welt der Arbeit vom 26. 1. 1962. *Dies.,* Autoritäre Persönlichkeitsstrukturen in C.-M.-Romanen. In: Kölner ZS. für Soziologie und Sozialpsychologie, 1962. *C. Andersen,* Wenn das Herz schreibt. In: Kristall (1963) 20, 68–72. *G. Eberlein,* Das Bild der Unternehmerin im deutschen Banalroman der Gegenwart. In: Soziale Welt. ZS. für sozialwiss. Forsch. und Praxis, 1964, 212–43. *G. Willenborg,* Adel und Autorität. In: G. Schmidt-Henkel u.a. (Hrsg.), Trivalliteratur, 1964, 192–216. *C. Ferber,* C.-M. In: Die Welt der Lit. vom 24. 6. 1965. *K. Geitl,* Unschuldige Großmeisterin des Trivialen. In: Die Welt vom 27. 11. 1965. *C. Riess,* Begegnungen mit bemerkenswerten Frauen: H.C.-M. In: Elegante Welt, Februar 1966, 103. *G. Sichelschmidt,* H.C.-M. Deutschlands erfolgreichste Autorin. Eine literatursoziologische Studie, 1967. *I. Müller,* Untersuchungen zum Bild der Frau in den Romanen von H.C.-M., 1978. *J. Schmidt,* H.C.-M.s ›Die Pelzkönigin‹: deutsch-kanadisches Märchen und sanfter Protest. In: A. Arnold (Hrsg.), Analecta Helvetica et Germanica. Eine Fs. zu Ehren von H. Boeschenstein, 1979. *E. Schwarz,* The nobility and the cult of the nobility in the German novel around 1900. In: The German Quarterly 52(1979), 171–217. *H. N. Koch,* Gewalt in den Medien. Zur Rezeption der H.C.-M. in der Bundesrepublik. In: Diskussion Deutsch 12(1981), 469–93. *C. Freitag,* H.C.-M. In: Lex. der Kinder- und Jugendlit., Bd. 4, 1982, 128f. *G. Waldmann,* Trivial- und Unterhaltungsromane. In: H. A. Glaser (Hrsg.), Dt. Lit. Eine Sozialgeschichte, Bd. 8, hrsg. v. F. Trommler, 1982, 124–39.
RUNDFUNKSENDUNGEN: *G. Böse,* Eine Lanze für den Schmöker, Südwestfunk, 27. 6. 1954. *C. O. Frenzel,* Der Scheingemahl. Ein Hörbild über H.C.-M., Nordwestdeutscher Rundfunk, 28. 1. 1956. *R. Marwitz,* H.C.-M. zum 90. Geburtstag, BR 18. 2. 1957. *C. Selle,* Schonkost für die Seele. Lit. für Nichtleser. Zum 10. Todestag der H.C.-M., Rias, 25. 11. 1960. *G. Sichelschmidt,* »Ein dreifach Hoch dem Kitsch«. Eine Lanze für C.-M., WDR 28. 11. 1965.
SCHALLPLATTEN: »Nur wer die Sehnsucht kennt …« Ein C.-M.-Report von *C. Ferber,* Philips twen-Serie, Nr. 35.

Croissant-Rust, Anna, * 10. 12. 1860 in Bad Dürkheim (Pfalz), † 30. 7. 1943 in München-Pasing.

Tochter der Bauerntochter Barbara geb. Riederer und des Salineninspektors Philipp Anton Rust. Erhielt ab dem 6. Lebensjahr Unterricht zu Amberg in der Oberpfalz, wobei besonderer Wert auf die Ausbildung in Sprachen und Musik gelegt wurde. Siedelte nach dem Tod des Vaters 1886 nach München über, erteilte dort Sprach- und Musikunterricht. Ihre beiden Schwestern waren künstlerisch tätig als Malerin (Lina) und Bildhauerin (Agnes). Heiratete 1888 den Ingenieur Hermann Croissant. Bedingt durch seine Berufung als Gaswerksdirektor lebte sie seit 1895 in Ludwigshafen, nach seiner Pensionierung 1904 wieder in München (Pasing).

Begann ihre schriftstellerische Tätigkeit nach ihrer ersten Übersiedlung nach München. Ihre erste Novelle ›Das Kind‹ erschien 1887 in der von M. G. Conrad herausgegebenen Monatsschrift ›Die Gesellschaft‹. Ihre dort ebenfalls 1890 erschienene Novelle ›Feierabend. Eine Münchner Arbeiter-Novelle‹ fand weithin Beachtung und wurde einerseits als »Meisterwerk des Naturalismus« gefeiert, andrerseits scharf kritisiert. Es folgten weitere Erzählungen und Novellen, die vorwiegend im kleinbürgerlichen und bäuerlichen Milieu spielen. A. C.-R. wurde frühzeitig als einzige Frau in die 1885 von M. G. Conrad gegründete »Gesellschaft für modernes Leben« aufgenommen. War seit 1891 Mitherausgeberin der Zeitschrift ›Modernes Leben‹. Hatte einen großen Wirkungs- und Freundeskreis. – »Von dem Aufsehen erregenden Naturalismus ausgehend, hat sie in ihrem echten sozialen Mitfühlen und der unmittelbaren Erzählergabe eine hohe Reife der Form und Schilderung erreicht.« (K. Oberdorffer).

WERKE: (Mithrsgin.) Modernes Leben. Slg. der Münchner Modernen. Reihe I, 1891; Feierabend und andere Münchner Geschichten, 1893; Gedichte in Prosa, 1893; Lebensstücke. Nn.- u. Sk.buch, 1893 (N 1982); Der Kakadu. Prinzessin auf der Erbse, 2 Nn. 1896; Der standhafte Zinnsoldat, Dr. 1896; Der Bua. Oberbayrisches Volksdr. 1897; Pimpernellche. Pfälzer Gesch. 1901; Aus unseres Herrgotts Tiergarten. Gesch. von sonderbaren Menschen und verwunderlichem Getier, 1906; Die Nann. Ein Volks-R. 1906; Winkelquartett. Eine komische Kleinstadtgesch. 1908; Felsenbrunnerhof. Eine Gutsgesch. 1910; Arche Noah, En. 1911; Rückschau. In: Die Brücke 2(1912); (Hrsgin.) O. J. Bierbaum zum Gedächtnis, 1912; Nikolaus Nägele und andere Novellen, 1914; Der Tod. Ein Zyklus von 17 Bildern, 1914; Die alte Wirtin, 1916 (Auszug aus: Arche Noah); Kaleidoskop, 1921; Unkebunk. Ein R. aus den achtziger Jahren, 1921; Antonius der Held, 1933 (Auszug aus: Kaleidoskop); Das war mein Weg. In: Münchner Ztg. 1935/36, Beilage Die Propyläen, Nr. 20.

NACHLASS: Stadtbibliothek München (Teilnachlaß); Stadtmuseum Ludwigshafen (Teilnachlaß).

LITERATUR: *P. Bornstein,* A.C.-R. In: Das lit. Echo 9(1907). *K. Röttger,* A.C.-R. In: Die Brücke 1(1912). *A. Soergel,* A.C.-R. In: A.S., Dichtung und Dichter der Zeit, ^{3}1916, 259–264. *Dr. Owlglass,* Geburtstagsepistel für A.C.-R. In: Der schwäb. Bund, Dez. 1920. *R. Schwann-Schneider,* A.C.-R. In: Die Frau im Staat 2(1920) 12. *W. Schumann,* A.C.-R. In: Kunstwart 34(1921) 4. *O. Stoessl,* A.C.-R. In: Kunstwart 43(1930) 3. *W. Weigand,* Eine Münchner Dichterin. In: Münchner Neueste Nachr. v. 10. 12. 1930. *R. v. Aichberger,* A.C.-R. In: Die Oberpfalz 25(1931). *A. Becker,* A.C.-R. zum 80.

Geburtstag. In: Westmark 8(1940). *K. Röttger,* A.C.-R. In: Köln. Ztg. (1940) 630. *H. Brandenburg,* A.C.-R. In: H.B., München leuchtete, 1953. *K. Oberdorffer,* A.C.-R. In: NDB 1957.

Croner, Else (verh. Croner-Kretschmer), * 4. 5. 1878 in Beuthen/Oberschlesien, † ?.
Ihr Vater war der geheime Justiz- und Landgerichtsrat Wollstein. Verlebte ihre Kindheit und Jugend ab 1882 in Breslau. Besuchte die höhere Töchterschule und das Lehrerinnen-Seminar und bestand 1896 ihr Lehrerinnenexamen. Studierte von 1897 bis 1900 in Breslau Philosophie, Literaturgeschichte und Germanistik. Heiratete 1901 den Volkswirt und Syndikus Dr. Johannes Croner und lebte mit ihm in Berlin. War Dozentin an der Humboldt-Hochschule. Übersiedelte später nach Flammersfeld im Westerwald. – Ihre erste Veröffentlichung war eine Studie zu Fontanes Frauengestalten. Es folgten Mädchenbücher, Romane, Erzählungen u.a. schriftstellerische Arbeiten. Begabte Märchenerzählerin.

WERKE: Fontanes Frauengestalten, 1906; Hille Bobbe. Klassische Bilder-Märchen, 1907; Das Buch vom jungen Mädchen. Mit e. Anh.: Winke für alte und neue Frauenberufe, [2]1907; Das Tagebuch eines Fräulein Doktor, 1908; Frau Schlicht, 1911; Die moderne Jüdin, [3]1913; Prinzeß Irmgard, 1915; Die Büste, 1916; Erwachen, R. 1918; Veilchen, E. für junge Mädchen, 1920; Die Psyche der weiblichen Jugend, 1924 (mit e. Nachtr.: Zur Psyche der Mädchen aus den einfacheren Volksschichten, [5]1930); Der Herr Handelskammersyndikus, 1926; Die Frauenseele in den Übergangsjahren, 1928; Wege zum Glück. Ein Führer zur Lebensweisheit, 1928; Liebe?, 1929; Der Schutzengel und 15 andere Bildermärchen, den schönsten Meisterbildern dt. Gemäldeslgn. nacherzählt, 1929; Herz-Trost für Trauernde, 1931; Eduard Spranger. Persönlichkeit und Werk, 1933; Der Läuterungsberg, R. 1933.

Dauthendey, Elisabeth, * 19. 1. 1854 in St. Petersburg (Leningrad), † 18. 4. 1943 in Würzburg.
Ihr Vater war Hofphotograph von Zar Nikolaus I.; Stiefschwester des Dichters Max Dauthendey. E.D. unternahm zahlreiche Reisen nach England, Frankreich und Italien. Schrieb Romane, Novellen, Lyrik, Märchen und Essays. Beschäftigte sich mit psychologischen und ethischen Fragestellungen, vor allem auch im Hinblick auf das gewandelte Selbstverständnis der Frau. War beeinflußt von der Philosophie Nietzsches.

WERKE: Im Lebensdrange, R. 1898; Vom neuen Weibe und seiner Liebe. Ein Buch für reife Geister, 1900; Hunger, N. 1901; Zweilebig, R. 1901; Im

Schatten, N. 1903; Die schöne Mauvaine. Ein Königswille. 2 romantische Balladen, 1904; Die urnische Frage und die Frau, 1906; Romantische Novellen, 1907; Vivos voco, 1908 ([8]1923 u.d.T. Von den Ufern des Lebens); Das heilige Feuer, 1910; Märchen, 1910 (N 1976); Die Märchenwiese. Märchen, Gesch. und G. 1912; Ein Abend und andere Novellen, 1914; Von den Gärten der Erde. Ein Buch der tiefen Stille, 1917; Erotische Novellen, 1919; Märchen von heute, 1920; Die heiligen Haine. Schätze, die uns blieben trotz des schweren Krieges bittrer Not, 1920; Akeleis Reise in den goldenen Schuhen und andere Märchen, 1922; Erla und die sieben Herrenhöfe, E. 1923; Intime Plaudereien über künstlerisches Schaffen und Genießen, 1924; Drei Schwiegermütter, Schw. 1927; (MA:) Für die Dämmerstunde. Neue Märchen und Gesch. 1928; Schlösser und Gärten am Main, 1932.

LITERATUR: *A. Spendier,* Nietzsche bei Helene von Monbart, Sophie Hoechstetter und E.D. Ein Beitr. zur lit. Nietzsche-Rezeption um 1900, Diss. Salzburg 1980.

Delle Grazie, Marie Eugenie, * 14. 8. 1864 in Weißkirchen/Ungarn, † 18. 2. 1931 in Wien.

Tochter einer Deutschen und des aus einer alten venezianischen Familie stammenden Bergbaudirektors Caesar delle Grazie. Lebte in ihrer Kindheit in Bersaska, einem Gebirgsdörfchen an der unteren Donau, im Banat. Zwei Jahre nach dem Tod des Vaters siedelte die Mutter mit ihren Kindern 1874 nach Wien über. Hier besuchte M.E. d. G. zuerst die Bürgerschule, später die Lehrerinnenbildungsanstalt zu St. Anna. Konnte wegen Krankheit den Lehrerinnenberuf nicht ausüben. Lebte als freie Schriftstellerin in Wien.

Veröffentlichte bereits als Siebzehnjährige ein Buch Gedichte. Erhielt 1883 vom Kuratorium der Schwestern-Fröhlich-Stiftung ein Literaturstipendium. Reiste im Winter 1886/87 nach Italien, wo sie Anregung zu ihrer viel beachteten Gedichtsammlung ›Italienische Vignetten‹ (1892) erhielt. Erwarb sich ihren literarischen Ruhm um die Jahrhundertwende außer durch Lyrik vor allem mit einem Robespierre-Epos (1894) und dem Bergarbeiterdrama ›Schlagende Wetter‹ (1899), das dem Naturalismus nahesteht. Für das 1901 im Burgtheater aufgeführte Traumstück ›Der Schatten‹ erhielt sie den Bauernfeldpreis. Später wandte sie sich vor allem erzählerischer Prosa zu. Nach der Teilnahme am Eucharistischen Kongreß in Wien (1912) bekannte sie sich wieder zur katholischen Kirche. 1916 erhielt sie den Ebner-Eschenbach-Preis für ihren Roman ›Das Buch der Liebe‹.

WERKE: Gedichte, 1882; Hermann. Dt. Helden-G. in 12 Gesängen, 1883; Gedichte, neue Ausg. 1885; Die Zigeunerin. Eine E. aus dem ungarischen Haidelande, 1885; Saul. Trag. 1885; Italienische Vignetten, G. 1892; Der Rebell. Bozi, 2 En. 1893; Robespierre. Ein mod. Ep. 1894; Moralische Walpurgisnacht. Ein Satyrspiel vor der Trag. 1896; Schlagende Wetter, Dr. 1899; Goldener, Dr. 1901; Der Schatten, Dr. 1901; Liebe, En. 1902; Zu spät. Einakterzyklus (Vinetta, Mutter, Donauwellen, Sphinx), 1903; Narren der Liebe, Lustsp. 1904; Ver Sacrum, Dr. 1906; Schwäne am Land, Dr. 1902; Vom Wege. Gesch. und Märchen, 2. Slg. 1907; Traumwelt, En. 1907; Heilige und Menschen, R. 1909; Vor dem Sturm, R. 1910; Gottesgericht und andere Erzählungen, 1912; Wunder der Seele, E. 1913; Zwei Witwen, N. 1914; Das Buch des Lebens. En. und Humoresken, 1914; Die blonde Frau Fina und andere Erzählungen, 1915; Das Buch der Liebe, R. 1916; O Jugend!, R. 1917; Donaukind, R. 1918; Eines Lebens Sterne, R. 1919; Die Seele und der Schmetterling, N. 1919; Der frühe Lenz, E. 1919; Homo ... Der Roman einer Zeit, 1919; Die Blumen der Acazia, E. 1920; Der Liebe und des Ruhmes Kränze. R. auf die Viola d'amour, 2 Bd. 1920; Die weißen Schmetterlinge von Clairvaux, N. 1925; Matelda. In: Heimlich bluten Herzen. Österreichische Frauennovellen, 1926; Unsichtbare Straße, R. 1927; Titanic. Eine Ozean-Phantasie, 1928; Sommerheide, N. 1928; Das Buch der Heimat, E. 1930; Die Empörung der Seele, R. 1930.

WERKAUSGABEN: Sämtliche Werke, 9 Bd. 1903–04, Inhalt: I–II Robespierre, III Vom Wege (Gesch. u. Märchen); IV Hermann, V Liebe, VI Italische Vignetten, VII Schlagende Wetter. Der Schatten. Arme Seelen (Ein Mysterium); VIII Zu spät. Saul. Moralische Walpurgisnacht, IX Theiß und Donau (En. aus dem Ungarlande). Dichter und Dichtkunst (Vorträge, Erinnerungen und Studien).

LITERATUR: *B. Münz,* M.E.d.G. als Dichterin und Denkerin, 1902. *H. Widmann,* M.E.d.G., 1903. *F. Milleker,* M.E.d.G. Ihr Leben und ihre Werke, 1921. *A. Wengraf,* M.E.d.G., 1932. *M. Zenner,* M.E.d.G. Diss. Wien 1932. *G. Brinker-Gabler,* M.E.d.G. In: G.B.-G. (Hrsgin.), Dt. Dichterinnen vom 16.Jh. bis zur Gegenwart, 1978, 233–236. *M. Flaschberger,* M.E.d.G. (1864–1931). Eine österreichische Dichterin der Jahrhundertwende. Studien zu ihrer mittleren Schaffensperiode. Diss. Graz 1979. *U. W. Acker,* M.E.d.G. Zum 50. Todestag der Banater Dichterin. In: Südostdt. Vierteljahresblätter 30(1981) 2, 123. *R. Rohr,* Donauschwaben im techn. Medienbereich. Stimmenporträts von Adam Müller-Guttenbrunn und M.E.d.G. In: Südostdt. Vierteljahresblätter 31 (1982) 2, 123–26.

Dery, Juliane (eigentl. Deutsch bzw. Decsy), * 10. 8. 1864 in Bája/Ungarn, † 31. 3. 1899 in Berlin.

Entstammte einer deutsch-jüdischen Kaufmannsfamilie. Verbrachte ihre Kindheit in Ungarn. Übersiedelte 1873 mit ihrer Familie nach Wien, wo sie erst Deutsch sprechen lernte. Wuchs nach dem Tod des Vaters (durch Selbstmord, nach 1873) in großer Armut auf. Besuchte die Mädchenbürgerschule und die Klosterschule zu St. Anna, wo sie ihr Lehrerinnendiplom erwarb. Zum schriftstellerischen Beruf ermutigt wurde sie von Karl Emil Franzos, der 1888 eine ihrer Novellen in seiner Zeitschrift ›Deutsche Dichtung‹ veröffentlichte. Ging 1890 nach Paris, wo sie durch Prinzessin Mathilde Zugang zu erlesenen Zirkeln, z.B. bei Madame Adam, erhielt. Durch die Aufführung ihres Einakters ›Verlobung bei Pignerols‹ 1893 am Hoftheater Herzog Ernsts II. von Sachsen-Coburg-Gotha und im Residenztheater in Berlin wurde sie auch als Bühnenschriftstellerin bekannt. Lebte abwechselnd in Berlin und München; freundschaftlicher Umgang mit dem Schriftstellerkreis um die Zeitschrift ›Die Gesellschaft‹. War Mitarbeiterin der ›Neuen Deutschen Rundschau‹, im ›Quickborn‹ und im

S. Fischer Verlag. Half das »Intime Theater« in München begründen. Wurde auf bisher nicht näher geklärte Weise in die Dreyfus-Affäre verwickelt und der Spionage beschuldigt. Beging 1899 durch Sturz aus dem Fenster Selbstmord.
»Sie verarbeitete, ohne eigenen Stil zu finden, die österr. Tradition der Anzengruber, Rosegger, → Ebner-Eschenbach und Anregungen der modernen Frauenliteratur, auch die Ibsens; später wandte sie sich dem europ. Naturalismus (bes. Zola) zu; ihre letzten, auch lyrischen Versuche waren von Nietzsche, Liliencron, Dehmel beeinflußt.« (H. Schwerte).

Werke: Hoch oben, N. 1888; Ohne Führer. Urban, 2 Nn. 1891; Die Verlobung bei Pignerols, Lustsp. 1891; Das Amulett, Lustsp. 1891; Die Einwillung, N. 1891; Rußland in Paris, N. 1893; D'Schand, Volksstück 1894; Katastrophen, neue Nn. 1895; Es fiel ein Reif, Dr. 1896; Die sieben mageren Jahre, Dr. 1896; Die sieben mageren Kühe, Kom. 1897; Die selige Insel. Dramatisches Idyll, 1897; Hans der Pechvogel. Eine Rabengesch. 1900; Das Stärkere, Lustsp. o.J.; Pusztastürme, Lustsp. o.J.

Literatur: *W. Hegeler,* Intimes Theater. In: Neue Dt. Rundschau 6(1895), 724ff. J.D. In: E. Brausewetter (Hrsg.), Meisternovellen dt. Frauen, 2 Bd. 1897/98. *G. Adam,* J.D. In: Neue Dt. Rundschau 10(1899), 885. *A. Gerhard,* J.D. In: Dokumente der Frauen (1899) 8. *M. Janitschek,* Stückwerk, 1901 (biogr. R.). *J. Reinach,* Histoire de l'Affaire Dreyfus. I: [Paris] 1901, 165, 203f., 317; II: 1903, 450. *R. Hollaender,* J.D., élete és költészete (J.D.s Leben und Dichten), Budapest 1915 = Német philologiae Dolgozatok 16 (Arbeiten zur dt. Philologie). *M. Halbe,* J.D. In: M.H., Jahrhundertwende. Geschichte meines Lebens, 1935, 147f. *H. Schwerte,* J.D. In: NDB 1957.

Dohm, Hedwig, * 20. 9. 1833 in Berlin, † 4. 6. 1919 ebda.
Tochter der Wilhelmine Henriette geb. Jülich (Gülich) und des Tabakfabrikanten Gustav Adolph Gotthold Schlesinger (seit 1851 Schleh, isr., seit 1817 ev.). Wuchs als elftes von achtzehn Kindern auf. Litt sehr darunter, mit 15 Jahren die Schule verlassen zu müssen, während die Brüder höhere Schulen besuchen durften. Im gleichen Jahr, 1848, erwachte durch die Berliner Revolutionstage ihr politisches Interesse. Mit 18 Jahren Beginn der endlich gewährten Lehrerinnenausbildung. Ein Jahr später, 1852,

noch vor Beendigung der Ausbildung, Heirat mit Ernst Dohm, Mitarbeiter und später Chefredakteur der politisch-satirischen Berliner Zeitschrift ›Kladderadatsch‹. 1 Sohn, 4 Töchter. Kam durch die Heirat in Berührung mit den Berliner Literaten- und Künstlerkreisen. In ihrem Haus verkehrten u.a. Lassalle, A.v. Humboldt, Varnhagen, Fanny → Lewald, H. v. Bülow, Fontane. Lebte nach dem Tod ihres Mannes 1883 mehr und mehr zurückgezogen.
Dramatikerin, Erzählerin, Essayistin. Trat zunächst mit Lustspielen hervor. Seit 1872 Veröffentlichung ihrer gleichermaßen brillanten wie radikalen theoretischen Schriften zur Frauenfrage, in denen sie für die wirtschaftliche, geistige und politische Selbständigkeit der Frauen eintrat. An den Organisationen der Frauenbewegung nahm sie kaum teil, hatte aber Kontakte zu den Vertreterinnen der verschiedenen Richtungen, u.a. Helene Lange, Adele Schreiber, Alice Salomon, Lily → Braun. Das Anliegen der Frau vertrat H.D. auch in ihrem erzählerischen Werk. Mit Sensibilität für Durchlittenes schildern ihre Novellen und Romane die Erfahrung der Fremdheit und Orientierungslosigkeit von Frauen als Folge einer Geschichte der weiblichen Aussperrung und Unterdrückung, z.B. die Novellen ›Wie Frauen werden. Werde, die Du bist‹ und die Romantrilogie ›Sibilla Dalmar‹, ›Schicksale einer Seele‹ und ›Christa Ruland‹, die drei Frauengenerationen umspannt. Nahm bis ins hohe Alter zu aktuellen Zeitfragen Stellung. In ihrem letzten, 1918 erschienenen Beitrag (geschrieben 1915) bekennt sie sich leidenschaftlich zum Pazifismus (›Der Mißbrauch des Todes‹).

WERKE: Die spanische National-Literatur in ihrer geschichtlichen Entwicklung nebst den Lebens- und Charakterbildern ihrer klassischen Schriftsteller und ausgewählte Proben aus den Werken derselben in deutscher Übertragung, 1865–1867; (MA:) Harte Steine, Posse, 1866; Was die Pastoren von den Frauen denken, 1872 (N 1977); Der Jesuitismus im Hausstande. Ein Beitrag zur Frauenfrage, 1873; Der Frauen Natur und Recht. Zur Frauenfrage. Zwei Abhandlungen über Eigenschaften und Stimmrecht der Frau, 1876 ([2]1893) (N u.d.T. Emanzipation, 1977) (Auszüge in: G. Brinker-Gabler [Hrsgin.], Zur Psychologie der Frau, 1978); Der Seelenretter, Lustsp. 1876; Vom Stamm der Asra, Lustsp. (nach dem Span.), 1876; Ein Schuß ins Schwarze, Lustsp. 1878; Die Ritter vom goldenen Kalb, Lustsp. 1879; (Mithrsgin.) Lust und Leid im Liede. Neue dt. Lyrik, 1879; Frau Tannhäuser, Nn. 1890; Plein Air, R. 1891; Wie Frauen werden. Werde, die Du bist, Nn. 1894 (N 1977); Sibilla Dalmar, R. 1896; Schicksale einer Seele, R. 1899; Christa Ruland, R. 1902; Die Antifeministen. Ein Buch der Verteidigung, 1902; Die Mütter. Beitrag zur Erziehungsfrage, 1903 (Auszüge in:

G. Brinker-Gabler [Hrsgin.], Zur Psychologie der Frau, 1978); Schwanenlieder, Nn. 1906; Sommerlieben, Nn. 1909; Erziehung zum Stimmrecht der Frau (Preußischer Landesverband für Frauenstimmrecht), 1909; Kindheitserinnerungen einer alten Berlinerin. In: Als unsere großen Dichterinnen Mädchen waren, 1912, 19–57; Der Mißbrauch des Todes. Senile Impressionen, 1917 (entst. 1915) (Auszug in: G. Brinker-Gabler [Hrsgin.], Frauen gegen den Krieg, 1980).

SAMMELAUSGABEN: Emanzipation, hrsg. v. B. Rahm, 1977; Erinnerungen und weitere Schriften von und über H.D., ges. und Vorwort B. Rahm, 1980.

LITERATUR: *M. Lorenz,* Romane (u.a. zu H.D.). In: Preußische Jb. f. Lit., 1902. *M. Neumann,* H.D. In: Frauen-Rundschau, 1904. *A. Plothow,* Die Begründerinnen der dt. Frauenbewegung, [5]1907. *W. Zepler,* H.D. In: Sozialistische Monatshefte 19(1913), 1292–1301. *M. Cauer,* H.D. In: Die Frauenbewegung (1913), 138. *H. Stöcker,* H.D. In: Die neue Generation (1913), 542. *H. Lange,* H.D. In: Die Frau 21(1913/14), 43f. *A. Schreiber-Krieger,* H.D. als Vorkämpferin und Vordenkerin neuer Frauenideale, 1914. *G. Bäumer,* H.D. In: Die Frau, 1919. *M. Hochdorf,* H.D. In: Sozialistische Monatshefte, 1919. *E. Heimpel,* M.A.H. Dohm. In: NDB 1959. *K. Kubat,* Wer war H.D.? Nr. 1 (Hedwig-Dohm-Schule, Berlin), 1963. H.D. In: Frauenkalender (Berlin) 1975 u. 1976. *M. Janssen-Jurreit,* Sexismus. Über die Abtreibung der Frauenfrage, 1976 (zu H.D.: 11–27). *R. Bookhagen,* Vorwort. In: H.D. Emanzipation, 1977, VII–IX. *B. Rahm,* Nachwort. In: ebda. 189–95. *R. E. Boetcher Joeres,* The Ambiguous World of H.D. In: M. Burkhard (Hrsgin.), Gestaltet und Gestaltend. Frauen in der dt. Literatur [Amsterdam] 1980, 255–76. *E. Plessen,* H.D. In: H.-J. Schultz (Hrsg.), Frauen. Porträts aus 2 Jh., 1981, 128–41. *E. Frederiksen,* H.D. In: Die Frauenfrage in Deutschland, 1981, 465–71. *R. Duelli-Klein,* H.D. ›Passionate Theorist‹. In: D. Spender (Hrsg.), Feminist Theorists. Three Centuries of Women's Intellectual Traditions, [London] 1983, 165–83. *G. Brinker-Gabler,* Die Frau ohne Eigenschaften. H.D.s Roman ›Christa Ruland‹. In: Feministische Studien 3(1984), 117–27. *P. J. Reed,* »Alles was ich schreibe steht im Dienst der Frauen«. Zum essayistischen und fiktionalen Werk H.D.s (1833–1919), Diss. Univ. of Waikato (N.Z.) 1985.

Droste-Hülshoff, Annette von (eigentl. Anna Elisabeth, Ps. Annette Elisabeth v. D...H...), * 10. 1. 1797 auf Schloß Hülshoff b. Münster/Westf., † 24. 5. 1848 in Meersburg/Bodensee.

Tochter der Therese geb. von Haxthausen und des Clemens August Freiherrn von Droste-Hülshoff. Die Mutter war eine energische tüchtige Hausregentin, der Vater, an dem D.-H. besonders hing, ein eher träumerischer, mit Lieblingsbeschäftigungen wie Blumenzüchten und Sammeln merkwürdiger alter Geschichten beschäftigter Mann. Eine Schwester, zwei Brüder. D.-H. wuchs in einer Welt engsten Familienlebens und selbstverständlicher Einordnung in strenge Konvention auf. Erhielt durch Hausunterricht eine sorgfältige Erziehung unter Förderung, wie bei adligen Töchtern üblich, vor allem musischer Ausbildung. Entwickelte gleicherweise Vorliebe fürs Komponieren und Dichten, bis sie sich später zugunsten des letzteren entschied. Erste Förderung literarischer Arbeiten und Interessen erfuhr sie durch Professor Sprickmann aus Münster (früher Nähe zum »Göttinger Hainbund«). 1813 Kontakt zum Bökendorfer

Kreis (hessische Romantik), zu dem auch die Brüder Grimm gehörten. Gemeinsam mit Schwester Jenny Beteiligung an der Sammlung literarischen Volksgutes. Tiefgreifendes Liebeserlebnis und scheinbar schuldhafte Verstrickung führten 1820 zu einer Krise; Arbeit am Fragment gebliebenen Roman ›Ledwina‹. 1825 (erneut 1828 und 1830/31) Reise an den Rhein zu Verwandten. Bekanntschaft dort u.a. mit A.W. v. Schlegel, K. Simrock, dem Naturforscher E. d'Alton und den später langjährigen Freundinnen Sibylle Mertens-Schaaffhausen und Adele → Schopenhauer. Nach dem Tod des Vaters 1826 gemeinsam mit der Schwester und der Mutter Übersiedlung auf deren Witwensitz, das einsame Rüschhaus. 1835 Reise nach Eppishausen/Schweiz zu der dort inzwischen mit dem Freiherrn von Laßberg verheirateten Schwester, 1837 Rückkehr nach Rüschhaus. Freundschaftlicher Umgang mit dem blinden Philosophieprofessor Schlüter, der sie in literarischen Fragen beriet. 1838 halbanonyme Veröffentlichung des ersten Gedichtbandes in einem kleinen Verlag in Münster, der keine Beachtung fand. Ab 1838 Teilnahme an einem literarischen Kreis der befreundeten Elise Rüdiger in Münster. Begegnung mit Levin Schücking. Entwicklung einer engen Freundschaftsbeziehung. Schücking erkannte D.-H.s Begabung und wirkte als Anreger und Förderer ihres dichterischen Schaffens. Beschäftigung mit westfälischen Stoffen, Arbeit an der ›Judenbuche‹. Im Winter 1841/42 Aufenthalt D.-H.s auf der Meersburg, die ihr Schwager Laßberg inzwischen erworben hatte, davon einige Monate gemeinsam mit Schücking, der Laßbergs Bibliothek ordnete. Dichterisch äußerst produktive Zeit, in der u.a. der Zyklus der ›Heidebilder‹ entstand. Durch Vermittlung Schückings ab 1842 Veröffentlichung der ›Judenbuche‹ in Cottas Morgenblatt (in Fortsetzungen). 1844 Erscheinen des 2. Gedichtbandes. Vom Honorar erwarb D.-H. ein Anwesen, ihr »Fürstenhäusle«, in der Nähe von Meersburg. Im September 1846, körperlich schon sehr geschwächt, letzter Aufbruch von Rüschhaus nach Meersburg, wo sie bis zu ihrem Tod lebte.

Bedeutende Lyrikerin, Balladendichterin und Erzählerin. Ihr Werk ist gleicherweise geprägt durch Anknüpfen an die literarische Tradition und Entwicklung künstlerischer Originalität. Es zeigt neuartige Naturdarstellung (›Die Mergelgrube‹), Entdeckung von Heide und Moor als poetische Landschaft (Zyklus ›Heidebilder‹), eine alle Sinne einbeziehende landschaftliche Erfahrung, Darstellung von Gespenstisch-Spukhaftem und dämonischem Verhängnis ohne Aufgabe kritischen Bewußtseins.

Meisterhaft ist sie in der Balladendichtung (›Der Knabe im Moor‹), der Verserzählung (›Das Vermächtnis des Arztes‹), von großer Gestaltungskraft in ihrem religiöse Konflikte sichtbar machenden Zyklus ›Das geistliche Jahr‹. Geschärftes Bewußtsein eigener Problematik zeigt ihr Romanfragment ›Ledwina‹, tiefes psychologisches Einfühlungsvermögen ihre packende Kriminalnovelle ›Die Judenbuche‹, die Milieu und gesellschaftliche Lage des Täters miteinbezieht.

WERKE: Gedichte, 1838 (u.d.N. Annette Elisabeth v. D...H...); Die Judenbuche. In: Stuttgarter Morgenblatt, 1842; Gedichte, 1844.

VERÖFF. A.D. NACHLASS: Das geistliche Jahr nebst e.Anh. religiöser Gedichte, hrsg. v. Ch.B. Schlüter u. W. Junkmann, 1851, neu hrsg. v. C. Schröder, 1939 u. 1951; Letzte Gaben. Nachgelassene Blätter, hrsg. v. L. Schücking, 1860; G. Eschmann, Neun Gedichte. Ein kritischer Versuch. Programm des Ev. Fürstlich Bentheim'schen Gymnasii Arnoldini...zu Burgsteinfurt, 1873; Lieder mit Pianofortebegleitung. Componiert von A.v.D.-H., 1877; Die Briefe der Dichterin A.v.D.-H., hrsg. und erl. v. H. Cardauns, 1909; G. Eschmann, A.v.D.-H. Ergänzungen und Berichtigungen zu den Ausgaben ihrer Werke, 1910; K. Schulte Kemminghausen, Die Judenbuche. Mit sämtlichen jüngst wieder aufgefundenen Vorarbeiten der Dichterin und einer Handschriftprobe, 1925; Briefe v. A.v.D.-H. und Levin Schücking, [3]verm. Aufl., hrsg. v. R.C. Muschler, 1928 ([1]1893); K. Schulte Kemminghausen u.a., Nachlese. Ungedruckte Verse und Briefe, 1934; Lieder und Gesänge, hrsg., ausgew. und erl. v. K. G. Fellerer, 1954.

GESAMTAUSGABEN: Gesammelte Schriften, hrsg. v. L. Schücking, 3 Bd. 1878–1879, [2]1898–1899 (enth.: Einleitung, Lyrische Gedichte, Erzählende Gedichte, Schriften in Prosa, Das Geistliche Jahr. Geistliche Lieder, überarb. v. G. Eschmann); Gesammelte Werke, hrsg. v. E. Freiin v. D.-H. Nach dem handschriftl. Nachlaß verglichen und ergänzt mit Biographie, Einleitungen und Anmerkungen versehen v. W. Kreiten, 1–4, 1884–1887; Sämtliche Werke in sechs Teilen, hrsg. mit Einleitungen und Anmerkungen versehen v. J. Schwering [1912]; Sämtliche Werke, in Verbindung mit B. Badt und K. Pinthus, hrsg. v. K. Schulte Kemminghausen, 4 Bd. 1925–1930; Die Briefe der A.v.D.-H. Gesamtausgabe, hrsg. v. K. Schulte Kemminghausen, 2 Bd., 1944. Sämtliche Werke, hrsg., in zeitlicher Folge geordnet und mit Nachwort und Erläuterungen versehen v. C. Heselhaus, 1952, [4]erw. Aufl. 1963; Historisch-kritische Ausgabe. Werke. Briefwechsel, hrsg. v. W. Woesler, 1978ff.

NACHLASS: Staatsbibliothek Preußischer Kulturbesitz, Berlin; Droste-Museum, Meersburg; UB Münster (Briefe); Landesmuseum Münster (Briefe).

BIBLIOGRAPHIEN: *E. Arens u. K. Schulte Kemminghausen,* D.-Bibliographie, 1932. *C. Heselhaus,* D.-Bibliographie 1932–1948. In: Jb. der D.-Gesellschaft 2(1948/50), 334–52. *W. Theis,* D.-Bibliographie 1949–1969. In: ebda. 5(1972), 147–244. *A. Haverbusch,* D.-Bibliographie, Tl. 1.2, 1985 (= Bd. 14 der Hist.-krit. Ausg., hrsg. v. W. Woesler).

PERIODIKA DER D.-FORSCHUNG: Jb. der D.-Gesellschaft, hrsg. v. *C. Heselhaus,* Bd. 1–5, 1947–1972. Kleine Beitr. zur D.-Forschung (ab Nr. 4 u.d.T. Beiträge zur D.-Forschung), hrsg. v. *W. Woesler,* Nr. 1–5, 1972–1981.

LITERATUR (Auswahl): *L. Schücking,* A.v.D.-H., ein Lebensbild, 1862 ([2]1950). *J. Claassen,* A.v.D.-H. Ein Denkmal ihres Lebens und Dichtens und eine Auswahl ihrer Dichtungen, 1879 ([2]1883 u.d.T. Leben und ausgew. Dichtungen). *R. König,* A.v.D.-H. ein Lebens- und Lit.bild, 1882. *H. Hüffer,* A.v.D.-H. und ihre Werke, 1887 ([3]1910 bearb. v. H. Cardauns). *L. Jacoby,* A.v.D.-H., Deutschlands Dichterin, 1890. *H. Keiter,* A.v.D.-H. Deutschlands größte Dichterin. Ein Lebensbild, 1890. *H. Landois,* A.v.D.-H. als Naturforscher, 1890. *W. v. Scholz,* A.v.D.-H. als westfälische Dichterin, Diss. München 1897(1898). *J. Wormstall,* A.v.D.-H. im Kreise ihrer Verwandten und Freunde, 1897. *J. Schwering,* Die Dichterin der roten Erde, 1902. *C. Busse,* A.v.D.-H., 1903.

K. Linnartz, Studien zur Sprache der A.v.D.-H., Diss. Tübingen 1903. *W. v. Scholz,* A.v.D.-H., 1904. *G. Reuter,* A.v.D.-H., 1905. *F. Lucas,* Zur Balladentechnik der A.v.D.-H., Diss. Münster 1906. *B. Pelican,* A. Freiin v.D.-H. Ein Bild ihres Lebens und Dichtens, 1906. *B. Badt,* A.v.D.-H. in ihren Beziehungen zur engl. Lit., Diss. Breslau 1908. *M. Treuge,* Die Umbildungen des Frauentypus in der Lit. des 19. Jh.s. In: Die Frau 17(1909/10) 4, 230–37.

M. Kniepen, A.v.D.-H.s dramat. Tätigkeit, Diss. Münster 1910. *R. Muckenheim,* Der Strophenbau bei A.v.D.-H., Diss. Münster 1910. *R. Fritze,* Der Anteil der D. an L. Schückings Werken, Diss. Greifswald 1911. *E. Mestern,* Ein Besuch im Rüschhaus, der westfälischen Wohnstätte der Freiin A.v.D.-H., 1911. *P. Schulz,* Die Weltanschauung der A.v.D.-H., 1911. *T. Schneider,* Schloß Meersburg, A.v.D.-H.s Dichterheim, 1912. *E. Berens,* Études sur les oeuvres d'A. de D.-H., [Paris] 1913. *F. Heitmann,* A.v.D.-H. als Erzählerin. Realismus und Objektivität der ›Judenbuche‹, Diss. Münster 1914. *G. P. Pfeiffer,* Die Lyrik der A.v.D.-H., Diss. Straßburg 1914. *A. Freund,* A.v.D. [-H.] in ihren Beziehungen zu Goethe und Schiller, Diss. München 1915. *M. Krass,* Bilder aus A.v.D.s Leben und Dichtung, 1915. *A. Balkenhol,* Das poetische Bild bei A.v.D.-H., 1916. *C. Niederdräing,* Das Verhältnis der westfälischen Dichter des 19. Jh.s zum Volkslied, Diss. Münster 1917. *M. Silling,* A.v.D.-H.s Lebensgang, 1917. *J. Grauheer,* August von Haxthausen und seine Beziehungen zu A.v.D.-H., Diss. Münster 1918 (BA 1933).

G. Herzfeld, Zu A.v.D.-H.s engl. Quellen, 1920. *E. Görsch,* Ein Beitr. zur Erzählkunst der A.v.D.-H. Das novellistische Fragment ›Joseph‹ kritisch und ästhetisch beleuchtet, 1923. *H. Schulte,* A.v.D. und ihre Novelle ›Die Judenbuche‹, Diss. Marburg 1923. *A. Jüngst,* A.v.D.-H. Eine westfälische Dichterin, 1924. *H. Abele,* A.v.D.-H. und die Romantik, Diss. München 1925 [1928]. *E. Matthews,* Women writers in Germany in the beginning of the 19th century with special reference to A.v.D.-H., Bangor/Univ. of Wales, Diss. 1925. *K. Schulte Kemminghausen,* ›Die Judenbuche‹ der A.v.D.-H. Mit sämtl. jüngst wieder aufgefundenen Vorarbeiten der Dichterin, 1925. *C. von Droste zu Hülshoff,* Professor C. B. Schlüter und A.v.D.-H., 1926. *M. von Droste zu Hülshoff,* Das Fürstenhäuschen der Dichterin A.v.D.-H., 1926. *J. V. Laengsdorff,* Die D. und die Frauenfrage. In: Neue Frauenkleidung und Frauenkultur [Karlsruhe] 22(1926) 6, 168–70. *K. Mühlhoff,* A.v.D.-H. Ein Lebensbild, 1926. *E. Oppens,* Die Gestaltung der Landschaft bei A.v.D.-H., Diss. Hamburg 1926. *O. Scheiwiller,* A.v.D.-H. in der Schweiz, 1926. *H. Stephan,* Frauentum in den Dichtungen der D. In: Fuldaer Ztg. Nr. 220 vom 23. 9. 1926, Beil. ›Für unsere Frauenwelt‹. *L. Völlmecke,* A.v.D.-H. in ihrem Verhältnis zu F. Freiligrath, Diss. Bonn 1926. *H. Lucke,* A.v.D.s Verhältnis zur Romantik, Diss. Marburg 1927. *E. Hollweg,* Von der getrosten Verzweiflung. Welt, Mensch und Gott in den Dichtungen der D., 1928. *E. Hoppe,* Dt. Frauendichtung. Ein Überblick. In: Braunschweigische Landesztg. Nr. 273 vom 1. 10. 1928, Beil. ›Die Lichtung‹ Nr. 21, 83f. *Kasa,* [Ber. über einen Vortrag zum Thema A. und die Frauenfrage]. In: Essener Anzeiger Nr. 145 vom 22. 6. 1928. *J. V. Laengsdorff,* Und darf nur heimlich lösen mein Haar... Ein Gedenkwort zu A.v.D.s 80. Todestag. In: Didaskalia [Frankfurt a.M.] 106(1928), 91f. *J. Meier u. E. Seemann,* Volksliedaufzeichnungen der Dichterin A.v.D.-H., 1928. *I. Zimmermann,* Lesartenstudien zur Lyrik der A.v.D.-H., Diss. Köln 1928. *F. Castelle,* A.v.D.-H., 1929. *P. E. Düring,* Die Rosenheimer D.-Legende, 1929. *P. Kunz,* Vom Westfalenland zum Bodenseestrand: A.v.D.-H., 1929.

G. Frühbrodt, Der Impressionismus in der Lyrik der A.v.D.-H., 1930. *P. L. Kämpchen,* Die numinose Ballade. Versuch einer Typologie der Ballade, 1930. *G. Weydt,* Naturschilderung bei A.v.D.-H. und A. Stifter. Beitr. zum Biedermeierstil in der dt. Lit. des 19. Jh.s, 1930 (Nachdr. 1967). *F. Reinhold,* Die norddt. Heide als Gegenstand der Dichtung bei A.v.D.-H., Th. Storm und H. Löns, Diss. Leipzig 1932. *K. Raab,* A.v.D.-H. im Spiegel der zeitgenössischen Kritik, Diss. Münster 1933. *E. Staiger,* A.v.D.-H., Diss. Zürich 1933 (N 1962). *H. Eggart,* A.v.D.-H. Ein Dichterleben, 1934. *T. Schneider,* Im Banne der D., 1934. *K. Wirtz,*

A./Frau Aja [d.i. Katharina Elisabeth Goethe, geb. Textor], zwei Lebensbilder, 1934. *M. J. Hartsen,* Die Natur im Leben und in den Werken der A.v.D.-H., 1936. *L. Bäte,* A. am Bodensee, 1937. *P. Schatton,* Münsterländische Spukgestalten in der Dichtung A.s v.D.-H. und den Volks-En. des Münsterlandes, Diss. Köln 1937. *K. Hovermann,* Studien zu Wesen und Werk der A. v.D.-H., Diss. Münster 1938. *T. Ramsay,* A.v.D.-H., 1938. *H. v. Droste zu Hülshoff* u. *J. Hohlfeld,* Ahnentafel der Dichterin A. v.D.-H., 1939. *K. Schulte Kemminghausen,* A.v.D.-H. [Bilderatlas], 1939 ([2]bearb. u.d.T. A.v.D.-H. Leben in Bildern, 1954; 4. in Text und Bild völlig veränderte Aufl.; *K.S.K. u. W. Woesler,* A.v.D.-H., 1981). *Ders.,* Hat jeder doch sein eigenes Blut. Feierstunden mit A.v.D.-H. [3 Vorträge], 1939. *M. J. Tarnovietchi,* Die Heimatkunst einer leiderprobten Dichterin: A.v.D.-H., Diss. Bukarest 1939.

C. Heselhaus, A.v.D.-H. Die Entdekkung des Seins in der Dichtung des 19. Jh.s, Habil.-Schrift Münster 1940 (BA 1943). *F. v. Klocke,* Die Ahnenschaft der A.v.D.-H. und ihre Soester Familienforschung, 1940. *R. Schneider,* Zur Zeit der Scheide zwischen Tag und Nacht. Der Lebenskampf der D., 1940. *M. Brauns,* A.v.D.-H., [Antwerpen] 1941. *J. Müller,* Natur und Wirklichkeit in der Dichtung der A.v.D.-H., 1941. *M. Uher,* A.v.D.-H. ›Das Hospiz auf dem Großen St. Bernhard‹, Diss. Wien 1942. *M. Wilfert,* Die Mutter der D. Eine lit.hist. und psychologische Untersuchung im Hinblick auf die Dichterin, Diss. Münster 1942. *M. Deininger,* Untersuchungen zum Prosastil von W. Hauff, E. Mörike, A.v.D.-H., F. Grillparzer und A. Stifter: ein Beitr. zur Biedermeier-Forsch., Diss. Tübingen 1946 (Masch.). *M. Krass,* Du hast mich über vieles eingesetzt. Bilder aus Leben und Dichtung der D., 1947. *L. Linnhoff,* A.v.D.-H., 1947. *L. Hoffmann,* Die Erzählkunst der D. in der Judenbuche, Diss. Münster 1948. *L. Köhler-Grimm,* Der Dualismus in Wesen und Werk der A.v.D.-H. unter bes. Berücksichtigung der Balladen, Diss. Münster 1948. *P. Neyer,* Unbekannte Elegie auf den Tod der A.v.D.-H., 1948. *W. Rink,* A.v.D.-H. Ein Leben neben der Zeit, 1948. *R. Schneider,* Aar mit gebrochener Schwinge. Clemens Brentano. A.v.D.-H., [2]1948. *Ders.,* Erworbenes Erbe. Zum Gedächtnis der D., 1948. *R. Kempter,* A.v.D.-H. Lebensweg und Glaubenskampf, 1949.

M. Lavater-Sloman, Einsamkeit. Das Leben der A.v.D.-H., 1950. *T. Steinbüchel,* A.v.D.-H. nach 100 Jahren, 1950. *J. Wallenhorst,* Die Augenbeschwerden der A.v.D.-H. und ihre Auswirkungen auf Psyche und Schaffen der Dichterin, Med.Diss. Münster 1950. *R. Zingg-Zollinger,* A.v.D.-H.s ›Spiritus familiaris des Roßtäuschers‹, Diss. Zürich 1950. *C. Heselhaus,* A.v.D.-H. Das Leben einer Dichterin, 1951 ([5]1979). *K. Schulte Kemminghausen,* A. im Rüschhaus, 1951. *M. Terhechte,* Konstitution und Krankheitsschicksal in ihrer Bedeutung für Leben und Werk der A.v.D.-H., Diss. Düsseldorf 1952. *K. Schulte Kemminghausen,* Am Zwinger zeichnet die Mylady. A. als Zeichnerin, 1953. *E. Timmermann,* A.v.D.-H.s Kenntnis der ausländischen Lit., Diss. Münster 1954. *W. Winkler,* Metapher und Vergleich im Schaffen der A.v.D.-H., Diss. Zürich/Winterthur 1954 (BA 1954). *H. Zwicker,* Seelisches Leiden und schöpferische Leistung, 1954. *R. J. Huber,* A.v.D. als Briefschreiberin, Diss. Innsbruck 1955 (Masch.). *W. Gössmann,* Das Schuldproblem im Werk A.s v.D.-H., Diss. München 1956. *M. Fischer,* Gestalt und Sinn in der Lyrik der A.v.D.-H., Diss. FU Berlin 1957. *C. Heselhaus,* A.v.D.-H., ›Der Spiritus familiaris des Roßtäuschers‹. Mit einer Studie über die Entstehung, über die Bedeutung und über den Stil, 1957. *I. E. Walter,* D. Bilder aus ihrem Leben, [2]1957 ([7]1974). *K. Schulte Kemminghausen,* A.v.D.-H. und die nordische Lit., 1958. *R. Rösener,* Das Verhältnis von Rhythmus und Metrum in den Gedichten der D., Diss. Münster 1959.

E. Gössmann, A.v.D.-H. Die Frau in der Auseinandersetzung mit ihrem Selbst. In: E.G., Die Frau und ihr Auftrag. Die Liebe zum Vergänglichen, [Basel] 1961, 99–139. *M. Braukmann,* A.v.D.-H. Ein Lebensbild, 1963 (N 1973). *R. Weber,* Westfälisches Volkstum im Werk der Dichterin A.v.D.-H., Diss. Münster 1963 (BA 1966). *J. Nettesheim,* Wilhelm Junkmann und A.v.D.-H. Nach den Briefen der D.

und neuen Quellen, 1964. *H. Franck,* A. Das Leben der A.v.D.-H., R. 1965. *D. Iehl,* Le monde religieux et poétique d'A.v.D.-H., [Paris] 1965. *M. Mare,* A.v.D.-H., [London] 1965. *W. Muschg,* Die Seherin A.v.D.-H. In: W.M., Studien zur tragischen Lit.-gesch., 1965. *H. Dees,* A.v.D.-H.s Dichtung in England und Amerika, Diss. Tübingen 1966. *M. C. Rudolph,* A.v.D.-H. und Emily Brontë, Diss. Freiburg 1966. *P. Berglar,* A.v.D.-H. in Selbstzeugnissen und Bilddokumenten, 1967 ([8]1979). *D. Iehl,* A.v.D.-H. et quelques maîtres spirituels de Westphalia, Diss. Paris 1967 (Masch.). *J. Nettesheim,* Die geistige Welt der Dichterin A.v.D.-H., 1967. *G. Häntzschel,* Tradition und Originalität. Allegorische Darstellung im Werk A.v.D.-H.s, 1968. *W. Nigg,* Glanz der ewigen Schönheit. A.v.D.-H. 1797–1848, 1968. *W. Woesler,* A.v.D.-H., 1969 (N 1978).
E. Carf, A study of the conception of the poet's vocation and the images associated with it, in the poetry of A.v.D.-H., [Oxford] 1970 (Masch.). *G. Häntzschel,* A.v.D.-H. In: J. Hermand u. M. Windführ (Hrsg.), Zur Lit. der Restaurationsepoche. 1815–1848. Forschungsreferate und Aufsätze, 1970, 151–201. *C. Heselhaus,* A.v.D.-H. Werk und Leben, 1971. *S. Bonati Richner,* Der Feuermensch. Studien über das Verhältnis von Mensch und Landschaft in den erzählenden Werken der A.v.D.-H., [Bern] 1972. *B. Kortländer,* Studien und Materialien zum Briefwechsel der D., 1973. *R. Schneider,* Realismus und Restauration. Untersuchungen zu Poetik und epischem Werk der A.v.D.-H., Diss. Freiburg i.Br. 1973 (BA gekürzt u. überarb., 1976). *A. Brall,* Vergangenheit und Vergänglichkeit. Zur Zeiterfahrung und Zeitdeutung im Werk A.s v.D.-H., 1975. *R. di Donato,* The function of trance and dream in the poetry of A.v.D.-H., The Ohio State Univ. Diss. 1977. *W. Huge,* A.v.D.-H. Die Judenbuche, 1977. *R. Schneider,* A.v.D.-H., 1977. *H. Koopmann,* A.v.D.-H. und ihre Leser. In: Text & Kontext 6(1978), 167–86. *M. E. Morgan,* A.v.D.-H.: a woman of letters in a period of transition, Diss. London 1978 (BA Frankfurt a.M. 1981). *B. Kortländer,* A.v.D.-H. und die dt. Lit. Kenntnis, Beurteilung, Beeinflussung, 1979.
G. Bauer Pickar, A.v.D.-H.s »Reich der goldenen Phantasie«. In: M. Burkhard (Hrsgin.), Gestaltet und Gestaltend. Frauen in der dt. Lit., 1980, 109–23 (= Amsterdamer Beitr. zur neueren Germanistik. 10). *D. Heselhaus,* ›Die Judenbuche‹ – Die Sprache der Frau in der Lit. In: Zs. für dt. Philologie 99(1980) Sonderh., 143–60. *W. Woesler* (Hrsg.), Modellfall der Rezeptionsforschung. D.-Rezeption im 19. Jh. Dokumentation, Analysen, Bibl., 3 Bd. 1980. *I. Brender,* A.v.D.-H. 1797–1848. In: H. J. Schultz (Hrsg.), Frauen. Porträts aus 2 Jh., 1981, 60–71. *G. Schleimer,* Protected self-revelation: A study of the works of four 19th century women poets, Marceline Desbordes-Valmore, A.v.D.-H., Elizabeth Barrett Browning and Emily Brontë, Diss. Univ. of California, Irvine 1981. *K. Schulte Kemminghausen u. W. Woesler,* A.v.D.-H., 1981. *H. Schultz,* Form als Inhalt. Vers- und Sinnstrukturen bei J. v. Eichendorff und A.v.D.-H., 1981. *W. Gössmann,* Trunkenheit und Desillusion. Das poetische Ich der D. In: Zs. für dt. Philologie 101(1982), 506–27. *D. Maurer,* A.v.D.-H. Ein Leben zwischen Auflehnung und Gehorsam, Biogr. 1982. *A. M. Study,* Visions of women, wild ... Zum realen und fiktionalen »Wahnsinn« von Frauen im 19. Jh. In: L. Glage u. J. Rublah (Hrsg.), Wahn in literarischen Texten. Vortragsreihe des Engl. Seminars der Univ. Hannover im Wintersemester 1981/82, 1983, 71–79. *H. Rölleke,* »... und legte mir das Laufen kleiner Funken scherzhaft aus«. Ein Kinderspiel als Motiv in Dichtungen C. Brentanos, der A.v.D.-H. und anderen. In: Jb. des Freien Dt. Hochstifts, 1984, 262–68. *D. Brett,* Friedrich, the beech and Margreth in D.-H.s ›Judenbuche‹. In: Journal of Engl. and Germanic philology 84(1985), 157–65. *B. Plachta,* Die Sage von der schönen ›Rosamunde‹. In: Michigan Germanic Studies 11(1985), 34–49.

Düringsfeld, Ida von (Ps. Thekla), * 12. 11. 1815 in Militsch/Schlesien, † 25. 10. 1876 in Stuttgart.

Tochter des hannoverschen Offiziers Schmidt, der 1815 geadelt wurde und von da an v. Düringsfeld hieß. Ihre Mutter, eine Tochter des Generals von Groeben, besaß Güter in Ostrawe und Pluskau, auf denen Ida aufwuchs. Erhielt in den benachbarten Städten und bei ihrer Mutter Unterricht in Musik und Sprachen, von denen sie später fünf geläufig sprechen und schreiben konnte. Reiste 1835 mit ihrer Mutter nach Dresden, wo sie die Bekanntschaft des Schriftstellers Tiedge und anderer literarischer Persönlichkeiten machte. Gab daraufhin, 19jährig, ihre erste Gedichtsammlung heraus. Zurück in Ostrawe widmete sie sich drei Jahre lang fast ausschließlich ihrer schriftstellerischen Tätigkeit und verfaßte zahlreiche Romane, die sie alle unter Pseudonym veröffentlichte. 1845 trat sie zum ersten Mal mit dem Werk ›Byrons Frauen‹ unter ihrem Namen an die Öffentlichkeit. Im selben Jahr heiratete sie den Freiherrn Otto von Reinsberg, der als Leutnant im 2. Husarenregiment diente, 1846 aus dem Heer austrat, um sich ausschließlich seinen linguistischen und ethnologischen Studien zu widmen. Die Ehe galt aus ausgesprochen glücklich. I. v. D. lebte mit ihrem Mann in den ersten Jahren bis 1852 abwechselnd in Breslau und auf den Gütern der Mutter. Es folgte ein 2jähriger Aufenthalt in Dalmatien. Danach reisten die Eheleute durch Deutschland, Österreich, Belgien und Frankreich, wo sie die Gelegenheit zur sprachlichen und ethnologischen Weiterbildung ausgiebig nutzten. Es entstanden Reiseliteratur, belletristische und wissenschaftliche Werke, die teils einzeln, teils gemeinschaftlich erarbeitet und herausgegeben wurden. Einen Tag nach dem Ableben von I. v. D. folgte O. v. Reinsberg durch Selbstmord seiner Frau in den Tod.

WERKE: Gedichte, 1835 (u.d.N. Thekla); Der Stern von Andalusien, Romanze 1838; Schloß Goczyn. Aus den Papieren einer Dame von Stande, 1841; Skizzen aus der vornehmen Welt, 7 Bd. 1842–1845 (Inhalt: Marie; Haraldsburg; Magdalene; Hugo; Hedwig); In der Heimat, R. 1843; Graf Chala, R. 1845; Lieder meiner Kirche, 1845; Byrons Frauen, 1845; Margarete von Valois und ihre Zeit, R. 3 Bd. 1847; Am Kanal Grande, G. 1848; Antonio Foskarini, R. 4 Bd. 1850; Reiseskizzen, 10 Bd. 1850–1868 (Inhalt: Aus der Schweiz, 1850; Bremen, 1850; Aus Italien, 1851; Aus Kärnten, 1857; Aus Dalmatien, 1859; Von der Schelde bis zur Maas, 1861; Aus Meran, 1868); Eine Pension am Genfer See, R. 2 Bd. 1851; Für Dich, Lieder 1851; Böhmische Rosen. Übersetzung tschechischer Volkslieder, 1851; Animone. Ein Alpenmärchen vom Genfersee, 1852; Esther, Nn. 2 Bd. 1852; Klothilde. Eine Geschichte zweier Herzen, N. 1855; Lieder aus Toskana. Übersetzung italienischer Volkslieder, 1855; Nitto Vätilli, 1856; Un souvenir, 1858; Le Manuscript du Königinhof, 1859; Norbert Dujardin, R. 1861; Das Sprichwort als Kosmopolit, vom philosophischen, praktischen und humoristischen Standpunkt betrachtet, 3 Bd. 1862; Hendrik, E. 1862; Die rote Mütze, N. 1863; Milena, E. 1863; Die Literaten. Sozialer R. 2 Bd. 1863; Buch denkwürdiger Frauen. In Lebens- und Zeitbildern, 1863; Niko Veliki, 1864; Ein kleines Bad im Winter, 1868; (MA:) Hochzeitsbuch. Brauch und Glaube der Hochzeit bei den christlichen Völkern Europas, 1871; (MA:) Vergleichendes Sprichwörterlexikon aller romanischen und germanischen Mundarten, 2 Bd. 1872–1875; Prismen, Nn. 2 Bd. 1873; (MA:) Forzino. Ethnographische Kuriositäten, 1877.

Literatur: *H. Gross,* I.v.D. In: H.G., Deutschlands Dichterinnen und Schriftstellerinnen, 1882, 182–184. *Pyl,* I.v.R.-D. In: ADB XXVIII. *L. Morgenstern,* I.v.D.-R. In: L.M., Frauen des 19. Jh. (1891) 3, 127–130. *M. Mojašević,* I.v.D.s literarische Beziehungen zu den Südslaven. Ihre Reiseeindrücke und Übersetzungen. In: Welt der Slaven 2(1957), 302–313. *M. Mojašević,* Deutsch-jugoslavische Begegnungen. Aufsätze, 1970.

Duncker, Dora, * 28. 3. 1855 in Berlin, † 9. 10. 1916 ebda.

Ihr Großvater war der Gründer des Verlags Duncker & Humblot, ihr Vater der Verlagsbuchhändler Alexander Duncker. Erhielt ihre Erziehung im Elternhaus. Erweiterte ihre Bildung durch Reisen nach Österreich, Italien und die Schweiz. Traf im Haus Karl von Pilotys in München, eines Freundes der Familie, mit Künstlern und Literaten zusammen. Eine 1888 geschlossene Ehe wurde bald wieder geschieden. Eine Tochter. Lebte als freie Schriftstellerin und Redakteurin in Berlin.

D. D. schrieb Theaterstücke, Romane, Erzählungen und Essays. Trat darin für die Rechte der Frau ein. Einige Werke wurden ins Tschechische oder Englische übersetzt. War Mitarbeiterin an zahlreichen Zeitschriften und Zeitungen, u.a. als Theaterkritikerin. Herausgeberin des Kinderkalenders ›Buntes Jahr‹ (seit 1886) und der Monatsschrift ›Zeitfragen‹ (1895).

Werke: Sphinx, Schausp. 1881; Sylvia, Schausp. 1883; Moderne Meister. Charakterstudien aus Kunst und Leben, 1883; (MA:) E. Elias, Lustige Geschichten aus der Kinderwelt, 1883; Stille Winkel, 1884; Nelly, Lustsp. 1884; So zwitschern die Jungen, Märchen u. En. 1885; Um ein Haar. Plauderei, 1886; Käthe Grumbkow, N. 1886; (Hrsgin:) Buntes Jahr. Kinderkalender, 1886–97; Reelles Heiratsgesuch. Inserat-Studien, 1888; Morsch im Kern, R. 1889; Dies und Das. Liebes- und andere Geschichten, 1890; Ein Leutnant verloren. Inserat-Studien, 1891; Freund der Frauen, Lustsp. aus dem Frz. 1891; Gewitterschauer, Lustsp. 1891; Unheilbar, R. 1893; Die Modistin, Nn. u. Sk. 1894; Die Goldfliege. Berliner Sitten-R. 1894; (Hrsgin.) Zeitfragen. Soziale und belletristische Monatshefte, 1895; Assarpai. Operndichtung, 1895; (MA:) Maria Raymond, Schausp. 1895; Überraschungen. Humoresken, 1896; Märchen und Erzählungen, 1896; Plaudereien und Skizzen aus dem Berliner Zoologischen Garten, 1896; Loge 2, N. 1896;

Dies und Das.

Liebes- und andere Geschichten

von

D. Duncker.

Berlin.

Verlag von Alexander Duncker,
Königlichem Hofbuchhändler.
1890.

Mütter, 3 tragische Nn. 1897; Familie, N. 1898; Hexen-Lied. Opern-Libretto, 1899; Im Schatten, Schausp. 1899; Die Frauenbewegung. In: H. Kraemer, Das 19. Jh., Bd. 3 (1871–1899), 1900, 421–429; Großstadt, R. 1900; Der Ritter vom hohen C, N. 1900; Die große Lüge, R. 1901; Komödiantenfahrt, 1901; Sie soll deine Magd sein, R. 1902; Ernte, Schausp. 1902; Groß-Berlin. Neue Nn. 1902; Lottes Glück. Totgelacht, 2 Nn. 1903; Mütter, 2 Nn. 1903; Gustav Wöhrmann, Schausp. 1903; Maria Magdalena, R. 1903; Vor Tores Schluß, Vers-Sp. 1904; Die Schönheitsstube, R. 1904; Jugend, 3 Nn. 1905; Die heilige Frau. Berliner Theater-R. 1905; Das bunte Berlin, Sk. 1905; Gesühnt, Volksschausp. 1905 (als Manuskript vervielfältigt); Märchen und Erzählungen, 1905; Falsches Ziel. Familie, 2 Nn. 1906; Die graue Gasse, R. 1906; Die neue Geliebte. Einakter, 1908; Leiden. Der R. eines Knaben, 1908; Die neue Zeit. Volksstück, 1909; Ernst von Wildenbruch. Ernstes und Heiteres aus seinem Leben. Nebst ungedruckten Festspielen, Briefen und Gedichten, 1909; Der schöne Ede und anderes. Neue Berliner Nn. 1909; Kämpfer, R. 1909; Die Schneekönigin. Märchensp. nach H. C. Andersen, 1910; Das Perlenbuch. Neue Nn. u. Sk. 1910; Der heilige Berg. Opern-Libretti, 1911; Im Separee. Großstadtbilder, 1911; Wir tanzen durchs Leben. Posse, 1911 (1912); Bergeholz Söhne, R. 1912; Ein Liebesidyll Ludwigs XIV., Louise de la Vallière, hist. R. 1912; Die kleine Hoheit, Lustsp. 1913; Doktor Stillfried, humorist. R. 1913; Die Marquise von Pompadour. Ein R. aus galanter Zeit, 1913; Die Blonden und der Riese, R. 1914; Berlin im Kriege. Großstadtskizze aus den Kriegsjahren 1914–15, 1915; Auf zur Sonne. Ein R. aus unseren Tagen, 1916; George Sand. Ein Buch der Leidenschaft, hist. R. 1916. Pariser Ehen, Nn. aus dem Frz., o. J.; Die Frau mit den Hyazinthen, R. [2]1918; Das Haus Duncker. Ein Buchhändler-R. aus dem Biedermeier, 1918; Liebe um Liebe, 1918; Die Kinder des Herrn Ulrich, R. 1919; Sumpfland, R. 1925.

Ebner-Eschenbach, Marie Freifrau von, * 13. 9. 1830 in Zdislawice/Mähren, † 12. 3. 1916 in Wien.

Tochter der Maria geb. von Vockel und des Franz Graf Dubsky, die beide aus alten Adelsgeschlechtern stammten. Die Mutter starb nach Maries Geburt. M. v. E.-E. wuchs zunächst unter der Obhut der Großmutter und zahlreicher Bediensteter auf dem väterlichen Gut Zdislawice auf. Der Vater heiratete bald wieder, jedoch auch die Stiefmutter starb bereits nach dreijähriger Ehe. Zehnjährig erhielt M. v. E.-E. ihre zweite Stiefmutter, eine hochgebildete Frau, die sie mit den deutschen Klassikern bekannt machte. Heiratete 1848 ihren Vetter, den Hauptmann und späteren Feldmarschalleutnant Moritz v. E.-E. Wohnte von 1848 bis 1856 in Klosterbruck/Mähren, wo ihr Mann an der Militärakademie lehrte. Ab 1856 in Wien lebend, widmete sie sich zunehmend ihren schriftstellerischen Arbeiten. Ihre ersten dichterischen Versuche hatten in der Familie kein Verständnis gefunden. Begann unter dem Eindruck der Aufführungen des Wiener Burgtheaters als Dramatikerin, hatte aber keinen Erfolg. Wurde von Grillparzer zu weiterem Schaffen ermutigt. Schließlich erzählerische Arbeiten, die den lang erhofften Erfolg brachten. Unterhielt zahlreiche Künstlerfreundschaften und literarische Beziehungen, so z. B. zu den Schriftstellerinnen Betty → Paoli, Luise von → François und Enrica von

→ Handel-Mazzetti. Ließ sich 1879 als Uhrmacherin ausbilden. Erhielt 1898 als erste Frau das »Ehrenzeichen für Kunst und Wissenschaft«, den höchsten österreichischen zivilen Orden. Nach dem Tod ihres Gatten, im selben Jahr, unternahm sie ausgedehnte Italienreisen. Wurde 1900 an der Universität Wien zum Ehrendoktor der Philosophie ernannt.
Bedeutende deutschsprachige Erzählerin des 19. Jahrhunderts. Ihr dem kritischen Realismus zugehöriges Werk ist geprägt durch Offenheit gegenüber den bewegenden Fragen der Zeit, z.B. der sozialen Frage und deren psychologischen Auswirkungen, ebenso durch feinen Humor und das Vertrauen in eine alle Konflikte überwindende Humanität. Meisterin der kleinen Form, z.B. in den ›Dorf- und Schloßgeschichten‹ mit der berühmten Novelle über den Hund ›Krambambuli‹; sensible Darstellung von Frauenschicksalen, z.B. in der Geschichte einer Magd ›Božena‹. Begabte Aphoristikerin.

WERKE: Aus Franzensbad. Sechs Episteln von keinem Propheten, 1858; Maria Stuart in Schottland, Trag. (Ms.-Druck), 1860; Marie Roland, Trag. (Ms.-Druck), 1867; Die Prinzessin von Banalien. Ein Märchen, 1872 (Neue Ausg. 1904); Das Waldfräulein. Theaterstück, 1872; Doktor Ritter, Dramat. G. 1872; Männertreue, Lustsp. 1874; Erzählungen, 1875 (Inhalt: Ein Spätgeborener; Chlodwig; Die erste Beichte; Die Großmutter; Ein Edelmann); Božena. Die Geschichte einer Magd, 1876 (N 1984); Die Veilchen, Lustsp. 1877; Aphorismen, 1880; Neue Erzählungen, 1881 (Inhalt: Ein kleiner Roman; Die Freiherren von Gemperlein; Lotti, die Uhrmacherin; Nach dem Tode); Dorf- und Schloßgeschichten, 1883 (Inhalt: Der Kreisphysikus; Jakob Szela; Krambambuli; Die Resel; Die Poesie des Unbewußten) (N u.d.T. Geschichten aus Dorf und Schloß, 1967); Zwei Komtessen, En. 1885 (Inhalt: Komtesse Muschi; Komtesse Paula); Neue Dorf- und Schloßgeschichten, 1886 (Inhalt: Die Unverstandene auf dem Dorfe; Er läßt die Hand küssen; Der gute Mond); Das Gemeindekind, 1887 (N 1982); Ein kleiner Roman, E. 1889; Miterlebtes, En. 1889 (Inhalt: Wieder die Alte; Ihr Traum; Erlebnis eines Malers; Wiener Geschichten; Der Muff; Die Kapitalistinnen); Die Unverstandene auf dem Dorfe, E. 1889 (Auszug aus: Neue Dorf- und Schloßgeschichten); Lotti, die Uhrmacherin, 1889 (Auszug aus: Neue Erzählungen); Unsühnbar, E. 2 Bd. 1890 (N 1978); Ohne Liebe, Lustsp. 1891; Margarete, E. 1891; Parabeln, Märchen und Gedichte, 1892; Drei Novellen, 1892 (Inhalt: Oversberg. Aus dem Tagebuche des Volontärs Ferdinand Binder; Der Nebenbuhler; Bettelbriefe); Glaubenslos?, 1893; Erinnerungsblätter an Luise von François. In: Velhagen und Klasings Monatshefte, 1894; Das Schädliche. Die Totenwacht, 2 En. 1894; Rittmeister Brand. Bertram Vogelweid, 2 En. 1896; Komteß Muschi. Die Totenwacht, 2 En. 1896; Am Ende. Szene in einem Akt, 1897; Alte Schule, En. 1897 (Inhalt: Ein Verbot; Der Fink; Eine Vision; Schattenleben; Verschollen); Wiener

Kinder, 1897; Oversberg. Aus dem Tagebuche des Volontärs Ferdinand Binder, Nn. 1898 (Auszug aus: Drei Novellen); Bettelbriefe, N. 1898; Hirzepinzchen. Ein Märchen, 1900; Krambambuli. Der gute Mond, 2 En. 1901; Aus Spätherbsttagen, En. 2 Bd. 1901 (Inhalt: I: Der Vorzugsschüler; Maslans Frau; Fräulein Susannens Weihnachtsabend; II: Uneröffnet zu verbrennen; Die Reisegefährten; Die Spitzin; In letzter Stunde; Ein Original; Die Visite); Agave, R. 1903; Die arme Kleine, E. 1903; Ein Spätgeborener, E. 1903 (Auszug aus: Erzählungen); Die Freiherren von Gemperlein, E. 1904 (N 1974) (Auszug aus: Neue Erzählungen); Die unbesiegbare Macht, 2 En. 1905 (Inhalt: Der Erstgeborene; Ihr Beruf); Meine Kinderjahre. Biogr. Sk. 1906; Aus meinen Schriften. Ein Buch für die Jugend, 1907; Altweibersommer, E. 1909; Ein Buch, das gern ein Volksbuch werden möchte. Aus den Schriften von E.-E., 1909; Die erste Beichte, 1910 (N 1972) (Auszug aus: Erzählungen); Genrebilder, En. 1910; Der Kreisphysikus. Aus den Dorf- und Schloßgeschichten, 1910; Vixen und andere Tiergeschichten, 1913; Meine Erinnerungen an Grillparzer. Aus einem zeitlosen Tagebuch, 1916; Stille Welt, En. 1916; Chlodwig, E. 1919 (Auszug aus: Erzählungen); Der Vorzugsschüler, 1924 (Auszug aus: Aus Spätherbsttagen); Maslans Frau. Uneröffnet zu verbrennen, 1924 (Auszug aus: Aus Spätherbsttagen).

Veröff. a.d. Nachlass: Briefwechsel mit G. Frenssen, hrsg. v. A. Bettelheim, 1917; Briefe an Enrica von Handel-Mazzetti. In: J. Mumbauer, Der Dichterinnen stiller Garten, 1918; Letzte Worte. Aus dem Nachlaß hrsg. v. H. Bucher (Einleitung v. F. Dubsky: Erinnerung an M.v.E.-E.), 1923; Kinderjahre einer Dichterin. Aus den Jugenderinnerungen der M.v.E.-E., 1927; Unveröffentlichte Parabeln aus dem Nachlaß der Freifrau M.v.E.-E. In: Der Wächter 28/29 (1946/47); Aus ungedruckten Briefen an Dichter, hrsg. v. H. Rieder, 1946/47; Der Nachlaß der M.v.E.-E., I. Bei meinen Landsleuten, hrsg. v. H. Rieder, 1947; Briefwechsel zwischen F. v. Saar und M.v.E.-E., hrsg. v. H. Kindermann, 1957; M.v.E.-E. und Josef Breuer: Ein Briefwechsel 1889–1916, hrsg. v. A. Kann, 1969.

Werkausgaben: *(Sammelausgaben)* Gesammelte Schriften, 9 Bd. 1892–1905; Gesammelte Schriften, 6 Bd. 1893; Gesammelte Schriften, 10 Bd. 1901–1905; Ausgewählte Erzählungen, 3 Bd. 1910; Gesammelte Schriften, 10 Bd. 1911ff.; Sämtliche Werke, 6 Bd. 1920; Sämtliche Werke, 12 Bd. 1928; Auswahl, hrsg. v. J. Krejči, Prag 1931; Ausgewählte Werke, hrsg. v. J. Lackner, 1947; Eine Auswahl aus ihren Werken, 1953; Gesammelte Werke in Einzelbänden, hrsg. v. J. Klein, 3 Bd. 1956–1958 (N 1960–1963); Gesammelte Werke, hrsg. v. E. Gross, 9 Bd. 1956–1961; Werke, hrsg. v. A. Koch, 1969; Werke, hrsg. v. J. Klein, 3 Bd. 1978 (Inhalt: I. Das Gemeindekind; Novellen; Aphorismen; II. Kleine Romane; III. Erzählungen; Autobiographische Schriften).

(Einzelausgaben, Auswahl) Tiergeschichten, ausgew. v. O. Veigl, 1922 (Inhalt: Der Fink; Die Spitzin; Krambambuli); Aphorismen, 1939; Der Erstgeborene, E. 1940; Geschichten und Erinnerungen, ausgew. v. P. Struck, 1941; (MA:) Aus Stadt und Land. Nn. aus Österreich, ausgew. v. H. Gronemann, 1947; Leuchtende Weisheit. Aphorismen, 1948; Meistererzählungen. Aphorismen und Erinnerungen, hrsg. v. A. Bettex, 1953; Meine Erinnerungen an Grillparzer, 1955; Krambambuli und andere Erzählungen, 1955; Das Gemeindekind und andere Erzählungen, hrsg. v. P. Friedländer, 1955; Krambambuli und weitere Meistererzählungen, ausgew. v. H. Reutimann, 1956; Krambambuli und andere Erzählungen, hrsg. v. P. Friedländer, 1957; M.v.E.-E. Ein Gedenkblatt. Kleine Dichtungen, 1957; Weisheit des Lebens, ausgew. v. H. Rieder, 1958; Erinnerungen. Meine Kinderjahre. Meine Erinnerungen an Grillparzer, hrsg. v. E. Gross, 1959; Aphorismen, Parabeln und Märchen, hrsg. v. E. Gross, 1960 (N 1982); Die schönsten Erzählungen, hrsg. v. E. Gross, 1960; Menschen und Geschicke, hrsg. v. O. Heuschele, 1962; Man muß das Gute tun, damit es in der Welt ist. Aphorismen, ausgew. v. K. Sellin, 1966; Fräulein Susannens Weihnachtsabend und andere Erzählungen, ausgew. v. H. Georgi, 1967; Meine Kinderjahre. Aus meinen Kinder- und Lehrjahren. Bei meinen Landsleuten, hrsg. v. F. Minck-

witz, 1967 (N 1970); Ausgewählte Erzählungen, hrsg. v. P. Friedländer, 1968 (N 1981); Erinnerungen und Erzählungen, 1969; Krambambuli, 1971; Kritische Texte und Deutungen, 3 Bd. I. Unsühnbar, 1978, II. Božena, 1980, III. Das Gemeindekind, 1982; Wer den Augenblick beherrscht, beherrscht das Leben, Aphorismen, 1979; Novellen, 1982; Tiergeschichten, 1982; Frauenbilder, 6 En., hrsg. v. F. Böttger, 1982.

NACHLASS: Stadtbibliothek Wien; Dt. Lit.archiv Marbach/Neckar; W. Frels, Dt. Dichterhss. v. 1400–1900, 1934.

LITERATUR: *H. Gross,* M. Freifrau v. E.-E. In: H.G., Deutschlands Dichterinnen und Schriftstellerinnen, 1882, 126f. u. 266. *L. Morgenstern,* M. Freifrau v. E.-E. In: L.M., Die Frauen des 19. Jh.s, 3. Bd. (1891), 220–222. *K. Bienenstein,* M. v. E.-E. In: Nord und Süd, 1897. *M. Necker,* M. v. E.-E. und Grillparzer. In: Grillparzer-Jb., 1898. *A. Bettelheim,* M. v. E.-E. In: Biogr. Bl., 1900. *M. Necker,* M. v. E.-E., 1900. *H. Villinger,* Wie ich M. v. E.-E. kennenlernte. In: Velhagen und Klasings Monatshefte, 1900.

T. Schücking, M. v. E.-E. In: Das lit. Echo, 1900. *A. Bettelheim* (Hrsg.), M. v. E.-E. und Luise von François. In: Dt. Rundschau 105 (1900/01). *J. Minor,* Neues von und über M. v. E.-E. In: Das lit. Echo, 1901. *E. Schmidt,* M. v. E.-E. Zum 13. September 1900. In: E.S., Charakteristiken 2(1901). *G. Reuter,* M. v. E.-E., 1904. *T. Klaiber,* M. v. E.-E. In: T.K., Dichtende Frauen der Gegenwart, 1907. *R. M. Meyer,* M. v. E.-E. In: Velhagen und Klasings Monatshefte, 1909.

V. Klemperer, M. v. E.-E. In: Jb. d. Grillparzer-Ges. 1910. *P. Strzemcha,* M. v. E.-E. In: Zs. d. Vereins f. d. Gesch. Mährens u. Schlesiens 14(1910). *E. Schmidt,* M. v. E.-E. Zum 80. Geb. am 13. September 1910. In: E.S., Charakteristiken 2(²verm. 1912). *E. Riemann,* Zur Psychologie und Ethik der M. v. E.-E., 1913. *Th. (od. J. T.) Geissendorfer,* Dickens' Einfluß auf Ungern-Sternberg, Heßlein, Stolle, Raabe und M. v. E.-E., 1915. *A. v. Gleichen-Russwurm,* M. v. E.-E. In: Das lit. Echo, 1916. *A. Bettelheim,* ›Stille Welt‹ von M. v. E.-E. In: Das lit. Echo, 1916. *M. Necker,* M. v. E.-E., nach ihren Werken geschildert, 1916. *R. Stölzle,* M. v. E.-E. als Denkerin. In: Hist.-pol. Bl., 1916. *J. Mumbauer,* M. v. E.-E. In: Hochland 14 (1916/17). *H. Sauer,* Erinnerungen an M. v. E.-E. In: Westermanns Monatshefte 1916/17. *R. Schaukal,* M. v. E.-E. In: Hochland 14(1916/17). *O. Floeck,* M. v. E.-E. In: O.F., Sk. u. Studienköpfe, 1918. *K. Offergeld,* M. v. E.-E. Untersuchungen über ihre Erzählungstechnik. Diss. Münster 1918. *F. v. Saar,* Begegnungen mit M. v. E.-E. In: F. v. S., Sämtl. Werke 12(1918). *M. F. Radke,* Das Tragische in den Erzählungen von M. v. E.-E. Diss. Marburg 1918.

A. Bettelheim, M. v. E.-E.s Wirken und Vermächtnis, 1920 (N 1981). *H. A. Koller,* Studien zu M. v. E.-E. Diss. Zürich 1920. *A. Sauer,* M. Freifrau v. E.-E. In: Neue Österreichische Biogr. NF 1(1923), 146–157. *A. Bettelheim,* M. Freifrau v. E.-E. In: Dt. Biogr. Jb. Überleitungsband 1, 1925. *A. Sauer,* M. v. E.-E. In: Sudetendt. Lebensbilder I, 1925, 137–145. *R. B. Fischer,* Die Aphorismen der M. v. E.-E. Diss. Marburg 1926. *H. Bieber,* M. v. E.-E. In: H.B., Der Kampf um die Tradition, 1928. *E. M. O'Connor,* M. v. E.-E., London 1928. *O. Floeck,* Dichtung und Geschichte. Zur Kritik der Erzählung ›Jakob Szela‹. In: Hochschulwissen, 1928. *S. Sahanek,* Das tschechische Dorf bei M. v. E.-E. In: Xenia Pragensia, [Prag] 1929.

A. Bettelheim, Zum 100. Geb. von M. v. E.-E. In: Dt. Rundschau, 1930. *E. Hadina,* Die Dichterin des Erbarmens. In: Der Getreue Eckart 8(1930). *K. M. Fassbinder,* M. v. E.-E. In: Die christliche Frau, 1930. *J. Mühlberger,* M. v. E.-E., 1930. *A. Sperber,* M. v. E.-E.s Novelle ›Der Vorzugsschüler‹. In: Zs. f. psychoanalytische Pädagogik 5(1930). *M. Gögler,* Die pädagogischen Anschauungen der M. v. E.-E. Diss. Tübingen 1930 (1931). *O. Walzel,* M. v. E.-E. In: Witiko 3(1931). *R. Latzke,* Die Ethik der Frau M. v. E.-E., 1931. *O. Katann,* ›Die Freiherren von Gemperlein‹ der E.-E. In: O.K., Gesetz im Wandel, 1932. *A. Sauer,* M. Freifrau v. E.-E. In: A.S., Probleme und Gestalten, 1933, 195ff. *M. Hans,* Die religiöse Weltanschauung der M. v. E.-E. Diss. Frankfurt/M. 1934. *J. Hofmiller,* M. v. E.-E. In: J.H., Letzte Versuche, 1934. *H. Rieder,* Die Gemeinschaft in den Erzählungen der M. v. E.-E., Diss.

Wien 1934. *M. Alkemade,* Die Lebens- und Weltanschauung der Freifrau M.v.E.-E., 1935 (mit Briefwechsel mit P. Heyse). *R. Latzke,* E.-E. und Turgenjew. In: Pädagogischer Führer 85(1935). *R. Latzke,* M.v.E.-E. In: E. Castle, Gesch. d.dt. Lit. in Österreich-Ungarn im Zeitalter Franz Josephs I., Bd. 1, 1935, 1036–1066. *M. R. Doyle,* Catholic atmosphere in M.v.E.-E. Diss. Washington 1936. *G. Bäumer,* Stille Weisheit. In: G.B., Gestalt und Wandel, 1939. *E. Fischer,* Die Soziologie Mährens in der 2. Hälfte des 19. Jh.s als Hintergrund der Werke M.v.E.-E.s Diss. Leipzig 1939. *M. Mell,* Die Dichterin im Hause der Blinden: Erinnerung an E.-E. In: Das Inselschiff (1939) 2. *H. Rieder,* Liberalismus und Lebensform in der deutschen Prosaepik des 19. Jh.s, 1939.

H. Roch, M.v.E.-E. In: Die Hilfe 46(1940) (N In: H.R., Dt. Schriftsteller als Richter ihrer Zeit, 1947). *F. J. Schicht,* Unbekannter Briefwechsel mit M.v.E.-E. In: Augarten 6(1941). *A. Ehrentreich,* Schloß Zdislawitz in Mähren. Besuch bei M.v.E.-E. In: Nordmähren, 1943. *H. Puntschoch,* Die poetische Namengebung bei Stifter, E.-E., Saar, Kürnberger. Diss. Prag 1943. *I. Slama,* M.v.E.-E. und das Burgtheater. Diss. Wien 1944. *G. Gerber,* Wesen und Wandlung der Frau in den Erzählungen M.v.E.-E.s. Diss. Göttingen 1945 (Masch). *H. Rieder,* Adel des Geistes. Mit unveröffentlichten Aphorismen und Parabeln der E.-E. In: Der Wächter, 1946. *H. Rieder,* M.v.E.s geistiges Vermächtnis. In: Der Wächter 28/29(1946/47). *E. Felbinger,* M.v.E.-E.s dramatische Arbeiten. Diss. Wien 1947. *H. Roch,* M.v.E.-E. In: H.R., Dt. Schriftsteller als Richter ihrer Zeit, 1947. *F. Egger,* M.v.E.-E. und I.S. Turgenjew. Diss. Innsbruck 1948. *J. Mühlberger,* Gedenkblatt für M.v.E.-E. In: Dt. Rundschau, 1948. *G. Motzko,* Die Ständetypen in den Werken der M.v.E.-E. Diss. Wien 1948. *R. Steiner,* M.v.E.-E. Zu ihrem 70. Geb. am 13. September 1900. In: R.S., Veröffentlichungen aus dem lit. Frühwerk (1948) 23.

E. Schadauer, Gesellschaft und Kultur Österreichs im Spiegel der Novellen Ferdinand von Saars und M.v.E.-E.s. Diss. Wien 1950. *A. Siemsen,* M.v.E.-E. In: A.S., Der Weg ins Freie, 1950. *H. Wallach,* Studien zur Persönlichkeit M.v.E.-E.s. Diss. Wien 1950. *J. Klein,* M.v.E.-E. In: J.K., Gesch. d.dt. Novelle von Goethe bis zur Gegenwart, [2]1954, 382–391. *I. Geserick,* Gesellschaftskritik und -erziehung im Werk der M.v.E.-E. Diss. Potsdam 1955 (1956). *J. Mühlberger,* M.v.E.-E. Ein Gedenkblatt, 1957. *Ders.,* M.v.E.-E. In: Die großen Deutschen, hrsg. v. H. Heimpel, T. Heuss, B. Reifenberg Bd. 5, [2]1957, 353–360. *I. Geserick,* M.v.E.-E. und I. Turgenjew. In: Zs. f. Slawistik 3(1958). *E. Petiska,* Doslov. In: M.v.E.-E., Krambambuli, Prag 1958. *W. Bietak,* M.v.E.-E. In: NDB 1959. *H. Uhde-Bernays,* Ferdinand von Saar und M.v.E.-E. In: Dt. Rundschau, 1959.

L. Barck-Herzog, H. Villinger – M.v.E.-E. Eine Dichterfreundschaft. Nach Briefen von H. Villinger dargestellt. In: Dt. Rundschau 87 (1961). *J. Mühlberger,* Ein Gedenkblatt für M.v.E.-E. In: Sudetenland 3(1961). *R. Pechel,* M.v.E.-E. und die ›Dt. Rundschau‹. In: Dt. Rundschau 87(1961) 9, 850f. *H. Fink,* Studien zur Ethik M.v.E.-E.s. Entsagung, Resignation und Opfer in den Erzählungen der Dichterin. Diss. Graz 1965. *V. Aschenbrenner,* M.v.E.-E. In: Sudetenland 8(1966). *K. Benesch,* Die Frau mit den hundert Schicksalen. Das Leben der M.v.E.-E., 1966. *W. Bietak,* M.v.E.-E. In: Österreich in Gesch. u. Lit. 10(1966). *A. Hofmann,* Mittlerin aus Mähren. M.v.E.-E. In: Wir und Sie, [Prag] (1966) 5, 22f. Literatur über M.v.E.-E. (267 Titel von 1880–1965, Lit.-Nr. 30/66), hrsg. v.d. Dt. Bücherei in Leipzig, 1966. *R. v. Schaukal,* Über Dichter, 1966. *H. Vogelsang,* M.v.E.-E.s Weltbild und Menschenideal. In: Österreich in Gesch. u. Lit. 10(1966). *G. Fussenegger,* M.v.E.-E. oder Der gute Mensch von Zdislawitz. Ein Vortrag, 1967. *V. Aschenbrenner,* M.v.E.-E. Ein Gedenken zum 50. Todestag. In: Sudetendt. Kulturalmanach, 1967. *J. Veselý,* E.-E. – Saar – David. Tschechische Elemente in ihrem Werk und Leben. In: Lenau-Forum 1(1969) 3/4, 25–45.

R.C. Cowen, M.v.E.-E. In: Hdb. d.dt. Lit.gesch., 2. Abt., Bd. 9(1830–1880), 1970. *E. Stutz,* Studien über Herr und Hund. M.v.E.-E., Th. Mann, G. Grass. In: U. Schwab (Hrsg.), Das Tier in der Dichtung, 1970, 200–238. *A. Schnei-*

der, Les aphorismes de M.v.E.-E. In: Études germaniques 26(1971), 168–193. *J. Veselý,* M.v.E.-E. (mit dt. Zus.-fassg.) In: Casopis pro moderni filologii 53(1971), 21–30. *Ders.,* Tagebücher legen Zeugnis ab. Unbekannte Tagebücher der M.v.E.-E. In: Österreich in Gesch. u. Lit. 15(1971), 211–241. *I. Aichinger,* Harmonisierung oder Skepsis? Zum Prosawerk der M.v.E.-E. In: ebda. 16(1972), 483–495. *J. Veselý,* M.v.E.-E. und die tschechische Literatur. In: Germanistica Pragensia 6(1972), 91–100. *H. Klocke,* Božena Nemcová: ein literarischer Beitr. zur dt./tschechischen Familiengesch. In: Dt. Studien 11(1973), 219–223. *D. L. Ashliman,* M.v.E.-E. und der dt. Aphorismus. In: Österreich in Gesch. und Lit. 18(1974), 155–165. *D. S. Lloyd,* Waifs and strays: The youth in M.v.E.-E.s village tales. In: Views and reviews of modern German literature. Festschrift for A. D. Klarmann, 1974, 39–50. *M. Dierks,* M.v.E.-E. In: Lexikon der Kinder- und Jugendliteratur, Bd. 1, 1975, 335f. *L. Muerdel-Dormer,* Tribunal der Ironie. M.v.E.-E.s Erzählung ›Er läßt die Hand küssen‹. In: Modern Austrian Literature 9(1976) 2, 86–97. *K. K. Polheim,* Textkritik und Interpretation. M.v.E.-E. und Ferdinand von Saar in wiss. Einzelausgaben. In: Sprachkunst 7(1976) 1, 127–135. *J. Veselý,* M.v.E.-E. – Ferdinand von Saar – Jakob Julius David. Wechselseitige Beziehungen. Beitr. zur Biogr. dreier mährischer Dichter. In: Germanistica Pragensia 7(1976) [1982], 119–129. *K. Heydemann,* Jugend auf dem Lande. Zur Tradition des Heimatromans in Österreich. In: Sprachkunst 9(1978), 141–157. *A. Unterholzner,* M.v.E.-E. Eine Analyse der Form und der Rezeption ihres Werkes. Diss. Innsbruck 1978. *A. Deidda,* Infelix Austria. Studi di letteratura austrotedesca, [Cagliari] 1979 (= Saggi letterari 5). *G. Hummel-Snapper,* Entfremdung und Isolation in den Prosawerken der [von] M.v.E.-E. Diss. Univ. of California, Berkeley 1979 ([Ann Arbor] 1980 [2 Mikrofiches]). *D. S. Lloyd,* Dorf and Schloß: The sociopolitical image of Austria as reflected in M.v.E.-E.s works. In: Modern Austrian Literature 12(1979) 3/4, 25–44. *G. Stix,* Kreis, Ellipse und Quadrat. Begegnungen österreichischer Dichter mit Rom. In: Lit. als Dialog. Festschrift zum 50. Geb. von Karl Tober, 1979, 379–394.
H. Beutin, M.v.E.-E.: Božena (1876). Die wiedergekehrte »Fürstin Libussa«. In: H. Denkler (Hrsg.), Romane und Erzählungen des bürgerlichen Realismus, 1980, 246–259. *M. Kubelka,* M.v.E.-E., 1980. *K. Rossbacher,* M.v.E.-E. Zum Verhältnis von Literatur und Sozialgeschichte am Beispiel von ›Krambambuli‹. In: Österreich in Gesch. u. Lit. 24(1980), 87–106. *E. Endres,* M.v.E.-E. 1830–1916. In: H. J. Schultz (Hrsg.), Frauen. Porträts aus 2 Jh., 1981, 114–126. *W. M. Johnston,* The Vienna School of aphorists 1880–1930. Reflections on a neglected genre. In: The turn of the century, 1981, 275–290. *K. Konrad* (Hrsg.), M.v.E.-E.: Kritische Texte und Deutungen. 3.: Das Gemeindekind. Krit. hrsg. u. gedeutet v. *R. Baasner,* 1982. *T. Salumets,* Geschichte als Motto. E.-E.s Erzählung ›Das Gemeindekind‹. In: Sprachkunst 15(1984), 14–23. *H. H. Harriman,* M.v.E.-E. in feminist perspective. In: Modern Austrian Literature 18 (1985) 1, 27–38.

Eschstruth, Nataly von, * 17. 5. 1860 in Hofgeismar, † 1. 12. 1939 in Schwerin/Mecklenburg.

Der Vater war der hess. Husaren-Offizier Hermann von Eschstruth, der nacheinander nach Merseburg und Berlin versetzt wurde, wo N.v.E. die jeweiligen Bildungsanstalten besuchte. Veröffentlichte mit zwölf Jahren ihre ersten Gedichte in der von Ernst Eckstein herausgegebenen ›Deutschen Dichterhalle‹. Verbrachte ab 1875 mehrere Jahre in einem Schweizer Töchterpensionat in Neuchâtel. Dort entstanden erste Novellen. Großherzogin Caroline von Mecklenburg-Strelitz, Victor von Scheffel u. Georg Ebers regten sie zu hist. Dramen an. Reiste häufig ins Ausland, in verschiedene Bäder und Großstädte. Hatte seit 1885 ihren Wohnsitz in Berlin. Heiratete 1890 den Premierleutnant und späteren preußischen Major Franz von Knobelsdorff-Brenkenhoff. Lebte mit ihm in verschiedenen Garnisonsstädten (Celle, Wiesbaden, Schwerin), später, nach dem Tod des Gatten (1903), in Teplitz-Schönau. War befreundet mit dem Herzogspaar Johann-Albrecht von Mecklenburg-Schwerin (seit 1907 Regent v. Braunschweig).

Zunächst Dramatikerin, dann Erzählerin. Ihre Unterhaltungsromane sprachen breite Leserschichten an, u.a. durch ihre Vertrautheit mit dem höfischen und aristokratischen Milieu. Ihr Roman ›Die Bären von Hohen-Esp‹ (1902) entstand auf Wunsch Kaiser Wilhelms II.

Erhielt die große goldene Medaille für Kunst und Wissenschaft von Baden, Bayern und Mecklenburg-Schwerin.

WERKE: In des Königs Rock, Dr. 1882; Die Sturmnixe, Schausp. 1883; Pirmasenz oder Karl August's Brautfahrt, Lustsp. 1883; Der kleine Rittmeister, Schausp. 1883; Der Eisenkopf, Schausp. 1884; Die Ordre des Grafen von Guise? Schausp. 1884; Wolfsburg, E. 1885; Gänseliesel. Eine Hofgeschichte, 2 Bd. 1886; Der Irrgeist des Schlosses, R. 1886 ([3]u. d. T. Der Irrgeist von Casgamala, 1892); Katz und Maus, E. 1886; Humoresken, 1886; Polnisch Blut, R. 2 Bd. 1887; Potpourri, 1887; Wegekraut, G. 1887; Die Erlkönigin, R. 1887; Die Erlkönigin. Zauberwasser, 1888; Sie wird geküßt, Schwank 1888; Hazard, R. 2 Bd. 1888; Wandelbilder, Nn. u. Sk. 1888; Hofluft, R. 2 Bd. 1889; Verbotene Früchte u. a. En. 1889; Im Schellenhemd, R. 2 Bd. 1890; Sternschnuppen, En. 1890; Der Mühlenprinz, E. 1891; In Ungnade, R. 2 Bd. 1891; Comödie!, R. 2 Bd. 1892; Scherben, Nn. 1893; Von Gottes Gnaden, R. 2 Bd. 1894; Die Haidehexe u. a. Nn. 1894; Ungleich!, R. 2 Bd. 1894; Johannisfeuer, Nn. 1895; Sturmnixe u.a. Dr. 1895; (Inhalt; Sturmnixe, Schausp.; Die Obotriten, Dr.; Der kleine Rittmeister, Schausp.; Pirmasenz oder Karl August's Brautfahrt, Lustsp.); Der Stern des Glücks, R. 2 Bd. 1896; Jung gefreit, R. 2 Bd. 1897; Spuk, 1897; Der Majoratsherr, R. 2 Bd. 1898; Mondscheinprinzeßchen, 1898; Frühlingsstürme, R. 1899; Die Regimentstante, R. 2 Bd. 1899; Spukgeschichten u.a. En. 1900; Aus vollem Leben, Nn. u. En. 1900; Nachtschatten, R. 2 Bd. 1900; Am Ziel, R. 2 Bd. 1901; Sonnenfunken, Nn. u. En. 1901; Osterglocken, N. 1901; Der verlorene Sohn, R. 2 Bd. 1902; Die Bären von Hohen-Esp, R. 2 Bd. 1902; Am See, E. 1903; Jedem das Seine, R. 2 Bd. 1904; Am Ende der Welt, 1905; Frieden, R. 2 Bd. 1905; Humoresken u. a. En., 1909; Die Roggenmuhme. Humoristischer R. 1910; Die Ordre des Grafen von Guise. Symone, 2 Nn. 1910; Vae victis, R. 2 Bd. 1911; Das Rodeltantchen. Humoristischer R. 1912; Heckenrosen u.a. En. 1913; Junge Liebe u.a. En. 1913; Pagenstreiche u.a. En. 1913; Plappermäulchen u.a. En. 1913; Eine unheimliche Torte u.a. En. 1913; Zauberwasser u.a. En. 1913; Sehnsucht, R. 1917; Bräutigam und Braut. Humoristischer R. 1920; Ewige Jugend R. 1920; Wenn zwei sich nur gut sind!, R. 1920; Ende gut – alles gut, E. 1921; Im Spukschloß Monbijou, R. 1921; Ein Stein auf der Straßen, R. 1921; Lebende Blumen, R. 1921; Halali!, R. 1922; Lichtfalter, R. 1922; Der fliegende Holländer, R. 1925; Erlöst, R. 1926.

WERKAUSGABEN: Gesammelte Werke, 24 Bd. 1899–1901; Illustrierte Romane und Novellen, 1. Serie 11 Bd. 1899–1901, 2. Serie 11 Bd. 1901–1902, 3. Serie 11 Bd. 1902–1903, 4. Serie 11

Bd. 1904–1905, 5. Serie 9 Bd. 1907–1909, 100 Lieferungen 1929–1930.
LITERATUR: *J. Lippmann,* Die Gänseliesel in der modernen Literatur und N.v.E., die jüngste Berühmtheit der ›Deutschen illustrirten Zeitung‹, 1886. *R. Wulckow,* »Unsere beliebteste deutsche Schriftstellerin«. In: Die Gegenwart, 1899. *R. Wulckow,* Nochmal die »beliebteste deutsche Schriftstellerin«. In: ebda., 1900. *E. Kalkschmidt,* N.v.E.'s neuester Roman. In: Der Kunstwart, 1903. *W. Rath,* Was viel gelesen wird. Vom Typus E. In: ebda., 1913. *C. Petzsch,* N.v.E. In: NDB 1959. *H. Müssener und G. Frandsen,* Fast nur N.v.E. & Co.? Deutschsprachige Publikationen in schwedischer Übersetzung 1870–1933. Ein bibliographisches Projekt. In: Nicht nur Strindberg. Kulturelle und lit. Beziehungen zwischen Schweden und Deutschland 1870–1933, 1979, 52–74.

Fischer, Caroline Auguste (Ps. Auguste, Caroline Auguste, Verfasserin von ›Gustav's Verirrungen‹), * 9. 8. 1764 in Braunschweig, † 1834 in Frankfurt.

Tochter der braunschweigischen Schneiderstochter Charlotte geb. Köchy und des herzoglichen Kammermusikers Karl Venturini, dessen Familie aus Italien stammte. Vier Geschwister, von denen drei an Auszehrung starben. Heiratete Johann Rudolph Christiani, namhaften dänisch-deutschen Hofprediger in Kopenhagen. Scheidung. Zwischen 1801 und 1802 in Dresden. Erste Erzählungen von ihr erscheinen. Liebesbeziehung mit Christian August Fischer (1771–1829). Als Hofmeister und Kaufmann hatte er bereits große Reisen unternommen, war Schriftsteller und später in Würzburg Professor. Ein Sohn. Heirat mit Christian A.F. 1808, kurz darauf Trennung. Als schuldiger Teil wurde Christian A.F. zu einem Jahresgeld für Frau und Sohn verurteilt. Er erklärte später, daß eine gelehrte Frau oder Schriftstellerin einen Mann selten glücklich machen könne, noch dazu, wenn sie älter sei. Caroline A.F. war weiterhin literarisch tätig und unternahm verschiedene Versuche der Existenzsicherung. In Heidelberg eröffnete sie ein Erziehungsinstitut. 1822 war sie in Würzburg Inhaberin einer Leihbibliothek. Ihre literarischen Werke veröffentlichte sie anonym oder unter ihren Pseudonymen. In Schindels 1823 erschienenem Schriftstellerinnen-Lexikon sind ihre Werke aber bereits unter ihrem Namen aufgeführt. Caroline A.F. lebte abseits literarischer Kreise und geriet in Vergessenheit.

Bedeutende Erzählerin an der Wende vom 18. zum 19. Jahrhundert; auch Lyrikerin. Ihre ›Honigmonathe‹ (1802–04), geschrieben in dem von ihr bevorzugten, damals beliebten Genre des Briefromans, sind eine kritische Reaktion auf einen »Bestseller« des 18. Jahrhunderts: ›Elisa, oder das Weib, wie es seyn sollte‹ (^{6}1806) von Wilhelmine Karoline von Wobeser. Sie wandte sich gegen das darin vertretene Frauenbild, das Glück durch Selbstlosigkeit und Verzicht versprach. Trat dagegen für das Recht auf Leidenschaft ein, verdeutlichte aber auch die Schwierigkeiten des Versuchs, diesen Anspruch zu leben. In ihrer Schrift ›Über die Weiber‹ nahm sie zur Frauenfrage Stellung.

WERKE: Gustav's Verirrungen, R. 1801; Vierzehn Tage in Paris, Märchen, 1801; Die Honigmonathe, 2 Bd. 1802 und 1804 (N in Vorb.); Der Günstling, 1809 (N in Vorb.); Margarethe, R. 1812 (N in Vorb.); (u.d.N. Von der Verfasserin von ›Gustav's Verirrungen‹:) Über die Weiber, 1813; Bemerkungen. In Ztg.f.d.eleg.Welt, 1816; (u.d.N. C.A., der Verfasserin von Gustav's Verirrungen:) Kleine Erzählungen und romantische Skizzen, 1819 (Inhalt: 1. Riekchen [früher in: Ztg. f.d.eleg. Welt 1817, Nr. 46], 2. Wilhelm der Neger [früher in: ebda., Nr. 97], 3. Mathilde, 4. Saphir und Marioh, 5. Justin) (N in Vorb.); So viel Noten als Text an den Verf. d. Schuld. In: ebda. (1818) 168; Wien zum Anfang des vorigen Jahrhunderts. In: ebda. (1819) 62; Das Kästchen. In: ebda. (1819) 200–206; Maja und Jaznytho, eine neugriechische Sage. In: ebda. (1819) 234ff.; [Ein weiterer Beitrag] In: ebda. (1820) 56.

LITERATUR: Neue Allg. Dt. Bibl., (Berlin) 70,71 (Rez. zu ›Gustav's Verirrungen‹). Ebda., 83, 373 [Rez. zu ›Die Honigmonathe‹]. C.A.F. In: C.W.O.A. v. Schindel, Die dt. Schriftstellerinnen des 19.Jh. Bd. 1, 1823, 127–30. *K. Goedeke,* Grundriß zur Geschichte der dt. Dichtung, 6, [2]1898, 430. *H. Gross,* K.A.F. In: H.G., Deutschlands Dichterinnen und Schriftstellerinnen, [2]1882, 76. *C. Touaillon,* Der dt. Frauenroman des 19.Jh.s, 1919, 578–629. *N. Halperin,* Die dt. Schriftstellerin in der 2.Hälfte des 18.Jh.s. Versuch einer soziol. Analyse (Diss. Frankfurt 1934), 1935. *E. Hoppe,* C.A.F. Eine vergessene Braunschweiger Dichterin. In: Niedersachsen, 1965. *H. Germer,* The German Novel of Education 1792–1805, [Bern] 1968.

Fleißer, Marieluise, * 23.(22.?) 11. 1901 in Ingolstadt, † 2. 2. 1974 ebda.

Tochter der Anna geb. Schmidt († 1918) und des Heinrich Fleißer, Geschmeidemacher und Eisenwarenhändler. Ab 1907 Besuch der Volks- und Töchterschule. Da in Ingolstadt Mädchen keinen Zugang zum Gymnasium hatten, ab 1914 Besuch des Realgymnasiums in Regensburg, das dem Internat der Englischen Fräulein angeschlossen war. 1919 Abitur und Beginn des Studiums der Theaterwissenschaft und Germanistik in München. Erste literarische Arbeiten. Bekanntschaft mit Lion Feuchtwanger. Durch ihn lernte sie Brecht kennen, der 1926 die Erstaufführung ihres Stücks ›Fegefeuer in Ingolstadt‹ (eigentl. ›Die Fußwaschung‹) vermittelte. Positive Resonanz. Der Ullstein-Verlag gab ihr einen Rentenvertrag. Herbst 1926 bis Sommer 1927 in Berlin, danach wieder in München; dort 1928 Fertigstellung des Stücks ›Pioniere in Ingolstadt‹ und im gleichen Jahr Uraufführung in Dresden. Ein Jahr später, vermittelt durch Brecht, Uraufführung in Berlin. Sie wird zum großen Skandal, den Brecht bewußt einkalkuliert hatte. Bruch mit Brecht und dem ihn umgebenden Künstlerkreis. Hausverbot vom Vater. Gemeinsame Reise mit Helmut Draws-Tychsen, Redakteur der Berliner Börsen-Zeitung, nach Schweden, Verlobung. Auf sein Einwirken hin Kündigung des Rentenvertrags mit Ullstein (dem »Brecht-Verlag«). Erhielt einjährigen Vertrag vom

Kiepenheuer-Verlag. ›Die Mehlreisende Frieda Geier‹ entstand (1931). Künstlerische Verunsicherung und finanzielle Schwierigkeiten führten 1932 zu einem Selbstmordversuch und schließlich zur Rückkehr nach Ingolstadt. Während der Nazi-Zeit unerwünscht. 1935 eingeschränktes Schreibverbot. Im gleichen Jahr Heirat mit dem (früheren Verlobten, 1928) Tabakwarengroßhändler und Sportschwimmer Bepp Haindl. Mitarbeit im Geschäft. Versuche seinerseits, sie vom Schreiben abzuhalten. 1938 Nervenzusammenbruch. 1943 Kriegseinsatz als Hilfsarbeiterin. 1950 Wiedersehen mit Brecht. Durch seine Vermittlung in München Aufführung ihres Stücks ›Der starke Stamm‹. Ein Comeback blieb aus. Wegen Haindls finanziellen Schwierigkeiten erneut Mitarbeit im Geschäft und einjährige Mitarbeit in der Hörspielabteilung des Bayerischen Rundfunks. 1958 Tod Haindls. Verkauf des Geschäfts, Abtragen der Schulden, neuer literarischer Beginn. Mit der Wiederaufführung ihrer Stücke ›Pioniere‹ und ›Fegefeuer‹ 1968/71 begann ihre Wiederentdeckung, angeregt vor allem durch R.M. Fassbinder, F. X. Kroetz, M. Sperr.
Erzählerin, Dramatikerin. Zentrale Themen ihres Werks sind Enge und Dumpfheit des kleinbürgerlichen Lebens und das Verhältnis der Geschlechter. Ihre Protagonistinnen machen immer wieder die Erfahrung der Widersprüchlichkeit der Wünsche und der Ausweglosigkeit. Ihre Darstellungsweise bezeichnete M.F. selbst als »kritischen Realismus«. Charakteristisch sind Scharfblick für soziale Tatsachen (Einflüsse Brechts, Iherings), tiefe Auslotung des Alltäglichen, hintergründiger Humor und eine den Eindruck der Kunstlosigkeit erzeugende Sprach-»Kunst«.

WERKE: Meine Zwillingsschwester Olga (später u.d.T.: Die Dreizehnjährigen). In: Das Tagebuch, hrsg. v. St. Großmann 4 (1923), 303f.; Die Stunde der Magd. In: Berliner Börsen-Courier, 1925; Der Apfel. In: Berliner Börsen-Courier, ??(1925) (Frankfurter Ztg., 29.5. 1927); Ein Pfund Orangen. In: Das Tagebuch, hrsg. v. St. Großmann 7(1926); Fegefeuer in Ingolstadt, 1. Fass. [Bühnenms. des Arcadia Theaterverlags Berlin] 1926 (Erstdruck: Zeit und Theater. Von der Republik zur Diktatur, hrsg. v. G. Rühle, 1972); Die Nachgiebige. In: Vossische Ztg., [Berlin] 16. 9. 1927; Das enttäuschte Mädchen. In: Münchner Neueste Nachrichten, 9. 12. 1927; Die arme Lovise (später u.d.T.: Moritat vom Institutsfräulein). In: Die neue Bücherschau 6(1928) 2; Zwei Briefe (auch: Briefe aus dem gewöhnlichen Leben). In: Das Tagebuch, hrsg. v. St. Großmann, 14. 4. 1928; Pioniere in Ingolstadt, 1. Fass. (Dresdener Fassung 1928) ungedruckt; 2. Fass. (Berliner Fassung 1929) [Bühnenms. des Arcadia Theaterverlags Berlin], 1929; 3. Fass. (1968) In: Theater heute 8, 1968; Ein Pfund Orangen und 9 andere Gesch. 1929 (u.a. erstmals: Die Ziege, Das Märchen vom

Asphalt, Abenteuer aus dem Englischen Garten, Das kleine Leben [auch: Des Staates gute Bürgerin; auch: Die Wittfrau] (N 1984); Die möblierte Dame mit dem mitleidigen Herzen (später: Der gute Zweck). In: Berliner Tageblatt, 21. 12. 1929; Sportgeist und Zeitkunst. Ess. über den modernen Menschentyp. In: Germania, [Berlin] 12. 9. 1929; Ich reise mit Draws nach Schweden. In: 24 neue deutsche Erzähler, hrsg. v. H. Kesten, 1929; An einen Kameraden (auch: Liebesbrief an einen Mann). In: Berliner Tageblatt, 25. 12. 1930; Ich reise mit Draws nach Andorra. In : Vossische Ztg., [Berlin] 21. 11. 1930; Andorranische Abenteuer. In: Vossische Ztg., [Berlin] 17. 12. 1930; Sandsturm über Perpignan. In: Berliner Börsen-Courier, 3. 8. 1930; Ein Porträt Buster Keatons. In: Germania, [Berlin] 9. 8. 1930; Als wir noch auf das Christkind warteten. In: Berliner Börsen-Courier, 25. 12. 1930; Mehlreisende Frieda Geier. R. vom Rauchen, Sporteln, Lieben und Verkaufen, 1931 (N u.d.T.: Eine Zierde für den Verein, 1975); Andorranische Abenteuer, 1932 (Slg.); Hölderlin in einer Berliner Kneipe (auch: Hölderlin in der Kneipe). In: Berliner Tageblatt, 21. 1. 1932; Der Jongleur. In: Montagspost, [Berlin] Februar 1932; Das Mädchen Yella. In: Vossische Ztg., [Berlin] 19. 9. 1932; Der Baumeister ohne Gnade (Eine Legende)]. In: Germania, [Berlin] 9. 10. 1932; Radfahrer wider Willen. In: Vossische Ztg., [Berlin] 2. 11.1932; Krise und Privatleben. Über die Not der Schriftsteller in der Wirtschaftskrise. In: Querschnitt 12(1932); Heimkehr. In: Vossische Ztg., [Berlin] 28. 5. 1933; Die Frau mit der Lampe (Eine Legende). In: ebda., 24. 6. 1933; Die Schwedische Aura. In: Vossische Ztg., [Berlin] 14. 7. 1933; Erwachen der Penelope. In: Die Dame, Januar 1936, H. 2; Das hochmütige Herz (später: Frigid). In: Berliner Tageblatt, 9. u. 10. 11. 1944; Karl Stuart, Trauersp., 1946; Zwei Premieren. Erinnerungen an die Berliner Aufführungen von ›Fegefeuer‹ und ›Pioniere in Ingolstadt‹. In: Theaterstadt Berlin, ein Almanach, hrsg. v. H. Ihering, Verlag B. Henschel und Sohn, 1948; Das Pferd und die Jungfer. In: Neue literarische Welt 3(1952) 11; Avantgarde, En. 1963 (u.a.: Er hätte besser alles verschlafen, Avantgarde); Der Rauch. In: Jahresring 1964/65; Der Venusberg. In: Donau-Kurier, [Ingolstadt] 21. 1. 1966; Die im Dunkeln. In: Jahresring 1965/66; Frühe Begegnung. Erinnerungen an Brecht. In: Akzente. Zs. f. Dichtung, Juni 1966; Abenteuer aus dem Englischen Garten. Gesch. 1969 (N 1983); Findelkind und Rebell. Über Jean Genet. In: Akzente. Zs. f. Literatur, Oktober 1971; Alle meine Söhne. Über Martin Sperr, Rainer Werner Fassbinder und Franz Xaver Kroetz. In: Theater heute. Jahresheft 1972; Der starke Stamm, Kom. (1. Fass. 1950). In: Ges. Werke, 1. Bd. 1972 (N 1985); Der Tiefseefisch, Schausp. In: Ges. Werke, 1. Bd. 1972 (N 1980).

VERÖFF. A. D. NACHLASS: In die Enge geht alles. M.F.s Gang in die innere Emigration. Fragmente, Skizzen und 2 Briefe, hrsg. v. E. Pfister, 1984.

WERKAUSGABEN: Gesammelte Werke. 3 Bd., hrsg. v. G. Rühle, 1972 (Inhalt: 1. Dramen, 2. Romane und Erzählende Prosa, 3. Gesammelte En.). Ingolstädter Stücke. Fegefeuer in Ingolstadt. Pioniere in Ingolstadt, 1977.

NACHLASS: Stadtbibliothek Ingolstadt (Nachlaß); Ak. der Künste, Berlin (West) (Slg.)

BIBLIOGRAPHIE: *G. Rühle,* Materialien zum Leben und Werk der M.F., 1973 (m. erstem Versuch einer Bibliographie); *G. Schnabel/M. Töteberg,* Auswahlbibliographie zu M.F. (1929–1979). In Text + Kritik (1979) 64, 88–93.

LITERATUR: *H. Jhering,* M.F. In: Berliner Börsen-Courier vom 11. 9.1925. *B. Diebold,* M.F. Erzähler mit und ohne Treffpunkt. In: Frankfurter Ztg. vom 24. 11.1929. *K. Pinthus,* M.F. In: Die Lit. (Dez. 1929). *A. Frisé,* M.F. ›Mehlreisende Frieda Geier‹. In: Der Gral 27(1932). *Schickert,* M.F. ›Andorranische Abenteuer‹, In: Die Lit. 35(1933). Zwei Premieren [›Die Fußwaschung‹, ›Pioniere in Ingolstadt‹]. In: *H. Jhering* (Hrsg.), Theaterstadt Berlin. Ein Almanach, 1948. *H. Jhering,* ›Fegefeuer in Ingolstadt‹(1926). In: H.J., Von Reinhardt bis Brecht, Bd. 2, 1959. *Ders.,* ›Pioniere in Ingolstadt‹(1929). In: ebda., Bd. 2, 1959. *Schickert,* M.F. [zu: Avantgarde]. In: Der Spiegel 17(1963) 46. *H. Mörchen,* Bajuwarisch getönt. [zu: Avantgarde]. In: FAZ vom 11.1. 1964. *H. Piontek,* Bitter und zauberhaft

– das Leben [zu: Avantgarde]. In: Christ und Welt 17(1964) 4. *H. Rohde,* [zu: Avantgarde]. In: Neue dt. Hefte 11(1964) 101. *L. Weltmann,* M.F. In: H. Kunisch/H. Hennecke (Hrsg.), Hdb. der dt. Gegenwartslit., 1965. *K. Völker,* Umfunktionierte Bauernkomödie [zu: Starker Stamm]. In: Schaubühne am Halleschen Ufer. In: Theater heute 7(1966) 4. *M. Boveri,* In jenen Tagen [zu: Abenteuer aus dem Englischen Garten]. In: FAZ vom 7. 10. 1969. *C. Hohoff,* Hier heißt Idylle: Verlogenheit [zu: Abenteuer aus dem Englischen Garten]. In: Süddt. Ztg vom 24./25./ 26. 5. 1969. *F. Schonauer,* Das Leben ist ein Butterbrot [zu: Abenteuer aus dem Englischen Garten]. In: Christ und Welt 22(1969) 25. *Ders,,* M.F. Abenteuer aus dem Englischen Garten. In: Neue dt. Hefte 16(1969) 3.

W. Storch, Scheinheiliger Guckkasten. M.F.s ›Pioniere in Ingolstadt‹. In: Neues Forum (1970). *B. Strauß,* Bürgerdämmerung auf der Bühne [zu: Pioniere in Ingolstadt]. In: Theater heute 11(1970) 4. *G. Rühle,* Die schlimmen Gnaden von Ingolstadt [zu: Fegefeuer in Ingolstadt, Ingolstadt]. In: FAZ vom 19.11. 1971. *Ders.,* ... vor meinen scheuchen Augen. M.F. wird siebzig. In: FAZ vom 22.11. 1971. *J. Schmidt,* Kälter als der Tod [zu: Pioniere in Ingolstadt, Bremen]. In: Christ und Welt 24(1971) 6. *R. Schostack* [zu: Pioniere in Ingolstadt, Fassbinders neuer Film im Fernsehen]. In: FAZ vom 21. 5. 1971. *H. Schwab-Felisch,* Blasphemische Frömmigkeit [zu: Fegefeuer in Ingolstadt, Wuppertal]. In: FAZ vom 19.5. 1971. *H. Gamper,* Kleinmenschliche Raubtierschaft [zu: Fegefeuer in Ingolstadt]. In: Theater heute 13(1972) 4. *H. Rischbieter,* Regisseure um 30 [zu: Fegefeuer in Ingolstadt, Zürich]. In: ebda. 13(1972) 4. *Ders.,* Totentänze – Gewalt – Realismus 1900-1926 [zu: Fegefeuer in Ingolstadt]. In: ebda. 13(1972) 1. *G. Rühle,* Abschied von Brecht [zu: Der Tiefseefisch, Pioniere in Ingolstadt, Mehlreisende Frieda Geier; neuer Titel: Eine Zierde für den Verein, Fegefeuer in Ingolstadt]. In: FAZ vom 20.9. 1972. *G. Rühle,* Leben und Schreiben der M.F. aus Ingolstadt. In: Theater heute, Sonderh. (1972). *W. Dimter,* Die ausgestellte Gesellschaft. Zum Volksstück Horváths, der Fleißer und ihrer Nachfolger. In: J. Hein (Hrsg.), Theater und Gesellschaft. Das Volksstück im 19. und 20. Jh., 1973, 219–45. *C. Hohoff,* Bert Brechts Schwester. Zu den Ges. Werken der M.F. In: Merkur (1973). *Ders.,* Kleinbürger im Netz ihrer Ängste [zu: Ges. Werke in drei Bd.]. In: Die Welt vom 18. 1. 1973. *G. Jäger,* Wie, warum funktioniert die Schaubühne? [zu: Fegefeuer in Ingolstadt, Schaubühne Berlin]. In: Theater heute 14(1973) 2. *G. Rühle,* Materialien zum Leben und Werk der M.F., 1973. *C. Schultz-Gerstein,* Wie Stiere wenn es donnert. Die kleinbürgerliche Welt der M.F. [zu: Gesammelte Werke]. In: Bücherkommentare 22(1973) 3. *T.B. Schumann,* Das Gesamtwerk M.F.s [zu: Gesammelte Werke]. In: Neue Rundschau 84(1973) 3. *B. Henrichs,* Ingolstadt und die Liebe. M.F. ist gestorben. In: Theater heute 15(1974) 3. *G. Jäger,* »So will ich mich net betten« [zu: Der starke Stamm, Bamberg, Köln]. In: Theater heute 15(1974) 4. *B. Lahann,* Das schwarze Kreuz von Ingolstadt. Zum Tode von M.F. In: Dt. Ztg. (1974) 6. *C. Podewils,* M.F. * 23. November 1901 in Ingolstadt. † 2. Februar 1974 in Ingolstadt. In: Jahresring 74/75(1974), 227. *G. Rühle,* Die Hölle der Provinz. Zum Tode von M.F. In: FAZ vom 4. 2. 1974. *J. Schmidt,* Ein Volksstück zum Todlachen [zu: Der starke Stamm, Köln]. In: Dt. Ztg. (1974) 11. *T.B. Schumann,* Die Welt wird nie gut [zu: Ein Pfund Orangen und neun andere En.]. In: FAZ vom 9. 5. 1974. *H. Lethen,* Neue Sachlichkeit 1924–32. Studien zur Lit. des »Weißen Sozialismus«, [2]1975 [zu: M.F.s ›Mehlreisende ...‹]. *M. Sperr,* M.F. oder: Die Leidenserfahrung einer schreibenden Frau. In: Frauenoffensive. Journal (1976) 5, 31f. *G. v. Wysocki,* ›Avantgarde‹. Über die Fröste der Freiheit. Der Aufbruch der M.F. In: ebda. (1976) 5, 33–35. *W. Kässen/M. Töteberg,* »... fast schon ein Auftrag von Brecht«. M.F.s Drama Pioniere von Ingolstadt. In: Brecht Jb. 1976, 101–19. *M. Töteberg,* Ein Mißverständnis. In: Merkur 31(1977), 698–700. *Ders.,* Die Urfassung von M.F.s ›Pioniere von Ingolstadt‹. In: Maske und Kothurn 23 (1977), 119– 21. *T. Buck,* Dem Kleinbürger aufs Maul geschaut. Zur gestischen Sprache der M.F. In: Text + Kritik (1979) 64, 35–53. *S.L. Cocalis,* »Weib ist Weib«. Mimetische Darstel-

lung contra emanzipatorische Tendenz in den Dramen M.F.s. In: W. Paulsen (Hrsg.), Die Frau als Heldin und Autorin. Neue krit. Ansätze zur dt. Lit., 1979, 201–10. *D.L. Hoffmeister,* Strategies and counterstrategies: dramatic dialogue in the milieu plays of M.F. and Franz Xaver Kroetz, Diss. Brown Univ. 1979 (DA 40, 1979/80, 11, S. 5582/5883 A). *W. Kässen/M. Töteberg,* M.F., 1979. *J. Lorang,* M.F., Brecht et les drames d'Ingolstadt (1924–29). In: Revue d'Allemagne 11(1979), 22–43. *G. Lutz,* Die Stellung M.F.s in der bayerischen Lit. des 20. Jhs., 1979 (= Europäische Hochschulschriften Reihe 1, Bd. 312). *M. McGowan,* Kette und Schuß. Zur Dramatik der M.F. In: Text + Kritik (1979) 64, 11–34. *A. Müller,* M.F. In: A.M., Entblößungen, 1979. *W. Schmitz,* ... hier ist Amerika oder nirgends: Die negative Erlösung in M.F.s Roman ›Eine Zierde für den Verein‹. In: Text + Kritik (1979) 64, 61–73. *F. Schonauer,* M.F. aus Ingolstadt. In: ebda. (1979) 64, 3–10. *M. Töteberg,* Spiegelung einer Bohemien-Existenz und Sportroman. Zeitliterarische Bezüge zum Prosawerk M.F.s In: ebda. (1979) 64, 54–60.
A. Spindler, M.F. Eine Schriftstellerin zwischen Selbstverwirklichung und Selbstaufgabe, Diss. Wien 1980. *E. Pfister,* Der Nachlaß der M.F. In: Maske und Kothurn 26(1980) 3/4, 293–303. *F. Kraft* (Hrsg.), M.F. Anmerkungen, Texte, Dokumente. Mit Beitr. von E. Pfister und G. Rühle, 1981. *E. Menz,* ›Der Tiefseefisch‹ von M.F. Zu seiner Berliner Aufführung. In: Monatshefte 73(1981) 2, 135–39. *E. Pfister,* Unter dem fremden Gesetz. Zu Produktionsbedingungen, Werk und Rezeption der Dramatikerin M.F. Diss. Wien 1981. *G. Rühle,* Das Lebensexperiment der M.F. Die Macht der Provinz und die Früchte der Freiheit. In: FAZ vom 24. 12. 1981, Beil. Bilder und Zeiten. *T. Scamardi,* M.F. I drammi di Ingolstadt: psicogramma sociale della provincia tedesca meridionale negli anni venti. In: Annali. Sezione Germanica. Filologia Germanica Napoli 24(1981) 1/2, 85–118. *S.L. Cocalis,* Weib ohne Wirklichkeit, Welt ohne Weiblichkeit. Zum Selbst-, Frauen- und Gesellschaftsbild im Frühwerk M.F.s In: I. von der Lühe (Hrsgin.), Entwürfe von Frauen in der Lit. des 20. Jhs., 1982, 64–85 (= Argument Sonderbd. 92). *K.-H. Habersetzer,* Dichter und König. Fragmente einer politischen Ästhetik in den Carolus Stuardus-Dramen bei Andreas Gryphius, Theodor Fontane und M.F. In: R. Brinkmann (Hrsg.), Theatrum Europaeum. Fs. für Maria Szarota, 1982, 291–310. *U. Roumois-Hasler,* Dramatischer Dialog und Alltagsdialog im wiss. Vergleich. Die Struktur der dialogischen Rede bei den Dramatikerinnen M.F. (›Fegefeuer in Ingolstadt‹) und Else Lasker-Schüler (›Die Wupper‹), 1982. *M. Schneider,* Fräulein Julie im Arbeitskleid. Über M.F.s ›Eine Zierde für den Verein‹. In: FAZ vom 23. 6. 1982. 23. *B. Stritzke,* M.F. ›Pioniere in Ingolstadt‹, 1982. *P. Beicken,* Weiblicher Pionier. M.F. – oder: Zur Situation schreibender Frauen in der Weimarer Zeit. In: die horen 28(1983) 4, 45–61. *D.L. Hoffmeister,* The theater of confinement: language and survival in the milieu plays of M.F. and Franz Xaver Kroetz (Columbia/S.C.) 1983. *Dies.,* Growing up Female in the Weimar Republic: Young Women and Seven Stories by M.F. In: The German Quarterly 56(1983) 3, 396–407. *T. Scamardi,* Bertolt Brecht nell' opera di M.F.: privato et organizzazione del lavoro artistico. In: Annali della Facoltà di Lingue e Letterature straniere dell' Università di Bari, Ser. 3, Bd. 2, 1981, 1 [Bari] 1983, 329–43. *L.Z. Wittmann,* Der Stein des Anstoßes. Zu einem Problemkomplex in berühmten und gerühmten Romanen der Neuen Sachlichkeit. In: Jb. für internationale Germanistik 14, 1982, 2(1983), 56–78. *G. Brinker-Gabler,* Selbständigkeit oder/und Liebe. Zur Entwicklung eines Frauenproblems in der Literatur aus dem Anfang des 20. Jh. In: Frauen sehen ihre Zeit. Literaturausstellung des Landesfrauenbeirats Rheinland-Pfalz, [Mainz] 1984, 41–53 [zu ›Die Mehlreisende Frieda Geier‹]. *S. Tax,* M.F.: schreiben, überleben. Ein biogr. Versuch, 1984.

Forbes-Mosse, Irene, * 5. 8. 1864 in Baden-Baden, † 26. 12. 1946 in Villeneuve am Genfer See.
Enkelin von Bettina und Achim von → Arnim; Tochter der Armgart geb. von Arnim und des Gesandten Albert Graf von Flemming. Wuchs in Baden-Baden und Karlsruhe auf; besuchte nur kurze Zeit eine öffentliche Schule. Nach dem Tod der Mutter unternahm der Vater mit ihr und der Schwester (Elisabeth von → Heyking) 1880 eine Italienreise. Heiratete 1884 ihren Vetter, den preußischen Rittmeister Roderich Graf von Oriola (Scheidung 1895). Ging 1896 eine zweite Ehe mit dem englischen Oberst John Forbes-Mosse ein, mit dem sie in Florenz lebte. Befreundete sich dort mit der engl. Schriftstellerin Vernon Lee. Nach dem Tod Mosses 1904 unternahm sie zahlreiche Reisen. Ihren Wohnsitz hatte sie bis 1913 in Deutschland, danach in Italien, später in der Schweiz. Nach Ausbruch des 1. Weltkriegs nahm sie die deutsche Staatsbürgerschaft wieder an, verlor dadurch Besitztum. Widmete sich während des Krieges sozialen Aufgaben. Lebte seit 1931 mit der Freundin Berthy Moser am Genfer See.
I. F.-M. begann erst spät mit literarischen Veröffentlichungen. Lyrikerin, Erzählerin, mit spezifischer Begabung für erzählerische Studien, »bei denen die äußere Handlung nicht mehr ist als nur der Anlaß zum Ausspinnen der Erinnerung, zur Vergegenwärtigung des Atmosphärischen, zur Landschafts- und Seelenschilderung, zum Mitfühlen und Miterleiden menschlicher Einzelschicksale« (A. Elschenbroich). Sie übersetzte auch aus dem Französ., Engl. und Dänischen. Im Dritten Reich wurden ihre Bücher verboten.

WERKE: Mezzavoce, G. 1901; Peregrina's Sommerabende. Lieder für eine Dämmerstunde, sowie dreißig Übersetzungen aus dem Frz., Englischen und Dänischen, 1904; Das Rosenthor, G. 1905; Berberitzchen und Andere, En. 1910; Der kleine Tod, En. 1912; Der Leuchter der Königin. Phantasien, 1913; Laubstreu, G. 1923; Gabriele Alweyden oder Geben und Nehmen, R. 1924; Ausgewählte alte und neue Gedichte, 1926; Don Juans Töchter. 3 Nn. 1928; Der Schleifstein, N. 1928; Kathinka Plüsch, R. 1930; Das werbende Herz, Nn. 1934.
VERÖFF. A. D. NACHLASS: Ferne Häuser, En. 1953.
ÜBERSETZUNGEN: H. Drachmann, Brav-Karl, 1902; Ders., Völund Schmied, 1904; V. Lee, Genius loci, 1905.
NACHLASS: Freies Dt. Hochstift, Frankfurt/Main; Goethe-Museum Frankfurt.
BIBLIOGRAPHIE: *E. Metelmann.* Bibliographie I. F.-M. In: Die schöne Lit. 28(1927) 8. G. Albrecht u. G. Dahlke, Internationale Bibliogr. zur Gesch. der dt. Lit., 2. 2, 1972.
LITERATUR: F.-M., ›Peregrinas Sommerabende‹. In: Dt. Rundschau, Mai 1904. *M. Waser,* F.-M., ›Berberitzchen und Andere‹. In: Wissen und Leben 4(1911). *F. Poppenberg,* F.-M., ›Kleiner Tod‹. In: Die Neue Rundschau, 1912. *Ders.,* Bücher der Liebe. In: ebda. *J. Höffner,* F.-M., ›Der Leuchter der Königin‹. In: Daheim, [Leipzig] 50 (1914) 31. *A. Schaffer,* Die Lyrik der I. F.-M. In: Die schöne Lit., 1923. *A. Heine,* F.-M. ›Laubstreu‹. In: Das lit. Echo 26(1923). *D. Wittner,* Die Enkelinnen der Bettina. In: Roland, 1924. *K. Strecker,* F.-M. ›Gabriele Alweyden‹. In: Velhagen und Klasings Monatshefte 39 (1925) 1. *I. Seidel,* I. F.-M. als Erzählerin. In: Die schöne Lit. 28(1927) 8, 337ff. (u. in: I.S., Dichter, Volkstum und Sprache, 1934, 92ff.). *Behler-Hagen,* F.-M., ›Don Juans Töchter‹. In: Die schöne Lit. 29(1928). *Meyn,* Heili-

ges Leben. In: Die Frau 37(1929). *K. K. Eberlein,* I.F.-M. In: Der Kunstwart. Rundschau über alle Gebiete des Schönen 24(1929). *Demming,* I.F.-M., ›Kathinka Plüsch‹ In: Der Gral. 24(1929). *I. Seidel.* I.F.-M. Zum 70. Geburtstag der Dichterin. In: Frankfurter Zeitung vom 5. 8. 1934. *K. K. Eberlein,* I.F.-M. In: Kunstwart (1942). *A. S.,* I.F.-M. In: Nationalzeitung, [Basel] (1946) 601. *J. Frerking,* Enkelin der Romantik. Zur Erinnerung an I.F.-M. In: Die Zeit vom 13. 11. 1947. *H. H.,* Die leichte Hand. In: Die Gegenwart 4(1949) 22. *E. Gamper,* I.F.-M. In: Neue Zürcher Zeitung vom 13. 1. 1947. *I. Zeggert,* I.F.-M. Eine Spätgestalt der deutschen Romantik. Diss. Freiburg/Br. 1955. *A. Elschenbroich,* I.F.-M. In: NDB 1961. *A. Siemsen,* Ungedruckte Vorrede zu ›Ferne Häuser‹.

Fouqué, Karoline Freifrau de la Motte (Ps. Serena), * 7. 10. 1773 (1774? 1775?) auf Gut Nennhausen bei Rathenow, † 20. (21.)7. 1831 ebda.
Einzige Tochter der Caroline von Zinnow und des Gutsbesitzers August von Briest. Heiratete 1789 den Leutnant und Ehrendomherrn Rochus von Rochow, von dem sie sich 1800 wieder trennte. Noch vor Abschluß der Scheidung erschoß sich Rochow wegen Spielschulden. Ging 1803 eine zweite Ehe mit dem Schriftsteller Friedrich de la Motte Fouqué ein, mit dem sie auf Nennhausen lebte.
Veröffentlichte zuerst 1806 anonym ›Drei Märchen‹. Danach erschienen, z. T. weiterhin anonym, Romane, Erzählungen, Novellen in rascher Folge. Beschäftigte sich auch mit der Frage der Frauenbildung (›Briefe über Zweck und Richtung weiblicher Bildung‹, 1810; ›Die Frauen in der großen Welt. Bildungsbuch beim Eintritt in das gesellige Leben‹, 1826). Gab mit Amalie v. Helvig zwei Jahrgänge eines ›Taschenbuchs der Sagen und Legenden‹ heraus.

WERKE: Drei Märchen, 1806 (anonym); Roderich. Ein R. in 2 Tlen. 1806 (1807) (anonym); Briefe über Zweck und Richtung weiblicher Bildung. Eine Weihnachtsgabe, 1810 (1811) (auch u. d. T. Taschenbuch für denkende Frauen für 1811); Die Frau des Falkensteins. Ein Roman von der Verfasserin des Roderich, 2 Bd. 1810 (anonym); Kleine Erzählungen von der Verfasserin des Roderich, der Frau des Falkensteins, 1811; Briefe über die griechische Mythologie für Frauen, 1812; Magie und Natur. Eine Revolutionsgeschichte, 1812; Ruf an deutsche Frauen, 1812; (MA:) Dramatische Dichtungen für Deutsche, 1813 (auch u. d. T. Neue vaterländische Schauspiele); (Mithrsgin.) Taschenbuch der Sagen und Legenden, 1812–1813; Feodora, R. 3 Bd. 1814; Über deutsche Geselligkeit in Antwort auf das Urteil der Frau von Staël, 1814; Die Spanier und der Freiwillige in Paris. Eine Geschichte aus dem heiligen Kriege, 1814; Edmunds Wege und Irrwege. Ein Roman aus der nächsten Vergangenheit, 3 Bd. 1815; Das Heldenmädchen aus der Vendée, R. 2 Bd. 1816; (Mithrsgin., ab Bd. 5 Hrsgin.) Für müßige Stunden. Vierteljahresschrift, 7 Bd. 1816–1821; Neue Erzählungen, 1817; Frauenliebe. Ein Roman in drei Büchern, 3 Bd. 1818; Die früheste Geschichte der Welt. Ein Geschenk für Kinder, 3 Bd. 1818; Fragmente aus dem Leben der heutigen Welt, 1820; Ida, R. 3 Bd. 1820; Lodoiska und ihre Tochter, R. 3 Bd. 1820; Kleine Romane und Erzählungen. Neue Slg. 1820; Die blinde Führerin, R. 1821; Heinrich und Marie,

R. 3 Bd. 1821; Briefe über Berlin, im Winter 1821, 1822; Die Herzogin von Montmorency, R. 3 Bd. 1822; Vergangenheit und Gegenwart. Ein Roman in einer Sammlung von Briefen, 1822; (MA:) Reiseerinnerungen, 2 Bd. 1823; Die Vertriebenen. Eine Novelle aus der Zeit der Königin Elisabeth von England, 3 Bd. 1823; Neueste gesammelte Erzählungen, 2 Bd. 1824; Die beiden Freunde, 3 Bd. 1824; Aurelio, N. 1825; Bodo von Hohenried. Ein Roman neuerer Zeit, 3 Bd. 1825; Die Frauen in der großen Welt. Bildungsbuch beim Eintritt in das gesellige Leben, 1826; Valerie. Die Sinnesänderung. Der Weihnachtsbaum, 3 En. 1827 (auch u.d.T. Weihnachtsgabe, 3 En. 1827); Resignation, 2 Bd. 1829, Geschichte der Moden, vom Jahre 1785–1829. Als Beytrag zur Geschichte der Zeit. In: Morgenblatt für gebildete Stände 23(1829), 296–302, 24(1830), 3–8 u. 23–26 u. 30–32 (anonym) (N in: Jb. der Jean-Paul-Gesellschaft 12(1977), 7–60); (Hrsgin.) Blick auf Gesinnung und Leben in den Jahren 1774–1778. Aus einem Briefwechsel dreier Offiziere der Potsdamer Garnison, 1830.

Veröff. a. d. Nachlass: Der Schreibtisch, oder Alte und neue Zeit. Ein nachgelassenes Werk,1833.

Handschriften: *W. Frels,* Deutsche Dichterhandschriften von 1400–1900, 1934.

Bibliographien: *K. Goedeke,* Grundriß zur Gesch. der dt. Dichtung 6, [2]1898. *J. Osborne,* Romantik, 1971.

Literatur: *H. Döring,* K. Baronin d.l.M.F. In: J.S. Ersch/J.G. Gruber (Hrsg.), Allg. Encyclopädie der Wiss. und Künste I, 47(1848). *J. Kürschner,* (K.A.d.l.M.F. unter Friedrich Heinrich Karl d.l.M.F.). In: ADB VII. *H. Gross,* K.A.d.l.M.F. In: H.G., Deutschlands Dichterinnen und Schriftstellerinnen, [2]1882, 76f. *V. Prill,* C.d.l.M.F., 1933 (Nachdruck 1967). *C. Rohe,* K.d.l.M.F. als gesellschaftliche Schriftstellerin der Frühromantik, Diss. Frankfurt am Main 1944. *J. T. Wilde,* The romantic realist. C.d.l.M.F., [New York] 1955. *R. Herd,* Der Kapellmeister Gottmund im ›Delphin‹ der K.d.L.M.F., eine Verkörperung E.T.A. Hoffmanns. In: Mitt. der E.T.A. Hoffmann-Ges. 10(1963), 27–32.

François, Louise von (Ps. L.v.F., F.v.L.), * 27. 6. 1817 in Herzberg an der Elster/Sachsen, † 25. 9. 1893 in Weißenfels/Sachsen.

Tochter der Amalie Hohl und des Majors Friedrich von François. Erhielt gemeinsam mit anderen Mädchen einen nur mäßigen Privatunterricht; bildete sich autodidaktisch fort. Erste literarische Anregungen vermittelten Adolf Müllner und die Schriftstellerin Fanny → Tarnow, in deren Haus in Weißenfels sie auch ihren späteren Verlobten, den Offizier Alfred Graf von Görtz, kennenlernte. Die langjährige Verlobung mit ihm wurde wegen unsicherer Vermögensverhältnisse wieder gelöst. Durch Verschulden ihres Vormunds hatte L.v.F. ihr väterliches Erbe verloren. Von 1848–55 lebte sie im Haushalt ihres Onkels, General Karl v.F., in Minden, Halberstadt und Potsdam. Nach dessen Tod pflegte sie zwei Jahrzehnte lang ihre schwerkranke Mutter († 1871) und den erblindeten Stiefvater († 1874) in Weißenfels. Lebte sehr zurückgezogen und nahm am Gesellschaftsleben nicht mehr teil. Seit 1880 stand sie in Briefkontakt mit Marie von → Ebner-Eschenbach, seit 1881 mit Conrad Ferdinand Meyer. Ab 1883 unternahm sie einige kleinere Reisen, u.a. zu C.F. Meyer, nach Wiesbaden, Berlin, an den Rhein und Genfer See.

Bedeutende Erzählerin des 19. Jh. Veröffentlichte ihre ersten Novellen anonym und unter Pseudonym in Cottas ›Morgenblatt‹. Schildert häufig das Leben im engeren heimatlichen Umkreis zur Zeit des 18. und frühen 19. Jh., geprägt durch strenge protestantische Sittlichkeit, auch Entsagung und Glücksverzicht. »Das Konservative ihrer künstlerischen und weltanschaulichen Haltung blieb frei von Epigonentum; ihr erfinderischer Kunstverstand führte sie zu reichen kompositorischen Möglichkeiten« (A. Elschenbroich). Ihr größter Erfolg wurde der historische Roman ›Die letzte Reckenburgerin‹ (1871).

WERKE: (u.d.N. v.L.) Potsdam. In: Morgenblatt für gebildete Leser (1855) 3. (anonym:) Aus dem preußischen Herzogtum Sachsen. In: ebda. (1856) 14; Das Leben der George Sand. In: Dt. Museum. Zs. für Lit., Kunst und öffentl. Leben, hrsg. v. R. Prutz, 6(1856) 45; Aus Mitteldeutschland. In: Morgenblatt für gebildete Leser (1856) 35/36; Aus Thüringen. In: ebda. (1857) 29; (u.d.N. L. v. François) Ausgewählte Novellen, 2 Bd. 1868 (Inhalt: Das Jubiläum; Der Posten der Frau; Die Sandel; Judith, die Kluswirthin); Erzählungen, 2 Bd. 1871 (Inhalt: Geschichte einer Häßlichen; Glück; Der Erbe von Saldeck; Florentine Kaiser; Hinter dem Dom); Die letzte Reckenburgerin, R. 2 Bd. 1871; Teplitz. In: Salon für Lit. Kunst und Ges., hrsg. v. J. Rodenberg, Bd. I, 1873, 591ff.; Ein Plauderbrief aus Chamounix. In: ebda. 1874, 541 u. 712; Geschichte der preußischen Befreiungskriege in den Jahren 1813–1815. Ein Lesebuch für Schule und Haus, 1873; Frau Erdmuthens Zwillingssöhne, R. 2 Bd. 1873; Hellstädt und andere Erzählungen, 3 Bd. 1874 (Inhalt: Hellstädt; Die Schnakenburg; Die goldene Hochzeit; Eine Formalität; Die Geschichte meines Urgroßvaters); Natur und Gnade, nebst anderen Erzählungen, 3 Bd. 1876 (Inhalt: Natur und Gnade; Eine Gouvernante; Ein Kapitel aus dem Tagebuch des Schulmeisters Thomas Luft; Des Doktors Gebirgsreise; Fräulein Muthchen und ihre Hausmaier; Die Dame im Schleier); Stufenjahre eines Glücklichen, R. 2 Bd. 1877: Ein deutscher Bauernsohn. In: Nation [Berlin] (1878) 11(Vgl. *F. Oeding:* Bibliographie der L. v. F., Weißenfels 1937, 28.); Der Katzenjunker, 1879; Phosphorus Hollunder. Zu Füßen des Monarchen, 1881; Der Posten der Frau, Lustsp. 1882; Judith, die Kluswirthin, N. 1883; Das Jubiläum und andere Erzählungen, 1886 (Inhalt: Das Jubiläum; Der Posten der Frau; Die Sandel).

VERÖFF. A. D. NACHLASS: Marie von Ebner-Eschenbach, ein Briefwechsel mit L. v. F. In: Biographische Blätter V, [Berlin] 1900, 102/138/213; L. v. F. und Conrad Ferdinand Meyer. Ein Briefwechsel, hrsg. v. A. Bettelheim, 1905; Schauen und Hörensagen aus meinen Kindertagen, hrsg. v. A. Thimme. In: Deutsche Revue, 1920, Januarheft; L. v. F. In: F. v. Zobeltitz, Briefe deutscher Frauen, 1910, 513ff.; L. v. F. und Eisenach [Briefe], hrsg. v. H. Hoßfeld. In: Der Bergfried (1924) 2, 23ff.; Etwas von Brauch und Glauben in sächsischen Landen (1876) (Privatdruck zur Feier des 200jähr. Jubiläums der Neubegründung der Dt. Gesellschaft zur Erforschung der vaterländischen Sprache) 1927; Briefe von L. v. F. an Julius Rodenberg, hrsg. v. H. Hoßfeld. In:

Thüringen. Monatsschrift für alte und neue Kultur, 6(1930) (1931), 166ff.; L. v.F. [Briefe]. In: G. Mollat, Von Goethes Mutter zu Cosima Wagner, 1936, 167; Aus einer kleinen Stadt, E., hrsg. v. A. Schröder u. K. Stock, 1937 (Inhalt: Aus einer kleinen Stadt; Potsdam; Die Krippe; Die Benneckensteiner Marlene; Von einem lustigen Nönnlein); Aus der Provinz Sachsen, hrsg. v. S. Berger, 1938; G. Pachnicke, Eine Dichterin von Gottes Gnaden. L. v.F. im Briefwechsel mit Gustav Freytag. [Mit Textpublikation]. In: Gustav-Freytag-Blätter. Mitt. der Dt. Gustav-Freytag-Ges. e.V. Wiesbaden 26(1982), 31–35.

WERKAUSGABEN: Gesammelte Werke, 5 Bd. 1918; Die schönsten Erzählungen, hrsg. v. J. Hofmiller, 1924.

UNVERÖFFENTLICHTER NACHLASS: Städt. Museum Weißenfels.

BIBLIOGRAPHIEN, FORSCHUNGSBERICHTE: *H. Hossfeld,* Zur François-Forschung. In: Geistige Arbeit 4(1937). *F. Oeding,* Bibliographie der L. v.F., 1937. *R. Cowen,* Neunzehntes Jahrhundert (1830–1880), 1970.

LITERATUR: *A. Frey,* Phosphorus Hollunder. Zu Füßen des Monarchen von L. v.F. In: Dt. Rundschau, 1881. *C. v. Schwarzkoppen,* L. v.F., ein Lebensbild. In: Vom Fels zum Meer, 1893–1894. *M. v. Ebner-Eschenbach,* L. v.F. Erinnerungsblätter. In: Velhagen und Klasings Monatshefte 2(1894), 18ff. *H. Bender,* L. v.F., 1894. *A. Bettelheim,* M. v. Ebner-Eschenbach und L. v.F. In: Dt. Rundschau, Oktober 1900. *G. Freytag,* ›Die letzte Reckenburgerin‹. In: G.F., Vermischte Aufsätze I, 1901. *F. Brümmer,* L.v.F. In: ADB IIL. *A. Frey,* L.v.F. und C.F. Meyer. In: Dt. Rundschau, 1906. *O. Hartwig,* Zur Erinnerung an L.v.F. In: ebda. (1915/16). *E. Krause,* L.v.F. In: Mitt. der lit.-hist. Gesellschaft Bonn, 1915–1916. *E. Schroeter,* L.v.F., die Stufenjahre der Dichterin, 1917. *H. Enz,* L.v.F., Diss. Zürich 1918. *A. Greve,* L.v.F., Diss. Münster 1919. *G. Lehmann.* L.v.F. Ihr Roman ›Die letzte Reckenburgerin‹ als Ausdruck ihrer Persönlichkeit, Diss. Greifswald 1918–1919. *H. Hossfeld,* Zur Kunst der Erzählung bei L.v.F., Diss. Jena 1922. *G. Bäumer,* L.v.F. In: G.B., Studien über Frauen, 1924. *E. Schroeter,* Das Modell und seine Gestaltung in den Werken der F. In: E.S., Bilder aus der Weißenfelser Vergangenheit, 1925, 187ff. *Ders.,* L.v.F. In: Mitteldeutsche Lebensbilder, Bd. 1, 1926, 235ff. *G. Gesemann,* Dostojewskijische Problematik in einer deutschen Novelle. ›Judith, die Kluswirtin‹. In: G.G., Dostojewskij-Studien, [Prag] 1931. *H. Harder,* Ein Rassenroman. In: Die Sonne, 1935. *B. Schleicher,* »Bescheidene Invalidin der Fabelzunft«. In: Die Propyläen, 1939. *G. Bäumer,* L.v.F. In: G.B., Gestalt und Wandel, 1939. *S. Meinecke,* L.v.F. Die dichterischen und menschlichen Probleme in ihren Erzählungen, Diss. Hamburg 1948. *W. Reichle,* Studien zu den Erzählungen der L.v.F., Diss. Freiburg/Br. 1952. *E. Staiger,* L.v.F. und ihr Roman ›Frau Erdmuthens Zwillingssöhne‹. In: Neue Schweizer Rundschau 22(1954), 89ff. *T. Urech,* L.v.F. Versuch einer künstlerischen Würdigung, Diss. Zürich 1955. *E. Wendel,* Frauengestalten und Frauenprobleme bei L.v.F., Diss. Wien 1959–1960. *A. Elschenbroich,* L.v.F. In: NDB 1961. *R.M. Schoeffel,* The Ethical Thought of L.v.F., Diss. Toronto 1963. *F. Martini,* Deutsche Literatur im bürgerlichen Realismus (1848–1898), [2]1964. *L. Thomas,* L.v.F. »Dichterin von Gottes Gnaden«. In: Proceedings of the Leeds Philosophical and Literary Society, [Leeds] 1964. *H. Motekat* (Hrsg.), Die Akte der L.v.F. Aus dem Archiv der Deutschen Schillerstiftung, Weimar 1963. *H. Pörnbacher* (Hrsg.), Die Memoiren des Karl von François aus der Zeit der Befreiungskriege (1808–1814), 1956. *G. Pachnikke,* Eine Dichterin von Gottes Gnaden. L.v.F. im Briefwechsel mit Gustav Freytag. In: Gustav-Freytag-Blätter. Mitt. der Dt. Gustav-Freytag-Ges. e.V. Wiesbaden 26[1982], 31–35.

Franke-Schievelbein, Gertrud, * 26. 2. 1851 in Berlin, † 23. 2. 1914 ebda.

Ihr Vater war der Bildhauer Hermann Schievelbein. Erhielt schon im Elternhaus vielfache Anregungen für Kunst und Wissenschaft. Unter Anleitung des Vaters wandte sie sich zunächst der Malerei zu. Nach dessen Tod besuchte sie die Kunstschule und bildete sich bei den Malern Lulvès und Gussow weiter. Im Kullakschen Institut sowie bei Karoline Caspari und Hans Bischoff nahm sie Klavier- und Gesangsunterricht. 1880 heiratete sie den Bibliothekar Johannes Franke, mit dem sie zuerst in Göttingen, ab 1895 in Wiesbaden und seit 1899 in Berlin lebte. Erste literarische Arbeiten 1890. 1893 erhielt sie für ihre Novelle ›Ein Menschenkenner‹ den ersten Preis eines Preisausschreibens des ›Universums‹ in Dresden.

WERKE: Ni, R. 1893; Rotdorn, Nn. 1894 (Inhalt: Erotikon; Eltern; Rechts oder links); Kunst und Gunst, R. 1895; Liebeswerben, R. 1897; Aus seiner Dunkelkammer, E. 1898; Die Hungersteine, R. 1899; Stark wie das Leben, R. 1900; Der Unkenteich, R. 1901; Der Gottüberwinder, R. 1902; Die Sehnsüchtigen, R. 1903; Der Damenfeind. Ein Menschenkenner, 2 Nn. 1908.

LITERATUR: *A. Geiger,* G.F.-S. In: Das lit. Echo 2(1899–1900).

Frapan, Ilse (auch Frapan-Akunian, Ps. f. I. Levien), * 3. 2. 1849 in Hamburg, † 2. 12. 1908 in Genf.

Entstammte einer frz. Hugenottenfamilie. Ihr Vater war der Instrumentenmacher Karl H. E. Levien. Nach dem Lehrerinnenexamen Tätigkeit als Lehrerin in Hamburg, u. a. am Paulsenstift. Beginn literarischer Tätigkeit. Im Herbst 1883 gemeinsam mit der Freundin Emma Mandelbaum nach Stuttgart; hörte am dortigen Polytechnikum Literaturvorlesungen bei Friedrich Th. Vischer. Nach dem Tod Vischers, mit dem sie freundschaftlich verbunden war, Umzug 1887 nach München; dort Kontakte zu Heyse und Rodenberg (Hg. der Deutschen Rundschau). 1890 nach Hamburg, 1892 nach Zürich. Dort studierte sie Naturwissenschaften und war Mitarbeiterin verschiedener Zeitschriften. 1898 Begegnung mit dem armenischen Lehrer und Schriftsteller Iwan Akunoff (* 1869); I.F. nannte sich ab 1901 Frapan-Akunian. Seit 1901 mit Emma Mandel-

baum und Akunoff wohnhaft in Genf. Häufige Reisen durch Deutschland, Frankreich und in den Kaukasus. Politisches Engagement für die durch die Türken unterdrückten Armenier, finanzielle Unterstützung Akunoffs durch verstärkte literarische und literaturkritische Arbeit. Unheilbar krank ließ I.F. sich 1908 von Emma Mandelbaum erschießen, die nach der Tat gleichfalls aus dem Leben schied.
I.F. war Erzählerin, Jugendbuchautorin, Dramatikerin. Bekannt wurde sie vor allem mit ihren volkstümlichen Schilderungen des Hamburger Alltagslebens. Weiterer Themenschwerpunkt ihres Werks ist die Auseinandersetzung mit den Schwierigkeiten und Hindernissen der Frauenbildung und -emanzipation, z.B. in ihrem Roman ›Wir Frauen haben kein Vaterland‹ (1899).

WERKE: Hamburger Novellen, 1887; Bescheidene Liebesgeschichten. Hamburger Novellen, N.F. 1888; Vischer-Erinnerungen und -Worte. Ein Beitr. zur Biogr. F.T. Vischers, 1888; Zwischen Elbe und Alster. Hamburger Novellen, 1890; Enge Welt, Nn. 1890; Bittersüß. Nn. 1891; Gedichte, 1891; Bekannte Gesichter, Nn. 1893; Zu Wasser und zu Lande, Nn. 1894; Flügel auf!, Nn. 1895; Querköpfe. Hamburger Novellen, 1895; Vom ewig Neuen, Nn. 1896; In der Stille, Nn. u. Sk. 1897; Die Betrogenen, R. 1898; Was der Alltag dichtet, Nn. 1899; Hamburger Bilder für Hamburger Kinder, 1899; Wir Frauen haben kein Vaterland. Monologe einer Fledermaus, R. 1899 (N 1983); Wehrlose, Nn. 1900; Schreie, Nn. u. Sk. 1901; Altmodische Leute, En. 1902; Phitje Ohrtens Glück. Eine deutsche Komödie, 1902; Arbeit, R. 1903; Wandlung. Fräulein Doktor, En. 1903; Jugendzeit. Ausgewählte En. 1904; Der Retter der Moral, Dr. 1905; (MA:) Der Sitter, 1905; Auf der Sonnenseite, En., Nn. u. Sk. 1906; Erich Hetebrink. Hamburger Roman, 1907; Schönwettermärchen, Märchen, En., Sk. u. Nn. 1908.

VERÖFF. A.D. NACHLASS: Milch und Blut, E. 1910.

LITERATUR: *K. Aram,* I.F.-A. In: Die Nation 20(1903) 44, 1. August, 679–701. *E. Brausewetter,* Meisternovellen deutscher Frauen, 1895, 135–44. *Ders.,* Deutsche Dichterinnen der Gegenwart. In: Illustrirte Zeitung 55(1898) 3.2. 1898, 133 u. 136. *C. Busse,* I.F. In: Die Gegenwart 24(1896) 36, 5. September, 150ff. *F.D. (Düsel),* I.F. In: Westermann 53(1909) Bd. 105, 2, 807/8. *F. Hell,* I.F. In: Hamburger Correspondent, Nr. 56, 3.2. 1927. *F. Marti,* Belletristische Spaziergänge. I.F. In: Neue Zürcher Zeitung, Nr. 147, 28. Mai 1903. *Ders.,* I.F. In: Neue Zürcher Zeitung vom 6.12. 1908. *E. Mensch,* I.F. Ein Nachruf. In: Frauen-Rundschau, 2. Januarheft 1909, 35/36. *H. Spiero,* I.F. In: Deutsche Geister. Studien und Essays zur Literatur der Gegenwart, 1910, 116–22. *H. Schollenberger,* Aus I.F.s Werdezeit. In: Wissen und Leben 6 (1913) 12, 432–41. *Ch. Kraft-Schwenk,* I.F. Eine Schriftstellerin zwischen Anpassung und Emanzipation, 1985 (m. ausf. Bibl.).

Frölich, Henriette (Ps. Jerta), * 28. 7. 1768 in Zehdenick an der Havel, † 5. 4. 1833 in Berlin.

Ihr Vater war der kgl. Hofkommissarius Christian Rauthe. Sie hatte zahlreiche Geschwister. Erhielt nur unzureichende Bildung durch eine französische Gouvernante, daher Selbststudium, unterstützt durch die aufklärerische Erziehung des Vaters. Begann, nach eigenen Angaben, schon im Alter von neun Jahren Gedichte zu schreiben. Lebte vom 10. bis 16. Lebensjahr vermutlich in Berlin, wo der Vater während dieser Zeit für die Beleuchtung des Berliner Schlosses zuständig war. 1789 Heirat mit dem Juristen Carl Wilhelm Frölich (1760–1828), Geheimsekretär am Preußischen Generalpostamt. Ihr Haus in Berlin wurde zum Treffpunkt Berliner Aufklärer. Erste Veröffentlichung von Gedichten im Berliner Musenalmanach (1790–93). 1792 veröffentlichte C.W.F. seine Schrift ›Über den Menschen und seine Verhältnisse‹ und trat aus dem Staatsdienst aus. Aufbau einer neuen Existenz auf dem Erbpachtgut Scharfenbrück b. Luckenwalde. Zehn Kinder. 1806 wurde das Gut durch ein französisches Corps geplündert; seitdem war die Familie in finanzieller Bedrängnis. Nach der gänzlichen Verwüstung des Gutes 1813, während der Kriegsereignisse, Verkauf des Gutes und Übersiedlung der Familie nach Berlin. C.W.F. eröffnete dort eine Lesehalle und eine französische und deutsche Leihbibliothek. H.F. fand wieder Zeit für literarische Arbeiten.

1818/19 entstand ihr Roman ›Virginia oder die Kolonie von Kentucky‹, den sie unter dem Pseudonym Jerta veröffentlichte. In Schindels Schriftstellerinnenlexikon von 1823 erscheint der Roman aber bereits unter ihrem richtigen Namen. Es ist ein im damals beliebten Genre des Briefromans verfaßter politisch-utopischer Roman. H.F. tritt darin für die Errungenschaften der Französischen Revolution und die Republik ein und entwirft das Idealbild einer Gesellschaft, in der eine menschenwürdige Ordnung der Gleichheit und Gerechtigkeit verwirklicht ist (Frauen haben dort immerhin schon eine halbe Wahlstimme). H.F. verarbeitete aufklärerisch utopische Gedanken (wie schon C.W.F. in seiner Schrift von 1792), des weiteren die politischen Ereignisse und subjektiven Erfahrungen der Wendezeit vom 18. zum 19. Jh. und ebenso den eigenen Werdegang, vergegenwärtigt in der Entwicklung der Romanheldin Virginia. Der Roman fand kaum Resonanz. In den zwanziger

Virginia
oder
die Kolonie von Kentucky.
Mehr Wahrheit als Dichtung.
Herausgegeben
von
Jerta.
Erster Theil.
Mit einem Kupfer von Bollinger.
Berlin,
bei August Rücker.
1820.

Jahren ging C.W.F. mit seiner Lesehalle und Leihbibliothek bankrott. H.F. fand bis zu ihrem Tod Aufnahme bei ihrem ältesten Sohn in Berlin.

WERKE: Gedichte (In: Berliner Musenalmanach 1790–93); Das Rosenmädchen, Lustsp. (verschollen 1806 und erneut 1814 nach Neuanfertigung); (u.d.N. Jerta) Virginia oder die Kolonie von Kentucky. Mehr Wahrheit als Dichtung. Hrsg. von Jerta. Erster Tl. 1820 (ausgel. 1819?), Zweiter Tl. 1820 (N 1983); Das Vorgefühl, E. In: Müchlers/Symanskis ›Der Freimüthige für Deutschland‹ (1820) 86/91; Graf Heinrich (oder Heinrich Graf?) E. In: Johanneswürmchen von Tenelly, 1 Bd. o. J.

LITERATUR: H.F. In: C.W.O.A. v. Schindel, Die deutschen Schriftstellerinnen des 19. Jh., Bd. I, 1823, 139–42. H.F. In: Goedeke, Bd. 10, 30f. und 652. *G. Steiner,* Der Traum vom Menschenglück. Leben und literarische Wirksamkeit von C.W. und H.F., [Berlin-Ost] 1959. *G. Steiner,* Nachwort. In: H.F., Virginia oder die Kolonie von Kentucky. Mehr Wahrheit als Dichtung, [Berlin-Ost] 1963, 205–33.

Frohberg, Regina (Ps. f. Regina Salomo, später Saling), * 4. 10. 1783 in Berlin, † 3. 8. 1850 in Berlin (nach 1858 in Wien?).
War jüdischer Herkunft. Heiratete 1801 den Israeliten Friedländer, von dem sie sich später wieder trennte. Trat zum christlichen Glauben über und nahm ebenso wie ihre beiden Schwestern den Namen Saling an. War die Tante des Schriftstellers Paul Heyse. Lebte seit 1813 in Wien, wo sie Anschluß an die dortige Gesellschaft fand. Schrieb zunächst anonym, dann unter dem Pseudonym F. zahlreiche Romane und Novellen. Übersetzte und bearbeitete französische Dramen, die unter dem Kollektivtitel ›Theater‹ 1818 erschienen.

WERKE: Louise oder Kindlicher Gehorsam und Liebe im Streite. Eine moralische E., 1808 (anonym); Schmerz der Liebe, R. 1810 (anonym); Erzählungen I, 1811 (verb. ^{2}1817) (Inhalt: Verhängnis; Adelaide; Die Waise; Leichtsinn und Liebe); Das Opfer, R. 1812; Maria oder Die Folgen des ersten Fehltritts, 1812; Bestimmung, R. 1814; Die Brautleute oder Schuld und Edelmut, R. 1814; Darstellungen aus dem menschlichen Leben, 1814 (Inhalt: Das Geheimnis; Die Flucht; Der Todesfall; Der Verdacht); Verrat und Treue, R. 1816; Die Gelübde. R. in Briefen, 1816; Herbstblumen, 1817 (Inhalt: Der Zweikampf; Der Hochzeitstag; Leichtsinn und Liebe; Oswald); Gustav Sterning. Das Ungewitter, 2 En. 1817; Kleine Romane, 1819 (Inhalt: Das Portrait; Wiedersehen; Die Verwundeten; Die Braut; Die beiden Schwestern; Der Brief; Louise; Die Bekehrte; Der Bräutigam; Der Entschluß); Stolz und Liebe, R. 1820; Entsagung, R. 2 Bd. 1824; Die Rückkehr, R. 2 Bd. 1824; Der Liebe Kämpfe, R. 2 Bd. 1826; Die Abreise, R. 2 Bd. 1830; Eigene und fremde Schuld, R. 1837; Vergangenheit und Zukunft, R. 1840; Gedankenfrüchte auf dem Pfad des Lebens, 1842 (verm. u. verb. ^{2}1845).

ÜBERSETZT UND BEARBEITET: Theater, 2 Bd. 1818. Inhalt: Onkel und Neffe, Lustsp. nach Demoustier (›Les Femmes‹); So bezahlt man seine Schulden, Lustsp. nach Andrieux (›Les Etourdes‹); Der Geschäftige, Lustsp. nach Collin d'Harleville (›Il veut tout faire‹); Das unvermutete Zusammentreffen oder Die Rache einer Deutschen, Lustsp. nach Vaudeville; Alter und Jugend, Lustsp. nach Collin d'Harleville (›Le Vieillard et les jeunes gens‹); Rosalie oder Sie besinnt sich anders, Lustsp. nach dem Französischen.

LITERATUR: *F. Gräffer,* Jüdischer Plutarch, 1848. *A. Henze,* R.F. In: Die Handschriften der deutschen Dichter und Dichterinnen, 1855. *W. v. Chézy,* Erinnerungen aus meinem Leben, 1864. *K. v. Wurzbach,* R.F. In: K.v.W., Biographisches Lexikon, Bd. 4, 1864. *J. Kürschner,* R.F. In: ADB VIII. *P. Heyse,* Jugenderinnerungen, 1900.

Fussenegger, Gertrud (Ps. f. Gertrud Dietz, verh. Dorn), * 8. 5. 1912 in Pilsen.

Die Mutter war Sudetenländerin, der Vater ein aus Vorarlberg stammender österr. Offizier. Wuchs in Hall/Tirol auf. Besuch des Realgymnasiums in Pilsen. Studierte Geschichte, Kunstgeschichte, Philosophie und Germanistik in Innsbruck und München. Promovierte 1934 zum Dr. phil. Lebte seitdem, verheiratet mit dem Bildhauer Alois Dorn, in Hall/Tirol; seit 1961 wohnhaft in Leonding bei Linz.

Erzählerin, auch Lyrikerin, Essayistin. Besonders im frühen erzählerischen Werk bevorzugt sie Rückgriffe auf historische Stoffe. Frauenfiguren, Eltern – Kindproblematiken stehen häufig im Mittelpunkt. Entwicklung neuer erzähltechnischer Möglichkeiten (Parallelführung zweier Lebensläufe – Leon Bloy und Marie Curie – im Roman ›Zeit des Raben, Zeit der Taube‹, 1960).

Erhielt u. a. den Adalbert-Stifter Preis 1951 und 1963, den Hauptpreis für ostdeutsches Schrifttum der Künstlergilde Eßlingen 1961, den Johann-Peter-Hebel-Preis 1969 und den Großen Kulturpreis der Sudetendeutschen Landsmannschaft 1972.

WERKE: Gemeinschaft und Gemeinschaftsbildung im Rosenroman von Jean Clopinel de Meung, Diss. Innsbruck 1934; Geschlecht im Advent. R. aus deutscher Frühzeit, 1937; Mohrenlegende, 1937; Der Brautraub, En. 1939; Eines Menschen Sohn, E. Mit einer autobiogr. Sk. der Verfasserin, 1939; Die Leute auf Falbeson, E. 1940; Eggebrecht, En. 1943; Heimat und Herkunft. In: Die Neue Lit. (1943) 2 [Selbstbiogr.]; Böhmische Verzauberung. Reisebericht, 1944; Hochzeitsandenken, E. 1947; Die Brüder von Lasawa, R. 1948; Sinnesverkehrung. In: Wort im Gebirge 2(1949) [zu Thomas Manns Dr. Faustus]; ... wie gleichst Du dem Wasser, E. 1949; Falkenberg, Schausp. 1949; Das Haus der dunklen Krüge, R. 1951 (N 1980); Aussage geschehenen Schicksals. Selbstporträt. In: Welt und Wort 1952; Die Legende von den drei heiligen Frauen, N. 1952; Verdacht. Einakter, 1952; Versuch zu einem Selbstporträt. In: Wort im Gebirge, 1953; In deine Hand gegeben, Tgb.-R. 1954; Iris und Muschelmund, G. 1955; Der General. Die stille Stunde, En. 1956; (Mithrsgin.) Wort im Gebirge. Schrifttum aus Tirol, 2 Bd. 1956–1959; Mohrenlegende, E. 1957; Das verschüttete Antlitz, R. 1957 (N 1982); Viktorin, R. 1957; Südtirol, 1959 (Text zum Bildband von H. Stursberg-Neizert); Eggebrechts Haus, Schausp. 1959 (U. Oldenburg 1957 u. d. T. Im Strom – dein Haus); Zeit des Raben, Zeit der Taube, R. 1960 (N 1980); Der Tabakgarten. Sechs Geschichten und ein Motto, 1961; (MA:) Südtirol in Farben. Ein Bildwerk. Mit Textbeiträgen von G.F. u.a. 1961; Die Reise nach Amalfi, Hörsp. 1963 (U. 1962); (MA:) Das Problem der Polarität. Gedanke und

Form im Kunstwerk. In: Wort im Gebirge 10(1963), 7–31; Die Nachtwache am Weiher und andere Erzählungen, 1963; G.F., Trägerin des Adalbert-Stifter-Preises. Dankrede anläßlich der Verleihung des Preises. In: Vierteljahresschrift des Adalbert-Stifter-Instituts, 1964; Marie von Ebner-Eschenbach oder Der gute Mensch von Zdislawitz. Vortrag, 1967; Die Pulvermühle. Eine Kriminalgeschichte, 1968 (N 1980); (MA:) Bummel durch Salzburg, 1970; Bibelgeschichten, 1972; Widerstände gegen Wetterhähne, G. 1974; Sprache, G. 1974 (1975); (Hrsgin.) J.P. Hebel, Schatzkästlein des Rheinischen Hausfreundes, 1975; (Mithrsgin.) Die Rampe. Neue österreichische Lit. Zs. 1975ff.; Eines langen Stromes Reise. Die Donau: Linie, Räume, Knotenpunkte, 1976; Der Aufstand. Libretto, 1976; Stifter-Gedenkstunde im Stift Kremsmünster. In: Adalbert-Stifter-Institut des Landes Oberösterreich 25(1976), 30–36; Der große Obelisk. Gedanken und Erfahrungen ..., 1977; Ein Spiegelbild mit Feuersäule, Lebensbericht, 1979 (N 1982); Der Vater. Marginalien zum Lebensbericht ›Ein Spiegelbild mit Feuersäule‹. In: Montfort 31(1979), 316–18; Pilatus, Dr. 1979; Das Fenster, Ess. 1979; (MA:) Fenster. Elemente der Architektur, 1979; Utopie und Eros am Beispiel ›Der Nachsommer‹. In: Stifter Symposium, 1979; Fünf Notizen über das Schreiben. In: G.K. Kaltenbrunner (Hrsg.), Noch gibt es Dichter. Außenseiter im Literaturbetrieb, 1979, 133–37; Maria Theresia, 1980; Ilse Aichinger: ›Briefwechsel‹. In: Frankfurter Anthologie, Bd. 5, 1980; (MA:) Neues Andachtsbuch. Kirchliche Wallfahrten. Besondere Anlässe, hrsg. v.F.Lauterbach, 1980; Joseph von Eichendorff: ›Der Abend‹. In: Frankfurter Anthologie, Bd. 5, 1980; Die bösen Tage von Klagenfurt. Brauchen wir diesen literarischen Wettbewerb? In: FAZ vom 24. 7. 1981 [zum Ingeborg-Bachmann-Wettbewerb]; Tagebuch-Notizen. In: Lit. und Kritik 16(1981); (Einf.) R.Löbl, Begegnung mit Wien, 1981; Die Donau, 1981; Das verwandelte Christkind. Gesch. u. G., 1981; Kaiser, König, Kellerhals. Heitere En. 1981; Die Arche Noah, 1982; Pilatus. Szenenfolge um den Prozeß Jesu, 1982; Eduard Mörike: Zu viel. In: Frankfurter Anthologie, Bd. 6, 1982; (Einf.) Löbl-Schreyer/G.F., Österreich, 1982; Echolot. Essays – Reden – Notizen, hrsg. v. Adalbert-Stifter-Institut des Landes Oberösterreich u. Amt der oberösterr. Landesreg. Abt. Kultur, 1982; Sie waren Zeitgenossen, R. 1983; Rechtsbewußtsein in der Dichtung. In: Montfort 35(1983), 2; Uns hebt die Welt. Liebe, Sex und Literatur. Ein Essay, 1984; Notizen von einer böhmischen Reise. In: Adalbert-Stifter-Institut des Landes Oberösterreich 33(1984), 75–80; (Beitrag) K.H. Waggerl, Ich suche den Menschen. Das Waggerl-Lesebuch, hrsg. v.L.Besch, 1984; (MA:) Alois Dorn. Ein Leben für Figur und Raum, 1984; (MA:) Linz. Donaustadt, 1985.

FILM: (MA:) Gericht auf Hochlapon, 1941.

TONKASSETTEN: Die Nachtwache am Weiher. Das Zimmer. Der Zeppelin, Autorenlesung, 1980; Der große Obelisk. Im Revier der Wölfin, Autorenlesung, 1980; Der General oder weiße Fahnen. Frau Krismer fühlt sich gewappnet. Der Tabakgarten, Autorenlesung, 1980.

BIBLIOGRAPHIEN: *G.Albrecht/G. Dahlke,* Internationale Bibliographie zur Geschichte der deutschen Literatur von den Anfängen bis zur Gegenwart ... 2,2, 1972. *G.B. Pickar,* Deutsches Schrifttum zwischen den beiden Weltkriegen, 1974.

LITERATUR: *M. Wagner,* G.F. In: Das dt. Wort, 1937. *E. Waldinger,* G.F. ›Geschlecht im Advent‹. In: Aufbau [New York] vom 18. 2. 1955. *N. Langner,* G.F. In: N.L., Dichter aus Österreich, 1956 (²1963), 36–40. *O. Wiesflecker,* Zeitromane. In: Tagebuch [Wien] 15(1960)2 [zu: Das Haus der dunklen Krüge]. *W. Schimming,* Zeit des Raben, Zeit der Taube. In: Die Bücherkommentare 9(1960) 3. *W. Grözinger,* Der Roman der Gegenwart. In: Hochland (1960/61). *W. Formann,* Böhmischer Erbteil. G.F. In: W.F., Sudetendeutsche Dichtung heute, 1961. *C. Hohoff,* Kein Mann würde ein solches Thema wagen. In: Die Welt vom 15. 4. 1961 [zu: Zeit des Raben, Zeit der Taube]. *A. Amwald,* Die Kluft in uns. In: Neue dt. Hefte 7(1961) 80 [zu: Zeit des Raben, Zeit der Taube]. *H. Henze,* Biographisches Mysterienspiel. In: FAZ vom 25. 3. 1961 [zu: Zeit des Raben, Zeit der Taube]. *L. Weber,* G.F. In: Wort in der Zeit [Graz] 8(1962) 5, 12–16. *R. Siegrist,* Zeitgenössische Erzähler, 1963. *A. Schmidt,* Dichtung und Dichter Österreichs im 19. und 20. Jh. Bd. 2, 1964. *E. Jacobi,* Der Tabakgarten. Eine Interpretation. In: Neue Wege zur Unterrichtsgestaltung. Praxis der Volksschule, 1965. *IH,* [Die Pulvermühle]. In: Die Bücherkommentare 17(1986) 4. *A. Schöne,* G.F.s neuer Roman. ›Die Pulvermühle‹. In: Welt und Wort, 1969. *W. Wilk,* Tiroler, die nicht lustig sind. In: Tagesspiegel [Berlin] vom 23. 3. 1969 [zu: Die Pulvermühle]. *J. Schmidt,* Drunter und drüber. In: FAZ vom 6. 1. 1969 [zu: Die Pulvermühle]. *C. B.,* Via Mala in Tirol. In: Christ und Welt 22(1969) [zu: Die Pulvermühle]. *O. E. Sutter,* Optimistin im Pessimismus: G.F., Hebelpreisträgerin 1969. In: Das Markgräflerland, 1969. *E. Thurnher,* [G.F.]. In: Hdb. der dt. Gegenwartslit., Bd. 1, (^{2}1969), 224f. *C. E. Winkler,* Die Erzählkunst G.F.s, Diss. Wien 1973. *P. A. Bloch* u.a. (Hrsg.), Gegenwartsliteratur. Mittel und Bedingungen ihrer Produktion, 1975. *F. Kienecker,* G.F. »Lauschender«. In: F.K., Es sind noch Lieder zu singen, 1978. 116–21. *C. Kraus,* [G.F. ›Ein Spiegelbild mit Feuersäule‹]. In: Literatur und Kritik (1980) 143, 187f. *K. Adel,* Wolkensäule und Feuersäule. Zu G.F.s dichterischem Werk. In: Adalbert-Stifter-Institut des Landes Oberösterreich 29(1980), 176–210. *W. Ross,* G.F. wird 70. Konservativ, mit leichtem Widerspruch. In: FAZ vom 8. 5. 1982. *F. Kienecker,* »Jeder erwartet seinen Tag«. Annäherung an das Werk G.F.s – Der Dichterin zum 70. Geb. In: Die Rampe (1981) 1, 17–35. *M. Reich-Ranicki,* Entgegnung. Zur dt. Lit. der 70er Jahre. In: Lit. und Kritik 16(1981) 157/158, 477f. *J. Jetschgo,* G.F. Ein Interview. In: Die Rampe (1982) 1, 7–16. *A. Bungert,* Bis zu den Brunnen der Geheimnisse. G.F. zum 70. Geb. am 8. Mai. In: Der Literat 24(1982) 4, 89ff. *K. Schauder.* [G.F. ›Das verwandelte Christkind‹]. In: Zeitwende 53(1982) 4, 242f. *G. Schmolze,* G.F. [›Maria Theresia‹]. In: ebda. 53(1982) 1, 47f. *R. Mühlker,* G.F. In: Selbstfindung. Abhandlung der Humboldt-Gesellschaft, 1983. *E. Tiefenthaler.* Am Ort des größten Dichters in der Neuzeit Vorarlbergs. Zur erstmaligen Verleihung der Franz-Michael-Felder-Medaille. In: Montfort 35(1983), 253ff.

Galahad, Sir (Ps. f. Bertha Eckstein, geb. Dicner; weiteres Ps. Helen Diner), * 18. 3. 1874 in Wien, † 20. 2. 1948 in Genf.
Lebte als Schriftstellerin in Wien. Emigrierte 1938 in die Schweiz. Erzählerin, Matriarchatsforscherin, Kulturschriftstellerin, Übersetzerin (von Prentice Mulford). Große Beachtung fand ihre bedeutende weibliche Kulturgeschichte ›Mütter und Amazonen‹ (1932).

WERKE: Im Palast des Minos, 1913; Die Horus-Romane. I. Die Kegelschnitte Gottes, R. 1921; Idiotenführer durch die russische Literatur, 1925; Mütter und Amazonen. Umriß weiblicher Reiche, 1932 (N 1981); Byzanz. Von Kaisern, Engeln und Eunuchen, 1936; Bohemund. Kreuzfahrer-R. 1938; Seide. Eine kleine Kulturgeschichte, 1940; Der glückliche Hügel (Richard-Wagner-R.), 1943.
ÜBERSETZUNGEN: Prentice Mulford, Der Unfug des Sterbens, Ausgew. Ess., 1925; Ders., Der Unfug des Lebens. Ausgew. Ess., 1936; Ders., Das Ende des Unfugs. Ausgew. Ess., 1940.
LITERATUR: *H. Uhde-Bernays,* S.G. In: Dt. Beitr. 3 (1949), 92–96. *G.H. Graber,* S.G. und die »Idioten«. In: Der Psychologe 9 (1957).

Gall, Louise von, * 19. 9. 1815 in Darmstadt, † 16. 3. 1855 in Sassenberg bei Münster.
Tochter des hessischen Generals Friedrich von Gall. Lebte nach dessen Tod mit der Mutter in Ungarn und Wien; seit dem Tod der Mutter (1841) wieder in Darmstadt bei Verwandten. Durch Briefwechsel wurde sie mit Levin Schücking, dem Schriftsteller und Freund der Droste, bekannt, den sie 1843 heiratete. Vier Kinder. Lebte in Augsburg, Köln und auf Schloß Sassenberg bei Münster. Erzählerin, zum Teil auch enge Zusammenarbeit mit Levin Schücking.

WERKE: Ein schlechtes Gewissen, Lustsp. 1842; Frauen-Novellen, 2 Bd. 1845; Der neue Kreuzritter, R. 1853; (MA:) Familienbilder, 2 Bd. 1854; (MA:) Familiengeschichten, 2 Bd. 1854.
VERÖFF. A. D. NACHLASS: Frauenleben, Nn. u. En. 2 Bd., hrsg. v. L. Schücking, 1856 (N 1907); Gegen den Strom, R. 2 Bd. 1857; Briefe von L. Schücking und L. v. G., hrsg. v. R.C. Muschler, 1928.
NACHLASS: Landesmuseum Münster.
LITERATUR: *H. Gross,* L. Sch. In: H. G., Deutschlands Dichterinnen und Schriftstellerinnen, ^{2}1882, 119. *K. Michaelis,* Flammende Tage, 1929. *E. Wand,* L. v. G., Diss. Münster 1935.

Gast, Lise (eigentl. Elisabeth), * 2. 1. 1908 in Leipzig.
Landwirtschaftslehrerin. Verheiratet mit Georg Richter († 1945 in russ. Gefangenschaft). Nach dem 2. Weltkrieg baute sie in Württemberg eine Pony-Farm auf. Schreibt vorwiegend Jugendbücher. Auch Übersetzerin.

WERKE: Tapfere junge Susanne. Die Gesch. einer Kameradschaft, 1936; Kopf hoch, Barbara. Eine E. um junge Menschen, 1939; Das zaudernde Herz, R. 1939; Junge Mutter Randi, R. 1940 (N 1983); Die Kinder von Wienhagen. Lustige E. von 6 Kindern auf einem Gutshof, 1940; Ein Herz, ein Traum und eine weite Reise, 1940; Die heimliche Last, R. 1942; Kamerad fürs Leben. Ein R. um junge Menschen, 1942; Der stärkere Ruf, R. 1943; Peter. Eine lustige Bärengesch. für Kinder und Muttis, 1943; Heiner und Renate. Die Gesch. einer Freundschaft, 1943; Die kleinen Brüder, Kb. 1943; Eine Frau allein. Ein Schicksal aus unseren Tagen, 1948 (N 1973); Ange und die Pferde. Als Haushalts-Lehrling auf einem Gutshof, 1948 (N 1980); Christoph, Kind des Segens, Kb. 1949; Geliebtes Heim am Berge, Kb. 1949; Die Haimonskinder, Jgdb. 1950; Christiane und die kleinen Brüder, E. 1951 (N 1983); Helmi und ihr größter Wunsch. Eine Mädchengesch. 1951; Christiane und die großen Brüder, E. 1952; Gesellschaftsspiele im Zimmer für jung und alt, 1952; Peter der Spielzeugbär, Jgdb. 1952; Große Schwester Schimmel, E. 1952; Meine schönste Weihnacht, 1952; Geliebtes Doktorhaus, Jgdb. 1952; 2 × 2 = II, Jgdb. 1952; Wohin, Christiane?, E. 1953 (N 1980); Was wird aus Regine?, Jgdb. 1953; Sommer der Entscheidungen, Jgdb. 1953; Bernis Glück im Pech. Wie aus einem Unglückswurm ein tüchtiger Junge wird, 1953; Weihnachtsgäste, E. 1953; Die andere Mutter, 1954; Zwischen Tau und Tag. Eine Gesch. unter jungen Menschen, 1954; Große Schwester – kleiner Bruder. Eine N. um junge Menschen, 1954; Die Kälberweide, N. 1954; Meine Tochter hat's nicht leicht, Jgdb. 1955; Die Mücke und der Bücherwurm. Ein Mädchen-R., 1955; Das Träumerlein, E. 1955; Die Erlenhofzwillinge, Jgdb. 1956 (N u.d.T. Die

Zwillinge vom Erlenhof, 1977); Junges Herz im Sattel. Ein Mädchen-R., 1956 (N 1982); Was wird aus Wienhagen, Jgdb. 1958; Neuer Anfang auf Wienhagen. Gesch. einer Familie, 1958; Das Leben findet heute statt. Fast ein R. oder auch keiner, 1958; Unsere Ponies und wir. Eine heitere Familiengesch. 1958 (N 1982); Jungsein ist schwer. Ein Buch für junge Mädchen, 1958; Wunder im Schnee. Weihnachtserzählungen, 1959 (N 1982); Randi und das halbe Dutzend, R. 1960; Junger Wind in alten Gassen. Ein meist fröhlicher R. unter jungen Menschen, 1960 (N 1975); Zum Lieben ist keiner zu alt. R. einer Ehe mit Pause, vorwiegend heiter, 1960; Ange im Turnier, 1961 (N 1980); Auch Du wirst mal siebzehn, 1961 (N 1980); Die Reise nach Ascona, 1962 (N 1982); Sommer ohne Mutter, 1962; Ponyglück bei Lise Gast, 1962 (N 1983); Glück in kleinen Dosen. Mädchen-R., 1963; Das nächtliche Wunder. Eine Kindheits-Weihnachten in Schlesien, 1963; Das Haus der offenen Tür, 1964 (N 1981); Der alte Trostdoktor. Eine heiter-ernste E. für alt und jung, 1964; Brüder machen manchmal Kummer, 1965; Die unsichtbare Tür, E. 1965; Wir vier. Ein R. um junge Menschen, 1965; Ritt in den Morgen. Eine Liebesgesch. 1965 (N 1977); Das ganze Glück, R. 1965; Ponies am Meer. Erlebnisse mit treuen Freunden, 1966 (N 1981); Hochzeit machen, das ist wunderschön, 1966; Besuch am Heiligabend. Zwei Weihnachtsgesch. 1966 (N 1981); Die alte Mühle, 1967; Morgen oder übermorgen, 1967 (N 1981); Ein Jahr auf Probe, 1967 (1969, N 1982); Ponyscheck Hansel, Bilderb. 1967; Weihnachten unterwegs, E. 1967; Corinna, die Ponies und das Meer, 1968; Gute Reise, Tante Britta, 1969; Unser kleiner Esel Jan, 1969; Jeder Tag ist neu. Von Mensch und Tier im Hause Gast, 1969 (N 1977); Die Sache, die man Liebe nennt. Menschen, Pferde und ein R., 1969 (N 1983); Wuschi, der Waschbär, 1969; Der kleine Hirtenkönig, 1969; Ferienfahrt mit Zwillingsbrüdern, 1970; Geliebter Sohn, 1970; Gottes Boten, 1970; Bettine und das alte Schloß, 1970; Sommer mit Tieren, 1971; Drei Dackel im Versteck, 1971; Wenn das Haus steht, 1971; Männer sind Gänseblümchen, 1971 (N 1981); In den Schnee geschrieben, 1971; Weil wir uns lieben. Eine heitere Ehegesch. 1971 (N 1981); Wer nie den Sand geküßt ..., 1972 (1977); Zeit der Bewährung. Sybille und die anderen, 1972 (N Zeit der Bewährung 1977); Alles ändert sich ... Sybille und Mathias, 1972; Winterferien mit Penny, 1972; Wisky stellt alles auf den Kopf, 1972; Kleines Licht im Dunkeln, 1972 (N 1980); Erwachsene sind auch Menschen, 1973; Gusti zwischen Hüh und Hott, 1973 (N 1982); In Liebe – Deine Randi, R. 1973; Kleines Pony Frechdachs, 1973; Tina, siebzehn Jahre, 1973; Die große Freude, 1973; Das Familienkind, R. 1974 (N 1977); Ponyreiten. Freude mit Robustpferden, 1974; Die unsichtbaren Fäden, R. 1974 (N 1977); Alle Weihnachtsbäume meines Lebens, 1974; Penny Wirbelwind, 1974? (N 1975); Anja hat nur einen Wunsch, 1975 (N 1983); Wirf dein Herz über die Hürde, 1975; Heimat hinter Grenzen. Eine Fahrt ins alte Schlesien, 1975 (N 1982); Der Weihnachtsschnee, 1975; Morgen, das ist bald. Heidel und Bastian, 1975; Wenn Holle wiederkommt, 1975; Tiergeschichten vom Ponyhof, 1976 (N 1982); Reiterpension Heidehof, 1976 (N 1982); Aufgesessen, Anja, 1976 (N 1983); Geliebter Sohn, 1976; Anja und der Reitverein, 1976 (N 1983); Bittersüß wie Schlehenduft. Hintergrundgesch. der Volkstempel-Sekte, 1977 (N 1981); Die Klassenfeier, 1977; Mit Büchern unterwegs, 1977; Alles dreht sich um die Tiere, 1977; Neues vom alten Trostdoktor, 1977; Anja und Petra zu Pferde; Ferien mit Anja und Petra; Anja und Petra im Turnier, 1977–1979 (N Anja und Petra im Turnier, 1980); Die Schenke zur ewigen Liebe. Heiterer R. 1977 (N 1982); Hafer, Stroh und Pferdekoppel. Das große Lise-Gast-Buch, 1978; Heiteres und Ernstes aus meinem Leben, 1978; Das Waldhorn, 1978; Hundsviech, geliebtes, 1979 (N 1983); Gäste in meinem Haus, 1979; Josi und die anderen, 1979; Der kleine Ausreißer, 1979; Reiterferien mit Anja und Petra, 1979; Die Himmelsbräute. Erinn. an einen Sommer in Dresden, 1980 (N 1982); Reni, 1981; Ein Dackel für Veronika, 1982; Randi und Michael, 1982; Herbstreise, R. 1983; Viel Wirbel um Veronika, 1983; Jona träumt vom Reiten, 1983; ... trotz allem, mein Glück war groß, 1983; Eine unordentliche Familie, 1984; Donna

und Doria. Ein Fohlen im Versteck, 1984.
WERKAUSGABE: Hochzeit machen, das ist wunderschön; Das Familienkind; Die Schenke zur ewigen Liebe. Drei Romane in einem Band, 1982.
ÜBERSETZUNGEN: D. Laan, Pünkelchens Abenteuer, 1955; ders., Pünkelchen auf Reisen, 1956; ders., Pünkelchen im Zoo, 1957; A. de Vries, Hör mal zu – lies auch du. Gesch. für unsere Kleinen, 1958; D. Laan, Pünkelchen in Afrika, 1958; ders., Pünkelchen und der Karfunkelstein, 1959; J. Ter Haar, Abenteuer mit Schnabbelchen, 1959; ders., Schnabbelchen, 1959; ders., Mit Schnabbelchen unterwegs, 1960; D. Laan, Pünkelchen sucht den Sandmann, 1960; ders., Das Pünkelchen-Bilderbuch, 1960; (zus. mit M. Richter) J. Cannan, Vier Hufe und ein Zeichenstift, 1960; Die lachende Lady.
LITERATUR: *I. Schönbein,* Die Jugendschriftstellerin L.G. In: Studien zur Jugendlit. 2 (1956). *A. Knoop,* L.G. In: Lex. der Kinder- und Jugendlit., Bd. 1, 1975, 431f.

Gayette-Georgens, Jeanne Marie von (geb. von Gayette, verh. Georgens, Ps. Jeanne Marie), * 11. 10. 1817 in Kolberg (Pommern), † 14. 6. 1895 in Leipzig.
Tochter eines hohen Offiziers. Verbrachte ihre ersten elf Lebensjahre bei den Großeltern in Pillau an der Ostsee. Lebte später bei den Eltern in Breslau und verkehrte dort viel in Gesellschaft. Unternahm viele Reisen und lebte in Dresden, Wien und Berlin. War sozialpädagogisch interessiert und heiratete den Pädagogen Jan Daniel Georgens, mit dem sie 1856 eine Heil- und Erziehungsanstalt für geistig behinderte Kinder bei Wien gründete und bis zu deren Verstaatlichung 1865 leitete. Zur gleichen Zeit (1856–1863) gab sie die pädagogische Zeitschrift ›Die Arbeiter auf dem praktischen Erziehungsfelde der Gegenwart‹ heraus. 1867 gründete sie das Journal ›Die Frauenarbeit‹. Lebte vorübergehend in der Schweiz, in Nürnberg und in Berlin. In Berlin hielt sie Vorlesungen über Frauenarbeit und -beruf. Gründete mit ihrem Mann und G. Karpeles eine literarische Gesellschaft und deren Organ ›Auf der Höhe‹ und 1878 die Monatsschrift ›Der Jugend Spiel und Arbeit‹. Nach dem Tod ihres Mannes († 1886) lebte sie zunächst in Doberan/Mecklenburg. Im gleichen Jahr gründete sie die Zeitschrift ›Zu Hause‹. 1893 zog sie nach Schwerin, kurz vor ihrem Tod nach Leipzig. – Schwerpunkte ihres Werkes bilden soziale und pädagogische Schriften und die Frauenfrage.

WERKE: Elisenhof. Ein R. aus der großen Welt, 1844; Vincenza, N. 1847; Unsere junge Mädchenwelt, 1848; Claudia, N. 1848 (1849); Gedichte, 1850; Die Familie. Blätter aus dem Leben, 2 Bd. 1850; Luigia Sanfelice oder Die Revolution in Neapel, hist. R. 3 Bd. 1850; Vornehm und edel, N. 1851; Form und Geist, N. 1851; Abhängig und frei, N. 1852; Edith, N. 1853; Bildewerkstatt, 1. Bd. 1857, 2. Bd. 1861; (MA:) Sternbilderbuch, 1858; Jacobäa von Holland, kultur-hist. R. 2 Bd. 1860; (MA:) Die Schulen der weiblichen Handarbeit. Vorbilder für den modischen Gebrauch in 12 Heften, 1868; Maximus Casus, der Oberlehrer von Druntenheim. Social-pädagogische Cartons, 1869 ([2]u.d.T.: Die Fortschrittspädagogen und die Frauenemanzipation. Social-pädagogische Um- und Ausblicke des Oberlehrers Maximus

Casus, 1875); Geist des Schönen in Kunst und Leben. Praktische Ästhetik für die gebildete Frauenwelt, 1870; (MA u. Mithrsgin.) Frauen-Album. Charakterbilder aus alter und neuer Zeit, 1870; Oceana. Vier Stufenalter einer Dichterin, 1870; Sich selbst erobert. Ein Mädchen, 2 Bd. 1871; Vom Baum der freien Erkenntnis, 1872; Die Frauen in Erwerb und Beruf. 12 Vorträge, 1872; Brevier der Konversation und gesellschaftlichen Unterhaltung, 1879; (MA:) Illustriertes allgemeines Spielbuch, 1882; Aus den Wassern, N. 1884; Die Tochter des Philosophen, 1884; Neues Spielbuch für Mädchen, 1887; Was du thun und nicht thun sollst. Denkgut in Spruchgaben, 1890.

LITERATUR: *H. Gross,* J. M. G.-G. In: H. G., Deutschlands Dichterinnen und Schriftstellerinnen, [2]1882, 185f.

Gemberg, Adine, * 28. 4. 1860 in St. Petersburg, † 10. 8. 1902 in Wittenberg.

Tochter der russischen Prinzessin Wera Gévachoff und des Deutsch-Engländers von Baker, der Sprachlehrer am Zarenhof war, dort zum Staatsrat befördert und geadelt wurde. Siedelte nach dem frühen Tod der Mutter mit dem Vater nach Karlsruhe über, wo sie eine sorgfältige Ausbildung erhielt und später in einem Hospital tätig war. Heiratete den Offizier Gemberg, der 1888 als Major in den Ruhestand trat, woraufhin auch ihre gesellschaftlichen Verpflichtungen geringer wurden. Begann nun ihre schriftstellerische Tätigkeit. Schrieb Novellen und Romane.

WERKE: Die evangelische Diakonie. Ein Beitr. zur Lösung der Frauenfrage, 1894; Morphium, 3 Nn. 1895; Aufzeichnungen einer Diakonissin, R. 1896; Der dritte Bruder. Schlaf – Tod – Wahnsinn, R. 1898; Des Gesetzes Erfüllung, R. 1899.

Georgy, Ernst (Ps. f. Margarete Michaelson), * 24. 5. 1873 in Berlin, † 12. 12. 1924 ebda.

Wuchs in einem geistig anregenden Elternhaus auf. Besuchte ein Lehrerinnenseminar (1888–91) und legte 1891 ihr Lehrerinnenexamen ab, dem 1892 ein sprachwissenschaftliches und ein Handarbeitenexamen folgte. Unternahm weite Reisen durch Rußland, Frankreich und Italien.

Veröffentlichte zunächst kleine Novellen und Übersetzungen in Zeitschriften, bis sie sich »nach langen schweren Kämpfen« (Pataky) entschloß, ihren ersten Roman ›Aus Leidenschaft‹ einem Verleger vorzulegen. Lebte als Schriftstellerin in Berlin.

WERKE: Aus Leidenschaft, R. 1896; Dämon Liebe. R. aus der Bühnenwelt, 1897; Unmöglich geworden ..., N. 1897; Die Erlöserin, E. 1898; Aus den

Memoiren einer Berliner Range, 1899; Die Berliner Range, 12 Bd. 1900–1902 (Inhalt: 1. Neue Bekenntnisse, 1900; 2. Über die Berliner Dienstboten, 1900; 3. Paris und die Weltausstellung, 1900; 4. Lotte Bach's Brausejahre, 1900; 6. Berlin, wie es ißt und trinkt, 1901; 7. Prosit Brautpaar!, 1901; 8. Berlin, wie es lebt und liebt, 1901; 9. Hochzeitsvorbereitungen, 1901; 10. Lotte Bach's Hochzeitsreise, 1901; 11. Frau Lotte in Rußland, 1902; 12. Lotte als Mutter, 1902); Diesseits und jenseits der Liebe. Moderne Geschichten über die Liebe, 1901; Fräulein Mutter, Tendenz-R. 1902; Eva oder Anneliese, R. 1903; Anonyme Briefe, R. 1904; Groß-Berlin. Ernstes und Heiteres aus einem Berliner Mietshaus, 2 Bd. 1904 (Inhalt: 1. Frau Schütze; 2. Das vergnügte Hinterhaus); Juttas Schicksale, R. 1904; Jenseits der Ehe, R. 1904; Die Favoriten, R. 1906; Die Peitsche, R. 1906; Die Winterfreuden, Festsp. 1906; Schwiegermama. R. aus einer Berliner Pension, 1906; Sekt Perlen, 10 Gesch. 1906; Morgenröte. R. aus dem revolutionären Rußland der Gegenwart, 1907; Gottes Mühlen, R. 1909; Theater, R. 1910; Familienglück. Gesellschaftsbild, 1911; Die Deutsche. E. aus Rußlands Gegenwart, 1912; Scheidungen. Bilder aus dem modernen Leben, 1914; Unsere Drei von Rodenfels, 1915; Erster Kriegsabend ..., 1915; Mit Held Mackensen durch Galizien. E. aus den Kriegsjahren ..., 1916; Herbert Mathias. Erlebnisse eines Fliegeroffiziers ..., 1916; Ein Fürstenkind, R. 1918; Das Recht der Eltern, R. 1918; Lore von Burg, 1919; Scheinehe, R. 1919; Der Sonnenvogel, R. 1919; Auf der Lebensleiter, R. 1920; Schuldig?, R. 1921; Bodensatz, R. 1922; Der Konfektionsbaron. Ein Zeitbild aus der Konfektion, R. 1923; Die Demoisellen Landmann, Rokoko-R. 1925.

LITERATUR: Frauenbewegung 9 (1903), 86 [›Fräulein Mutter‹].

Gerhard, Adele, * 8. 6. 1868 in Köln, † 10. 5. 1956 ebda.

Tochter der Caroline geb. Heß (Tochter eines Kölner Zuckerfabrikanten) und des Kölner Kaufmanns Adolph de Jonge. Besuchte die höhere Töchterschule in Köln und das daran angegliederte Lehrerinnenseminar. Beschäftigte sich mit philosophischen Studien. Heiratete 1889 den Rechtsanwalt Stephan Gerhard und lebte mit ihm in Berlin. Ein Sohn, eine Tochter. Emigrierte 1938 in die USA und kehrte ein Jahr vor ihrem Tod in ihre Geburtsstadt zurück.

A. G. widmete sich in Berlin zunächst sozialen und ökonomischen Stu-

dien, stand der sozialistischen Frauenbewegung nahe und schrieb über Genossenschaftsbestrebungen und Mutterschaft. Ihre frühen Romane behandeln Frauenschicksale und Gesellschaftsprobleme (›Die Geschichte der Antonie van Heese‹). Nach dem Ersten Weltkrieg Nähe zum Expressionismus. Ihre im Exil entstandenen Werke blieben unveröffentlicht.

WERKE: Konsumgenossenschaft und Sozialdemokratie, 1895; Beichte, Nn. 1899; (MA:) Mutterschaft und geistige Arbeit. Eine psychologische und soziologische Studie, 1901; Pilgerfahrt, R. 1902; Die Geschichte der Antonie van Heese, R. 1906; Die Familie Vanderhouten, R. 1909; Vom Sinken und Werden. Zeitbild aus Alt-Köln, 1912; Begegnung u.a. Nn. 1912; Magdalis Heimroths Leidensweg, R. 1913; Der Ring des Lebendigen. Aus dem Kriegserleben der Heimat, N. 1915; Am alten Graben, R. 1917; Sprache der Erde, Nn. 1918; Lorelyn, R. 1920; Weg und Gesetz, autobiogr. Sk. 1924; Pflüger, R. 1925; Via Sacra, R. 1928; Die Hand Gottes, Nn. 1929; Das Bild meines Lebens, Autobiogr. 1948.

NACHLASS: Dt. Lit.archiv/Schiller-Nationalmuseum Marbach.

LITERATUR: *P. Hamecher,* A.G. Ein Bild ihres Schaffens, 1918. *G. Witkowski,* A.G. In: Das lit. Echo 24 (1921/22). *M. Corssen,* A.G. In: Rheinische Slg. 4 (1922). Stimmen der Zeit. A.G. zum 60. Geb., 1928. *R. Hertz,* Literature in exile: A.G. In: The German Quarterly 18 (1945), 32–35. *K. Ude,* Expressionistische Dichtung. Über A.G. In: Welt und Wort 3 (1948), 212. *J.D. Workman,* A.G.s eightieth anniversary. In: Monatshefte für den dt. Unterricht 40 (1948), 416ff. *H. Roitzheim,* Die Entwicklung der Naturanschauung bei A.G. Diss. Bonn 1950. *M. Gerhard,* Das Werk A.G.'s als Ausdruck einer Wendezeit. Mit e. Anh.: A.G.: Das Bild meines Lebens, 1963. *S. Friebert,* A.G. In: The German Review 39 (1964). *J. D. Workman,* A.G. In: Monatshefte für den dt. Unterricht 56 (1964). *H. Roitzheim,* A.G. In: NDB 1966. *J. Polácek,* Zur Problematik des deutschen Abkehrromans. In: Philologica Pragensia 14 (1971) 1, 16–29. *F. Hollaender,* P. Ernst, W. Hegeler, A.G. In: Philologica Pragensia 14 (1971).

Glümer, Claire von, * 18. 10. 1825 in Blankenburg/Harz, † 20. 5. 1906 in Dresden-Blasewitz.

Tochter der Schriftstellerin Charlotte von Glümer (Ps. G. Teltow) und des Advokaten Karl Weddo von Glümer. Verbrachte ihre Kindheit in verschiedenen Orten der Schweiz und Frankreichs, wohin ihr Vater, Anhänger der liberalen Bewegungen der 30er Jahre in Deutschland, vor politi-

scher Verfolgung mit seiner Familie geflüchtet war. C.v.G. kam nach dem Tod der Mutter 1841 als 16jährige wieder nach Deutschland, wo sie anfangs im Hause des Großvaters in Wolfenbüttel wohnte. Verdiente ihren Lebensunterhalt 1846–1848 als Erzieherin. Lebte ab 1848 in Frankfurt a.M. bei ihrem nach Deutschland zurückgekehrten Vater. War bis zur Kaiserwahl (März 1849) Parlamentsberichterstatterin für die ›Magdeburger Zeitung‹. Zog 1851 nach Dresden. Begann mit schriftstellerischer Tätigkeit Geld zu verdienen. Ihr Versuch, den wegen Beteiligung am Maiaufstand zu lebenslänglichem Zuchthaus verurteilten Bruder Bodo mit einigen Freundinnen und Freunden zu befreien, scheiterte. Verbüßte nach der Entdeckung und Vereitelung dieses Plans eine dreimonatige Gefängnisstrafe. Wurde danach aus Sachsen ausgewiesen. Zog mit ihrer Freundin, der Schriftstellerin Auguste Scheibe, wieder nach Wolfenbüttel; trat von dort aus für die Begnadigung ihres Bruders ein, die 1859 erfolgte. Nahm mit ihrer Freundin endgültig ihren Wohnsitz in Dresden. Beide widmeten sich von nun an ganz der Schriftstellerei.
C.v.G. verfaßte Reiseschilderungen, Novellen und Erzählungen. Außerdem war sie als Übersetzerin tätig. Übertrug z.B. ›Geschichte meines Lebens‹ von George Sand ins Deutsche.

WERKE: Fata Morgana. Ein R. aus dem Jahr 1848, 1848; Aus den Pyrenäen, 2 Bd. 1854; Bibliothek für die dt. Frauenwelt, 1. u. 6. Bd.: 1. Mythologie der Deutschen, 1856, 6. Berühmte Frauen, 1856; Erinnerungen an Wilhelmine Schröder-Devrient, 1862; Aus der Bretagne. Gesch. u. Bilder, 1867; Düstere Mächte. Erlöst, Nn. 1867; Novellen, 3 Bd. 1870; Liebeszauber, hist. N. 1870; Die Augen der Valois, N. 1871; Frau Domina, N. 1873; Alteneichen, E. 1878; Aus dem Béarn, Nn. 1879; Georgine Schubert. Erinnerungsbl. 1880; Dönninghausen, R. 2 Bd. 1881; Vom Webstuhl der Zeit, N. 1882 (Inhalt: Gesühnt; Nach 20 Jahren; Die böse Frau von Nelgendorf); Lutin und Lutine. Eine E. aus dem Béarn, 1884; Ein Fürstensohn. Zerline, En. 1886; Auf Hohen-Moor, N. 1888; Alessa. Keine Illusionen, Nn. 1889; Junge Herzen, En. 1891 (Inhalt: Drei Sommerwochen; Comtesse Hardys Nobelgarde; Zwillingsschwestern); Es gibt ein Glück, R. 1900; Aus einem Flüchtlingsleben 1833–1839. Die Gesch. meiner Kindheit, 1904; Gesühnt, N. 1905.
ÜBERSETZUNGEN: G. Sand, Geschichte meines Lebens, 12 Bd.; dies., Findling; dies., Musikantenzunft; J. Swift, Briefe an Stella; Turgeniew, Väter und Söhne; ders., Feste Liebe; ders., Faust; F. Lanfrey, Geschichte Napoleons I., 5 Bd.; Daudet, Froment jun.; Feuillet, D. Verstorbene; L. Tolstoi, Eheglück; ders., Krieg und Frieden.

Goll, Claire, * 29. 10. 1891 in Nürnberg, † 30. 5. 1977 in Paris.
Tochter des jüdischen Hopfenhändlers Aischmann. Die Familie siedelte 1892 nach München über. Dort Besuch des Instituts Kerschensteiner. 1911 Heirat mit Heinrich Studer. Eine Tochter. In Leipzig Studium der Philosophie, 1917 Studium in Genf. Lernte dort Yvan Goll (1891–1950) kennen. Ging nach München, Liebesbeziehung mit Rainer Maria Rilke.

1919 mit Yvan Goll nach Paris. 1921 Heirat. Ihre Wohnung wurde zu einem Treffpunkt des künstlerischen Lebens in der französischen Hauptstadt: es kamen die Maler Chagall, Léger, Delaunay, Picasso, Jawlensky, Braque und die Schriftsteller Joyce, Audiberti, Malraux, Breton und Gide. Nach zeitweiser Trennung in den 30er Jahren emigrierten die Golls gemeinsam 1939 nach New York. 1947 Rückkehr nach Paris.
Lyrikerin, Erzählerin, Übersetzerin. Nähe zum Expressionismus und Surrealismus. Während des Ersten Weltkriegs pazifistisches Engagement (Die Frauen erwachen, 1918). Arbeitete eng mit Y. G. zusammen, schrieb mit ihm zusammen Liebesgedichte und übersetzte einige seiner französischen Werke ins Deutsche. Auch ihre eigenen Werke erschienen zum Teil zuerst in französischer Sprache.
Erhielt 1952 (zus. m. Heinrich Böll) den Preis der besten Novelle vom Südd. Rundfunk, Stuttgart; 1959 Prix de la Société des Gens de Lettres, Paris; 1960 Prix du Mandat de Poètes, Paris; 1965 Prix Katherine Mansfield, Paris; 1967 Buch des Jahres 1967 d. Deutschen Akademie, Darmstadt (Briefe der Golls).

WERKE: (u. d. N. Claire Studer) Mitwelt, G. 1918; Die Frauen erwachen, N. 1918; Der gläserne Garten, N. 1919; (u. d. N. Claire Goll-Studer; Mithrsgin.) Das Herz Frankreichs, 1920; (u. d. N. Claire Goll; Hrsgin.) Die neue Welt. Eine Anthologie jüngster amerik. Lyrik, 1921; Lyrische Films, G. 1922; (MA:) Chansons Malaises, G. 1925 (dt. u. d. T. Malaiische Liebeslieder, 1934); Der Neger Jupiter raubt Europa, R. 1926; (MA:) Poèmes de jalousie, G. 1926; (MA:) Poèmes de la vie et de la mort, G. 1926; Eine Deutsche in Paris, R. 1927; Ein Mensch ertrinkt, R. 1931; Arsenik, R. 1933 (1936) (überarb. Neuausg. u. d. T. Jedes Opfer tötet seinen Mörder, 1977; N u. d. T. Arsenik oder Jedes Opfer tötet seinen Mörder, 1980); (MA:) Love Poems, G. 1947; Tagebuch eines Pferdes, N. 1950; (MA:) Dix mille Aubes, G. 1951 (dt. u. d. T. Zehntausend Morgenröten. G. einer Liebe, 1959); Die Taubenwitwe, N. 1951; (MA:) Nouvelles petites fleurs de Saint François, E. 1952 (dt. u. d. T. Neue Blümlein des heiligen Franziskus, 1952); Versteinerte Tränen, G. 1957; Chinesische Wäscherei, N. 1952; (Hrsgin.) Roter Mond, weißes Wild. Lieder der Indianer, G. 1955; Das tätowierte Herz, G. 1957; (MA:) Duo d'Amour, G. 1959; Klage um Yvan. G. 1960; Der gestohlene Himmel, autobiogr. R. 1962; (MA:) Briefe, 1966; (MA:) Die Antirose, G. 1967 (N 1979); Memoiren eines Spatzen des Jahrhunderts, En. 1969 (N 1979); Traumtänzerin. Jahre der Jugend, autobiogr. R. 1971; Zirkus des Lebens, En. 1976 (N 1981); Ich verzeihe keinem. Eine literarische Chronique scandaleuse unserer Zeit, 1978 (N 1980). [Weitere nur in franz. Sprache erschienene Werke s. Bibliographie.]
VERÖFF. A. D. NACHLASS: Claire und Yvan Goll. Meiner Seele Töne. Das lit.

Dokument eines Lebens zwischen Kunst und Liebe – aufgez. in ihren Briefen, hrsg. v. B. Glauert, 1978 (N 1980).
NACHLASS: Saint-Dié (Frankreich), Bibliothèque Municipale; Dt. Lit.archiv/ Schiller-Nationalmuseum Marbach (Kopien).
BIBLIOGRAPHIE: *G. Cattaui u. E. de la Rochefoucauld u. A. Lanoux,* C.G. Choix de textes, bibliographie, portrait, fac-similés, 1967.
LITERATUR: *K. Schwedhelm,* C.G. In: Das lit. Dtl. 2 (1951) 13. *M.L. Kaschnitz* u. *I. Bachmann* u. *K. Demus,* Entgegnung [auf die Behauptung C.G.s, Paul Celans Gedichte seien ein Plagiat der postum erschienenen Lyrik Yvan Golls]. In: Die Neue Rundschau 71 (1960) 3, 547ff. *R. Döhl,* Geschichte und Kritik eines Angriffs. Zu den Behauptungen [von C.G.] gegen Paul Celan. In: Dt. Ak. f. Sprache u. Dichtung. Darmstadt, Jb., 1960, 101–32. *J. Serke,* C.G. In: J.S., Die verbrannten Dichter, 1977, 92–117. *G. Brinker-Gabler,* Dt. Dichterinnen vom 16. Jh. bis zur Gegenwart, 1978, 306–09. *A. Müller,* C.G. In: A.M., Entblößungen, 1979, 234–37. *A. Rheinsberg,* »Denn immer hat einer Tal und der andere Gipfel/ Und wenn es Morgen taut, sind wir verlassner denn je.« – Leben und Schreiben C.G.s (unveröff. Ms. 1980). *A. Gabrisch,* Rez. [zu: C.G.: Ich verzeihe keinem.] In: Sinn und Form 33 (1981) 2, 454–59. *B. Blumenthal,* Rilke and C.G. In: Modern Austrian Literature 15 (1982) 3/4, 169–82. *Ders.,* C.G.s prose. In: Monatshefte. A journal devoted to the study of German language and literature 75 (1983), 358–68.

Grengg, Maria, * 26. 2. 1889 in Stein/Niederösterreich, † 8. 10. 1963 in Wien-Rodaun.
Absolvierte die Wiener Kunstgewerbeschule im Malen und Zeichnen. War seit 1923 literarische und zeichnerische Mitarbeiterin der Zeitschrift ›Der getreue Eckart‹. Schrieb und illustrierte Jugendbücher, Erzählungen, Novellen und Romane.
Erhielt als erste Frau 1937 den Großen Österreichischen Staatspreis für Literatur für ihren Novellenband ›Starke Herzen‹ (1936).

WERKE: (MA:) Österreichs Dichterfürstin Marie von Ebner-Eschenbach, 1917; Sonnige Kindheit. Liebe alte Reime mit feingedruckten farbigen Bildern, 1927; Traute Reime. Bilder, 1927; Hänschen klein. Ein Kinderliedchen mit vielen bunten Bildern, 1929; Die Flucht zum grünen Herrgott, R. 1930 (N 1962); Wie Christkindlein den Kindern half. Weihnachtsmärchen, 1930 (u. d. T. Wie ds Wienachtschindli ghulfe het. Wienachtsmärli, 1932); Ein Elfen- und Vogelgeschichtlein. Bilderb. 1931; Peterl. R. aus dem österreichischen Donauland, 1932; Ich und Du. Liebe Kinderreime, 1933 (mit Bildern von M.G.); Die Liebesinsel, R. 1934; Edith ganz im Grünen. R. für die Jugend, 1934; Das Feuermandl, R. 1935; Der murrende Berg, E. 1936; Niederösterreich, das Land unter der Enns, 1937; Der Nußkern, E. 1937; Starke Herzen, 5 Nn. 1936 (Inhalt: 1. Der Flüchtling; 2. Der Henker; 3. Der Räuber; 4. Die Siegerin; 5. Die Venus); Die Tulipan, N. 1938 (mit Zeichnungen von M.G.); Die Kindlmutter, R. 1938; Nur Mut, Brigitte! Eine E. für junge Mädchen, 1938; Heimat und Herkunft. In: Eckart. Ein dt. Lit.blatt 15 (1939); Zeit der Besinnung. Ein dt. Andachtsbuch, 1939 (N 1961) (mit Bildern und Zeichnungen von M.G.); (Hrsgin.) Wie schön blüht uns der Maien. Frühlings- und Liebeslieder der dt. Dichtung, 1940; Die Siegerin, N. 1941 (Auszug aus: Starke Herzen, 1936); Die Venus, N. 1943 (Auszug aus: Starke Herzen, 1936); Lebensbaum, R. 1944; Die Venus. Der Flüchtling, 2 Nn. 1948 (Auszug aus:

Starke Herzen, 1936); Die letzte Liebe des Giacomo Casanova, Nn. 1948 (Inhalt: Die letzte Liebe des Giacomo Casanova; Schmerzensmutter; Brief aus Belgrad 1717; Die Tulipan); Das Kathrinl, Jgdb. 1950; Der Wunschgarten, 1951; Das Hanswurstenhaus, R. 1951; Die große Begabung. Ein R. für junge Mädchen, 1954; Ein Herz brennt in der Dunkelheit, 1955; Begegnung im Grünen. Ein R. für junge Mädchen, 1957; Kathrin und ihre Freunde, 1958; Der Grasltanz, Hsp. o. J.

Werkausgabe: Gemalte Blumen, eingel. u. ausgew. von R. Feuchtmüller, 1962.

Schallplatte: Der große Hanswurst Stranitzky (aus: Das Hanswurstenhaus), 1961.

Bibliographie: M. G.-Bibliographie. In: V. Suchy, Hoffnung und Erfüllung, [Graz/Wien] 1960.

Literatur: *H. Thalhammer,* M. G., 1933. *T. Hoffelner,* M. G., die Künstlerin und Schriftstellerin. In: Bühne, [Wien] 15 (1938) 471. *W. Pollack,* M. G. In: Der getreue Eckart (1938/39) 5. *C. Anwand,* Eine steiermärkische Dichterin. In: Eckart. Ein dt. Lit.blatt 15 (1939). *L. Grimm,* M. G. In: Neues Wiener Tagblatt vom 25. 2. 1939. *G. Spitzenberger,* ›Starke Herzen‹ von M. G. im Rahmen ihrer übrigen Werke, Diss. Wien 1939. *G. Petrasovics,* Über die Mittel künstlerischer Gestaltung im Schaffen M. G.s. Ein Beitrag zur Betrachtung volkhaften Dichtens in der Ostmark. In: Jb. der Grillparzer-Ges. N. F. 3 (1943). M. G. In: Waldviertler Heimat, F. 11/12 (1963).

Grogger, Paula, * 12. 7. 1892 in Öblarn/Obersteiermark, † 1. 1. 1984 ebda.

Tochter von Kaufleuten bäuerlicher und bürgerlicher Herkunft. Besuchte 1907–1912 die Lehrerinnenbildungsanstalt in Salzburg. Hospitierte nebenher am Gymnasium, um ein Universitätsstudium aufnehmen zu können. Der Vater war dagegen, da er die Tochter zur Geschäftsnachfolgerin seiner Eisen- und Maschinenhandlung bestimmt hatte. Daraufhin arbeitete P. G. 1912–1929 als Lehrerin an Dorfschulen ihrer engeren Heimat. Schrieb 1918–1925 ihr Hauptwerk, den später vielübersetzten Roman ›Das Grimmingtor‹: eine Familienchronik der Napoleonzeit im steirischen Ennstal. Wurde 1929 in ihrem Heimatdorf mit einem Ehrensold pensioniert. Von da an freie Schriftstellerin.

P. G. schrieb Erzählungen, Gedichte, Dramen, Legenden und Sagen, die in Stoff und Sprache von ihrer engeren Heimat geprägt sind. In der Erzählung ›Das Gleichnis von der Weberin‹ (1929) setzte sie ihrer literarischen Lehrmeisterin E. von → Handel-Mazzetti ein Denkmal.

Erhielt u.a. das Österr. Verdienstkreuz für Kunst und Wissenschaft (1936), die Medaille der Stadt Wien (1936), den Rosegger-Preis (1952), den Handel-Mazzetti-Sonderpreis (1955), den Steirischen Ehrenring (1961) und den Professorentitel (1966).

WERKE: Spinnstubenlegende, 1920. In: Wiener Mittag v. 24. 12. 1920, überarb. in: Dt. Volkskalender 1934, 1933; Das Grimmingtor, R. 1926 (N 1970); Die Sternsinger. Eine Legende, 1927; Das Gleichnis von der Weberin, 1929; Die Räuberlegende, 1929 (endgültige R.-Fassung 1977); Das Röcklein des Jesuskindes, E. 1932; Die Wallfahrt nach Bethlehem, Weihnachtssp. 1933; Das Spiel von Sonne, Mond und Sternen, Laiensp. 1933; Die Auferstehungsglokke, Sp. 1934; Die Legende vom Rabenknäblein, 1934; Das Kind der Saligen. Das Rabenknäblein. Legenden, 1935; Der Lobenstock, E. 1935 (N 1982); Die Hochzeit. Ein Spiel vom Prinzen Johann, 1937 (N 1967); Gedichte vom Berg, 1938; Unser Herr Pfarrer, 1946; Das Bauernjahr. Steierische Mundart, 1947 (N 1962); Der Antichrist und Unsere liebe Frau. Legenden, 1949; Das Geheimnis des Schöpferischen, 1949; Gedichte, 1954 (N 1982); Die Mutter, 1958; Die Reise nach Salzburg, E. 1958; Aus meinem Paradeisgarten, Teilslg. hrsg. v. A. Holzinger, 1962; Späte Matura oder Pegasus im Joch, 1957; Sieben Legenden, 1977; Der himmlische Geburtstag. Ein Weihnachtsmärchen, 1977; Der Paradeisgarten, 1980.

BIBLIOGRAPHIEN: *E. Metelmann,* P.G. In: Neue Lit. 37 (1936), 397f. *H. Vogelsang,* P.G. Weg, Welt, Werk. Zum 60. Geb. der Dichterin, 1952, 23f.

LITERATUR: *R. Musil,* Bücher und Literatur. P.G.: Das Grimmingtor, 1926. (Dass. In: R.M., Prosa, Dramen, späte Briefe, hrsg. v. A. Frisé, 1957). *W. Linden,* Die Werke P.G.s, 1931. *H. Schnee,* P.G. und Gertrud von le Fort, 1934. *A. Drasenovich,* Die steierische Dichterin P.G. In: Neue Lit. 37 (1936), 389ff. *N. Langer,* P.G. In: Buch, Bücherei, 1951. *W. Kosch,* P.G. In: W.K., Dt. Theater-Lex., 1953ff. *J. Hauer,* P.G. In: J.H., Am Quell der Muttersprache, 1954. *N. Langer,* P.G. In: N.L., Dichter aus Österreich I, 1956. *F. Habitz,* P.G. zum 70. Geb. In: Begegnung 17 (1962), 100. *A. Holzinger,* Vielfalt des Irdischen und Einheit des Glaubens. P.G. zum 70. Geb. In: Wort in der Zeit 8 (1962) 7, 6–14. *A. Holzinger* [Einl. über P.G.], In: P.G., Aus meinem Paradeisgarten, hrsg. v. A.H., 1962. *F. Mayröcker,* Von den Stillen im Lande, 1968. *P. Umfer,* P.G.s ›Grimmingtor‹. Sprache und Stilmittel, Diss. Innsbruck 1979.

Günderrode, Karoline von (Ps. Tian, Ion), * 11. 2. 1780 in Karlsruhe, † 26. 7. 1806 in Winkel am Rhein.

Tochter des Regierungsrats und badischen Kammerherrn Hektor von Günderrode. Wurde nach dem Tod des Vaters 1797 aus Versorgungsgründen auf Drängen der Mutter im Cronstetter-Hynspergischen Stift für adelige Damen zu Frankfurt a.M. aufgenommen. Litt sehr unter dem Stiftsleben und reiste daher häufig zu Freunden und Bekannten. Besonders enge Freundschaft mit Bettina Brentano, später von → Arnim, die ihr 1840 mit dem teils biographischen, teils phantastischen Buch ›Die Günderode‹ ein Denkmal setzte.

Die G. war vielseitig interessiert und beschäftigte sich vor allem mit früh-

gesellschaftlichen (u.a. matriarchalen) Gesellschaftsformen und fremden Kulturen. Ihre Beziehung zu dem Mythologen Friedrich Creuzer, den sie 1804 in Heidelberg kennenlernte, brachte beiden Anregungen für ihre dichterischen bzw. mythologischen Arbeiten. Der unbedingte Anspruch, aus dem heraus sie dichtete, mit dem sie leben und lieben wollte, entfernte sie immer mehr von der Alltagsrealität, was sie letztlich nicht mehr verkraften konnte. Sie tötete sich am Rheinufer mit einem Dolch, den sie schon länger bei sich trug.
K.v.G. schrieb vorwiegend Lyrik, einige Dramen und Prosastücke. Steht mit ihrer Dichtung sowohl der Klassik als auch der Romantik nahe, durch strengen Formwillen bzw. Streben nach einer Synthese von Philosophie, Mythologie und Poesie.

WERKE: (u. d. N. Tian) Gedichte und Phantasien, 1804; Poetische Fragmente, 1806; (u. d. N. Ion) Melete, G. 1806.
BRIEFE: P. Pattloch, Unbekannte Briefe der G. an F. Creuzer. In: Hochland 35 (1937/38) 1, 50–59. W. Rehm, Ein unbekannter Brief der G. an F. Creuzer. In: DVjs 24 (1950), 387–88; F. Creuzer, Briefe an Savigny, hrsg. v. H. Dahlmann, 1972.
WERKAUSGABEN: Gesammelte Dichtungen, hrsg. v. F. Götz, 1857; Gesammelte Werke, hrsg. v. L. Hirschberg, 3 Bd. 1920–1922; Gesammelte Dichtungen, hrsg. v. E. Salomon, 1923; Dichtungen, hrsg. v. L. v. Pigenot, 1923; Auswahl, hrsg. v. F. Kemp, 1947; Ein apokalyptisches Fragment, G. u. Prosa, hrsg. v. H. Blank, 1960; Der Schatten eines Traumes. G., Prosa, Br., Zeugnisse von Zeitgenossen, hrsg., Essay u. eingel. v. C. Wolf, 1979.
NACHLASS: Freies Dt. Hochstift, Frankfurt a.M.; Stadt- u. Universitätsbibliothek, Frankfurt a.M.; Dt. Staatsbibliothek Berlin; Goethe-Museum Frankfurt; Die Nachlässe in der Bundesrepublik Deutschland. Bearb. v. L. Denecke, 2. Aufl., völlig neu bearb. v. T. Brandis, 1981, Nr. 63; Gelehrten- u. Schriftstellernachlässe in der Bibliothek der Dt. Demokrat. Republik 3 (1971), Nr. 340.
LITERATUR: *B. v. Arnim,* Die G., 2 Bd. 1840 (N 1 Bd. 1982). *K. Schwartz,* Geschichte der Familie G. In: Allg. Encyclopädie d. Wiss. u. Künste, begr. v. J.S. Ersch u. J.G. Gruber, Bd. I. 97 (1878), 167–231. *O. Berdrow,* Eine Priesterin der Romantik. (K.v.G.). In: Die Frau 2 (1894/95), 681–88. *L. Geiger,* K.v.G. und ihre Freunde, 1895. *R. Steig,* Zur G. In: Euphorion 2 (1895), 406ff.; 3 (1896), 478ff.; 4 (1897), 358ff.; 6 (1899), 340ff.; 10 (1903), 788ff. *E. Rohde,* F. Creuzer und K.v.G., 1896. *M. Büsching,* Die Reihenfolge der Gedichte der G., Diss. Berlin 1903. *G. Bianquis,* C.de G. 1780–1806. Ouvrage accompagné des lettres inédites, Diss. (?) Paris 1910. *E. Regen,* Die Dramen K.v.G.s, 1910. *K. Preisendanz,* Die Liebe der G., F. Creuzers Br. an K.v.G., 1912. *H. Jahnow,* Friedrich Creuzer und K.v.G. In: Die Frau 27 (1919/20), 75–82. *W. Rehm,* Der Todesgedanke in der deutschen Dichtung, 1928. *O. Heuschele,* K.v.G., 1932. *M. Matheis,* K.v.G., 1934. *R. Wilhelm,* Die G. Dichtung und Schicksal, 1938. *A. Fleckenstein,* K.v.G. In: Hochland 37 (1939/40).

W. Rehm, Über die Gedichte der K.v.G. In: Goethe-Kalender auf das Jahr 1942, 1941, 93–121. *A. Steffen,* K.v.G. Trag., 1946. *R. Wilhelm,* K.v.G. In: Genius 2 (1948/51) 2, 21–35. *M. Peter,* Zwischen Klassik und Romantik. K.v.G. In: Das goldene Tor 4 (1949), 465–73. K.v.G. In: JEGPh. 49 (1950), 496–505. *O. Heuschele,* Leben in der Zeit. In: O.H., Dank an das Leben, 1950, 99–153. *W. Howeg,* K.v.G. und Hölderlin. Diss. Halle 1953 (Masch.). *E. Wallace,* Die G. und Bettina. In: Castrum peregrini (1953) 12, 5–31. *F. Hiebel,* K.v.G. und das Griechenlandbild der dt. Romantik. In: Goetheanum 33 (1954) 18, 138ff. *A. Naumann,* K.v.G. Diss. Berlin FU 1957 (Masch.). *M. Preitz,* K.v.G. in ihrer Umwelt. I. Br. v. Lisette u. Christian Gottfried Nees von Esenbeck, K.v.G., Friedrich Creuzer, Clemens Brentano u. Susanne von Heyden. In: Jb. d. Freien dt. Hochstifts, 1962, 208–306. *M. Brion,* C.v.G. In: M.B., L'Allemagne romantique 1 (1962), 299–343. *M. Preitz,* K.v.G. in ihrer Umwelt. II. K.v.G.s Briefwechsel mit Friedrich Carl und Gunda von Savigny. In: Jb. d. Freien dt. Hochstifts, 1964, 158–235. *M. Glaubrecht,* K.v.G. In: NDB 1966. *D. Hopp u. M. Preitz,* K.v.G. in ihrer Umwelt. III. K.v.G.s Studienbuch. In: Jb. d. Freien dt. Hochstifts, 1975, 223–323. *C. Wolf,* Kein Ort. Nirgends, 1979. *U. Püschel,* Zutrauen kein Unding, Liebe kein Phantom. In: NDL 27 (1979) 7, 134–39 [Rez. ›Kein Ort. Nirgends.‹]. *A. Krättli,* In Telgte und nirgends. Lit.-gesch. als Fiktion bei Günter Grass und Christa Wolf. In: Schweizer Monatshefte 59 (1979), 463–72. *B. Meyer,* »Die Erde ist mir Heimat nicht geworden.« Christa Wolf zu K.v.G. In: Schweizer Monatshefte 59 (1979), 823–30. *R. Burwick,* Liebe und Tod in Leben und Werk der G. In: German Studies Review 3 (1980), 207–24. *U. Krechel,* »Getaumelt in den Räumen des Äthers«. K.v.G. und Friedrich Creuzer. In: Die schwarze Botin (1980) 16, 32–38. *U. Treder,* K.v.G. Gedichte sind Balsam auf unfüllbares Leben. In: Studi dell' Istituto Linguistico 3 (1980), 35–59. *A. Kelletat,* »Die Gestalt der männlichen Göttin«. Johannes Bobrowskis Widmung an K.v.G. In: W. Böhme (Hrsg.), Selbständigkeit und Hingabe. Frauen der Romantik, 1980, 51–61. *W. Kohlschmidt,* Ästhetische Existenz und Leidenschaft. Mythos und Wirklichkeit der K.v.G. In: Zeitwende 51 (1980) 4, 205–16. *B. v. Matt,* Der Schatten eines Traumes. Zur G.-Edition von Christa Wolf. In: Neue Zürcher Ztg. (1980) 85 v. 12./13. 4. 65. *I. Heilmann,* K.v.G. zum 200jährigen Geburtstag. In: Der Literat 22 (1980) 2, 33f. *G.-K. Kaltenbrunner,* K.v.G. In: G.-K. K. Europa. Seine geistigen Quellen in Porträts aus 2 Jt., Bd. 1, 1980, 231–34. *W. Kohlschmidt,* Ästhet. Existenz u. Leidenschaft. Mythos u. Wirklichkeit der K.v.G. In: W. Böhme (Hrsg.), Selbständigkeit und Hingabe. Frauen der Romantik, 1980, 9–20. Planung einer G.-Ausgabe. In: Jb. f. internationale Germanistik 12 (1980), 2 (1981). *S. Ganguli,* Looking for utopia. Christa Wolfs story ›Kein Ort. Nirgends‹. In: German Studies in India 5 (1981), 91–95. *K. Foldenauer,* K.v.G. (1780–1806). In: B. Steiner (Hrsgin.), Kostbarkeiten, 1981, 81–111. *W. Koeppen,* K.v.G. ›Der Luftschiffer‹. In: W.K., Die elenden Skribenten, 1981, 249ff. *A. Tekinay,* Zum Orient-Bild Bettina von Arnims und der jüngeren Romantik. In: Arcadia 16 (1981) 1, 47ff. *C. Wolf,* Kein Ort. Nirgends. Der Schatten eines Traumes. K.v.G. – ein Entwurf, 1981. *F. Hetmann* [d. i. H.-C. Kirsch], Drei Frauen zum Beispiel. Simone Weil, Isabel Burton, K.v.G., 1980. *C. Wolf,* »Der Schatten eines Traumes«. K.v.G. Ein Entwurf. In: C.W., Lesen und Schreiben, 1981, 225–83 [zuerst 1979]. *R.-R. Wuthenow,* Das Hölderlin-Bild im Briefroman ›Die Günderrode‹. In: C. Jamme/O. Pöggeler (Hrsg.), Homburg vor der Höhe in der deutschen Geistesgeschichte. Studien zum Freundeskreis um Hegel und Hölderlin, 1981, 318–30. *U. Krechel,* Die Springflut des Lebendigen. K.v.G.: ›Der Nil‹. In: U.K., Lesarten, 1982, 51–55. *C. Wolf,* »Kultur ist, was gelebt wird.« In: alternative 25 (1982), 118–27. *B. Gajek,* »das rechte Verhältniß der Selbständigkeit zur Hingebung«. Über K.v.G. (1780–1806). In: C. Jamme/O. Pöggeler (Hrsg.), »Frankfurt aber ist der Nabel dieser Erde«. Das Schicksal einer Generation der Goethezeit, 1983, 206–26. *G. Schaaf,* Zum Verhältnis von Leben und Schreiben in B.v.A.s Briefbuch ›Die Günderode‹, Köln 1984 (Magisterarbeit, Masch).

Günther, Agnes, *21. 7. 1863 in Stuttgart, †16. 2. 1911 in Marburg/Lahn.

Tochter der Engländerin Anna Maria Barrell und des Kaufmanns und Bankiers Hermann Otto Breuning. Erhielt in Genf und London die Ausbildung einer »höheren Tochter«. Heiratete 1887 den Stadtpfarrer von Langenburg Rudolf Günther. Zwei Söhne. Zog mit ihm 1906 nach Marburg, wo er als Professor der Theologie tätig wurde. Starb nach langer Krankheit an einem Lungenleiden.

Angeregt durch das Studium alter Urkunden, die ihr Mann während seiner Tätigkeit im hohenlohischen Langenburg aus dem dortigen Schloßarchiv entliehen hatte, schrieb sie zunächst das Drama ›Von der Hexe, die eine Heilige war‹; es wurde 1906 in Schloß Langenburg aufgeführt. Verarbeitete den Stoff dann in ihrem Roman ›Die Heilige und ihr Narr‹, vor dessen Fertigstellung sie verstarb. Das Manuskript blieb zunächst unbeachtet, wurde dann von Pastor K.J. Friedrich überarbeitet, in Kapitel eingeteilt und 1913 veröffentlicht. Der Roman ist mit über 1 Mill. verkaufter Exemplare einer der größten Bucherfolge seit 1900 (140. Aufl. 1982). »Von der literarischen Kritik schon von Erscheinen an als ›süßliches Gartenlaubenerzeugnis‹ abgelehnt und erst jüngst als Musterbeispiel für den ›Deutschen Kitsch‹ herangezogen, ist der Roman wohl gerade wegen dieser Qualitäten und wegen seiner gefühlsbetonten Landschaftsbeschreibungen zeitlos geblieben.« (R. Schlauch, 1966).

Werke a. d. Nachlass: Die Heilige und ihr Narr, R. 2 Bd. 1913 (N 1982); Von der Hexe, die eine Heilige war, Dr. 1913.

Literatur: *J. Hofmiller,* A.G. In: Süddt. Monatshefte 11 (1913/14), 494–502. *K.J. Friedrich,* Die Heilige. Erinnerungen an A.G., 1915. *R. Günther,* A.G. In: Dt. Volkstum, 1929. *R. Günther,* Unter dem Schleier der Gisela. Aus A.G.s Leben und Schaffen, 1932 u. 1936. *A. v. Grolman,* A.G.s Vision. In: Merian 3 (1950/51) 5, 86–90. *C. Riess,* Bestseller. Bücher, die Millionen lesen, 1960. *W. Killy,* Deutscher Kitsch. Ein Versuch mit Beispielen, 1961. *R. Schlauch,* A.G. In: Lebensbilder aus Schwaben und Franken 8 (1962 od. 1963), 363–82. *D. Bayer,* Der triviale Familien- und Liebesroman im 20. Jh., 1963. *R. Schlauch,* A.G. In: NDB 1966. *G. Günther,* Ich denke der alten Zeiten, der vorigen Jahre: A.G. in Briefen, Erinnerungen und Berichten, 1972. *R. Angress,* Sklavenmoral und Infantilismus im Frauen- und Familienroman. In: Popularität und Trivialität. 4. Wisconsin Workshop, hrsg. v. R. Grimm und J. Hermand, 1974, 121–39.

Hahn-Hahn (d.h. verh. Hahn, geb. Hahn), **Ida Gräfin,** * 22. 6. 1805 in Tressow/Mecklenburg, † 12. 1. 1880 in Mainz.
Tochter der Sophie geb. von Behr und deren Vetter, des Grafen Karl Friedrich Hahn-Neuhaus. Seine Theaterpassion (er hatte auf seinem Gut ein Theater eingerichtet) führte zu Vermögensverlusten und zur Trennung der Familie. Die Mutter zog mit den Kindern nach Greifswald, wo sie in bescheidenen Verhältnissen lebten. I. H.-H. erhielt dürftigen Privatunterricht. Heiratete 1826 auf Wunsch der Familie den begüterten Vetter Friedrich Adolf von Hahn-Basedow. Eine (geisteskranke) Tochter (* 1829), die sie zu Pflegeeltern gab. Nach der Scheidung der unglücklichen Beziehung 1829 war sie erstmals auch finanziell unabhängig und wurde literarisch tätig. Lebte seit 1829 in freier Verbindung mit dem Kurländer Adolf Freiherr von Bystram. Ein Sohn (* 1830), den sie in Pflege gab. Bereiste mit Bystram zunächst Deutschland; lebte in Berlin, Dresden, Greifswald, Wien oder Schloß Neuhaus. Hielt sich 1835 wiederholt in der Schweiz auf, 1838/39 in Italien, 1840 in Spanien und Frankreich, 1842 in Skandinavien, 1843/44 im Orient, 1846 in England, Schottland und Irland, 1847 in Italien und Sizilien. 1840 Verlust eines Auges nach einer Operation. Entsetzt über die Revolution 1848 und erschüttert durch den Tod ihres Freundes Bystram im gleichen Jahr, entschloß sie sich zum Übertritt in die katholische Kirche. 1850 legte sie das kath. Glaubensbekenntnis ab (vor Ketteler, dem späteren Mainzer Bischof). Trat 1852 als Novizin in das Mutterhaus des Ordens »Zum guten Hirten« in Angers/Frankreich ein. Gründete 1854 ein Kloster dieser Gemeinschaft in Mainz und lebte dort, ohne Mitglied des Ordens zu werden, bis zu ihrem Tod.
I. H.-H. war zunächst Lyrikerin; schrieb dann zahlreiche Romane, in denen sie die Welt, die sie kannte, das Leben in aristokratischen Kreisen, beschrieb. Zentrales Thema ihrer frühen Romane ist die Situation der Frau und die von ihr erfahrene Unterdrückung und Benachteiligung, ihr Verlangen nach individueller Freiheit und Autonomie des Herzens. Ebenso Verfasserin zahlreicher Reiseberichte. Ihre frühen Werke zeigen Einflüsse der Anschauungen des Jungen Deutschland und der modernen französischen Bildung; ihre nach der Konversion verfaßten Lieder, Romane und Erzählungen, die sehr erfolgreich waren, stehen ganz im Dienst des Glaubens. In ›Von Babylon nach Jerusalem‹ (1851) beschreibt sie ihre eigene Geschichte.

WERKE: Gedichte, 1835; Neue Gedichte, 1836; Venezianische Nächte, 1836; Lieder und Gedichte, 1837; Aus der Gesellschaft, N. 1838 (Neuaufl. u. d. T. Ilda Schönholm, 1845); Astralion. Eine Arabeske, 1839; Der Rechte, 1839; Jenseits der Berge, 1840 (Verm. Neuaufl. 1845); Gräfin Faustine, 1841 (N 1985); Reisebriefe, 2 Bd. 1841; Ulrich, 2 Bd. 1841; Erinnerungen aus und an Frankreich, 2 Bd. 1842; Sigismund Forster, 1843; Die Kinder auf dem Abensberg. Eine Weihnachtsgabe, 1843; Ein Reiseversuch im Norden, 1843; Orientalische Briefe, 3 Bd. 1844; Cecil, 2 Bd. 1844; Die Brüder, R. 1845; Zwei Frauen, R. 2 Bd. 1845; (Vorw.) Lichtstrahlen aus der Gemüthswelt. Zur Erwekkung und Erquickung für Blinde, ges. v. A. Lindau, 1845; Clelia Conti, R. 1846;

Sibylle. Eine Selbstbiogr., 2 Bd. 1846; Levin, R. 1848; Von Babylon nach Jerusalem, 1851; Unsrer Lieben Frau. Marienlieder, 1851; Aus Jerusalem, 1851; Die Liebhaber des Kreuzes, 2 Bd. 1852; Ein Büchlein vom guten Hirten. Eine Weihnachtsgabe, 1853; Das Jahr der Kirche. In G. 1854; (Mithrsgin.) Legende der Heiligen, 3 Bd. 1854–1856; Bilder aus der Geschichte der Kirche, 4 Bd. 1856–1866 (Inhalt: I. Die Märtyrer; II. Die Väter der Wüste; III.–IV. Die Väter der orientalischen Kirche); Maria Regina. Eine E. aus der Gegenwart, 2 Bd. 1860; Doralice. Ein Familiengemälde aus der Gegenwart, 2 Bd. 1861; Vier Lebensbilder. Ein Papst, ein Bischof, ein Priester, ein Jesuit, 1861; Zwei Schwestern. Eine E. aus der Gegenwart, 2 Bd. 1863; Ben-David. Ein Phantasiegemälde von Ernest Renan, 1864; Peregrin, R. 2 Bd. 1864; Eudoxia, die Kaiserin. Ein Zeitgemälde aus dem 5. Jh., 2 Bd. 1867; Die Erbin von Cronenstein, R. 2 Bd. 1869; Die Geschichte eines armen Fräuleins, R. 2 Bd. 1869; Die Glöcknerstochter, R. 2 Bd. 1871; Die Erzählung des Hofraths, R. 2 Bd. 1872; Vergib uns unsere Schuld!, E. 2 Bd. 1874; Nirwana, R. 2 Bd. 1875; Das Leben des heiligen Wendelinus, 1876 (Auszug aus: Bilder aus der Geschichte der Kirche, 1856–1866); Eine reiche Frau, R. 2 Bd. 1877; Der breite Weg und die enge Straße. Eine Familiengesch. 2 Bd. 1877; Wahl und Führung, R. 2 Bd. 1878; Die heilige Zita, Dienstmagd zu Lucca im 13. Jh., 1878.

VERÖFF. A. D. NACHLASS: Briefwechsel der Gräfin I. H.-H. und des Fürsten Pückler-Muskau. In: Briefwechsel des Fürsten Pückler-Muskau I, hrsg. v. L. Assing, 1873; Melchior von Diepenbrocks Briefwechsel mit I. H.-H. vor und nach ihrer Konversion, hrsg. v. A. Nowak, 1931; Meine Reise in England, hrsg. v. B. Goldmann, 1981.

WERKAUSGABEN: Aus der Gesellschaft. Gesamt-Ausg. der Re. bis 1844, 8 Bd. 1845 (Inhalt: I. Ilda Schönholm; II. Der Rechte; III.–IV. Gräfin Faustine; V.–VI. Ulrich; VII. Sigismund Forster; VIII. Cecil); Gesammelte Schriften, 21 Bd. 1851 (enth. die Re. aus der prot. Zeit; erschienen gegen ihren Willen); Lichtstrahlen aus ihren Werken, ausgew. v. H. Keiter, 1881; Gesammelte Werke, hrsg. v. O. v. Schaching, 45 Bd. 1902–1905 (enth. Schriften aus der kath. Zeit).

NACHLASS: W. Frels, Dt. Dichterhss. 1400–1900, III 1934.

BIBLIOGRAPHIE: In: Faustine, ein Roman aus der Biedermeierzeit, hrsg. v. A. Schurig, 1919.

LITERATUR: *J. Schmidt,* I. H.-H. In: J. S., Gesch. d. dt. Nationallit. im 19. Jh. II, 1853, 349–68. *D. A. Rosenthal,* I. G. H.-H. In: D. A. R., Convertitenbilder aus dem 19. Jh., 1866. *J. Kehrein,* I. G. H.-H. In: Biogr.-lit. Lex. I, 1868. *M. Helene,* G. I. H.-H., 1869. *Wurzbach,* Zeitgenossen. I. G. H.-H., 1871. *P. Haffner,* G. I. H.-H. Eine psychologische Studie, 1880. *H. Keiter,* I. G. H.-H.: ein Lebens- und Lit.bild. In: Kath. Studien 5 (1880/81). *H. Gross,* I. H.-H. In: H. G., Deutschlands Dichterinnen und Schriftstellerinnen, 1882, 167–69. *L. Morgenstern,* G. I. H.-H. In: L. M., Die Frauen des 19. Jh.s, 1888–1889, 342–44. *A. Jacoby,* I. G. H.-H. Novellistisches Lebensbild, 1894. *J. Eckardt,* Der ›Rechte‹ der G. I. H.-H. In: Dt. Rundschau, August 1900, 243 f. Erinnerungsblätter aus dem Leben *Luise Mühlbachs,* hrsg. v. L. Ebersberger, 1902, 172 ff. *O. Denk,* I. G. H.-H. Eine biogr.-lit. Skizze, 1903. *R. M. Meyer,* I. G. H.-H. In: ADB XLIX. *M. Schneidewin,* I. G. H.-H. In: Hochland 2 (1904/05). *O. Anthes,* Der Theatergraf, 1922. *K. v. Munster,* Die junge G. H.-H., Diss. Nimwegen 1929.

L. Guntli, Goethezeit und Katholizismus im Werk I. H.-H.s, 1931 (Universitas-Archiv 46). *E. I. Schmid-Jürgens,* I. G. H.-H. Diss. München, Berlin 1933 (Nachdruck 1967). *A. Töpker,* Beziehungen I. H.-H.s zum Menschentum der dt. Romantik. Diss. Münster 1937. *H. Sallenbach,* Die Krise im Lebensgefühl der Frau, Diss. Zürich 1942. *P. Weiglin,* Ein Gelehrter, ein Narr und eine Dame von Welt. In: Dt. Rundschau 76 (1950), 955–62. *A. Baldus,* I. H. In: Begegnung 10 (1955), 324. *M. Kober-Merzbach,* I. H.-H. In: Monatshefte 47 (1955), 27–37. *F. Martini,* I. v. H.-H. In: NDB 1966. *B. Goldmann,* I. H. H. In: Schleswig-Holsteinisches Biograph. Lexikon, Bd. 2, 1971, 160–63. *G. Oberembt,* Individualstil und Konvention im Romanwerk der I. H.-H. In: Lit.wiss. Jb. d. Görres-Gesellschaft N. F. 13 (1972) 233–255. *Ders.,* Eine Erfolgsautorin der Biedermeierzeit. Studien zur zeitgenössischen Rezeption von I. H.-H.s frühen Gesellschaftsromanen. In: Kleine Beitr. zur Droste-Forschung (1972/73), 46–71. *B. Goldmann,* Briefe Diepenbrocks, Försters und Kettelers an I. H.-H. In: Lit.wiss. Jb. N. F. Bd. 13, 1972, 1974, 253–306. *G. Oberembt,* Konfessionelle Belletristik im Spiegel der Kritik. Studien zur Rezeption der kath. Zeitromane I. G. H.-H.s in der 2. Hälfte des 19. Jh.s. In: ebda. 3 (1974/75), 72–106. *G. Lüpke,* I. G. H.-H. Das Lebensbild einer mecklenburgischen Biedermeier-Autorin, 1975. *H. Mayer,* Außenseiter, 1975. *R. Möhrmann,* I. H.-H. In: R. M., Die andere Frau, 1977. *R. Möhrmann* (Hrsgin.), Frauenemanzipation im deutschen Vormärz. Texte und Dokumente, 1978. *B. Goldmann,* I. H.-H. – eine emanzipierte Frau und Schriftstellerin aus dem 19. Jh. In: Jb. f. Heimatkunde im Kreis Plön-Holstein 10 (1980), 36–50. *G. Oberembt,* I. G. H.-H. Weltschmerz und Ultramontanismus. Studien zum Unterhaltungsroman im 19. Jh., 1980. *G. Geiger,* Die befreite Psyche: Emanzipationsansätze im Frühwerk I. H.-H.s (1838–48), 1984 (University Microfilms International, Ann Arbor, Michigan). *B. Goldmann,* I. H.-H. und andere schreibende Frauen des beginnenden 19. Jahrhunderts. In: Frauen sehen ihre Zeit. Katalog zur Literaturausstellung des Landesfrauenbeirates Rheinland-Pfalz, 1984, 13–20.

Haller, Lilli, * 3. 12. 1874 in Kandergrund/Berner Oberland, † 20. 4. 1935 in Zollikon bei Zürich.

Dr. phil. War zwölf Jahre Lehrerin in Rußland, gab zuerst Privatunterricht, unterrichtete dann an einem Mädchengymnasium in Jalta (Krim). Danach Rückkehr in die Schweiz und Lehrerin an der Töchterhandelsschule in Bern. Lebte seit 1920 als freie Schriftstellerin in Zollikon. Schrieb Erzählungen und Biographien aus der Schweizer Kulturgeschichte. Erhielt eine Ehrengabe der Schweizerischen Schillerstiftung.

Werke: Jeremias Gotthelf. Studien zur Erzählungstechnik, Diss. Bern 1906; Die Frau Major, Berner N. 1913; In tiefster russischer Provinz, Nn. 1913; Der Mord auf dem Dorfe. E. aus innerrussischer Provinz, 1918; Sonderlinge, N. 1919; Die Stufe, R. 1923; Julie Bondeli, Monogr. 1924; Landammann Zellweger, 1926; Frau Agathens Sommerhaus. Eine stille Gesch. 1930; Gedichte, 1935.

Übersetzung: Die Briefe von Julie Bondeli an Johann Georg Zimmermann und Leonhard Usteri, 1930 (aus dem Franz.).

Handel-Mazzetti, Enrica Freiin von (Ps. Marien Kind), * 10. 1. 1871 in Wien, † 8. 4. 1955 in Linz.

Tochter der (protestantischen) ungarischen Adeligen Irene geb. Cserghéö von Nemes Tacskánd und des (katholischen) Generalstabshauptmanns Heinrich Freiherr von Handel-Mazzetti, der noch vor ihrer Geburt starb. Erhielt zunächst Privatunterricht durch ihre gebildete Mutter. Besuchte 1886/87 das traditionsreiche St. Pöltener Institut der Englischen Fräulein, wo ihre religiöse Haltung entscheidend geprägt wurde. Kehrte dann nach Wien zurück, wo sie mit der Mutter bis zu deren Tod 1901 zusammenlebte. Studierte dort Sprachen sowie ältere und neuere Literatur. War ab 1888 literarisch tätig, veröffentlichte in verschiedenen Zeitschriften. Seit 1895 Mitarbeiterin und Feuilletonistin bei der ›Wiener Zeitung‹. Zog 1905 nach Steyr, 1911 nach Linz. Lebte dort, während der Nazi-Zeit literarisch verfemt und zunehmend vereinsamt, bis zu ihrem Tod.

Bedeutende Autorin des kath. und hist. Romans. Nach frühen dramatischen und novellistischen Arbeiten hatte sie ihre ersten Erfolge mit der Erzählung ›Meinrad Helmpergers denkwürdiges Jahr‹ (1900) und dann vor allem mit dem Roman ›Jesse und Maria‹ (1906). Beide behandeln eines ihrer bleibenden Hauptthemen: die religiöse Auseinandersetzung zwischen Katholizismus und Protestantismus, dargestellt vor dem Hintergrund historischer Konfliktsituationen, unter Verwendung barock-antithetischer Stilmittel und z.T. naturalistischer Schilderung. Ein weiteres zentrales Thema ist das Motiv der »gottgelobten Jungfrau« (z.B. Rita-Romane). Ihr Werk wurde einerseits als »hoffnungsvolles Zeichen einer neuen Erzählkunst aus katholischem Geiste« (C. Muth) begrüßt, stieß aber in katholischen Kreisen auch auf Kritik wegen seiner Darstellungsweise von Greueltaten sowie der Gewissenskonflikte und Schuldverstrikkung berücksichtigenden Charakterzeichnung.

Werke: Nicht umsonst, Schausp. 1892; Pegasus im Joch oder Die verwunschenen Telegramme, Lustsp. 1895; Talitha, Weihnachtssp. 1896; In terra pax, hominibus bonae voluntatis!, Weihnachtssp. 1899; Meinrad Helmpergers denkwürdiges Jahr, E. 1900 (N 1967); Die wiedereröffnete Himmelsthür, Ostersp. 1900; Der König der Glorie. Eine Kommunions-E. 1901; (MA:) Kleine Opfer, 1901; Prinzessin Herzlieb, 1902; Der Verräter. Fahrlässig getötet, 2 Nn. 1902; Erzählungen, 2 Bd. 1903 (Inhalt: I. Des braven Fiakers Osterfreude. Der Stangelberger Poldl; II. 's Engerl. Dora); Ich mag ihn nicht. E. für die Jugend, 1903; Fahrlässig getötet, N. 1904; Als die Franzosen in St. Pölten waren. Eine Klostergesch. 1904; Skizzen aus Österreich. Artstetten, Lambach, Oberkrainerisches, Regatta, 1904; Der letzte Wille des Herrn Egler. N. aus Alt-Wien, 1904; 's Engerl, E. 1905; Jesse und Maria. Ein R. aus dem Donaulande, 2 Bd. 1906; Ich mag ihn nicht. Vom König, den Dracheneiern und der Prinzessin Caritas, 1906; Novellen, 1907; Historische Novellen, 1908; Deutsches Recht und andere Gedichte, 1908; Acht geistliche Lieder, 1909; Sophie Barat. Gedenkblatt zu ihrer Seligsprechungsfeier, 1910; Novellenbuch, 1910; Erzählungen und Skizzen, hrsg. v. J. Eckardt, 1910; Imperatori. Fünf Kaiserlieder, 1910; Die arme Margaret. Ein Volks-R. aus dem alten Steyr, 1910 (N 1982); Geistige Werdejahre, Dr. u. Ep. 2 Bd. 1911–1912; Geschichten. Einige ernste und viele lustige, 1912; Napoleon II. und andere Dichtungen, 1912; Stephana Schwertner. Ein Steyrer R. 3 Bd. 1912–1914 (Inhalt: I. Unter dem Richter von Steyr, 1912; II. Das Geheimnis des Königs,

1913; III. Jungfrau und Martyrin, 1914); (MA:) Als unsere großen Dichterinnen noch kleine Mädchen waren, 1912; Weihnachts- und Krippenspiele, 1912; Brüderlein und Schwesterlein. Ein Wiener R., 1913 (Schulausg. u. d. T. Die Kreuzesbraut, 1917); Gebet um Beendigung des Völkerkrieges, 1914; Ritas Briefe, 5 Bd. 1915–1921; Friedensgebet, 1915; Der Blumenteufel. Bilder aus dem Reservespital Staatsgymnasium in Linz, 1916; (MA:) Die Liebe ist stärker als der Tod, 1916; (MA:) Unter dem österreichischen Roten Kreuz. Dornbekränztes Heldentum, 1917; Ilko Smutniak, der Ulan. Der R. eines Ruthenen, 1917; Der deutsche Held, 1920 (Neuausg. u. d. T. Karl von Aspern, Österreichs Held, R. 1948); Caritas. Die schönsten En. Ein dt. Jugend- und Volksbuch, 1922; Ich kauf ein Mohrenkind, Weihnachtssp. 1922; Die Leiden eines Kindes, Weihnachtssp. 1922; Des Christen Wunderschau in der heiligen Nacht, Weihnachtssp. 1922; Talitha, Weihnachtssp. Christkindleins Abschied, Krippensp. 1922; Ritas Vermächtnis, R. 1922; Das Rosenwunder, R. 3 Bd. 1924–1926 (Inhalt: I. Das Rosenwunder, 1924; II. Deutsche Passion, 1925; III. Das Blutzeugnis, 1926) (Neuaufl. u. d. T. Sand-Trilogie, 3 Bd. 1934); Seine Tochter, E. 1926; Auswahl und Einführung von Johannes Maria Fischer, 1926; Johann Christian Günther, R. 1927; Frau Maria. Ein R. aus der Zeit Augusts des Starken, 3 Bd. 1929–1931 (Inhalt: I. Das Spiel von den zehn Jungfrauen, 1929; II. Das Reformationsfest, 1930; III. Die Hochzeit von Quedlinburg, 1931); Weg in den Herbst, R. 1931; (Hrsgin.) L. Arthofer, Zuchthaus. Aufzeichnungen des Seelsorgers einer Strafanstalt, 1933; Die Heimat meiner Kunst, 1934; Christiana Kotzebue, N. 1934; Die Waxenbergerin. R. aus dem Kampfjahr 1683, 1934; An alle Freunde meiner Kunst, 1936; Der edle Baum von Ried, 1937; Das heilige Licht. Mein Dank an den mexikanischen Märtyrer P. Miguel, E. 1938; Graf Reichard. R. aus dem dt. Siegesjahr 1691, 2 Bd. 1939–1940 (Inhalt: I. Graf Reichard, der Held vom Eisernen Tor, 1939; II. Im stillen Linz, 1940); Karl Ludwig Sand, R. 1946; Meine Beziehungen zur Schweiz. In: Vaterland (1947) 18; Der Stanglberger Poldl,

1947; (Mithrsgin.) Kleine Festgabe. Franz Berger zum 75. Geb., 1949; Günther, der Schlesier, 1949 (N 1964); Renate von Natzmer. Eine Paralleldichtung zu Schillers ›Kindsmörderin‹, 1951.

Briefe: Der Dichterin stiller Garten. Briefwechsel m. M. v. Ebner-Eschenbach, hrsg. v. J. Mumbauer, 1918.

Veröff. a. d. Nachlass: Ein groß Ding ist die Liebe, hrsg. v. K. Vancsa, 1958; ... und nie geschah mir das, hrsg. v. K. Vancsa, 1958; Günthers Tod, R.fragment, hrsg. v. K. Vancsa, 1958 (N 1979, hrsg. v. F. Israel).

Nachlass: Bundesstaatliche Studienbibliothek Linz/Teilstücke im Goethe-Schillerarchiv Weimar.

Literatur: *C. Muth,* Jesse und Maria. In: Hochland 3 (1905/06). *E. Korrodi,* E. v. H.-M. Die Persönlichkeit und ihr Dichterwerk, 1909. *M. Anklin,* E. v. H.-M. und Karl Schönherr, 1911. *F. Ekkardt,* Zum Feldzuge gegen E. v. H.-M. In: Allg. Rundschau 8 (1911). *J. Eckart,* E. v. H.-M. geistige Werdejahre, 1911. *E. Korrodi,* E. v. H.-M. und der deutsche historische Roman. In: Zs. f. dt. Unterricht 25 (1911), 5 ff. *J. Rodenberg,* Briefe über einen deutschen Roman (an E. v. H.-M.), 1911. *B. Schmitz,* Die Gedichtsammlung von E. v. H.-M. In: Zs. f. dt. Unterricht 25 (1911). *J. Fischer,* E. v. H.-M. Mitteilungen der literarisch-historischen Gesellschaft Bonn, 1912. *W. Schumann,* ›Stephana

Schwertner‹. In: Das lit. Echo 17 (1914/15), 137ff. *M. Carnot,* Eine H.-M.-Studie. In: Der Gral 14 (1920). *T. Lindner,* E. v.H.-M. In: Allg. Rundschau 18 (1921). *J. Mumbauer,* Zu E. v.H.-M.s Fünfzigstem. In: Literarischer Handweiser 57 (1921). *H. Brecka,* Die H.-M. In: Wiener lit. Anstalt. Die Wiedergabe, Reihe 2, Bd. 8, 1923. *B. W. Speekmann,* Quellen und Komposition der Trilogie ›Stephana Schwertner‹, Diss. Groningen 1924. *J. M. Fischer,* E. v.H.-M. Auswahl und Einführung, 1926. *J. Kröckel,* Das Kompositionsgesetz in den Romanen E. v.H.-M.s. Diss. Frankfurt 1926 (Masch.). *B. Speekmann,* H.-M.s laatste werken, 1928. H.-M.-Almanach des Verlages Kösel und Pustet, 1929. *J. Mumbauer,* H.-M.s Roman ›Frau Maria‹. In: Literarischer Handweiser 66 (1929/30). *P. Siebertz* (Hrsg.), E. v.H.-M.s Persönlichkeit und Werk, 1930. *W. Kosch,* H.-M.s Nachsommer. In: Der Wächter 13 (1931). *Krackowizer-Berger,* E. v.H.-M. In: Biogr. Lex. d. Landes Österreich ob der Enns, 1931. *T. Münckel,* Die archaisierenden Stilmittel der Erzählkunst der H.-M., Diss. Frankfurt 1931 (Masch.). *H. Nöbauer u. a.,* E. v.H.-M. Festschrift der kath. Schulblätter, 1931. *J. v. Stockhausen,* H.-M. In: Münchner Neueste Nachrichten (1931) 9. *H. Schnee,* E. Freiin v.H.-M. Großdeutsche Dichterin, 1934. *K. Vancsa,* E. v.H.-M. In: Unsere Heimat N.F. 4 (1941). *A. A. Hemmen,* The concept of religious tolerance in the novels of H.-M., Diss. Michigan 1945 (1946). *F. Berger u. K. Vancsa* (Hrsg.), E. v.H.-M. Festschrift zur 75. Jahrfeier, 1946. *A. Hemmen,* E. v.H.-M. ad multos annos. In: Monatshefte f. dt. Unterricht 38 (1946), 449–62. *E. Salzer,* ›Johann Christian Günther‹ von E. v.H.-M., Diss. Wien 1946 (Masch.). *M. Enzinger,* Blick in die Werkstatt. Zur Symbolik des Schauspiels in den Romanen E. v.H.-M.s In: Österreichische Furche, 1951. *K. Vancsa* (Hrsg.), E. v.H.-M.: eine Dokumentenschau, als Führer durch die Ausstellung der Studienbibliothek Linz, 1951. *M. Söllner,* Die Motive in E. v.H.-M.s Werk, Diss. Wien 1953 (Masch.). *W. Pfeiffer-Belli,* E. v.H.-M. In: Begegnung 10 (1955), 138f. *K. Vancsa,* In memoriam E. v.H.-M., 1955. *J. E. Bourgois,* Ecclesiastical characters in the novels of E. v.H.-M., Diss. Cincinnati 1956/Diss. Abstracts 16 (1956) 2155. *N. Langer,* E. v.H.-M. In: N.L., Dichter aus Österreich, 2.F. (1957), 56ff. *K. Vancsa,* Nur ein Zettel. Aus dem E. v.H.-M.-Archiv der Bundesstaatlichen Studienbibliothek Linz. In: Jb. f. Landeskunde von Niederösterreich, N.F. 34 (1959/60), 226ff. *J. E. Bourgois,* E. v.H.-M.s tribute to Schiller. In: Monatshefte f. dt. Unterricht 51 (1959), 313ff. *H. Rieder,* E. v.H.-M. In: Wort in der Zeit 5 (1959) 12, 2ff. *K. Vancsa,* Von der Notwendigkeit einer H.-M.-Biographie. In: Literarisches Oberösterreich (1963/64), 35–37. *K. Vancsa,* E. v.H.-M. In: NDB 1966. *W. Grenzmann,* E. v.H.-M. In: Hdb. d. dt. Gegenwartslit. I, (^{2}1969), 263f. *M. Enzinger,* E. v.H.-M. Gedächtnisschrift zu ihrem 100. Geb. In: Adalbert Stifter-Institut des Landes Oberösterreich. Vierteljahresschrift 20 (1971), 9–50. *M. Enzinger,* Schriften von und über E. v.H.-M. In: ebda. 20 (1971), 51–55. *H. Gleißner,* E. v.H.-M. In: ebda. 20 (1971), 5. *J. Fellinger,* E. v.H.-M. In: ebda. 20 (1971), 7. *B. Doppler,* Möglichkeiten eines H.-M.-Archivs. In: ebda. 26 (1977), 41–62. *Ders.,* Vom ›Waisenkind‹ bis zur ›Deutschen Rundschau‹. Publikationsorgane katholischer Schriftsteller zwischen 1890 und 1918 am Beispiel E. v.H.-M. In: Österreich in Gesch. u. Lit. 21 (1977), 304–20. *Ders.,* Am Beispiel H.-M. Beobachtungen zur katholischen Literaturbewegung in Österreich (1890–1920), Diss. Innsbruck 1978 (Masch.). *Ders.,* Katholische Literatur und Literaturpolitik. E. v.H.-M., eine Fallstudie, 1980. *Ders.,* Die Relevanz des Autors ohne relevante Autorbotschaft. Zu einer Möglichkeit der wiss. Erschließung massenhaft verbreiteter Lit. am Beispiel der kath. Schriftstellerin E. v.H.-M. In: Zehn Jahre Universität Klagenfurt. Forschungsperspektiven, 1980, 311–19. *L. E. Kurth-Voigt* [zu B. Doppler: Kath. Lit. und Literaturpolitik. E. v.H.-M.] In: JEGPh 81 (1982) 4, 538ff. *W. Meridies,* Johann Christian Günther als Dramen- und Romanfigur. In: Schlesien 27 (1982) 1, 17–25 [zu O.J. Bierbaum, E.G. Seeliger, Klabund, R. Hohlbaum, E. v.H.-M.]. *C.H. Watzinger,* Michael Blümlhuber, E. v.H.-M., Moriz Enzinger. Schöpferische Begegnungen jenseits der Zeitgeschichte. Biographien, 1982.

Hanke, Henriette, * 24. 6. 1785 in Jauer/Schlesien, † 15. 7. 1862 ebda. Tochter des Kaufmanns Johann Jacob Arndt. Heiratete 1814 als dritte Frau den Pastor Gottfried Hanke in Dyhrnfurth/Oder. Mußte nach dessen Tod 1819 den Unterhalt für die fünf Kinder aus seinen früheren Ehen aufbringen, was ihr mit Hilfe des Schriftstellerinnenberufs auch gelang. – Unterhaltungsschriftstellerin. Bevorzugte die Darstellung einfacher Familienverhältnisse und thematisierte häufig »Entsagung oder Verlust teurer Güter und Ersatz durch inneren eigenen Wert« (ADB). Die Ausgabe ihrer sämtlichen Schriften umfaßt 126 Bände.

WERKE: Die Pflegetöchter, 1821 (^{2}umgearb. Aufl. 1832); Die zwölf Monate des Jahres. In 12 En., 2 Bd. 1821–1822 (^{2}verb. Aufl. 1833); Das Jagdschloß Diana und Wally's Garten, 2 En. 1822 (^{2}verb. Aufl. 1836); Bilder des Herzens und der Welt. In En. 4 Bd. 1822–1825 (^{2}verb. Aufl. des 1. Bds. 1832; Neuausg. 6 Bd. 1827); Claudie, R. 3 Bd. 1823; Der Christbaum, E. 1824; Die Freundinnen, R. 3 Bd. 1825–1826; Blumenkranz für Freundinnen der Natur in Erzählungen, 1. Slg. 1827; Die Familie Jacobi. Ein häusliches Gemälde, 2 Bd. 1827; Erholungsstunden. Eine Slg. kleiner En. 1828; Die Perlen, R. 2 Bd. 1828; Vergeltungen. Erzählend dargestellt, 2 Bd. 1829–1830; Die Schwiegermutter, R. 2 Bd. 1830; Der letzte Wille, E. 1830; Die Schriftstellerin und der Schutzpatron, 2 En. 1831; Die Schwester. Seitenstück zur Schwiegermutter, 2 Bd. 1831; Tante und Nichte. Die dritte Frau, 2 En. 1832; Elisabeth, E. 1833; Die Witwen, R. 1833–1834; Der Colibri und die Ruine, 2 En. 1835; Die Schwägerinnen, R. 2 Bd. 1835–1836; Der Brief. Minna. Der Barmherzige, 3 En. 1837; Der Schmuck. In Br. Seitenstück zu den Perlen, 3 Bd. 1837–1838; Ehen werden im Himmel geschlossen, R. 2 Bd. 1840; Herbstblätter. In drei En. 1841; Der Braut Tagebuch, 1841; Der Frau Tagebuch, 1842; Polterabend-Scenen und Aufzüge. Nebst vermischten G. 1843; Meine Hausgötter. Eine Slg. kleiner Aufsätze, 1844; Elfriede, R. 2 Bd. 1846; Die Tochter des Pietisten, R. 2 Bd. 1847; Eine schlesische Gutsfrau und ihre Angehörigen, R. 2 Bd. 1850; Ein stilles Hauswesen, 2 Bd. 1853; Mein Wintergarten. Schilderungen aus dem Leben, 1854–1857.

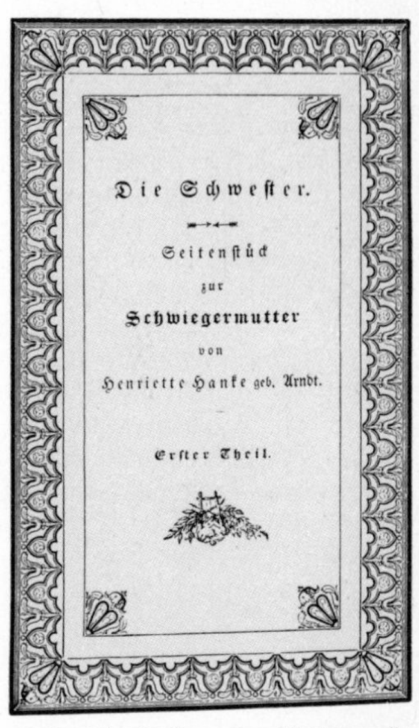
Die Schwester.

Seitenstück

zur

Schwiegermutter

von

Henriette Hanke geb. Arndt.

Erster Theil.

WERKAUSGABEN: Sämmtliche Schriften (Ausg. letzter Hand) 126 Bd. 1841–1857.

LITERATUR: *Palm,* H.H. In: ADB X.

Harbou, Thea (Gabriele) von, * 27. 12. 1888 in Tauperlitz bei Hof, † 1. 7. 1954 in Berlin.

Tochter der Clotilde Constance geb. d'Alinge und des Forstmeisters Theodor von Harbou. Wuchs auf dem Gut Vogelsang in der sächsischen Schweiz auf und besuchte anschließend das Luisenstift in Lößnitz bei Dresden. Wurde schon sehr früh schriftstellerisch tätig. Schrieb zunächst Gedichte, die von einigen ihrer Freunde 1902 veröffentlicht wurden. Drei Jahre später erschien ihr erster Roman. Debütierte nach ihrer Schulausbildung 1906 am Düsseldorfer Schauspielhaus. Wurde danach in Weimar, Chemnitz und Aachen engagiert. Wandte sich schließlich ganz der literarischen Arbeit zu. Schrieb u. a. »vaterländische Prosa« (›Der Krieg und die Frauen‹). Lebte ab 1917 in Berlin, wo sie für Joe May ihr erstes Drehbuch mit dem Titel ›Die Liebe von Hette Raimond‹ verfaßte. Lernte 1918 durch die May-Film GmbH Fritz Lang kennen, den sie 1921 in zweiter Ehe heiratete. Schrieb für ihn von 1922–1933 alle Drehbücher, z. T. nach ihren Romanen. Arbeitete außerdem für die Regisseure Joe May, F. W. Murnau, Carl Th. Dreyer und Arthur v. Gerlach. Während Lang 1933 emigrierte, blieb sie in Deutschland und gehörte im Dritten Reich zu den meistbeschäftigten Drehbuchautoren.

Schrieb spannende, romantisch-abenteuerliche Unterhaltungsromane (›Das indische Grabmal‹), Science fiction (›Metropolis‹, ›Die Frau im Mond‹). »H. verzichtete in ihren Romanen auf Psychologie und Charakterzeichnung zugunsten einer schwülstig pathetischen Seelenschilderung und eines packenden Handlungsablaufs.« (R. Burgmer) Als Drehbuchautorin hatte sie entscheidenden Einfluß auf den deutschen Film. Der »architektonisch strenge, teils phantastische und legendenhafte Stil« der Stummfilme Fritz Langs wurde von ihr entscheidend mitbestimmt (›Die Nibelungen‹, ›M‹).

WERKE: Gedichte, 1902; Wenn's Morgen wird, R. 1905; Weimar, ein Sommertagstraum; Tiefurt, Memoiren eines Sonnenstrahls; Belvedere, in einer Vollmondnacht. Drei Märchendichtungen, 1908; Die nach uns kommen, R. 1910; Der Krieg und die Frauen, Nn. 1913; Von Engeln und Teufelchen, Märchen 1913; Deutsche Frauen, Nn. 1914; Der unsterbliche Acker, Kriegs-R. 1915; Die junge Wacht am Rhein!, 1915; Die Masken des Todes. Sieben Gesch. in einer, 1915; Das Mondscheinprinzeßchen, 1916; Die Flucht der Beate Hoyermann, R. 1916; Gold im Feuer. E. für junge Mädchen, 1916; Aus Abend und Morgen ein neuer Tag, E. 1916; Die deutsche Frau im Weltkrieg, 1916; Das indische Grabmal, R. 1917 (Drehbuch 1921); Adrian Drost und sein Land, R. 1918; Sonderbare Heilige, 10 Nn. 1919; Das Haus ohne Türen und Fenster, R. 1920; Die unheilige Dreifaltig-

keit, 1920; Legenden, 1920; Das Nibelungenbuch, 1921 (Drehbuch 1924); Metropolis, R. 1926, engl. 1927, franz. 1928 (?) (Drehbuch 1926); Die Insel der Unsterblichen, R. 1926; Spione, R. 1928, engl. 1928, franz. 1929 (Drehbuch 1928); Mann zwischen Frauen, Nn. 1927; Die Frau im Mond, R. 1929, engl. 1930, franz. 1929 (Drehbuch 1929); Du bist unmöglich, Jo!, R. 1931; Liebesbriefe aus St. Florin, N. 1935; Aufblühender Lotos, R. 1941; Der Dieb von Bagdad, 1949; Gartenstraße 64, 1952.

Weitere Drehbücher: Die hl. Simplicia, 1920; Das wandelnde Bild, 1920 (mit F. Lang); Der müde Tod, 1921 (mit F. Lang); Der brennende Acker 1922 (mit W. Haas und A. Rosen); Dr. Mabuse, 1922; Phantom, 1922; Die Austreibung, 1923; Michael, 1924 (mit C.Th. Dreyer); Zur Chronik v. Grieshuus, 1925; M, 1931; Das Testament d. Dr. Mabuse, 1933; Der alte u.d. junge König, 1935 (mit R. Lauckner); Ein idealer Gatte, 1935; Der Herrscher, 1937 (mit C.J. Braun); Der zerbrochene Krug, 1937; Verwehte Spuren, 1938 (mit F. Lützkendorf u. V. Harlan); Hurra! Ich bin Papa, 1939; Annelie, 1941; Die Gattin, 1943; Via mala, 1945; Dr. Holl, 1951; Dein Herz ist meine Heimat, 1953.

Literatur: *H. Jahn,* T.v.H., Schriftstellerin. In: Ochsenkopf 2 (1955). *A. Eibel,* Fritz Lang, Paris 1964. *L.H. Eisner,* F.W. Murnau, [Paris] 1964. Glenzdorfs Internationales Filmlexikon I (1960), 598f. *S. Gittleman,* Fritz Lang's ›Metropolis‹ and Georg Kaiser's ›Gas I‹: film, literature, and the crisis of technology. In: Die Unterrichtspraxis 12 (1979) 2, 27–30. *R. Burgmer,* T.v.H. In: NDB 1966.

Harder, Agnes, * 24. 3. 1864 in Königsberg, † 7. 2. 1939 in Berlin.
Tochter der Luise geb. Keßler und des Juristen und späteren Landgerichtspräsidenten Harder in Stargard und Königsberg. Besuchte 1881–1883 das Lehrerinnenseminar in Elbing. War danach mehrere Jahre als Erzieherin tätig. Unternahm dann ausgedehnte Reisen nach England, Frankreich, Italien und in den Vorderen Orient. Die dort gewonnenen Eindrücke setzte sie in Feuilletons für die ›Magdeburger Zeitung‹ um. Schrieb ab 1891 zahlreiche Romane, Novellen, Erzählungen und Jugendbücher. Schilderte vorwiegend Familienschicksale und Frauenleben, vor allem in der ostpreußischen Heimat, gelegentlich auch Zeitgeschichtliches (›Die Präsidentin‹, 1919).

Werke: Erkämpft, R. 1893; Sommervögel. Eine launige Sommergesch. 1895; Mein Gummimännchen. Aus heiteren Stunden, 1896 (Neuausg. u. d. T. Aus heiteren Stunden, Humoresken 1898); Doktor Eisenbart, Familien-R. 1897; Stille Helden, R. 1898; Im Kaleidoskop, R. 3 Bd. 1899; … und hätten der Liebe nicht, 3 Nn. 1900; Wider den gelben Drachen. Abenteuer und Fahrten zweier junger Helden im Lande der Boxer, 1900; Im Wunderlande Italien. Reisen und Studien deutscher Jünglinge, 1902; Engelchen und Bengelchen. Ein Buch für junge Mädchen und junge Mütter, 1903 (2. Tl. u. d. T. Bredablick, 1906); Nach Amerika durchgebrannt. Eine wahre Gesch. 1903; Unter goldenem Joch. R. aus der Gesellschaft, 1904; Thönerne Füße. Die Gesch. einer Enttäuschung, 1904; Siebenschläfer, R. 1904; Irdische und himmlische Liebe, R. 1905; Liebe, 1905; Rahel Baldbereit, N. 1907; Vom Rain des Lebens, G. 1907; Frau Maja, R. 1909; Anno dazumal. R. aus dem Ostpreußen der vierziger Jahre, 1910; Capri und der Golf von Neapel, 1911; Die heilige Riza. Der R. eines Herzens, 1912; Der blonde Schopf und seine Freier, R. 1913; Erbsünde, R. 1914; Franzinens Geschichte, R. 1914; Das trautste Mariellchen, E. 1915; Gottesurteil, R. 1915; (Hrsgin.) Unsere Helden. Ein Buch der Dankbarkeit und Verehrung dt. Frauen, 1915; Stille Opfer. Den dt. Frauen und Jungfrauen in großer Zeit, 1915; Schlumski. Eine Hunde- und Menschengesch., 1916; Alltag, R. 1917; Alle miteinander. Neues vom trautsten Mariellchen, E. 1918; Die goldene Otti. Eine Schloßgesch., 1918; Glück ohne Ruh', R. 1919; Alas. Eine Eisbärengesch. 1919; Die Präsidentin, Zeit-R. 1919; Lydia, R. 1919; Was sollen unsere jungen Mädchen lesen? Ein lit. Führer, 1919; Die Kinder Thors, R. 1921; (MA:) Erschaut – erwandert, 1921; Himmelgarten. R. eines bürgerl. Hauses, 1922; Das brennende Herz. Dichtungen in Prosa, 1922; Leiden und Träumen, N. 1922; Seines Herren Sohn, R. 1924; Die kleine Stadt. Aus meinen Kindertagen, 1927; Neue Kinder alter Erde, Ostpreußen-R. 1933; Das unschuldige Blut, R. 1937; Das liebe Leben, R. 1937; Der Liebling der Götter, R. 1938; Der Erbe von Rauschnicken, R. 1939.

LITERATUR: *P. Wittko,* Die Ostpreußin in A.H. In: Ostdt. Abh. 19 (1939). *Eisermann,* A.H. In: Altpreuß. Biogr., Bd. 1, 1941. *G. Wilhelm,* A.H. In: NDB 1966.

Hartlaub, Geno(veva) (Ps. Muriel Castorp), * 7. 6. 1915 in Mannheim. Ihr Vater war der Kunsthistoriker G. F. Hartlaub. Besuchte die Odenwaldschule. Erhielt 1935 aus politischen Gründen keine Studienerlaubnis. Der Vater war 1933 aus dem Hochschulamt entlassen worden. Nach kaufmännischer Lehre Tätigkeit als Auslandskorrespondentin in Frankfurt. 1938 Aufenthalt in Italien. 1939 Dienstverpflichtung zur Wehrmacht. Später Stabshelferin und ein halbes Jahr norwegische Kriegsgefangenschaft. Seit Anfang der 40er Jahre Veröffentlichung erzählerischer Werke. Nach dem Krieg Lektorin in Heidelberg bei der Zeitschrift ›Die Wandlung‹ (1945–48). Danach freie Lektorin und seit 1956 Redakteurin der Hamburger Wochenzeitung ›Sonntagsblatt‹. Edierte das Werk ihres Bruders Felix Hartlaub. Lebt in Hamburg.
Schreibt Romane und Erzählungen, Essays, Hörspiele. Prägende Elemente vor allem ihres frühen Werks sind Psychologie, Mythos, Einbezug des Phantastischen, so in den Entwicklungsromanen ›Noch im Traum‹, ›Anselm, der Lehrling‹, ebenso in den Beiträgen zur Psychologie der Geschlechter, wie ›Die Tauben von San Marco‹, ›Der Mond hat Durst‹. In späteren Werken Hinwendung zur realistischen Darstellung von Nazi-Zeit, unbewältigter Vergangenheit und Gegenwartsthemen (›Lokaltermin Feenteich‹, ›Muriel‹).

WERKE: Die Entführung. Eine Gesch. aus Neapel, 1941; Noch im Traum. Gesch. des jungen Jakob Stellrecht, R. 1943; Anselm, der Lehrling. Ein phantastischer R. 1947; Die Kindsräuberin, N. 1947; (Hrsgin.) Scheherezade erzählt. Unbekannte Geschichten aus 1001 Nacht, 1949; (Hrsgin.) F. Hartlaub, Von unten gesehen. Impressionen und Aufzeichnungen des Obergefreiten F.H., 1950 (erw. Aufl. u.d.T. Im Sperrkreis. Aufzeichnungen aus dem 2. Weltkrieg, 1955); Integer vitae... Zu vier Prosawerken von Stefan Andres. In: Thema. Zs. für die Einheit der Kultur (1950) 7, 29–31; Die Stützen des

Chefs, Hörsp. 1951 (1953); Der große Wagen, R. 1954; (Hrsgin.) F. Hartlaub, Das Gesamtwerk. Dichtungen, Tagebücher. Auf Grund der Originalhandschrift hrsg., 1955; (Mithrsgin.) Felix Hartlaub in seinen Briefen, 1958 (N 1966); Windstille vor Concador, R. 1958; Das verhexte ABC, Kinder-Hörsp. 1959; Melanie und die gute Fee, Kinder-Hörsp. 1959; Novalis. In: J. Petersen (Hrsg.), Triffst du nur das Zauberwort. Stimmen von heute zur dt. Lyrik (1961), 68–80; Gefangene der Nacht, R. 1961; Mütter und ihre Kinder. Die Mutterdarstellung in der bildenden Kunst, 1962; Der Mond hat Durst, E. 1963; (Hrsgin.) Clemens Brentano. Werke in einem Band, 1964; Die Schafe der Königin, R. 1964; Der zerschnittene Himmel. Dt. Liebeslyrik der Gegenwart. In: Eckart-Jb. (1964/65), 165–74; Unterwegs nach Samarkand. Eine Reise durch die Sowjetunion, 1965; Nicht jeder ist Odysseus, R. 1967; Rot heißt auch schön, E. 1969; Eine Frau allein in Paris, E. 1970; (MA:) Vorletzte Worte. Dt. Schriftsteller schreiben ihren eigenen Nachruf, hrsg. von K. H. Kramberg, 1970; Leben mit dem Sex, 1970 (u. d. N. Muriel Castorp); Vorstellung. In: Dt. Ak. für Sprache und Dichtung. Jb. (1970), 85f.; (MA:) Diese Kunst einem Geburtstag zu huldigen. In: Insel Almanach auf das Jahr 1971, hrsg. von H. Bender für M. L. Kaschnitz, 43–65; Lokaltermin Feenteich, R. 1972 (N 1981); Phantasie und Drogen. In: Neue Rundschau 83 (1972), 574–84; Wer die Erde küßt. Orte, Menschen, Jahre, 1975 (überarb. Neuausg. u.d.T. Sprung über den Schatten. Orte, Menschen, Jahre, 1984); Gedenkwort für H. E. Nossack. In: Dt. Ak. für Sprache und Dichtung. Jb. 1977 (1978), 170ff.; Das Gör, R. 1980 (N 1982); (MA:) Der Hunger nach Erfahrung. Frauen nach '45, hrsg. von I. Stolten, 1981; Antifaschistische Literatur im »Dritten Reich«. In: Sammlung. Jb. für antifaschistische Lit. und Kunst 5 (1982), 16ff.; Georg Trakl: Die schöne Stadt. In: Frankfurter Anthologie, Bd. 6, 1982, 183–87; Freue dich, du bist eine Frau. Briefe der Priscilla, 1983. Muriel, R. 1985. Die Monduhr, Hörsp. o.J.

Übersetzungen: (Mitübers.) Ugo Betti, Im Schatten der Piera Alta, 1951; (Mitübers.) Jean Genet, Unter Aufsicht. Die Zofen. Der Balkon, 1960; Guido Cavani, Zebio Cotal, 1964.

Literatur: [Zu: Gefangene der Nacht]. In: Der Spiegel 15 (1961) 49. *H. Liepman,* Mensch in namenloser Stadt. [Zu: Gefangene der Nacht]. In: Die Welt. Überparteiliche Ztg. für die gesamte britische Zone vom 11.11. 1961. *K. Schäffer,* Mit den alten Farben. Renaissance des Expressionismus in der neuen Prosa. In: Der Monat. Eine internationale Zs. 14 (1961/62) 167. *H.-J. H.,* [Zu: Gefangene der Nacht]. In: Konkret (1962) 6. *J. Manthey,* Unsere blasse Stadt. [Zu: Gefangene der Nacht]. In: Frankfurter Hefte 17 (1962). *W. Wien,* Zur schlechten Nacht. [Zu: Gefangene der Nacht]. In: Tagesspiegel vom 19. 8. 1962. [Zu: Die Schafe der Königin]. In: Der Spiegel 18 (1964) 40. *E. M. Röder,* Die Großen in den Augen der Knechte. [Zu: Die Schafe der Königin]. In: Welt der Lit. 1 (1964) 18. *E. H.,* Dreimal G. H. In: Die Andere Ztg. Die krit. Wochenztg. der Linken 11 (1965) 38. *K. Krolow,* Irrfahrten zu sich selber. [Zu: Nicht jeder ist Odysseus]. In Süddt. Ztg. vom 11. 10. 1967. *M. Meller,* In der Maske des Fremden. [Zu: Nicht jeder ist Odysseus]. In: Christ und Welt 20 (1967) 47. *C. Rotzoll,* Vermißt. [Zu: Nicht jeder ist Odysseus]. In: FAZ vom 14. 10. 1967. *J. P. Wallmann,* Nicht jeder ist Homer. [Zu: Nicht jeder ist Odysseus]. In: Tagesspiegel vom 17. 9. 1967. *CF,* Erzählungen von G. H. In: Die Welt der Lit. 6 (1969) 25. *K. Krolow,* Auf einmal ist alles wieder da. [Zu: Rot heißt auch schön]. In: Süddt. Ztg. vom 27./28. 9. 1969. *W. Wien,* Um die Fünfzig – was nun schreiben? [Zu: Rot heißt auch schön]. In: Die Bücherkommentare 18 (1969) 3. *J. Eyssen,* Ohne Illusionen. [Zu: Rot heißt auch schön]. In: FAZ vom 13. 1. 1970. *H. Stahl,* Skepsis und Melancholie. [Zu: Rot heißt auch schön]. In: Tagesspiegel vom 1. 2. 1970. *R. Hartung,* Fast ein Kriminalroman. [Zu: Lokaltermin Feenteich]. In: FAZ vom 2. 10. 1972. *E. Horst,* Abrechnung mit den Vätern. [Zu: Lokaltermin Feenteich]. In: Die Bücherkommentare 21 (1972) 1.

Hartwig, Mela, * 10. 10. 1893 in Wien, † 24. 4. 1967 in London.
Ihr Vater war der Soziologe Prof. Theodor Hartwig. Lehrerin; Schauspielerin in Österreich, dann am Schillertheater in Berlin. 1921 Eheschließung mit dem Rechtsanwalt Dr. Robert Spira. Lebte mit ihm in Gösting bei Graz. Bekanntschaft mit Hans Leifhelm, Ernst Fischer und Alfred Wikkenburg. Ging nach der Machtergreifung der Nazis ins Exil nach London.
Vorwiegend Erzählerin. Fand nach Kriegsende keinen Anschluß an das literarische Leben in Österreich, wandte sich der Malerei zu. Veröffentlichte 1953 einen Band Gedichte. Nach ihrem Tod 1967 erschienen zwei Kapitel eines unvollendeten Romans in der Zeitschrift ›Literatur und Kritik‹. – Erhielt 1929 den Dichterpreis der Stadt Wien (Emil-Reich-Stiftung).

WERKE: Ekstasen, Nn. 1928; Das Weib ist ein Nichts, R. 1929; Das Wunder von Ulm, N. 1936; Spiegelungen, G. 1953.

LITERATUR: *G. Tergit,* P.E.N., Zentrum deutschsprachiger Autoren im Ausland – Sitz London. Autobiogr. u. Bibl. 1959. *E. Schönwiese,* M. H. In: Literatur und Kritik. Österreichische Monatsschrift (1967) 16/17, 406–09. *S. Schmid-Bortenschlager,* Der zerbrochene Spiegel. Weibliche Kritik der Psychoanalyse in M. H. s. Novellen. In: Modern Austrian Literature. Journal of the International Arthur Schnitzler Research Association, 12 (1979) 3/4, 77–95. *E. Schönwiese,* Im Exil vergessen: M. H. (1895–1967) und ihr nachgelassener Roman ›Die andere Wirklichkeit‹. In: E. Sch., Literatur in Wien zwischen 1930 und 1980, 1980, 97–102.

Hennings, Emmy, * 17. 1. 1885 in Flensburg, † 10. 8. 1948 in Sorengo/ Lugano.
Entstammte einer Seemannsfamilie. Ihr Vater war der Rigger (Takler) Ernst Friedrich Matthias Cordsen. Heiratete, kaum siebzehnjährig, den Schriftsetzer Hennings; schloß sich mit ihm, von großer Reiselust besessen, einer Wanderbühne an (Hennings verließ sie bald darauf) und erprobte ihr schauspielerisches Talent bei verschiedenen Theaterunternehmen. Bereits mit 23 Jahren war sie eine weithin bekannte Vortragskünstlerin. Machte als Mitglied des Münchner Künstlerkabaretts »Simplicissimus« die Bekanntschaft bedeutender Expressionisten, wurde dadurch mit moderner Literatur bekannt. Lernte in München auch Hugo Ball kennen, mit dem sie 1915 in die Schweiz emigrierte, und den sie 1920 heiratete. Ebenfalls 1920 begann ihre Freundschaft mit Hermann Hesse. Getrieben von der »Weglaufsucht«, wie sie selbst es nannte, reiste sie für längere Zeit nach Italien. Seit ihrem Übertritt zum katholischen Glauben Entscheidung für eine asketische Lebensweise, besonders nach dem Tod Balls 1927. Widmete sich von da an der Herausgabe seines Werks.

E. H. schrieb zunächst Gedichte, die Franz Werfel innerhalb der Buchreihe ›Der jüngste Tag‹ als eigenes Bändchen mit dem Titel ›Die letzte Freude‹ 1913 herausgab, später Erzählungen, Märchen, Legenden und Autobiographisches.

WERKE: Die letzte Freude, G. 1913; Gefängnis, R. 1918 (N 1981); Das Brandmal. Ein Tagebuch, 1920; Helle Nacht, G. 1922; Das ewige Lied. Dichtung, 1923; Der Gang zur Liebe. Ein Buch von Städten, Kirchen und Heiligen, 1926; Hugo Ball. Sein Leben in Briefen und Gedichten, 1930; Hugo Balls Weg zu Gott. Buch der Erinnerung, 1931; Die Geburt Jesu. Für Kinder erzählt, 1932; Blume und Flamme. Geschichte einer Jugend, 1938; Der Kranz, G. 1939; Das flüchtige Spiel. Wege und Umwege einer Frau, 1940; Märchen am Kamin, 1943; Das irdische Paradies und andere Legenden, 1945; Helga speelt het Leven, 1946; Ruf und Echo. Mein Leben mit Hugo Ball, 1953.
VERÖFF. A. D. NACHLASS: Briefe an Hermann Hesse, hrsg. v. A. Schütt-Hennings, 1956; E. B.-H. und Hugo Ball, Korrespondenz mit H. F. S. Bachmair. In: Hugo Ball Almanach 3 (1979), 22–49; Lyrische Auswahl. In: ebda. 8 (1984), 43–64; Einmal Königin. In: ebda. 8 (1984), 65–75; Der heilige Matthäus von Salerno. In: ebda. 8 (1984), 76–84; Erste Begegnung. In: ebda. 8 (1984), 85–102; Das Varieté. Die Zeit vor dem Cabaret Voltaire, in: ebda. 8 (1984), 103–31; Briefe an Hugo Ball. In: ebda. 8 (1984), 133–51.
LITERATUR: *M. Dietrich,* E. H.-B. In: Der Gral 27 (1932), 38ff. *L. Odenbreit,* Hugo Ball und E. B.-H. In: Die Christliche Frau 31 (1933). *S. Streicher,* Nachruf für E. B.-H. In: Schweizer Rundschau 48 (1948/49), 496ff. *F. Knab-Grzimek,* Eine Nachfahrin der Bettina. In: Welt und Wort 11 (1956), 312f. *F. Ahl,* Eine fast Vergessene. E. B.-H. In: H. Ahl, Lit. Porträts, 1962, 208f. *W. Grenzmann,* E. B.-H. In: Hdb. d. dt. Gegenwartslit. ²1969, 80f. *J. F. E. Bohle,* Moderne literarische Cabaret-Abende. E. H. – Hugo Ball. In: Hugo Ball Almanach 5 (1981), 97ff. *G. Böhmer,* Unsere E. B. In: ebda. 8 (1984), 21–42. *A. Schütt-Hennings/F. L. Pelgen,* E. B.-H. Anmerkungen zu ihrem Werk und ihrer Person. In: ebda. 8 (1984), 1–20. *E. Teubner,* E. B.-H. Auswahlbibliographie. In: ebda. 8 (1984), 169–223.

Herwegh, Emma, * 10. 5. 1817 in Berlin, † 24. 3. 1904 in Paris.
Tochter der Henriette Wilhelmina Krauer (?) und des Seidenhändlers Johann Gottfried Siegmund. War außergewöhnlich gebildet und musisch begabt. Heiratete 1843 in Baden/Schweiz den Dichter und Revolutionär Georg Herwegh (1817–1875). Unterstützte seinen revolutionären Kampf. Eine Tochter, drei Söhne. Durch die Ausweisung Herweghs aus Preußen (1842) begann für beide ein langes Emigrantenleben mit Statio-

nen u.a. in Zürich und Paris. E. H. begleitete ihren Mann bei seinem Versuch, mit einer bewaffneten Schar die Revolution 1848 in Deutschland zu unterstützen. Veröffentlichte darüber 1849 ein Buch. War von der Schweiz aus aktiv an der Bewegung Garibaldis beteiligt. Übersetzte seine Memoiren und seine Schrift ›Der Tag von Aspromonte‹. Hatte die Familie zunächst vom Vermögen E. H.s leben können, so war sie später ständig in finanzieller Bedrängnis. Nach dem Erlaß der Amnestie für politisch verfolgte Achtundvierziger Rückkehr nach Baden-Baden. Ihren Lebensabend verbrachte E. H. (nach dem Tod H.s 1875) in Paris in der Nähe ihrer Kinder. Wurde in Liestal/Schweiz neben ihrem Mann beigesetzt. E. H. war eine mutige, tatkräftige Frau. Ihr Briefwechsel mit H. zeigt ihre literarische Begabung und politische Sachkenntnis.

WERKE: Zur Geschichte der deutschen demokratischen Legion aus Paris von einer Hochverräterin, 1849; Eine Erinnerung an Georg Herwegh, 1875.

BRIEFE: Georg Herwegh's Briefwechsel mit seiner Braut, hrsg. unter Mitwirkung von V. Flury u. C. Hausmann von M. Herwegh, ²1906.

ÜBERSETZUNGEN: Erckmann-Chatrian, Der berühmte Doktor Mathäus, 2 Bd. [Leipzig] o. J.; Garibaldi, Memoiren, 1860; Garibaldi, Der Tag von Aspromonte. Eine Stimme aus den Gefängnissen. Zum Besten der Gefangenen und Freigelassenen von Aspromonte (m.e. Vorw. v. G. Herwegh).

LITERATUR: *A. Lucio,* Felice Orsini e E. H., Nuovi documenti con introducione e note, [Florenz] 1937. *A. Liede,* Georg und Emma Herweghs Lebenschronik, zusgest. von der Herwegh-Literatur. In: Scripta manent. Mitteilungsblatt der Schweizerischen Autographensammler-Gesellschaft V/VI (1960/61), Nr. 8–11, 5–12. E. H. In: *F. Böttger* (Hrsg.), Frauen im Aufbruch. Frauenbriefe aus dem Vormärz und der Revolution von 1848, 1979. *U. Linnhoff,* E. H. In: U. L., »Zur Freiheit, oh, zur einzig wahren –«. Schreibende Frauen kämpfen um ihre Rechte, 1979.

Heyking, Elisabeth Freifrau von (Ps. Verfasserin der ›Briefe, die ihn nicht erreichten‹), * 10. 12. 1861 in Karlsruhe, † 4. 1. 1925 in Berlin.
Enkelin von Bettina und Achim von → Arnim. Tochter von Armgart von Arnim und Albert Graf von Flemming, preußischer Gesandter am badischen Hof. Schwester der Schriftstellerin Irene → Forbes-Mosse. Heiratete 1881 Stephan Gans Edler Herr zu Putlitz (Freitod 1883), 1884 in zweiter Ehe den preußischen Diplomaten Edmund von Heyking. Aus erster Ehe eine Tochter, aus zweiter Ehe ein Sohn. Mit Heyking lebte sie fast zwanzig Jahre in Peking, Valparaiso, Kairo, New York, Kalkutta und Mexiko. Wohnte dann bis 1906 in Hamburg; ab 1907 in Baden-Baden. Ihre letzten Lebensjahre verbrachte sie auf Schloß Crossen bei Zeitz.
Schriftstellerin und Malerin. Schildert in ihren Romanen das Leben in höheren Gesellschaftskreisen. Ihr erster Roman ›Briefe, die ihn nicht erreichten‹ (1903), der 1902 bereits anonym in dem Berliner Blatt ›Tägliche Rundschau‹ erschienen war, wurde zu einem »Bestseller« der Zeit. Bereits im Erscheinungsjahr erreichte er die 46. Auflage und wurde in zahlreiche Sprachen übersetzt. E. v. H. schildert darin das Leben in Peking, Vancouver, New York und Berlin um die Jahrhundertwende. Die Briefe sind an einen Mann gerichtet, der bereits 1900 in den Kämpfen während des Boxeraufstands in Peking gefallen war.

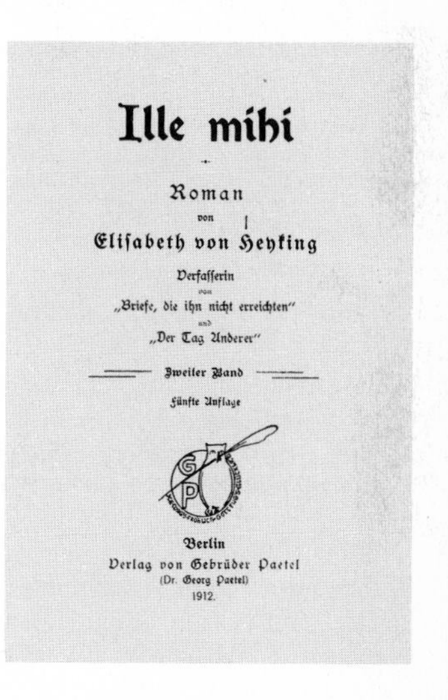
Ille mihi

Roman
von
Elisabeth von Heyking
Verfasserin
von
„Briefe, die ihn nicht erreichten"
und
„Der Tag Anderer"
Zweiter Band
Fünfte Auflage

Berlin
Verlag von Gebrüder Paetel
(Dr. Georg Paetel)
1912.

WERKE: Briefe, die ihn nicht erreichten, R. 1903 (anonym); Der Tag anderer. Von der Verfasserin der ›Briefe, die ihn nicht erreichten‹, R. 1905 (anonym); Ille mihi, R. 2 Bd. 1912; Tschun. Eine Geschichte aus dem Vorfrühling Chinas, 1914; Die Orgelpfeifen. Aus dem Lande der Ostseeritter, 2 En. 1918; Liebe, Diplomatie und Holzhäuser. Eine Balkanphantasie von einst, 1919. Das vollkommene Glück, E. 1920; Weberin Schuld, Nn. 1921.
VERÖFF. A. D. NACHLASS: Tagebücher aus vier Weltteilen 1886/1904, hrsg. v. G. Litzmann 1926 (m. biogr. Einl.).
LITERATUR: *J. Hart,* E. v. H. In: Das lit. Echo 8 (1905/06). *R. M. Meyer,* Die dt. Lit. des 19. Jh.s, Tl. 2 (^{4}1910), 233. *E. v. Watzdorf,* [E. v. H.]. In: Die dt. Frau, Oktober 1912. *M. v. Bunsen,* E. v. H. In: Die Lit. 27 (1924/25). *J. Werner,* Maxe von Arnim, Tochter Bettinas, Gräfin von Oriola, 1937 [zu Ehemann Gans zu Putlitz]. *E. Krzyzanowska-Kessler,* Briefe, die ihn nicht erreichten. In: Neues Wiener Tageblatt (1937) 342. *P. Lindenberg,* Es lohnt sich gelebt zu haben, 1941. *W. Oehlke,* Dt. Lit. der Gegenwart, 1942, 236. *P. Fechter,* Gesch. der dt. Lit. 1954, 718f. *H. Merck,* Eine Schriftstellerin: E. v. H. In: H. M., Begegnungen und Begebnisse, 1958, 25–29. *E. Schulz,* E. v. H. In: NDB 1972.

Hildeck, Leo (Ps. f. Leonie Meyerhof), * 2. 3. 1858 in Hildesheim, † 15. 8. 1933 in Frankfurt am Main.
Wurde als Jüngste von fünf Kindern einer jüdischen Kaufmannsfamilie geboren. Besuchte eine höhere Töchterschule und erhielt Musik- und Zeichenunterricht. Ihr literarisches Talent wurde besonders von der Mutter († 1877) gefördert. 1886 zog sie mit dem Vater und einer Schwester, die Malerin war, nach Frankfurt. Seit 1887 lebte sie dort mit ihrer verwitweten Schwester und deren Kindern zusammen. Nach dem Tod des Vaters († 1900) Übersiedlung nach München. Bereiste von dort aus Tirol und Italien und kehrte 1902 wieder nach Frankfurt zurück.
Erzählerin, auch Lustspielautorin, mit überwiegend zeitgeschichtlicher Thematik. Stand der Frauenbewegung nahe. Von dem anarchischen Philosophen Max Stirner handelt ihr Roman ›Feuersäule‹ (1895). Künstlerische und literarische Aktivitäten junger Frauen schildert ihr Münchner Roman ›Töchter der Zeit‹ (1903). War eine Zeitlang Kritikerin der ›Frankfurter Zeitung‹.

WERKE: Silhouetten, 3 En. 1886; Ungleiche Pole, Lustsp. 1887; Sie hat Talent, Lustsp. 1887 (1888); Feuertaufe, Lustsp. 1888 (1889); Der goldene Käfig und andere Novellen, 1892; Abseits vom Wege, 2 Nn. 1894; Mittagssonne, R. 1895; Feuersäule. Die Geschichte eines schlechten Menschen, 1895; Wollen und Werden, R. 1897; Das Zaubergewand. Die Beichte einer Frau, En. 1897; Libellen, N. 1898; Abendsturm, Schausp. 1899; Bis ans Ende, R. 1899; Herbstbeichte. Ein Liebes-R. 1900; Töchter der Zeit. Münchner R. 1903; Das Ewig-Lebendige, R. 1905; Eigensinnige Herzen, R. 1906; Penthesileia. Frauenbrevier für männerfeindliche Stunden, 1907 (anonym) (N 1982, Verf.-angabe fehlerhaft); Zuerst komm ich, 4 Einakter, 1913; Frauenschicksale. Aus einer Sprechstunde im »Mutterschutz«. In: Frankfurter Ztg. v. 17. 8. 1913.

Hillern, Wilhelmine von, * 11. 3. 1836 in München, † 25. 12. 1916 in Hohenaschau (Oberbayern).
Tochter der Schauspielerin und Dramatikerin Charlotte Birch-Pfeiffer (1800–1868) und des Dr. phil. Christian Andreas Birch, der Schriftsteller, Dramaturg und Theaterkritiker war. Die Atmosphäre ihres Elternhauses vermittelte ihr vielseitige Anregungen. Erhielt eine sorgfältige Erziehung. Begann mit 17 Jahren eine Karriere als Schauspielerin am Gothaer Hoftheater. Trat u. a. in Braunschweig, Karlsruhe, Berlin, Frankfurt a. M., Hamburg und Mannheim auf, bis sie 1857 den badischen Oberstaatsanwalt Hermann von Hillern heiratete. Drei Töchter (u. a. Hermine Diemer, 1859–1924, Schriftstellerin). Nach der Heirat Beginn schriftstellerischer Tätigkeit. Bereits ihre ersten beiden Romane ›Doppelleben‹ (1865) und ›Ein Arzt der Seele‹ (1869) fanden große Beachtung beim Publikum. Von durchschlagendem Erfolg war dann ihr Roman ›Die Geier-Wally‹ (1875), der in acht Sprachen übersetzt wurde. Die von W. v. H. 1880 dramatisier-

te Fassung wurde auf zahlreichen deutschsprachigen Bühnen aufgeführt und später mehrfach verfilmt. Nach dem Tod ihres Mannes, den sie lange Jahre gepflegt hatte, übersiedelte W. v. H. nach Oberammergau (1883–1911). Dort 1904 Konversion zum katholischen Glauben.
Ihre frühen Romane entsprechen in Stoffwahl und Stil der Unterhaltungsliteratur Ende des 19. Jh., ihre späteren Werke gehören ins Genre des Heimat- und Bergromans. »Die Sprache ihrer Romane hat einen Hang zu starken Effekten und zur Dramatik; es gelingt ihr aber selten, über Klischeevorstellungen hinauszukommen. Der Mythos von Blut und Boden durchzieht das Geschehen.« (G. Bisterfeld)

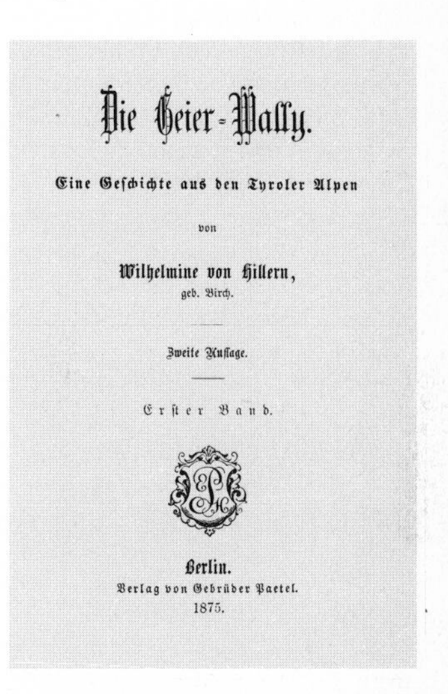
Die Geier-Wally.

Eine Geschichte aus den Tyroler Alpen

von

Wilhelmine von Hillern,
geb. Birch.

Zweite Auflage.

Erster Band.

Berlin.
Verlag von Gebrüder Paetel.
1875.

WERKE: Doppelleben, R. 2 Bd. 1865; Ein Arzt der Seele, R. 4 Bd. 1869; Guten Abend, Bluette, 1873; Ein Autographensammler, Lustsp. 1874; Die Geier-Wally. Eine Geschichte aus den Tyroler Alpen, 2 Bd. 1875 (dramatisiert 1880) (N 1972 u. 1977); Höher als die Kirche. Eine E. aus alter Zeit, 1877; Die Augen der Liebe, Lustsp. 1878; Und sie kommt doch. E. aus einem Alpenkloster des 13. Jh.s, 3 Bd. 1879; Jugendträume, 1881; Der Skalde. Episches G. 1882; Die Friedhofsblume, N. 1883; Am Kreuz. Ein Passions-R. aus Oberammergau, 2 Bd. 1890; 's Reis am Weg. Gesch. aus dem Isarwinkel, 1897; Ein alter Streit. R. aus dem bayrischen Volksleben der sechziger Jahre, 1898; Der Gewaltigste, R. 1901; Ein Sklave der Freiheit, R. 1903.
NACHLASS: Theatermuseum München (Teilnachlaß im Nachlaß der Ch. Birch-Pfeiffer).
LITERATUR: Die Gartenlaube, 1872, 589–92. *H. Gross,* W. v. H. In: H. G., Deutschlands Dichterinnen und Schriftstellerinnen, ^{2}1882, 131 f. *R. v. Gottschall,* Die dt. Nationallit. des 19. Jh.s, Bd. IV, ^{7}1902, 341–45. *H. Spiero,* Geschichte der dt. Frauendichtung, 1913, 60 f. *W. Frankl-Rank,* W. v. H. In: Nationale Frauenbl. 2(1916). *A. Roeck,* W. v. H. In: Hochland 14 (1916/17). *T. Fontane,* Plaudereien über das Theater, 1926. *C. Riess,* Das gabs nur einmal…, 1956 [zum Film ›Geierwally‹]. *G. Bisterfeld,* W. v. H. In: NDB 1972. *E. A. McCobb,* Of women and doctors: Middlemarch and W. v. H.s Ein Arzt der Seele. In: Neophilologus [Groningen] 68(1984), 572–86. *J. Blackwell,* Die nervöse Kunst des Frauenromans im 19. Jh. oder Der geistige Tod durch kränkende Handlung. In: R. Berger u. a. (Hrsg.), Frauen. Weiblichkeit. Schrift, 1985, 145–54 [zu ›Ein Arzt der Seele‹].

Hirsch, Jenny (Ps. Fritz Arnefeld, Franz von Busch, J. N. Heynrichs), * 25. 11. 1829 in Zerbst (Anhalt), † 10. 3. 1902 in Berlin.

Tochter einer jüdischen Kaufmannsfamilie. Verlor früh die Mutter. Wurde gemeinsam mit den Geschwistern von der 70jährigen Großmutter erzogen. Besuchte bis zum 15. Lebensjahr eine höhere Töchterschule. Leitete danach den Haushalt der Familie, erzog ihre jüngeren Geschwister und half im Geschäft des Vaters. Letzteren pflegte sie bis zu seinem Tod (1856). Bildete sich autodidaktisch fort. Errichtete eine Elementarschule in Zerbst, die sie drei Jahre (bis 1860) leitete. Von 1860–1864 arbeitete sie in Berlin als Redakteurin der Frauenzeitung ›Bazar‹. Danach lebte sie als freie Schriftstellerin und Übersetzerin. Schwedisch, Englisch und Französisch hatte sie sich im Selbstunterricht angeeignet. U.a. übersetzte sie J. Stuart Mills ›The Subjection of Women‹. Mit großem Anteil förderte sie die Entwicklung der Frauenbewegung. Sie besuchte den ersten Frauentag in Leipzig (1865) und redigierte kurze Zeit mit Louise → Otto-Peters das Organ des hier entstandenen Allgemeinen Deutschen Frauenvereins ›Neue Bahnen‹. 17 Jahre lang war sie Schriftführerin des zur Förderung der Erwerbstätigkeit von Frauen gegründeten Lette-Vereins. Redigierte von 1870–1881 die Zeitschrift ›Der Frauenanwalt‹ und von 1887–1892 mit Lina Morgenstern die ›Deutsche Hausfrauenzeitung‹.

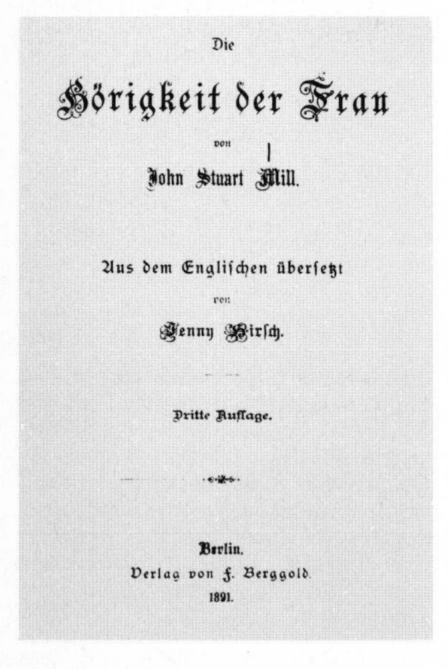
Die

Hörigkeit der Frau

von

John Stuart Mill.

Aus dem Englischen übersetzt

von

Jenny Hirsch.

Dritte Auflage.

Berlin.
Verlag von F. Berggold.
1891.

WERKE: Die Arbeitsnachweisungs-Anstalten. Referat mit anschließender Diskussion. In: Die Berliner Frauen-Vereins-Conferenz am 5. u. 6. Nov. 1869, 32–45; (MA:) Haus und Gesellschaft in England, 1878; Fürstin Frau Mutter. E. aus einem dt. Kleinstaat zur Zeit Friedrichs des Großen, 1881; Die Walldorfer, R. 1882; Befreit, N. 1882; Der Väter Schuld, E. 1882; Schwere Ketten, E. 1884; Die Erben, R. 1889; Anna Pelzer, R. 1890; Schlangenlist, E. 1891; Geschichte der 25jährigen Wirksamkeit (1866–1891) des unter d. Protektorat ihrer Majestät d. Kaiserin u. Königin Friedrich stehenden Lette-Vereins z. Förderung höherer Bildung u. Erwerbsfähigkeit d. weibl. Geschlechts, Berlin 1891; Irrtümer, E. 1892; Vermißt, R. 1894; Der Amerikaner, R. 1894; Umgarnt, E. 1895; Löwenfelde, E. 1896; Der Amtmann von Rapshagen, R. 2 Bd. 1896; Eine Gedankensünde, R. 1897; Die Juwelen der Tante, R. 1898; Schuldig, E. 1899; Theresens Glück, R. 1899; Märchen, R. 2 Bd. 1900; Auf Umwegen, R. 2 Bd. 1900; Camilla Feinberg, E. 1901; Der Sohn des Sträflings, R. 1902; Verspielt, Krim.-R. 1905; Ein Opfer der Pflicht, R. 1906.

NACHLASS: Staats- und Universitätsbibliothek Hamburg (Nachlaß im 2. Weltkrieg verschollen, Teile davon in der Dt. Staatsbibliothek Berlin /DDR).

LITERATUR: *M(eyer) Kayserling,* Die jüdischen Frauen in der Geschichte, Literatur und Kunst, [Leipzig: Brockhaus] 1879 (darin J. H.). *H. Gross,* J. H. In: H. G., Deutschlands Dichterinnen und

Schriftstellerinnen, [2]1882, 236f. *L. Morgenstern,* J. H. In: L. M., Die Frauen des 19. Jh.s, Bd. 3, 1891, 217–19. Biogr. Jb. und Dt. Nekrolog 7, 185.

Hoechstetter, Sophie, * 15. 8. 1873 in Pappenheim (Mittelfranken), † 4. 4. 1943 in Dachau, bestattet in Pappenheim.

Entstammte einer alten akademisch gebildeten Familie; der Vater war Apotheker. Schulausbildung in Bayreuth. Vorwiegend Erzählerin. Veröffentlichte nach einzelnen Zeitschriftenbeiträgen anonym ihr erstes Buch ›Goethe als Erzieher. Ein Wort an emanzipierte Frauen‹ (1896). Ihre geistige Entwicklung wurde insbesondere von Goethe, Haeckel, Ibsen, J. P. Jacobsen und Nietzsche beeinflußt. War befreundet mit der Schriftstellerin Frieda von → Bülow. Lebte vorwiegend in Berlin und Pappenheim.

WERKE: Goethe als Erzieher. Ein Wort an emanzipierte Frauen, 1896 (anonym); Die Verstoßenen, sozialer R. 1896; Max Mühlen, Die Gesch. einer Liebe, 1897; Sehnsucht, Schönheit, Dämmerung. Die Gesch. einer Jugend, 1898 (N u.d.T. Schön ist die Jugend. R. aus der Wende des 19. Jh.s); Der Dichter, 1899; Bis die Hand sinkt, R. 1900; Dietrich Lanken. Aus einem stillen Leben, 1902; Der Pfeiffer, 1903; Er versprach ihr einst das Paradies. Eine N. 1904; Geduld. Gesch. einer Sehnsucht, 1904; Vielleicht auch Träumen. Verse, 1906; Eine »fromme Lüge«, 1906; Sechs Sonette. Städte und Menschen, 1907; Kapellendorf, 1908; Gotische Sonette, 1909; Frieda von Bülow. Ein Lebensbild, 1910; Passion, 1911; Das Herz. Arabesken um die Existenz des George Rosenkreutz, 1912; Seele. Philosophische Rhapsodie, 1913; Die Heimat, R. 1916; Die letzte Flamme, 1917; Die Freiheit, R. 1917; Mein Freund Rosenkreutz. Fränkische Nn. 1917; Das Erdgesicht. Ein zeitloser R. 1918; Der Opfertrank. Ein R. der französischen Revolution, 1918; Das Erlebnis. Fränkische N. 1919; Der Brief, 1919; Brot und Wein, 1920; Letzter Frühling. Gesellschafts-R. 1920; Frau Hüttenrauchs Witwenzeit, R. 1921; Maskenball des Herzens. Eine Rokokogesch. 1922; Das Krongut, 1922; Scheinwerfer. R. aus dem Berliner Revolutionswinter, 1922; August Rettung oder Die Apotheke zum goldenen Einhorn. Eine heitere N. 1922; Meine Schwester Edith. R. aus einer kleinen Stadt, 1923; Der Weg nach Sanssouci. Fränkische N. aus den Tagen Friedrichs des Großen, 1925; Das Kind von Europa, Kaspar-Hauser-R. 1925; Lord Byrons Jugendtraum, N. 1925; Königin Luise, hist. R. 1926; Romantische Novellen, 1926; Die Flucht in den Sommer, R. 1926; Der kleinliche

Wallfahrtsort, 1927; Der wunderschöne Streit, 1928; Die wunderliche Erbschaft, R. 1929; Königskinder, hist. R. 1929; Louis Ferdinand Prinz von Preußen. Ein R. aus der Zeit vor 1806, 1931; Das kleine Hermelinchen. Seltsame Begegnung, 2 N. 1936 (1937); Caroline und Lotte. R. um Schiller, 1937; Im Tauwind. R. aus dem Bayreuth um 1813, 1941.

WERKAUSGABEN: Fränkische Novellen, 3 Bd. 1925 (Inhalt: Mein Freund Rosenkreutz; Das Erlebnis; Der Weg nach Sanssouci); Gesammelte Novellen, 1932.

NACHLASS: Archiv d. German. Nationalmuseums Nürnberg; W. A. Mommsen, Die Nachlässe in d. dt. Archiven, bearb. im Bundesarchiv in Koblenz, 1971, Nr. 1701; Die Nachlässe in den Bibliotheken der Bundesrepublik Deutschland, bearb. von L. Denecke, [2]völlig neu bearb. von T. Brandis, 1981.

LITERATUR: *C. v. Crailsheim,* S. H. In: Augsburger Postzeitung (1933) 185. *B. Kötter-Anson,* S. H. In: Kreuz-Zeitung (1933) 208. *E. Petzet,* S. H. In: Köln. Zeitung (1933) 440. *H. Bücker,* S. H. In: Der Gral 28(1933/34). *A. Spendier,* Nietzsche bei Helene von Monbart, Elisabeth Dauthendey und S. H. Ein Beitr. zur lit. Nietzsche-Rezeption um 1900, Diss. Salzburg 1980.

Hoffmann, Ruth, * 19. 7. 1893 in Breslau, † 10. 5. 1974 in Berlin.
Besuchte die Frauenschule in Weimar und anschließend die Breslauer Kunstakademie. Trat zunächst als Malerin und Graphikerin hervor, deren Entwürfe mehrfach preisgekrönt wurden. Lebte seit 1929 in Berlin. Veröffentlichte 1935 ihren ersten Roman ›Pauline aus Kreuzberg‹, eine schlesische Familienchronik, in deren Zentrum ihre Großmutter steht. Erhielt ein Jahr später von den Nazis Schreibverbot. 1938 erstmals Aufenthalt bei Verwandten in USA. Ihr (jüdischer) Mann, Erich Scheye, wurde 1943 in Auschwitz umgebracht.

Vorwiegend Erzählerin. Schilderte vor allem Land und Leute ihrer schlesischen Heimat, mit Vorliebe Frauenschicksale, »die unzerstörbare Liebeskraft der Mutter, der Schwester, der Frau, die unbeachteten Namenlosen« (F. Lennartz), z.B. das Schicksal einer Dienstmagd in ›Die schlesische Barmherzigkeit‹ (1950) oder die Geschichte von fünf aus Schlesien vertriebenen Schwestern in ›Abersee oder Die Wunder der Zuflucht‹ (1953). Auch Einbezug ihrer Amerikaerfahrungen ›Ich kam zu Johnny Giovanni‹ (1954). An einen Sommeraufenthalt in Wiepersdorf, in »Bettines (von Arnim) Haus« erinnert ›Der Zwillingsweg‹ (1954). Das Leben der ihr nahestehenden Breslauer und Berliner Juden schildert sie in ›Meine Freunde aus Davids Geschlecht‹ (1947).

Erhielt den Schlesischen Kulturpreis (1967), den Eichendorff-Literatur-Preis (1967) und das Bundesverdienstkreuz (1968).

WERKE: Pauline aus Kreuzberg, R. 1935 (N 1973); Dunkler Engel, G. 1946; Das goldene Seil, G. 1946; Meine Freunde aus Davids Geschlecht, E. 1947; Franziska Lauterbach, R. 1947 (N 1975); Umgepflanzt ins fremde Sommerbeet, E. 1948; Das reiche Tal, Schausp. 1949; Der verlorene Schuh. Eine Geschichte vom Leben, Sterben und Lieben, 1949; Die Zeitenspindel, E. 1949; Die schlesische Barmherzigkeit, R. 1950; Abersee oder Die Wunder der Zuflucht, R.

1953; Poosie aus Washington, Jgdb. 1953; Poosie in Europa, Jgdb. 1954; Der Zwillingsweg, G. u. Prosa, 1954; Ich kam zu Johnny Giovanni, R. 1954; Zwölf Weihnachtsgeschichten aus Ferne und Nähe, En. u. G. 1954; Die tanzende Sonne, E. 1956; Poosie feiert Wiedersehen, Jgdb. 1956 (ab 1963 u.d.T.: Poosie entdeckt Amerika); Der Wolf und die Trappe, R. 1963; Der Mohr und der Stern, E. 1966; Die Häuser, in denen ich lebte, 1969; Eine Liebende, R. 1971.

LITERATUR: *H. Krause,* R. H. Dichterin der Menschlichkeit. In: Der Schlesier 5(1953). Ein Abend mit der Schriftstellerin R. H. In: Schlesische Rundschau 5(1953); *H. Hartung,* Neue Bücher von der schlesischen Schriftstellerin R. H. In: Der Schlesier 6(1954). *J. Hoffbauer,* Die Dichterin R. H. In: ebda. *F. Lennartz,* R. H. In: Dt. Dichter und Schriftsteller unserer Zeit, 8. erw. Aufl. 1959, 315f. *A. M. Koder,* R. H. und ihr Werk. In: Schlesien 18(1974). *S. Haertel,* R. H. † In: Schlesien 19(1974).

Holgersen, Alma, * 27. 4. 1896 in Innsbruck, † 18. 2. 1976 ebda.
Die Mutter entstammte einer alten Zillertaler Bauernfamilie, der Vater war Hofrat beim Obersten Rechnungshof in Wien. Wuchs in Wien auf. Studierte Musik (war Meisterschülerin des Pianisten Prof. Emil Sauer), malte und begann zu schreiben. Lebte abwechselnd in Wien, Alpbach (Tirol), Kitzbühel. War mehrfach preisgekrönte Skiläuferin. – Dramatikerin, Erzählerin, Kinder- und Jugendbuchautorin. Schrieb auch Gedichte, Essays, Hörspiele.
Erhielt den Julius-Reich-Preis der Universität Wien (1936), den Dramatikerpreis 1937 und 1948; den Olymp. Novellenpreis (1948) und den Dichterpreis der Stadt Wien (1949).

WERKE: Der Aufstand der Kinder. Eine E. 1935; Die verschlossenen Herzen, Schausp. 1936; Der Wundertäter, 1936; Zweitausend Meter über der Hölle. Ein Ski-Tgb. 1937 (N u.d.T.: Bergfrühling, 1953); Du hast deinen Knecht nicht aus den Augen verloren, R. 1938; Kinderkreuzzug, 1940 (N o.J., verz. im VLB 1985/86); Die goldenen Wiesen, 1942; Fahrt in den Schnee. Ein Jungmädchenbuch, 1943; Die Reise der Urgroßmutter, R. 1943; Großstadtlegende, 1946; Geleitet sie, Engel! E. 1948 (N o.J., verz. im VLB 1985/86); O Mensch, wohin? R. 1948; Bergkinder. Eine E. für Jungen und Mädchen, 1949; Es brausen Himmel und Wälder, R. 1949; Die große Reise, 1949; Sursum corda, G. 1949 (N o.J., verz. im VLB 1985/86); Berghotel, R. 1951; Franziskus, 1951; Tonis Abenteuer. Eine E. aus den Bergen für junge Mädchen, 1952; Freu Dich alle Tage!, 1952 (N o.J., verz. im VLB 1985/86); Ferien wie noch nie. Eine E. für junge Mädchen, 1953; Gesang der Quelle, R. 1953 (N o.J., verz. im VLB 1985/86); Das Buch von Fatima, 1954; Die drei Hirtenkinder von Fatima. E. für die Jugend nach Tatsachenberichten, 1954; Drei halten zusammen, 1955; Die Reichen hungern, R. 1955; Das Buch von La Salette, 1956; Die Kinder von La Salette, E. für die Jugend, 1956; Ein Tor öffnet sich. R. für junge Mädchen, 1956; Räuberromanze, R. 1957 (N o.J., verz. im VLB 1985/86); Das Mädchen von Lourdes. E. für die Jugend, 1958; Pietro schreibt dem lieben Gott, 1959; Dino und der Engel, 1962; Schneesturm im Juni, 1962; Junges Gras im Schnee, R. 1963 (N o.J., verz. im VLB 1985/86); Keiner ist fremd, 1963; Weiße Taube in der Nacht, R. 1963; Maximilian. Die Jugend des letzten Ritters. E. für die Jugend, 1965; Ein Reh zu Gast (eingel. u. ausgew. v. F. X. Hollnsteiner), 1965; Der kleine Indio und die

Muttergottes, 1967; Thomas sucht den lieben Gott, 1968; Carlo und der kleine Löwe, 1969; Schwarz und weiß. »Little Rock«, Jgdb. 1970; Abenteuer in den Bergen, 1972; Kleiner Bruder Kim, 1973; Ein Jahr mit Elisabeth, 1973 (N 1983).

LITERATUR: A. H. In: Internationale Bibl. zur Geschichte der dt. Literatur von den Anfängen bis zur Gegenwart. Unter der Leitung und Gesamtred. v. G. Albrecht u. G. Dahlke, München, Berlin 1969ff., II,2,729. *N. Langer,* A. H. In: N. L., Dichter aus Österreich, 2. F. 1957.

Huber, Therese (Ps. wahrsch. Therese), * 7. 5. 1764 in Göttingen, † 15. 6. 1829 in Augsburg.

Tochter der Therese geb. Weiß und des Altphilologen Christian Gottlob Heyne. Fühlte sich als Kind ungeliebt und unumsorgt. 1775 Tod der Mutter durch Schwindsucht. Der Vater ging eine zweite Ehe ein. T. H. verbrachte zwei Jahre in einer Pension, kehrte dann ins Elternhaus zurück und half, ihre Stiefgeschwister aufzuziehen. Die geistige Atmosphäre im Elternhaus, in dem viele Gelehrte verkehrten, blieb auf ihre Entwicklung und ihre Interessen nicht ohne Einfluß. Sie erhielt aber selbst keine gründliche Ausbildung (ihre frühen schriftstellerischen Arbeiten zeigen grammatische und orthographische Schwierigkeiten). Mit 18 Jahren reiste sie mit einem verwandten Ehepaar nach Süddeutschland und in die Schweiz. Danach lebte sie einige Zeit bei einer Freundin in Gotha. 1785 willigte sie in die Heirat mit dem Weltreisenden, Naturwissenschaftler und Schriftsteller Georg Forster ein. Lebte mit ihm zwei Jahre in Polen, wo er eine Professur an der Universität Wilna angenommen hatte, dann wieder in Göttingen. Dort leidenschaftliche Freundschaft zwischen T. H. und dem Bibliothekar F. W. Meyer. Die Hoffnung auf Lösung der Ehe zerschlug sich. 1788 Übersiedlung nach Mainz. Dort Beginn der Liebesbeziehung mit dem sächsischen Legationsrat Ludwig Ferdinand Huber, einem Freund Forsters, der sich fürsorglich um die vielfach belastete Familie kümmerte. Ende 1792, kurz nach Gründung des Mainzer Jakobiner-Klubs, den Forster leitete, Flucht T. H.s mit den Kindern (aus politischen und privaten Gründen) nach Straßburg, dann nach Neuchâtel. 1793 einvernehmliche Trennung von Forster († 1794); 1794 Heirat mit L. F. Huber. Von T. H.s 10 Kindern (4 aus erster und 6 aus zweiter Ehe) überlebten vier.

Die finanzielle Lage der Familie, die im Exil in Bôle lebte, war schwierig. Beide Eheleute waren schriftstellerisch tätig. T. H. veröffentlichte Romane und Erzählungen, auch Übersetzungen aus dem Französischen. Ab 1798 lebten sie in Tübingen, Stuttgart und Ulm, wo Huber eine Stelle als Landesdirektionsrat erhielt. Nach dem Tod Hubers erneut wirtschaftliche Unsicherheit. Zahlreiche Reisen oder Aufenthalt bei den verheirateten Töchtern, Versuche pädagogischer Tätigkeit, weitere schriftstellerische Arbeit. Seit 1807 regelmäßige Mitarbeiterin des Cottaschen ›Morgenblatts‹. Ab 1816 (ohne Vertrag und anonym) Redakteurin dieser Zeitung bis zur kurzfristigen Entlassung 1823. Seitdem ansässig in Augsburg, weitere Schreib- und Übersetzungstätigkeit. Durch ihre Familie, ihre Ehen, ihre Redaktionstätigkeit hatte T. H. Kontakt zu Zeitgenossen wie Caroline Schlegel-Schelling, Börne, Benjamin Constant, Goethe, den Brüdern Humboldt, Jean Paul, Kerner, Schwab, Uhland, Varnhagen, Voß. T. H.s Romane und Erzählungen sind von der englischen und französischen Literatur beeinflußt, die sie übersetzte, und die sie bei der sie interessierenden Thematik – vor allem Frauenschicksale – als Vorbild nahm.

WERKE: (u. d. N. L. F. Huber) (Hrsgin.) Kleine Schriften. Ein Beitrag zur Länder- und Völkerkunde, 6 Tle., 2.-6. Tl. hrsg. v. L. F. Huber, 1789–1796; (Mithrsgin.) Neueres französisches Theater, 3 Bd. 1795–1797 (Inhalt: 1. Eitelkeit und Liebe, Lustsp.; Tartüffe der zweite, Schausp.; Zwei Poststationen, Posse; Du und Du, Lustsp.; 2. Du und Sie, Lustsp.; Mißtrauen und Liebe, Lustsp.; Der Friedensstifter, Lustsp.; Selbstsucht, Schausp.; 3. Die Weiber, Lustsp.; Der verliebte Briefwechsel, Lustsp.; Der alte Junggeselle, Lustsp.; Die ungeladenen Gäste, Lustsp.; Die Verdächtigen, Lustsp.); Die Familie Seeldorf. Eine E. aus der franz. Revolution, 2 Bd. 1795–1796; Adele von Senange. Aus dem Franz. von F. L. Huber, 1795; Louise. Ein Beitrag zur Geschichte der Convenienz, 1796; (u. d. N. L. F. Huber) (Hrsgin.) G. Forster, Ansichten vom Niederrhein, von Brabant, Flandern, Holland, England und Frankreich, im April, Mai und Juni 1790, 3 Tl. 1800 u. 1804; Erzählungen, 3 Slg. 1801–1802 (Inhalt: 1. Unglück versöhnt; Ergebung ist besser denn Opfer; Abenteuer auf einer Reise nach Neuholland; Nonchalante und Papillon; Der gefährliche Nebenbuhler; 2. Der Steckbrief; Der Mann aus Kairo; Geschichte einer Reise auf der Freite; Kritisches Gespräch; Über Weiblichkeit in Kunst, Natur und Gesellschaft; 3. Geschichte einer Verirrung; Sophie; Kontraste aus der französischen Revolutionszeit; Rosette); Das Urtheil der Welt, 1805; Bemerkungen über Holland, 1811; Hannah, der Herrenhuterin Deborah Findling, 1821; Ellen Percy oder Erziehung durch Schicksale, 2 Bd. 1822; Jugendmut, E. 1824; Die Denkwürdigkeiten Kapitän Landolphs. Die Geschichte seiner Reise während 36 Jahren enthaltend, aus dem Franz. bearb., 1825; Die

Ehelosen, 2 Bd. 1829; (Hrsgin.) G. Forster, Briefwechsel. Nebst einigen Nachrichten von seinem Leben, 2 Tle. 1829. Zahlreiche Beiträge in den Zeitschriften: Morgenblatt, Isis, Selene, Minerva, Urania und Cornelia.

VERÖFF. A. D. NACHLASS: Erzählungen, hrsg. v. V. A. Huber, 6 Bd. 1830–1833 (Inhalt: 1. Fragmente eines Briefwechsels; Die Jugendfreunde; Klosterberuf; Verstand kommt nicht vor Jahren; 2. Eine Ehestandsgeschichte; Noch war es Zeit oder Die goldene Hochzeit; Geschichte eines armen Juden; Der Ehewagen; Die ungleiche Heirat; Der Kriegsgefangene; 3. Die Familie Seeldorf; 4. Kindestreue; Die Bekannte; Auch eine Hundegeschichte; Drei Abschnitte aus dem Leben eines guten Weibes; Sympathie und Geisterverkehr; Alte Zeit und Neue Zeit; Theorrytes; Briefe aus Polen; Die lustigen Leute von Knöringen; 5. Familienzwist; Die Geschwister; Die Frau von 40 Jahren; Heidenbekehrung; Der Wille bestimmt die Bedeutung der Tat; Alte Liebe rostet nicht; Die Häßliche; 6. Die früh Verlobten; Die Geächteten; Der Traum des Lebens; Die Büßenden im Jurathale; Der verlorene Sohn; Ehestandsleben vom Landmann); Die Geschichte des Cevennen-Krieges. Ein Lesebuch für Ungelehrte, nach Memoiren und geschichtlichen Nachrichten erzählt, 1834; Adventures on a Journey to New Holland and the Lonely Deathbed [Abenteuer auf einer Reise nach Neuholland. Das einsame Totenbett.], hrsg. v. L. Bode, 1966.

Nachlass: Die Nachlässe in den Bibliotheken d. Bundesrepublik Deutschland, bearb. v. L. Denecke, ²völlig neu bearb. v. T. Brandis, 1981; Stadt- und Universitätsbibliothek Göttingen; Dt. Lit.archiv/Schiller-Nationalmuseum, Marbach; Staatsbibliothek Dessau (kleine Slg.); Landesbibliothek Dresden (Briefwechsel mit C. A. Böttiger).

Literatur: *R. Elvers,* T. H. In: ADB XIII. *H. Gross,* T. H. In: H. G., Deutschlands Dichterinnen und Schriftstellerinnen, ²1882, 30f. *L. Morgenstern,* T. H. In: L. M., Die Frauen des 19. Jh.s, Bd. 1, 1888, 163f. *L. Werner,* Eine vergessene Größe. In: Zs. des Hist. Vereins für Schwaben und Neuburg 25(1898). *L. Geiger,* T. H. 1767–1829. Leben und Briefe einer deutschen Frau, 1901. *H. H. Houben,* Literarhist. Streifzüge. In: Literar. Warte 2(1901) 11. *A. Brunnemann,* In: Bahnbrechende Frauen, hrsg. vom Dt. Lyceum-Club, 1912, 233f. *I. Seidel,* Das Labyrinth, R., 1922. *A. Blos,* Frauen in Schwaben. Fünfzehn Lebensbilder, 1929. *A. Leitzmann,* G. u. T. Forster und die Brüder Humboldt, 1936. *E. Müller,* T. H. in ihrer Stellung zu Staat und Gesellschaft, Diss. Jena 1937. *F. Höfle,* Cottas Morgenblatt für gebildete Stände und seine Stellung zur Literatur und literarischen Kritik, Diss. München 1937. *W. Klutentreter,* T. H. In: Hdb. der Zeitungswiss. 6. Liefg., 1942. *F. Ernst,* T. Heyne. In: F. E., Essays, 2 Bd. 1946. *R. Hupfeld,* Schriftstellernde Frauen vor hundertfünfzig Jahren. In: Ruperto-Carola, Bd. 33, 15(1963) [Bd.1], 109–20. *G. v. Koenig-Warthausen,* T. H. Schriftstellerin, Redakteurin von Cottas Morgenblatt. 1764–1829. In: Lebensbilder aus Schwaben und Franken, Bd. 10, 1966, 215–32. *A. Götze,* Unveröffentlichtes aus dem Briefwechsel der Frau von Staël [u.a. ein Brief an T. H.]. In: Zs. für franz. Sprache und Lit. 78(1968) 3, 193–228. *G. Hay,* T. H. In: NDB 1972. *R. Möhrmann,* Die andere Frau. Emanzipationsansätze dt. Schriftstellerinnen im Vorfeld der 48er Revolution, 1977, 36ff. *M. Marthy,* Widersprüchlich – widerständig: T. H. In: alternative 25(1982), 106–16. *H. Peitsch,* Die Revolution im Familienroman. Aktuelles politisches Thema und konventionelle Romanstruktur in T. H.s ›Die Familie Seeldorf‹. In: Jb. der dt. Schillergesellschaft 28(1984) 7, 248–69. *E. Walter,* T. Forster H., geb. Heyne. In: E. W., Schrieb oft, von Mägde Arbeit müde. Lebenszusammenhänge dt. Schriftstellerinnen um 1800 – Schritte zur bürgerlichen Weiblichkeit, hrsg. v. A. Kuhn, 1985.

Huch, Ricarda (Ps. Richard Hugo), * 18. 7. 1864 in Braunschweig, † 17. 11. 1947 in Schönberg/Ts.

Jüngstes von drei Kindern einer niedersächsischen Kaufmannsfamilie bäuerlichen Ursprungs. Die Jugendjahre waren überschattet vom finanziellen Niedergang der Familie, dem frühen Tod der Eltern (1882/83), der unglücklichen Liebe zu dem mit der älteren Schwester verheirateten Vetter Richard H. Ging 1887 nach Zürich (da dt. Universitäten Frauen noch nicht zuließen), holte innerhalb eines Jahres ihr Abitur nach, studierte Geschichte, Philologie u. Philosophie und promovierte 1891 als eine der ersten dt. Frauen zum Dr. phil. War den Zielen der bürgerlichen Frauenbewegung verbunden. Erste Veröffentlichungen, u.a. von Lyrik und autobiographisch geprägten Romanen. Blieb bis 1896 als Bibliothekarin und Lehrerin in Zürich, anschließend an der Höheren Töchterschule in Bremen tätig. Heiratete 1898 den italienischen Zahnarzt Ermanno Ceconi. Eine Tochter. Lebte bis 1900 in Triest, bis 1907 in München. Jahre persönlicher Bedrängnisse und Krisen. Nach Scheidung von Ceconi (1906) Heirat 1907 mit dem Vetter Richard H. Umzug nach Braunschweig. 1910 Trennung von Richard H. und Rückkehr nach München 1911. In Vorahnung der kommenden Ereignisse entstand ihr Werk über den Dreißigjährigen Krieg ›Der große Krieg in Deutschland‹ (1912–14). 1916–18 Aufenthalt in der Schweiz. Seit 1927 im Haushalt der Tochter lebend, zunächst in Berlin, seit 1932 in Heidelberg, seit 1934 in Freiburg und ab 1936 in Jena. Trat 1933 aus Protest gegen die Judenverfolgungen aus der Preußischen Akademie der Künste aus, in die sie 1930 als erste Frau berufen worden war. Den Opfern des Widerstandskreises Münchner Studenten 1943 galten ihre letzten historischen Studien. Sie starb kurz nach der Übersiedelung von Jena nach Frankfurt a.M.

Lyrikerin, Erzählerin, Historikerin. Gehört mit ihrem vielfältigen Werk zu den bedeutendsten Schriftstellerinnen des 20.Jh. Zunächst eine Hauptvertreterin der neuromantischen Richtung in Literatur und Kulturkritik um 1900. Zu den ihren ersten Ruhm begründenden Werken gehört (neben der Lyrik u. den frühen Romanen) ihre epochemachende Monographie über ›Ausbreitung, Blütezeit und Verfall der Romantik‹ (1899/1902). Sie beeinflußte im folgenden nicht nur die Literaturwissenschaft sondern auch die Ausbildung »romantischer« Lebensvorstellungen der zeitgenössischen jungen Generation. Mitbedingt durch die persönliche Krisensituation zunehmend Hinwendung zur Gestaltung historischer Stoffe in Form einer Geschichtsschreibung und Biographik verbindenden Darstellung; dabei Bevorzugung revolutionärer Zeitabschnitte und heroischer (männlicher) Tatmenschen (Garibaldi, Graf Confalonieri). Später, beeinflußt durch die Kriegserfahrung, vor allem Auseinandersetzung mit religiösen, weltanschaulichen Themen. Zu ihren letzten Werken gehört noch einmal ein schmaler Lyrikband (›Herbstfeuer‹, 1944).

1924 Ehrensenator d. Univ. München, 1931 Goethepreis der Stadt Frankfurt/M., 1944 Wilhelm-Raabe-Preis d. Stadt Braunschweig, 1946 Dr. phil. h. c. (Jena).

WERKE: (u.d.N. Richard Hugo) Der Bundesschwur, Lustsp. 1891; Gedichte, 1891; (u.d.N. Ricarda Huch) Evoë. Dramatisches Spiel, 1892; Die Neutralität der Eidgenossenschaft, besonders der Orte Zürich und Bern, während des spanischen Erbfolgekrieges, 1892; Erinnerungen von Ludolf Ursleu dem Jüngeren, R. 1893 (N u.d.T. Ludolf Ursleu, 1954); Gedichte, 1894 (verm. N 1912); Die Wick'sche Sammlung von Flugblättern und Zeitungsberichten in der Stadtbibliothek Zürich, 1895; Der Mondreigen von Schlaraffis, 1896; Erzählungen, 3 Tl. 1897 (Inhalt: 1. Der Mondreigen von Schlaraffis; 2. Teufeleien; 3. Haduvig im Kreuzgang); Fastnachtspossen. Ein toll und ausgelassen Spiel von Hans Sachs, weiland ehrsamen Schuhmachermeister und Meisterpoeten in Nürenberg, 1897 (u.d.N. Richard Hugo); Fra Celeste und andere Erzählungen, 1899; Blütezeit der Romantik, 1899; Ausbreitung und Verfall der Romantik, 1902 (letzte u. vorletzte Ausgabe u.d.T. Die Romantik, 1908, N 1968); Dornröschen, Märchensp. 1902; Aus der Triumphgasse, Lebensskizzen, 1902 (N 1981); Über den Einfluß von Studium und Beruf auf die Persönlichkeit der Frau, 1903; Vita somnium breve, R. 1903 (u.d.T. Michael Unger, 1913) (N 1980); Gottfried Keller, 1904; Von den Königen und der Krone, 1904 (N 1980); Seifenblasen. Drei scherzhafte Erzählungen, 1905 (daraus N Lebenslauf des heiligen Wonnebald Pück, 1913 u. 1983); Die Geschichte von Garibaldi in drei Teilen, 2 Bd. 1906–1907 (Inhalt: 1. Die Verteidigung Roms; 2. Der Kampf um Rom); Neue Gedichte, 1907 (u.d.T. Liebesgedichte, 1912); Risorgimento, 1908 (u.d.T. Menschen und Schicksale aus dem Risorgimento, 1918); Das Leben des Grafen Federigo Confalonieri, 1910 (N 1980); Der Hahn von Quakenbrück und andere Novellen, 1910; Der letzte Sommer. Erzählung in Briefen, 1910 (N 1977); Der große Krieg in Deutschland, 3 Bd. 1912–1914 (Auszug u.d.T. Menschenschicksale aus dem großen Kriege, hrsg. v. K. Plenzat, 1930; u.d.T. Der dreißigjährige Krieg 1937, N 1980); (Einleitung) Carolinen's Leben in ihren Briefen, hrsg. v. R. Buchwald, 1914; Natur und Geist als die Wurzeln des Lebens und der Kunst, 1914 (u.d.T. Vom Wesen des Menschen. Natur und Geist, 1922); Wallenstein. Eine Charakterstudie, 1915; Das Judengrab. Aus Bimbos Seelenwanderungen, 2 En. 1916; Luthers Glaube. Briefe an einen Freund, 1916 (N 1983); Der Fall Deruga, R. 1917 (N 1980); Jeremias Gotthelfs Weltanschauung, Vortrag, 1917; Erzählungen, 2 Bd. 1919; Der Sinn der Heiligen Schrift; 1919; Alte und neue Gedichte, 1920; (MA:) J. G. Zimmermann, Friedrichs des Großen letzte Tage. Erinnerungen. Mit Zimmermanns tragischer Biographie v. R. H., 1920; Entpersönlichung, 1921; Michael Bakunin und die Anarchie, 1923 (N 1980); Der neue Heilige, Nn. 1924; Der arme Heinrich, E. 1924; Die Maiwiese, E. 1924; Teufeleien und andere Erzählungen, 1924; Graf Mark und die Prinzessin von Nassau-Usingen. Eine tragische Biographie, 1925; Freiherr vom Stein, 1925; Der wiederkehrende Christus. Eine groteske Erzählung, 1926; (Einleitung) M. Luther: Deutsche Schriften, hrsg. v. L. Goldschneider, 1927; Im alten Reich. Lebensbilder deutscher Städte, 1927 (N 1980); Stein, 1928; Neue Städtebilder, 1929; Alte und neue Götter (1848). Die Revolution des neunzehnten Jahrhunderts in Deutschland, 1930 (u.d.T. Die Revolution des neunzehnten Jahrhunderts, 1948; Auszug u.d.T. Männer und Mächte 1848, 1952); Lebensbilder mecklenburgischer Städte, 1930; (Einleitung) Deutschland. Landschaft und Baukunst, hrsg. v. H. Hürlimann, 1931 (erw. N 1951); Deutsche Tradition, Vortrag, 1931; (Einleitung) Das Buch des Jahres 1932, 1932; (Hrsgin. u. Einleitung) A. v. Droste-Hülshoff, Ausgewählte Werke, 1932; Die Hugenottin, hist. N. 1932; (Einleitung) J. Gotthelf, Frauenschicksal – Frauenlob. Zehn Geschichten, 1933; Deutsche Geschichte, 3 Bd. 1934–1949 (Inhalt: 1. Römisches Reich Deutscher Nation, 1934; 2. Zeitalter der Glaubensspaltung, 1937; 3. Untergang des Römischen Reiches Deutscher Nation, 1949); Quellen des Lebens. Umrisse einer Weltanschauung, 1935; (Einleitung) Farbfenster großer Kathedralen des zwölften und dreizehnten Jahrhunderts. Meisterwerke mittelalterlicher Glasmalerei, 1937; Frühling in der Schweiz, Jugenderinnerungen, 1938 (N o.J. verz. im VLB 1984/85); (Einleitung) Spiel und Tanz. Frohsinn in Bildern früherer Zeiten,

1939; Weiße Nächte, N. 1943 (N 1960); Herbstfeuer, G. 1944; Mein Tagebuch, 1946; Urphänomene, 1946; Der falsche Großvater, E. 1947.
VERÖFF. A. D. NACHLASS: (Vorwort) Altchristliche Mosaiken des vierten bis siebten Jahrhunderts. Rom, Neapel, Mailand, Ravenna, 1952; Der lautlose Aufstand. Dokumentarischer Bericht über die Widerstandsbewegung des deutschen Volkes 1933–1945, bearb. v. G. Weisenborn, 1953.
BRIEFE: Briefe an die Freunde, ausgew. v. M. Baum, 1955; Unveröffentlichte Briefe R. H.s an ihre Braunschweiger Freundin Anna Klie, hrsg. v. E. Hoppe. In: Niederdeutscher Almanach, 1959, 146–67; V. Wittkowski, Eine Brieffolge von R. H. In: Festschrift Bianchi. Studi in onore di Lorenzo Bianchi [Bologna] 1960, 487–507; J. V. Widmann, Briefwechsel mit Henriette Feuerbach und R. H., hrsg. v. C. v. Dach, 1965. Zwei unbekannte Briefe von R. H. an Lou Andreas-Salomé, mitgeteilt v. L. Gerloff. In: Jb. der Raabe-Gesellschaft, 1966, 92–95 [Dat. 20. 4. 1895 u. 25. 12. 1895].
WERKAUSGABEN: Eine Auswahl aus ihren Werken, hrsg. v. A. Rausch, 1929; Gesammelte Gedichte, 1929; Eine Auswahl aus ihren Werken, hrsg. v. F. Eggerding, 1951; Gesammelte Erzählungen, 1962; Gesammelte Schriften. Essays, Reden, autobiogr. Aufsätze, 1964; Gesammelte Werke, 10 Bd., 1 Registerbd. (Bibliogr.), hrsg. v. W. Emrich, 1966–71; Ausgewählte Erzählungen, 1980.
BIBLIOGRAPHIE: Bibliographie. In: R. H., Ges. Werke, Bd. 11, 1974, 587–730.
LITERATUR (Auswahl): *K. Maas,* Ursleu, [Stockholm] 1903. *H. Bleuler-Waser,* Über R. H., 1904. *E. Regener,* R. H. Eine Studie, [Leipzig] 1904. *J. Widmann,* R. H. Aufsätze über ihre Dichtungen, [Leipzig] 1913. *E. Gottlieb,* R. H. Ein Beitr. zur Gesch. der dt. Epik, [Leipzig/Berlin] 1914. *O. Walzel,* R. H. Ein Wort über Kunst des Erzählens, [Leipzig] 1916. *M. Baaz,* R. H.s ›Der große Krieg in Deutschland‹ als poetisches Geschichtswerk betrachtet, Diss. Wien 1917. *S. Gr. von der Schulenburg,* Dichtung und dichterisches Bewußtsein R. H.s erläutert an ihrem Jugendroman ›Ludolf Ursleu‹, Diss. Freiburg i. B. 1920/21 (Masch.). *A. Solterer,* Künstlerische Einheit. Eine Formanalyse der Werke R. H.s, Diss. Wien 1921. *Rud. Huch,* Aus einem engen Leben. Erinn., [Leipzig] 1924. *E. Gillischewski,* Das Schicksalsproblem bei R. H. im Zusammenhang ihrer Weltanschauung, Diss. Berlin 1925 (N 1967). *G. Grote,* Die Erzählkunst R. H.s und ihr Verhältnis zur Erzählkunst des 19. Jhs., Diss. Berlin 1931 (N 1967). *L. Zanibony,* I romanzi di R. H., [Rom] 1932. R. H. Persönlichkeit und Werk. In Darstellungen ihrer Freunde, 1934. *P. Mutzner,* Die Schweiz im Werke R. H.s, Diss. Bern 1935. *O. Huch* (Hrsg.), Die Familie Huch. Tl. 1: Erinnerungen von Eduard Huch, 1936. *E. Hoppe,* R. H.: Weg, Persönlichkeit, Werk, 1936 ([2]1951). *Rud. Huch,* Mein Weg. Lebenserinn., 1937. *E.-M. Zenker,* R. H.s lyrische Dichtung, Diss. Breslau 1937. *R. Coletti,* R. H. La vita e le opere. Prefazione di Sigfrido A. Barghini, [Roma] 1941. *F. Böhm,* Die Himmelsgabe. Festspiele zum 80. Geb. von R. H. 18. Juli 1944, 1946. *A. Flandreau,* R. H.s Weltanschauung as expressed in her philosophical works and her novels, Diss. Univ. of Chicago 1948. In memoriam R. H. 1948 (= Zur Kritik des dt. Kulturschaffens. Sichtung und Auswahl. 5). *H. Maass,* Ansprache am Sarge von R. H. Gehalten am 24. Nov. 1947 auf dem Hauptfriedhof von Frankfurt a. M., 1948. *G. Bäumer,* R. H., 1949 ([2]1954). *L. Jacobi,* R. H. (Rede), 1949. *M. Baum,* Leuchtende Spur. Das Leben R. H.s, 1950 ([4]1964). *M. Bleibinhaus,* R. H.s Kulturidee, Diss. Erlangen 1950. *I. Cramer,* R. H. und die Romantik, Diss. Würzburg 1953. *E. Nietschke,* Bürgertum und Zeitkritik bei R. H., Diss. Bonn 1953. *E. G. Rüsch,* R. H. und die Schweiz, [St. Gallen] 1953–1954. *K. Hensel,* Die Menschengestaltung im frühen Roman der R. H., Diss. Bonn 1957. *H. H. Krummacher,* R. H. Gedächtnisausstellung zum 10. Todestag im Schiller-Nationalmuseum Marbach [Katalog], 1957. *L. Keith,* R. H.s ›Der letzte Sommer‹. Univ. of Queensland Papers. Fac. of Arts 1962. *J. Sanders,* Development of the woman in the major short stories and novels of R. H., Diss. Vancouver 1962 (Masch.). *G. H. Hertling,* Wandlung der Werte im dichterischen Werk der R. H., Diss. Berkeley/California 1963 [Bonn 1966]. *L. L. Alssen,* Die religiösen Charaktere in R. H.s Werken, Diss. Univ. of Michigan

1964 (DA 26 (1966) 4651). *Ders.,* Die Geistlichen im Werke R. H.s. Eine Studie, 1964. *H. Baumgarten,* R. H. Von ihrem Leben und Schaffen, [Weimar] 1964. *M. Hürlimann,* R. H.s Vermächtnis. [Vortrag], 1964. *I. Seidel,* R. H. Rede zum 100. Geb., 1964 (auch in: I. S., Frau und Wort. Ausgew. Betrachtungen und Aufs., 1965). *A. Gac-Holona,* Stand und Aufgabe der R. H.-Forschung. In: Kwartalnik Neophilologus 13(1966), 191 ff. *I. P. Seadle,* The role of nature in R. H.s creative prose works, Diss. Univ. of Michigan 1965 (DA 27[1966] 485). *H. Rass,* Das Geschichtsbild in der Dichtung R. H.s, Diss. Innsbruck 1968 (Masch.). *R. Holler-Keller,* Jugendstilelemente in R. H.s früher Prosa, 1970. *I. Miribung,* Das Menschenbild in der Dichtung R. H.s, Diss. Innsbruck 1970 (Masch.). *E. Dreßler,* Das Geschichtsbild R. H.s als Spiegel ihrer weltanschaulichen Entwicklung im Zeitraum von der Jh.wende bis zum Ausbruch des 1. Weltkrieges. Vorzugsweise dargestellt an ihren hist. poetischen Werken ›Die Geschichte von Garibaldi‹, ›Menschen und Schicksale aus dem Risorgimento‹, ›Das Leben des Grafen Federigo Confalonieri‹, ›Der große Krieg in Deutschland‹, Diss. Jena 1971 (Masch.). *K. Aland,* Martin Luther in der modernen Literatur. Ein krit. Dokumentarbericht, 1973. *H. Burger,* Trieste: Europe's window on the Adriatic. In: AUMLA. Journal of the Australasian Universities Language and Literature Association (1973) 40, 219–39. *G. Mann,* R. H. – Texte von R. H. In: H. J. Schultz (Hrsg.), Der Friede und der Unruhestifter. Herausforderungen dt.sprachiger Schriftsteller im 20. Jh., 1973, 18–29. *M. Plessner,* R. H.s Weg zur Gesch. In: Merkur 27(1973), 647–60. *G. Adler,* R. H.s Gestaltung des Risorgimento. Ein Beitr. zur Entwicklung des hist. Romans. In: Weimarer Beiträge 21(1975) 9, 156–65. *E. M. Meyer-Erlach,* Zu Form und Gehalt novellistischer En., Diss. Toronto 1975. Dass. [Ottawa] 1978 (Canadian theses on microfiche 35269). *H.-H. Kappel,* Epische Gestaltung bei R. H. Formalinhaltliche Studie von zwei Romanen: ›Von den Königen und der Krone‹, ›Der große Krieg in Deutschland‹, 1976. *J. Bernstein,* Bewußtwerdung im Romanwerk der R. H., 1977. *K.-H. Köhler,* Poetische Sprache und Sprachbewußtsein um 1900. Untersuchungen zum frühen Werk Hermann Hesses, Paul Ernsts und R. H.s, 1977. *I. Langner,* R. H. dreißig Jahre nach ihrem Tode. In: Neue dt. Hefte 24 (1977), 724–40. *R. Feyl,* Blick hin und geh nicht vorüber – R. H. In: NDL 29(1981) 7, 48–61. *Dies.,* R. H. In: R. F. Der lautlose Aufbruch, 1981, 146–65. *I. Stephan,* R. H. 1864–1947. In: H. J. Schultz (Hrsg.), Frauen. Porträts aus 2 Jh., 1981, 198–211. *M. Franke,* R. H. and the German women's movement. In: Beyond the eternal feminine, 1982, 245–60. *E. Härlen,* Unterschiedliche Versuche vornehmlich an Paul Ernst, hrsg. v. A. Kutzbach, 1982 [auch zu R. H.]. *S. Haffner,* R. H.s Nein. In: S. H., Zur Zeitgeschichte, 1982, 78–83. *R. Hagelstange,* Die Dame Löwenherz (R. H.). In: R. H., Menschen und Gesichter, 1982, 36–46. *C. Cases,* Italien als unbürgerlicher Raum bei R. H. In: Annali Sezione Germanica. Studi Tedeschi [Napoli] 26(1983) [1984], 291–321. *A. Henkel,* Kleine Schriften, Bd. 2, 1983. *E. Reichle,* R. H. In: K. Scholder/D. Kleinmann (Hrsg.), Protestantische Profile. Lebensbilder aus 5 Jh., 1983, 289–306. *K.-H. Hahn,* »Geschichte und Gegenwart«. Zum Geschichtsbild der R. H. In: H.-H. Krummacher [u. a.] (Hrsg.), Zeit der Moderne. Zur dt. Lit. von der Jh.wende bis zur Gegenwart, 1984, 261–80. *G. H. Hertling,* Zum Frühwerk der R. H. Zwischen Skepsis und Zuversicht, Engagement und Askese. In: H.-W. Peter (Hrsg.), R. H. Studien zu ihrem Leben und Werk. Aus Anlaß des 120. Geb.s (1964–1984), 1985. *E. Hoppe,* R. H. In: ebda., 11–23. *H.-W. Peter,* Literaturbericht. In: ebda., 106–11. *M. Reich-Ranicki,* R. H., der weiße Elefant. In: ebda. 1–10. *I. Stephan,* R. H. In: ebda. 25–33. *G. Ueberschlag,* Frauengestalten bei R. H. In: ebda., 49–62.

Janitschek, Maria (Ps. Marius Stein), * 22. 7. 1859 in Mödling bei Wien, † 28. 4. 1927 in München.
Uneheliche Tochter der Anna Tölk. Wuchs in dürftigen Verhältnissen auf. Wurde zeitweise in einem ungarischen Kloster erzogen. Lebte seit ihrem 19. Lebensjahr in Graz, wo sie unter Pseudonym journalistische Arbeiten veröffentlichte. Heiratete 1882 den Kunsthistoriker Hubert Janitschek in Straßburg im Elsaß, dem sie 1892 nach Leipzig folgte. Nach dem Tod ihres Mannes (1893) zog sie nach Berlin; seit 1901 wohnte sie in München.
M.J. schrieb Gedichte, Romane, Erzählungen und Novellen. »Sie behandelt vor allem Stoffe der eigenen Zeit, mit denen sie subjektiv gesehene, zu starken Empfindungen und Leidenschaften fähige Heldinnen konfrontiert. Dabei gilt ihr Interesse vor allem der psychologischen Analyse der Frau in ihrer Zeitsituation, besonders der beginnenden Frauenemanzipation.« (H. Rieder, 1974)

Werke: Legenden und Geschichten, 1885; Im Kampf um die Zukunft. Dichtung, 1887; Verzaubert. Eine Herzensfabel in Versen, 1888; Irdische und unirdische Träume, G. 1889; Aus der Schmiede des Lebens, En. 1890; Gesammelte Gedichte, 1892; Lichthungrige Leute, Nn. 1892; Atlas, N. 1894; Pfadsucher, 4 Nn. 1894; Gott hat es gewollt. Aus dem Leben eines russischen Priesters, 1895; Lilienzauber, 1895; Im Sommerwind, G. 1895; Ninive, R. 1896; Der Schleifstein. Lebensbild, 1896; Vom Weibe. Charakterzeichnungen, 1896; Abendsonne, R. 1897; Die Amazonenschlacht, 1897; Gelandet, R. 1897; Kreuzfahrer, 1897; Raoul und Irene, 1897; Despotische Liebe. Es geistert, 1897; Ins Leben verirrt, R. 1898; Im Sonnenbrand; Nicht vergebens; Der Bauernbub; Ein Irrtum; Der Haubenstock; Gerichtet; Leopold; Eine Harzreise, 1898; Überm Tal, N. 1898; Frauenkraft, Nn. 1900; Aus alten Zeiten, G. 1900; Kinder der Sehnsucht, 1901; Olympier, N. 1901; Stückwerk, R. 1901; Aus Aphroditens Garten, 2 Bd. 1902; Die neue Eva, 1902; Auf weiten Flügeln, Nn. 1902; Harter Sieg, R. 1902; Mimikry. Ein Stück modernes Leben, 1903; Pfingstsonne, N. 1903; Landysi, 1904; Das Haus in den Rosen, 1905; Wo die Adler horsten, 1906; Esclairmonde. Ihr Lieben und Leiden, 1906; Heimweh, R. 1907; Eine Liebesnacht, R. 1908; Irrende Liebe, R. 1909; Im Finstern, R. 1910; Gesammelte Gedichte, 1910; Lustige Ehen. Eine Gesch., in der sich alle kriegen, 1912; Stille Gäste, En. 1912; Dinas Erwekkung, R. 1914; Liebe, die siegt, R. 1914; Das Fräulein vom Monde, R. 1915; Als der Mai kam, R. 1915; Die Sterne des Herrn Ezelin, R. 1915; Wildes Blut, 1916; Der Rote Teufel, R. 1916; Gedichte, 1917; Kinder der Pußta, R. 1920; Ausgewählte Novellen, Gedichte (alte u. neue F.), 1925.

Literatur: *L. Berg,* Zwischen zwei Jahrhunderten, 1896. *Houben,* M.J. ›Überm Thal‹. In: Die Gesellschaft, Bd. 1, 1900. *C. Mühling,* M.J. ›Aus Aphroditens Garten‹. In: Hamburger Correspondent (1903) 13. *O. Promber,* M.J. ›Mimikry‹. In: Monatsblätter für dt. Lit. [Berlin] 8(1903). *H. S.,* M.J. ›Auf weiten Flügeln‹. In: Nord und Süd [Breslau], Mai 1903. *I. Wermbacher,* M.J. Persönlichkeit und dichterisches Werk, Diss. Wien 1950. *M. Volsansky,* Die Lyrik M.J.s, Diss. Wien 1951 (Masch.). *A. Soergel/C. Hohoff,* Dichtung und Dichter der Zeit. Vom Naturalismus bis zur Gegenwart, Bd. 1, 1961. *H. Rieder,* M.J. In: NDB 1974. *G. Brinker-Gabler,* M.J. In: G.B.-G. (Hrsgin.), Dt. Dichterinnen vom 16. Jh. bis zur Gegenwart, 1978, 239–43.

Jerusalem, Else (geb. Kotányi), * 23. 11. 1877 in Wien, † ?
Entstammt einer Familie des bürgerlichen Mittelstandes. Meldete sich mit 16 Jahren als Hospitantin an der philosophischen Fakultät in Wien an und studierte dort vier Jahre Philosophie und deutsche Literatur. Danach Vortragskünstlerin und Schriftstellerin. 1901 heiratete sie den Fabrikanten Alfred Jerusalem in Wien. Eine zweite Ehe ging sie 1910 mit dem Universitätsprofessor Viktor Widakowich ein. Lebte später in Buenos Aires.
Ihre Schriften erregten durch die offene Darstellung heikler Themen Aufsehen. So übt sie z.B. in ihrem Buch ›Gebt uns die Wahrheit!‹ (1902) Kritik an der sexuellen Mädchenerziehung und macht Reformvorschläge.

WERKE: Venus am Kreuz, 3 Nn. 1899; Gebt uns die Wahrheit! Ein Beitr. unserer Erziehung zur Ehe, 1902; Komödie der Sinne, 1902; Der heilige Skarabäus, Prostituierten-R. 1909 (N 1954); Die Angst der Geschlechter, 1910; Steinigung der Sakya. Ein Schausp. in 3 Akten, 1928; Die Dreieinigkeit der menschlichen Grundkräfte, 1939.

Kahlenberg, Hans von (Ps. f. Helene Keßler, geb. von Monbart; weitere Ps: Helene von Kahlenberg, Eva), * 23. 2. 1870 in Heiligenstadt/Thüringen, † 8. 8. 1957 in Baden-Baden.
Ihr Vater war der Offizier Erich von Monbart. Wurde im Stift Keppel in Westfalen unterrichtet. Besuchte danach Pensionate in Frankreich und England. Ab 1888 als Lehrerin tätig. Heiratete 1908 den preußischen Forstmeister Wilhelm Keßler. Reiste gern, hielt sich längere Zeit in der Schweiz und häufig in Paris auf.
H.v.K. schrieb Erzählungen, Romane und Dramen. Schilderte vorwiegend die Großstadtgesellschaft und behandelte soziale Probleme. Aufsehen erregten um die Jahrhundertwende vor allem die Werke mit erotischer Thematik: ›Nixchen. Ein Beitrag zur Psychologie der höheren Tochter‹ und ›Der Fremde‹.

WERKE: Ein Narr, R. 1895; Die Jungen, 1896; Misere, R. 1897; Der letzte Mann, R. 1898 (anonym); Die Familie von Barchwitz, R. 1899; Nixchen. Ein Beitrag zur Psychologie der höheren Tochter, 1899; Die Sembritzkys, R. 1899; Eva Sehring. Gesch. einer Jugend, 1901; Der Alte, R. 1901; Häusliches Glück. Aus den Papieren eines Ehemannes, 1901; Der Fremde. Ein Gleichnis, 1901; Gesellschaftstypen,

1902; Ulrike Dhuym, eine schöne Seele, R. 1902; Die starke Frau von Gernheim, R. 1904; Die sieben Geschichten der Prinzessin Kolibri, 1904; Jungfrau Marie, N. 1905; Der Weg des Lebens, Kultur-R. 1905; Ein Mann von Geist, N. 1906; Der König, R. 1906; Ein gesunder Mann und andere Autoren und Skizzen, 1906; Ediths Karriere, Salon-R. 1907; (MA:) Meißner Porzellan, Lustsp. 1907; Der liebe Gott. Eine Kindheitsgesch. 1908; Die Schweizer Reise. Eine lustige und empfindsame Sommergesch. 1908; Der enigmatische Mann, 1909; Die unechten Randows, 1909; Spielzeug, R. 1909; Ahasvera, R. 1910; Der Kaiser, Trag. 1911; Das starke Geschlecht, 1912; Ein Ring, 1912; Sünde, R. 1912; Verliebte Geschichten, [2]1913; Die süßen Frauen von Illenau, 1914; Mit Kursbuch und Scheckbuch. Waggonbetrachtungen eines Mitteleuropäers, 1914; Über dem Dunst, R. 1916; Mutter!, 1917; Rote Rosen, 1918; Mittagsspuk, 1918; Der Fischschwanz, 1920; Damenfrisiersalon, 1921; Lisa Gorst, R. 1921; Des Teufels Schachspiel, R. 1923; Das Geheimnis der Pauline Farland, R. 1923; Walter Sirmes. Wundersame Schicksale eines dt. Industrieführers unserer Tage, R. 1925; Die andere Welt, R. 1928; Die Witwe Scarron, 1934.

Kaiser, Isabella, * 2. 10. 1866 in Zug, † 17. 2. 1925 in Beckenried/Vierwaldstättersee.

Tochter der Wilhelmine geb. Durrer und des Journalisten, Kirchen- und Großrats Ferdinand Kaiser. Verlebte ihre Jugend in Genf, wo ihr Vater die Zeitung ›La Suisse‹ gründete. Zog 13jährig mit der Familie in die deutsche Schweiz auf den großväterlichen Landsitz Bethlehem am Zuger See. Erlebte in den 80er Jahren kurz hintereinander den Tod des Vaters, des Großvaters, eines Bruders und zweier Schwestern. Erkrankte, davon tief betroffen, selbst an einem Lungenleiden, das lange Kuraufenthalte im Gebirge und an der Riviera nötig machte. Zog Ende der 90er Jahre mit der Mutter nach Zürich, kurze Zeit später nach Beckenried am Vierwaldstättersee. Nach dem Tod der Mutter 1906 verbrachte sie dort nur die Sommermonate. Im Winter lebte sie in Paris.

I.K. schrieb Romane, Novellen und Gedichte. Ihre ersten Werke verfaßte sie in französischer Sprache, ihren ersten Roman bereits mit 15 Jahren. Mit 18 Jahren erhielt sie für ihre Novelle ›Gloria victis‹ den ersten Preis eines französischen Wettbewerbs. Für den autobiographisch gefärbten Roman ›Coeur de Femme‹ (1891) wurde ihr der Romanpreis des Genfer Instituts verliehen. Schrieb seit 1901 sowohl in französischer als auch in deutscher Sprache.

WERKE: Ici-bas. Poésies, 1888; Sous les étoiles. Poésies, 1890; Coeur de femme, R. 1891; Fatimé. Chants de deuil. Poésies, 1893; Sorsière!, R. 1896; Des ailes!, Poésies, 1897; Héro, 1898; Notre Père qui êtes aux cieux…, R. 1900; Wenn die Sonne untergeht, Nn. 1901 (Inhalt: Sein letzter Wille; Der Herr Marquis; Auf dem Leuchtturm; Das Märchen vom verlorenen Schlaf; Finelis Himmelfahrt; Kapitän Rupprecht; Die Schlangenkönigin; Christianens Wallfahrt; Wie ich Herzogin wurde; Ein Brief; Die Zwillinge; Himmelsmärchen; Der Stier; Letzter Erfolg; Der Erlöser; Aus dem Kindheitsparadies; Sweetheart; Vale carissima); Vive le roi! R. des guerres de la vendée, 1903; Seine Majestät!, Nn. 1905 (Inhalt: Der Lanzigbub; Ein blühender Apfelbaum; Abishag; Der Herr Pfarrer; Cadet; Trümmer; Nachtzug; Die Spinne; Krieg; Lore Migis Frau; Der schnellste Reiter; Der Stern; Holi ho! dia hu!); Sechs Novellen aus Nidwalden, 1906; Vater unser… R. aus der Gegenwart, 1906; L'éclair dans la voile, Nn. 1907; Die Friedensucherin. R. aus dem Leben einer Frau, 1908; Mein Herz, G. 1908 ([4]verm. 1921); Marcienne de Flüe. L'ascension d'une ame. Journal de la vie d'une femme, R. 1909 (neue, erw. Aufl. 1913, 1928); Der Roman der Marquise. R. aus den Vendéekriegen, 1909; Der wandernde See. R. aus den Unterwaldner Bergen, 1910; (Einf.) A. Ryffel: Der Vierwaldstätter See. 24 Bilder, 1912; Le jardin clos. Poésies, 1912; Mein Leben, 1913; Von ewiger Liebe, Nn. u. Sk. 1914; La vierge du lac. R. des montagnes d'Unterwalden, 1913(1914); Le vent des cimes, Nn. 1916; Unsere deutschen Kriegsgäste am Vierwaldstättersee, 1916; Rahels Liebe, N. 1920; Die Nächte der Königin, Nn. 1923; Bilda, die Hexe. R. aus der Zeit der Hexenprozesse in der Schweiz, 1923; Letzte Garbe, Nn. u. Sk. 1929.

VERÖFF. A. D. NACHLASS: (MA:) Wolken, Seen und Berge, Bd. 2: Flugerlebnisse, 1944.

NACHLASS: Beckenried, Eremitage.

LITERATUR: *A. Hirzel,* Übersetzungsproben aus epischen Dichtungen I.K.s, 1904. *M. Hürbin,* I.K. In: Schweizer Frauen der Tat, Bd. 3, 1929. *F. S. Marbach,* I.K. Der Dichterin Leben und Werk, Diss. Freiburg/Schweiz 1940. *E. Jenal,* I.K. In: E.J., Das literarische Zug, 1942. *S. Frick,* I.K. In: Vaterland, [Luzern] (1950) 41. *C. Spitteler,* I.K. Aus der Werkstatt. In: C.S., Gesammelte Werke, Bd. 9, 1950. *K. Fehr,* I.K. In: NDB 1977.

Kapff-Essenther, Franziska von (geb. Essenther, verh. v. Kapff [gesch.], verh. Blumenreich), * 2. 4. 1849 auf Schloß Waldstein bei Leitomischl/ Böhmen, † 28. 10. 1899 in Berlin.

Ihr Vater war höherer Beamter. Verlebte ihre Kindheit und Jugend in kleinen böhmischen Städten. Eignete sich durch Privatstudien eine umfassende Bildung an. Auch die Vorbereitung auf das Lehrerinnenexamen geschah auf autodidaktischem Wege. Leitete, nach bestandener Prüfung, eine Privatmädchenschule in Hernals bei Wien. Versuchte dort ihre Vorstellung über reformierte Mädchenbildung zu verwirklichen. Heiratete 1880 den Journalisten und Musikschriftsteller Otto von Kapff, von dem sie 1887 geschieden wurde. Ging 1888 eine zweite Ehe mit dem Schriftsteller und Schauspieler Paul Blumenreich ein, mit dem sie in Berlin und Stuttgart lebte. War Hauptmitarbeiterin der von ihm gegründeten und herausgegebenen Zeitschrift ›Berliner Feuilleton‹ (1894 u.d.T. ›Neues Feuilleton‹). Veröffentlichte Romane und Novellen in rascher Folge, sicherte damit den Lebensunterhalt. Die von ihrem Mann herausgegebenen

Zeitschriften sowie spätere Theaterspekulationen brachten keinen finanziellen Ertrag. Als Geschäftsführer des Theaters ›Alt-Berlin‹ geriet er in Verdacht der Veruntreuung, wurde deshalb 1898 verurteilt, floh daraufhin in die USA. F.v.K.-E. erlitt einen Nervenzusammenbruch, verbrachte einige Zeit in einer Heilanstalt und beging 1899 Selbstmord.

Werke: (u.d.N. Essenther:) Frauenehre, R. 3 Bd. 1873; Die soziale Revolution im Tierreich, Kom.-Ep. 1876; (u.d.N. Kapff-Essenther:) Wiener Sittenbilder, 2 Bd. 1884; Moderne Helden. Charakterbilder, 2 Bd. 1885 (Inhalt: Nur ein Mensch; Hans, der nicht sterben wollte; Sommernachtstraum); Ziel und Ende, R. 3 Bd. 1888; Blumengeschichten, 1888; Am Abgrund der Ehe, Nn. 1888; Allerlei Liebe, 6 Nn. 1889; Auf einsamer Höhe, R. 1889; Glückbeladen, N. 1890; Reisegeschichten, 1890; Neue Novellen, 2 Bd. 1890; Aus Bädern und Sommerfrischen, 1890; Engel auf Erden, 1891; Stürme im Hafen, R. 2 Bd. 1892; Siegfried, R. 1894; Himmel und Hölle, R. 1894; Versorgung, R. 1895; Evas Erziehung, R. 1895; Das arme Ding, N. 1895; Schulden, R. 1895; Der echte Ring, 1896; Die graue Mauer, R. 1897; Don-Juan-Phantasie, 1897; Der Wert des Lebens. Der Ring des Polykrates, 2 Nn. 1897; Übermenschen, 1898 in der Unterhaltungsbeilage der Wochenschrift ›Fürs Haus‹; Die Brieftasche, R. 1898; Mitgiftjäger, R. 1898; Jenseits von Gut und Böse, R. 1899; Kollegenehe, R. 1900; Ins Bodenlose. Mitgift. Liane. Lilie, 4 En. 1900; Dienstbotengeschichten, 6 En. 1901; Kleineleuts-Geschichten, 6 En. 1902 (Inhalt: Wie kleine Leute hausen; Edis Väter; Ein guter Kerl; Der Freier der Johanna; Berthas Glück; Allerseelentrost); Vergangenheit. Letzter R. 2 Bd. 1902; Vom Glück verfolgt, E. 1903; Die andere Welt, R. 1914.

Literatur: *L. Fränkel,* F. Blumenreich. In: ADB XLVII.

Kaschnitz, Marie Luise (geb. von Holzing-Berstett, verh. Freifrau von Kaschnitz-Weinberg), * 31. 1. 1901 in Karlsruhe, † 10. 10. 1974 in Rom.

Tochter der Elsa von Seldeneck und des Generalmajors Freiherr von Holzing-Berstett. Verlebte ihre Kindheit und Jugend in Potsdam und Berlin. Besuch eines Lyzeums, Abitur. 1922–1924 Ausbildung als Buchhändlerin in Weimar und München. Arbeitete ab 1924 in einem Buchantiquariat in Rom. Heiratete 1925 den Wiener Archäologen Guido von Kaschnitz-Weinberg. Eine Tochter. Begleitete K.-W. auf zahlreichen Studienreisen durch Italien, Griechenland, Nordafrika und die Türkei. Lebte 1932–1955 in Deutschland, wo K.-W. an verschiedenen Universitäten arbeitete. Danach wieder Aufenthalt in Rom bis zum Tod K.-W.s 1958. Von da an wohnte sie abwechselnd in Rom, Frankfurt a.M. und auf dem Familiengut Bollschweil bei Freiburg/Breisgau. War 1948/49 Mitherausgeberin der Zeitschrift ›Die Wandlung‹. 1960 Gastdozentin für Poetik an der Universität Frankfurt a.M. Unternahm zahlreiche Vortragsreisen, u.a. auch in die USA und 1961 nach Südamerika.

M.L.K. begann in den dreißiger Jahren als Romanautorin. Trat später vor

allem als Lyrikerin hervor, zunächst mit traditioneller, dann Entwicklung autonomer Versstruktur, mit Ausdruck persönlicher Erfahrung und ebenso öffentlicher Thematik, wie z. B. der Erschütterung durch die Schrecken der Nazi-Zeit und des Krieges, der Bedrohung des Menschlichen in der gegenwärtigen Zeit. Als Erzählerin ist für sie charakteristisch der Einbezug des Rätselhaften, die Berücksichtigung nicht nur realer, sondern auch phantastischer Möglichkeiten und ihre gesellschaftsbezogene Thematik, weiterhin ihre Entwicklung zu freieren Prosaformen. Essayistin, Verfasserin literarischer Tagebuchaufzeichnungen, Hörspielautorin. Ihr Werk ist thematisch und formal »eine unaufhörliche und fruchtbare Korrespondenz zwischen Klassik und Moderne« (H. Bienek).
Wurde mit zahlreichen Preisen ausgezeichnet: 1955 Georg-Büchner-Preis, 1957 Immermann-Preis der Stadt Düsseldorf, 1964 Georg-Makkensen-Literaturpreis des Georg Westermann Verlages, 1966 Verleihung der Goethe-Plakette durch die Stadt Frankfurt. 1968 wurde sie Ehrendoktor der Universität Frankfurt/M. 1970 erhielt sie den Hebel-Preis.

WERKE: Liebe beginnt, R. 1933; Elissa, R. 1937; Griechische Mythen, 1946 (N 1975) (Inhalt: Die Sibylle; Chiron; Die Nacht der Argo; Demeter; Hephaistos; Perseus; Bellerophontos; Die böotischen Dioskuren; Niobe; Die Reise nach Kreta; Marpessa; Philemon und Baukis; Die Begegnung; Dido; Eos); Menschen und Dinge. Zwölf Ess. 1946 (Inhalt: Vom Ich; Von der Natur; Von den Dingen; Vom Wiedererwecken; Von der Gotteserfahrung; Von unserer Krankheit; Vom Wandern in der Tiefe; Von der Stille; Von unsern Kindern; Vom Hunger; Von der Schuld; Von der Verwandlung); Gedichte, 1947; Totentanz und Gedichte zur Zeit, 1947; (Mithrsgin.) Die Wandlung. Eine Monatsschrift, 1948–1949; Gustave Courbet. R. eines Malerlebens, 1949 (N u.d.T. Die Wahrheit nicht der Traum. Das Leben des Malers Courbet, 1967, N 1978); Zukunftsmusik, G. 1950; Das dicke Kind und andere Erzählungen, 1951 (N 1962) (Inhalt: Das dicke Kind; Adam und Eva; Genug, vorbei; Ich liebe Herrn X; Du, mein Held; Pax; Märzwind; Die Schlafwandlerin; Nesemann; Der Bergrutsch); Ewige Stadt, Rom-G. 1952; Das Spiel vom Kreuz, Hörsp. 1953; Was sind denn sieben Jahre, Hörsp. 1953; Engelsbrücke. Römische Betrachtungen, 1955 (N 1976); Das Haus der Kindheit, Autobiogr. 1956 (N 1962); Neue Gedichte, 1957; Als ich ein Kind war. In: Rheinischer Merkur 13(1958) 52, Beilage; Der Zöllner Matthäus, Laiensp. 1958; Die Umgebung von Rom, Kunstb. 1960; Lange Schatten, En. 1960 (N 1980); Ein Gartenfest, Hörsp. 1961; Der Hund, Hörsp. 1961; Dein Schweigen – meine Stimme, G. 1958–1961, 1962 (N 1981); Ein königliches Kind, Hörsp. 1962; Hörspiele, 1962 (N 1974) (Inhalt: Jasons letzte Nacht, U. 1952; Die fremde Stimme, U. 1952; Caterina Cornaro, U. 1954; Der Hochzeitsgast, U. 1955; Die Kinder der Elisa Rocca, U. 1955; Der Zöllner Matthäus, U. 1956; Hotel Paradiso, U. 1957; Wer fürchtet sich vorm Schwarzen Mann?, U. 1958; Die Reise des Herrn Admet, U. 1960; Tobias oder das Ende der Angst, U. 1961); Caterina Cornaro. Die Reise des Herrn Admet, Hörsp. 1962 (Auszug aus: Hörspiele); Wohin denn ich. Aufzeichnungen, 1963 (N 1967); Ich lebte, G. 1964; Der Deserteur, En. u. G. 1964; Ein Wort weiter, G. 1965; Beschreibung eines Dorfes, 1966 (N 1982); Ferngespräche, En. 1966 (N 1981) (Inhalt: Ein Tamburin, ein Pferd; Der Tulpenmann [N 1976]; Lupinen; Der Tunsch; Wer kennt seinen Vater?; Ferngespräche; Zu irgendeiner Zeit; Eisbären; Die Pflanzmaschine; Gewisse Gärten; April; Das Inventar; Silberne Mandeln; Der Schriftsteller; Die Füße im Feuer; Die chinesische Cinelle; Der Tag X; Der Angehörige; Ein Mann, eines Tages; Vogel Rock; Das Ölfläschchen; Der Kustode; Ja, mein Engel; Schiffsgeschichte); (Hrsgin.) F. Grillparzer, Medea, 1966;

Tage, Tage, Jahre. Aufzeichnungen, 1968; (Hrsgin.) Joseph von Eichendorff, Gedichte, 1969; Vogel Rock. Unheimliche Gesch. 1969 (Inhalt: Gespenster; Der schwarze See; Vogel Rock; Schiffsgeschichte; Der Spinner; Jennifers Träume); Die fremde Stimme, Hörsp. 1969 (Auszug aus: Hörspiele); Steht noch dahin, En. 1970 (N 1984); Gespräche im All. Hörsp. 1971; Nicht von hier und von heute, 1971; Zwischen immer und nie. Gestalten und Themen der Dichtung, Aufs. 1971 (N 1977); Eisbären, En. 1972; Kein Zauberspruch, G. 1972; Notizen. In: Ensemble 3(1972), 78–83; Das alte Thema, G. 1973; Drei Orte. In: Jahresring (1973/74), 57–59; Laudatio auf Hans Erich Nossack. In: Reden und Gedenkworte 11. 1972/73 (1974), 162–64; Jeder. In: Miscellanea Anglo-Americana. Fs. f. Helmut Viebrock, 1974; Gesang vom Menschenleben, G. 1974 (N 1982). – Weitere Erzählungen, Gedichte und Hörspiele, die innerhalb von Zeitschriften veröffentlicht wurden, siehe Kaschnitz-Bibliographie von E. Linpinsel, 1971; Der alte Garten, Märchen 1975 (N 1981); Rettung durch die Phantasie. In: Süddt. Zeitung vom 19./20. 10. 1975; Nicht mutig, G. u. Prosa. In: Merkur 29(1975), 860–66; Ein letztes Gedicht. Mit e. Nachruf v. H. Bienek. In: Merkur 29 (1975), 26–28; Über zwei Bücher. In: K. Batt (Hrsg.), Anna Seghers. Ein Almanach zum 75. Geb., 1975; Vier Aufzeichnungen. In: Jahresring 75–76(1975), 45–47; Der Tulpenmann, 1976; Orte. Aufzeichnungen, 1976; Für Werner Marx, G. In: U. Guzzoni u.a. (Hrsg.), Der Idealismus und seine Gegenwart. Fs. f. Werner Marx zum 65. Geb., 1976; (MA:) Rose Ausländer. Eine Ausstellung im Heinrich-Heine-Institut Düsseldorf. 4. Mai–5. Juni 1977, 1977; Die drei Wanderer, Ballade, 1980; Tatsachen, die verwirren. Aufzeichnungen. In: Freibeuter (1982) 13, 113–18.

WERKAUSGABEN: Überallnie, ausgew. G. 1928–1965, hrsg. v. K. Krolow, 1965 (N 1969); Ausgewählte Schriften, 1965; Nicht nur von hier und von heute, ausgew. Prosa und Lyrik, 1971; Gedichte, ausgew. v. P. Huchel, 1975; Ein Lesebuch 1964–1974, hrsg. v. H. Vormweg, 1976 (N 1980); Seid nicht so sicher! Gesch., G. und Gedanken, ausgew. v. H. Nitschke, 1979: Selected later poems. Transl. by Lisel Mueller, [Princeton] 1980; Gesammelte Werke, 7 Bd., hrsg. v. C. Büttrich u. N. Miller, 1981ff; M.L.K./Ilse Langner, Ein königliches Kind. Gedichte, Stücke und Hörspiele, hrsg. v. F. [d.i. Jürgen] Israel, [Leipzig] 1982; Eines Mittags, Mitte Juni, En. 1983.

TONKASSETTE: Die späten Abenteuer, 4 En. 1980.

SCHALLPLATTEN: Dichterlesung: M.L.K. liest. Seite A: Das dicke Kind, E.-Gedichte: Die Kinder dieser Welt. Hiroshima. Vorstadt. Torre San Lorenzo. Genazzano. Ostia antica. – Seite B: Lange Schatten, E.-Gedichte: Juni. Auf der Erde. Morgen. Interview. (Deutsche Grammophon Gesellschaft: Literarisches Archiv 43057 33); Stimmen der Dichter: M.L.K. spricht: Seite A: Christine. – Seite B: Gedichte: Der Leuchtturm. Ahasver. Bräutigam Froschkönig. Herbst im Breisgau. Nicht gesagt. (Herder Christophorus Verl., Freiburg CLX 75517).

BIBLIOGRAPHIE: *E. Linpinsel,* K.-Bibliographie, 1971.

LITERATUR: *W. Hildesheimer,* Ein Haus der Kindheit. In: Merkur 12 (1957). *G. Grack,* Hörspiele von M.L.K. In: Bücherkommentare (1962) 3. *H. Naber,* Hörspiele für Leser. In: Frankfurter Hefte 19(1964). *G. Bien,* M.L.K. ›Ein Wort weiter‹. In: Bücherkommentare (1965) 2. Auferstehung. Interpretation von M.L.K. und H. Kuhn. In: H. Domin (Hrsg.), Doppelinterpretationen, 1966. *H. Ullrich,* Fragen an das Gewissen. Zum 65. Geb. von M.L.K. In: Die neue Zeit (1966) 27. *G. Merck,* Der Schriftsteller in dieser Zeit: Ingeborg Bachmann und M.L.K. In: Neue Slg. 7(1967) 4. *R. Hirschenauer,* M.L.K. Ostia antica. In: R.H. u. A. Weber (Hrsg.), Wege zum Gedicht, ^{7}1968.
H. Kassdorff, M.L.K. Der Mond. Ein Deutungsversuch nach Klages' Auffassung der Sprache und Dichtung. In: Hestia 1967/69(1971). *M. Reich-Ranicki,* M.L.K.: Ferngespräche. In: M. R.-R., Literatur der kleinen Schritte, 1971. *E. Rudolph* (Hrsg.), Protokoll zur Person. Autoren über sich und ihr Werk, 1971. *A. Mechtel,* Alte Schriftsteller in der Bundesrepublik. Gespräche und Dokumente, 1972. *J. L. C. Elliot,* Character Transformation through Point of View in Selected Short Stories of M.L.K. Diss. Vanderbilt Univ. 1973.

L. Köhler, M.L.K. In: Benno v. Wiese (Hrsg.), Dt. Dichter der Gegenwart, 1973. *A. Baus,* Standortsbestimmungen als Prozeß. Eine Untersuchung zur Prosa von M.L.K., 1974. *D. Krusche,* Kommunikationsstruktur und Wirkpotential. Differenzierende Interpretation fiktionaler Kurzprosa von Kafka, K., Brecht. In: Der Deutschunterricht 26(1974) 4, 110–22. *P. Wapnewski,* Gebuchte Zeit. Zu den Aufzeichnungen der M.L.K. In: Merkur 28(1974), 381–84 (wiederholt in: P. W., Zumutungen, 1982, 255–62). *H. Bender,* Geehrt und verehrt. Zur Erinnerung an M.L.K. In: Jahresring 75/76(1975), 195–200. *I. Drewitz,* M.L.K. In: Frankfurter Hefte 20(1975). *H. Bienek,* Nachruf für M.L.K. In: Merkur 29 (1975), 26ff. *E. Gössmann,* Zum Tod von M.L.K. In: Doitsu Bungaku, [Tokio] (1975) 54, 160–62. *M. Koger,* Die Rom-Gedichte der M.L.K. In: Recherches Germaniques 5(1975), 217–42. *K. Krolow,* Gedenkwort für M.L.K. Gesprochen am Grabe. In: Dt. Ak. f. Sprache und Dichtung Darmstadt. Jb. 1974(1975), 132–35. *H. Vormweg,* Über M.L.K. In: Merkur 29(1975), 857–60. *G. Baumann,* Worte zur Verleihung des Johann-Peter-Hebel-Preises an M.L.K. am 10.Mai 1970 in Hausen im Wiesental. In: G.B., Entwürfe. Zu Poetik und Poesie, 1976, 177–82. *H. Krüger,* M.L.K. Tod in Rom. In: H. Fürstenberg (Hrsg.), Unvergeßliche Begegnung, 1976. *H. E. Nossack,* Gedenkworte für M.L.v.K. In: Reden und Gedenkworte 12. 1974/75 (1976), 107–10. *D. E. Wolter,* Grundhaltungen in Gedichten der M.L.K. In: Der Deutschunterricht 28(1976) 6, 108–14. *A. Corkhill,* Eschatologische Symbolik und Autobiographie als Interpretationsschlüssel zu M.L.K.s kurzem Prosawerk ›Schiffsgeschichte‹. In: Lit. in Wiss. und Unterricht 10(1977). *A. Kuchinke-Bach,* M. L. Freifrau v.K. In: NDB 1977. *G. Brinker-Gabler,* M.L.K. In: G.B.-G. (Hrsgin.), Dt. Dichterinnen vom 16. Jh. bis zur Gegenwart, 1978, 372–75. *F. Kienecker,* M.L.K.: ›Nicht gesagt‹. In: F.K., Es sind noch Lieder zu singen. 1978, 140–46. *R. Grimm,* Ein Menschenalter danach. Über das zweistrophige Gedicht ›Hiroshima‹. In: Monatshefte 71(1979). *M. Reich-Ranicki,* M.L.K. In: M.R.-R., Entgegnung, 1979. *R. Schäfer,* Beschreibung einer Beschreibung oder Das Einundzwanzig-Tage-Werk der M.L.K. In: R.S. (Hrsg.), Germanistik und Deutschunterricht 1979, 191–224. *C. Seiler,* Zeitstufen im Werk von M.L.K. Eine Textanalyse der Kurzgeschichten ›April‹, ›Zu irgendeiner Zeit‹, ›Ferngespräche‹, ›Der Schriftsteller‹. In: Germanic Notes 10(1979) 4, 49–52. *A. Strack-Richter,* Öffentliches und privates Engagement, die Lyrik von M.L.K., 1979. *P. Wapnewski,* Gebuchte Zeit. Zu den Aufzeichnungen der M.L.K. In: P.W., Zumutungen, 1979, 255–62.

H. Bienek, M.L.K.: ›Ein Gedicht‹. In: M. Reich-Ranicki (Hrsg.), Frankfurter Anthologie, Bd. 5 (1980), 203–06. *I. Drewitz,* M.L.K. In: I.D., Zeitverdichtung, [Wien] 1980, 266–77. *E. Endres,* M.L.K. In: H. Puknus (Hrsg.), Neue Lit. der Frauen, 1980, 20–24. *W. H. Fritz,* M.L.K. In: Frankfurter Hefte 35(1980) 9, 58–62. *H. J. Schlütter,* Formdispens im Sonett der Gegenwart. In: Akten des VI. Internationalen Germanisten-Kongresses 1980, Tl. 4, 517–26. *F. Usinger,* M.L.K. In: F.U., Miniaturen, 1980, 154–56. *A. Wierlacher,* Zur Thematisierung des Essens in der neueren deutschen Literatur. In: Acta Germanica 13(1980), 201–17. *W. Böhme,* Wer bin ich daß. Zu M.L.K. In: W.B. (Hrsg.), Gott nicht gelobt. Über Dichtung und Glauben, 1981, 97–104. *A. Bushell,* A darkening vision: the poetry of M.L.K. In: Neophilologus 65(1981) 2, 272–78. *B. Gajek,* Die Frage der Theodizee in moderner deutscher Lyrik. Überlegungen zu Gedichten von M.L.K. In: W. Böhme (Hrsg.), Gott nicht gelobt. Über Dichtung und Glauben, 1981, 43–67. *A. Kelletat,* Der Nu in Genazzano. Zum 80. Geb. von M.L.K. In: ebda., 92–96. *G. Köpf,* M.L.K. ›Hiroshima‹. Geschichte und Gedicht. In: Lit. f. Leser (1981) 1, 56–60. *E. Pulver,* »Wer sich die Welt auf die Schultern packt«. Zur Selbstcharakteristik von M.L.K. In: Neue Zürcher Zeitung (1981) 67 vom 21./22. 3. 1981. *H. Schwerte,* M.L.K. In: K. Weissenberger (Hrsg.), Die dt. Lyrik 1945–1975. Zwischen Botschaft und Spiel, 1981, 97–109 u. 441ff. *L. Stephan,* »Hier kann noch alles werden.« Das Verhältnis der M.L.K. zu Frankfurt a.M. In: Frankfurter Hefte 36(1981) 2, 59–64. *R. Foot,* The phenomenon of speechlessness in the poetry of M.L.K., Günter Eich, Nelly Sachs and Paul Celan, 1982. *F. Martini,* Auf der Suche nach sich selbst. Zu M.L.K.' Gedicht ›Interview‹. In: W. Hinck (Hrsg.), Gedichte und Interpretationen, Bd. 6, 1982, 59–70. *E. Pulver,* Emanzipation zu zweit. Zum Erstlingsroman von M.L.K.: ›Liebe beginnt‹ (1933). In: Monatshefte 62(1982) 10, 858–64. *M. Reich-Ranicki,* M.L.K. Die sprachgewaltige Lektion der Stille. In: M.R.-R., Entgegnung, 1982, 27–41. *U. Schultz* (Hrsg.), Das Tagebuch und der moderne Autor. Texte von Günther Anders, Heinrich Böll, M.L.K. u.a., 1982. *D. Slark,* Zu Gast bei M.L.K. Ein Gespräch mit der Dichterin im Jahre 1967 – eine Erinnerung. In: D.S., Literarisches Kaleidoskop, 1982, 111–19. *B. Witter,* »Ich sehe mich als sonniges Gemüt«. M.L.K. In: B.W., Spaziergänge mit Prominenten, 1982, 192–96. *A. Corkhill,* Rückschau, Gegenwärtiges und Zukunftsvision: die Synoptik von M.L.K.s dichterischer Welt. In: The German quarterly 56(1983), 386–95. *Ders.,* M. L.K.s perspective on language and the dilemma of writing. In: Colloquia Germanica 17(1984), 98–110.

Kaus, Gina (Ps. Andreas Eckbrecht), * 21. 11. 1894 in Wien.
Ihr Vater war ein aus Preßburg stammender Kaufmann. Wuchs in Wien auf, besuchte ein Lyzeum. Heiratete 1913 den Musiker Josef Zirner, der im Ersten Weltkrieg fiel (1915). Wurde 1916 von einem Verwandten der Familie Zirner, Josef Kranz, adoptiert. In den folgenden Jahren fand G. K. Zugang zu den literarischen Kreisen Wiens und hatte erste Erfolge als Autorin. 1917 wurde ihr Lustspiel ›Diebe im Haus‹ auf dem Wiener Burgtheater aufgeführt. Sie hatte es zunächst unter Pseudonym geschrieben, gab es aber bei der Uraufführung auf. War befreundet vor allem mit Franz Blei, der ihre literarische Arbeit förderte, des weiteren mit Franz Werfel, Hermann Broch, Milena Jesenská, Robert Musil und später, in den zwanziger Jahren, mit Karl Kraus. Heiratete 1920 den Schriftsteller Otto Kaus (1926 geschieden). Zwei Söhne. Später in dritter Ehe verheiratet mit Eduard Frischauer. Seit Beginn der 20er Jahre befreundet mit dem Psychologen Alfred Adler, dessen Privatseminare sie besuchte. Als Kaus 1924 nach Berlin ging, gründete sie die Zeitschrift ›Die Mutter‹ und eine Frauenberatungsstelle. Ende der 20er Jahre konnte G.K. sich als Autorin durchsetzen. Veröffentlichte Kurzgeschichten in ›B.Z. am Mittag‹, ›Vossische Zeitung‹, ›Die Dame‹ und ›Arbeiter-Zeitung‹. Ihr erster großer Erfolg wurde 1932 der Roman ›Die Überfahrt‹, der im gleichen Jahr in englischer Übersetzung erschien und ein Jahr später in den USA verfilmt wurde. 1936 besuchte sie auf Einladung Amerika, wo ihre Biographie ›Katharina die Große‹ (1935) zwei Monate lang an der Spitze der Bestseller-Liste stand. Die Nazis setzen ihre Bücher auf die »Schwarze Liste«. 1938, nach der Annexion Österreichs, ging G.K. über die Schweiz ins Exil, zunächst nach Paris, wo sie anderthalb Jahre blieb, dann kurze Zeit nach New York, schließlich nach Hollywood. Begann dort für verschiedene Filmgesellschaften zu arbeiten. In der kalifornischen Emigrantenkolonie war sie befreundet mit Bert Brecht, Hanns Eisler, Fritz Kortner, Salka Viertel, den Brüdern Eis, George Froeschel und vor allem Vicki → Baum.

Zwischen 1948 und 1951 lebte G.K. erneut in Wien und Berlin, kehrte danach wieder in die USA zurück.
Erzählerin, Bühnenautorin, Drehbuchautorin. Fast alle ihre Romane wurden verfilmt. Auch Übersetzerin. G.K.s Werk steht im engen Zusammenhang mit ihrer Wiener Herkunft und psychologischen Schulung. Charakteristisch ist »die Vorliebe für die psychologische Darstellung erotischer Spannungen und Situationen. Die Werke kreisen um das Erleben der Frau, wobei das Zentralthema Liebe in den verschiedensten menschlichen Konstellationen gezeigt und analysiert wird« (D. Malone).
Erhielt 1921 den Fontane-Preis, 1927 den Goethe-Preis der Stadt Bremen.

WERKE: Diebe im Haus, Lustsp. 1919; Der Aufstieg, N. 1920; Das verwunschene Land, E. In: Arbeiter-Zeitung, [Wien] 1925; Der lächerliche Dritte, Lustsp. 1927; Toni. Eine Schulmädchen-Kom. in 10 Bildern, 1927; Die Verliebten, R. 1929 (engl. 1936); (MA:) Die Brautnacht. Studie, 1931 (mit A. Kind); Die Überfahrt, R. 1932 (engl. 1932); Morgen um neun, R. 1932 (engl. 1933); Die Schwestern Kleh, R. 1933 (engl. 1933); Katharina die Große, 1935 (engl. 1935) (N 1982); Josephine und Madame Tallien, 1936; (MA:) Whisky und Soda, Lustsp. 1937; Luxusdampfer. R. einer Überfahrt, 1937 (N 1981); Der Teufel nebenan, R. 1939 (engl. 1940) (seit 1956 u.d.T.: Teufel in Seide; N 1980); Melanie, R. 1940; Und was für ein Leben...Mit Liebe und Literatur, Theater und Film, Autobiogr. 1979; Ein Brief. In: Kraus-Hefte (1981) 19, 1–2; (unveröffentlicht:) Xanthippe oder die Pest in Athen, R. (entstanden in den 40er Jahren).
WERKAUSGABE: Return to Reality, Short Stories, England 1935.
FILME: Luxury Liner. Produced from the book ›Luxury Liner‹ by G.K. Director L. Mendes. Producer B.P. Schulberg. Paramount, 1933; Charlie Chan in City in Darkness. Screen Play by R. Ellis and H. Logan. Adopted from the play ›City in Darkness‹ by G.K. and L. Fodor. Director H. I. Leeds. 20. Century Fox, 1938; Prison without Bars. Scenario by A. Wimperis, with dialogue by M. Kennedy. Adapted from a play by E. and O. Eis, G. K. and H. Wilhelm. Director B. D. Hurst. Producer A. Korda. United Artists, 1939; The Affair Lafont. Screen Play by H. Wilhelm and G.K. Director L. Moguy. Producer C. Films, Paris. Cipra Films, 1939; The Night Before the Divorce. Screen Play by J. Sackheim. Suggested by the play ›The Night Before the Divorce‹ by G.K. and L. Fodor. Director R. Siodmak. Producer R. Dietrich. 20.Century Fox, 1942; The Wife Takes a Flyer. Screen Play by G.K. and J. Dratler. Based on a story by G.K. Director R. Wallace. Producer B. P. Schulberg. Columbia, 1942; They All Kissed the Bride. Screen Play by P. J. Wolfson. Adapted by A. P. Solt and H. Altimus from a story by G.K. and A. P. Solt. Director A. Hall. Producer E. Kaufman. Columbia, 1942; Isle of Missing Men. Screen Play by R. Oswald and R. Chapin. Adapted from the play ›White Lady‹ by G.K. and L. Fodor. Producer and Director R. Oswald. Monogram, 1942; Her Sister's Secret. Screen Play by A. Green. Based on the novel ›Dark Angel‹ by G.K. Director E. G. Ulmer. Producer H. Brash. Producers Releasing Corp. Pictures, 1946; Whispering City. Screen Play by R. James and L. Lee. Additional dialogue by G.K., H. Kemp and S. Banks. From an original story by G. Zuckerman and M. Lennox. Director F. Ozep. Producer G. Marton. Quebec Productions Corpor., 1948; Julia Misbehaves. Screen Play by W. Ludwig, H. Ruskin and A. Wimperis from a G.K. and M. Hoffe adaptation of the novel ›The Nutmeg Tree‹ by M. Sharp. Director J. Conway. Producer E. Riskin. MGM, 1948; The Red Danube. Screen Play by G.K. and A. Wimperis. Based on the novel ›Vespers in Vienna‹ by B. Marshall. Director G. Sidney. Producer C. Wilson. MGM, 1949; Three Secrets. Screen Play by G.K. and M. Rackin. Director R. Wise.

Producer M. Sperling. Warner Brothers, 1950; We're Not Married. Screen Play by N. Johnson. Adapted by D. Taylor from a story by G.K. and J. Dratler. Director E. Goulding. Producer N. Johnson. 20.Century Fox, 1952; The Robe. Screen Play by P. Dunne. Based on the adaptation by G.K. of the novel by L. C. Douglas. Director H. C. Koster. Producer F. Ross. 20.Century Fox, 1953; All I Desire. Screen Play by R. Blees and J. Gunn. Adapted by G.K. From the novel ›Stop over‹ by C. Brink. Universal, 1953; Tempestuous Love. Scenario by G.K., O. Wuttig, M. Matray and A. Krueger. Director F. Harnack. Producer H. Wendlandt. Century Releasing Comp., 1958.

ÜBERSETZUNGEN: N. Simons, The Odd Couple; Ders., Barefoot in the Park; E. Kerr, Mary, Mary.

LITERATUR: *K. Edschmid,* G.K. ›Der Aufstieg‹. In: Frankfurter Ztg. vom 26. 1. 1922. *Rühle-Gerstel,* G.K. ›Die Verliebten‹. In: Zs. für Individualpsychologie [Wien] 7 (1929). *v. Genser,* G.K. ›Die Überfahrt‹. In: Freie Welt [Reichenberg] 12 (1932) 287. *Prigge,* G.K. ›Die Schwestern Kleh‹. In: C.V. Ztg. [Berlin] 13 (1933) 48, Beibl. 3. *L. M. Mager,* G.K. ›Katharina die Große‹. In: Neue Freie Presse [Wien] vom 29. 6. 1936. *D. Malone,* G.K. In: J. M. Spalek u. J. P. Strelka (Hrsg.), Dt. Exillit. seit 1933, Bd. 1: Kalifornien, [Bern/München] 1976, 751–61.

Kautsky, Minna (Ps. Eckert, Wilhelm Wiener), * 11. 6. 1837 in Graz, † 20. 12. 1912 in Berlin-Friedenau.

Ihr Vater, Anton Jaich, war Theatermaler und lebte seit 1845 mit seiner Familie in Prag. Dort trat M.K. gelegentlich als Schauspielerin am Niklastheater und am Stadttheater auf. 1854 heiratete sie den Landschafts- und Theatermaler Johann Kautsky. Eine Tochter, drei Söhne. Zwischen 1854 und 1861 war sie als Schauspielerin in Olmütz, Sondershausen, Güstrow und an der tschech. Nationalbühne in Prag engagiert. Mußte wegen eines Lungenleidens ihren Beruf aufgeben. Lebte von 1863 bis 1904 in Wien, wo ihr Mann eine Anstellung als Hoftheatermaler bekommen hatte. Durch ihre Krankheit zur Ruhe gezwungen, las sie schöne und wissenschaftliche Literatur, beschäftigte sich mit den Lehren Darwins und Haekkels. Begann 1870 mit literarischen Skizzen für die Presse, wurde Mitglied des Wiener Schriftsteller- und Künstlervereins, amtierte zeitweise als dessen Präsidentin. Durch ihren Sohn Karl wurde sie mit sozialistischen Ideen bekannt. 1885 besuchte sie Engels in London. Sie war befreundet mit W. Liebknecht, V. Adler, F. Mehring und R. Luxemburg. Seit 1904 wohnte sie bei ihrem Sohn Karl in Berlin.

M.K. schrieb zunächst Gedichte, veröffentlichte 1870 unter dem Pseudonym »Eckert« novellistische Skizzen über »moderne Frauen«, versuchte sich als Dramenautorin und wurde schließlich eine erfolgreiche Erzählerin. Thematisierte als eine der ersten die Probleme der Arbeiterschaft und der sozialistischen Bewegung, auch die Frauenfrage (›Viktoria‹, 1889, ›Helene‹, 1894). Ihre Romane, die fast alle zuerst in sozialdemokratischen Zeitungen und Zeitschriften erschienen, wurden um die Jahrhundertwende zur vielgelesenen Lektüre in sozialdemokratischen Familien, was ihr den Beinamen »die rote Marlitt« eintrug. »Literarisch wie politisch knüpfen sie an die Tradition des jungen Deutschland an. Mängel in der Gestaltung der Personen, Situationen und Handlung sowie die unreflektierte Verwendung kolportagehafter Elemente, denen ein oft unvermitteltes Hervortreten der weltanschaulichen Tendenz entspricht, schränken ihren künstlerischen Wert ein.« (W. Emmerich, 1977).

WERKE: Madame Roland, hist. Dr. 1878; Stefan vom Grillenhof, R. 1879; Herrschen und Dienen, R. 1882; Die Alten und die Neuen, R. 1884; Victoria, R. 1889; Eine gute Partie, N. 1889; Helene, R. 1894; Im Vaterhause, R. 1904; Die Leute von St. Bonifaz, R. 1905; Autobiogr. Skizze in: In freien Stunden 13, 1909, 2. Halbbd.; Der Pariser Garten und anderes, 1913 (Inhalt: Das Kloster in den Lagunen; Poldi – der Zimmermann; Der Pariser Garten). Zahlreiche Novellen, Erzählungen u.a. Artikel von M.K. sind z.T. unter dem Ps. Wilhelm Wiener in Neue Welt, Die Neue Zeit u.a. erschienen; verschiedene Dramen als Handschriften vorhanden, s. dazu *C. Friedrich,* M.K. Beitr. zur Entstehungsgeschichte der sozialistischen dt. Lit., Diss. Halle 1963.
WERKAUSGABEN: Gesammelte Romane und Erzählungen, 2 Bd. 1914 (Inhalt: 1. Herrschen und Dienen, R.; 2. Im Vaterhause, R.; Die Leute von St. Bonifaz, R.); Auswahl aus ihrem Werk, hrsg. v. C. Friedrich, 1965.
LITERATUR: *H. Gross,* M.K. In: H.G., Deutschlands Dichterinnen und Schriftstellerinnen, [2]1882, 263. *F. Mehring,* [M.K.] In: Die Neue Zeit 31(1912/13), 223. *K. Kautsky,* Erinnerungen und Erörterungen, 1960. *F. Mehring,* M.K. [1907], M.K. [1912]. In: F.M., Gesammelte Schriften, Bd. 11, 1961. Lex. sozialistischer dt. Lit. Von den Anfängen bis 1945, [Halle/Saale], 1963. *C. Friedrich,* M.K. Beiträge zur Entstehungsgeschichte der sozialistischen dt. Lit., Diss. Halle 1963 (Masch.) (ausf. Bibliographie: Erstdrucke, selbständige Drucke, Handschriften, Briefe von u. an M.K., Sekundärliteratur). *Dies.,* M.K.s Entwicklung zur Schriftstellerin der Arbeiterklasse. In: Wiss. Zs. der Martin-Luther-Universität zu Berlin. Gesellschafts- und sprachwiss. Reihe XII, 12 (1963), 1035–46. [Briefe v. *F. Engels* an und über M.K., Notiz v. *K. Marx* an M.K. vom 3. 10. 1881, Brief v. *J. Longuet* an C. Longuet vom 4. 10. 1881] In: Marx/Engels, Über Kunst und Literatur, hrsg. v. M. Lifschitz (1948), 1968. Brief *F. Engels'* an M.K. vom 26. 11. 1885. In: Marx/Engels, Werke 36(1967), 392–94. Brief *F. Engels'* an F. A. Sorge vom 21. 3. 1894. In: ebda. 39(1968), 223. *G. Holtz-Baumert,* »Überhaupt brauchen wir eine sozialistische Literatur ...«. Skizzen vom Kampf um eine sozialistische Kinderliteratur, 1972. *G. Stieg/B. Witte,* Abriß einer Geschichte der deutschen Arbeiterliteratur, 1973. *F. Trommler,* Sozialistische Literatur in Deutschland. Ein historischer Überblick, 1976. *W. Emmerich,* M.K. In: NDB 1977. *I. Cella,* Die Genossen nannten sie die »rote Marlitt«. M.K. und die Problematik des sozialen Romans, aufgezeigt an: ›Die Alten und die Neuen‹. In: Österreich in Gesch. und Lit. 25(1981), 16–29. *E. Eberts,* M.K. In: Lex. der Kinder- und Jugendlit. Bd. 4, 1982, 329f.

Keun, Irmgard, * 6. 2. 1905 in Berlin, † 5. 5. 1982 in Köln.
Tochter eines Kölner Fabrikanten. Besuchte die Schauspielschule in Köln. Begann nach kurzer Theaterkarriere zu schreiben. Ihr erster, 1931 erschienener Roman ›Gilgi – eine von uns‹ erreichte innerhalb eines Jahres sechs Auflagen mit 30000 Expl. Nach der Machtergreifung der Nazis wurden ihre Bücher auf die Schwarze Liste gesetzt, die Buchbestände beim Verlag beschlagnahmt. 1936 entschloß sie sich zur Emigration; ihr Mann, der Schriftsteller Johannes Tralow, blieb in Deutschland. Sie lebte zunächst in Ostende, wo sie andere Emigranten kennenlernte, u. a. Joseph Roth, mit dem sie sich befreundete. Beide reisten nach Paris, New York, nach Warschau und in Roths galizische Heimat. Später in Paris trennten sie sich. Bei einem Aufenthalt in Amsterdam 1940 wurde I.K. vom Überfall deutscher Truppen auf die Niederlande überrascht. Mit falschen Papieren reiste sie zurück ins Hitler-Deutschland, in das zweite »innere« Exil. Im Nachkriegsdeutschland war sie vergessen. Erst Ende der 70er Jahre wurde sie »wiederentdeckt«.
I.K. war eine gesellschaftskritische Autorin. Ihre in salopper, alltagsnaher Sprache geschriebenen Romane, sachlich und gefühlvoll, voller Spannung und Witz, beschreiben das Leben von Benachteiligten, u. a. das Schicksal von Kleinbürgermädchen, die ihrer kläglichen Existenz zu entkommen suchen. 1981 erhielt sie den Marieluise-Fleißer-Preis der Stadt Ingolstadt.

WERKE: Gilgi – eine von uns, R. 1931 (N 1981); Das kunstseidene Mädchen, R. 1932 (N 1980); Das Mädchen, mit dem die Kinder nicht verkehren durften, R. 1936 (N 1982); Nach Mitternacht, R. 1937 (N 1981); Kind aller Länder, R. 1938 (N 1983); D-Zug dritter Klasse, R. 1938 (N 1984); Bilder und Gedichte aus der Emigration, 1947; Nur noch Frauen ..., 1947; Ferdinand, der Mann mit dem freundlichen Herzen, R. 1949 (N 1982); Scherzartikel, 1951; (MA:) Die kleine Reise, 1953; Wenn wir alle gut wären ... Kleine Begebenheiten, Erinnerungen und Geschichten, 1954 (N 1983); Blühende Neurosen: Flimmerkisten-Blüten, 1962; Begegnung in der Emigration. In: D. Bronsen (Hrsg.), Joseph Roth und die Tradition. Aufs.- und Materialien-Slg., 1975, 36–38.
VERÖFF. A. D. NACHLASS: »Sie tragen kein Hakenkreuz mehr, aber sonst hat sich nichts geändert ...«. 5 Briefe an einen Freund. In: die horen 27(1982) 1, 35–47; Bücher und Gedichte aus der Emigration. In: Börsenblatt für den dt. Buchhandel, [Frankfurt] 1983, 248–54.
LITERATUR: *E. P. Neumann,* Die Zeitflucht der »Modernen«. In: Illustrierte neue Welt [Berlin] 1(1932) 10. *P. Panter* [d.i. K. Tucholsky], Auf dem Nachttisch [Gilgi – eine von uns]. In: Weltbühne 28(1932) 5. *I. Franke,* Gilgi – Film, Roman und Wirklichkeit. In: Der Weg der Frau [Berlin] 3(1933) 1. *M. Gundermann,* Gilgi – eine vom ›Vorwärts‹. In: ebda. *L. Marcuse,* Fünf Blicke auf Deutschland [u. a. über ›Nach

Mitternacht‹]. In: Das Wort 2(1937) 7. *K. Blum,* I.K. In: Internationale Lit. 9(1939) 6. *H.T.,* Bücher – kritisch gelesen [Wenn wir alle gut wären]. In: Weltbühne (1955) 50. *W. Fabian,* ›Nach Mitternacht‹. In: Neues Deutschland, Beil. (1956) 270. *I. Schreck,* Nacht ohne Hoffnung [Nach Mitternacht]. In: NDL 5(1957) 1. *C. Geheeb,* I.K.: ›Wenn wir alle gut wären‹. In: Börsenblatt für den dt. Buchhandel, [Leipzig] (1957) 19. *H. Kesten,* I.K. In: Meine Freunde, die Poeten, [München] 1959 [[1]1953], 423–34. *V. Klotz,* Forcierte Prosa. Stilbeobachtungen an Bildern und Romanen der Neuen Sachlichkeit. In: Dialog. Lit. und Lit.wiss. im Zeichen dt.-franz. Begegnung. Festgabe für J. Kunz, hrsg. v. R. Schönhaar, 1973, 244–71. *G. Roloff,* I.K. 1975. *J. Serke,* I.K. In: Die verbrannten Dichter, 1977. *G. Roloff,* I.K. – Vorläufiges zu Leben und Werk. In: Amsterdamer Beiträge zur neueren Germanistik 6(1977), 45–68. *U. Krechel,* I.K.: die Zerstörung der kalten Ordnung. Auch ein Versuch über das Vergessen weiblicher Kulturleistung. In: Literaturmagazin 10(1979), 103–28. *A. Schwarzer,* I.K. Was für ein Leben. In: Emma (1980) 3, 18–25. *E. Jelinek,* »Weil sie heimlich weinen muß, lacht sie über Zeitgenossen.« Über I.K. In: die horen 25(1980) 4, 221–25. [verschiedene Aufsätze über I.K.]. In: Literatur in Köln (LiK), hrsg. v. der Stadtbücherei Köln, (1980) 11. *R. Kühn,* Das kunstvolle ›kunstseidene Mädchen‹. Zu dem gleichnamigen Roman von I.K. In: G. Rademacher (Hrsg.), Becker – Bender – Böll und andere, 1980, 65–73. *U. Homann* [Rez. zu ›Ferdinand, der Mann mit dem freundlichen Herzen]. In: Deutsche Bücher [Amsterdam] 11(1981) 4, 271f. *N. Schachtsiek-Freitag* [Rez. zu ›Ferdinand, der Mann mit dem freundlichen Herzen‹]. In: Tribüne, Zs. zum Verständnis des Judentums 20(1981) 78, 194f. *E. W. Clowes* [Rez. zu ›Nach Mitternacht‹]. In: World literature today [Norman/Okla.] 55(1981) 3, 461. *H. Frodl,* [Rez. zu ›Kind aller Länder‹]. In: Biblos [Wien] 30(1981) 4, 363f. *B. Eichmann-Leutenegger,* Eine Art von Heimweh. Leben und Werk der I.K. In: Neue Zürcher Zeitung 1981, 265 v. 14./15. 11. 1970. *G. Sautermeister,* I.K.s Roman Nach Mitternacht. In: C. Fritsch/L. Winkler (Hrsg.), Faschismuskritik und Deutschlandbild im Exilroman, 1981 = Argument-Sonderbd. 76, 15–35 (wiederholt in: die horen 27(1982) 1, 48–60). *K. Antes,* »Woanders hin! Mich hält nichts fest!« I.K. im Gespräch mit K.A. In: ebda. 27(1982) 1, 48–60. *Ders.,* I.K.: Gelebt für eine bessere Welt. In: ebda. 27(1982) 2, 61–73. *Ders.,* I.K. (1910–1982). In: Sammlung. Jb. für antifaschistische Lit. und Kunst 5(1982), 177f. *U. Homann,* Erinnerungen an I.K. In: Der Literat 22(1982) 6, 147f. *H. Klapdor,* Keine mehr von uns, schon lange … Zum Tod der Schriftstellerin I.K. In: Exil. Exil 1933–1945. Forschung, Erkenntnisse, Ergebnisse, Maintal 2: J.H. Koch (1982) 2, 79–81. *L. Z. Wittmann,* Der Stein des Anstoßes. Zu einem Problemkomplex in berühmten und gerühmten Romanen der Neuen Sachlichkeit. In: Jb. für internationale Germanistik 14(1982) 2, 56–78. *H. Bicknaese* [Rez. zu ›Das Mädchen, mit dem die Kinder nicht verkehren durften‹]. In: die horen (1982) 1, 192f. *G. Kreis,* Eine Dame tut das nicht. In: Literatur konkret 7(1982/83), 70–72. *L. Z. Wittmann,* Erfolgschancen eines Gaukelspiels. Vergleichende Beobachtungen zu Gentlemen prefer blond (Anita Loos) und Das kunstseidene Mädchen (I.K.). In: Carleton Germanic papers [Ottawa] 11(1983), 35–49.

Kinkel, Johanna, * 8. 7. 1810 in Bonn, † 15. 11. 1858 in London.
Ihre Mutter Anna Maria war Tochter eines kurfürstlichen Büchsenspanners, der Vater Peter Joseph Mockel Gymnasiallehrer in Bonn. J. K. besaß von Kindheit an musikalisches Talent, das jedoch nicht besonders gefördert wurde. Die Mutter ließ sie zunächst eine Nähschule besuchen, später lernte sie Kochen. Erst im Erwachsenenalter erhielt sie Unterricht im Komponieren, Dirigieren und Klavierspiel beim Kapellmeister Franz Anton Ries, dem ersten Lehrer Beethovens. Aus dem Riesschen Schüler- und Freundeskreis entstand ein Musikverein, dessen Leitung J. K. 1829 übernahm. Erste Kompositionen. 1832 Heirat mit dem Kölner Buch- und Musikalienhändler Johann Paul Mathieux, von dem sie sich nach einem halben Jahr, an Nervenzerrüttung leidend, wieder trennte. Beschloß, ein ernsthaftes Musikstudium aufzunehmen, was ab 1836 in Berlin geschah. Verdiente sich ihren Lebensunterhalt während des Studiums mit Klavierunterricht. Fand als begabte Komponistin, Dirigentin und Pianistin Anerkennung. Hatte in Berlin Zugang zu den Salons Fanny Hensels, Bettina von → Arnims u. a. 1839 Rückkehr nach Bonn, um die Scheidung zu erwirken, die 1840 erfolgte. Sie wurde Mitglied im »Maikäferbund«, einer Dichtervereinigung. Lernte dort den Theologiedozenten Gottfried Kinkel kennen. J.K. trat ihm zuliebe zum evangelischen Glauben über. 1843 erfolgte die Heirat, wegen der K. von der theologischen zur kunsthistorischen Fakultät wechseln mußte. Vier Kinder. J.K. trug entscheidend zum Lebensunterhalt der Familie bei. Begann zu schreiben und veröffentlichte gemeinsam mit G.K. 1849 Erzählungen. Nachdem Kinkel als Abgeordneter nach Berlin gegangen war und während seiner Festungshaft ab 1849 leitete sie die Redaktion seiner ›Neuen Bonner Zeitung‹, die in dieser Zeit zum radikalen politischen Kampforgan wurde. Als Kinkel Ende 1849 fliehen konnte, folgte sie ihm 1851 mit den Kindern ins Londoner Exil. Zeit zum Komponieren fand sie nicht mehr, gab Musikunterricht, kümmerte sich fast ausschließlich allein um die Familie. Sie starb an den Folgen eines nie geklärten Sturzes aus dem Schlafzimmerfenster der Londoner Wohnung.
Ihr in London entstandener Roman, ein Familienbild aus dem Flüchtlingsleben, wurde nach ihrem Tod veröffentlicht.

WERKE: (MA:) Erzählungen, 1849; Acht Briefe an eine Freundin über Klavier-Unterricht, 1852; Der letzte Salzblock, politisches Dr. (ungedruckt).
VERÖFF. A. D. NACHLASS: Hans Ibeles in London. Ein Familienbild aus dem Flüchtlingsleben, 2 Bd. 1860. E. Ennen, Unveröffentlichte Jugendbriefe Gottfried Kinkels, 1835–1838. Nebst einem Anhang späterer Briefe von J. K. und eines Briefes von E. M. Arndt über Kinkel. In: Bonner Geschichtsblätter 9(1955), 37–121; J. und Gottfried K.s Briefe an K. Zitz 1849/61, hrsg. v. E. Leppla. In: Bonner Geschichtsblätter 12(1958); [unveröffentlichte Briefe J.K.s] In: O. Wenig, Autographeninterpretationen. In: Wege zur Buchwiss., hrsg. v. O.W. = V.-Burr-Festschrift, 1966.
LITERATUR: *H. Gross,* J.K. In: H.G., Deutschlands Dichterinnen und Schriftstellerinnen, [2]1882, 172f. *L. Morgenstern,* J.K. In: L.M., Die Frauen des 19.Jh.s, Bd. 2, 1889, 118–23. *O. Maußner,* G. u. J.K. In: ADB LV. *A. v. Asten,* J.K. in England. In: R. Fleischer (Hrsg.), Dt. Revue über das ge-

samte nationale Leben der Gegenwart…, 1901. *J. F. Schulte,* J.K., 1908. *H. Kersten,* Stadt und Universität Bonn in den Revolutionsjahren (1848–49), 1931. *P. Kaufmann,* J.K., 1931. *Ders.,* J.K. In: Schriftenreihe der Preußischen Jb. 22(1931). *Ders.,* J. u. G.K. In: Annalen des hist. Vereins für den Niederrhein 118(1931). *Ders.,* Noch einmal auf J.K.s Spuren. In: Preußische Jb. 229(1932). *Ders.,* Schattenspiele um das Studentenwohnheim Am Kupfergraben in Berlin. In: ebda. 239(1935). *W. Ottendorff-Simrock,* Literarisches Biedermeier am Rhein. Eine Studie. In: Bonner Geschichtsblätter 27(1975), 77–116. *R.-E. Boetcher Joeres,* The triumph of a Woman: J.K.s Hans Ibeles in London (1860). In: Euphorion 70(1976), 187–97. J.K. In: E. Weissweiler, Komponistinnen aus 500 Jahren. Eine Kultur und Wirkungsgeschichte in Biographien und Werkbeispielen, 1981, 217–34. *M. v. Meysenbug,* Briefe an J. u. G.K. 1849–1885, hrsg. v. S. Rossi unter Mitarbeit v. Y. Kikuchi, 1982. *U. Brandt u. a.* (Hrsg.), Der Maikäfer. Zs. für Nichtphilister, 1. Jg. 1840 u. 1841, 1982. *R. Ashton,* The search for liberty: German exiles in England in the 1850s. In: Journal of European studies. Literature and ideas from the renaissance to the present 13(1983), 187–98.

Koenig, Alma Johanna (Ps. Johannes Herdan), * 18. 8. 1887 in Prag, 27. 5. 1942 deportiert aus Wien; seitdem verschollen.
Tochter der Susanne geb. Herdan, verw. Gelernter, und des k.u.k. Hauptmanns Karl Koenig. Wuchs in Wien auf. Der Besuch einer höheren Mädchenschule wurde durch Krankheiten häufig unterbrochen. Bildete sich vorwiegend autodidaktisch. Studium der Klassiker, der Antike, skandinavischer Mythen, altfranz. und mhd. Epen, Besuch der Vortragsabende von Josef Kainz. Aus Rücksicht auf die Familie veröffentlichte sie ihre ersten Gedichte unter Pseudonym in Zeitschriften. 1921 Heirat mit dem österreichischen Konsul Bernhard Freiherr von Ehrenfels. Lebte mit ihm von 1925–1930 in Algier. 1930 Trennung (Scheidung 1936) und Rückkehr nach Wien. Verbindung mit O. J. Tauschinski. Nach der Besetzung Österreichs durch Hitler 1938 wurde A.J.K. als Staatsbürgerin und Autorin aus rassischen Gründen entrechtet, aus ihrer Wohnung vertrieben und zu mehrfachem Logiswechsel in Massenquartieren gezwungen. Verschleppung aus Wien 1942, vermutlich ins Ghetto von Minsk; seitdem verschollen.

Lyrikerin und Erzählerin. Ihr erster Roman ›Der heilige Palast‹ (1922) begründete ihren Erfolg und erregte wegen seines erotischen Inhalts Aufsehen. Für ihren Wikingerroman ›Die Geschichte von Half, dem Weibe‹ (1924) erhielt sie 1925 den »Preis der Stadt Wien«. Autobiographisch geprägt ist ihr psychologischer und zeitkritischer Gesellschaftsroman ›Leidenschaft in Algier‹ (1932). O. J. Tauschinski stiftete 1957 den A.J.K.-Preis (Preisträger u.a. J. Bobrowski, 1962).

WERKE: Die Windsbraut, G. 1918; Schibes, E. 1920 (N 1957); Der heilige Palast, R. 1922; Die Lieder der Fausta, G. 1922; Die Geschichte von Half, dem Weibe, 1924; Eiszeit des Herzens, Schausp. 1925; Gudrun. Stolz und Treue, 1928 (N 1973); Liebesgedichte. Eine Auswahl aus dem lyrischen Gesamtwerk, 1930; Die Fackel des Eros, 1930; Leidenschaft in Algier, R. 1932 (N 1955).
VERÖFF. A. D. NACHLASS: Sonette für Jan. Vers-R. 1946; Der jugendliche Gott, R. 1947 (N 1980); Sahara. Nordafrikanische En. und Sk. 1951; Gute Liebe – böse Liebe, hrsg. v. O. J. Tauschinski, 1960 [Ausw. m. Biogr.]; Schicksale in Bilderschrift, hist. Miniaturen, 1967; Vor dem Spiegel. Lyrische Autobiogr., hrsg. v. O. J. Tauschinski, 1977.
LITERATUR: *W. Müller-Rüdersdorf,* A.J.K. ›Die Windsbraut‹. In: Die schöne Lit. 20(1919). *C. Tavaillon,* A.J.K. ›Der heilige Palast‹. In: Das lit. Echo 24(1922). *E. Lucka,* A.J.K. ›Die Geschichte von Half, dem Weibe‹. In: ebda. 26(1924). *E. Antoine,* Die Dichterin A.J.K. In: Reclams Universum vom 9. 7. 1925. *E. Lissauer,* A.J.K. In: Die Literatur 32(1929/30). *Ders.,* A.J.K. ›Liebesgedichte‹. In: ebda. *E. Antoine,* In memoria A. J.K. In: Die Presse (1947) 33. *A. Zo[hner],* A.J.K. In: Arbeiterzeitung, [Wien] (1947) 190. *H. Lahr,* Nachwort zum Roman ›Der jugendliche Gott‹, 1948. *R. Braun,* Briefe aus Hitlers Wien. In: Wort in der Zeit, Okt. 1962. *O. J. Tauschinski,* Glaube und Liebe im Werk A.J.K.s. Radiovortrag im ORF, Okt. 1972. *Ders.,* Die lyrische Autobiographie der A.J.K. In: Lit. und Kritik 8(1973), 65–77. *H. Poschmann,* Nachwort zu ›Gudrun‹, 1975. *D. Nadwornik,* A.J.K. Diss. Padua 1976. [Rainer Maria Rilke und Hertha Koenig – Erinnerungen, Dokumente, Erläuterungen. Mit Beitr. v. H. W. Petzet u.a.] In: Blätter der Rilke-Gesellschaft 5(1978), 6–38. *O. J. Tauschinski,* A.J.K. In: NDB 1980. *M.-T. Kerschbaumer,* Der weibliche Name des Widerstandes. Sieben Berichte, 1980. *F. Raynaud,* A.J.K. (1887–1942?). Leben und Dichten einer Wienerin. In: Bulletin des Leo Baeck Instituts (1983) 64, 29–54.

Körber, Lilli (Ps. Agnes Muth), * 25. 2. 1897 (1901) in Moskau.
Mußte 1915 mit ihrer Familie Rußland verlassen. Promovierte 1923 zum Dr. phil. in Frankfurt. War journalistisch in Wien tätig. Lebte 1930 wieder in Rußland als Fabrikarbeiterin in Leningrad. Reisen nach China und Japan. Emigrierte in die Schweiz, Frankreich und USA. Erzählerin, Lyrikerin. Mitarbeiterin versch. Zeitschriften, u.a. Die neue Weltbühne (Prag), Gavroche (Paris), New Yorker Staatszeitung und Herold, Das andere Deutschland (Buenos Aires).

WERKE: Die Lyrik Franz Werfels, Diss. Frankfurt 1925; Eine Frau erlebt den roten Alltag. Ein Tagebuch-R. aus den Putilowwerken, 1932; Eine Jüdin erlebt das neue Deutschland, R. [Zürich] 1934; Begegnungen im fernen Osten, [Budapest] 1936; Sato-San, ein japanischer Held. Satyrischer Zeit-R. 1936; Ein Amerikaner in Rußland, R. 1942 (In: Dt. Volkszeitung, New York); Die Ehe der Ruth Gompertz, R. 1984.

Kolb, Annette, * 3. 2. 1870 in München, † 3. 12. 1967 ebda.
Viertes Kind der Pariser Konzertpianistin Sophie geb. Danvin und des Kgl. bayr. Gartenbauarchitekten und Leiters der Münchner Botanischen Gärten Max Kolb. Wuchs zweisprachig in kultivierter Atmosphäre auf. Der mütterliche Salon war Treffpunkt von Künstlern, Musikern (u.a. des Kreises um R. Wagner), Diplomaten, Mitgliedern der Münchner Hofgesellschaft. Besuchte das klösterliche Internat der Salesianerinnen in Thurnfeld (Tirol), anschließend das Privatinstitut Therese Aschers in München. Nach familiär und gesellschaftlich geprägtem Leben trat sie 1899 als Autorin an die Öffentlichkeit. Für ihren ersten Roman ›Das Exemplar‹ (1913) erhielt sie den Fontane-Preis. Neben ihrer schriftstellerischen und publizistischen Tätigkeit galt ihre Liebe der Musik (dokumentiert u.a. in ihren Biographien Mozarts und Schuberts) und ihr Interesse der Politik. Eine ihrer Hauptaufgaben sah sie darin, zur deutsch-französischen Versöhnung beizutragen. Ihr pazifistisches Engagement während des 1. Weltkriegs führte 1917 zur Emigration in die Schweiz. Kam 1919 nach Berlin, lebte seit 1923 in Badenweiler, dem damaligen Domizil René Schickeles, mit dem sie von 1915–1932 eng befreundet war. 1933 Emigration über die Schweiz nach Paris, 1940 weiter nach New York. Rückkehr 1945 nach Paris, Aufenthalte in Badenweiler und München, ihrem seit 1961 letzten Wohnsitz. A.K., Europäerin nach Herkunft und geistiger Haltung, bereiste kreuz und quer Europa, traf zusammen und war befreundet mit vielen namhaften Zeitgenossinnen und Zeitgenossen.
Erzählerin, Essayistin, Biographin, Übersetzerin, Publizistin. Ihr autobiographische Züge tragendes Erzählwerk (›Das Exemplar‹, ›Daphne Herbst‹, ›Die Schaukel‹) vermittelt Leben und Atmosphäre der Gesellschaft zu Beginn dieses Jahrhunderts. Christliche Humanität und Pazifismus prägen ihr den kulturellen und politischen Fragen gewidmetes publizistisches und essayistisches Werk.
Fontane-Preis (1913), Gerhart Hauptmann-Preis (1931), Kunstpreis f. Lit. d. Stadt München (1951), Goethepreis d. Stadt Frankfurt (1955), Ehrenlegion (1959), Literaturpreis der Stadt Köln (1961), Gr. Verdienstkreuz mit Stern d. Bundesverdienstordens (1966), Orden Pour le mérite f. Wiss. u. Künste (1966), Ehrenbürgerin v. Badenweiler.

WERKE: Kurze Aufsätze (dt. u. franz.), 1899; L'Ame aux deux patries. Sieben Studien, 1906; Das Exemplar, R. 1913 (N 1982); Wege und Umwege, 1914; (Dreizehn) Briefe einer Deutsch-Französin, 1916; Die Last, 1918; Zarastro. Westliche Tage, Tgb. 1921; Westliche Tage, 1922; Wera Njedin. En. und Sk. 1924 (N 1983); Spitzbögen, 1925 (N 1984); Veder Napoli e partire, Bilderb. 1925; Daphne Herbst, R. 1928 (N 1982); Versuch über Briand, 1929; Kleine Fanfare, Ess. 1930; Beschwerdebuch, Ess. 1932 (veränd. Neuausg. 1953); Die Schaukel, R. 1934 (N 1982); Festspieltage in Salzburg, 1937; Festspieltage in Salzburg und Abschied von Österreich, 1938 (N 1966); Mozart. Sein Leben, 1937 (franz. 1938, engl. 1939, span. 1940) (N 1984); Glückliche Reise. Tgb. einer Amerikafahrt, 1940; Franz Schubert. Sein Leben, 1941 (N 1984); König Ludwig II. von Bayern und Richard Wagner, 1947 (franz. 1947) (N 1983); Blätter in den Wind (dt. u. franz.), 1954; (MA:) Farbenfrohe Vogelwelt, 1956; Memento. Erinnerungen 1933–1945, 1960; 1907–1964. Zeitbilder, 1964 (N 1984).

BRIEFE: Götterdämmerung für uns. Aus dem Briefwechsel mit R. Schickele, 1935. In: Akzente 20(1973), 536–49.

SCHALLPLATTE: Annette Kolb spricht. 1962.

WERKAUSGABEN: Das Exemplar. – Daphne Herbst. – Die Schaukel, 1968.

ÜBERSETZUNGEN: Die Briefe der heiligen Catarina von Siena, 1906; A. de Villiers de L'Isle-Adam, Edisons Weib der Zukunft, 1909; G.K.C. (d.i. G.K. Chesterton), Orthodoxie (m. F. Blei) 1909; (Friederike Sophie Wilhelmine Markgräfin von Bayreuth) – Die Memoiren der Markgräfin Wilhelmine von Bayreuth, 1910; A. Chevrillon, In Indien, 1911; C. L. Philippe, Das Bein der Tiennette und andere Erzählungen, 1923; J. Giraudoux, Kein Krieg in Troja, 1936; V. Larbaud, Sankt Hieronymus, 1960; V. Larbaud, Der Schutzpatron der Übersetzer (Aufsatz). In: Hochland, 48(1955) 120–37.

NACHLASS: Stadtbibliothek München (Teilnachlaß); Dt. Lit.archiv/Schiller-Nationalmuseum Marbach(Slg.); Yale Univ., Beinecke Rara Book and Manuscr. Lib. New Haven, Conn. (Korrespondenz mit dem Kurt Wolff Verlag).

BIBLIOGRAPHIEN: D. Rauenhorst, A.-K.-Bibliographie. In: D. R., A. K. Ihr Leben und ihr Werk [Freiburg/Schweiz], 1969. R. Lemp, A.-K.-Bibliographie. In: R. L., A. K. Leben und Werk einer Europäerin, 1970, 91–114.

LITERATUR: *R. Schaukal,* ›L'âme aux deux patries‹. In: Die Gegenwart [Berlin] Bd. 71(1907) 11. *A. Heine,* A. K. In: Das lit. Echo 22(1919), 715ff. *R. Kayser,* A. K. In: Das Tage-Buch 7(1926). *F. Koch,* A. K., 1929. *E. Schröder,* R. Schickele – A. K. – H. Carossa. In: Literarischer Handweiser 66(1929/30). *Ders.,* A. K. In: Hochland 30(1932), 182ff. *C. Wandrey,* A. K., 1934. *H. Gumpel,* A. K., 1938. *R. Burkhardt,* Die drei Romane der A. K. In: The Gate 2(1948) 3/4, 22–25. *R. Haag,* A. K. In: Münchner Allg. Ztg. (1949) 11. *P. Ellmar,* A. K. In: Neue Zürcher Nachrichten (1951) 51. *U. v. Kardorff,* A. K., die Europäerin. In: Süddt. Ztg. (1951) 49. *H. Ahl,* Tochter zweier Vaterländer. A. K. In: H. A., Li-

terarische Porträts, 1955. *N. Erné,* Kleine Huldigung für A. K. In: Antares. Franz. H. für Kunst, Lit. u. Wiss. 3(1955) 3, 53f. *W. Hausenstein,* Geburtstagsbrief an A. K. In: Die Gegenwart 10(1955), 79f. *F. Michael,* Post festum. In: Merkur. Dt. Zs. für europ. Denken 9(1955), 792ff. *J. de Ricaumont,* Citoyenne de l'Europe. A. K. In: Allemagne d'aujourd'hui [Paris] (1955) 2, 100–03. *L. Rinser,* A. K. In: Frankfurter Hefte 10(1955), 651–56. Dass. In: L. R., Der Schwerpunkt, 1960, 7–22. *R. Schneider,* A. K. zum 2. 2. 1955. In: Die neue Rundschau 6(1955) 3, 314f. Dass. In: R. S., Pfeiler im Strom, 1958, 298f. *H. Kesten,* A. K. In: H. K., Meine Freunde, die Poeten, 1959 (Neuausg. 1970). *E. Kästner,* A. K. In: Merkur. Dt. Zs. für europ. Denken 12(1960), 226f. *O. Schäfer,* Dame, Dichterin, Prophet. Zum 85. Geb. In: FAZ vom 1. 2. 1960. *H. Hummerich,* Abschiede [zu: Zeitbilder, 1907–1964]. In: FAZ vom 24. 11. 1964. *E. Pfeiffer-Belli,* Tochter zweier Vaterländer [zu: Zeitbilder 1907–1964]. In: Welt der Lit. [Berlin] 1(1964) 12. *M. Rychner,* A. K. In: Merkur. Dt. Zs. für europäisches Denken 18(1964) 9, 814–26. *B. Reifenberg,* Gedenkwort für A. K. In: Dt. Ak. für Sprache u. Dichtung. Jb. 1967 (1968), 102–08. *K. Ude,* Blick in A. K.s Nachlaß. In: Welt und Wort. Literarische Monatsschrift [Tübingen] 23(1968), 7ff. *F. Michael,* In memoriam A. K. In: Jahresring. Beitr. zur dt.

Lit. u. Kunst der Gegenwart 68/69(1968), 297–304. *D. Rauenhorst,* A. K. Ihr Leben und ihr Werk [Freiburg/Schweiz], 1969. *W. E. Süskind,* gekannt verehrt geliebt, 1969. *G. Wilhelm,* A. K. In: Hdb. der dt. Gegenwartslit., [2]1969, 389f. *E. Benyoetz,* A. K. und Israel, 1970. *R. Lemp,* A. K. Leben und Werk einer Europäerin, 1970. *C. J. Burckhardt,* A. K. In: C. J. B., Gesammelte Werke, Bd. 4 (1971), 383–88. *L. Ritter-Santini,* Der goldene und der bleierne Pfeil. Die Wunde der Nymphe Daphne. In: Jb. der dt. Schillergesellschaft 16(1972), 659–88. *G. v. Einem,* Der Nachlaß von Werner Richter im Dt. Lit.archiv. In: Jb. d. dt. Schillergesellschaft 18(1975), 702–33. *H. Häntzschel,* A. K. In: NDB 1980. *K. Wieninger,* A. K. Die europ. Dichterin. In: K. W., Bayerische Gestalten, 1981, 340–43. *U. v. Kardorff,* Gewitztes Fräulein, ein Leben lang. In: Zeit-Magazin 45(Nov. 1983).

Kolmar, Gertrud (Ps. f. Chodziesner), * 10. 12. 1894 in Berlin, verschollen seit Febr./März 1943.
Entstammte einer jüdischen Großbürgerfamilie. Die Mutter war eine Tochter des Tabak- und Zigarrenfabrikanten Schönflies, der Vater der Berliner Rechtsanwalt Ludwig Chodziesner, dessen Familie aus Chodziesen (Kolmar, Kr. Posen) kam. Wuchs in einem künstlerisch aufgeschlossenen Elternhaus auf. Besuchte seit 1911 eine höhere Mädchenschule in Berlin und später eine Hauswirtschaftsschule in Leipzig. Absolvierte das Lehrerinnenexamen für Französisch und Englisch; erwarb auch russische und hebräische Sprachkenntnisse. 1917 veröffentlichte sie ihre ersten Gedichte. Im Ersten Weltkrieg Dolmetscherin im Auswärtigen Amt, seit 1923 Erzieherin in Privathäusern, zeitweilig Betreuerin taubstummer Kinder in Dijon. Beschäftigte sich mit Geschichte, insbesondere der Französischen Revolution und der Gestalt Robespierres, sowie östlichen Kulturen. Frühe Beziehung zum Zionismus. Lebte ab 1928 zurückgezogen im Haus der Eltern, die sie pflegte. 1930 Tod der Mutter. Blieb nach 1933 in Deutschland, um den Vater nicht zu verlassen. 1938 Zwangsverkauf des Familienbesitzes. 1941 wurde G.K. als Zwangsarbeiterin in einer Fabrik verpflichtet. 1942 erfolgte die Deportation ihres achtzigjährigen Vaters nach Theresienstadt; 1943 wurde auch sie deportiert, wahrscheinlich nach Auschwitz. Letzte Nachricht vom 21. 2. 1943.
G.K.s zum größten Teil ungedruckt gebliebenes Werk konnte ins Ausland gerettet und später veröffentlicht werden. Von besonderer Bedeutung ist ihre Lyrik, in der sie, »die rücksichtslose Tagträumerin«, »das verachtetste Ding und Geschöpf kraft ihres Anschauens in seine mythische Wahrheit rückt« (F. Kemp). Es sind die menschenfernsten Vertreter der Tierwelt, die in ihren Gedichten immer wiederkehren: Unken und Echsen, Otter und Olm, Wal und Alk, Geier und Hyäne. Daneben treten Frauengestalten auf, wie die Kranke, Irre, Blinde, Häßliche, Kindlose, die Fremde und die Jüdin. G.K.s Interesse für die geschichtlich-mythischen Zusammenhänge zeigen ihre historischen Gedichtzyklen. Sie schrieb auch erzählende Prosa (›Eine Mutter‹).

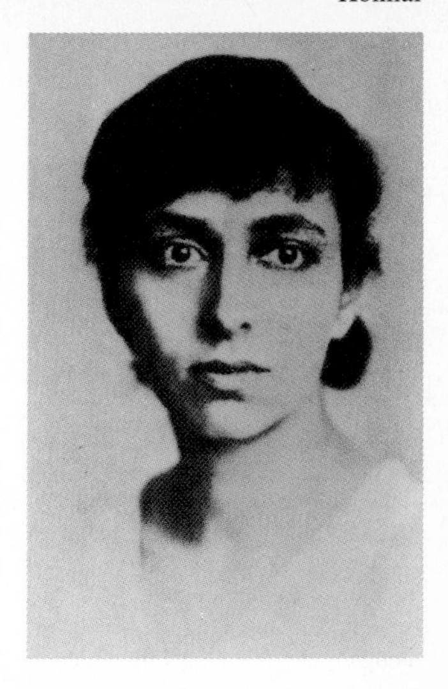

WERKE: Gedichte, 1917; Preußische Wappen, G. 1934; Die Frau und die Tiere, G. 1938.
VERÖFF. A. D. NACHLASS: Welten, G., hrsg. v. H. Kesten, 1947; Gedichte. In: Sinn und Form 1(1949) 2; Susanne. In: K. Otten (Hrsg.), Das leere Haus. Prosa jüdischer Dichter, 1959; Das lyrische Werk, hrsg. v. H. Kasack, 1955 (erweiterte Aufl. 1960); Tag und Tierträume, 1963; Das Bildnis des Robespierre, Ess. mitget. v. J. Zeitler. In: Jb. d. dt. Schillerges. 9(1965), 553–80; Eine Mutter, E. 1965 (seit 1978 u.d.T. Eine jüdische Mutter, N 1981); Die Kerze des Arras. Ausgewählte Gedichte, 1968; Briefe an die Schwester Hilde 1938–43, hrsg. v. J. Zeitler, 1970; Das Wort der Stummen. Nachgelassene Gedichte, 1978; Frühe Gedichte (1917–1922). Worte der Stummen (1933), hrsg. v. J. Woltmann-Zeitler, 1980; Gedichte. Auswahl, hrsg. v. U. Hahn, 1983.
BIBLIOGRAPHIE: G.-K.-Bibliogr. In: G.K., Das lyrische Werk, 1960 [nur Primärlit.]
LITERATUR: *J. Picard,* G.K. The Woman and the Beats. Commentary (Nov. 1950). G.K. zum Gedenken, 1894–1943. In: Schweizer Frauenbl. [Zürich] 35(1956) 13. *H. Kasack,* G.K. In: H.K., Mosaiksteine, 1956. *K. Krolow,* Das lyrische Werk G.K.s. In: Akzente 3(1956), 162–66. *E. Waldinger,* ›Das lyrische Werk‹. In: Books abroad. An international literary quaterly, 1957. *R. Kayser,* Das lyrische Werk von G.K. In: The German Quarterly 33(1960) 1, 1–3. *R. Ibel,* Immer neue Masken der Seele [zu: Das lyrische Werk]. In: Die Welt vom 6. 5. 1961. *E. Horst,* [zu: Das lyrische Werk]. In: Neue Dt. Hefte 8(1961) 82. *H. Henneke,* Eine große Dichterin [zu: Das lyrische Werk]. In: FAZ vom 14. 1. 1961. *W. Schnurre,* G.K. In: J. Petersen (Hrsg.), Triffst Du nur das Zauberwort. Stimmen von heute zur deutschen Lyrik, 1961, 268–87. *W. Wiesinger,* G.K. Rue Saint-Honoré. In: R. Hirschenauer/A. Weber (Hrsg.), Wege zum Gedicht II, 1963, ^{2}1968. *G. Wolf,* G.K. In: G.W., Deutsche Lyrik nach 1945. Schriftsteller der Gegenwart (1964) 13. *C. Menck,* Für sich selber geschrieben [zu: Eine Mutter]. In: FAZ vom 12. 10. 1965. *W. H. Fritz,* In überhitzter Sprache [zu: Eine Mutter]. In: Welt der Lit. 2(1965) 24. *J. P. Wallmann,* Deutsche Lyrik unter jüdischem Dreigestirn [zu E. Lasker-Schüler, G.K., N. Sachs]. In: Merkur 20(1966) 12, 1191–94. *H. Piontek,* Musterung eines Oeuvres. In: Wort und Wahrheit 24(1969). *B. G. Blumenthal,* G.K.: love's service to the earth. In: The German Quarterly 42 (1969), 485–88. *S. Einstein,* Wer wird in diesem Jahr die Schofar blasen? Sieben jüdische Dichter deutscher Sprache. In: Emuna. Horizonte. Zur Diskussion über Israel und das Judentum 4(1969), 226–34. *J. Glenn,* Deutsches Schrifttum der Gegenwart (Ab 1945), 1971. *H. Byland,* Zu den Gedichten G.K.s, Diss. Zürich 1971. *U. Berger,* Zum Bild G.K.s. In: Sinn und Form 24(1972), 359–98. *H. Graefe,* Das dt. Erzählgedicht im 20. Jh., 1972. *L. L. Langner,* Survival Through Art. The Career of G.K. In: Year Book Leo Baeck Inst. 23(1973). *E. Langmann,* The poetry of G.K. In: Seminar, A journal of Germanic studies, 14(1977), 117–32. *G. Brinker-Gabler,* G.K. In: G.B.-G. (Hrsg.), Dt. Dichterinnen vom 16. Jh. bis zur Gegenwart, 1978, 321–26. *K. Jeziorkowski,* ›Die Fahrende›. In: FA 3(1978). *R. Döhl,* ›Ludwig XVI., 1775‹. In: W. Hinck (Hrsg.), Geschichte im Gedicht, 1979. Lebensbilder bedeutender Männer und Frauen, Bd. 1.2., 1979. *I. Langner,* Drei deutsch-jüdische Dich-

terinnen. In: Frankfurter Hefte 34(1979) 5, 37–45. *R. Frommholz,* G.K. In: NDB 1980. *U. Krechel,* Losgelöst und kinderlos. G.K.: ›Wahn‹. In: U. K., Lesarten, 1982, 132–37. *L. L. Langner,* Versions of survival. The Holocaust and the human spirit, [Albany, N.Y.] 1982. *M. C. Eben,* G.K.: an appraisal. In: German life & letters 37(1983/84), 197–210.

Kraze, Friede(rike) Henriette (Ps. Heinz Gumprecht), * 5. 1. 1870 in Krotoschin/Posen, † 16. 5. 1936 in Eisenach.

Der Vater war Ingenieur. Die Eltern verstarben früh. Wuchs im Haus der Großmutter auf. Nach deren Tod (1882) lebte sie abwechselnd bei Verwandten und in Pensionen (Breslau, Eisleben, Droyszig). Mit 18 Jahren Lehrerinnenexamen für höhere Töchterschulen in Breslau. Übte ihren Beruf in Röhrda (Hessen), Marne (Holstein), Gethin (Provinz Sachsen) und anderthalb Jahre in England aus. Zwischendurch größere Reisen nach Frankreich, Aufenthalte auf Capri und in Rom. Dann als Erzieherin im Hause des Grafen von Schwerin-Löwitz auf Löwitz (Pommern) und schließlich wieder als Lehrerin in Husum tätig. Lebte seit 1906 als freie Schriftstellerin in Berlin, Dresden, Weimar und München. – Neben Dramen und Gedichten schrieb F.H.K. vor allem Romane, Novellen und Erzählungen.

WERKE: Im Schatten der Weltesche, R. 1905; Heim Neuland, R. 1908; Die Sendung des Christoph Frei, R. 1913; Der Kriegspfarrer, R. 1914; Vaterland. Kriegsballaden und Lieder, 1914; Erfüllungen. Ein Stück von heut für morgen, Dr. 1915; Quellen, die springen, Nn. 1917; Die von Brock. Ein Balten-Roman, 1919; Der Ring und andere Geschichten, 1919; Unser Garten. Eine handvoll Schollenglück, N. 1920; Die schöne und wunderbare Jugend des Hadumoth Siebenstern, E. 1920; Die Birke von Dondangen, N. 1921; Amey. Ein Roman aus der Zeitseele, 1922; Maria am Meer, R. 1923–1924; Das Geheimnis, E. 1923; Dies war Mariebell, N. 1924; Das wahre Gesicht, N. 1925; Meertrud, N. 1925; Der Freier, N. 1925; Die steinernen Götter, E. 1925; Jahr der Wandlung, R. 1925; Die Frauen von Volderwiek, R. 1926; Dom der Zeit, R. 1927; Vom Unerfüllten, N. 1927; Die Freiheit des Kolja Iwanow, R. 1927; Das Kind, E. 1928; Der Soldat und die kleine Madonna. Die heilige Kümmernis, 2 En. 1928; Die Sternenkuppel, N. 1929; Land im Schatten, R. 1929; Das Frauenherz. Vier Legenden von der Liebe, 1929 (Inhalt: Die Sternenkuppel; Meertrud; Der Soldat und die kleine Madonna; Die heilige Kümmernis); Mysterium, R. 1930; Das Rosenmärchen. Ein Märchen-Bilderb. 1930; Goldene Türen, En. 1932; Garba I. Das Spiel ist aus – wird nun das Leben kommen? R. 1932; Garba II. Stirb und werde, R. 1933; Die magischen Wälder, R. 1933; Die Lese. Aphorismen ausgew. v. G. Thomas, 1934; Hochzeit auf Hollersbrunn und andere Erzählungen, 1935; Meister Brüggemann, N. 1935; Deutsche Weihnacht, 5 En. 1935; Einer Mutter Weg, R. 1937.

LITERATUR: [F.H.K.]. In: Ostdt. Monatshefte 16(1935) und 17(1936/37) (Aufs. von *M. Schepp, C. Lange, F. Lüdtke*). *M. L. Lübbert-Schiller,* F.H.K. In: Christliche Welt 50(1936).

Kremnitz, Mite (eigentl. Marie; Ps. George Allan, Dito und Idem), * 4. 1. [23. 12.] 1852 in Greifswald, † 18. 7. 1916 in Berlin.
Ihr Vater war der Professor für Chirurgie Heinrich Adolf von Bardeleben. Wuchs zunächst in Greifswald auf, dann in London und schließlich Berlin, wohin der Vater 1868 als Universitätsprofessor berufen wurde. Heiratete in Berlin den praktischen Arzt Dr. Kremnitz. Übersiedelte mit ihm 1875 nach Bukarest (Rumänien). Befreundete sich dort mit der Königin Elisabeth (die als Dichterin unter dem Ps. Carmen Sylva schrieb). Veröffentlichte mit ihr gemeinsam unter dem Ps. Dito und Idem. Nach dem Tod ihres Mannes 1897 kehrte M.K. nach Berlin zurück. – Vorwiegend Erzählerin und Biographin. Beiträge in Zeitschriften.

WERKE: (Hrsgin.) Rumänische Dichtungen, dt. v. Carmen Sylva, 1881; Fluch der Liebe, Nn. 1881; Neue rumänische Skizzen, 1881; Rumänische Märchen, 1882; Aus der rumänischen Gesellschaft, zwei R. 1882; Ein Fürstenkind, R. 1883; Rumäniens Anteil am Kriege 1877–78, 1887; (u.d.Ps. Dito und Idem gemeinsam mit Carmen Sylva:) Anna Boleyn, hist. Trauersp., 1886; Astra, R. 1886; Feldpost, R. 1886; Rache und andere Nn., 1888; In der Irre, Nn. 1887; (u.d.N. Mite Kremnitz:) Ausgewanderte, R. 1890; Elina. Zwischen Kirche und Pastorat, 2 Nn. 1894; Sein Brief, N. 1896; Herr Baby, eine Kindergesch. 1901; Mann und Weib, Nn. 1902; Am Hofe von Ragusa, R. 1902; Fatum, E. 1903; König Karol von Rumänien, ein Lebensbild, 1903; Carmen Sylva, Biogr. 1903; Maria, Fürstin Mutter zu Wied, Prinzessin von Nassau, Lebensbild, 1904; Mutterrecht, N. 1906; Eine Hilflose, R. 1906; Was die Welt schuldig nennt, 1907; Der rote Streif, eine Liebesgesch. 1908; Ist das – das Leben? R. 1909; Die Getäuschten, R. 1909; Laut Testament, R. 1911; Tönendes Erz, Lustsp. 1912; Das Geheimnis der Weiche, E. 1913; (MA:) Die Kammerwahl, Burleske (frei n. J. L. Caragiales, Der verlorene Brief), 1917.

WERKAUSGABE: Elina. Zwischen Kirche u. Pastorat. Herr Baby, 3 En. 1911.

LITERATUR: R. Grebing, M.K. (1852–1916) E. Vermittlerin rumän. Kultur in Dtld., 1976.

Kurz, Isolde, * 21. 12. 1853 in Stuttgart, † 5. 4. 1944 in Tübingen.
Tochter der Marie geb. v. Brunow (1826–1911) und des Schriftstellers und Bibliothekars Hermann Kurz (1813–1873). Die höchst unkonventionelle Mutter (eine engagierte Demokratin, die während der 48er Revolution Manifeste verteilt und Reden gehalten hatte) sorgte für eine freiheitliche Erziehung. I.K., die einzige Tochter neben vier Brüdern, wurde vom Schulzwang befreit und von der Mutter unterrichtet. Klassisch-antikes Bildungsgut wurde ihr ebenso frühzeitig nahegebracht wie sozialistische Schriften. Sie lernte mehrere Sprachen, erhielt mit 13 Tanzunterricht, lernte Reiten und Schwimmen. Das führte zu Konflikten mit der provinziellen Umwelt in Obereßlingen und schließlich Tübingen, wo die Familie seit 1863 wohnte (geschildert in ›Jugendland‹, 1918), und ließ I.K. frühzeitig die eingeschränkte Rolle der Frau erkennen. 1879 ging sie mit dem Bruder Erwin nach München, arbeitete als Übersetzerin und Italienisch-Lehrerin. Fand Zugang zu den dortigen Künstler- und Schriftstellerkreisen. Ein Jahr später übersiedelte sie mit Mutter und Geschwistern nach Florenz zum Bruder Edgar, der dort als Arzt praktizierte. Zum dortigen Freundeskreis gehörten A. Böcklin, Hans von Marées, K. Hillebrand. I.K., die sich schon früh literarisch betätigt hatte, begann erst 35jährig zu veröffentlichen (›Gedichte‹, 1888). Seit 1906 lebte sie mit der Mutter, die sie bis zu deren Tod 1911 pflegte, abwechselnd in München und auf dem ital. Sommersitz Forte dei Marmi. Gemeinsam mit dem langjährigen Freund Ernst v. Mohl unternahm sie 1912 eine Griechenlandreise, 1914 Wanderungen durch Deutschland. Während des Ersten Weltkriegs erschien ihre Gedichtsammlung ›Schwert aus der Scheide‹. I.K. war weiterhin in München ansässig, kehrte erst 1943 nach Tübingen zurück.
I.K. wurde im letzten Jahrzehnt des 19. Jahrhunderts gleichermaßen als bedeutende Lyrikerin und Erzählerin (›Florentiner Novellen‹, 1890) berühmt. Ihr umfangreiches Werk ist einerseits geprägt durch die (unter dem Einfluß Jacob Burckhardts) zeittypische Vorliebe für die Renaissance – als einer Blütezeit der Künste und der Philosophie, der Emanzipation von alten Bindungen; es umfaßt aber auch gegenwartsnahe Arbeiten (›Italienische Erzählungen‹) und humorvolle Vertiefung in die kleine Welt des heimatlichen Schwaben. Grundthema ist (unabhängig von der zeitgenössischen Psychologie und den Anfängen der Psychoanalyse) die Ich-Problematik, die Auseinandersetzung mit dem jenseits des rational begreifbar Liegenden (›Ein Rätsel‹, ›Traumland‹). I.K. gehörte zu den wenigen, die noch die »Versdichtung« pflegten (›Die Kinder der Lilith‹); veröffentlichte u.a. auch Aphorismen (›Im Zeichen des Steinbocks‹). Autobiographisch geprägt ist ihr letzter Roman ›Vanadis. Schicksalsweg einer Frau‹ (1931). 1938 veröffentlichte sie ihre Lebensbeschreibung als ›Pilgerfahrt nach dem Unerreichlichen‹.
I.K. erhielt die Große goldene Medaille für Kunst und Wissenschaft, wurde Dr. phil. h.c. der Universität Tübingen (1913), erhielt die Goethe-Medaille für Kunst und Wissenschaft (1943), war Ehrenmitglied des Mar-

bacher Schillervereins, der Deutsch-Griechischen Gesellschaft und der Florentiner Gruppe der Deutschen Akademie.

WERKE: Gedichte, 1888 (verm. Neuaufl. 1891); Florentiner Novellen, 1890 (daraus: Die Humanisten, 1914; Die Vermählung der Toten, 1925) (N 1984); Phantasien und Märchen, 1890 (daraus: Die goldenen Träume. Ein Märchen, 1929); Italienische Erzählungen, 1895 (daraus: Unsere Charlotte, E. 1901) (N 1985); Von dazumal, En. 1900 (daraus: Werthers Grab, E. 1932); Frutti di mare, 2 En. 1902; Die Stadt des Lebens. Schilderungen aus der florentinischen Renaissance, 1902; (Hrsgin.) Edgar Kurz, Gedichte, 1904; Neue Gedichte, 1905; Im Zeichen des Steinbocks. Aphorismen, 1905; Hermann Kurz, 1906 (N u.d.T. Das Leben meines Vaters, 1929); Lebensfluten, Nn. 1907; Die Kinder der Lilith, G. 1908; Florentinische Erinnerungen, 1910; Wandertage in Hellas, 1913; Cora und andere Erzählungen, 1915 (Auszug daraus in: Jugendsehnen, 1933); Schwert aus der Scheide, G. 1916; Aus meinem Jugendland, 1918 (Ausz. daraus in: Jugendsehnen, 1933); Deutsche und Italiener. Vortrag, 1919; Traumland, 1919; Legenden, 1920; Die Gnadeninsel. Legende, 1921; Nächte von Fondi. Eine Gesch. aus dem Cinquecento, 1922; Die Liebenden und der Narr. Eine Renaissance-N. 1924; Vom Strande, Nn. 1924; Der Caliban, R. 1925; Der Despot, R. 1925; (Hrsgin.) Hermann Kurz, Innerhalb Etters, En. 1926; Leuke. Ein Geisterspiel, 1926; Meine Mutter, 1926 (N 1986); Der Caliban und andere Erzählungen, 1927; Die Stunde des Unsichtbaren. Seltsame Geschichten, 1927; Der Ruf des Pan. Zwei Geschichten von Liebe und Tod, 1928; Aus früheren Tagen, 1928; Nachbars Werner, E. 1928; Ein Genie der Liebe. Dem toten Freunde zur Wohnstatt, 1929; Die Allegria und anderes, hrsg. und eingel. v. M. Roseno, 1931; Der Meister von San Francesco. Buch der Freundschaft, 1931; Vanadis. Der Schicksalsweg einer Frau, R. 1931 (490. Tsd. o.J./1986); Gedichte. Aus dem Reigen des Lebens, 1933; Solleone, Gesch. 1933; Die Nacht im Teppichsaal. Erlebnisse eines Wanderers, 1933;

Die Pilgerfahrt nach dem Unerreichlichen. Lebensrückschau, 1938; Das Haus des Atreus, 1939; Singende Flamme, G. 1948.

WERKAUSGABEN: Gesammelte Werke, 6 Bd. 1925; Gesammelte Werke, 8 Bd. 1938; I.K. Eine Auswahl, hrsg. v. P. Lichey-Dinse, 1941.

ÜBERSETZUNG: G. Verga, Ihr Gatte, R. 1885.

NACHLASS: Dt. Lit.archiv/Schiller-Nationalmuseum Marbach; Bayerische Staatsbibliothek, München.

LITERATUR: *R. Krauß,* Schwäb. Lit.-Gesch. II, 1899. *T. Klaiber,* I.K. In: T.K., Dichtende Frauen der Gegenwart, 1907. *R. Braun-Artaria,* Von berühmten Zeitgenossen, 1918. *T. Heuss,* I.K. In: Das lit. Echo 21(1918), 70ff. *R. Krauß,* [I.K.]. In: Der Schwabenspiegel (1926) 10, 122. *Ders.,* [I.K.]. In: ebda. (1928) 5, 31. *H. Raff,* [I.K.]. In: Dt. Rundschau (1928), 252–56. *O. E. Hesse,* I.K. Dank an eine Frau, 1931. *G. Heinrich,* I.K. In: Hochland 30(1932), 552ff. *H. Wocke,* I.K. In: Völkische Kultur (1933). *J. Bernhart,* I.K. In: Kölnische Volksztg. (1933) 347. *F. Endres,* I.K. In: F. Avenarius (Hrsg.), Dt. Ztg. 47(1933/34). *V. Tempeanu,* I.K. Rînduri pentru a 80-a aniversare a poetei. In: Revista Germaniş tilor Români [Bucareşti] 3(1934) 1. *M. Fassbinder,* I.K. In: Kölnische Volksztg. (1938) 347. *F. Lennartz,* I.K. In: F.L., Die Dichter unserer Zeit, 1938 (u.d.T. Der Dichter unserer Zeit,

1952). *R. Unger,* Traumland und Dichtung bei I.K. In: J.-Petersen-Fs., 1938. *G. Bäumer,* I.K. In: G.B., Gestalt und Wandel, 1939. *E. Wezel,* [I.K.]. In: Schwaben 13 (1941). *G. v. Koenig-Warthausen,* [I.K.]. In: Dt. Frauen in Italien, 1942, 257–69. *G.,* Begegnungen mit I.K. In: Kölnische Ztg. (1943) 553. *H. Missenharter,* [I.K.]. In: NS-Kurier (1943) 348. *M. Klinkerfuß,* Begegnungen in Pallanca. In: ebda. (1944) 117. *Dies.,* [I.K.]. In: Aufklänge aus versunkener Zeit, 1947. *E. Plank,* Italien bei P. Heyse, R. Voss und I.K., Diss. Wien 1949 (Masch.). *F. Seebass,* I.K. und Ricarda Huch. In: Almanach auf das Jahr des Herrn (1949). *A. Wenke,* Die italienische Renaissance in den Werken der I.K., Diss. Marburg 1950. *K. Morell-Krähmer,* Meine Begegnung mit I.K. In: Reutlinger Heimatblätter (1952) 25. *P. J. Steiner,* I.K. and the spirit of Hellas, Diss. Columbia Univ. 1953. DA 14 (1954), 134. *C. Nennecke,* Die Frage nach dem Ich im Werk von I.K., Diss. München 1957 (1958). *R. Hübler,* I.K. ›Die Nacht im Teppichsaal. Erlebnis eines Wanderers.‹ Interpretation einer Rahmenerzählung, Diss. Tübingen 1954 (Masch.). *T. Heuss,* Vor der Bücherwand. Sk. zu Dichtern und Dichtung, hrsg. v. F. Kaufmann und H. Leins, 1961, 172ff. *A. Koller,* Südsehnsucht und Süderlebnis bei I.K., Diss. Zürich 1963. *B. Tecchi,* Svevia, Terra di Poeti, 1964, 85f. *R. Unger,* ›Traumland‹ und Dichtung bei I.K. In: R.U., Gesammelte Studien, Bd. 3, 1966, 323–52. *C. Nennecke,* [I.K.]. In: Hdb. der dt. Gegenwartslit. ([2]1969) I, 409f. *G. v. Koenig-Warthausen.* In: Lebensbilder aus Schwaben und Franken XII, 1972, 329–61. *G. Brinker-Gabler,* I.K. In: G. B.-G. (Hrsgin.), Dt. Dichterinnen vom 16. Jh. bis zur Gegenwart, 1978, 49f., 294–96. *G. v. Koenig-Warthausen,* I.K. In: NDB 1982.

Laddey, Emma (Ps. Hermine), * 9. 5. 1841 in Elbing (Westpreußen), † 12. 4. 1892 in München.

Der Vater, F. Radtke, war Arzt. E.L. schrieb bereits mit 10 Jahren kleine Theaterstücke, die sie mit Freundinnen aufführte, und beteiligte sich später bei Laienspielgruppen. Nahm in Berlin Schauspielunterricht bei Hermann Hendrichs. Wurde zunächst am Schauspielhaus in Berlin engagiert, trat dann bei Gastspielen in Lübeck, Leipzig, Königsberg und Amsterdam auf. Wegen eines Halsleidens mußte sie die Bühnenlaufbahn aufgeben. Heiratete 1864 den Maler Ernst Laddey in Amsterdam. Zog 1865 mit ihm nach Stuttgart. Begann rege schriftstellerische Tätigkeit. Setzte sich theoretisch und praktisch mit der Frauenfrage auseinander. Auf ihre Anregung hin wurde 1873 der »Schwäbische Frauenverein« gegründet, der sich für höhere Ausbildung und wirtschaftliche Besserstellung der Frauen einsetzte. Seit 1880 lebte E.L. in München. – Dramatikerin, Erzählerin und Jugendbuchautorin. Mitarbeiterin zahlreicher Zeitschriften, u.a. ›Über Land und Meer‹.

WERKE: Adele oder des Schicksals Wechsel, Schausp. 1868; Antonio, Dr. 1868; Blumenmärchen, 1868; Auf eigenen Füßen, En. 1870 (Inhalt: Kunst und Brot; Der Onkel aus Amerika; Die arme Sarah; Zwei Frauen; Durch Nacht und Licht; Die Emanzipierten; Der alten Muhme Myrtenstock; Auf gleichem Flur); Prachtbibliothek für die Jugend, 3 Bd. 1872; Flitter und Gold. Ein R. für Mütter und Töchter, 1873; Aus dem Familienleben. En. für die Jugend,

1874; Herzensgeschichten aus der Kinderwelt, 1874; Aus dem Reiche der Frau. Bilder aus dem Frauenleben, 1874; Aus freier Wahl. Charakterbilder aus der Frauenwelt, 1874 (Inhalt: Ohne Reue; Nach Jahren; Späte Blüte); Das Tagebuch einer Waise. Eine E. für Deutschlands Töchter, 1876; Wild erblüht. Eine Gesch. für junge Mädchen, 1877; Vier Mädchenleben oder Deutsch und Amerikanisch, E. 1879; Das Storchen-Bilderbuch oder die Geschichte vom kleinen Hänschen, 1880; Tausend Wolken. Eine Gesch. für junge Mädchen, 1884; Feenhände. Eine Gesch. für die reifere weibliche Jugend, 1884; Ein Jahr in Märchen, 1885; Aus sonnigen Tagen, Nn. 1885; Aus der Schule des Lebens, En. 1886; Alpenröschen. Drei En. für die reifere Jugend, 1888; (MA:) Helene und andere Erzählungen, 1888; Onkels Plauderabende ..., 1889; Selbständige Mädchen. Nn. und En. aus dem modernen Frauenleben, 1890; Die Priesterin des Glücks, R. 1890; Bei der Großmama ..., 1890; Frauenbilder im Spiegel der Dichtung, 1891; (Hrsgin.) Frauenalbum. Ein Festgeschenk für Deutschlands Frauen und Töchter, o.J. [1880]. (Ferner ungedruckte Bühnenstücke).

LITERATUR: *H. Gross,* E.L. In: H.G., Deutschlands Dichterinnen und Schriftstellerinnen, [2]1882, 135f. *L. Morgenstern,* E.L. In: L.M., Die Frauen des 19. Jh.s., 3. Bd. 1891, 357–61. *C. Krollmann,* E.L. In: Altpreuß. Biogr. 12(1941).

Landshoff, Rut(h) (Ps. f. Rut[h] Yor[c]k von Wartenburg), * 1. 1. 1909 in Berlin, † 19. 1. 1966 in New York.

Lebte als Journalistin und Schriftstellerin in Berlin. Emigrierte 1933 nach Frankreich, dann nach England, in die Schweiz und 1937 in die USA. – Neben Gedichten und Romanen schrieb sie auch für Rundfunk und Fernsehen. Übersetzte aus dem Englischen, Französischen, Italienischen und Mittelhochdeutschen.

WERKE: Das wehrhafte Mädchen, G. 1929; Die Vielen und der Eine, R. 1930; Leben einer Tänzerin, R. (?); (MA:) The man who killed Hitler, 1939; Sixty to go, R. 1944; Lili Marlene, an intimate diary, R. 1945; So cold the night, R. 1948; Das Ungeheuer Zärtlichkeit, R. 1952; Klatsch, Ruhm und kleine Feuer. Biogr. Impressionen, 1963.

Langewiesche, Marianne, * 16. 11. 1908 in Irschenhausen b. München, † 4. 9. 1979 in München.

Tochter der Helene geb. Brandt und des Wilhelm Langewiesche-Brandt. Vertreterin der 5. Generation der Schriftsteller- und Verlegerfamilie Langewiesche. Verbrachte ihre Kindheit in Ebenhausen. Zog nach dem Ersten Weltkrieg mit der Mutter (die Eltern hatten sich getrennt) nach München. Besuchte die höhere Schule. War danach als Fürsorgerin, später als Journalistin tätig. Heiratete 1935 den Schriftsteller Heinz Kuhbier (Ps. Coubier). Da die Mutter M.L.s jüdische Vorfahren und ihr Mann

zunächst Berufsverbot unter den Nationalsozialisten hatte, konnte sie und schließlich auch ihr Mann nur durch gute Beziehungen eine Schreiblizenz erhalten. Unternahm später zahlreiche Reisen, die sie u.a. nach Italien, Spanien, Malta, Albanien, Israel und Togo führten.
Erzählerin, Reiseschriftstellerin. Behandelt in ihrem erzählerischen Werk mit Vorliebe historische und kulturhistorische Stoffe, häufig vor dem Hintergrund mediterraner Landschaft. Hatte 1940 ihren ersten großen Erfolg mit dem Venedig-Buch ›Königin der Meere‹. Machte sich vor allem als Verfasserin von Reiseberichten einen Namen, die auch im Hörfunk gesendet wurden.
Erhielt 1978 den Ernst-Hoferichter-Preis.

WERKE: Die Ballade der Judith van Loo, R. 1938; Die Dame in Schwarz, N. 1940; Königin der Meere. R. einer Stadt, 1940; Die Allerheiligen-Bucht, R. 1942; Castell Bô. Odysseus und seine Ruder, Nn. 1947; Die Bürger von Calais, R. 1949; Der Ölzweig, R. 1952; Der Garten des Vergessens, E. 1953; (Mithrsgin.) Psalter und Harfe. Lyrik der Christenheit, 1955; Venedig. Geschichte und Kunst, 1955; Mit Federkiel und Besenstiel. Poetische Gedanken einer Hausfrau, 1956 (N 1973); (Hrsgin.) S. de Beauvoir, Das andere Geschlecht, 1961 (gekürzte u. bearb. Sonderausg.); Venedig. Geschichte und Kunst, eine Bildungsreise, 1962 (1973 u.d.T. Erlebnis einer einzigartigen Stadt, [5]1979); Ravenna, Stadt der Völkerwanderung. Eine Bildungsreise, 1964; Spuren in der Wüste? Heilige und Verräter in der biblischen Geschichte, 1970; Wann fing das Abendland zu denken an? Jüdischer Glaube und griechische Erkenntnis, 1970; Jura-Impressionen, 1971; Diesseits der hundert Tore, 1977; Albanien, 1978; Togo, 1979 (alle drei gesendet im Bayr. Rundfunk).

LITERATUR: *J. Beer,* Der Romanführer, 1953. *G. Wilhelm,* M.L. In: H. Kunisch, Hdb. der Gegenwartslit. 1970. *A. Mechtel,* M.L. In: A.M., Alte Schriftsteller in der Bundesrepublik. Gespräche und Dokumente, 1972; *F. Lennartz,* M.L. In: F.L., Dt. Schriftsteller d. Gegenwart, [11]1978. *G. Freiin v. Koenig-Warthausen,* M.L. In: NDB 1982.

Langgässer, Elisabeth, * 23. 2. 1899 in Alzey (Rheinhessen), † 25. 7. 1950 in Rheinzabern (Pfalz).
Tochter der Eugenie Maria Pauline geb. Dienst und des Eduard Langgässer, Architekt und Baurat in Alzey. Nach seinem Tod (1909) zog die Familie nach Darmstadt. E.L. besuchte dort die höhere Schule. War nach Abitur und einjähriger pädagogischer Ausbildung bis 1928 als Lehrerin an verschiedenen hessischen Schulen tätig. Seit 1929 wohnhaft in Berlin; dort zunächst von 1929–1930 Dozentin der Pädagogik und Methodik an der sozialen Frauenschule, dann freie Schriftstellerin. Eine Tochter. Gehörte von 1929–1933 zu den Mitarbeitern der Zeitschrift ›Die Kolonne‹, gemeinsam mit P. Huchel, G. Eich, dem Autorenpaar Oda → Schaefer/Horst Lange. Heiratete 1935 den Philosophen Wilhelm Hoffmann. Drei Töchter. 1936 als Halbjüdin aus der Reichsschrifttumskammer ausge-

schlossen und Schreibverbot. 1944 als Fabrikarbeiterin dienstverpflichtet, trotz einer seit 1942 erkannten Erkrankung an multipler Sklerose. Die älteste Tochter wurde ins KZ verschleppt und kehrte erst 1946 zurück. 1948 übersiedelte die Familie nach Rheinzabern. Der während des fast zehnjährigen Schreibverbots entstandene Roman ›Das unauslöschliche Siegel‹ machte E. L. nach seinem Erscheinen 1946 kurze Zeit zur bekanntesten Dichterin im Nachkriegsdeutschland.

Lyrikerin, Erzählerin, Essayistin. Charakteristisch für ihr Werk ist eine magisch gesehene Natur (die Landschaft der rheinhessischen Heimat), der Einbezug heidnischer Antike (mit den Mächten der Unterwelt, den Dämonen und Göttern) und des christlichen Kosmos (das Individuum im Kampf zwischen Gott und Satan, seine Erlösungssehnsucht). Drei große, z.T. schwer zugängliche, symboltiefe Gedichtzyklen markieren die Phasen ihrer künstlerischen Entwicklung: ›Der Wendekreis des Lammes‹ (1924), ›Die Tierkreisgedichte‹ (1935), ›Der Laubmann und die Rose‹ (1947); ein vierter, als ›Metamorphose‹ gekennzeichneter Zyklus blieb unvollendet. Ihr großer Roman ›Das unauslöschliche Siegel‹, ein von psychologischer Entwicklung und linearer Handlungsführung absehendes, gleichsam dreidimensionales Welttheater, gehört zu den bedeutenden Werken des »inneren Exils«. Wegen seiner unorthodoxen Umsetzung christlicher Glaubensinhalte erwog die Katholische Kirche zeitweise die Indizierung des Romans. Autobiographische Züge trägt das als »Kindheitsmythe« bezeichnete Prosastück ›Proserpina‹ (1932, Urfassung 1949). Literarische Vergangenheitsbewältigung, z.T. auch mit autobiographischen Zügen, leisten die Erzählungen der Sammelbände ›Der Torso‹ (1947) und ›Das Labyrinth‹ (1949).

E.L. erhielt 1932 für ihre Erzählungen den Literaturpreis der deutschen Staatsbürgerinnen, 1950 postum den Georg-Büchner-Preis.

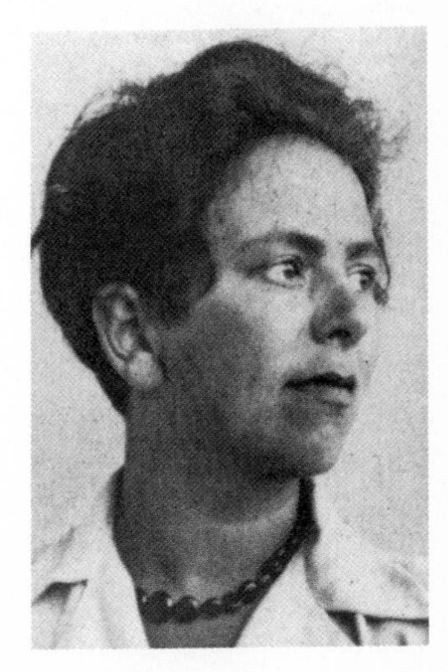

WERKE: Der Wendekreis des Lammes. Ein Hymnus der Erlösung, G. 1924; Grenze: Besetztes Gebiet. Ballade eines Landes, 1932 (N 1983); Proserpina. Welt eines Kindes, E. 1932 (Unveröff. Urfassung 1949; N 1982); Triptychon des Teufels. Ein Buch von dem Haß, dem Börsenspiel und der Unzucht, E. 1932; Amalie Dietrich. Sturz durch die Erdzeitalter. Flandrischer Herbst. Sterne über dem Palatin, Hörsp. 1933; (Mithrsgin.) Herz zum Hafen. Frauengedichte der Gegenwart, 1933 [unter Mitw. v. I. Seidel]; Ahnung und Gegenwart, Hörsp. 1934; Die Tierkreisgedichte, G. 1935; Der Gang durch das Ried. Ein R. 1936 (N 1981); Rettung am Rhein. Drei Schicksalsläufe, E. 1938; Das unauslöschliche Siegel. R.

1946 (N 1979); Der Laubmann und die Rose. Ein Jahreskreis, G. 1947; Der Torso, E. 1947; Lyrik in der Krise. In: Berliner Hefte 2 (1947), 503–06; Kölnische Elegie. Geschrieben aus Anlaß der Siebenhundertjahrfeier der Grundsteinlegung des Domes zum Festakt der Stadt Köln, G. 1948; Möglichkeiten christlicher Dichtung heute. In: Hochland 41 (1948/49), 244–52; Das Labyrinth. Fünf Erz. 1949; Alles Außen ist Innen. Ein Selbstporträt. In: Welt und Wort 4 (1949); Die Zukunft des christlichen Romans. In: Wort und Wahrheit 4 (1949), 508–16; Märkische Argonautenfahrt, R. 1950 (N 1981); Der geistige Raum des christlichen Schriftstellers in Deutschland. In: Akzente 5 (1958), 123–32.

Aus dem Nachlass: Geist in den Sinnen behaust [Erz., G., Szenen, Aufs. aus dem Nachlaß], 1951.

Bibliographien: A.W. Riley, E.L. Bibliographie. Mit Nachlaßbericht, 1970 [aus. Lit.wiss. Jb. N.F. 8 (1967) - 10 (1969)].

Literatur: *K. Korn,* Heilige und Dämonen. Zu E.L.s neuem Roman [Das unauslöschliche Siegel]. In: Berliner Hefte für geistiges Leben 2 (1947), 356–61. *C. Menck,* ›Das unauslöschliche Siegel‹. In: Frankfurter Hefte 2 (1947), 1160–65. *A. Andersch,* ›L'ineffaçable sceau‹ [Das unauslöschliche Siegel] d'E.L. In: Documents [Offenbourg] 3 (1948). *W. Dirks,* E.L. In: Frankfurter Hefte 3 (1948), 1127–30. *T. Fromm,* Die Hand aus der Wolke. In: Gate 2 (1948) 2, 26–29. *I.F. Görres,* E.L. In: Neues Abendland 3 (1948), 270–76. *Dies.,* ›Das unauslöschliche Siegel‹. In: ebda. 3 (1948). *W. Grenzmann,* Gott und Mensch im jüngsten deutschen Roman, 1948 [E. Wiechert, F. Werfel, E.L., H. Hesse, G.v. le Fort]. *W. Milch,* E.L. Eine Deutung. In: Neues Europa 3 (1948) 6. *H.A. Stützer,* Das Weltbild E.L.s. Zu dem Roman ›Das unauslöschliche Siegel‹. In: Lit. der Gegenwart (1948) 1, 20–29. *G. H. Theunissen,* The way out of the wilderness. Some remarks on present day German literature provoked by E.L. novel ›Das unauslöschliche Siegel‹. In. German life and letters 2 (NS) (1948/49), 194–200. *H. Broch,* Randbemerkungen zu E.L.s Roman ›Das unauslöschliche Siegel‹. In: Literarische Revue 4 (1949), 56–59. *W. Kolbenhoff,* [Brief an Frau L.]. In: Ost und West 3 (1949) 10, 77–80. *J. Ulmer,* Zu E.L.s Roman ›Das unauslöschliche Siegel‹. In: Die Besinnung [Nürnberg] 4 (1949), 64–96. *L. Langenfeld,* Das große Welttheater. Zu E.L.s Roman ›Das unauslöschliche Siegel‹. In: Bücherei und Bildung 2 (1949/50).
H. Becher, ›Märkische Argonautenfahrt‹. In: Stimmen der Zeit 76 (1950) 3, 223ff. *L. Forster,* Über den magischen Idealismus in der heutigen Dichtung. In: Neophilologus 34 (1950). *K. A. Horst,* E.L. und der magische Nihilismus. In: Merkur 4 (1950), 562–71. *O. Jancke,* E.L. zum Gedächtnis. In: Beiträge 4 (1950), 358–61. *E. Kreuder,* E.L. In: Jb. der Ak. der Wiss. und Lit. in Mainz, 1950, 143–47. *C. Menck,* Der Tod E.L.s In: Wort und Tat 5 (1950), 798f. *H. Rein,* ›Das unauslöschliche Siegel‹. In: H. R., Die neue Lit. 1950. *L. Rinser,* ›Märkische Argonautenfahrt‹. Betrachtungen über die Dichterin E.L. In: Der Monat (Dez. 1950) 27, 301ff. *O. Rüdiger,* Marginalien zum Werk E.L.s. In: Neues Abendland 5 (1950), 364–69. *J.Schomerus-Wagner,* E.L. In: Dt. kath. Dichter der Gegenwart, 1950. *R. Wintzen,* La vie et l'oeuvre d' E.L. In: romancière chrétienne. Documents [Offenbourg] 5 (1950). *J. M. Fischer,* [E.L.]. In: Wirkendes Wort 1 (1950/51), 110–14. *F. Kemp,* E.L., die Dichterin. In: Hochland 43 (1950/51) 1, 90–94. *J. Laubach,* Besessenheit und Begnad[ig]ung der Welt. Zum Werk E.L.s. In: Schweizer Rundschau 50 (1950/51), 380–84. *W. Hoffmann-Langgässer,* ›Das unauslöschliche Siegel‹: Welt und Werk E.L.s. In: Wort und Wahrheit 6 (1951), 85–96 (auch in: Lob der Schöpfung und Ärgernis der Zeit [Basel, Freiburg i.Br., Wien] 1959, 187ff.). *K. A. Horst,* Vereinfachte Rechnung. In: Merkur 5 (1951), 299f. *H. Kipphardt,* [E.L.]. In: Aufbau 7 (1951), 954ff. *E. Kreuder,* E.L. In: Books Abroad 25 (1951), 5f. *L. Langenfeld,* Der letzte Roman E.L.s [›Märkische Argonautenfahrt‹]. In: Bücherei und Bildung 3 (1951), 91ff. *E. Schöbel,* Die Bedeutung der Zeit in zwei religiösen Romanen: Graham Greene ›The power and the glory‹, E.L. ›Das unauslöschliche Siegel‹, Diss. Bonn 1951 (Masch.). *W. Grenzmann,* Dichtung und Glaube, 1952. *C. Hohoff,* [E.L.]. In: Renascene [New York] 4 (1952), 148ff. u. 170ff. *P. Lorson,* Une

romancière mystique: E.L. In: Etudes [Paris] 272 (1952), 226–35. *H. Politzer,* [E.L.]. In: The Germanic Review [New York] 27 (1952), 200–09. *J. Günther,* ›Gang durch das Ried‹. In: Dt. Rundschau 79 (1953), 1109f. *B. Blume,* Kreatur und Element. Zur Metaphorik von E.L.s Roman ›Das unauslöschliche Siegel‹. In: Euphorion, F. 3, 48 (1954), 71–89. *H. Piontek,* Zu E.L.s Roman-Prosa. In: Welt und Wort 9 (1954), 299f. *P. Reylly,* The modern Mephistopheles. In: Studies [Dublin] 42 (1954) 168, 433–39 [zu: Doktor Faustus und E.L.s ›Das unauslöschliche Siegel‹]. *W. Neuschaffer,* E.L. In: Modern Languages 36 (1954/55), 18–21. *M. Brion,* Le roman catholique en Allemagne: E.L. In: Esprit des lettres 2 (1955), 64–75. *M.L. Kaschnitz,* Bericht zu einem Gedicht. In: H. Bender (Hrsg.), Mein Gedicht ist mein Messer, 1955, 1961, 18–22. *G. Storz,* E.L. In: H. Friedmann/O. Mann (Hrsg.), Christliche Dichter der Gegenwart, 1955, 359–74. *E. Horst,* Christliche Dichtung und moderne Welterfahrung. Zum epischen Werk E.L.s, Diss. München 1956 (Masch.). *E. Hock,* E.L. ›Regnerischer Sommer‹. In: R. Hirschenauer/A. Weber (Hrsg.), Wege zum Gedicht, 1956 ([7]1968), 377–84. *W. Lehmann,* Nekrolog auf E.L. In: W.L., Dichtung als Dasein, 1956 [1960], 131f. *O. Schaefer,* E.L. Ein Lebensbild, 1956. *E.G. Winkler,* Über das Lyrische. Anläßlich der Tierkreisgedichte von E.L. In: E.G.W., Dichtungen, Gestalten und Probleme, 1956, 356–59. *G. Behrsing,* Erzählform und Weltschau der E.L., Diss. München 1957. *J.A.A. ter Haar,* The concept of nature in E.L.s ›Das unauslöschliche Siegel‹, Diss. State Univ. of Iowa 1957 (Diss. Abstracts 17 (1957) 3024/25). *W. Hartmann,* Studien zum Weltbild E.L.s. Unter besonderer Berücksichtigung der Romane ›Das unauslöschliche Siegel‹ und ›Märkische Argonautenfahrt‹, Diss. Kiel 1957 (Masch.). *J. Perfahl,* Das Prosawerk E.L.s, Diss. Wien 1957 (Masch.). *M. Arndt,* Kurzgeschichten von E.L. In: Deutschunterricht 10 (1958) 6, 64–68. *H. Hennecke,* Zwischen Natur und Gnade. E.L. In: H.H., Kritik, 1985, 168–72. *M. de Nichilò,* Letteratura e vita. E.L. In: Humanitas [Brescia] 13 (1958), 478–83. *T. Szafrański,* Miedzy dobrem a zlem. In: Zy cie i Myśl 8 (1958). *A. Fibicher,* ›Gang durch das Ried‹ und ›Das unauslöschliche Siegel‹. Zwei Romane von E.L. Vergleichende Aufbaustudie, Diss. Freiburg/Schweiz 1959. *E. Hartl,* Unordnung und Ordnung. Zur Problematik der Romane von E.L. In: Wort in der Zeit 5 (1959) 9, 34–37. *V. Pabst,* Der tausendfältige Bettler der Christenheit. Zur Gestalt des Lazarus in E.L.s Roman ›Das unauslöschliche Siegel‹. In: Deutschunterricht 11 (1959) 4, 104–16. *L. Rinser,* Magische Argonautenfahrt. Eine Einführung in die gesammelten Werke von E.L., 1959 (auch in: Schweizer Monatshefte für Politik, Wirtschaft, Kultur 39 (1959/60), 433ff. und in: L. Rinser, Der Schwerpunkt, 1960, 71–96). *H. Steinhauer,* Submerget heroism. E.L.s story ›Untergetaucht‹. In: Modern Language Notes 74 (1959), 153–59.

O.T. Brandt, E.L.: Gedichte. In: Dt. Rundschau 86 (1960), 548–50. *C. Frank,* E.L. In: Frankfurter Hefte 15 (1960), 861–66. *C. Menck,* Gedichte der Langgässer. In: FAZ vom 9. 1. 1960. *J.R. Reid,* The Novels of E.L. In: Downside Review 78 (1960), 117ff. *L. Rinser,* E.L. In: L.R., Der Schwerpunkt, 1960, 73ff. *C. Heselhaus,* Das neue Naturgedicht. In: C.H., Dt. Lyrik der Moderne, 1961, 346ff. *W. Hoffmann,* E.L. Existenzielles und dichterisches Welterlebnis. In: Lit.wiss. Jb. der Görresgesellschaft 2 (1961), 145–71. *K. Ihlenfeld,* E.L. ›Meerflut unter dem Mond‹. In: Welt [Bethel bei Bielefeld] 14 (1961). *L. Rinser,* In Memoriam of E.L. In: Renascene [Milwaukee, Wisconsin] 13 (1961), 139ff. *C. Schollmeyer,* Das Gebet der Garderobenfrau. In: Begegnung 16 (1961), 154–57. *G. Storz,* E.L. In: H. Friedmann/O. Mann (Hrsg.), Dt. Dichter im 20. Jh. II, [4]1961, 245ff. ([5]1967, 238–52). *E. Augsberger,* E.L. Assoziative Reihung. Leitmotiv und Symbol in ihren Prosawerken, 1962 (zugl. Diss. Erlangen). *I. Hardenbruch,* Der Roman ›Das unauslöschliche Siegel‹ im dichterischen Werk E.L.s. Ein Beitrag zur Form des modernen religiösen Romans, Diss. Köln 1962 (1963). *R. Kabel,* Die beiden Fassungen der ›Proserpina‹ von E.L. In: Dt. Rundschau 88 (1962), 938–95. *J. Pfeiffer,* Gestaltung und Gesinnung. Erläuterung an A. Goes' Erzählung ›Das Brandopfer‹, E.L.s Kurzgeschichte ›Glück haben‹ und Luise Rinsers Ro-

man ›Daniela‹. In: Jb. für Ästhetik und Allg. Kunstwiss. 7 (1962), 67–87. *C. Cases,* E.L. ›Il viaggio degli argonauti nella Marca‹ [geschr. 1954]. In: C.C., Saggi e note di letteratura tedesca, [Torino] 1963, 245–49 (auch in: C.C., Stichworte zur dt. Lit., 1969, 283–86). *C. Hohoff,* E.L. In: C.H., Schnittpunkte, 1963, 299–310. *G. Sommavilla,* Le incognite divine e demoniache evangeliche nelle poetiche di Gertrud von Le Fort e di E.L. In: G.S., Incognite religiose della letteratura contemporanea, [Milano] 1963, 569–696. *G. Storz,* Natur und Gnade. E.L. In: Bodenseebuch 38 (1963), 45–53. *J.E. Behrendt,* Die Einheit von E.L.s Weltbild in der Märkischen Argonautenfahrt, Diss. Ohio Univ. 1963 (Diss. Abstracts 24 (1964) 4690). *A. Giachi,* Erbin später Zeiten [zu: Erzählungen]. In: Welt der Lit. 1 (1964) 6. *W. Grenzmann,* E.L. Die Elemente und der Logos. In: W.G., Dichtung und Glaube, 1964, 258ff. ([1]1950) ([6]1967, 258–80). *H.L. Hautumm,* Das Selbstverständnis der Dichtung bei E.L. In: Der Deutschunterricht XVI, 5 (1964), 34–49. E.L. und Hermann Broch. In: Lit.wiss. Jb. der Görresgesellschaft 5 (1964), 297ff. *I. Meidinger-Geise,* Dichterin der Extreme. E.L. zum Gedächtnis. In: Begegnung. Zs. für Kultur und Geistesleben 19 (1964), 67f. *S. Schöneborn,* Wenn Lyriker Prosa schreiben. In: Christ und Welt 17 (1964) 45. *D. Schug,* E.L.s Formproblem. In: Hochland 57 (1964). *G. Wolf,* E.L. In: G.W., Dt. Lyrik nach 1945. In: Kollektiv für Lit.-Geschichte (Hrsg.), Schriftsteller der Gegenwart (1964) 13. *H. Braman,* Erweckung des Herzens [zu: Sämtliche Gedichte]. In: Die Andere Zeitung [Hamburg] 12 (1966) 45. *O. Schaefer,* Der schwarze Schwan [zu: Sämtliche Gedichte]. In: Die Welt der Lit. 3 (1966) 5. *M. Schmidt-Ihms,* ›Der Laubmann und die Rose‹ von E.L. Eine Analyse. In: Acta Germanica. Jb. des südafr. Germanistenverbandes [Cape Town] 1 (1966), 99–116. T. [zu: Märkische Argonautenfahrt]. In: Die Welt der Lit. 3 (1966) 8. *O. Brückl,* Kunst und Ethik in den zeitgenössischen Kurzgeschichten E.L.s, Gerd Gaisers und Heinrich Bölls. In: Acta Germanica. Jb. des südafr. Germanistenverbandes [Cape Town] 2 (1967), 89–115. *G. Dahne,* E.L. In: G.D., Westdeutsche Prosa. In: Kollektiv für Lit.geschichte (Hrsg.), Schriftsteller der Gegenwart, Bd. 18, 1967. *R. Tosin,* Dämonie und Gnade in E.L.s Roman ›Das unauslöschliche Siegel‹, Diss. Graz 1967 (Masch.). *M. Jost,* E.L.: ›Der blinde Glaube‹. In: M. J., Dt. Dichterinnen des 20. Jhs., 1968, 90–93. *J. Lehmann,* E.L.: ›Saisonbeginn‹. In: Fachgruppe Deutsch – Geschichte im Bayerischen Philologenverband (Hrsg.), Interpretationen moderner Prosa, 1968, 90–98. *A. W. Riley,* E.L. and Juan Donoso Cortés. A source of the »Turm-Kapitel« in ›Das unauslöschliche Siegel‹. In: Publications of the Modern Language Association of America [Menasha, Wisc.] 83 (1968), 357–67. *A. Herkommer,* Langgässeriana. In: Hochland 61 (1969) 1.2., 185f.
W. Zimmermann, E.L.: ›Glück haben‹ (1947). In: W.Z., Dt. Prosadichtungen unseres Jhs. Interpretationen für Lehrende und Lernende, Bd. 2, 1969, 42–50. *R.K. Angress,* The Christian surrealism of E.L. In: The vision obscured: perceptions of some 20th century Catholic novelists [New York] 1970, 187–200. *W. Hoffmann,* E.L. In: Hdb. der dt. Gegenwartslit. II ([2]1970), 15f. *R. Trautmann,* Lieben und Leiden [zu: Gedichte und Prosa]. In: Die Zeichen der Zeit 24 (1970) 1. *A. Łukomska-Woroch,* E.L. über ihre Poetik des Romans [Poznań] 1 (1971), 77–83. *O. Bischoff,* Kühn die Prosa – drängend die Lyrik. In: O.B., Dem Wort verschrieben. Porträts pfälzischer Schriftsteller. Eine Ausw. 1972, 84–87. *A. Łukomska-Woroch,* Zwei sinnprägende Strukturen der ›Märkischen Argonautenfahrt‹ von E.L. [Poznań] 1972. *H. Meyer,* Die frühen Erzählungen der E.L. Dichtung zwischen Mythos und Logos, Diss. Köln 1972 (1973). *E. Stutz,* Spuren der Mystik bei E.L. In: Studi di letteratura religiosa tedesca. In memoriam di Sergio Lupi [Firenze] 1972, 639–67. *J. Maassen,* Die Schrecken der Tiefe. Untersuchungen zu E.L.s Erzählungen. Im Anhang: Erstdruck der ›Venus II‹-Novelle, [Leiden] 1973 (= Germanistisch-anglistische Reihe der Univ. Leiden, Bd. 12). *E. Stutz,* Ein Widerschein von Hávámal 138 bei E.L. In: M. Mayrhofer/W. Meid [u.a.] (Hrsg.), Antiquitates Indogermanicae. Studien zur Indogermanischen Altertumskunde und zur Sprach- und Kulturgeschichte der indogermanischen Völker. Gedenkschrift für Hermann Güntert, 1974,

467–73 (= Innsbrucker Beitr. zur Sprachwiss., Bd. 12). *A. W. Riley,* E.L.s frühe Hörspiele (mit bisher unbekanntem biogr. Material). In: G. Hay (Hrsg.), Lit. und Rundfunk 1923–1933, 1975, 361–86. *F. Futterknecht,* Das dritte Reich im deutschen Roman der Nachkriegszeit. Untersuchungen zur Faschismustheorie und Faschismusbewältigung, 1976 [darin: ›Das unauslöschliche Siegel‹]. *H. Urner,* Barock – heute. Zu E.L.s neuem Werk ›Das unauslöschliche Siegel‹. In: Weg und Gemeinschaft, 1976, 166–73. *E. Bahr,* Metaphysische Zeitdiagnose: Hermann Kasack, E.L. und Thomas Mann. In: H. Wagner (Hrsg.), Gegenwartslit. und Drittes Reich. Dt. Autoren in der Auseinandersetzung mit der Vergangenheit, 1977, 133–62. *E. Berlet,* E.L., eine biographische Skizze. In: 700 Jahre Alzey, 1977. *H. Schirmbeck,* Schönheit und Schrecken. Zum Humanismusproblem in der modernen Lit., 1977. *Ders.,* Das Dilemma E.L.s. In: Frankfurter Hefte 32 (1977) 8, 50–58. *J. P. Dolan,* The Tierkreisgedichte of E. L. in historical context. In: Seminar 14 (1978), 215–29. *F. Karlinger,* Renouveau catholique ou fin de la conception médiévale de l'univers? (Symbole et réalité chez E.L.). In: Lit. und Spiritualität, 1978, 117–37. [Verschiedene Aufs.]. In: Blätter der Carl-Zuckmayer-Gesellschaft 5 (1979) 1. *E. Bahr,* Geschichte und Allegorie. Möglichkeiten des allegorischen Romans zur Zeit des NS-Regimes: E.L. und Thomas Mann. In: W. Elfe (Hrsg.), Dt. Exillit., Lit. im Dritten Reich. Akten des 2. Exillit.-Symposiums der Univ. of South Carolina, 1979, 103–10 (= Jb. für internationale Germanistik Reihe A, Bd. 5). *E. Berlet,* Mythe und Kindheit. Eine lokalhist.-biogr. Untersuchung zu der Erzählung ›Proserpina‹ von E. L. In: Blätter der Carl-Zuckmayer-Gesellschaft 5 (1979), 21–31. *V. Bolduan,* Radikale Sensibilität. Die Geistesverwandtschaft E. L.s mit Hildegard von Bingen. In: ebda. 5 (1979), 40–46. *K. Krolow,* Rausch und Gnade. Zum 80. Geb. E.L.s. In: ebda. 5 (1979), 18–20. *L. Rinser,* E. L. In: Personen und Wirkung, 1979, 354–58. *E. Rotermund,* Die andere L.: ›Das Triptychon des Teufels‹. In: Blätter der Carl-Zuckmayer-Gesellschaft 5 (1979), 32–39. *F. Starke,* Zur Behandlung antifaschistischer Literatur im Unterricht. Erg. durch zwei Unterrichtsvorschläge zu E. L. ›Saisonbeginn‹ und L. Ossowski ›Stern ohne Himmel‹. In: Sammlung. Jb. für antifaschistische Lit. und Kunst 2 (1979), 166–73. *R. Wilhelm,* E.L. zum 80. Geb. In: Alzeyer Geschichtsblätter (1979) 14, 43–57.

J. Heinzelmann, Bewährung am Rhein. Anna Seghers und E.L. In: Blätter der Carl-Zuckmayer-Gesellschaft 6 (1981) 4, 217–22. *K. Müller,* Über E.L. – Versuch einer Annäherung. In: 150 Jahre Victoriaschule Darmstadt, 1980, 29–32. *E. Johann,* E.L. Darmstädter Jahre. Ein Rückblick. Mit Beitr. von W. Dirks u.a., hrsg. im Auftrag des Magistrats der Stadt Darmstadt, 1981. *L. Rinser,* Über E.L. In: Die Eule. Almanach der Verlage Ullstein, Propyläen, 1981, 98–101. *K. Fukahori,* (E.L.s ›Mithras‹. Ungelöste Natur und zyklische Zeit. [Jap. Mit dt. Zus.fassg.]). In: Memoirs of the Faculty of general education. Kumamoto Univ. Foreign lang. and lit. [Kumamoto] 19 (1984), 103–10. *K. Fliedl,* »... wie in steinalten Märchen«. Zu einer Motivgruppe im Werk E.L.s. In: A. Ebenbauer (Hrsg.), Philologische Untersuchungen gewidmet Elfriede Stutz zum 65. Geb. [Wien] 1984, 167–75.

Langner, Ilse, * 21. 5. 1899 in Breslau.
Der Vater war Oberstudienrat. Besuchte ein Realgymnasium. Veröffentlichte schon mit 14 Jahren ihren ersten Gedichtband ›Tautropfen‹, bald darauf Essays und Novellen. Seit dem Erfolg ihres ersten Bühnenstücks ›Frau Emma kämpft im Hinterland‹ (U. 1928), dem ersten Antikriegsstück einer Frau, vor allem auch Dramatikerin. Bereiste 1928 die UdSSR, die Türkei und Frankreich. 1929 Heirat mit dem Physiker und Chemiker W. Siebert († 1954). 1933 unternahm sie eine Weltreise (China, Japan, USA); später folgten weitere Reisen in Europa; längere Aufenthalte in Berlin, Paris und Ibiza. Nahm 1947 am Frauen-Friedens-Kongreß in Paris teil. Hielt Vorträge und Vorlesungen über das Berliner Nachkriegsschicksal (1948 am Svenska Institut Stockholm, 1949 beim Goethe-Kongreß in Wetzlar, 1950 an der Sorbonne, 1952 an der Universität Saarbrücken und Amsterdam und im Goethehaus in Frankfurt am Main). Bereiste 1961 Thailand, Kambodscha, Hongkong und Japan. 1967 folgten weitere Vorlesungsreisen, 1968 nach Mexiko. Lebt heute in Darmstadt.
Bedeutende zeitgenössische Dramatikerin und Erzählerin. Ihr vielseitiges Werk ist geprägt durch Neue Sachlichkeit, Surrealismus, Aufnahme antiker Motive, z.T. in ironischer Absicht, asiatische und französische Eindrücke. Themen wie »Frau und Krieg«, Antinationalismus, Widerstand und Unterdrückung, Kampf gegen Vorurteile und für die Emanzipation der Frau durchziehen leitmotivisch ihr Werk. Schrieb auch zahlreiche Reiseberichte, Essays und Hörspiele.
Erhielt die Willibald-Pirckheimer-Medaille (1960), die Johann-Heinrich-Merck-Medaille (1969), das Bundesverdienstkreuz (1974), den Eichendorff-Literaturpreis, die Goldmedaille Humanitas des West-Ost-Kulturwerkes.

WERKE: Tautropfen, G. 1913; Frau Emma kämpft im Hinterland, Dr. 1928 (U. 1928); Katharina Henschke, Schausp. 1930; Amazonen, Kom. 1932 (1936); Die Heilige aus USA, Dr., U. 1931; Das Gionsfest, N. 1934; Die purpurne Stadt, 1937 (Neubearb. 1952); Der Mord an Mykene, 1934 (1936) (u.d.T. Klytämnestra, Trauersp. in Versform 1947) (U. 1937); Die große Zauberin, Dr. 1938; Trilogie u.d.T. Trümmerdramen (Die Heimkehr, Hörsp. 1949, U. 1953; Der Carneval; Himmel und Hölle) 1946–1950; (Hrsgin.) A. Čechow, Bauern, 1947; (Hrsgin.) J.W. Goethe, Eine Jugendsünde. Der Kaufmann und seine junge Frau, 1947; (Hrsgin.) Kleine Kostbarkeiten, 8 Bd. 1947–1948; Rodica, R. 1947; Iphigenie kehrt heim, 1948; Zwischen den Trümmern, G. 1948; Von der Unverwüstlichkeit des Menschen. Angst, 1949; Der Venezianische Spiegel, 1949 (U. 1952); (Hrsgin.) Ewige Melodie. Hundert dt. G. 1949; Petronella, 1949; Paris-Trilogie (Sylphide und der Polizist, U. 1952; Métro. Haute Couture de la Mort, U. 1952; Rettet Saint Julien le Pauvre, U. 1954) 1950; Die Schönste, 1952; Das Wunderwerk von Amerika, Dr. 1951 (1952); Salome, Dr. 1953; Cornelia Kungström, Dr. 1955; Sonntagsausflug nach Chartres, R. 1956; Geboren 1899, biogr. G. 1959; Über mich selbst. In: Schlesien 4 (1959); Am Fangseil der Sehnsucht. Ein Selbstporträt. In: Welt und Wort 15 (1960); Die Zyklopen, 1960; Chinesisches Tagebuch. Erinnerung und Vision, 1960; Japanisches Tagebuch, 1961; Ich lade Sie ein nach Kyoto ins alte Japan von heute, 1963; Adalbert von Chamisso. Weltumsegler und Poet. In: Behaim-Blätter 3 (1963) 4, 5–7; Ricarda Huch dreißig Jahre nach ihrem Tode. In: Neue Dt. Hefte 24 (1977), 724–40; Ingeborg Drewitz – Charakter und Image. In: Frankfurter Hefte 32 (1977), 58–62; Vorläuferinnen der Emanzipation? In: Neue Dt. Hefte 26 (1979), 497–511; Drei jüdische Dichterinnen. In: Frankfurter Hefte 34 (1979) 5, 37–45; Mein Thema und mein Echo, hrsg. v. E. Johann, 1979; Das brodelnde Jahrhundert. Soll und Haben des Bürgers. In: Frankfurter Hefte 36 (1981) 12, 49–60; Eichendorff, die Revolution, die Revolte und die Fahrenden Gesellen. In: ebda. 36 (1981) 7, 53–64; Die Wahlverwandtschaften. Goethe und der Balzac der Gründerzeit: Eugenie Marlitt. In: ebda. 36 (1981) 3, 53–60; Adalbert von Chamisso. Zu seinem 200. Geb. am 27./30. 1. 1981. In: Neue Dt. Hefte 28 (1981), 100–16; Eichendorff und die Hippies. Und Bücher mitten drin, In: Schlesien 26 (1981) 3, 160–73; Soll und Haben des Bürgers. In: Schlesien 27 (1982) 4, 219–26; weitere Bühnenwerke: Der Spielzeugladen; Dido; Petit-Pompom; Tzu Hsi, die letzte Kaiserin von China).

Werkausgaben: Drei Pariser Stücke, 1974. Dramen, hrsg. von E. Günter, 1983 (mit einer Bibl. von M. Dierks).

Literatur: *H. Knudsen,* ›Die Heilige aus USA‹. In: Die neue Lit. [Leipzig] 32 (1931). I. L., ›Die Heilige aus USA‹. In: Schlesische Monatshefte [Breslau] 9 (1932). *W.-E. Peuckert,* [I.L.] In: Schwarzer Adler unterm Silbermond, 1940; *E. Alker,* Das Werk I. L.s In: Schlesien 4 (1949), 93–96; *F. Lennartz,* Die Dichter unserer Zeit, 1952; *M. L. Kaschnitz,* I.L. und O. Schaefer. Das Besondere der Frauendichtung. In: Dt. Ak. f. Sprache und Dichtung in Darmstadt, Jb. 1958, 59–76. *I. Meidinger-Geise,* I.L. In: Welt und Wort 14 (1959). *H. Ihering,* ›Frau Emma kämpft im Hinterland‹ [1929]. In: H. I., Von Reinhardt bis Brecht, Bd. 2, 1959. *M. Gregor-Dellin,* [zu: Die Zyklopen]. In: Die Bücherkommentare 9 (1960) 3. *H. Ihering,* ›Die Heilige aus USA‹ [auch Bemerkungen über ›Frau Emma kämpft im Hinterland‹ 1931]. In: H. I., Von Reinhardt bis Brecht, Bd. 3, 1961. *H. Dollinger,* Menschen in der Mitte des zwanzigsten Jahrhunderts [zu: Die Zyklopen]. In: Die Kultur 9 (1961) 166. *A. Alker,* Über I. L. In: Behaim-Blätter 2 (1962) 6, 3–4 u. 6. *M. Dirks,* I. L. Zum 70. Geb. am 21. Mai. In: Der Literat 11 (1969), 82. *I. Meidinger-Geise,* [I. L.] In: Hdb. der dt. Gegenwartslit. II ([2]1970), 17. *W. Schwarz,* I. L. 75 Jahre. In: Schlesien 19 (1974). *I. Drewitz,* I. L. zum 80. Geb. In: Frankfurter Hefte 34 (1979) 5, 62–64. *E. Johann,* I. L. Mein Thema und mein Echo, 1979. *W. Wasung,* ›Frau Emma kämpft im Hinterland‹. In: Neue Dt. Hefte 26 (1979). *M. T. Morreale,* I. L.: teatro, prosa, racconti di viaggio. Breve presentazione più importante drammaturga tedesca vivente. In: Quaderno. Università di Palermo (1983) 18, 5–40.

Lask, Berta (Ps. Gerhard Wieland), * 17. 11. 1878 in Wadowice/Galizien, † 28. 3. 1967 in Ost-Berlin.

Tochter der Lehrerin Cerline N.N. und des Papierfabrikanten Leopold Lask. Besuchte die höhere Töchterschule. Der Wunsch zu studieren, scheiterte an der ablehnenden Haltung der Mutter. Heiratete 1901 den Arzt Louis Jacobsohn, mit dem sie nach Berlin zog. Eine Tochter, drei Söhne. Lernte dort, durch den Beruf ihres Mannes, das Elend in den Arbeitervierteln kennen. Davon beeindruckt, ferner durch die russische Revolution von 1905, den Ersten Weltkrieg und die sozialistische Oktoberrevolution, schloß sie sich der Arbeiterbewegung an. Ab 1919 Mitarbeit an verschiedenen kommunistischen Zeitschriften, 1923 Eintritt in die KPD. Reiste 1925 in die UdSSR. Mitbegründerin des Bundes proletarisch-revolutionärer Schriftsteller. Ihre Theaterstücke ›Thomas Münzer‹ (1925), ›Leuna 1921‹ (1926), ›Giftgasnebel über Sowjetrußland‹ (1927) machten sie zur »meistdiskutierten Autorin des proletarisch-revolutionären Theaters«. Die Buchausgaben dieser Stücke fielen sofort unter die Zensur; Aufführungen wurden verboten; B. L. mit Prozessen wegen Landesverrat bedroht. 1933 wurde ein Sohn B. L.s von den Nazis ermordet. Sie selbst konnte (nach vorübergehender Haft) noch im gleichen Jahr in die Sowjetunion fliehen. Dort Mitarbeit an literarischen Zeitschriften und im Rundfunk. Kehrte 1953 in die DDR zurück; lebte als freie Schriftstellerin in Ost-Berlin.

B. L.s frühe Gedichtsammlungen von 1919 und 1921 zeigen Einflüsse des Expressionismus und der Frauenbewegung ebenso wie ihre entschiedene pazifistische Haltung. Trat dann als Autorin proletarischer Kinderbuchliteratur und vor allem als Dramatikerin hervor. Mit ihren »Massendramen«, vor allem ›Leuna 1921‹, hat sie »einen neuen Typus des operativen Reportagestücks geschaffen, der von E. Piscator und anderen entwickelte Elemente der Agitprop-Revue, des Arbeitersprechchors und des szenisch-dokumentarischen Berichts (mit Filmeinschnitten usw.) aufgriff und miteinander verband« (W. Emmerich). In ihrer autobiographischen Romantrilogie ›Stille und Sturm‹ beschreibt sie die Entwicklung einer jüdischen Fabrikantentochter zur Sozialistin.

Erhielt die Clara Zetkin-Medaille (1957), die Medaille für Kämpfer gegen den Faschismus (1958) und den Vaterländischen Verdienstorden in Gold (1963).

WERKE: Die Päpstin, Dr., U. 1911; Auf dem Hinterhof, vier Treppen links, Dr., U. 1912 (2. Fass. Moskau 1932); In Jehudas Stadt, Dr., U. 1914; Stimmen, G. 1919; Rufe aus dem Dunkel, G.-Ausw. 1915–1921, 1921; Senta, G. 1921; Weihe der Jugend. Ein Chorwerk, 1922 (N 1956); Der Weg in die Zukunft. Dichtung für Sprechchor, 1923; Unsere Aufgabe an der Menschheit, Aufs. 1923 (Inhalt: Die Mission der Frauen; Die Frau in der Zeitenwende; Wie kann unsere Zeit Richtlinien für die Erziehung der weiblichen Jugend finden? Von ethischen und erotischen Werten; Mutter und Kind; Vom Wesen der Gewalt; Unsere Aufgabe; Antimilitaristische Maifeier in Utrecht; Rosa Luxemburgs Briefe aus dem Gefängnis); Mitternacht. Ein Spiel von Menschen, Marionetten und Geistern, 1923; Die Toten rufen. Sprechchor zum Gedenken an

Karl Liebknecht und Rosa Luxemburg, U. 1923; Der Obermenschenfresser Weltkapitalismus und die Internationale Arbeiterhilfe, Sp. 1924; Thomas Münzer. Dramatisches Gemälde des deutschen Bauernkrieges von 1525, 1925; Auf dem Flügelpferde durch die Zeiten. Bilder vom Klassenkampf der Jahrtausende. En. f. junge Proletarier, 1925; Wie Franz und Grete nach Rußland kamen. En. f. die Arbeiterjugend und Arbeitereltern, 1926; Die Befreiung. 16 Bilder aus dem Leben der dt. und russ. Frauen 1914–1920, 1926 (U. 1925); Leuna 1921. Dr. der Tatsachen. (Nebst) Nachspiel, 1927 (N 1973); Giftgasnebel über Sowjetrußland, Dr. 1927; Die Radfahrkolonne aus dem Unstruttal, russ. E. [Moskau] 1928; Spartakus, Jgdb. [Moskau] 1928; Über die Aufgabe der revolutionären Dichtung. In: Die Front 8 (1929); Gottlieb Neumann in Priwolnoja, E. In: Rote Fahne, 1932; Kollektivdorf und Sowjetgut, Reise-Tgb. 1932; Junge Helden. E. aus den österreichischen Februarkämpfen, 1934; Januar 1933 in Berlin, E. [Kiew] 1935; Ein Dorf steht auf. Johann der Knecht. En. aus Hitlerdeutschland, [Kiew] 1935 (Johann der Knecht, U. 1936); Batrak. Einakter, 1936; Vor dem Gewitter, Dr. 1938; Die schwarze Fahne von Kolbenau. Wolgadeutsch aus den Jahren 1930/31, En. [Moskau] 1939; (Hrsgin.) H. Mann, Der Untertan, [Moskau] 1950; Stille und Sturm, [autobiogr.] R. in 3 Tlen. 2 Bd. 1955 (N 1974) (1. Tl. Irren und Suchen, 2. Tl. Stille und Sturm, 3. Tl. Der große Kampf); Otto und Else, 4 En. vom Kampf der dt. Arbeiterjugend, 1956 (N 1962).

VERÖFF. A. D. NACHLASS: Aus ganzem Herzen, hrsg. v. Mira L., 1961.

LITERATUR: *E. E. Kisch,* B.L. In: Welt am Abend vom 4. 7. 1927. *C. v. Ossietzky,* Das Reichsgericht im Sommer (zu ›Leuna 1921‹). In: Die Weltbühne 23 (1927) 2. *K. Grünberg,* B.L. 75 Jahre alt. In: NDL 2 (1954) 1, 167–69. *C. Geheeb,* B.L. In: Börsenblatt für den dt. Buchhandel, [Leipzig] 123 (1956). *G. Meyer-Hepner,* Ein Epos unserer Zeit (zu ›Stille und Sturm‹). In: NDL 4 (1956) 6, 131–37. *R. Schreiber,* Das deutsche Bürgertum in seiner Entwicklung. In: Börsenblatt für den dt. Buchhandel, [Leipzig] 123 (1956). B.L. In: Lex. sozialistischer dt. Lit., 1963. B.L.

85. Geb. der deutschen Schriftstellerin. In: Bibliographische Kalenderblätter der Stadtbibliothek Berlin 5 (1963). *J. Schellenberger,* Ein Leben in Stille und Sturm. Zum 85. Geb. von B.L. In: Der Bibliothekar 17 (1963). *Ders.,* B.L. ›Die Brücke vom Weißensand‹. In: ebda. 19 (1965) 9. *O. Gotsche,* B.L. zum Gedenken. In: Weltbühne 15 (1967). Mit der Feder für den Fortschritt. Zum Tode von B.L. In: Neue Zeit (1967) 74. Zum Tode von B.L. In: Der Morgen (1967) 74. B.L. In: Veröffentlichungen dt. sozialistischer Schriftsteller in der revolutionären und demokratischen Presse 1918–1945, 1969, 323–31. B.L. In: G. Albrecht u. G. Dahlke (Hrsg.), Internationale Bibliographie zur Gesch. der dt. Lit. von den Anfängen bis zur Gegenwart, 1969–1972. *D. Hoffmann-Ostwald,* B.L. In: Proletarisch-revolutionäre Lit. 1918–1933, 1970, 284–89. *K. Kändler,* B.L. In: K.K., Drama und Klassenkampf, 1970, 128–42. B.L. In: H. G. Thalheim u.a. (Hrsg.), Gesch. der dt. Lit., Bd. 10, 1973, 270–72. B. L. In: Lex. sozialistischer dt. Lit., 1973, 311–14. *N. Mennemeier,* B.L. In: N.M., Modernes dt. Drama, Bd. 1, 1973, 270–72. *B. Melzwig,* B.L. In: B.M., Dt. sozialistische Lit. 1918–1945, 1975, 225–28. *W. Pollatschek,* B.L. Nachwort zu ›Stil-

le und Sturm‹, 1975. B. L. In. C. Trilse u.a. (Hrsg.), Theater-Lex., 1977. *M. Geiss,* B.L. In: Lexikon der Kinder- und Jugendliteratur, Bd. 2, 1977, 316f. *G. Brinker-Gabler,* B.L. In: G.B.-G. (Hrsgin.), Dt. Dichterinnen vom 16. Jh. bis zur Gegenwart, 1978. B.L. In: K. Jarmatz u.a., Exil in der UdSSR, 1979, 580. *W. Emmerich,* B.L. In: NDB 1982.

Lasker-Schüler, Else, * 11. 2. 1869 in Wuppertal-Elberfeld, † 22. 1. 1945 in Jerusalem, begraben am Ölberg.

Wurde als sechstes Kind der Jeanette geb. Kissing und des Privatbankiers Aron Schüler geboren. Wuchs in jüdischer Glaubenstradition in einem gutbürgerlichen Elternhaus auf. Besuchte ein Lyzeum, das sie 1880 auf Grund einer periodischen Nervenkrankheit verließ. Erhielt von da an Privatunterricht. 1890 erlebte sie schmerzlich den Tod der Mutter. Heiratete 1894 den Arzt Berthold Lasker und zog mit ihm nach Berlin, wo sie in einem eigenen Atelier ihrer zeichnerischen Begabung nachging. Illustrierte später z.T. die Originalausgaben ihrer Werke selbst. Trennung von Lasker (Scheidung 1903). Ein Sohn. Führte von nun an ein ungebundenes und ungesichertes Leben in der Berliner Boheme. Im dortigen Literatencafé »Café des Westens« fand sie einen Kreis gleichgesinnter Dichter und Künstler, wie Richard Dehmel, Theodor Däubler, Gottfried Benn, Georg Trakl, Franz Marc, Karl Kraus und Kurt Pinthus. Besonders enge Freundschaft verband sie mit Peter Hille, für den sie nach seinem Tod 1904 das ›Peter-Hille-Buch‹ (1906) schrieb. Ging 1903 ihre zweite Ehe ein mit dem Musiker, Kunstschriftsteller und Redakteur Georg Levin, den sie Herwarth Walden nannte. Er war später Herausgeber der expressionistischen Zeitschrift ›Der Sturm‹. 1912 erfolgte auf seinen Wunsch die Scheidung. E.L.-S. unternahm zahlreiche Vortragsreisen, u.a. nach London, Prag und Wien. Reiste 1913 nach Rußland, wo sie sich für den wegen revolutionärer Umtriebe verdächtigen, ihr befreundeten Anarchisten J. Holzmann einsetzte. 1927 starb ihr Sohn Paul. Emigrierte 1933 in die Schweiz, von wo aus sie mehrere Reisen nach Jerusalem unternahm. Blieb 1939 ganz dort, und verbrachte ihre letzten Lebensjahre in Einsamkeit.

E.L.-S. war hauptsächlich Lyrikerin mit einer ihr ganz eigenen Sprach- und Bildkraft; schrieb auch Prosa und Dramen. Erste Gedichte erschienen 1899 in der Zeitschrift ›Die Gesellschaft‹, es folgten weitere Veröffentlichungen in unterschiedlichen Blättern. Ihre erste Gedichtsammlung ›Styx‹ kam 1902 heraus. Trotz ihrer Abwendung von bürgerlicher Existenzsicherheit, blieb ihr ganzes Leben und ihr Werk beeinflußt von tiefen inneren Bindungen an ihre Familie und ihre Religion. Verwandelte in ihren Werken erlebte Realität, wie ihre Familiengeschichte und das Berliner Bohemeleben, in Mythen und Legenden. Handlungsort ist immer wieder ein von ihr gestalteter imaginärer Orient, der Sinnbild ihrer religiösen Sehnsucht ist. Sie selbst, ihre Angehörigen und Berliner Künstlerfreunde bevölkern diesen Platz als Gestalten aus dem Alten Testament und der Sage. Sich selbst nennt sie »Tino von Bagdad« oder »Prinz von Theben«, der Vater wird zu »Arthur Aronymus«, Peter Hille erhält den Namen »Petrus, der Fels«, Gottfried Benn ist »Giselheer« oder »Der Tiger« und der Anarchist J. Holzmann heißt »Senna Hoy«. Gottfried Benn nannte E. L.-S. »die größte Lyrikerin, die Deutschland je besaß«. 1932 wurde sie mit dem Kleist-Preis ausgezeichnet.

WERKE: Styx, G. 1902; Der siebente Tag, G. 1905; Das Peter Hille-Buch, 1906; Die Nächte Tino von Bagdads, 1907; Die Wupper, Schausp. 1909 (U. 1919) (N 1982); Meine Wunder, G. 1911; Mein Herz. Ein Liebes-R. mit Bildern und wirklich lebenden Menschen, 1912 (N 1976); Gesichte. Ess. u.a. Gesch., 1913; Hebräische Balladen, 1913; Der Prinz von Theben. Ein Geschichtenbuch, 1914; Plumm-Pascha. Morgenländische Kom. In: Das Kino-Buch, 1914 (N 1963); Antwort auf die Rundfrage über Karl Kraus, 1917; Der Malik. Eine Kaisergesch. 1919 (N 1983); Hebräische Balladen. Der Gedichte erster Teil, 1920 (erw. Neuaufl. v. 1913) (N 1968); Die Kuppel. Der Gedichte zweiter Teil, 1920; Der Wunderrabbiner von Barcelona, E. 1921; Theben. G. u. Lithographien, 1923; Ich räume auf! Meine Anklage gegen meine Verleger, 1925; Etwas von mir. In: E. Kern (Hrsgin.), Führende Frauen Europas, N. 1930; Konzert, Prosa u. G. 1932; Arthur Aronymus. Die Gesch. meines Vaters, 1932; Arthur Aronymus und seine Väter. Aus meines geliebten Vaters Kinderjahren, Schausp. 1932; Das Hebräerland, 1937 (N 1981); Mein blaues Klavier, Neue G. 1943.

VERÖFF. A. D. NACHLASS: Briefe an Karl Kraus, hrsg. v. A. Gehlhoff-Claes, 1959; Verse und Prosa aus dem Nachlaß. Ges. Werke, Bd. 3, hrsg. v. W. Kraft, 1961; Briefe, 2 Bd., hrsg. v. M. Kupper, 1969 (1. Bd.: Lieber gestreifter Tiger; 2. Bd. Wo ist unser buntes Theben) (N 1976); Ichundich, Schausp., hrsg. v. M. Kupper. In: Jb. d. dt. Schiller-Gesellschaft 14 (1970), 46–99 (Neuausg. 1980); Drei Briefe. In: Bulletin des Leo Baeck Instituts 8 (1965) 29, 1–6. Ein Brief an Thomas Mann. In: ebda. 11 (1968), 259–64; M. Kupper, Der Nachlaß E. L.-S.s. Epistolographie: Korrektur der Briefdrukke. Auswahl bisher unveröffentlichter Briefe. In: Lit.wiss. Jb. der Görres-Gesellschaft 12 (1971), 241–91; Was soll ich hier? Exil-Br. an Salman Schocken, hrsg. v. S. Bauschinger u. H. Hermann, 1979 (N 1983).

WERKAUSGABEN: Die gesammelten Gedichte, 1917; Gesamtausgabe, 10 Bd. 1919–1920; E. L.-S. Eine Einf. in ihr Werk und eine Ausw., hrsg. v. W. Kraft, 1951; Dichtungen und Dokumente. G., Prosa, Schausp., B., Zeugnis und Erinn., hrsg. v. E. Ginsberg, 1951; Gesammelte Werke, 3 Bd. (1. Bd.: Gedichte 1902–1943, hrsg. v. F. Kemp, 1959 [^{2}1961]; 2. Bd.: Prosa und Schauspiele, hrsg. v. F. Kemp, 1962; 3. Bd.: Verse und Prosa aus dem Nachlaß, hrsg. v. W. Kraft, 1961); Helles Schlafen – Dunkles Wachen, G., ausgew. v. F. Kemp, 1962 (N 1981); E. L.-S. und Wuppertal, ausgew. v. W. Springmann, 1962; Die Wupper. Arthur Aronymus und seine Väter, 2 Schausp. 1965;

Sämtliche Gedichte, hrsg. v. F. Kemp, 1966 (N 1977); Gedichte und Prosa. Eine Ausw. 1967; Leise sagen, G., ausgew. v. K.-H. Sühnhold, [Berlin und Weimar] 1968; Die Wolkenbrücke, Br., ausgew. v. M. Kupper, 1972; Hebrew ballads and other poems. Transl. and ed. by A. Durchslag und J. Litman-Demeestère, [Philadelphia] 1980; Your diamond dreams cut open my ateries. Transl. and with an introd. by R. E. Newton, [Chapel Hill] 1982.

NACHLASS: E. L.-S. Archiv Jerusalem, Jewish National and University Library: Stadtbibliothek Wuppertal (Slg.); Landesbibliothek Dortmund (Slg.); Staatsbibliothek Hamburg (Slg.). Schiller Nationalmuseum und Dt. Lit.archiv Marbach; Die Nachlässe in den Bibliotheken der Bundesrepublik Deutschland, bearb. v. L. Denecke, 2. Aufl., völlig neu bearb. v. T. Brandis, 1981, 212 (dazu: M. Kupper, Der Nachlaß E. L.-S.s in Jerusalem. In: Lit.wiss. Jb. der Görres-Gesellschaft 9, 10 u. 12 [1968, 1969, 1971]).

BIBLIOGRAPHIEN: *W. Kraft,* E. L.-S. Eine Einf. in ihr Werk und eine Ausw., 1951, 106ff. *S. Bauschinger,* Die Symbolik des Mütterlichen im Werk E. L.-S.s, Diss. Frankfurt/M. 1960, 3–21. *M. Kupper,* Die Weltanschauung E. L.-S.s in ihren poetischen Selbstzeugnissen, Diss. Würzburg 1963, 127–49. *J. P. Wallmann,* E. L.-S., 1966, 133–36. *S. Bauschinger,* E. L.-S. Ihr Werk und ihre Zeit, 1980.

LITERATUR: *R. Weiss,* E. L.-S. In: Die Fackel vom 29. 4. 1911. *M. Fischer,* E. L.-S. In: Das lit. Echo 21 (1918). *F. Graetzer,* E. L.-S. In: Die lit. Gesellschaft 4 (1918), 288ff. *F. Blei,* Bestiarium der modernen Literatur, 1922. *M. Wiener,* E. L.-S. In: G. Krojanker (Hrsg.), Juden in der dt. Lit. 1922, 179ff. *F. Goldstein,* Der expressionistische Stilwille im Werke der E. L.-S., Diss. Wien 1936. *J. Steinfeld,* Hebräerland. E. L.-S. und der Duce. In: Das Wort 2 (1937). *F. Baumgartner-Tramer,* Eine Erinnerung an E. L.-S. In: Das Bücherblatt 9 (1945). *W. Kraft u. a.,* Freunde der Dichterin zu ihrem Tode. In: Mitteilungsblatt der dt. Einwanderer 9 (1945). *E. Ball-Hennings,* Die Dichterin E. L.-S. In: Schweizer Rundschau 45 (1945/46), 225–29. *M. F. E. van Bruggen.* Im Schatten des Nihilismus, Diss. Amsterdam 1946. *A. R. Leinert,* E. L.-S. In: Berliner Hefte 1 (1946), 317f. *P. Landau,* E. L.-S. In: Mitteilungsblatt der dt. Einwanderer, [Jerusalem] 21. 3. 1947. *R. B. Matzig,* Ich suche allerhanden eine Stadt. E. L.-S. zum Gedächtnis. In: Basler Nachrichten 42 (1948). *F. Kemp,* E. L.-S. In: Hochland 41 (1948/49), 102ff. *A. v. Bernus,* Worte der Freundschaft, 1949. *M. Kruse-Aust,* E. L.-S. In: Das goldene Tor 4 (1949), 107–16.

H. Politzer, The blue piano of E. L.-S. In: Commentary. Published by the American Jewish Committee, [New York] 9 (1950), 335–44. *W. Kraft,* E. L.-S. In: Neue Schweizer Rundschau N.F. 18 (1950/51), 485–92. *M. Rychner,* E. L.-S. In: Die Tat, [Zürich] (1951) 340. *G. Benn,* Erinnerungen an E. L.-S. In: Der Tagesspiegel (1952) 1964. *R. Sinn,* Wiederbegegnung mit E. L.-S. In: Pädagogische Provinz 8 (1954), 225–31. *W. Hegglin,* E. L.-S. und ihr Judentum, 1955. *K. J. Höltgen,* Untersuchungen zur Lyrik E. L.-S.s, Diss. Bonn 1955 (Masch.). *E. Aker,* Untersuchung der Lyrik E. L.-S.s, Diss. München 1956 (1957). *M. Kesting,* Zur Deutung E. L.-S.s. In: Akzente 3 (1956), 377–83. *G. Schlocker,* E. L.-S. In: H. Friedmann u. O. Mann (Hrsg.), Expressionismus, 1956, 140–54. *M. Kesting,* E. L.-S. und ihr blaues Klavier. In: Dt. Rundschau 83 (1957), 66ff. *F. Marc,* Botschaften an den Prinzen Jussuf, 1957. *A. Meyer,* ›Die Stimme Edens‹. Deutung eines Gedichtes von E. L.-S. [Jerusalem] 1957. *M. Rychner,* E. L.-S. In: M. R., Arachne, [Zürich] 1957, 218–24. *B. Herzog,* E. L.-S. In: Schweizer Rundschau 57 (1957/58), 40f.

S. Bauschinger, Die Symbolik des Mütterlichen im Werk E. L.-S.s, Diss. Frankfurt 1959 (1960). *W. Kraft,* E. L.-S. In: W. K., Wort und Gedanke, 1959, 216ff. *L. Mazzucchetti,* E. L.-S. Poetessе. In: L. M., Novecento in Germania, [Milano] 1959. *K. Schümann,* E. L.-S. Weg und Schaffen der größten Dichterin des Expressionismus. In: K. S., Im Bannkreis von Gesicht und Wirken, 1959, 53–85. *C. David,* Karl Kraus – E. L.-S. In: Etudes Germaniques 15 (1960) 4. *R. Geißler,* Heimatlosigkeit und Bilderfülle. Zur Lyrik E. L.-S.s. In: Blätter für den Deutschunterricht 4 (1960), 103–11. *G. Guder,* E. L.-S.s conception of herself as poet. In: Orbis litterarum 15 (1960) 3/4, 184–99. *K.A. Horst,* E.L.-S. In: Wort und Wahrheit 15 (1960), 564ff. *G. Guder,* The meaning of colour in E.L.-S.s poetry. In: German Life and Letters 14 (1960/61) 3, 175–87. *H. Bienek,* E.L.-S. In: J. Petersen (Hrsg.), Triffst du nur das Zauberwort, 1961, 186–95. *W. Muschg,* E.L.-S. In: W. M., Von Trakl zu Brecht. Dichter des Expressionismus, 1961, 115–48. *L. Paepcke,* E.L.-S. In: Frankfurter Hefte 16 (1961), 33ff. *H. Ahl,* Eine Sappho, der die Nacht zerbrach. E.L.-S. In: H. A., Literarische Porträts, 1962, 316–24. *Ders.,* E.L.-S. In: Wort und Wahrheit 17 (1962), 277–80. *B. Baldrian-Schrenk,* Form und Struktur der Bildlichkeit bei E.L.-S., Diss. Freiburg i.Br. 1962. *V. Klotz,* Das blaue große Bilderbuch mit Sternen. Zu Gedichten der E.L.-S. In: V. K., Kurze Kommentare zu Stücken und Gedichten, 1962, 61–70. *W. Springmann,* E.L.-S. und Wuppertal. Ausw. und Kommentar, 1962. *V. Klotz,* Erlebnisdichtung und gedichtetes Leben. Zu den Werken von E.L.-S. In: Behaim-Blätter für die Freunde des dt. Buches 3 (1963) 3, 13ff. *M. Kupper,* Ein Lied E.L.-S.s. In: Blätter für den Deutschunterricht 7 (1963), 11–15. *Dies.,* Materialien zu einer kritischen Ausgabe der Lyrik E.L.-S.s. In: Lit.wiss. Jb. der Görres-Gesellschaft N.F. 4 (1963), 95–190. *Dies.,* Ein wiederentdecktes Gedicht von E.L.-S. In: Germanisch-romanische Monatsschrift N.F. 13 (1963) 1, 80–91. *Dies.,* Die Weltanschauung E.L.-S.s in ihren poetischen Selbstzeugnissen, Diss. Würzburg 1963. *H. Domdey,* Frühe und späte Lyrik E.L.-S.s. Vergleichende Untersuchungen zu Gehalt und Rhythmus, Diss. Berlin 1964. *E. Ginsberg,* Die goldenen Zwanzigerjahre. In: Forum 11 (1964), 448–51. *M. Kupper,* Wiederentdeckte Texte E.L.-S.s. In: Lit.wiss. Jb. der Görres-Gesellschaft 5 (1964), 229–63; 6 (1965), 227–88; 7 (1966), 227–33; 8 (1967), 125–99. *J. P. Wallmann,* Ein alter Tibetteppich. In: Neue dt. Hefte 11 (1964) 102, 63–69. *G. Guder,* The significance of love in the poetry of E.L.-S. In: German Life and Letters 18 (1965) 3, 177–88. *E. Benyoetz,* Die Liebe ist eine chinesische Mauer. In: Neue dt. Hefte 12 (1965) 104, 58–65. *B. Blumenthal,* Aspects of love in the life and works of E.L.-S., Diss. Princeton/USA 1965. *W. Herzfelde,* Fremd und nah. Über meinen Briefwechsel und meine Begegnung mit E.L.-S. In: Marginalien (1965) 18, 1–7. *A. Jais,* E.L.-S. Die Lyrik der mittleren Schaffensperiode, Diss. München 1965. *F. Martini,* E.L.-S. Dichtung und Glaube. In: H. Steffen (Hrsg.), Der dt. Expressionismus. Formen und Gestalten, 1965 ([2]1970) 5–24. *A. Meyer,* Vorahnungen der Judenkatastrophe bei Heinrich Heine und E.L.-S. In: Bulletin des Leo Baeck Instituts, [Tel Aviv] 8 (1965) 29, 7–27. Nachrichten aus dem Kösel-Verlag. Sonderheft für E.L.-S., 1965. *S. Ben-Chorin,* E.L.-S. In: S.B.-C., Zwiesprache mit Martin Buber. Ein Erinnerungsbuch, 1966, 75–81. *F. Dürrenmatt,* Randnotizen zu E.L.-S.s Dichtungen und Dokumenten. In: F.D., Theater-Schriften und -Reden, 1966, 251–54. *G. Fischer,* Dienstboten, Brecht und andere. Zeitgenossen in Prag, Berlin, London, 1966. *G. Guder,* E.L.-S. Deutung ihrer Lyrik, 1966. *Ders.,* The image of the angel in the poetry of E.L.-S. In: Modern Languages 47 (1966), 98–103. *W. Hegglin,* E.L.-S. und ihr Judentum, 1966. *M. Hofmann,* Tot ist Prinz Jussuf von Theben. In memoriam E.L.-S. In: M. H., Konstellationen. Ausgew. Ess. 1945–1965, 1966, 125–30. *P. Raabe,* Gottfried Benns Huldigungen an E.L.-S. Unbekannte Dokumente des Dichters 1931–1932. In: P.R. u. M. Niedermayer (Hrsg.), Gottfried Benn. Den Traum alleine tragen, 1966, 61–79. *J.P. Wallmann,* Deutsche Lyrik unter jüdischem Dreigestirn. E.L.-S., Gertrud Kolmar, Nelly Sachs. In: Merkur 20 (1966) 12, 1091–94. *Ders.,* E.L.-S., 1966. *H. Bingel,* E.L.-S. In: J. Petersen (Hrsg.), Triffst du nur das Zauberwort. Stimmen von heute zur dt. Lyrik, 1967, 110–19. *L. v. Ficker,* Zur religiösen Bedeutung der Dichterin E.L.-S. In: L.v.F., Denkzettel und Danksagungen, 1967, 166–69. *M. Kupper,* Der Nachlaß E.L.-S.s in Jerusalem. In: Lit.wiss. Jb. der Görres-Gesellschaft 8 (1967), 175–99; 9 (1968), 243–83; 10 (1969), 175–230; 11 (1970), 225–83; 12 (1971), 241–91. *G. Schlocker,* Exkurs über E.L.-S. In: Dt. Lit. im 20. Jh., [5]1967, Bd. 1: Strukturen, 344–57. *M. Schlösser,* Deutsch-jüdische Dichtung des Exils. In: Emuna. Horizonte. Zur Diskussion über Israel und das Judentum 3 (1968), 250–65. *H. Schwab-Felisch,* [zu: Arthur Aronymus und seine Väter, Wuppertal]. In: Theater heute 9 (1968) 11. *T. Dorst,* Szene für Else. In: ebda. 4 (1969), 23. *E. Gottgetreu,* E.L.-S. und »der Urböse«. In: ebda. 4 (1969), 246–48. *S. Ben-Chorin,* E.L.-S. zum 100. Geb. In: Almanach für Lit. und Theologie 3 (1969), 178–92. *P. Hatvani,* Die Wunder der Tino von Bagdad. Zum 100. Geb. von E.L.-S. In: Zs. für die Geschichte der Juden, [Tel Aviv] 6 (1969), 165–68. *W. Herzfelde,* E.L.-S. Begegnungen mit der Dichterin und ihrem Werk. In: Sinn und Form 21 (1969), 1294–1325. *M. Kupper,* E.L.-S. In: H. Kunisch (Hrsg.), Hdb. der dt. Gegenwartslit. (^{2}1969), 17–19. *R.M. Macht,* Motifs of Judaic mysticism in the poetry of E.L.-S., Diss. Indiana/USA 1969. *E. Marsch,* E.L.-S. In: B. v. Wiese (Hrsg.), Dt. Dichter der Moderne, ^{2}1969, 365–88. *H. Politzer,* E.L.-S. In: W. Rothe (Hrsg.), Expressionismus als Lit., 1969, 215–31. *M. Schmid* (Hrsg.), E.L.-S. Ein Buch zum 100. Geb. der Dichterin, 1969. *Ders.,* Schwierigkeiten mit Arthur Aronymus. In: Emuna. Horizonte. Zur Diskussion über Israel und das Judentum 4 (1969), 257f. *W. Springmann,* E.L.-S. und ihre Wuppertaler Heimat. In: ebda. 4 (1969), 15–22.

L. Auer, Mein blaues Klavier. Zum 25. Todestag E.L.-S.s. In: Lit. und Kritik 5 (1970), 113–17. *S. Bauschinger,* E.L.-S. in ihren Briefen. In: Neue Rundschau 81 (1970), 366–74. *B. Blumenthal,* The play element in the poetry of E.L.-S. In: The German Quarterly 43 (1970), 571–76. *G. J. Carr,* Zu den Briefen E.L.-S.s an Karl Kraus. In: Lit. und Kritik 5 (1970), 549–56. *B. Weidmann,* E.L.-S. In: Neue dt. Hefte 17 (1970), 18–27. *D. Bänsch,* E.L.-S. Zur Kritik eines etablierten Bildes, 1971. *C.M. Jung,* Bilder meines Lebens. In: NDL 19 (1971) 11, 114–31; 20 (1972) 4, 109–22. *A. Koch,* Die Bedeutung des Spiels bei E.L.-S. Im Rahmen von Expressionismus und Manierismus, 1971. *G. Martens,* Expressionismus und Vitalismus. Ein Beitrag zur Genese und Deutung expressionistischer Stilstrukturen, 1971, 116–26. *M. Windfuhr,* Die unzulängliche Gesellschaft, 1971. *W. Dürrson,* Der Seltsamsaft. Zu E.L.-S.s Einfluß auf die Lyrik von Gottfried Benn. In: Denken in Widersprüchen, 1972, 184–204. *B. Hintze,* E.L.-S. in ihrem Verhältnis zur Romantik. Ein Vergleich der Thematik und des Sprachstils, Diss. Bonn 1972. E.L.-S. In: Ideologiekritische Studien zur Lit. Bd. 1, 1972. *J. Nolte,* Die Träume der Tino von Bagdad. In: J. N., Grenzgänge, 1972, 125–30. *S.* Hermlin, Lektüre 1960–1971, 1973. *R.F. Allen,* Literary Life in German Expressionism and the Berlin Circles, 1974. *H. W. Cohn,* E.L.-S. The broken world, [London] 1974. *W. Kraft,* Das Ja des Neinsagers. Karl Kraus und seine geistige Welt, 1974. *W. Herzfelde,* Kürzlich vor 60 Jahren. In: Sinn und Form 27 (1975), 371–84. *E. Marsch,* E.L.-S. In: B. v. Wiese (Hrsg.), Dt. Dichter der Moderne, ^{3}1975. *S. Ben-Chorin,* E.L.-S. und Israel. In: Lit. und Kritik 11 (1976), 291–97. *H. Bleyl,* Geschichte um ›Die Wupper‹ in der Schaubühne. In: Neue dt. Hefte 23 (1976), 646–50. *W. Herzfelde,* Zur Sache geschrieben und gesprochen zwischen 18 und 80, 1976. *K. Weissenberger,* Zwischen Stein und Stern. Mystische Formgebung in der Dichtung von E.L.-S., Nelly Sachs und Paul Celan, 1976. *J. Serke,* E.L.-S. In: J.S., Die verbrannten Dichter, ^{2}1977. *G. Brinker-Gabler,* E.L.-S. In: G. B.-G. (Hrsgin.), Dt. Dichterinnen vom 16. Jh. bis zur Gegenwart, 1978. *J. Tolkes,* E.L.-S. – zum 30jährigen Todestag. In: Emuna. Israel-Forum. Vereinigte Zss. über Israel und Judentum (1978) 1, 31–34. *K.E. Webb,* E.L.-S. and Franz Marc: a comparison. In: Orbis litterarum 33 (1978), 280–98. *F. Kienecker* (Hrsg.), Peter Hille. Ein Leben unterwegs. Dichtungen und Dokumente, 1979. *E. Klüsener,* E.L.-S. – eine Biographie oder ein Werk?, Diss. St. Louis/USA 1979. *I. Langner,* Drei deutsch-jüdische Dichterinnen. In: Frankfurter Hefte 34 (1979) 5, 37–45. *M. Pazi,* E.L.-S. in Jerusalem – Zur Nuancierung einer allgemeinen Meinung. In: DVjs 53 (1979), 115–24.

S. Bauschinger, E.L.-S. Ihr Werk und ihre Zeit, 1980. *E. Klüsener,* E.L.-S. in Selbstzeugnissen und Bilddokumenten, 1980. *Dies.,* Die Welt in Splittern. E.L.-S. In: Notizbuch (1980) 2, 105–16. *H. Rüdiger,* E.L.-S.: ›Ein alter Tibetteppich‹. In: Frankfurter Anthologie, Bd. 5, 1980, 139–42. *R. Schneider,* E.L.-S.: ›In meinem Schoße‹. In: ebda., Bd. 5, 1980, 143–46. *S. Young-Suk,* Die Lyrik E.L.-S.s. Stilelemente und

Themenkreise, Diss. Washington/USA 1980. *K. Theens,* E.L.-S. ›Ichundich‹. In: Faust-Blätter. Archiv-Nachrichten (1980) 38, 1615–22. *S. Ukyo,* E.L.-S.s Lyrik. In: Doitsu Bungaku. Die dt. Lit. [Tokyo] (1980) 65, 31–43. *I.M.E. Zimmermann,* Der Mensch im Spiegel des Tierbildes. Untersuchungen zum Werk E.L.-S.s, Diss. Lawrence/USA 1980. *E. Middell,* ›Ichundich‹ von E.L.-S. In: Sinn und Form 33 (1981), 637–52. *S. Mittag,* E.L.-S.: Der Entwurf einer rücksichtslos poetischen Existenz. In: I. Schneider (Hrsgin.), Die Rolle des Autors. Analysen und Gespräche, 1981, 64–70. *D. Orendi-Hinze,* Frauen um Trakl. In: W. Methlagl u.a. (Hrsg.), Untersuchungen zum ›Brenner‹. Fs. für Ignaz Zangerle zum 75. Geb., 1981. *M. Kesting,* Zur Dichtung E.L.-S.s. In: Duitse Kroniek 32 (1981/82) 1/2, 22–27. [Dokumentation zur Entstehungs- und Wirkungsgeschichte u. ein Nachwort v. F. Martini]. In: E.L.-S., Die Wupper, 1982. *J.E. Curtis,* E.L.-S.s Drama ›Dark River‹: A translation into English and a critical commentary, Diss. The Catholic University of America 1982. *H. Domin,* Nur Ewigkeit ist kein Exil. Zur Eröffnung einer L.-S.-Ausstellung. In: H.D., Aber die Hoffnung, 1982, 129–42. *M. Faerber,* Ein unbekanntes Gedicht E.L.-S.s. In: Lit. und Kritik 17 (1982) 167/168, 84f. *B. Frank,* The Jewish muse. In: Judaism [New York] 31 (1982), 491–97. *R. Fromholz,* E.L.-S. In: NDB 1982. *U. Hahn,* Die Dichterin E.L.-S. In: W. Hinderer (Hrsg.), Literarische Profile. Dt. Dichter von Grimmelshausen bis Brecht, 1982, 202–15. *U. Hasecke,* Die Kunst, Apokryphen zu lesen. Zu einigen Momentaufnahmen »weiblicher« Imagination in der literarischen Arbeit E.L.-S.s. In: I. von der Lühe (Hrsgin.), Entwürfe von Frauen in der Lit. des 20. Jh.s. Argument-Sonderbd. 92 (1982), 27–63. *H.-C. Kirsch,* E.L.-S. oder die Heilung der Welt durch die Liebe. In: B. Dörrlamm/H.-C. Kirsch/U. Konitzer (Hrsg.), Klassiker heute. Die Zeit des Expressionismus, 1982, 277–306. *C. Melchinger,* E.L.-S.: Man muß so müde sein ... In: Frankfurter Anthologie, Bd. 6, 1982, 121–24. *R.P. Newton,* Eye imagery in E.L.-S. In: Modern Language Notes 97 (1982), 694–712. *U. Roumois-Hasler,* Dramatischer Dialog und Alltagsdialog im wissenschaftlichen Vergleich. Die Struktur der dialogischen Rede bei den Dramatikerinnen Marieluise Fleißer (›Fegefeuer in Ingolstadt‹) und E.L.-S. (›Die Wupper‹), 1982. *E. Sauermann,* Unbekanntes Telegramm E.L.-S.s an Georg Trakl. In: Mitteilungen aus dem Brenner-Archiv, [Innsbruck] (1982) 1, 57f. *J. Hessing,* E.L.-S. Dichterin ohne Geschichte. Die jüdischen, christlichen und deutschen Mythen in ihrer Nachkriegsrezeption. In: Bulletin des Leo Baeck-Instituts 65 (1983), 23–52. *K. Weissenberger,* E.L.-S.s Anwandlung des Josephs-Mythos. In: Colloquia Germanica [Bern] 16 (1983), 201–16. *P. Yu,* Li Ch'ing-chao und E.L.-S.: two shattered worlds. In: Comparative literature studies 20 (1983), 102–14. *R. Rumold,* Ein kleines Ja und ein großes Nein. George Grosz im Spiegel seiner Begegnung mit Gottfried Benn und Bertolt Brecht. In: B. Bennett u.a. (Hrsg.), Probleme der Moderne. Studien zur dt. Lit. von Nietzsche bis Brecht. Fs. für Walter Sokel, 1983, 389–403. *A. Busch,* Faust und Faschismus bei E.L.-S. In: Exil 1933–1945. Forschung, Erkenntnisse, Ergebnisse [Maintal 2]: 1984, 1, 60–64. *N. Oellers,* E.L.-S.s ›Hebräische Balladen‹ – auch für die asiatische Prinzessin Leila. In: H.-H. Krummacher (Hrsg.), Zeit der Moderne. Zur dt. Lit. von der Jh.wende bis zur Gegenwart, 1984, 363–75. *J. Kuckart,* ›Ich streife heimatlos durch bleiche Zeiten‹. In: Neue Rundschau 96 (1985), 1, 102–09.

Lauber, Cécile, * 13. 7. 1887 in Luzern, † 16. 4. 1981 ebda.
Entstammte alten Solothurner Familien. Achtes Kind des Gotthardbahndirektors Dietler. Besuchte Schulen in Luzern. Betrieb Sprachstudien in Lausanne, Italien und England. Studierte Klavier am Konservatorium in Lausanne. Malte und modellierte, veröffentlichte erste novellistische Skizzen 1911 in einer literarischen Zeitschrift. Heiratete 1913 Dr. W. Lauber. Lebte in Luzern.
Schrieb Romane, Erzählungen, Dramen, Gedichte. Thematischer Schwerpunkt ist das Verhältnis des Menschen zur Natur und zur Kreatur. Kern des Erzählwerks sind die beiden Romane ›Die Wandlung‹, darin schildert sie die Entwicklung eines Viehschlächters, in dem die Liebe zur Kreatur geweckt wird, und ›(Die) Stumme Natur‹, die Geschichte der Besiedlung einer Insel, der durch eine Naturkatastrophe ein Ende gesetzt wird. Ihr vierbändiges Schweizer Epos ›Land deiner Mutter‹ erschließt jungen Menschen Heimat und Kulturgeschichte. Für dieses erste und einzige Jugendbuch erhielt sie 1964 den Jugendbuchpreis des schweizerischen Lehrervereins.
Erhielt weiterhin Preise der schweizerischen Schillerstiftung: 1925, 1930, Ehrengabe 1940, großen Preis 1964; Literaturpreis der Stadt Luzern 1956; Literaturpreis der Innerschweiz 1969.

Werke: Die Erzählung vom Leben und Tod des Robert Duggwyler, 1922; Die Versündigung an den Kindern, R. 1924 (N 1947); Die Wandlung, R. 1929; Der Gang in die Natur, E. 1930; Das kleine Mädchen mit den Schwefelhölzchen, Weihnachtssp. 1931 (Musik von L. Balmer); Chinesische Nippes, En. u. G. 1931; Der dunkle Tag, Nn. 1933; Die verlorene Magd, Schausp. 1934; Die Kanzel der Mutter, En. 1936; Gedichte, 1937; Geschenk eines Sommers, N. 1938; Stumme Natur, R. 1939; Tiere in meinem Leben, E. 1940; Nala. Das Leben einer Katze, E. 1942; Musiker-Bildnisse, 1943; Wiedersehen mit Madame Bovary, E. 1943; Ein Gastspiel, E. 1946; Land deiner Mutter, Jgdb. 4 Bd. 1946–1957; Luzern, Heimatb. 1947 (bearb. [2]1963); In der Gewalt der Dinge, R. 1961.
Werkausgaben: Gesammelte Gedichte, 1955; Romane, Erzählungen, Novellen, Lyrik, Aphorismen (Teilslg.), 1968; Gesammelte Werke, 6 Bd. 1970–1972.
Literatur: *O. Brand,* Der Gegensatz im Werk C.L.s. In: Sonntagsblatt Nr. 43 der Basler Nachrichten, 1938. *E. F. Knuchel,* Stumme Natur. In: Sonntagsblatt Nr. 49 der Basler Nachrichten, 1939. *O. Brand,* C.L. In: Die Weltwoche (1947) 713. *H. Grossrieder,* Zum Werk C.L.s. In: Schweizer Rundschau 47 (1947) 6. *R. Käfer-Häusler,* Brief an Frau C.L. In: Sonntagsblatt Nr. 28 der Basler Nachrichten, 1947. *O. Kleiber,* C.L. In: National-Zeitung Basel (1947) 315. *E.F. Knuchel,* Am Wegrand. In: Sonntagsblatt Nr. 28 der Basler Nachrichten, 1947. *A. Steffen,* Ein Erinne-

rungsblatt. In: ebda. *H. de Ziegler,* Felsbergstraße Nr. 7. In: ebda. *O. Brand,* C.L. In: O.B., Stilles Wirken. Schweizer Dichterinnen, 1949. *F. Lennartz,* C.L. In: Deutsche Dichter und Schriftsteller unserer Zeit, 8. erw. Aufl. 1959, 430f. C.L. Aquarelle [Katalog des Kunstmuseums Luzern mit verschiedenen Beiträgen], 1974. *M. Fuchs,* Die verborgenen Kräfte. C.L. und Regina Ullmann. In: M.F., Begegnungen mit Menschen und Werken, 1975. *B. S. Scherer,* »Ich trage mein Antlitz dir zugewandt«. Zum 90. Geb. von C.L. In: Schweizer Rundschau 76(1977) 7, 24ff. *P. Schuler,* C.L. In: Lex. der Kinder- und Jugendlit. Bd. 2, 1977, 317.

Lederer, Joe, * 12. 9. 1907 in Wien.

Besuchte das humanistische Gymnasium in Wien. Wollte Schauspielerin werden. War Sekretärin eines Schriftstellers und später selbst freischaffende Schriftstellerin. Hatte ihren ersten Erfolg 20jährig mit dem Roman ›Das Mädchen George‹. Unternahm zahlreiche Reisen durch Europa und China. Emigrierte 1936 (1938) nach London. Rückkehr nach Deutschland 1956. Lebt in München. Romanautorin.

WERKE: Das Mädchen George, R. 1928; Musik der Nacht, R. 1930; Drei Tage Liebe, R. 1931 (N 1960); Bring mich heim, R. 1932 (N 1960); Unter den Apfelbäumen, R. 1934 (N 1984); Blatt im Wind, R. 1936 (N 1965); Blumen für Cornelia, R. 1936 (N 1984); Ein einfaches Herz, R. 1937 (N 1963); Fanfan in China. Ein R. für die Jugend, 1938 (N u.d.T. Entführt in Schanghai, 1958); Heimweh nach Gestern, E. 1951; Letzter Frühling, R. 1955 (N 1966); Unruhe des Herzens, R. 1956 (N 1985); Sturz ins Dunkel, R. 1957 (N 1969); Entführt in Shanghai, 1958; Die törichte Jungfrau, R. 1960 (N 1981); Von der Freundlichkeit der Menschen, 1964 (N 1979); Ich liebe Dich. 5 Gesch. aus meinem Leben, 1975 (N 1979); Tödliche Leidenschaften. Sieben große Mordfälle, 1977 (N u.d.T. Tatmotiv Liebe, 1981).

WERKAUSGABEN: Meine schönsten Romane, 1977 (Inhalt: Blumen für Cornelia; Unruhe des Herzens).

LITERATUR: J. L. ›Das Mädchen George‹. In: Der Gral 23 (1928). J. L. ›Das Mädchen George‹. In: Die Weltbühne. 24(1928). *K. Miethe,* J. L. ›Das Mädchen George‹. In: Die schöne Lit. 29(1928). *N. Herbermann,* J.L. ›Drei Tage Liebe‹. In: Der Gral 25(1930). *Bermann,* J.L. ›Unter Apfelbäumen‹. In: Der Gral 29(1934). *Ders.,* J.L. ›Blatt im Wind‹. In: Der Gral 30(1935). J.L. ›Blatt im Wind‹. In: Die dt. Dichtung 1 (1936).

Le Fort, Gertrud von (Ps. Gerta von Stark, Petrea Vallerin), * 11. 10. 1876 in Minden/Westfalen, † 1. 11. 1971 in Oberstdorf /Allgäu.
Tochter der Elsbeth geb. von Wedel-Parlow und des preußischen Majors Lothar Freiherr von le Fort. Verbrachte ihre Jugend in verschiedenen Garnisonsstädten und auf dem mecklenburgischen Gut Bök am Müritzsee. Erhielt zunächst Privatunterricht. Ab dem 14. Lebensjahr Besuch einer Schule in Hildesheim. 20jährig führte sie ihre erste große Reise nach Wien, Venedig, Florenz und anderen italienischen Städten. 1907 erster Aufenthalt in Rom. 1908 Beginn des Studiums in Heidelberg. Hörte u.a. Vorlesungen über Kirchengeschichte, Kunstgeschichte, Geschichte und war Schülerin des Religionsphilosophen Ernst Troeltsch, dessen nachgelassene ›Glaubenslehre‹ sie 1925 herausgab. Der Krieg unterbrach das Studium. 1926 trat sie zum katholischen Glauben über. Lebte von 1918 bis 1939 in Baierbrunn bei München. Unternahm in dieser Zeit mehrfach Reisen nach Italien. War befreundet mit Th. Haecker, Erich Przywara, durch den sie Edith Stein kennenlernte, und mit dem französ. Diplomaten Paul Petit, der die Verbindung zu Paul Claudel herstellte. 1939 Umzug nach Oberstdorf. 1946–1949 Aufenthalt bei Freunden in der Schweiz. Ab 1950 war sie Mitherausgeberin der Zeitschrift ›Das literarische Deutschland‹ und trat in Verbindung zu Reinhold Schneider, Hermann Hesse und Carl Zuckmayer.
Bedeutende deutschsprachige katholische Schriftstellerin. Schrieb Gedichte, Romane, Novellen und Essays. Griff in ihrem erzählerischen Werk überwiegend historische Stoffe auf, mit denen sie aktuelle religiöse und politische Probleme verdeutlichte. Ihre Briefnovelle ›Die Letzte am Schafott‹ z.B. behandelt das Problem der Überwindung der Angst (angesichts der Revolution in Frankreich), die schließlich durch göttliche Gnade bewirkt wird; sie erschien 1931 kurz vor Ausbruch der Nazi-Diktatur (später verfilmt, Vorlage für Oper und Hörspiel). Drei Themenkreise sind zentral für ihr Werk: die Kirche (›Hymnen an die Kirche‹, 1924), der Reichsgedanke, bzw. die Beschwörung eines Reichs aus christlichem Geist (›Hymnen an Deutschland‹, 1932) und schließlich die Stellung der Frau (›Die ewige Frau‹, 1934) mit der Aussage: »In der entchristlichten Welt soll die Frau ihre ursprüngliche religiöse dienende Rolle wiederentdecken und die Welt verwandeln.« (E. Moltmann-Wendel)
Erhielt den Münchner Dichterpreis (1947), den Badischen Staatspreis für Literatur (1948), den Annette-von-Droste-Hülshoff-Preis (1948), den Genfer Gottfried-Keller-Preis (1952), den Großen Kunstpreis des Landes Nordrhein-Westfalen für Literatur (1955), den Kulturehrenpreis der Stadt München (1969). Wurde 1956 Ehrendoktor der Theologie der Universität München.

WERKE: (u.d.N. Gerta von Stark) Gedichte, 1899; Jacomino, E. 1899; Um eines Königs Herz, N. In: Dt. Frauenzeitung, 1902; Die Königskinder, G. 1903; Prinzessin Christelchen, Hof-R. 1904; (u.d.N. Gertrud von le Fort) Lieder und Legenden, 1912; Hymnen an die Kirche, G. 1924 (erw. Neuaufl. 1929, als Oratorium vertont von A. Piechler, 1950; N 1981); (Hrsgin.)

E. Troeltsch, Glaubenslehre, 1925 (N 1981); (u.d.N. Petrea Vallerin) Der Kurier der Königin, R. 1927 (N 1984); (u.d.N. Gertrud von le Fort) Das Schweißtuch der Veronika, R. 1928, u. d. T. Der römische Brunnen 1946) (N 1967); Der Papst aus dem Ghetto. Die Legende des Geschlechtes Pier Leone, R. 1930 (N 1959); Die Letzte am Schafott, N. 1931 (N 1983); Hymnen an Deutschland, 1932; Die ewige Frau. Die Frau in der Zeit. Die zeitlose Frau, Ess. 1934 (N 1962); Das Reich des Kindes. Legende der letzten Karolinger, 1934; Die Vöglein von Theres, 1937; Die Magdeburgische Hochzeit, R. 1938 (N 1973); Die Opferflamme, E. 1938 (N 1976); Die Abberufung der Jungfrau von Barby, E. 1940 (N 1960); Mein Elternhaus, 1941; Das Gericht des Meeres, E. 1943 (N 1966); Das Schweißtuch der Veronika, R. 2 Bd. 1947 (Bd. 1: Der römische Brunnen, u.d.T. Das Schweißtuch der Veronika 1928; Bd. 2: Der Kranz der Engel) (N 1958, N 1968 nur Bd. 2); Die Consolata, E. 1947; Madonnen. Eine Bilderfolge, 1948 (N 1962); Gedichte, 1949 (erw. Neuaufl. 1953); Unser Weg durch die Nacht. Worte an meine Schweizer Freunde, 1949 (N 1962); (Mithrsgin.) Das literarische Deutschland. Ztg. der Dt. Ak. für Sprache und Dichtung 1 (1950); Den Heimatlosen, 3 G. 1950; Das Reich des Kindes. Die Vöglein von Theres. 2 Legenden, 1950 (N 1978); Die Tochter Farinatas, 4 En. 1950; Aufzeichnungen und Erinnerungen, 1951 (erw. Aufl. 1956); Behütete Quellen. Ein Selbstporträt. In: Welt und Wort 6 (1951), 98f. u. 214f.; (Vorw.) G. Greene, Vom Paradox des Christentums, 1952; (Geleitw.) Byzantinische Mosaiken, 1952; Gelöschte Kerzen, 2 En. 1953 (N 1967; ital. 1962); Plus ultra, E. 1953 (Auszug aus: Die Tochter Farinatas); Am Tor des Himmels, N. 1954 (N 1975); Das kleine Weihnachtsbuch, 1954; Die Brautgabe, 1955; Die Frau des Pilatus, N. 1955; (Einl.) L. v. Matt, Rom. Das Antlitz der ewigen Stadt. 30 Farbaufnahmen, 1956; Weihnachten. Das Fest der göttlichen Liebe, 1956; Der Turm der Beständigkeit, N. 1957; Die letzte Begegnung, N. 1959; Die Frau und die Technik, Ess. 1959; Das fremde Kind, E. 1961; Aphorismen, 1962; Die Tochter Jephthas. Legende, 1964; Hälfte des Lebens. Erinn.

1965 (N 1972); Das Schweigen. Legende, 1966; Die Verfemte. Mit einer autobiogr. Erinn. ›Heidelberg‹, 1967 (N 1980); Der Dom, N. 1968 (N 1975); Woran ich glaube und andere Aufsätze, 1968; Unsere liebe Frau vom Karneval, E. 1975.

BRIEFE: Arthur Maximilian Miller und G.v.l.F., Briefe der Freundschaft, 1976.

WERKAUSGABEN: Die Krone der Frau, Ausw. 1950 (N 1986); Erzählende Schriften, 3 Bd. 1956; Die Letzte am Schafott. Die Consolata. Das Gericht des Meeres, bearb. v. G. Brenning, [2]1966; Die Erzählungen, 1966; Gedichte, 1970; Die Tochter Jephthas und andere Erzählungen, 1976.

NACHLASS: Dt. Lit. archiv/Schiller-Nationalmuseum Marbach.

BIBLIOGRAPHIEN: *H. Bruggisser,* G.v.l.F. Das dichterische Werk, Diss. Winterthur 1959, 70–72. *A. Focke,* G.v.l.F. Gesamtschau und Grundlagen ihrer Dichtung, 1960, 453f. *N. Heinen,* G. v. l. F. Einführung in Leben, Kunst und Gedankenwelt der Dichterin, [Luxemburg] [2]1960, 199–203. *H. Bach,* Dichtung ist eine Form der Liebe. Begegnung mit G.v.l.F. und ihrem Werk, 1976 (Bibl., Übers., Vertonungen).

LITERATUR: *R. Knies,* Religiöse Dichterinnen: G. v. l. F. In: Literarischer Handweiser 64(1927/28). *J. Kirschweng,* G.v.l.F. In: ebda. 67(1930/31). *L. Schnürer,* G.v.l.F. In: Schweizer

Rundschau 30(1930/31). *E. Brock,* G.v.l.F. In: Kunstwart 44(1931). *G. Schäfer,* G.v.l.F. In: Kölnische Volkszeitung (1931) 396. *L. Zarncke,* G.v.l.F. In: Die Frau 39(1931). *E. Hahn,* G.v.l.F. In: Lit.blatt der Basler Nachrichten (1932) 15. *A. Salzer,* G.v.l.F. In: A.S., Gesch. der dt. Lit., Bd. 5, 1932. *E. Brock,* Zu den neuen Dichtungen von G.v.l.F. In: Dt. Zs. 46(1932/33). *R. Allers,* Vom Sinn der Angst. In: Der kath. Gedanke 6(1933). *E. Brock,* G.v.l.F. In: Zeit und Volk 1(1933). *M. Fröhlich,* Um das Werk G.v.l.F.s. In: Mädchenbildung 29(1933). *E. Kawa,* G.v.l.F.s dichterisches Schaffen. In: Literarische Beil. der Augsburger Postzeitung (1933) 4. *K. H. Sauer,* Das Bild der Kirche bei Sigrid Undset und G.v.l.F. In: Der Gral 29(1934), 102–07. *H. Schnee,* G.v.l.F. und ihre Stellung im Geistesleben der Gegenwart. In: Pharus 25(1934). *T. Kampmann,* G.v.l.F. In: Hochland 33(1935). *E. v. Kirchbach-Carlowitz,* Neues Mittelalter? Zu ›Die ewige Frau‹. In: Eckart 11(1935), 145–50. *O. Oster,* Die Hymnen der G.v.l.F. In: Wiss. Beil. zur Augsburger Postzeitung (1935) 52. *K. Wessendorft,* Die Dichtungen der G.v.l.F. In: Die christliche Welt 49(1935). *J. W. Schier,* Die Gnade und der Mensch. In: Werkblätter 1935–1936. *A. Elfert,* G.v.l.F. In: Lit.wiss. Jb. der Görres-Ges. Bd. 8, 1936. *J. Graefe,* G.v.l.F.s Werk ›Die ewige Frau‹, gesehen von einer Protestantin. In: Die Frau 44(1936), 10–15. *A. Wiedemann,* G.v.l.F. In: Schönere Zukunft (1936/37) 5. *J. W. Schier,* Die Magdeburgische Hochzeit. In: Werkblätter 1938–39. *R. Schneider* ›Die Magdeburgische Hochzeit‹. In: Eckart 14(1938), 276f.

G. Losowsky, G.v.l.F., Diss. Wien 1941. *K. Ihlenfeld,* Die göttliche Verlassenheit. ›Die Abberufung der Jungfrau von Barby‹. In: Eckart 17 (1941), 73f. *M. Eschbach,* ›Hymnen an die Kirche‹, Diss. Wien 1945 (Masch.). *E. Berbuir,* Vom Sieg der Gnade. Zu G.v.l.F.s Novelle ›Die Letzte am Schafott‹, 1946. *C. H.,* G.v.l.F. In: Neue Zürcher Zeitung (1946) 1821. *M. Rockenbach,* G.v.l.F. In: Begegnung 1 (1946), 258–61 und 2 (1947), 173–76. *M. Schmid,* G.v.l.F. In: Die Furche (1946) 41. *J. M. Bauer,* Das Werk G.v.l.F.s. In: Hochland 39 (1946/47), 72–80. *W. Barzel,* Weg oder Irrweg? Theologisches zu einem Roman. In: Stimmen der Zeit 139 (1947) 6, 474–77. *H. Becher,* ›Kranz der Engel‹: Opfer und Gehorsam in G.v.l.F.s neuem Roman. In: Wort und Wahrheit 12 (1947), 725–38. *A. Dempf,* G.v.l.F. und die Krise der deutschen Seele. In: Furche [Wien] (1947) 29, 4–5. *J. Günther,* G.v.l.F. In: Neues Europa (1947), 42–45. *A. H.,* G.v.l.F. In: Vaterland (1947) 140. *A. Hamm,* ›Der Kranz der Engel‹. In: Neue Zürcher Nachrichten (1947) 271. *F. Heer,* Die Heilung der Besessenen. In: Die Furche 1947. *R. Henz,* G.v.l.F. In: Wort und Wahrheit 2 (1947), 236. *H. Kipp,* Der Mensch in der Krisis. In: Neues Abendland (1947) 204–08. *F. Knapp,* G.v.l.F. In: Frankfurter Hefte 2 (1947), 970–73. *F. Mitzka,* Bemerkungen zu einem großen Kunstwerk. In: Die Furche (1947) 27. *Ders.,* Replik zu der Auseinandersetzung über l.F.s ›Der Kranz der Engel‹. In: ebda. (1947) 31. *K. Wick,* G.v.l.F. In: Vaterland (1947) 214. *B. v. Heiseler,* G.v.l.F. In: Die Pforte 1 (1947/48), 80–94. *J. Cramer,* Nah ist und schwer zu fassen der Gott. Ein Versuch über R. M. Rilke, H. Carossa und G.v.l.F. (1948), 115–88. *F. Dangl,* Die Frau in den Werken G.v.l.F.s und Sigrid Undsets, Diss. Wien 1948 (Masch.). *M. Eschbach,* Die Bedeutung G.v.l.F.s in unserer Zeit, 1948. *G. v. Gils,* Die Zeitdarstellung und das Zeiterleben der G.v.l.F. in ihren Werken ›Das Schweißtuch der Veronika‹ und ›Der Kranz der Engel‹, Diss. Bonn 1948 (Masch.). *B. v. Heiseler,* G.v.l.F. In: Lücke (1948) 1/2, 25ff. *A. Hemmen,* L.F. on women. In: Monatshefte für dt. Unterricht 40 (1948), 262–70. *E. A. Huber-Picard,* ›Der Kranz der Engel‹. In: Neue Zürcher Zeitung, Fernausgabe (1948) 7. *M. Mayr,* G.v.l.F.: Ein Beitrag zum Verständnis moderner christlicher Dichtung, Diss. Innsbruck 1948 (Masch.). *H. Moulé,* ›Der Kranz der Engel‹. In: Die Furche (1948) 16. *P. Robeck,* Das Werk G.v.l.F.s. In: Leuchtturm. Jb., 1948, 64–78. *M. Schmid,* Der Kampf gegen das Böse. In: Die Zeit im Buch (1948) 5/6. *J. Schneider,* Studien zum Symbol bei G.v.l.F., Diss. Fribourg 1948. *J. Thomas,* Die Kirche im Hauptroman G.v.l.F.s. In: Trierer Theologische Zs. (1948), 18–26 u. 77–87. *R. Wolfgarten,*

G. v. l. F. In: Lit. der Gegenwart (1948) 1, 44ff. *J.-F. Angelloz,* Un grand roman catholique. In: Mercure de France, [Paris] 305 (1949), 346ff. *H. Becher,* ›Der Kranz der Engel‹ und der Wert der Menschenseele, 1949. *E. Bergs,* Das Menschenbild der G. v. l. F. und die christliche Mystik, Diss. Bonn 1949 (Masch.). *A. Waltmann,* Die Prosawerke G. v. l. F. s betrachtet im Hinblick auf das Problem der Sicherung menschlicher Existenz in ihrer Ungesichertheit, Diss. Münster 1949.

T. Kampmann, Zur Diskussion um G. v. l. F. s ›Kranz der Engel‹. In: Hochland 42 (1950), 386–93. G. v. l. F. Werk und Bedeutung. ›Der Kranz der Engel‹ im Widerstreit der Meinungen, 1950. *K. J. Groensmit,* G. v. l. F., Diss. Nijmegen 1950. *H. Jappe,* G. v. l. F. Das erzählende Werk, [Meran] 1950. *E.-M. Jung,* G. v. l. F. s ›The Wreath of the Angels‹. In: Monatshefte [Madison/Wisc.] 42(1950) 1, 9–12. *H. Kuhlmann,* Vom Horchen und Gehorchen. Eine Studie zu G. v. l. F., 1950. *E. Przywara,* Brief an den Herausgeber. In: Die Besinnung 5(1950) 1, 4–7. *H. Röhr,* Die Schau des Weiblichen in ›Die ewige Frau‹ und in den kurzen Prosawerken der G. v. l. F., Diss. Dublin 1950. *P. W. Scheele,* Mysterium Magnum. Das Bild der Kirche im 29. Gesang des Purgatorio der Göttlichen Komödie Dantes und in G. v. l. F. s ›Hymnen an die Kirche‹. In: Lebendiges Zeugnis vom Hl. Jahr der Kirche [Bonn] (1950) 4/5, 50–59. *I. Thoss,* Die Frau und ihre metaphysische Bedeutung nach G. v. l. F., Diss. Luxemburg 1950. *B. Weyer,* Beiträge zum Prosastil der G. v. l. F., Diss. Bonn 1950 (Masch.). *A. Béguin u. E. Brock,* Die begnadete Angst. In: Dokumente. Zs. für übernationale Zusammenarbeit 7(1951), 373–76. *A. Focke,* Von Dionysos zu Christus. In: Wiss. und Weltbild (1951) 3/4. *A. Holgersen,* Begegnung mit G. v. l. F. In: Die österreichische Furche (1951) 24. *M. Schmid,* G. v. l. F. In: Die Zeit im Buch (1951) 11/12. *J. Schomerus-Wagner,* G. v. l. F. In: Die Begegnung 6(1951), 315–18. *I. Ehringhaus,* ›Die Letzte am Schafott‹ von G. v. l. F. In: Der Deutschunterricht (1952) 6, 87–100. *C. Frank,* G. v. l. F. In: Frankfurter Hefte 7 (1952), 786–89. *B. v. Heiseler,* G. v. l. F. In: B. v. H., Ahnung und Aussage, 1952, 185ff. (auch in: B. v. H., Gesammelte Essays, Bd. 2, 1967, 7–27.) *J. Köster,* G. v. l. F. und der Gedanke der religiösen Stellvertretung. Diss. Freiburg 1952 (Masch.). *O. v. Nostitz,* Bernanos und das Urheberrecht. In: Wort und Wahrheit 7(1952), 307ff. *A. Roth,* Der Fall Blanche. In: Frankfurter Hefte 7(1952), 59–61. *W. Schneider,* G. v. l. F. Aus den ›Hymnen an die Kirche‹. In: W. S., Liebe zum dt. Gedicht (1952), 323–29. *E. C. Wunderlich,* G. v. l. F. s fight for the living spirit. In: Germanic Review 27 (1952), 298–313. *G. Stein,* Vom Geheimnis der Angst, [Luxemburg] 1953. *U. Heise,* Gedichte G. v. l. F. s. Für die Schule ausgewählt und interpretiert. In: Der Deutschunterricht (1953) 4, 43–60. *E. Duelli,* Das Problem des Bösen im Werk von G. v. l. F., Diss. Freiburg 1954 (Masch.). *J. A. Fihn,* An analysis of character types in the narratives of G. v. l. F., Diss. Univ. of Michigan 1954, *C. Hohoff,* G. v. l. F. In: C. H., Geist und Ursprung (1954), 73–78. *J. Klein,* G. v. l. F. In: J. K., Geschichte der dt. Novelle von Goethe bis zur Gegenwart ([2]1954), 567–77. *S. Marck,* Dichter und Gottsucher. In: S. M., Große Menschen unserer Zeit (1954), 118ff. *W. Neuschaffer,* The world of G. v. l. F. In: German Life and Letters 8(1954/55), 30–36. *R. Faesi,* G. v. l. F. In: H. Friedmann u. O. Mann (Hrsg.), Christliche Dichter der Gegenwart (1955), 267–83. *E. Biser,* ›Am Tor des Himmels‹. In: Stimmen der Zeit 157(1955/56), 255–61. *A. F. Baecker,* A treatment of history in the works of G. v. l. F., Diss. Cincinnati/USA 1956 [1954]. *E. Biser,* Grenzerfahrungen. Die Bedeutung der religiösen Grenzsituationen in dem Werk G. v. l. F. s, Diss. Freiburg i. Br. 1956. *M. d'Hertefeld,* Der römische Brunnen. Religiöse Dimensionen im Werke G. v. l. F. s, [Leuven] 1956. *E. Schmalenberg,* Das erzählerische Werk G. v. l. F. s, Diss. Marburg 1956 (Masch.). *W. Zimmermann,* G. v. l. F. s ›Die Letzte am Schafott‹. In: W. Z., Dt. Prosadichtungen der Gegenwart, Bd. 2, 1956, 31ff. *H. R. Balmer-Basilius,* Das Menschenbild bei G. v. l. F. In: Schweizer Rundschau 56(1956/57), 501–09. *C. Frank,* Klassikerin katholischer Literatur. In: Frankfurter Hefte 12(1957), 786–89. *K. A. Horst,* Opfergesinnung in der Geschichte, dargestellt am Werk der G. v. l. F. In: Zeitwende. Die neue Fur-

che 28 (1957), 238–46. *J. Klein,* Ein Thema, zwei Variationen. Galilei bei Brecht und G.v.l.F. In: Welt und Wort 12(1957), 231–34. *F. Lockemann,* G.v.l.F. In: F.L., Gestalt und Wandlungen der dt. Novelle (1957), 344–50. *J. van der Ligt,* Die Symbolik in den Romanen G.v.l.F.s, Diss. Utrecht 1958. *H. Bruggisser,* G.v.l.F. Das dichterische Werk, 1959. *N. Heinen,* G.v.l.F.s ›Am Tor des Himmels‹. In: Academia (1959) 2, 30–40. *G. Kranz,* G.v.l.F. als Künstlerin. Gezeigt an der Novelle ›Die Letzte am Schafott‹, 1959. *R. Rosenau,* Die Symbolik der Dichterin G.v.l.F., Diss. California/USA 1959 (Masch.). *B. Tecchi,* Umilità e orgaglio nell'opera di G.v.l.F. In: B.T., Scrittori tedeschi moderni, [Rom] 1959. *X. Tilliette,* Bernanos et G.v.l.F. In: Etudes 300 (1959), 353–60. *Dies.,* G.v.l.F., histoire et symbole. In: ebda. 303 (1959), 40–59. *A. Zahrt,* Wesen und Wirken der Frau und das Reich der Geschichte in der Dichtung G.v.l.F.s, Diss. Hamburg 1959 (Masch.).
A. Doppler, Zweimal begnadete Angst. Die Letzte am Schafott – Dialoge der Karmeliterinnen. In: Stimmen der Zeit 166 (1959/60), 356–65. *N. Heinen,* G.v.l.F. Einführung in Leben, Kunst und Gedankenwelt der Dichterin, [Luxemburg] ²1960. *A. Focke,* G.v.l.F. Gesamtschau und Grundlagen ihrer Dichtung, 1960. *T. Kampmann,* Die Laudatio Sacramenti im Werke G.v.l.F.s. In: Pro mundi vita. Fs. der Theologischen Fakultät der Univ. München zum Eucharistischen Weltkongreß (1960), 128ff. *H. Lutz-Odermatt,* Um das Vertrauen auf die verhüllten Kräfte. Zum 85. Geb. G.v.l.F.s. In: Schweizer Rundschau 60(1960/61) 19, 1109–11. *H. R. Klieneberger,* The work of G.v.l.F. In: Studies. An Irish Quarterly Review, [Dublin] 50(1961), 436–44. *I. Hilton,* G.v.l.F. – a christian writer. In: German Life and Letters 15(1961/62) 3, 300–08. *G. Brenning,* Erläuterungen zu G.v.l.F.s ›Die Letzte am Schafott‹, ›Die Consolata‹, ›Das Gericht des Meeres‹, 1962. *I. O'Boyle,* G.v.l.F.s ›Die Letzte am Schafott‹. In: ebda. 16(1962/63) 2, 98–104. *I. Hilton,* G.v.l.F. In: German Men of Letters, [London] 1963, 275–98. *R. Rahmeyer,* G.v.l.F. – christliche Dichterin. In: Neue Sammlung 3(1963) 3, 283–91. *G. Sommavilla,* Le incognite divine e demoniache evangeliche nella poetiche di G.v.l.F. e di E. Langgässer. In: G.S., Incognite religiose, [Mailand] 1963. *F. Wood,* G.v.l.F. and Bertolt Brecht: Counter Reformation and atomic bomb. In: Fs. Krumpelmann. Studies in German Literature, [Louisiana] 1963 (1964), 136–47 u. 164. *I. O'Boyle,* G.v.l.F. An introduction to the prose work, [New York] 1964. *T. Kampmann,* Prophetische Stimme. Zum Spätwerk G.v.l.F.s. In: Hochland 57(1964/65), 34–40. *L. Berger,* Der ›Heimweg‹ zu den ewigen Ordnungen im Werk G.v.l.F.s, Diss. Wien 1965 (Masch.). *I. Hilton,* Hälfte des Lebens: G.v.l.F. In: German Life and Letters 20(1966) 2, 117–18. *Sr. M.L.E. Nett,* Dimensions of love in the narrative works of G.v.l.F., Diss. Colorado/USA 1966 (1967). *W. Grenzmann,* G.v.l.F. Der christliche Kosmos. In: W.G., Dichtung und Glaube (⁶1967), 327–54. *U. Raupp,* Die Erzählkunst G.v.l.F.s in ihren Novellen, Erzählungen und Legenden, Diss. Hamburg 1967. *R. Faesi,* G.v.l.F. In: O. Mann (Hrsg.), Christliche Dichter im 20. Jh. (²1968), 297–314. *M. Jost,* G.v.l.F. ›Die Tochter Jephthas‹. In: M.J., Dt. Dichterinnen des 20. Jh.s (1968), 73–80. *H. R. Klieneberger,* G.v.l.F. In: H.R.K., The christian writers of the inner emigration (1968), 166–90. *H. Kunisch,* Mystische Heiligkeit bei G.v.l.F. und Reinhold Schneider. In: H.K., Kleine Schriften (1968), 177–86. *E. Klee,* G.v.l.F. Konversion in Alt-Heidelberg. In: E.K., Wege und Holzwege. Ev. Dichtung des 20. Jh.s (1969), 41–51. *K. F. Reinhardt,* G.v.l.F. The song at the scaffold. In: K.F.R., The theological novel of modern Europe. An analysis of masterpieces by 8 authors, [New York] 1969. *K. Schindler,* Eichendorffs dichterische Gestalt bei G.v.l.F. In: Aurora. Eichendorff Almanach. Jahresgabe der Eichendorffstiftung 29 (1969), 98–102.
W. Grenzmann, G.v.l.F. In: H. Kunisch (Hrsg.), Hdb. der dt. Gegenwartslit., Bd. 2, ²1970, 21–22. *J. Foster,* G.v.l.F. and Graham Greene. In: R.W. Last (Hrsg.), Affinities. Essays in German and English Literature. Dedicated to the memory of Oswald Wolff, [London] 1971, 321–29. *J. Günther,* G.v.l.F. In: Neue dt. Hefte 18(1971) 4, 210ff. *A. Goes,* Gedenkwort für G.v.l.F. In:

Dt. Ak. für Sprache und Dichtung Darmstadt. Jb. 1971/72, 118–20. *H. v. Arnim,* G. v. l. F. In: H. v. A., Christliche Gestalten neuerer dt. Dichtung, 1972, 185–208. *E. Dinkler,* Heidelberg in Leben und Werk G. v. l. F. s. In: Heidelberger Jahrbücher 16(1972), 4–22. *O. Bohusch,* ›Die Tochter Jephthas‹. In: J. Lehmann (Hrsg.), Umgang mit Texten. Beitr. zum Lit.unterricht (1973), 9–21. *R. Göllner,* Der Beitrag des Romanwerks G. v. l. F. s zum ökumenischen Gespräch, 1973. *T. Kampmann,* Das verhüllte Dreigestirn. Werner Bergengruen – G. v. l. F. – Reinhold Schneider, 1973. *H. Bach,* Die Schau des Künftigen bei G. v. l. F. In: Erbe und Auftrag 51 (1975), 296–99. *Dies.,* Die »wahrhaft brüderliche Ethik« bei G. v. l. F. In: ebda. 51(1975), 378–81. *Dies.,* Dichtung ist eine Form der Liebe. Begegnungen mit G. v. l. F., 1976 (Bibl., Übers. u. Vertonungen). *E. Biser,* Der Weg ins Geheimnis. Mensch und Heil nach G. v. l. F. Zum 100. Geb. der Dichterin. In: Stimmen der Zeit, 1976, 651–67. *G. Kranz,* G. v. l. F. Leben und Werk in Daten, Bildern und Zeugnissen, 1976. *W. Volke u. a.,* G. v. l. F. [Ausstellungsführer für die Ausstellung Okt. 1976 – Jan. 1977 in Marbach], 1976. Marbacher Magazin 3, bearb. v. W. Volke, 1976. *G. Kranz,* Fort mit den falschen Klischees. Revue des L.-F.-Centenariums. In: Schweizer Rundschau 76(1977) 2, 26–29. (Dass. In: Neue dt. Hefte 24(1977), 113–22.) Ausstellungskatalog der städtischen Volksschule Fulda, 1978. *F. Kienecker,* G. v. l. F. In: Westfälische Lebensbilder, Bd. 12, 1979, 191–209.
E. Biser, Überredung zur Liebe. Die dichterische Daseinsdeutung G. v. l. F. s, 1980. *T. Berchem,* Zwei Versuche über die Angst. Eine vergleichende Betrachung zwischen Bernanos' ›Dialogues des Carmélites‹ und G. v. l. F. s ›Die Letzte am Schafott‹. In: Heimat und Frömmigkeit [Würzburg] 1981, 141–61. G. v. l. F. Ausstellung in Würzburg, bearb. v. E. v. La Chevallerie, 1981. *M. Rößler,* Rückblick auf jene, die Antwort wußten. Joseph Bernhart, Ludwig Wolker, G. v. l. F. u. a., 1981. *E. Moltmann-Wendel,* G. v. l. F. In: E. M.-W. (Hrsgin.), Frau und Religion. Gotteserfahrungen im Patriarchat, 1983. *E. v. La Chevallerie,* G. v. l. F. In: NDB 1985.

Leitich, Ann Tizia, * 25. 1. 1896 in Wien, † 3. 9. 1976 ebda.

Ihr Vater war der Schriftsteller Prof. Albert Leitich. Besuchte die Lehrerinnenbildungsanstalt in Wien, studierte Kultur- und Kunstgeschichte in Des Moines (USA). War ein Jahrzehnt Korrespondentin österreichischer und deutscher Zeitungen in New York und Chicago; später Rückkehr nach Wien. War verheiratet mit Dr. Erich von Korningen. – Erzählerin, Essayistin und Biographin, u. a. von Maria Theresia, Madame Récamier und Elisabeth von Österreich. Zahlreiche kultur- und kunsthistorische Bücher über das »alte Wien«.

WERKE: Amerika, du hast es besser, Ess. 1926; Ursula entdeckt Amerika, R. 1926 (1928); New York, 1932; König von Eldorado, 1939; Die Wienerin, 1939; Amor im Wappen. R. aus dem Wien der Kongreßzeit, 1940; Wiener Biedermeier. Kultur, Kunst und Leben in der alten Kaiserstadt vom Wiener Kongreß bis zum Sturmjahr 1848, 1941; Verklungenes Wien. Vom Biedermeier zur Jh.wende, 1942; Drei in Amerika, R. 1946 (u.d.T. Begegnung in Chicago, 1954); Unvergleichliche Amonate. R. einer Indianerin, 1947; Österreichischer Frauenkalender. Eine Huldigung der Frauen, 1947 (u.d.T. Zwölfmal Liebe. Frauen um Grillparzer, 1948); Vienna gloriosa. Weltstadt des Barock, 1948 (N 1965); Der Liebeskongreß. Eine Biogr. der Liebe, 1950; Augustissima. Maria Theresia – Leben und Werk, 1953 (N 1970); Der Kaiser mit dem Granatapfel. Ein R. der Wirklichkeit, 1955 (N 1966); Die spanische Reitschule in Wien, 1956; Damals in Wien. Das große Jh. einer Weltstadt 1800–1900, 1957 (N 1962); Lippen schweigen – flüstern Geigen. Ewiger Zauber der Wiener Operette, 1960; Metternich und die Sibylle. Ein intimer R. in hochpolitischem Rahmen, 1960 (auch u.d.T. Metternich und seine Sibylle); Premiere in London. Georg Friedrich Händel und seine Zeit, 1962; Das süße Wien. Von Kanditoren und Konditoren, 1964; Genie und Leidenschaft. Die Frauen um Grillparzer, 1965 (N 1967); Eine rätselhafte Frau. Madame Récamier und ihre Freunde, 1967 (N 1969); Elisabeth von Österreich. Ein Lebensbild, 1971.

Leitner, Maria, * 19. 1. 1892 in Varaždin (Kroatien), † nach dem 4. 3. 1941 vermutl. in Südfrankreich.

Tochter der Olga geb. Kaiser und des Baustoffhändlers Leopold Leitner. Zwei Brüder. Zog 1896 mit ihren Eltern nach Budapest. Besuchte dort 1902–1910 eine höhere Mädchenschule. Studierte 1910–1913 im Ausland (Schweiz?), u.a. vermutlich Kunstgeschichte und Sanskrit. Seit 1913 journalistische Tätigkeit. Während des Ersten Weltkriegs zugehörig zum antimilitaristischen »Galilei-Zirkel«. Gegen Kriegsende Mitbegründerin des Kommunistischen Jugendverbandes Ungarns und Mitglied der KPU. Emigrierte nach Niederschlagung der Ungarischen Räterepublik 1919 wie ihre beiden Brüder nach Wien, wo sie als Journalistin und Mitarbeiterin des Verlags der Jugendinternationale tätig war. Lebte ab 1921 in Berlin, 1924 wieder in Wien. Zwischen 1925 und 1930 mehrfach Reisen nach Nord-, Mittel- und Südamerika. Arbeitete dort u.a. als Dienstmädchen, Putzfrau, Zigarettenarbeiterin, Serviermädchen und Verkäuferin. Veröffentlichte über ihre Reise zahlreiche Reportagen. 1930 Rückkehr nach Deutschland. Wurde Mitglied des Bundes proletarisch-revolutionärer Schriftsteller. Veröffentlichte ihren Reportageroman ›Hotel Amerika‹, der 1933 von der Reichsschrifttumskammer verboten wurde. Im Frühjahr 1933 lebte L. zuerst in der Illegalität, seit Mai 1933 in Prag, dann im Saarland und von 1934 bis April 1940 in Paris. Schrieb Beiträge u.a. für Exilzeitschriften (›Die neue Weltbühne‹, ›Das Wort‹). Wurde im Mai 1940 im Lager Gurs (Pyrenäen) interniert, von wo sie zunächst nach Toulouse, dann nach Marseille fliehen konnte. Dort wurde sie im Frühjahr 1941 zuletzt u.a. von Anna Seghers gesehen.

M.L. veröffentlichte eine große Zahl von Reportagen, Erzählungen, die zum Teil nur in Zeitschriften erschienen. Zentrale Themen ihres Werks sind politische und gesellschaftliche Probleme und die Rechte der Frau. Ihr Reportageroman ›Hotel Amerika‹, in dem sie einen Tag einer amerikanischen Wäscherin in einem Luxushotel schildert, die zum Schluß »nicht mehr auf den ersehnten Märchenprinzen wartet, sondern eine neue Lebensperspektive an der Seite ihrer Klassengenossen findet«, ist ein »bemerkenswerter Beitrag zu der in Deutschland schmalen Tradition des sozialkritischen Romans« (W. Emmerich).

WERKE: Kapstadt, die »Perle Afrikas«, Reportage. In: Rote Fahne (1928) 76; Sandkorn im Sturm, N. In: Welt am Abend (1929), 109–28 (N 1960); Hotel Amerika, R. 1930 (N 1960); Eine Frau reist durch die Welt, Reisebericht 1932 (N 1962); Mädchen mit drei Namen. Ein kleiner Berliner R. In: Die Welt am Abend, 1932; Wehr dich, Akato! Ein Urwald-R. In: Arbeiter-Illustrierte-Zeitung 1 (1932/33) 11ff.; Elisabeth, ein Hitlermädchen, R. In: Pariser Tageszeitung 2 (1937), 315–67.
WERKAUSGABE: Prosa und Publizistik, hrsg. v. H. Schwarz (in Vorbereitung).
ÜBERSETZUNGEN: W. Hogarths Aufzeichnungen, übertragen und hrsg., 1914; Tibetanische Märchen, 1923.
BIBLIOGRAPHIEN: Veröffentlichungen deutscher sozialistischer Schriftsteller in der revolutionären und demokratischen Presse 1918–1945, 1969, 333f. *B. Melzwig,* Deutsche sozialistische Literatur 1918–1945, 1975, 230f. (Buchveröff.). *L. Maas,* Handbuch der deutschen Exilpresse 1–3, 1976–1981.
LITERATUR: *K. Kersten,* Vom anderen Amerika. Ein Hotelroman M.L.s. In: Welt am Abend 8(1930) 278. *Saalfeld,* M.L. ›Hotel Amerika‹. In: Der dt. Auswanderer [Witzenhausen] 27(1931). M.L. ›Hotel Amerika‹. In: Betriebsräte Zs. [Berlin] 3(1932). Lex. sozialistischer dt. Lit. Von den Anfängen bis 1945, 1963, ^{2}1964. *E. Lehmann,* M.L.s Lebenswerk: erster Versuch einer Darstellung ihres Lebens und Schaffens, 1963 (ungedr. Güstrow/DDR). *H. Schwarz,* Wer kannte M.L.? In: Berliner Ztg. (1964) 160. Veröffentlichungen dt. sozialistischer Schriftsteller in

MARIA LEITNER

HOTEL AMERIKA

1930

NEUER DEUTSCHER VERLAG BERLIN W 8

der revolutionären und demokratischen Presse 1918–1945, 1966. Internationale Bibl. zur Gesch. der dt. Lit. von den Anfängen bis zur Gegenwart, unter Leitung u. Gesamtredaktion v. G. Albrecht u. G. Dahlke, 2 Tl. 1969–1972. *T. Thadea,* Schicksale im Wolkenkratzer [zu: Hotel Amerika]. In: National-Ztg. (1974) 201. *B. Melzwig,* Deutsche sozialistische Literatur 1918–1945. Bibl. der Buchveröffentlichungen, 1975, 230f. American Guild-Akte M.L. In: Dt. Bibliothek Frankfurt/M., Abtl. IX (Exillit.). *W. Emmerich,* M.L. In: NDB 1985.

Lerber, Helene von, *31. 12. 1896 in Trubschachen (Kanton Bern), †13. 4. 1963 in Bern.
Dr. phil., unterrichtete am Lehrerinnen-Seminar der Neuen Mädchenschule in Bern. – Erzählerin, Biographin.
Erhielt 1924 die Hallermedaille und 1946 den Literaturpreis der Stadt Bern.

WERKE: Der Einfluß der französischen Sprache und Literatur auf C. F. Meyer und seine Dichtung, Diss. Bern 1924 (N 1970); Die Himmelsbraut. Schicksal einer Liebe, N. 1931; Das christliche Gedankengut in der Dichtung Rudolf von Tavels, 1941; Jauchzet ihr Himmel, Weihnachtsgesch. 1942; Bernische Landsitze aus Rudolf von Tavels Werken, 1943; Am Husenstein, R. 1943; Die Geführten, R. 1946 (N 1961); Bernische Pfarrhäuser, Heimatb. 1946; Mädchen in Roth. Der Stein des Anstoßes, 2 En. 1947; C.F. Meyer. Der Mensch in der Spannung. Ein Beitr. zur Meyerforschung, 1949; Die Freundin, E. 1949; (MA:) Weihnachtserzählungen aus Nah und Fern, 1950; Das Einspännerli, E. 1951; 100 Jahre Neue Mädchenschule Bern 1851–1951. Gedenkschrift, 1951; Marie-Marthe. Der Lebensweg einer Hugenottin, 1951 (N 1964); Die Fremde, E. 1953; Im Glashaus, R. 1954; Mit Rudolf von Taveren auf dem Buchholterberg, 1954; Das Tor. Liebesgesch. aus 5 Jh., 1956; Weihnachtswunder. 4 En. um das Christfest, 1956 (N 1961); Oben bleiben! Die Lebensgeschichte der tapferen Glarnerin Emilie Paravicini-Blumer, 1808–1885, 1961; Dein König kommt. 4 Advents- und Weihnachtsgesch. 1961; Liebes altes Pfarrhaus, Kindheitserinn. 1963 (N 1967).
LITERATUR: [H. v. L.]. In: Berner Schrifttum, 1925–1950, 1949. *R. Balmer-Gfeller,* H. v. L., 1965 (Lebensber. mit Bibl.)

Lewald, Fanny (Ps. Verfasserin der ›Clementine‹), *24. 3. 1811 in Königsberg/Preußen, †4. 8. 1889 in Dresden, begraben in Wiesbaden.
Tochter der Zipora geb. Assur und des David Markus (seit 1812 Lewald), Weinhändler und Stadtrat. Besuchte bis zum 13. Lebensjahr eine höhere Töchterschule. Verbrachte dann bis zum 32. Lebensjahr unausgefüllte Jahre im Elternhaus mit Handarbeiten, Lektüre, Klavierspielen und gelegentlich anfallenden Haushaltsgeschäften. Trat 1828 (ohne Überzeugung) zum christlichen (ev.) Glauben über. Zuvor hatte Leopold Bock, ein Kandidat der Theologie, um ihre Hand angehalten; die Verbindung kam nicht zustande. Begleitete 1832/33 den Vater auf einer Geschäftsreise an Rhein und Neckar. Lernte in Breslau ihren Vetter, den Juristen und späteren demokratischen Politiker Heinrich Simon, kennen, den sie lange Jahre unerwidert liebte. 1837 widersetzte sie sich einer von den Eltern gewünschten Konvenienzehe. Begann, ermuntert vom Vetter August Lewald (Zeitschrift ›Europa‹), erste Schreibversuche. Veröffentlichte 1843 ihren ersten Roman ›Clementine‹ unter Wahrung der von der Familie gewünschten Anonymität. Lebte in den folgenden Jahren häufig in Berlin; seit 1845 ihr Wohnsitz. Lernte bedeutende Persönlichkeiten, Künstler und Literaten kennen (u. a. Henriette Herz, K. A. Varnhagen von Ense,

Bettina von → Arnim, W. Alexis, B. Auerbach, Luise → Mühlbach, Th. Mundt und Therese von → Bacheracht). 1845 Reise nach Italien; Begegnung mit dem Gelehrten und Schriftsteller Adolf Stahr († 1876), den sie (nach dessen Scheidung) 1854 heiratete. Unternahm mit ihm zahlreiche Reisen in Deutschland, nach England, Frankreich, Italien und in die Schweiz. In ihrer Berliner Wohnung unterhielten sie einen literarischen Salon. F. L., zunächst eine begeisterte Achtundvierzigerin, wurde später zur Monarchistin.
Erzählerin und Reiseschriftstellerin. Setzte sich vor allem in ihren frühen Romanen mit der Situation der Frau und mit der Konvenienzehe auseinander und trat für die Ehescheidung ein (›Eine Lebensfrage‹, 1845). Interesse für die soziale Lage der Frauen zeigt sie u. a. auch in ihren Tendenzschriften ›Osterbriefe für die Frauen‹ (1863) und ›Für und wider die Frauen‹ (1870), in denen sie für weibliche Ausbildung und Berufstätigkeit im Sinne der bürgerlichen Frauenbewegung plädierte. Aufsehen erregte sie mit ihrem Roman ›Diogena‹ (1847), einer Persiflage auf die Romane der vielgelesenen Schriftstellerin Ida → Hahn-Hahn. Von besonderem, auch sozialhistorischem Interesse ist ihre Autobiographie ›Meine Lebensgeschichte‹ (1861–62).

WERKE: Clementine, R. 1843 (anonym); Jenny, R. 1843 (von der Verfasserin der ›Clementine‹) (N 1967); Einige Gedanken über Mädchenerziehung. In: Archiv für vaterländische Interessen oder Preußische Provinzblätter, 1843; Andeutungen über die Lage der weiblichen Dienstboten. In: ebda.; Eine Lebensfrage, R. 2 Tle. 1845; Der dritte Stand, E. In: Berliner Kalender für 1846; Diogena. Roman von Iduna Gräfin H... H..., 1847; Italienisches Bilderbuch, 2 Tle. 1847 (N 1967); Prinz Louis Ferdinand, 3 Bd. 1849 (N 1929); Auf rother Erde, N. 1850; Erinnerungen aus dem Jahre 1848, 2 Bd. 1850 (N 1969); Liebesbriebe. Aus dem Leben eines Gefangenen, R. 1850; Dünen- und Berggeschichten, 2 Bd. 1851; England und Schottland, Reise-Tgb. 2 Bd. 1851–1852; Wandlungen, R. 4 Bd. 1853; Adele, R. 1855; Die Kammerjungfer, R. 3 Tle. 1856; Deutsche Lebensbilder, E. 4 Bd. 1856 (Inhalt: 1. Die Hausgenossen; 2. Das große Los; 3. Kein Haus; 4. Die Tante); Die Reisegefährten, R. 2 Bd. 1858; Neue Romane, 5 Bd. 1859–1864 (Inhalt: 1. Der Seehof; 2. Schloß Tannenburg; 3. Graf Joachim; 4. Emilie; 5. Der letzte seines Stammes; Mamsell Philippinens Philipp); Das Mädchen von Hela, 2 Tle. 1860; Meine Lebensgeschichte, 3 Abt. 6 Tle. 1861–1862 (N 1980); Bunte Bilder, 2 Tle. 1862; Gesammelte Novellen, 1862; Osterbriefe für die Frauen, 1863; Von Geschlecht zu Geschlecht, 2 Abt. 1864–1866 (Inhalt: 1. Der Freiherr, 3 Bd.; 2. Der Emporkömmling, 5 Bd.); Erzählungen, 3 Bd. 1866–1868 (Inhalt: Vornehme Welt; Das Mädchen von Oyas; Die Dilettanten; Jasch); Villa Riunione. En. eines alten Tanzmeisters, 2 Bd. 1868 (Inhalt: Prinzessin Aurora; Eine traurige Geschichte; Ein Schiff aus Cuba; Domenico); Sommer und Winter am Genfersee, 1869; (MA:) Ein Winter in Rom, 1869; Für und wider die Frauen, 1870; Die Frauen und das allgemeine Wahlrecht. In: Westermanns Monatshefte, Bd. 28, 1870; Nella. Eine Weihnachtsgeschichte, 1870; Die Unzertrennlichen. Pflegeeltern, 2 En. 1871; Die Erlöserin, R. 3 Bd. 1873; Benedikt, 2 Bd. 1874; Benvenuto. Ein R. aus der Künstlerwelt, 2 Bd. 1875; Neue Novellen, 1877 (Inhalt: Die Stimme des Blutes; Ein Freund in Not; Martina); Helmar, R. 1880; Reisebriefe aus Deutschland, Italien und Frankreich, 1880; Zu Weihnachten, 3 En. 1880; Vater und Sohn, N. 1881; Treue Liebe, E. 1883; Stella, R. 1883; Vom Sund zum Posilipp! Br. aus den Jahren 1879–1881, 1883; Im Abendrot. Kaleidoskopische En. in 16 Br., 1885; Die Familie Darner, R. 3 Bd. 1887; Zwölf Bilder aus dem Leben, Erinn. 1888; Josias. Eine Gesch. aus alter Zeit, 1888.

Veröff. a. d. Nachlass: Gefühltes und Gedachtes. 1838–1888, hrsg. v. L. Geiger, 1900; Großherzog Carl Alexander von Sachsen-Weimar und Fanny Lewald-Stahr in ihren Briefen 1848–1889, hrsg. v. G. Jansen 1904 (hrsg. v. R. Göhler, 1932); Der Briefwechsel von Paul Heyse und F. L., hrsg. v. R. Göhler. In: Dt. Rundschau 183 (1920); Römisches Tagebuch 1845–1846, hrsg. v. H. Spiero, 1927; R. Göhler, Aus dem Nachlaß von F. L. und Adolf Stahr. In: Euphorion 31 (1930); Briefe an Therese von Bacheracht [1848] und Karl Gutzkow [1847/48]. In: T. v. Bacheracht und K. Gutzkow. Unveröffentlichte Briefe, hrsg. v. W. Vordtriede, 1971; Meine abgeschlossene Ganzheit. Brief F. L.s an Bernhard von Lepel (1849). In: Fontane-Blätter 4 (1979) 5, 395–98.

Werkausgaben: Gesammelte Novellen, 1862; Gesammelte Werke, 12 Bd. 1871–1874 (Inhalt: Meine Lebensgeschichte, 3 Bd.: 1. Im Vaterhause, 2. Leidensjahre, 3. Befreiung. Wanderleben; Von Geschlecht zu Geschlecht, 4 Bd.; Clementine; Auf roter Erde; Zwei Erzählungen; Jenny; Eine Lebensfrage); Meine Lebensgeschichte, hrsg. u. eingel. v. G. Brinker-Gabler (gek. Neuausg.), 1980.

Nachlass: Dt. Staatsbibliothek Berlin/DDR; Goethe- und Schiller-Archiv Weimar (Slg.).

Literatur: *M. Reichardt-Stromberg,* Frauenrecht und Frauenpflicht. Eine Antwort auf F. L.s Briefe ›Für und wider die Frauen‹, 1870. *H. Gross,* F. L. In: H. G., Deutschlands Dichterinnen und Schriftstellerinnen, ²1882, 175–77. *L. Morgenstern,* F. L. In: L. M., Die Frauen des 19. Jh.s, Bd. 2, 1889, 80–112. *K. Frenzel,* F. L. In: K. F., Erinnerungen und Strömungen, 1890, 148–61. *A. Bölte,* Neue Mitteilungen über F. L. In: F. Mauthner/O. Neumann (Hrsg.), Magazin für Literatur 60(1891) 48, 28. Nov., 756–59. *H. Goldschmidt,* F. L. In: ADB XXXV. *F. Poppenberg,* F. L. In: Die Frau 7(1899/1900) 8, 477ff. *G. Bäumer,* F. L. In: Die Frau 18(1910/11) 8, 487–91. *H. Spiero,* Die Familie Lewald. In: A. Seraphim (Hrsg.), Altpreußische Monatsschrift (1911) 2, 318. *E. Vely,* F. L. In: Bahnbrechende Frauen, hrsg. vom Dt. Lyceum-Club aus Anlaß der Ausstellung ›Die Frau in Haus und Beruf‹ 1912, 1912, 71–79. *A. Bartels,* F. L. und Heinrich Heine. In: Dt. Schrifttum. Betrachtungen und Bemerkungen v. A. B. 3(1918) 34. *G. Schlüpmann,* F. L.s Stellung zur sozialen Frage, Diss. Münster 1920. *M. Weber,* F. L. Diss. Zürich (Rudolstadt) 1921. *A. Harder,* F. L. In: Ostdt. Monatshefte für Kunst und Geistesleben 2(1921). *R. Segebarth,* F. L. und ihre Auffassung von der Liebe und Ehe, Diss. München 1922. *Ch. Keim,* Der Einfluß George Sands auf den deutschen Roman, Diss. Berlin 1924. *E. v. Pustau,* Die Stellung der Frau im Leben und im Roman der Jungdeutschen, Diss. Berlin 1928. *H. Gulde,* Studien zum jungdeutschen Frauenroman, Diss. Tübingen 1931 (Weilheim 1933). *M. Steinhauer,* F. L., die deutsche George Sand. Ein Kapitel aus der Gesch. des Frauenromans im 19. Jh., Diss. Berlin 1937. *H. Sallenbach,* George Sand und der deutsche Emanzipationsroman, Diss. Zürich 1942, 125–62. *H. Hettner,* F. L. In: H. H., Schriften zur Lit. und Philosophie, hrsg. v. D. Schaefer, 1967, 118–29 u. 164. *H. Doutiné,* Tagebuch 1848 [zu: Erinnerungen aus dem Jahre 1848]. In: FAZ vom 1. 7. 1969. *G. Kisch,* Judentaufen. Eine hist.-biogr.-psycholog.-soziolog. Studie besonders für Berlin und Königsberg, 1973. *J. Krueger,* F.L.s Bekenntnis zur »Weltanschauung der Realität«. Zu einem Brief F.L.s an Bernhard von Lepel. In: Fontane-Blätter 4(1977/79), 392–99. *Ders.,* Zu den Beziehungen zwischen Theodor Fontane und F.L. Mit unbekannten Dokumenten. In: ebda. 4(1977/80), 615–28. *L. Breuer,* »Sie hat getan, was sie konnte«. F.L. – Vorkämpferin der Emanzipation. In: Frauen, Dezember 1977, 4f. *R. Möhrmann,* F.L. In: R. M., Die andere Frau. Emanzipationsansätze dt. Schriftstellerinnen im Vorfeld der Achtundvierziger Revolution, 1977. *Dies.* (Hrsgin.), Frauenemanzipation im deutschen Vormärz, 1978. *H. Burchardt-Dose,* F.L. In: H. B.-D., Das Junge Deutschland und die Familie. Zum lit. Engagement in der Literaturepoche, Diss. Frankfurt am Main 1979. *U. Linnhoff,* F.L.-Stahr. In: U.L., »Zur Freiheit, oh, zur einzig wahren –«. Schreibende Frauen kämpfen um ihre Rechte, 1979. *G. Brinker-Gabler,* F.L. 1811–1889. In: H.-J. Schultz (Hrsg.), Frauen. Porträts aus 2 Jh., 1981, 72–86. *R.-E. Boetcher-Joeres,* 1848 from a distance: German woman writers on the revolution. In: Modern Language Notes 97 (1982), 590–614. *R. Venske,* »Disziplinierung des unregelmäßig spekulierenden Verstandes«. Zur F.L.-Rezeption. In: alternative 25 (1982), 66–70. *Dies.,* »Ich hätte ein Mann sein müssen oder eines großen Mannes Weib!« – Widersprüche im Emanzipationsverständnis der F.L. In: I. Brehmer u.a. (Hrsg.), Frauen in der Geschichte IV, 1983. *L. Wieskerstrauch,* F.L. »... einen guten Appetit für alle Geschenke des Schicksals«. In: Emma (1983) 7, 54ff. *M. Pazi,* F.L.: Das Echo der Revolution von 1848 in ihren Schriften. In: W. Grab u. J.M. Schoeps (Hrsg.), Juden im Vormärz und in der Revolution von 1848, 1983, 233–71. *K. B. Beaton,* Fontanes ›Irrungen und Wirrungen‹ und F.L.s ›Wandlungen‹. Ein Beitr. zur Motivgesch. der von Adel verführten Unschuld aus dem Volke. In: Jb. der Raabe-Gesellschaft, 1984, 208–24. *R. Möhrmann,* F.L. In: NDB 1985. *K. Ludwig,* Darstellung und Kritik des bürgerlichen Frauenlebens in F.L.s Romanen ›Jenny‹ und ›Clementine‹, [Köln] 1986 (Magisterarbeit, Masch.).

Lichnowsky, Mechthilde Fürstin, * 8. 3. 1879 auf Schloß Schönburg (Niederbayern), † 4. 6. 1958 in London.

Urenkelin der Kaiserin Maria Theresia. Tochter der Olga geb. von Werther und des Maximilian Graf von und zu Arco-Zinneberg. Nach einer glücklichen Kindheit auf dem Familienschloß erhielt sie eine strenge Erziehung in der Sacré-Cœur-Klosterschule Riedenburg (Vorarlberg). Verlobte sich mit Ralph Harding Peto, dem Militärattaché an der engl. Gesandtschaft in München, heiratete aber 1904 aus Familienrücksichten Karl Max Fürst Lichnowsky († 1928). Eine Tochter, zwei Söhne. Lebte in Schlesien und Berlin. 1911 Ägyptenreise. Von 1912 bis 1914 in London, wohin ihr Mann als deutscher Botschafter berufen worden war. Lernte dort G. B. Shaw und R. Kipling kennen. 1915 Bekanntschaft mit Karl Kraus. Nach dem Ersten Weltkrieg wechselnde Aufenthalte in Berlin, der Tschechoslowakei, in Südfrankreich (Cap d'Ail) und München. 1937 Heirat mit dem früheren Verlobten R.H. Peto († 1945). Bei Ausbruch des Zweiten Weltkrieges wurde sie daran gehindert, obwohl mittlerweile englische Staatsbürgerin, aus Deutschland auszureisen. M.L. war eine entschlossene Gegnerin des NS-Regimes, trat nicht der Reichsschrifttumskammer bei und verzichtete darauf zu publizieren, aus Loyalität mit ihrem letzten Verleger Fischer. Wurde 1945 aus Schlesien vertrieben. Lebte seit 1946 in London.

M.L. schrieb erzählende Prosa, Dramen, Essays und sprachästhetische Reflexionen. Themen ihres Werkes sind Künstlertum, Politik, das Verhältnis der Geschlechter, die Darstellung einer untergehenden aristokratischen Gesellschaft und Kultur. Vielbeachtet wurde neben ihren Romanen das Reisebuch ›Götter, Könige und Tiere in Ägypten‹, ebenso ihre Skizze ›Der Kampf mit dem Fachmann‹, eine witzig-ironische Auseinandersetzung mit dem Spezialistentum und einer Spezialistensprache. Mit ihrem Freund Karl Kraus teilte sie das Streben nach sprachlicher Präzision, die leidenschaftliche Kritik an »Sprachverbrechen« und die Neigung zum Aphorismus. Eine Abrechnung mit dem NS-Staat stellen ihre ›Gespräche in Sybaris‹ (1946) dar, in denen die barbarischen Zerstörer der hochkultivierten Phäakenstadt Nationalsozialisten ähneln.

Erhielt 1953 den Preis für Dichtung der Gesellschaft zur Förderung des deutschen Schrifttums, 1954 den Kunstpreis für Literatur der Stadt München.

WERKE: Nordische Zauberringe, 1901 (u.d.N. Gräfin M. A.–Z.); Götter, Könige und Tiere in Ägypten, 1913; Ein Spiel vom Tod. Neun Bilder für Marionetten, 1915; Der Stimmer, 1917 (N u.d.T. Das rosa Haus, 1936); Gott betet, Prosa-G. 1917; Der Kinderfreund. Schausp. in 5 Akten, 1919; Geburt, R. 1921 (Neubearb. 1954); Der Kampf mit dem Fachmann, Sk. 1924 (N 1978); Halb und Halb. Ein Bilderb. für Große, 1926; Das Rendezvous im Zoo (Querelles d'amoureux), E. 1928 (erw. Neuaufl. 1951) (N 1981); An der Leine, R. 1930 (N 1979); Kindheit, 1934 (N 1984); Delaide, R. 1935 (N 1984); Der Lauf der Asdur, R. 1936 (Forts. von ›Kindheit‹, 1934) (N 1982); Gespräche in Sybaris. Trag. einer Stadt in 21 Dialogen, 1946; Worte über Wörter. Über sprachliche und gedankliche Sauberkeit, 1949; Zum Schauen bestellt. Prosa, Ess., Dr. 1953 (mit Bibl.); Karl Kraus zum Gedächtnis. In: Merkur 10 (1956), 162–64; Heute und vorgestern, G. und kleine Prosa, 1958 (mit Bibl.).

NACHLASS: Bayer. Akademie d. schönen Künste München; Dt. Lit.archiv/Schiller-Nationalmuseum Marbach.

BIBLIOGRAPHIE: *H. Fliessbach,* M.L. Eine monographische Studie, [Phil. Diss. München] 1973.

LITERATUR: M.L. ›Götter, Könige und Tiere in Ägypten‹. In: Neue Freie Presse [Wien] vom 12. 10. 1913. M.L. ›Götter, Könige und Tiere in Ägypten‹. In: ebda. vom 26. 4. 1916. M.L. ›Götter, Könige und Tiere in Ägypten‹. In: Die dt. Frau (1916) 23. *H. Franck,* M.L. ›Spiel vom Tod‹. In: Das lit. Echo, 1916. *P. Mayer,* M.L. ›Der Stimmer‹. In: Das junge Deutschland, [Berlin] 1918. *H. Habermas,* M.L. ›Der Kinderfreund‹. In: Schlesische Ztg. vom 16. 5. 1918. *P. Fechter,* M.L. ›Der Kinderfreund‹. In: Dt. Allg. Ztg. vom 12. 5. 1919. *A. Kerr,* M.L. ›Der Kinderfreund‹. In: Der Tag [Berlin] vom 11. u. 13.5. 1919. *E. Schlaikjer,* Ein Blaustrumpf. In: Tägliche Rundschau [Berlin] vom 12. 5. 1919. M.L. ›Gott betet‹. In: Freidt. Jugend [Hamburg] 5(1919). *A. Bondy,* M.L. ›Der Kinderfreund‹. In: National-Ztg. vom 13.5. 1919. *K. v. Felmer,* M.L. ›Der Kinderfreund‹. In: Das dt. Drama [Berlin] 3(1919). M.L. ›Der Kinderfreund‹. In: Berliner Tagebl. vom 11. 5. 1919. M.L. ›Der Kinderfreund‹. In: Dt. Ztg. [Berlin] vom 12. 5. 1919. M.L. ›Der Kinderfreund‹. In: Vossische Ztg. vom 11. 5. 1919. *A. Jakken,* M.L. ›Geburt‹. In: ebda. vom 2. 4. 1922. *E. Ludwig,* M.L. ›Geburt‹. In: National-Ztg. [Basel] vom 16.3. 1922.

M.L. ›Geburt‹. In: Österreichische Rundschau [Wien] 19(1923). *A. Eloesser,* M.L. ›Kampf mit dem Fachmann‹. In: Die Weltbühne 20(1924). *C. Touaillon,* M.L. ›Kampf mit dem Fachmann‹. In: Das lit. Echo 28(1925). *Prigge,* M.L. ›An der Leine‹. In: Die Literatur [Stuttgart] 34(1931). *Seelig,* M.L. ›An der Leine‹. ›Der Kampf mit dem Fachmann‹. In: Raschers Monatshefte [Zürich] 4(1931). *L. Glaser,* M.L. ›Kindheit‹. In: Schönere Zukunft [Wien] 9(1934). *E. Hahn,* M.L. ›Kindheit‹. In: Eckart. Ein dt. Lit.blatt [Berlin] 10 (1934). *R. v. Kühlmann,* M.L. ›Delaide‹. In: Dt. Allg. Ztg. vom 3. 7. 1935. *Schickert,* M.L. ›Delaide‹. In: Die Literatur [Stuttgart] 38(1935). *-ie-,* M.L. In: Baseler Nachrichten (1939) 62. *W. Sternfeld,* M.L. In: Die Welt vom 27. 2. 1949. *S. v. Radecki,* M.L. In: Neue Zürcher Ztg., Fernausgabe (1949) 67. *H. Arens,* M.L. In: Welt und Wort [Tübingen] 9(1954). *Ders.,* M.L. Anläßlich ihres 75. Geb. am 8. 3. 1954. In: Merkur 8(1954), 282. *A. Scholtis,* M.L. In: Schlesien 1(1956), 270–74. *K. Edschmid,* Gedenkwort für M.L. In: Dt. Ak. für Sprache und Dichtung in Darmstadt, Jb. (1958), 149–52. *L. Sternbach-Gärtner,* M.L. und Karl Kraus. In: Forum. Österreichische Monatsblätter für kulturelle Freiheit [Wien] 5 (1958), 324–26. *E. Schremmer,* [M.L.] In: Sudetendt. Kulturalmanach 3 (1959), 34–36. *F. Lennartz,* M.L. In: Deutsche Dichter und Schriftsteller unserer Zeit, 8. erw. Aufl. 1959, 456–58. *W. Drews,* [M.L.] In: Jahresring. Beitr. zur dt. Lit. und Kunst der Gegenwart (1959/60), 271–75. *H. Wiesner,* [M.L.] In: Hdb. der dt. Gegenwartslit. II ([2]1970), 33f. *W. K. Jonas,* Rilke und M.L. In: Modern Austrian Literature 5(1972) 1/2, 58–69. *H. Fliessbach,* M.L. Eine monographische Studie, [Diss. München] 1973. *F. Hildebrandt,* ... ich soll dich grüßen von Berlin. 1922–1932. Berliner Erinn. ganz und gar unpolitisch. Post mortem hrsg. von 2 Freunden, 1974. *K. W. Jonas,* Die Schriftstellerin M.L. In: Börsenblatt für den dt. Buchhandel 32(1976), A 72/A 83. *G. Mann,* M.L. In: Neue Rundschau 90(1979), 554–60. *K. W. Jonas,* Rilke und die Fürstin L. In: Neue Zürcher Ztg. (1980) 183, 50. *E. Webhofer,* Zur Rezeption von Karl Kraus. Der Briefwechsel aus dem Nachlaß Albert Bloch – Michael Lazarus – Sidonie Nádherný. In: Mitt. aus dem Brenner-Archiv (1984), 3, 35–53. *H. Fliessbach,* M.L. In: NDB 1985.

Lingen, Thekla, * 6. (18.) 3. 1866 in Goldingen (Kurland), † 7. 11. 1931 in Eittenau.

14jährig ging sie nach Petersburg, um sich als Schauspielerin auszubilden. Nach ihrer frühen Verheiratung gab sie ihre schauspielerische Tätigkeit auf und verkehrte in deutschen Kreisen der Petersburger Gesellschaft. Ihr erster Gedichtband, der 1898 in Berlin erschien, wurde stark beachtet und zwei Jahre später erneut aufgelegt. Kurz darauf gab sie noch eine zweite Lyriksammlung und einen Novellenband heraus. Dann verstummte sie als Schriftstellerin. Über ihr weiteres Leben ist nichts bekannt. Sie starb 1931 in Eittenau im Irrenhaus.

WERKE: Am Scheidewege, G. 1898 ([2]1900); Die schönen Frauen, N. 1900; Aus Dunkel und Dämmerung, G. 1902. (Einige Gedichte wiederabgedruckt in: G. Brinker-Gabler, Dt. Dichterinnen vom 16. Jh. bis zur Gegenwart, 1978, 274–77).

Loos, Cécile Ines, * 4. 2. 1883 in Basel, † 21. 1. 1959 ebda.
Fünftes Kind eines Basler Organisten. Kaum ein Jahr alt, verlor sie beide Eltern. Kam zunächst in ein Waisenhaus, dann zu Pflegeeltern nach Bern und mit acht Jahren in ein Internat. Nachdem sie die höhere Töchterschule absolviert hatte, arbeitete sie von 1902–1906 als Kindermädchen bei einer deutschen Adelsfamilie in Ohringen bei Winterthur, von 1906–1911 im Hause eines Lords in England; kam währenddessen auch nach Schottland, Irland, Italien und Palästina. 1911 Geburt eines Sohnes. 1913 bis 1917 in Bern, Gelegenheitsarbeit als Serviertochter. Lebte seit 1921 in Basel, war Sekretärin in verschiedenen Betrieben. 1929 veröffentlichte sie ihren ersten Roman ›Matka Boska‹. Während des Zweiten Weltkriegs arbeitete sie in einem Schweizer paläontologischen Institut. Lebte nach dem Krieg in materieller Not und Einsamkeit und verbrachte ihre letzten Lebensjahre im Basler Bürgerspital, wo sie 76jährig nach einem Unfall starb.
Erzählerin, Übersetzerin. Ihre ersten, z.T. preisgekrönten Werke sind visionäre, ins Mystische weisende Romane. Ihre schriftstellerischer Erfolg wurde während der Zeit der NS-Herrschaft unterbrochen. Sie konnte auch später nicht mehr daran anknüpfen. Ihr Spätwerk ist zum Teil noch unveröffentlicht (F. Lennartz). In ihren Romanen stehen häufig Frauenfiguren im Zentrum: in ›Matka Boska‹ die Gottesmutter, »ein mütterliches Prinzip in der Religion«; in ›Die Rätsel der Turandot‹ eine irische Tänzerin mit abenteuerlich bewegtem Leben; in ›Jehanne‹ die Jungfrau von Orleans.
Erhielt u.a. den Preis der Schweizer Schillerstiftung und den Literaturpreis der Stadt Basel.

Werke: Matka Boska, R. 1929; Die Rätsel der Turandot, R. 1931; Die leisen Leidenschaften. Ein Lied der Freundschaft, R. 1934; Der Tod und das Püppchen, R. 1939 (N 1983); Hinter dem Mond, R. 1942 (N 1983); Konradin. Das summende Lied der Arbeit von Vater, Sohn und Enkel. R. 1943; Jehanne, R. 1946; Die Freundin, E. 1949; Schlafende Prinzessinnen, E. 1950; Leute am See, R. 1951.
Übersetzungen: M. Saint-Hélier, Strohreiter, R. 1939; Lin Yutang, Ein wenig Liebe ... ein wenig Spott, Ess. 1943; M.E. Chase, Windswept. R. dreier Generationen, 1944.
Nachlass: UB Basel; A. Schmutz-Pfister, Repertorium der handschriftlichen Nachlässe in den Bibliotheken und Archiven der Schweiz, 1967, 1223 (wird nach Nr. zitiert).
Bibliographie: Internationale Bibl. zur Gesch. der dt. Lit. von den Anfängen bis zur Gegenwart ... unter Leitung und Gesamtredaktion von G. Albrecht und G. Dahlke (1969–1972) II, 2, 847.
Literatur: *H. Weilenmann,* Dichtung und Erlebnis, 1934. *F. Luterbacher,* Begegnung mit C.I.L. In: Neue Zürcher Ztg. vom 23. 4. 1947. *O. Brand,* Stilles Wirken. Schweizer Dichterinnen, 1949. *F. Lennartz,* C.I.L. In: Deutsche Dichter und Schriftsteller unserer Zeit, 8. erw. Aufl. 1959, 458ff. *E. Bartlin,* C.I.L. Eine Einführung in ihr Werk, Diss. Basel 1968. *C. Linsmayer,* »Ich fand nirgends eine Heimat außer bei mir selbst«. Leben und Werk der Schriftstellerin C.I.L. In: C.I.L., Hinter dem Mond, 1983 (Nachwort).

Ludwig, Paula, * 5. 1. 1900 in Altenstadt/Feldkirch (Vorarlberg), † 27. 1. 1974 in Darmstadt.

Der Vater war ein aus Schlesien stammender Tischler, die Mutter Österreicherin. Nach der Trennung der Eltern wuchs P. L. in Linz bei ihrer Mutter in ärmlichen Verhältnissen auf. Übersiedelte 1914, nach dem Tod der Mutter, zum Vater nach Breslau, wo sie für ihre Geschwister sorgte. Arbeitete als Dienstmädchen in einer Malschule. 1917 Geburt eines Sohnes. Ging 1918 nach München. Arbeitete als Malermodell, Schauspielerin (Kreis um Falckenbergs Kammerspiele), Dichterin. Lebte von 1923–1933 in Berlin. Emigrierte 1934 nach Österreich (Ehrwald/Tirol), 1938 nach Frankreich, 1940 nach Spanien, Portugal und Brasilien, wo sie sich als Malerin in der Nähe von São Paulo durchschlug. Kehrte 1953 nach Österreich zurück. Lebte seit 1956 in Wetzlar, ab 1970 in Darmstadt. War befreundet mit dem Dichter Friedrich Koffka, zeitweise die Lebensgefährtin Yvan Golls.

Vor allem Lyrikerin, auch Prosadichterin. Schrieb ihre frühen Gedichte weitgehend ohne literarische Vorbilder, eine »einfache Stimme des Volkes, unberührt von fremden Dingen, allein verschwistert dem Wort« (H. Kasack, Vorw. ›Die selige Spur‹). In eine vielfältige Traumlandschaft führen ihre Traumbücher. Eine poetische Erinnerung an ihre Kindheit ist ihr ›Buch des Lebens‹ (1936).

Erhielt 1962 den Georg-Trakl-Preis, 1972 den Preis des Österr. Schriftstellerverbandes.

WERKE: Die selige Spur, G. 1920; Der himmlische Spiegel, 1927; Dem dunklen Gott. Jahresgedicht der Liebe, 1932 (N 1981); 7 Bilder und der Tod, 1933; Traumlandschaft, lyrische Prosa, 1935; Buch des Lebens, 1936; Gedichte, 1937; Gedichte. Eine Ausw. aus der Zeit von 1920–1958, 1958; Träume. Aufz. aus den Jahren zwischen 1920 und 1960, 1962 (erw. Fass. der ›Traumlandschaft‹, 1935); Gedichte. GA (1986).

LITERATUR: *K. Bock,* P.L. ›Die selige Spur‹. In: Die lit. Gesellschaft [Hamburg] 6(1920). *F. Gregori,* P.L. ›Die selige Spur‹. In: Das lit. Echo 23(1921). *H. Kasack,* P.L. ›Der himmlische Spiegel‹. In: Die schöne Lit. 29 (1928). *Barth,* P.L. ›Traumlandschaft‹. In: Die Literatur 37 (1935). *Kutzbach,* P.L. ›Buch des Lebens‹. In: Die neue Lit. [Leipzig] 37(1936). *v. Metzradt,* P.L. ›Buch des Lebens‹. In: Die Literatur 39(1936). *K. Vancsa,* P.L. ›Buch des Lebens‹. In: Unsere Heimat [Wien] 10(1937). *K. Rauch,* Über P.L. In: Der Bücherwurm [München] 23(1938). *E. M. Meyer,* P.L. In: The Germanic Review 17(1942). *H. Kasack,* P.L.s Gedichte. In: H.K., Mosaiksteine. Beitr. zu Lit. und Kunst, 1956, 249–53. *N. Langner,* Dichter aus Österreich, F. 5, 1967. *H. Kasack,* P.L. In: Hdb. der dt. Gegenwartslit. II (^{2}1970), 42. *B. G. Blumenthal,* P.L.s poetry: themes of love and death. In: The German Quarterly 44 (1971), 534f. *H. Zuegg,* Die Entwicklung der lyrischen Sprache bei P.L., Diss. Innsbruck 1972 (Masch.). *G. Brinker-Gabler,* P.L. In: G.B.-G. (Hrsgin.), Dt. Dichterinnen vom 16. Jh. bis zur Gegenwart, 1978, 315–19. *E. Fitzbauer,* P.L. ›Dem dunklen Gott‹ (1932). In: Modern Austrian Literature 12(1979) 3/4, 437–40. *K. Wachinger,* P.L. Werk, Leben, Wertung, [München] 1982 (Magisterarbeit, Masch.). *K. Schöffling,* »... und ihre Gluten einlassen in mein Herz«. P.L. (1900–1974), Lyrikerin und Träumerin: Hochgelobt – kaum beachtet. Serie ›Ein deutscher Dichter bin ich einmal gewesen‹. (F. 13). In: Börsenblatt für den dt. Buchhandel 40 (1984), 118ff.

Märten, Lu, * 24. 9. 1879 in Berlin, † 12. 8. 1970 in West-Berlin.
Der Vater war Berufssoldat, später Eisenbahnbeamter. L.M. konnte wegen Krankheit die Grundschule nur unregelmäßig besuchen; bildete sich später durch Selbststudium weiter. Wurde 1905 durch eine geglückte Operation geheilt. Erste Publikationen zu Frauenrechtsfragen. Seit 1898 Verbindung zur Arbeiterbewegung; Mitarbeiterin sozialistischer und linksbürgerlicher Zeitschriften. Seit 1920 Mitglied der KPD. In den zwanziger Jahren in der Berliner Stadtbibliothek tätig, dann in der russischen Telegraphen-Agentur. Emigrierte 1938 vorübergehend nach Schweden. Nach 1945 eine Zeitlang Lektorin im Ost-Berliner Verlag »Volk und Wissen«. Lebte anschließend sehr zurückgezogen in West-Berlin.
L.M.s Werk umfaßt publizistische, wissenschaftliche und literarische Arbeiten. Sie schrieb Märchen, Gedichte, das (autobiogr.) Buch eines Kindes ›Torso‹. 1909 fand ihr Schauspiel ›Bergarbeiter‹ Beachtung, eine »ergreifende und erschütternde Szene aus dem Leben der Bergarbeiter, in der die feine Psychologie in glücklichem Gleichmaß mit der dramatischen Kraft steht« (F. Mehring). In ihren publizistischen Arbeiten erfolgt vielfältige Auseinandersetzung mit den Themenschwerpunkten Frauenfrage, Sozialismus und ästhetisch-literarischen Fragen. Untersuchung der Problematik weiblicher Kreativität unter sozialgeschichtlichem Aspekt (›Die Frau als Künstlerin‹). Zunehmende Beschäftigung mit kunstsoziologischen Fragen. 1924 erschien ihr theoretisches Hauptwerk ›Wesen und Veränderung der Formen (Künste). Resultate historisch-materialistischer Untersuchungen‹, in dem sie sich mit den Grundlagen und Bewegungsgesetzen der Kunstgattungen auseinandersetzt. Seit 1923 arbeitete sie an einem ›Katalog des gesamten Sozialismus aller Länder vom 16. Jh. bis zur Gegenwart‹, dessen Fertigstellung und Publikation durch Beginn der Nazi-Herrschaft verhindert wurde.

WERKE: Bodenreform und Frauenstimmrecht. In: Die Frauenbewegung 8(1902) 10 (Beil.); Ibsens Weltanschauung und Persönlichkeitsforderung. In: Dt. Welt. Wochenschrift der Dt. Ztg. [Berlin] 5(1902) 5, 65ff.; Bodenreform. In: Dt. Stimmen [Berlin] 4(1902), 686–92; Kommunaler Arbeitsnachweis für Frauen. In: Die Frau 9(1902) 10, 627–28; Käthe Kollwitz. In: ebda. 10(1903) 5, 290ff.; Ricarda Huch als romantische Dichterin. In: Centralblatt des Bundes dt. Frauenvereine 5(1903), 90ff.; Fortbildungsschulzwang für weibliche Handlungsgehilfen. In: Dt. Stimmen 5(1903), 262ff.; Das Interesse der Frauen an der Boden- und Wohnungsreform. In: Frauenrundschau [Leipzig] 4 (1903), 639ff.; Künstlerische Momente der Arbeit in alter und neuer Zeit. In: Die Zeit 2(1903) 51; Die Bedeutung des Apothekermonopols für die Krankenkasse. In: Volkstümliche Ztg. für praktische Arbeiterversicherung [Leipzig] (1904), 20ff.; Wie der kleine Eli Flügel bekam. Ein Märchen. In: Die Gleichheit [Stuttgart] 15(1905) 20, Beil.: Für unsere Kinder, hrsg. v. C. Zetkin, Nr. 10, 39f.; Liedsprachen, G. 1906; Über den Begriff der Kultur und seine Anwendung im Sozialismus. In: Philosophische Wochenschrift und Lit.ztg. Bd. 3, 1906, 295–304; Über Ricarda Huch und die Romantik. In: Die Hilfe. Wochenschrift für Politik, Lit. und Kunst [Berlin] 13(1907) 13, 202ff. u. Nr. 14, 218f.; Torso. Das Buch eines Kindes, R. 1909; Bergarbeiter, Schausp. 1909 (N 1924); Die Phrase der »Frauenblätter«. In: Frauen-Zukunft [München/Leipzig] 1 (1910/11) 9, 714–16; Die Frauen in der bildenden Kunst (I). In: ebda. 1 (1910/11) 10, 788–90; Tragödie oder Komödie? [Rezension über Georg Groddeck: Tragödie oder Komödie? Eine Frage an die Ibsen-Leser, 1910]. In: ebda. 1(1910/11) 10, 736–41; Vom Zweiten Deutschen Heimarbeiter-Tag in Berlin. In: ebda. 1(1910/11) 11, 857ff.; »Epigramme« über die Frau. In: ebda. 1(1910/11) 12, 939f.; Proletarische und bürgerliche Frauentage. In: ebda. 2(1911) 1, 67f.; Was ist eine Ehefrau? In: ebda. 2(1911) 1, 75f.; Aus dem Briefe eines jungen Mädchens. In: ebda. 2 (1911) 2, 152–55; Gott, der Mann und die Frauen. Ein himmlisches Märchen. In: ebda. 2(1911), 183–89; Frauen in der bildenden Kunst (II). In: ebda. 2(1911) 3, 245f.; Die Differenziation der Frauen [Rezension des Buches von Müller-Lyer: Wesen der Kultur, 1910]. In: ebda. 2(1911) 4, 321–29; »Das Frauenwesen oder das Erlebnis der Treue«. In: ebda. 2 (1911) 4, 353–55; Paula Becker-Modersohn. In: ebda. 2 (1911) 5, 383–91; Ketzereien: Wann werden wir Klassenpsychologie betreiben/Die Unklarheit der Dialektik/Also von der Zucht des Denkens. In: ebda. 2(1911) 5, 440–43; Die Entstehung des Christentums aus der antiken Kultur [Rezension über Samuel Lublinski: Vom werdenden Dogma, 1911]. In: Die Aktion [Berlin] 1 (1911) 2, 41–45; Zur ästhetisch-literarischen Enquete. In: Die neue Zeit [Stuttgart] 30/11 (1912), 790–93; Die wirtschaftliche Lage der Künstler, 1914; Die Frau als Künstlerin, 1914; Arbeiterbewegung und Kunst. In: Der Staatsbürger [Stuttgart/Leipzig] 1914, 362ff.; Geburt der Mütter. In: Die weißen Blätter [Zürich/Leipzig] 3(1916) 9, 285–90; Der Knabe Herbst. In: ebda. 3(1916) 12, 276; Die Künstlerin. Eine Monographie, 1919; Revolutionäre Dichtung in Deutschland. In: Die Erde. Politische und kulturpolitische Halbmonatsschrift 2 (1920) 1, 12–28; Die erste Engels-Biographie [Rezension über Gustav Mayer: Friedrich Engels in seiner Frühzeit 1820–1851, 1920]. In: Die Rote Fahne 3(1920) 78; Geschichte, Satyre, Dada und Weiteres. In: ebda. 3(1920) 163 u. 164; Ludwig van Beethoven und die Musik. In: ebda. 3(1920) 261 u. 262; Historisch-Materialistisches über Wesen und Veränderung der Künste. Eine pragmatische Einleitung, 1921; Die revolutionäre Presse und das Feuilleton. In: Der Gegner. Blätter zur Kritik der Zeit 2(1920/21) 6, 186–93; Peter Krapotkin. In: Werden [Stuttgart] (1921) 4, 99–104; Kunst und historischer Materialismus. In: Die Rote Fahne 4(1921) 239 (Morgenausgabe) (N in: alternative 16 (1973), 63–70); Die Menschenverluste im Weltkriege. In: ebda. 4(1921) 543; Wesen und Veränderung der Formen (Künste). Resultate historisch-materialistischer Untersuchungen, 1924; Revolution und Mensch. Neue Bücher für revolutionäre Arbeiter. In: Arbeiterlit. [Wien] 1(1924) 3/4, 147–51; Es ist Zeit mit dem Klinger zu klirren … / Wie's Lenin gemacht / Ein Arbeiter sprach zu mir. In: ebda. 1(1924) 5–6, 183ff.; Proletarische Kulturtage in Magdeburg. In: ebda. 1(1924) 7–8, 408–13; Demjan Bjedny: Die Hauptstraße. Aus dem Russischen nachgedichtet von Johannes R. Becher. Nachwort L. Trotzki. In: ebda. 1(1924) 7–8, 437f.; [Trotzki: Literatur und Revolution]. In: Internationale Presse-Korrespondenz 4(1924) 56, 682ff.; Kunst und Proletariat. In: Die Aktion [Berlin] 15(1925) 12, 663–68 (N in: alternative

16 [1973], 54–59); Thomas Münzers Stimme. In: Die Rote Fahne 8(1925) 127; Vom Lesen und von der Schule. In: Die neue Erziehung 8(1926) 7, 525–30; Zu meiner Darstellung der Entwicklung der Kunst. In: Die Aktion [Berlin] 17(1927) 4–6, 109–13; Die Eigengesetzlichkeit des Rundfunks. In: Die Bücherwarte, Beil.: Arbeiterbildung 2(1927) 8, 115ff.; [Frank Harris: Die Bombe]. In: ebda. 2(1927)7, 200; [Ben B. Lindsey: Die Revolution der modernen Jugend]. In: ebda. 2(1927)7, 201f.; Die Rolle des Films im Theater. In: Die Neue Bücherschau [Berlin] 6(1928) 1, 3–5; Filmkategorisches. In: ebda. 6 (1928) 5, 231–35; Unbekannte proletarische Dichter in USA. In: Kulturwille. Beil.: Reisen und Schauen [Leipzig] 7(Januar 1930), 4; Zur Frage einer marxistischen Ästhetik. In: Linkskurve [Berlin] 3(1931) 5, 15–19; Peter Hille – ein unbekannter Dichter. In: Die neue Weltbühne [Ost-Berlin] 2(1947) 12, 539–43; Bürgermeister Tschech und seine Tochter. Erinnerungen an den Vormärz (1844), [Ost-Berlin] 1948; (Mitarb. an:) G. Steiner/M. Häckel, Forster. Ein Lesebuch für unsere Zeit, 1952.

Werkauswahl: Formen für den Alltag. Schriften, Aufs., Vorträge, Kommentare, Bibl. und Nachw. v. R. May, [Dresden] 1982.

Nachlass: Institut für Sozialgeschichte, Amsterdam.

Bio-Bibliographie: *E. H. Schütz,* unter Mitarbeit von F. Vaßen und D. Richter. In: alternative 16(1973), 99–103.

Literatur: *F. Mehring,* L.M. ›Bergarbeiter‹. In: Neue Zeit 27(1908/09) I, 933f. (dass. in: *F.M.,* Gesammelte Werke, Bd. 2, 1961, 476). *A. Brausewetter,* L.M. ›Die Künstlerin‹. In: Das lit. Echo, 1920. *V. Marcu,* L. M. ›Hist.-Materialistisches über Wesen und Veränderung der Künste‹. In: Sowjetische Kommunistische Monatsschrift [Berlin] 3 (1921). L.M. ›Hist.-Materialistisches über Wesen und Veränderung der Kunst‹. In: Neue Blätter für soziale Lit. 1(1921) 4. *F. Radloff,* L.M. ›Wesen und Veränderung der Formen (Künste)‹. In: Die Aktion 15(1925) 15/16, 448–52. *A.K.,* L.M.s Vortrag. In: Die Rote Fahne 8(1925) 31. *A. Kleinberg,* L.M., ›Wesen und Veränderung der Formen‹. In: Die Bücherwarte. Zs. für sozialistische Buchkritik, 1927. *K. A. Wittvogel,* Noch einmal zur Frage einer marxistischen Ästhetik. In: Die Linkskurve 2(1930) II, 8–12. *Ders.,* Antwort an die Genossin L.M. In: ebda. 3(1931) 6, 23–26. *A. Mette,* Stil einer neuen Universalität. In: Aufbau. Kulturpolitische Monatsschrift 2 (1946). *G. Meyer-Hepner,* L.M. In: NDL (1956) 4. [L.M.]. In: Lex. sozialistischer dt. Lit. von den Anfängen bis 1945, [2]1964. *J. Rosenberg,* L.M.s Entwurf einer hist.-materialistischen Theorie der Künste. In: Weimarer Beiträge 25(1970) 10, 39–67. *E. H. Schütz,* L.M. – Bio-Bibliographie. Unter Mitarbeit v. F. Vaßen u. D. Richter. In: alternative 16(1973), 99–103. *Ders.,* L.M.s Versuche zur Eigengesetzlichkeit des Films. In: ebda. 16(1973), 95–98. *F. Faßen,* L.M.s ästhetische Theorie. Die Verbindung von marxschem Arbeitsbegriff und sozialdemokratischer Technikgläubigkeit. In: ebda. 16(1973), 87–94. L.M., Wesen und Veränderung der Formen (Künste). [Zur Intention des gleichnamigen Buches von 1924]. In: ebda. 16(1973), 82–84. *G. Plumpe,* Kunstform und Produktionspraxis im Blick auf L.M. In: K.-M. Bogdal u.a. (Hrsg.), Arbeitsfeld: Materialistische Literaturtheorie. Beiträge zu ihrer Gesamtbestimmung, 1975, 193–228. *J. Rosenberg,* L.M.s Entwurf einer hist.-materialistischen Theorie der Künste. In: Weimarer Beiträge 25(1979), 39–67. *M. Zeman,* Zu Václaveks und L.M.s Versuch einer marxistischen Synthese. In: Zs. für Slawistik 25(1980) 3, 409–21.

Marholm, Laura (Ps. f. Laura geb. Mohr, verh. Hansson; weiteres Ps. Leonhard Marholm), * 19. 4. (1. 5. n. St.) 1854 in Riga, † 1905.

Die Mutter stammte aus Göttingen. Der Vater war Schiffskapitän in Nyköbing (Dänemark). Wurde in Riga erzogen. War eine Zeitlang Mitarbeiterin des dortigen Lokalblattes ›Zeitung für Stadt und Land‹. Heiratete 1889 den Schriftsteller Ola Hansson (1860–1925), mit dem sie nach Deutschland ging. Wohnte in Friedrichshagen bei Berlin, seit 1895 in Schliersee (Bayern). 1898 traten sie und ihr Mann zum kath. Glauben über. Ein Jahr später zog das Ehepaar nach München. Unter Verfolgungsängsten leidend, wurde L.M. im April 1905 in eine Anstalt überwiesen, wo sie im gleichen Jahr starb.

Dramatikerin, Erzählerin und Essayistin. In Berlin zugehörig zum literarischen Kreis, der sich nach seinem Treffpunkt »Schwarzes Ferkel« nannte (u.a. Dehmel, Przybyszewski, Strindberg). Setzte sich in ihrem Werk insbesondere mit der Frauenfrage auseinander. Trat im Gegensatz zur zeitgenössischen Frauenrechtsbewegung für die Befreiung der Frau zur »großen Liebenden« ein. Ließ in ihren Analysen aber soziale und kulturelle Faktoren unberücksichtigt, was zur Wiederholung bestehender Klischees führte. Ihre Aufsätze in Zeitschriften (u.a. ›Freie Bühne‹) und vor allem ihr zweibändiges Werk ›Zur Psychologie der Frau‹ lösten anhaltende Diskussionen über die darin von ihr vertretenen Ansichten über die »weibliche Natur« aus.

WERKE: Johann Reinhold Patkul, Trag. (Doppel-Dr.: Gertrud Lindenstern – Patkuls Tod), 1879–1880; Frau Marianne, Dr. 1882; Das Buch der Frauen. Zeitpsychologische Porträts, 1894; Wir Frauen und unsere Dichter, 1895; Karla Bühring, Dr. 1895; Frau Lilly als Jungfrau, Gattin und Mutter, 1896; Zur Psychologie der Frau, 2 Tle. 1897 u. 1903; Der Weg nach Altötting und andere Novellen, 1900; Buch der Toten, 1900; Die Frauen in der sozialen Bewegung, 1900.

LITERATUR: *M. Eck* [d. i. K. Sebaldt], Die jungfräuliche Frau, 1900, 22–26 [zu: Das Buch der Frauen]. *G. Bäumer/ H. Lange* (Hrsgin.), Hdb. der Frauenbewegung, Tl. 1, 1901, 108. *M. Scott-Jones,* L.M. and the question of female »nature«. In: S.L. Cocalis/K. Goodman (Ed.), Beyond the eternal feminine. Critical essays on women and German literature, 1982, 203–23.

Marie Madeleine (Ps. f. Marie Madeleine von Puttkamer, geb. Günther), * 4. 4. 1881 in Eydtkuhnen/Ostpreußen, † 1944 in Katzenellenbogen.

Heiratete 1900 den Generalmajor a.D. Georg Freiherr von Puttkamer in Berlin. Lebte ab 1905 in Baden-Baden oder Nizza.

Lyrikerin, Erzählerin, auch Dramatikerin. Erregte um die Jahrhundertwende Aufsehen mit ihrer sinnlich-phantasierenden Lyrik, die einerseits als »wüste, überhitzte Pubertätserotik« (Soergel, 1911) kritisiert, andererseits als an Heinrich Heine geschulte Verskunst gelobt wurde. Die erste Gedichtsammlung ›Auf Kypros‹ erschien 1910 in der 37. Auflage.

WERKE: Auf Kypros, G. 1900; Die drei Nächte. Liebeslieder, 1901; An der Liebe Narrenseil, G. 1902; Die indische Felsentaube, 1902; Aus faulem Holze, Nn. 1902; Im Spielerparadies. Momentphotographien aus Monte Carlo, 1903; Frivol. Aus dem Leben eines Pferdes. R. 1903; Krabben. Seebad-Gesch. 1903; Arme Ritter!, R. 1904; In Seligkeit und Sünden, G. 1905; Das bißchen Liebe, Dr. 1906; Der rote Champion, R. 1906; Die Kleider der Herzogin, R. 1906; (MA:) Die letzte Hürde, Sk. 1907; Die Kusine, Lustsp. 1908; Die Wegweiserin, R. 1908; Prinz Christian, R. 1909; Die Stelle, wo sie sterblich sind, Nn. 1909; Die Katzen. 5 Liebesspiele, dramat. Zyklus, 1910; Aber das Fleisch ist stark!, Nn. 1910; Brennende Liebe, Nn. 1910; Die heiligsten Güter, Nn. 1912; Die rote Rose Leidenschaft, G. 1912; Pantherkätzchen, E. 1913; Küsse, Nn. 1913; Ihr schlechter Ruf, R. 1915; »... und muß Abschied nehmen«, Kriegs-Nn. 1915; Der süße Rausch, Nn. 1916; Der Liebe Regenbogen, Riviera-Nn. 1918; Taumel, G. 1920; Unschuld, Nn. 1920; Von der Untreue, Nn. 1921; Glimmende Liebesglut, 1924; Die Töchter des Prometheus, N. 1926; Die Kleinstadt Babylon, Kriminal-R. 1932; Die Nacht der 2. Hochzeit und andere Novellen, 1932; Wie starb Stella Blackburn?, Kriminal-R. 1932; (Hrsgin.) Schermann, Rafael: Schicksale des Lebens, Bd. 1: Die drei Testamente des Fürsten X, 1932; Es werde Licht, 1962.

WERKAUSGABE: Ausgewählte Werke, 2 Bd. 1924; Die rote Rose Leidenschaft. G. und Prosa, 1977.

LITERATUR: *A. Kind,* M.M. (1907). In: M.M., Die rote Rose Leidenschaft. G. und Prosa, 1977, 221–28.

Marlitt, Eugenie (Ps. f. Eugenie John), * 5. 12. 1825 in Arnstadt (Thüringen), † 22. 6. 1887 ebda.

Tochter der Johanna geb. Böhm und des Ernst Johann Friedrich John. Beide entstammten alten Kaufmannsfamilien und waren vielseitig musisch interessiert, der Vater vor allem an der Malerei, die Mutter an Literatur und Musik.

Ein Lehrer erkannte früh E.M.s musikalische Begabung. Auf ein Bittgesuch des Vaters hin, nahm die Fürstin Mathilde von Schwarzburg-Sondershausen das 16jährige Mädchen zu sich. E.M. erhielt Klavier- und Gesangsunterricht und konnte sich am Wiener Konservatorium zur Bühnensängerin ausbilden. 1846 debütierte sie als Sängerin in Leipzig, war dann Kammersängerin in Sondershausen und trat u.a. in Linz, Graz und Lemberg auf. Wegen eines Gehörleidens mußte sie ihre Sängerinnenkarriere aufgeben. Lebte von 1853 bis 1863 als Vorleserin, Gesellschafterin und Reisebegleiterin bei der Fürstin von Schwarzburg-Sondershausen; dann als freischaffende Schriftstellerin bei der Familie ihres Bruders in Arnstadt. 1859 hatte sie den Schriftsteller Bodenstedt kennengelernt, der sie zu ihrer ersten Erzählung (›Schulmeisters Marie‹) ermunterte. 1865 erschien ihre zweite Erzählung ›Die zwölf Apostel‹ in dem Familienblatt ›Die Gartenlaube‹, ein Jahr später ihr Roman ›Goldelse‹, der sie berühmt machte. Die Romane der Marlitt, die alle zuerst in der ›Gartenlaube‹

erschienen, trugen dazu bei, daß die Auflage dieser Zeitschrift von 1866 bis 1876 von 175 000 auf mehr als das Doppelte stieg. Trotz Verschlechterung ihres Gesundheitszustands – schließlich war sie an den Rollstuhl gefesselt – schrieb E.M. unermüdlich weiter. 1871 bezog sie gemeinsam mit dem Vater ihr erstes eigenes Haus, die Villa »Marlittsheim« in der Nähe von Arnstadt.

Die Romane der Marlitt fanden internationale Verbreitung; sie wurden ins Franz., Engl., Russ., Ital., Poln. und Span. übersetzt, in China und Japan nachgedruckt; viele wurden dramatisiert. E.M. konnte spannend und unterhaltsam erzählen. Viele ihrer Romane variieren mehr oder weniger ihr bevorzugtes Schema, die Geschichte vom Aschenbrödel. Soziale und gesellschaftliche Probleme werden aufgegriffen, aber in entschärfter Form. E.M.s Werk und ihre Bedeutung werden unterschiedlich eingeschätzt: ihre Romane gelten einerseits als »Inbegriff des literarischen Kitsches in der zweiten Hälfte des 19. Jh.« (LDS), andrerseits wird sie als »bedeutende Vertreterin des Frauen-Unterhaltungsromans« eingestuft (Kosch III).

WERKE: Goldelse, R. 1867 (N 1983); Das Geheimnis der alten Mamsell, R. 1868 (N 1982) (dramatisiert von Karl Mossberg, 1868); Thüringer Erzählungen, 1869 (Inhalt: Die zwölf Apostel; Blaubart u.a.); Reichsgräfin Gisela, R. 2 Bd. 1870 (N 1984); Das Heideprinzeßchen, R. 2 Bd. 1872; Die zweite Frau, R. 2 Bd. 1874 (N 1981); Im Hause des Kommerzienrates, R. 2 Bd. 1877 (N 1981); Im Schillingshof, R. 2 Bd. 1880 (N 1984); Amtmanns Magd, R. 1881; Die Frau mit den Karfunkelsteinen, R. 2 Bd. 1885 (N 1983).
VERÖFF. A. D. NACHLASS: Das Eulenhaus, R. 2 Bd. 1888, vollendet von Wilhelmine Heimburg (= Bertha Behrens).
WERKAUSGABEN: Gesammelte Romane und Novellen, 10 Bd. 1888–1890 (enthält außer den oben stehenden Arbeiten noch die Erzählung ›Schulmeisters Marie‹) (N Ausw. 1965, in: Die Kitschpostille).
LITERATUR: Die Gartenlaube (1869), 825. *H. Gross,* E.J. In: H.G., Deutschlands Dichterinnen und Schriftstellerinnen, [2]1882, 198f. Die Gartenlaube (1887), 472. E.M. Ihr Leben und ihre Werke. In: E.M., Gesammelte Romane und Novellen, 10. Bd. 1890, 399ff. *M. Necker,* E.M. In: Die Gartenlaube 47 (1899), 136ff., 156ff., 170ff., 197ff. *F. Brümmer,* E.M. In: ADB LII. *B. Potthast,* E.M., Diss. Köln 1926. *J. F. Denachenal,* M. zum Gedächtnis. In: Basler Nachrichten (1937) 168. *R. Horovitz,* Vom Roman des Jungen Deutschland bis zum Roman der Gartenlaube, Diss. Basel 1937. *E. Kohn-Bramstedt,* Aristocracy and the Middle Class in Germany. Social types in German Literature 1830–1900, 1937. *E. Krzyzanowska-Kessler,* E. J.-M. In: Neues Wiener Tagblatt (1937) 168. *W. Schneider,* [E.M.] In: Ehrfurcht vor

dem deutschen Wort, 1939, 287–96. *W. Patzschke,* Wer war M.? Das Geheimnis der alten Mamsell – vom ZDF neu entdeckt. In: Der Literat. Zs. für Lit. und Kunst 14 (1972), 152. *M. Rothe-Buddensieg,* Spuk im Bürgerhaus. Der Dachboden in der dt. Prosalit. als Negation der gesellschaftlichen Realität, 1974. *G. L. Mosse,* Was die Deutschen wirklich lasen. M., May, Ganghofer, In: R. Grimm/J. Hermand (Hrsg.), Popularität und Trivialität 4(1974), 101–20. *M. Kienzle,* Der Erfolgsroman. Zur Kritik seiner poetischen Ökonomie bei Gustav Freytag und E.M., 1975. *R. Möhrmann,* [E.M.] In: R.M., Die andere Frau. Emanzipationsansätze dt. Schriftstellerinnen im Vorfeld der Achtundvierziger Revolution, 1977, 156f. *L.A. Lensing,* The caricatured reader in ›Im alten Eisen‹: Raabe, M. and the »Familienblattroman«. In: German Life & Letters 31(1977/78), 318–27. *M. Kienzle,* E.M.: ›Reichsgräfin Gisela‹ (1869). Zum Verhältnis zwischen Politik und Tagtraum. In: H. Denkler (Hrsg.), Romane und Erzählungen des bürgerlichen Realismus. Neue Interpretationen, 1980, 217–30. *I. Langner,* Die Wahlverwandtschaften. Goethe und der Balzac der Gründerjahre: E.M. In: Frankfurter Hefte 36(1981) 3, 53–60. *H. Heißenbüttel,* Nicht M. oder Anna Blume, sondern M. und Anna Blume. Rekonstruktion der Tradition. In: Dt. Ak. für Sprache und Dichtung Darmstadt, Jb. 1981, (1982) 2, 35–44. *A. Barbanti Tizzi,* M.: Goldelse. Un caso di contiguità fra »Trivialliteratur« e romanzo borghese. In: Quaderni di Filologia Germanica della Facoltà di Lettere e Filosofia dell'Università di Bologna 2(1982), 97–113. *C. Freitag,* E.M. In: Lex. der Kinder- und Jugendlit., 4. Bd. 1982, 402f. *S. P. Scheichl,* E.M. In: Z. Škreb u. U. Baur (Hrsg.), Erzählgattungen der Trivialität, [Innsbruck] 1984, 67–112. *H. Schenk,* Die Rache der alten Mamsell. E.M.s Lebensr. 1986 [dokumentarischer R.].

Marriot, Emil (Ps. f. Emilie Mataja), * 20. 11. 1855 in Wien, † 5. 5. 1938 ebda.

Tochter einer Wiener Kaufmannsfamilie. Beschloß schon früh, Schriftstellerin zu werden. Beschäftigte sich mit philosophischen Werken, vor allem mit Schopenhauer. Hatte Kontakte zu den Schriftstellern P. Heyse, L. von Sacher-Masoch, K. E. Franzos, M. Harden. Zahlreiche ihrer Werke erschienen in österreichischen und deutschen Zeitschriften, wie ›Wiener Allgemeine Zeitung‹, ›Neues Wiener Tagblatt‹ und ›Die Zukunft‹.

Vorwiegend Erzählerin. Setzte sich mit Fragen bürgerlicher Moral und Religion auseinander. Schilderte in realistischer Schreibweise die zeitgenössische Gesellschaft, vor allem das Großstadtleben. Sah die zeitgenössischen gesellschaftlichen Probleme vor allem als Folge des Glaubensverlustes der Menschen. Ein weiterer Themenschwerpunkt war die Problematik des Priesterlebens, besonders der Priesterliebe. E.M. schrieb ebenfalls Artikel zur Frauenfrage, in denen sie für eine vielseitige Erziehung, gründliche Ausbildung und Schaffung von Berufsmöglichkeiten für Frauen eintrat. Erhielt 1897 eine Ehrendotation des Kuratoriums der Bauernfeld-Stiftung und 1912 den Ebner-Eschenbach-Preis.

WERKE: Egon Talmors, R. 1880; Familie Hartenberg. R. aus dem Wiener Leben, 1883; Der geistliche Tod. E. aus dem Priesterstande, 1884; Mit der Tonsur. Geistliche Nn. 2 Bd. 1886–1887 (u.d.T. Novellen, 1890); Die Unzufriedenen. R. 1888; Über die jungen Mädchen. In: Neues Wiener Tagblatt, 18. 7. 1892; Moderne Menschen, R. 1893; Die Starken und die Schwachen und andere Novellen, 1894; Der Heiratsmarkt, Schausp. 1894; Caritas. Der R. einer Familie, 1895; Seine Gottheit, R. 1896; Junge Ehe, R. 1897; Gretes Glück, Schausp. 1897; Auferstehung, R. 1898; Tiergeschichten, R. 1899; Schlimme Ehen, Nn. 1901 (u.d.T. Meine Frau und andere Geschichten, 1910); Menschlichkeit, R. 1902; Nietzsche und das neue Weib. In: Neues Wiener Tagblatt, 3.5. 1903; Anständige Frauen, R. 1906; Ein schwerer Verdacht. Vertauschte Rollen, 2 En. 1907; Sterne, Nn. 1908; Erstarrung, R., u. Stilles Martyrium. Gesch. eines Mädchens, 1909; Heinz Henning, R. 1911; Kinderschicksale, Nn. u. Sk. 1912; Mein Werdegang. In: Die Zukunft 22(1914), 309–20. Der abgesetzte Mann, R. 1916; Das Sündengesetz, R. 1920.

BIBLIOGRAPHIE: *J. Byrnes,* E.M. Bibliography. In: Modern Austrian Literature 12(1979), 3/4, 59–76 (ausf. Verzeichnis auch der Beitr. in Ztg. u. Zss. und der Sekundärlit.).

LITERATUR: *L. Andreas-Salomé,* E. M. In: Vossische Zeitung, Sonntagsbeil. 32 (7. 8. 1892), 33 (14. 8. 1892), 34 (21. 8. 1892). *Th. v. Sosnosky,* E.M. In: Blätter für literarische Unterhaltung 8 (1894), 116ff. *A. Bettelheim,* E.M. In: Die Frau 4 (1896) Oktober, 1–5. *V. Rossel,* Le roman Viennois – E.M. In: La Nouvelle Revue 118 (1899), 616–31. *L. Berg,* E.M. In: Aus der Zeit – gegen die Zeit, 1905; *J. J. David,* Gesammelte Werke, Bd. 7, 1909, 144–53. *H. Land,* E.M. In: Reclams Universum: Weltrundschau, Nr. 39, 6. 10. 1912, 457ff. *H. Schimke,* Die Anfänge des Wiener Gegenwartsromans, Diss. Wien 1931. *Th. v. Sosnosky,* E.M. In: Neues Wiener Tagblatt (1935) 320. *G. Falkensammer,* E.M. 1855–1938. Beitr. zum österr. Ständeroman um 1900, Diss. Wien 1949. *J. Byrnes,* The Short Fiction of E.M. Diss. Johns Hopkins Univ. [USA] 1977. *Ders.,* An introduction to E.M. In: Modern Austrian Literature 12 (1979) 3/4, 45–58.

Mayreder, Rosa, * 30. 11. 1858 in Wien, † 19. 1. 1938 ebda.
Ihr Vater war der vermögende Wiener Hotelier Obermayer. Erhielt eine für »höhere Töchter« übliche Erziehung, die auf Pflege von Kunst und Schönheit ausgerichtet war. Ihr Wunsch nach einer weitergehenden Ausbildung, wie sie die Brüder erhielten, wurde nicht erfüllt. Schloß sich als junge Malerin künstlerischen Kreisen in Wien an. Lernte dort ihren späteren Mann kennen, Karl Mayreder, Architekt, Professor und später Rektor der Wiener Technischen Hochschule. Heirat 1881. 1893 gründete R.M. den Allgemeinen Österreichischen Frauenverein, dessen Vizepräsidentin sie bis 1903 war. In den neunziger Jahren Beginn ihrer schriftstellerischen Tätigkeit. Hugo Wolf, den sie protegierte, vertonte ihr Libretto ›Der Cor-

regidor‹ (Urauff. 1896). Von 1899 bis 1900 Mitherausgeberin der Wiener Zeitschrift ›Dokumente der Frauen‹. Während des Ersten Weltkriegs beschäftigte sie sich mit der Friedensfrage und war nach 1919 Vorsitzende der Internationalen Frauenliga für Frieden und Freiheit.
Bedeutende Essayistin, auch Erzählerin und Lyrikerin. Ihre beiden Essaybände ›Zur Kritik der Weiblichkeit‹ (1905) und ›Geschlecht und Kultur‹ (1923) stellen einen wichtigen Beitrag zur Analyse der Stellung der Frau in Kultur und Gesellschaft dar. In der ersten Sammlung, die mehrfach aufgelegt und ins Englische übersetzt wurde, trat sie für eine »vom Geschlecht unabhängige Freiheit der Individualität« ein. In ›Geschlecht und Kultur‹ leistete sie u. a. eine Widerlegung von Weiningers Thesen in seiner vielaufgelegten Schrift ›Geschlecht und Charakter‹ (1903). Über die damals praktizierte Mädchenerziehung als »künstliche Wachstumsverhinderung« berichtet sie in ihren erst nach ihrem Tod veröffentlichten Jugenderinnerungen (1948).

WERKE: Der Corregidor, Operntextbuch nach einer Novelle von Alarcón (vertont von Hugo Wolf), 1896; Aus meiner Jugend, Nn. 1896; Übergänge, Nn. 1897, ²1908; Idole, R. 1899; Piopn, ein Sommererlebnis, 1903, ²1908; Zur Kritik der Weiblichkeit, Ess. 1905, ²1907, ³1910 (engl. ›A Survey of the Woman Problem‹, 1912); Zwischen Himmel und Erde, Sonette, 1908; Der typische Verlauf sozialer Bewegungen, Vortrag, 1917, ²1926; Die Frau und der Internationalismus, 1921; Fabeleien über göttliche und menschliche Dinge, 1921; Sonderlinge, Nn. 1921; Geschlecht und Kultur, Ess. 1923; Askese und Erotik, 1926; Ideen der Liebe, 1927; Mensch und Menschlichkeit, 1928; Die Krise der Ehe, 1929; Der letzte Gott, 1933; Anda Renata. Ein Mysterium in zwei Teilen und zwölf Bildern, 1934; Gaben des Erlebens. Sprüche und Betrachtungen, 1935; Diana und Herodias, 1937 (Privatdruck); Aschmedai's Sonette an den Menschen, 1937 (Privatdruck).

VERÖFF. A. D. NACHLASS: Das Haus in der Landskrongasse, Jugenderinn. hrsg. u. mit e. Nachw. v. K. Braun-Prager, 1948.

WERKAUSGABE: Krise der Väterlichkeit. Eingel. u. ausgew. v. K. Braun-Prager, 1963; Zur Kritik der Weiblichkeit, hrsg. u. eingel. v. H. Schnedl-Bubeniček, 1982 (gek. Fassung.)

LITERATUR: *K. Murnau,* Wiener Malerinnen, 1895. Der Aufstieg der Frau. Zu R.M.s 70. Geb. am 30. 11. 1928, 1928. *H. Dworschak,* R. Obermayer-M. Leben und Werk, Diss. Wien, 1949. *K. Braun-Prager,* R.M. [Wien] 1955. *William M. Johnston,* Österreichische Kultur- und Geistesgeschichte. Gesellschaft und Ideen im Donauraum 1848 bis 1938, 1972, 166–69. *H. Schnedl-Bubeniček,* Grenzgängerin der Moderne. Studien zur Emanzipation in Texten von R.M. In: Das ewige Klischee. Zum Rollenbild und Selbstverständnis bei Männern und Frauen, 1981, 179–205.

Meier, Emerenz, * 3. 10. 1874 in Schiefweg (Niederbayern), † 1928 in Chicago.
Der Vater war Land- und Gastwirt. E. M. besuchte die Dorfschule, wurde von ihrer älteren Schwester Petronella zum Lesen und Schreiben angeleitet. 1893 erschien in der ›Donau-Zeitung‹ ihre erste Erzählung, die sie heimlich dorthin gesandt hatte. Lebte und arbeitete auf dem Bauernhof ihres Vaters (seit 1891 in Oberndorf bei Waldkirchen). Fand meistens nur im Winter Zeit für ihre schriftstellerische Tätigkeit. Wanderte 1906 nach Amerika aus. – War Volksdichterin mit sozialem Engagement.

WERKE: Aus dem Bayerischen Wald, En. hrsg. v. K. Schrattenthal, 1897 (Inhalt: Aus dem Elend; Ein lustiges Weib; Der Brechelbrei; Die Waldhüttler) (N mit einem Lebensbild v. M. Peinkofer u. der Schilderung einer Begegnung mit H. Carossa, 1974); Die Böhmin oder Jutta aus dem Elend. Volksstück aus dem bayerischen Walde in 4 Akten (nach der E. ›Aus dem Elend‹), 1902; Der Gschlößlbauer. Volksstück mit Gesang in 3 Akten aus dem bayerischen Walde, 1902.
NACHLASS: Staatliche Bibliothek Passau.
LITERATUR: *J. Serke,* E. M. In: J. S., Frauen schreiben, 1979. *J. Berlinger,* Emerenz. Szenen, Br., G. Aus dem Leben der bayerischen Dichterin, Wirtin und Emigrantin E. M., 1980.

Meisel-Hess, Grete, * 18. 4. 1879 in Prag, * 18. 4. 1922 in Berlin.
Kam im 10. Lebensjahr in die gehobene Erziehungsanstalt in Prachatitz im Böhmerwald und mit 14 Jahren nach Wien, wohin die Eltern umgezogen waren. Besuchte dort drei Jahre die erste weibliche Mittelschule (Gymnasium). War danach einige Jahre außerordentliche Hörerin an der Universität. Lebte seit 1908 in Berlin, seit 1909 verheiratet mit dem Architekten Oskar Gellert. Schrieb Romane, Novellen und kritische Essays zur Frauenfrage. Gehörte zu den ersten Frauen, die über die herrschende Sexualmoral und weibliche Sexualität schrieben. Kritisierte Doppelmoral und Prostitution als Auswirkungen sozialer Unfreiheit. Stand dem »Bund für Mutterschutz« nahe. Trat später für Rassenhygiene und die »natürliche« Aufgabe der Frau ein.

WERKE: Generationen und ihre Bildner. Ein Ess. 1901; In der modernen Weltanschauung, 1901; Fanny Roth. Eine Jung-Frauengesch. 1902; Suchende Seelen, Nn. 1903; Annie-Bianka. Eine Reisegesch. 1903; Weiberhaß und Weiberverachtung. Eine Erwiderung auf die in Dr. Otto Weiningers Buch ›Geschlecht und Charakter‹ geäußerten Anschauungen über die »Frau und ihre ›Frage‹«, 1904; Eine sonderbare Hochzeitsreise, Nn. 1905; Die Stimme, R. 1907; Die sexuelle Krise. Ein sozialpsych. Untersuchung, 1909; Die Intellektuellen, R. 1911–1913; Sexuelle Rechte, 1912; Geister, Nn. 1912; Betrachtungen zur Frauenfrage, 1914 (Inhalt: Berufs- und Kulturstreben; Fragen der Hauswirtschaft; Folgeerscheinungen der Frauenbewegung; Persönlichkeiten, Probleme); Krieg und Ehe, 1915 (1916); Das Wesen der Geschlechtlichkeit. Die sexuelle Krise in ihren Beziehungen zur sozialen Frage und zum Krieg, zu Moral, Rasse und Religion und insbesondere zur Monogamie, 2 Bd. 1916; Die Bedeutung der Monogamie, 1917; Die Ehe als Erlebnis, 1919.

LITERATUR: *S. Metz* und *B. Langer-Hagedorn,* G. M.-H. In: mamas pfirsiche. frauen und literatur 6 [Münster] o. J. *G. Brinker-Gabler* (Hrsgin.), Zur Psychologie der Frau, 1978.

Mereau, Sophie, * 28. 3. 1770 in Altenburg, † 31. 10. 1806 in Heidelberg.

Tochter der Johanna Sophie Friederike geb. Gabler († 1786) und des herzogl.-sächs. Sekretärs und Obersteuerbuchhalters Gotthelf Heinrich Schubart († 1791). Erhielt musische Erziehung und Ausbildung in modernen Sprachen, gemeinsam mit der Schwester Henriette, die später eine namhafte Übersetzerin war. Seit 1787 befreundet mit dem Jenaer Bibliothekar und späteren Juraprofessor Friedrich Ernst Karl Mereau. Er unterstützte S. M.s literarische Interessen und Arbeiten und stellte die Verbindung zu Schiller her. 1791 Veröffentlichung erster Gedichte in Schillers ›Thalia‹. Er beauftragte sie, Texte der Germaine de Staël zu übersetzen. 1793 Heirat mit Mereau. In ihrem Haus in Jena trafen sich Schiller, Jean Paul, Herder, die Brüder Tieck, Fichte, Schelling, die Brüder Schlegel und Dorothea Mendelssohn. Ein Sohn († 1800), eine Tochter. 1800 Trennung von Mereau (Scheidung 1801) und Umzug nach Camburg. Rege literarische und Herausgebertätigkeit, u. a. der Frauenzeitschrift ›Kalathiskos‹. 1803 Heirat mit dem Schriftsteller Clemens Brentano (1778–1842). Kurze Zeit in Marburg, Jena, seit 1804 in Heidelberg ansässig. Starb bei der Geburt ihres – mit Brentano – dritten Kindes (sämtlich verstorben). Begraben auf dem Armenfriedhof der St. Annenkirche in Heidelberg.

Anerkannte Lyrikerin, Erzählerin, Übersetzerin und Herausgeberin. Eine der ersten dt. »Berufsschriftstellerinnen«. Ihr Werk verbindet klassische Formen mit romantischem Lebensgefühl. Bereits 1794 in ihrem ersten, noch anonym erschienenen Roman, der die politische Gegenwart (Paris der Revolutionszeit) einbezieht, trat sie für das Recht der Frau auf freie Liebeswahl und freie Partnerverbindung ein. 1803, in ihrem zweiten Roman, schilderte sie den Befreiungsversuch einer Frau aus der Konvenienzehe. Begabte Übersetzerin; Boccaccios ›Fiametta‹ wird bis heute in ihrer Übersetzung veröffentlicht.

WERKE: Das Blüthenalter der Empfindung, R. 1794 (N 1982); Marie, E. In: Flora. Deutschlands Töchtern geweiht, 1798; (Mithrsgin.) Kleine Romanbibliothek oder Göttinger Roman-Calender von 1799, 1800 (darin v. S. M.: Elise, E. [anonym]), 1801 (darin v. S. M.: Luise von Richt, E.; Die beiden Freunde, E.); (Hrsgin.) Berlinischer Damen-Kalender für 1800 und 1801; (Hrsgin.) Kalathiskos, 1. Bd. 1801 (darin v. S. M.: Einige kleine Gemälde: Der englische Garten. Das Feuerwerk. Die Reise. Der Frühling; Jugend und Liebe), 2. Bd. 1802 (beide N 1968); Gedichte, 2 Bdchn. 1802; Amanda und Eduard. Ein R. in Briefen, hrsg. v. S. M. In 2 Tl. 1803; (Hrsgin.) Göttinger Musen-Almanach für das Jahr 1803; (Hrsgin.) Bunte Reihe kleiner Schriften, 1805 (darin v. S. M.: Johannes mit dem güldenen Mund. Eine Legende); Rückkehr des Don Fernand de Lara in sein Vaterland. Eine spanische E. In: Taschenbuch für das Jahr 1805, 1805; Gustav und Valérie. Szenen. In: Journal für deutsche Frauen, von deutschen Frauen geschrieben, besorgt von Wieland, Schiller, Rochlitz und Seume, 1805 (anonym); Maria, eine N. In: Taschenbuch der Liebe und Freundschaft, 1805 (anonym); Der Sophie Mereau Gedichte, [Wien und Prag] 1805 (Neuausg. der beiden Gedichtbände) (N u. d. T. Erinnerung und Fantasie, 1982); Die Flucht nach der Hauptstadt, E. In: Taschenbuch für das Jahr 1806, 1806; Julie von Arwian, Eine E. In: Taschenbuch der Grazien, 1806 (anonym).
BRIEFE: R. Boxberger (Hrsg.), Schillers Briefwechsel mit S.M. In: Die Frau im gemeinnützigen Leben, hrsg. v. A. Sohr und M. Loeper, Gera 1889; H. Amelung (Hrsg.), Briefwechsel zwischen Clemens Brentano und S. M., 2 Bd. 1908 ([2]1939); H. Amelung (Hrsg.), Briefe F. Schlegels an C. Brentano und an S. M. In: Zs. für Bücherfreunde, N.F. 5(1913) 1. Hälfte, 183–92; D. v. Gersdorff, Lebe der Liebe und liebe das Leben. Der Briefwechsel von C. Brentano und S. M., 1981; dies., Dich zu lieben kann ich nicht verlernen. Das Leben der S. B-M. 1984 (m. unveröff. Br. u. Tgb.)

ÜBERSETZUNGEN: Nathan. Eine E. aus dem Decameron des Boccaz. In: Schillers Horen, IX. Stück, 1796; Carl von Anjou, König von Neapel. Nach dem Boccaz. In: Schillers Horen, II. Stück, 1797; Briefe der Ninon de Lenclos. In: W. G. Beckers ›Erholungen‹, 1797; Die Prinzessin von Cleves. Frei nach dem Französ. bearb. In: Göttinger Roman-Calender für das Jahr 1799; Der Prinz von Condé. Nach dem Französ., als ein Beitrag zur Sittengeschichte der damaligen Zeit. In: Berliner Damen-Kalender auf das Jahr 1800; Ninon de Lenclos. Nach mehreren französ. Schriftstellern. In: Kalathiskos v. S. M., Bd. 2, 1802; Persische Briefe (von Montesquieu). In: ebda., Bd. 1 u. 2, 1801 u. 1802; Geschichte Aperidons und Astartens. Nach dem Französ. In: ebda., Bd. 2, 1802; Die St. Margarethenhöhle oder Die Nonnenerzählung. Eine alte Legende. Slg. neuer Romane aus dem Englischen, hrsg. v. S. M. (Bd. 1). 3 Bd. 1803; Bruchstücke aus den Briefen und dem Leben von Ninon de Lenclos. In: Journal für deutsche Frauen, von deutschen Frauen geschrieben, besorgt von Wieland, Schiller, Rochlitz und Seume, 1805; Der Mann von vier Weibern. Eine E. Aus dem Engl. In: Bunte Reihe kleiner Schriften v. S. Brentano, 1805; Fiametta, R. Aus dem Italien. des Boccaccio, 1806 (N 1964).

LITERATUR: S. Brentano. In: C.W.O. A.v. Schindel, Schriftstellerinnen des 19. Jh., 1823, 59ff. *Hettner,* S. Brentano, ADB III. *D. Jacoby,* S.M., ADB XXI. *A. Kohut,* S.M. Ein weiblicher Charakterkopf. In: Die Gegenwart, 69(1906) 44. *H. Benzmann,* Zur Erinnerung an S.M. In: Zs. für Bücherfreunde 10(1906/07), 457–61. *O. F. Walzel,* Clemens und Sophie. In: Das lit. Echo 11(1908/09), 1505–10. *B. Ihringer,* C. Brentano und S.M. In: B.I., Sätze und Aufsätze, 1911, 65–75. *Ch. Touaillon,* Der dt. Frauenroman des 18. Jh., 1919, 523–54. *S. Stern,* S.M. In: Die Frau. Monatsschrift für das gesamte Frauenleben unserer Zeit 33(1926), 230–35. *H. Lindow-Willnow,* Frauen der Romantik. In: Die dt. Frau 19(1926) 6, 101ff. *A. Hang,* S.M. in ihren Beziehungen zur Romantik, Diss. Frankfurt 1934. *O. Taxis-Bordogna,* S.M. In: Die Frau 48(1940/41), 327–30. *A. Hofmann,* F. Schiller und S.M. (ein unbekannter Prager Brief Schillers). In: Časopis pro moderni filologii, [Praha] 1957. *W. Migge,* Briefwechsel zwischen A.v. Arnim und S.M. Ein Beitrag zur Charakteristik C. Brentanos. In: E.-Berend-Festgabe, 1958. *H. v. Hofe,* S. M.-Brentano and America. In: Modern Language Notes 75(1960), 427–30. *S. Sudhof,* Neun Briefe an S. Brentano aus den Jahren 1799–1800. In: Fs. für L. Blumenthal, 1968, 413–37. *S. Grack,* Die reizende Kanaille. S.M., Brentanos erster Frau zum 200. Geb. In: Süddt. Ztg. 26(1970) 83, 51. *S. Wirsing,* Aspasia aus Altenberg. Zum 200. Geb. von S.M. C. Brentanos erster Frau. In: Der Tagesspiegel 26(1970) 13, 52. *G. Brinker-Gabler,* S.M. In: G.B.-G., Deutsche Dichterinnen vom 16. Jh. bis zur Gegenwart. Gedichte und Lebensläufe, 1978, 149ff. *S. Weigel,* S.M. 1770–1806. In: H. J. Schultz (Hrsg.), Frauen, Porträts aus zwei Jh., 1981, 20–32. *D. v. Gersdorff,* Dich zu lieben kann ich nicht verlernen. Das Leben der S. Brentano-Mereau, 1984.

Meysenbug, Malvida von (Ps. Verfasserin der ›Memoiren einer Idealistin‹), * 28. 10. (11.) 1816 in Kassel, † 26. 4. 1903 in Rom.
Stammte aus einer hugenottischen Emigrantenfamilie. Ihr Vater war der hessische Hofbeamte Philipp Rivalier von Meysenbug. Ihre Brüder Otto und Wilhelm v. M. waren Staatsminister. Wurde von ihrer Mutter unterrichtet. Zog 1831 mit der Mutter und den jüngeren Geschwistern nach Detmold, während der Vater auf Reisen war. Befreundete sich dort mit dem Schriftsteller Theodor Althaus († 1852). War eine begeisterte Anhängerin der Revolution von 1848. Löste sich in dieser Zeit von ihrer Familie, und zog zuerst nach Hamburg, wo sie an der Frauenhochschule unterrichtete, die jedoch bald darauf aufgelöst wurde. Nahm danach ihren Wohnsitz in Berlin. Wurde 1852 dort ausgewiesen, da ihr Briefwechsel mit im Ausland lebenden Demokraten entdeckt worden war. Ging ins Exil nach London. War dort Erzieherin im Hause des russischen sozialistischen Schriftstellers und Revolutionärs Alexander Herzen. Innige Freundschaft mit dessen Tochter Olga Herzen, später verheiratete Monod. Lebte anschließend in Paris. Befreundete sich dort mit Richard Wagner, dessen »Vorkämpferin« sie wurde. Siedelte 1870 nach Rom über; unternahm von dort aus zahlreiche Reisen. Zu ihrem zeitlebens großen Freundeskreis gehörten u. a. Mazzini, Garibaldi, Minghetti, Romain Rol-

land, Friedrich Nietzsche, Lou → Andreas-Salomé, sowie Gottfried und Johanna → Kinkel. – Schrieb Memoiren, war Erzählerin und Übersetzerin. Trat für die ökonomische Unabhängigkeit der Frau durch eigene Arbeit ein und erstrebte gleiche Rechte und gleiche Bildung für Männer und Frauen.

WERKE: Memoiren einer Idealistin, 3 Bd. 1876 (Bd. 1 erschien 1869 zuerst in franz. Sprache; 1.–3. Aufl. in Deutschland anonym erschienen, [4]1899; Volksausgabe, 1 Bd. 1907); Stimmungsbilder aus dem Vermächtnis einer alten Frau, 1879 (anonym); Phädra, R. 3 Bd. 1885 (von der Verfasserin der ›Memoiren einer Idealistin‹); Erzählungen aus der Legende und Geschichte für die reifere Jugend, 1889; Der Lebensabend einer Idealistin. Nachtrag zu den ›Memoiren einer Idealistin‹, 1898; Individualitäten, Ess. 1901.

VERÖFF. A. D. NACHLASS: Himmlische und irdische Liebe, R., hrsg. v. G. Monod, 1905; Eine Reise nach Ostende, 1905. Briefe von und an M. v. M., hrsg. v. B. Schleicher, 1920; Am Anfang war die Liebe. Briefe an ihre Pflegetochter Olga Herzen, hrsg. v. B. Schleicher, 1926; Märchenfrau und Malerdichter: M. v. M. und Ludwig Sigismund Ruhl: Briefwechsel 1879–1886, hrsg. v. B. Schleicher, 1929; M. v. M. und Romain Rolland: Briefwechsel 1890–1891, hrsg. v. B. Schleicher, 1932; Briefe an Johanna und Gottfried Kinkel 1849–1885, hrsg. v. S. Rossi, 1982.

WERKAUSGABEN: Gesammelte Erzählungen, 1885; Der heilige Michael und andere Erzählungen, 1907; Gesammelte Werke, hrsg. v. B. Schleicher, 5 Bd. 1922; Ein Leben für die anderen. Aus den Memoiren einer Idealistin. Einl. u. bearb. v. A. Sachse, 1953; Memoiren einer Idealistin, hrsg. v. R. Wiggershaus (gek. Fassung), 1984.

ÜBERSETZUNGEN: A. Herzen, Memoiren, 1856; A. Herzen, Gesammelte Erzählungen, 1858.

NACHLASS: Landesbibliothek Weimar; Zentralbibliothek Weimar (Teilnachlaß); Staatsarchiv Detmold (Teilnachlaß); Ak. d. Wiss. der DDR, Berlin (22 Br.); Staatsbibliothek Preußischer Kulturbesitz, Berlin (Br.)

LITERATUR: *E. Heilbronn,* M. v. M. In: Das lit. Echo 1(1898/99). *F. Spiero,* M. v. M. In: Biogr. Jb. 9(1906). *T. Klaiber,* M. v. M. In: T. K., Dichtende Frauen der Gegenwart, 1907. *E. Reicke,* M. v. M., 1911. *B. Schleicher,* M. v. M. Ein Lebensbild zum 100. Geb. der Idealistin, 1916 (erw. Aufl. 1922). *E. Binder,* M. v. M. und F. Nietzsche. Die Entwicklung ihrer Freundschaft mit besonderer Berücksichtigung ihres Verhältnisses zur Stellung der Frau, 1917. *D. Wegele,* Theodor Althaus und M. v. M. Zwei Gestalten des Vormärz, 1927. *A. Blos,* Frauen der deutschen Revolution von 1848, 1928. *G. Vinant,* M. v. M., [Paris] 1932. *M. Silling,* M. v. M. In: Westermanns Monatshefte 77(1932/33). *O. Oster,* M. v. M. In: Sonderbeilage Nr. 17 der Augsburger Postzeitung, 1933. *M. Schwarz,* M. v. M., [Coleman] 1933. *W. Treiber,* M. v. M. und das Erziehungsproblem, Diss. Erlangen 1938. *J. Hennig,* M. v. M. and England. In: Comparative Literature Studies 23/24(1946), 34–46. *B. Schleicher,* M. v. M., 1947. *G. Meyer-Hepner,* M. v. M., 1948. *R. Rolland,* Choix de lettres à M. v. M. Cahiers de R. R. 1. 1890–1903, 1948. *J.-B. Barrère,* R. Rolland et M.: les racines et le souffle. In: French Studies 4(1950). *H. Schneider,* Alexander I. Herzen und M. v. M.: ein Beitr. zur Untersuchung der russ.-dt. lit. Beziehungen in der 2. Hälfte des 19. Jhs., Diss. Marburg 1950. *A. Bergmann,* Die Detmolder Kapitel in den ›Memoiren einer Idealistin‹. In: Lippische Mitt. aus Gesch. und Landeskunde 22(1953), 38–94. *G. Wagner,* M. v. M. In: Sammlung 8(1953), 255–60. *J. Kröll,* M. v. M. In: Archiv für Gesch. von Oberfranken 46(1966), 241–328. *E. Sandow,* M. v. M.-Bibliographie. In: Lippische Mitt. aus Gesch. und Landeskunde 36(1967), 53–64. *G. Wagner,* M. v. M. Eine Betrachtung ihres Lebensbildes anläßlich ihres 150. Geburtstags. In: ebda. 36(1967), 39–53. *U. Linnhoff,* »Zur Freiheit, oh, zur einzig wahren –«. Schreibende Frauen kämpfen um ihre Rechte, 1979. *R. Ashton,* The search for liberty: German exiles in England in the 1850s. In: Journal of European studies.

Chalfont St. Giles 13 (1983), 187–98. *H. G. Schwark* (Hrsg.), Eine Frau gegen ihre Zeit. Das Leben einer Demokratin, 2 Bd. 1984.

Miegel, Agnes, * 9. 3. 1879 in Königsberg, † 27. 10. 1964 in Bad Nenndorf.

Der Vater war Kaufmann. Verbrachte ihre Kindheit in Königsberg. Wurde 1894–96 in einem Weimarer Pensionat erzogen. Hatte ab 1900 Verbindung zum Göttinger Kreis, dem z.B. Börries von Münchhausen und Lulu von → Strauß und Torney angehörten. Veröffentlichte im ›Göttinger Musenalmanach‹ 1901–1905 erste Balladen und Lieder. Studierte ab 1902 an der Clifton High School in Bristol/England, um sich als Lehrerin auszubilden. Unternahm Studienreisen nach Frankreich und Italien. War nach dem Studium zunächst Journalistin in Berlin. Arbeitete 1920–26 als Feuilleton-Leiterin der ›Ostpreußischen Zeitung‹ in Königsberg. Ab 1927 freischaffende Schriftstellerin in Königsberg. Wurde 1933 Mitglied der Deutschen Akademie der Dichtung. Flüchtete 1945 aus Königsberg und hielt sich bis 1946 in einem dänischen Flüchtlingslager auf, danach in Schleswig-Holstein. Nahm ab 1948 ihren Wohnsitz in Bad Nenndorf.

A.M. begann als Lyrikerin, wurde dann berühmt als Meisterin der Ballade. In ihren historischen Balladen thematisiert sie bevorzugt Liebe und Frauenschicksal. Ihre Sagen- und Märchenballaden beschreiben die Verlockung des Menschen (zumeist Frauen) durch Elementarmächte des Wassers und der Erde. Die Lyrik der 30er und 40er Jahre »ist als Ausdruck übersteigerter Heimatliebe gelegentlich (vor allem in ›Ostland‹, 1940) dem völkischen Ungeist nach 1933 verfallen« (G. Niggl). Seit Ende der zwanziger Jahre trat A.M. auch als traditionsgebundene Erzählerin hervor. Ihre zahlreichen Kindheits- und Jugenderinnerungen vermitteln ein verklärtes Bild Ostpreußens vor der Jahrhundertwende.

Erhielt 1916 den Kleist-Preis, 1924 den Ehrendoktor der Universität Königsberg, 1936 den Herder-Preis, 1939 den Königsberger Literaturpreis, 1940 den Frankfurter Goethe-Preis, 1959 den Literaturpreis der Bayerischen Akademie der Schönen Künste, 1957 die Ehrenplakette des Ostdeutschen Kulturrates und 1962 den Westpreußischen Kulturpreis.

WERKE: Gedichte, 1901 (erw. Neuaufl. u.d.T. ›Frühe Gesichte‹, 1939); Balladen und Lieder, 1907; Gedichte und Spiele, 1920; Geschichten aus Alt-Preußen, 1926; Heimat. Lieder und Balladen, 1926; Die schöne Malone, E. 1926; Spiele, 1927; Die Auferstehung des Cyriakus. Die Maar. Das Osterwunder, En. 1928; Kinderland. Heimat- und Jugenderinn., 1930 (umgearb. 1938); Dorothee. Heimgekehrt, En. 1931 (erw. Neuaufl. u.d.T. ›Noras Schicksal‹, En. 1936); Herbstgesang, neue G. 1932; Heinrich Wolff, 1932; Die Fahrt der sieben Ordensbrüder, 1933 (Auszug aus: Geschichten aus Alt-Preußen); Der Geburtstag, E. 1933 (Auszug aus: Geschichten aus Alt-Preußen); Kirchen im Ordensland, G. 1933 (erw. Neuaufl. u.d.T. ›Ordensdome‹, 1941); Der Vater. Drei Blätter eines Lebensbuches, 1933; (Vorw.:) Ostpreußens Bernsteinküste, 1934; Gang in die Dämmerung, En. 1934; (MA:) Die Mutter. Dank des Dichters, 1934; Die Schlacht von Rudau. Eine Szenenfolge, 1934; Weihnachtsspiel, 1934; Memelland. Funk-Dichtung, 1935; (MA:) Der Augenblick, En. 1935; Deutsche Balladen, 1935; (Einl.:) Das alte und das neue Königsberg, 1935 (Neubearb. 1939); Unter hellem Himmel, En. 1936; Kathrinchen kommt nach Hause, En. 1936; Noras Schicksal, En. 1936; Mein Weg zur Ballade. In: Lit.blatt der Kreuz-Ztg., (1936) 239; Audhumla, 1937; Das Bernsteinherz, En. 1937 (N 1963); Und die geduldige Demut der treuesten Freunde ... Nächtliche Stunde mit Büchern, G. 1938; Viktoria, E. 1938; Meine alte Lina, 1938; Werden und Werk, 1938; Frühe Gesichte, G. 1939; Heimgekehrt, E. 1939 (Auszug aus: Noras Schicksal); (MA:) Die Kurische Nehrung, 1939; Ostland, G. 1940; Im Ostwind, En. 1940; Wunderliches Weben, En. 1940; Ordensdome, G. 1941; Die gute Ernte, 1942; Heimgekehrt, 1942; Mein Bernsteinland und meine Stadt, 1944; Ossian, Dr. 1947; Die Blume der Götter, En. 1949; Du aber bleibst in mir, Flüchtlings-G. 1949; Apotheose, Nn. 1949; Der Federball, En. 1951; Die Meinen, Erinn. 1951; Die Quelle und andere Erzählungen, 1958; Truso, En. 1958; Mein Weihnachtsbuch, 1959 (erw. Neuausg. 1981); Heimkehr, En. 1962.

VERÖFF. A. D. NACHLASS: Ein Brief von A.M. an Fritz Blanke, datiert Königsberg 8. August 1931. In: Jb. d. Albertus-Univ. zu Königsberg 13(1963), 326ff.; Gedichte aus dem Nachlaß, hrsg. v. A. Piorreck, ^{2}1979.

WERKAUSGABEN: Gesammelte Gedichte, 1927; Gesammelte Gedichte, 1949; Ausgewählte Gedichte, hrsg. v. H. Günther, 1952; Gesammelte Werke, 7 Bd. 1952–1965; Gedichte, Erzählungen, Erinnerungen, 1965; Gedichte und Prosa, ausgew. v. I. Diederichs, ^{3}1980; Alt-Königsberger Geschichten, 1981; Es war ein Land. G. u. Gesch. aus Ostpreußen, 1983.

NACHLASS: Dt. Lit.archiv/Schiller-Nationalmuseum Marbach.

BIBLIOGRAPHIE: *A. Podlech,* A.M.-Bibliographie, 1973.

LITERATUR: Echo der Zeitungen. Zum 50. Geb. A.M.s. In: Die Literatur 31(1928/29). A.M. Heimat und Vorfahren. In: Die neue Lit., 1931. *R.,* Begegnung mit A.M. In: Völkischer Beobachter vom 13. 12. 1933. *I. Meidinger-Geise,* Dreigestalt der Heimat. Ein Beitr. zum dichterischen Ausdruck A.M.s. In: Muttersprache 64(1954). *R. Meier,* ›Die Bernauerin‹. Die Volksballade und die Kunstballade A.M.s. In: R. Hirschenauer u. A. Weber (Hrsg.), Wege zum Gedicht, Bd. 2 (^{2}1964), 115–21. *I. Seidel,* A.M. zum 60. Geb. 1939. In: I.S., Frau und Wort. Ausgew. Betrachtungen und Aufs., 1965, 60–65. *G. Cwojdrak,* A.M. In: G.C., Lesebuch und Weltbild, 1968. *G. Hartung,* A.M. In: G.H., Faschistische Literatur, Tl. 1, 1968 (Dass. In: Weimarer Beiträge 14(1968) 3). *A.C. Grisson,* A.M. In: A.C.G., Begegnungen mit großen Zeitgenossen, 1969, 23–30. *G. Niggl,* A.M. In: Hdb. der dt. Gegenwartslit., Bd. 2 (^{2}1970), 72–73. *G. Rodger,* ›Maria Stuart‹. An indication of A.M.s originality as a balladwriter. In: Affinities (1971), 270–79. *A. M. Fuhrig,* Die Sprachgestaltung in der erzählenden Prosa A.M.s. Eine Strukturanalyse, Diss. Michigan State Univ. 1972. *M. Wagner,* Die Bedeutung der Erzählperspektive in der Interpretation der M.-Ballade ›Lady Gwen‹. In: Fabula. Zs. f. Erzählforschung 14 (1973). *E. Roß,* A.M. und Joseph Addison. Die Quelle zu A.M.s Ballade ›Die Mär vom Ritter Manuel‹. In: Zs. f. dt. Philologie 99(1980) 4, 590–97. *F. Usinger,* A.M. In: F.U., Miniaturen. Kleine lit. Gedenkbilder, 1980, 108–10. Der 100. Geburtstag. Dokumentation der Feierlichkeiten am 9. und 10. März 1979. Mit dem Festvortrag von *H. Motekat* ›Lichter Traum und dunkle Wirklichkeit. A.M. und die Lit. ihrer Zeit‹ und der Laudatio für Erhard Riemann von O. Häuser, 1980 (Jahresgabe der Agnes-Miegel-Gesellschaft 1980). *H. Jensen,* A.M. und die bildende Kunst, 1982.

Mitterer, Erika, * 30. 3. 1906 in Wien.
Besuchte das Lyzeum und Fachkurse für Volkspflege und war eine Zeitlang Fürsorgerin. Schickte als Achtzehnjährige Gedichte an Rainer Maria Rilke, woraufhin sich ein Briefwechsel entspann, der von 1924 bis 1926 dauerte. Nach 1930 gehörte sie zum Schriftstellerkreis um Heinrich Suso Waldeck, zu dem auch Paula von → Preradović und Paula → Grogger gehörten. Verheiratete Petrowsky; drei Kinder.
Lyrikerin, Dramatikerin und Erzählerin. Ihr Werk ist geprägt durch die Anknüpfung an traditionelle christliche Werte und formal durch konventionelle Formen und Motive. Ihre Lyrik zeigt zunächst den Einfluß Rilkes, aber auch Hofmannsthals und Georges, wendet sich dann zu einer »Neuen Objektivität« (E. Lissauer). In ihrem erzählerischen Werk sieht sie sich selbst in der Tradition ihres Landsmanns Adalbert Stifter »in dem Streben nach Versichtbarung und Aufhellung der Zusammenhänge des Großen mit dem Kleinen ... des Furchtbaren mit dem sanften Gesetz der Harmonie« (Wasser des Lebens, 1953). Zeitgenössische Probleme werden häufig im historischen und mythologischen Rahmen dargestellt, wie z.B. in ihrem ersten Roman ›Der Fürst der Welt‹, in dem sie den Aufstieg der Nationalsozialisten offensichtlich gleichsetzt mit der im Roman dargestellten »Machtergreifung des Bösen« durch die Inquisition. Zentrale Figuren ihrer Erzählungen und Romane, vor allem seit 1945, sind häufig Kinder und junge Leute, mit deren Entwicklung sie eines ihrer Hauptthemen, »Problem und Versprechen der Kontinuität« (J. G. McVeigh) verdeutlicht.

Werke: Dank des Lebens, G. 1930; Charlotte Corday, Dr. 1932; Höhensonne, E. 1933; Gesang der Wandernden, G. 1935; Der Fürst der Welt, R. 1940; Begegnung im Süden, E. 1941; Die Seherin, E. 1942; Wir sind allein, R. zwischen zwei Zeiten, 1945; Zwölf Gedichte 1933–1945, 1946; (MA:) Aus Rainer Maria Rilkes Nachlaß. Briefwechsel in G. mit E.M., 1950; Die nackte Wahrheit, R. 1951; Wasser des Lebens, R. 1953; Kleine Damengröße, R. 1953; Verdunkelung, Schausp. 1958; Tauschzentrale, R. 1958; Weihnacht der Einsamen, En. u. G. 1968; Klopfsignale, G. 1970; Entsühnung des Kain, G. 1974; Alle unsere Spiele, R. 1977, [2]1978; Das verhüllte Kreuz, G. 1985.

Literatur: *E. Lissauer,* Die Lyrikerin E.M. In: Die Literatur 38(1935/36), 450. *W. Kratzer,* E.M.s Klopfsignale. In: Lit. u. Kritik (März 1971) 52, 113. *P. A. Bloch* (Hrsg.), Gegenwartsliteratur. Mittel und Bedingungen ihrer Produktion. Eine Dokumentation, 1975. *J. G. McVeigh,* Continuity as Problem and Promise. E.M.s Writing after 1945. In: Modern Austrian Literature 12(1979) 3/4, 113–26.

Mühlbach, Luise (Ps. f. Clara Mundt, geb. Müller), * 2. 1. 1814 in Neubrandenburg/Mecklenburg, † 26. 9. 1873 in Berlin.

Der Vater war Bürgermeister von Neubrandenburg. Erhielt eine sorgfältige und vielseitige Erziehung. Bildete sich später durch intensive Lektüre sowie durch Reisen in die Schweiz und nach Italien weiter. Fühlte sich besonders den jungdeutschen Autoren verbunden. Schickte erste schriftstellerische Versuche an Theodor Mundt. Trat mit ihm in Briefwechsel, lernte ihn später persönlich kennen und heiratete ihn 1839. Zwei Töchter. Lebte in Berlin, führte einen Salon, der besucht wurde u.a. von Herzog Ernst von Sachsen-Coburg, Prinz Georg von Preußen, Fürst Pückler-Muskau, Fanny → Lewald, Adolf Stahr, Karl Gutzkow. Unternahm nach dem Tod Th. Mundts (1861) viele und weite Reisen. Der Khedive von Ägypten lud sie zur Eröffnung des Suezkanals 1869 ein.

Schrieb Novellen, Reiseberichte und zahlreiche soziale und historische Romane, die zu der gelesensten Unterhaltungsliteratur ihrer Zeit gehörten. Hinter der für sie charakteristischen Abenteuerlichkeit der Handlung verbirgt sich, gerade in den Romanen der 30er und 40er Jahre, Kritik der Konvenienzehe, Forderung erleichterter Scheidung und soziales Engagement für Benachteiligte (R. Möhrmann). Das Leben der ersten englischen Berufsschriftstellerin beschreibt ihr dreibändiger Roman ›Aphra Behn‹ (1849). Das Gesamtwerk L.M.s umfaßt mehr als 250 Bände. Zahlreiche Bücher wurden ins Englische übersetzt und besonders auch in den USA gelesen.

WERKE: Erste und letzte Liebe, R. 1838; Frauenschicksal, 4 En. 1839 (Inhalt: Das Mädchen; Die Gattin; Die Künstlerin; Die Fürstin); Die Pilger der Elbe, 1839; Des Lebens Heiland, R. 1840; Zugvögel, Nn. und Sk. 2 Bd. 1840 (Inhalt: Der Armuth Kind; Reich durch Wind; Naturverirrungen; Bianca; Wanderungen im Süden; Die Verlobte); Novellettenbuch, 1. Tl. 1841; Bunte Welt, 2 Bd. 1841; Glück und Geld, R. 2 Bd. 1842; Der Zögling der Natur, R. 1842; Justin, R. 1843; Nach der Hochzeit, Nn. 1844; Eva. Ein R. aus Berlins Gegenwart, 1844; Gisela, R. 1844; Novellen und Szenen,

1845; Federzeichnungen auf der Reise nach Italien, 1846; Ein Roman in Berlin, 3 Bd. 1846; Hofgeschichten, 1847; Die Tochter einer Kaiserin, R. 2 Bd. 1848; Aphra Behn, R. 3 Bd. 1849; Der Zögling der Gesellschaft, R. 2 Bd. 1850; Johann Gotzkowsky, der Kaufmann von Berlin, R. 3 Bd. 1850 (2. Ausg. u.d.T. Friedrich der Große und sein Kaufmann, 1858); Katharina Parre (König Heinrich VIII., und sein Hof), hist. R. 3 Bd. 1851; Memoiren eines Weltkindes, R. 2 Bd. 1851; Friedrich der Große und sein Hof, R. 3 Bd. 1853; Berlin und Sanssouci oder Friedrich der Große und seine Freunde, R. 4 Bd. 1854; Friedrich der Große und seine Geschwister, R. 6 Bd. 1855; Welt und Bühne, R. 1854; Historisches Bilderbuch, 2 Bd. 1855; Königin Hortense, R. 2 Bd. 1856; Kaiser Josef II. und sein Hof. Hist. R. in 3 Abt., 12 Bd. 1856–1857 (Inhalt: 1. Kaiser Josef und Maria Theresia, 4 Bd.; 2. Kaiser Josef und Marie Antoinette, 4 Bd.; 3. Kaiser Josef als Selbstherrscher, 4 Bd.); Die Pariserin nach der neuesten Mode. Modernes Sittenbild in einem Akt, 1857; Historische Charakterbilder, 4 Bd. 1857–1859 (Inhalt: 1. Der Prinz von Wales; 2. Die Franzosen in Gotha; 3. Die Gräfin du Cayla; Der Prinz von Lamballe; 4. Ein Vormittag Friedrichs II.; Prinzessin Orsini); Napoleon in Deutschland, R. in 4 Abt., 16 Bd. 1858–1859 (Inhalt: 1. Rastatt und Jena; 2. Napoleon und Königin Luise; 3. Napoleon und Blücher; 4. Napoleon und der Wiener Kongreß); Karl II. und sein Hof, R. 3 Bd. [2]1859; Die letzten Lebenstage Katharinas II., R. 1859; Frau Meisterin, R. 2 Bd. 1859; Erzherzog Johann und seine Zeit, 12 Bd. 1859–1863; Berlin vor 15 Jahren, 3 Bd. 1860; Prinzessin Tartaroff oder Die Tochter einer Kaiserin, hist. R. 2 Bd. [2]1860; Der Sohn seiner Zeit, R. 2 Bd. [2]1860; Kaiser Leopold II. und seine Zeit, R. 3 Bd. 1860; Kaiserin Josephine, R. 1861; Franz Rakoczy, R. 2 Bd. 1861; Maria Theresia und der Pandurenoberst Trenck, 4 Bd. 1861–1862; Neues Bilderbuch, 2 Bd. 1862; Historische Lebensbilder, 2 Bd. 1864; Prinz Eugen und seine Zeit, R. 8 Bd. 1864; Federzeichnungen auf der Reise nach der Schweiz, 1864; Der Graf von Benjowsky, R. 4 Bd. 1865; Der große Kurfürst und seine Zeit, R. 11 Bd. 1865–1866; Novellen, 4 Bd. 1865; Kaiserin Claudia, R. 3 Bd. 1867; Marie-Antoinette und ihr Sohn, R. 6 Bd. 1867; Deutschland in Sturm und Drang, R. 17 Bd. 1867–1868; Kaiser Alexander und sein Hof, R. 4 Bd. 1868; Eine Welt des Glanzes, R. 3 Bd. 1868; Geschichtsbilder, hist. Nn. 3 Bd. 1868; Kaiser Ferdinand II. und seine Zeit, R. 5 Bd. 1868–1870; Damen-Almanach, 1869; Von Solferino bis Königgrätz, R. 12 Bd. 1869–1870; Kaiser Josef und sein Landsknecht, R. 4 Bd. 1870; Die Opfer des religiösen Fanatismus, R. 5 Bd. 1870–1871; Kaiserburg und Engelsburg, R. 2 Bd. 1871; Reisebriefe aus Ägypten, 1871; Mehemed Ali und sein Haus, R. 4 Bd. 1871; Mehemed Ali, der morgenländische Bonaparte, R. 4 Bd. 1872; Mehemed Alis Nachfolger, R. 4 Bd. 1872; Der Dreißigjährige Krieg, R. 6 Bd. 1873; Frauenherzen, hist. Nn. 1873; Kaiser Wilhelm und seine Zeitgenossen, R. 1873; Von Königgrätz bis Chiselhurst, R. 3 Bd. 1873–1875; Kaiser Josef und die Näherinnen, R. 1874; Protestantische Jesuiten, R. 6 Bd. 1874.

Veröff. a. d. Nachlass: Erinnerungsblätter aus dem Leben L.M.s, ges. u. hrsg. v. ihrer Tochter Thea Ebersberger, 1902.

Werkausgaben: Kleine Romane, 21 Bd. 1860–1866; Ausgewählte Werke, 1867–1869.

Literatur: *F. Brümmer,* L.M. In: ADB XXIII. *H. Eggert,* Studien zur Wirkungsgeschichte 1850–1875, 1971. *R. Möhrmann,* L.M. In: R.M., Die andere Frau. Emanzipationsansätze dt. Schriftstellerinnen im Vorfeld der Achtundvierziger Revolution, 1977. *L.E. Kurth-Voigt* u. *W.H. McClain,* L.M.'s historical novels: The american reception. In: Internationales Archiv für Sozialgesch. der dt. Lit. 6(1981), 52–77. *Dies.,* Clara Mundts Briefe. Zu L.M.s hist. Romanen. In: Archiv für Gesch. des Buchwesens 22(1981) 4/5, 917–1250.

Müller, Clara, * 5. 2. 1861 in Lenzen bei Belgard/Hinterpommern, † 4. 11. 1905 in Berlin-Wilhelmshagen.

Ihr Vater war der demokratisch gesinnte Pfarrer Wilhelm Müller. Erhielt bis zu ihrem 12. Lebensjahr von ihm Privatunterricht. 1873 Tod des Vaters. Besuchte in Berlin eine Handelsschule und machte dort 1877 das Examen. Lebte danach auf Grund eines körperlichen Leidens wieder jahrelang bei der Mutter in Belgard, wo sie durch Privatstunden Geld verdiente. Zog 1884 nach Kolberg, wo sie zunächst an der Volksschule lehrte. Fand 1889 eine Anstellung in der Redaktion der ›Zeitung für Pommern‹. Arbeitete bei verschiedenen Zeitschriften mit, z. B. bei den sozialdemokratischen Zeitschriften ›Neue Welt‹ und ›Gleichheit‹. Heiratete 1902 den Orientmaler Oskar Jahnke. Widmete sich nach einer Erbschaft ganz ihrer literarischen Tätigkeit. Stand der Arbeiterbewegung nahe. Vorwiegend Lyrikerin. Schildert in ihrem Roman ›Ich bekenne‹ die Erfahrungen einer jungen pommerschen Frau, u. a. als Kontoristin in einer Berliner Fabrik, Liebe, Geburt und Verlust ihres unehelichen Kindes.

WERKE: Die Frauenbewegung, 1897; Mit roten Kressen, G. 1899; Sturmlieder vom Meer, G. 1901; Ich bekenne, R. 1904.

WERKAUSGABEN: Gesammelte Gedichte, hrsg. v. O. Jahnke, 2 Bd. 1907; Gedichte (Gesamtausg.), 1910.

Müller-Gögler, Maria (geb. Gögler, verh. Müller), * 28. 5. 1900 in Leutkirch im Allgäu.

Lebte zunächst in Weingarten. Besuchte höhere Schulen in Ravensburg, Schwäbisch Gmünd und Ulm. Studierte in München und Tübingen und promovierte zum Dr. phil. War danach im Schuldienst tätig. Heiratete 1930 den Handelsschulrat Paul Müller. Lebt seit dem 2. Weltkrieg wieder in Weingarten. – Ihr Werk umfaßt Romane, Novellen, Erzählungen, Gedichte und Laienspiele.

Erhielt den Novellenpreis des Bertelsmann-Verlages (1955), den Kulturpreis der Städte Ravensburg und Weingarten (1978).

WERKE: Die Sternenjungfrau, Laiensp.; Das Bild der Reinheit, Laiensp.; Der weiße Gott, Laiensp.; Die große Stunde, Laiensp. (Alle Laienspiele 1924–1926); Die Magd Juditha, R. 1936 (N 1980 zus. mit Wer gibt mir Flügel); Doris und Herma, R. 1937; Beatrix von Schwaben, R. 1942 (N 1980); Gedichte, 1947; Karl Erb, das Leben eines Sängers, 1948 (N 1980); Die Brautgasse, E. 1948; Die Flucht der Lessandra Fedèle, En. 1949; Ritt in den Tag. Gesch. aus Oberschwaben, 1950; Gedichte, N. F. 1954; Der heimliche Friede, R. 1955 (N 1980 zus. mit Täubchen, ihr Täubchen ...); Gesicht über weißen Blättern. Ein Selbstporträt. In: Welt und Wort 11(1956), 81 f.; Lieder und Gesänge, 1960; Täubchen, ihr Täubchen ..., R. 1963 (N 1980 zus. mit Der heimliche Friede); Wer gibt mir Flügel, R. 1965 (N 1980 zus. mit Die Magd Juditha); Die Truchsessin, R. 1969 (N 1980); Bevor die Stürme kamen.

Gesch. einer Kindheit vor dem 1. Weltkrieg, 1970; Die Frau am Zaun, En. 1970; Hinter blinden Fenstern. Erinn. 1973; Das arme Fräulein. Erinn. 1977; Der Schlüssel. Vergriffene u. neue En. u. Nn., mit einem Nachw. von Martin Walser, 1979; Gedichte, 1980; Der Pavillon, R. 1980; Athalie, R. 1983; Kriegsende in Oberschwaben. Aus einem Tgb. In: Allmende. Eine alemannische Zs. 3 (1983) 2, 1–27; Hanna und das Höhere, R. 1984.
WERKAUSGABEN: Werkausgabe, 9 Bd. u. 1 Beih., 1980.
LITERATUR: M. M.-G. Die Autorin und ihr Werk. Einführung. Stimmen der Freunde. Von M. Walser, J. W. Janker, S. Unseld u.a., 1980 (= Beih. d. Werkausgabe).

Najmájer, Marie von, * 3. 2. 1844 in Budapest, † 25. 7. (8.) 1904 in Aussee (Steiermark).
Einzige Tochter einer Wienerin und des ungar. Hofrates Franz von Najmájer. Lebte seit dem Tod des Vaters (1852) mit der Mutter in Wien, wo sie die deutsche Sprache erlernte. Die Mutter förderte ihre musikalischen und literarischen Neigungen. Grillparzer ermunterte sie zur Herausgabe ihres ersten Gedichtbandes ›Schneeglöckchen‹ (1868). Ohne in der Frauenbewegung aktiv zu sein, setzte sie sich besonders für die alleinstehende, geistig arbeitende Frau ein. Veranlaßte die erste Stipendiumsstiftung für weibliche Studierende an der Universität Wien, stiftete großzügige Summen für den Verein der Schriftstellerinnen und Künstlerinnen und einen Freiplatz an dem ersten Mädchengymnasium Wiens. – Lyrikerin, Epikerin in Vers und Prosa und Dramatikerin.

WERKE: Schneeglöckchen, G. 1868; Gedichte, N.F. 1872; Gürret-ül-Eyn. Ein Bild aus Persiens Neuzeit in 6 Gesängen, Ep. 1874; Gräfin Ebba. Eine Dichtung, Ep. 1877; Eine Schwedenkönigin, hist. R. 2 Bd. 1882; Johannisfeuer. Eine Dichtung, Ep. 1888; Neue Gedichte, 1890; Hildegund, bürgerl. Trauersp. 1899; Der Stern von Navarra, hist. R. 2 Bd. 1900; Der Göttin Eigentum, G. 1900; Kaiser Julian, Trauersp. in 5 Akten, 1903.
VERÖFF. A. D. NACHLASS: Nachgelassene Gedichte, 1905; Dramatischer Nachlaß, 1907 (Inhalt: Hildegund; Ännchen von Tharau; Der Goldschuh).
LITERATUR: *H. Gross,* M.v.N. In: H.G., Deutschlands Dichterinnen und Schriftstellerinnen, [2]1882, 161f. *K. Schrattenthal,* Die deutsche Frauenlyrik unserer Tage. Mitgabe für Frauen und Töchter gebildeter Stände, 1892, 82–86. *G. Brinker-Gabler,* M.v.N. In: G. B.-G. (Hrsgin.), Dt. Dichterinnen vom 16. Jh. bis zur Gegenwart, 1978, 225ff.

Nathusius, Marie, * 10. 3. 1817 in Magdeburg, † 22. 12. 1857 in Neinstedt (Harz).
Der Vater Friedrich Scheele war Superintendent. Verbrachte ihre Kindheit in Kalbe an der Saale. Erhielt eine dürftige Schulbildung. Begleitete ihren Vater häufig auf seinen Visitationsreisen in die umliegenden Ortschaften. Zog 1834 zu ihrem Bruder nach Magdeburg, 1835 mit diesem nach Eikendorf, um dessen Haushalt zu führen und die Erziehung seiner Pflegekinder zu übernehmen. Heiratete im März 1841 den Fabrikanten und Publizisten Philipp E. Nathusius. Das Ehepaar bereiste die Provence, Italien und die Schweiz. Lebte dann in Althaldensleben. Hier gründete M.N. eine »Kinderverwahranstalt«, einen Frauenverein für die Ortskrankenpflege, »Rettungshäuser« für Jungen und Mädchen und eine »Mädchenarbeitsschule«. 1849 besuchte sie mit ihrem Mann Paris und bereiste England. Nach einem halbjährigen Aufenthalt in Giebichenstein bei Halle zog das Ehepaar 1850 auf das neuerworbene Gut Neinstedt bei Thale im Harz. Hier gründete M.N. ein neues »Knabenrettungs- und Bruderhaus«.
Volkstümliche Erzählerin. Veröffentlichte erste Erzählungen für Kinder im ›Volksblatt für Stadt und Land‹, das ihr Mann 1849 als Herausgeber und Redakteur übernommen hatte; danach zahlreiche »religiös-moralisch belehrende, doch aus guter Menschenbeobachtung und mit feinem Humor geschriebene Familien- und Jugenderzählungen« (M. Dierks). In ihren ›Rückerinnerungen aus einem Mädchenleben‹ (1855) verbindet sie Autobiographisches und Zeitgeschichtliches und schildert Eindrücke aus den politisch bewegten 40er Jahren. Hohe Auflagen erreichte ihr 1854 zunächst anonym erschienenes ›Tagebuch eines armen Fräuleins‹ und schließlich ›Elisabeth. Eine Geschichte, die nicht mit der Heirat schließt‹ (1858), ihr größter Erfolg, den sie selbst nicht mehr miterlebte. Auch Liederkomponistin (u.a. ›Alle Vögel sind schon da‹, postum 1865).

WERKE: Tagebuch eines armen Fräuleins, abgedruckt zur Unterhaltung und Belehrung junger Mädchen, 1854, ^{14}1886; Langenstein und Boblingen, 1855, ^{16}1888; Rückerinnerungen aus einem Mädchenleben, 1855; Die alte Jungfer, 1857; Erzählungen einer Großmutter. Abdruck aus dem Töchter-Album, 1858; Elisabeth. Eine Gesch., die nicht mit der Heirat schließt, 1858, ^{14}1886; Dorf- und Stadtgesch. 1858.
VERÖFF. A. D. NACHLASS: Hundert Lieder, geistlich und weltlich, ernsthaft und fröhlich, in Melodien von M.N. und mit Klavierbegleitung, 1865.
WERKAUSGABEN: Kleine Erzählungen, 2 Bd. 1859; Gesammelte Schriften, 15 Bd. 1858–1869 [Inhalt: 1. Dorf- und Stadtgeschichten (daraus einzeln: Lo-

renz der Freigemeindler; Marie; Ringet danach, daß ihr stille seid und das Eure schafft; Martha, die Stiefmutter; Vater, Sohn und Enkel; Die beiden Pfarrhäuser; Der neue Schulmeister); 2. Die Geschichten von Christfried und Julchen; 3.–4. Kleine Erzählungen (daraus einzeln: Balster Meier bei den Franzosen; Bilder aus der Kinderwelt; Christian der Vogelsteller; Das Rektorat; David Blume; Der armen Witwe Weihnachtsreise; Der Bankerott; Der Wolkenbruch; Das Baregekleid; Der kleine Kurrendejunge; Der kleine Regimentstrompeter; Der Turmwart von Weißlingen; Der Sonntag, eine Schule des Himmels; Die dumme Anne; Die beiden Tannenbäume; Die Botenfrau; Die Kassette; Wo wächst der Glücksbaum; Die Gebirgsreise; Die Kammerjungfer; Mutter und Kind; Tante Sofie; Verloren und wiedergefunden); 5. Tagebuch eines armen Fräuleins; Joachim von Kamern; Ein Lebenslauf; Rückerinnerungen aus einem Mädchenleben; 6. Langenstein und Boblingen; 7. Die alte Jungfer; Der Vormund; 8.–9. Elisabeth. Eine Geschichte, die nicht mit der Heirat schließt; 10.–12. Nachträge: Tagebuch einer Reise nach der Provence, Italien und der Schweiz; Familienskizzen; Herr und Kammerdiener; Reisebrief aus Frankreich, England und Schottland; 13.–15. Lebensbild der heimgegangenen Marie Nathusius]; Ausgewählte Erzählungen, 3 Bd. 1889; Ausgewählte Schriften, 10 Bd. 1889.

Literatur: *P. Nathusius,* Lebensbild der heimgegangenen M.N. Für ihre Freunde nah und fern. Samt Mitt. aus ihren noch übrigen Schriften, Bd. 1–3, 1867–1869. *H. Gross,* M.v.N. In: H.G., Deutschlands Dichterinnen und Schriftstellerinnen, [2]1882. *F. Brümmer,* M. und Philipp N. In: ADB XXIII. vgl. auch *H.v. Fallersleben,* Mein Leben, 1886 [darin zu M.N.]. *E. Gründler,* M.N. Ein Lebensbild, 1894 ([2]1909). *M. Dierks,* M.N. In: Lex. der Kinder- und Jugendlit. Bd. 2, 1977, 253f.

Nelken, Dinah (eigentl. Bernhardina), * 16. 5. 1900 in Berlin.

Der Vater war Schauspieler. D.N. besuchte ein Lyzeum; bildete sich autodidaktisch weiter. Schrieb bis 1933 hauptsächlich Feuilletons, Kurzgeschichten und Filmszenarien. Emigrierte mit ihrem späteren Mann und damaligen Lebensgefährten Ohlenmacher 1936 nach Wien, wo sie zahlreiche Filmdrehbücher schrieb. Lebte nach Hitlers Einmarsch in Österreich auf der dalmat. Insel Korčula, die seit 1941 von ital. Truppen besetzt war. 1943 gelang es ihr, die Insel zu verlassen. Wohnte zunächst in Arona am Lago Maggiore, bis Hitlertruppen nach dem Sturz Mussolinis in Nord- und Mittelitalien einmarschierten. Floh nach Mailand, einige Wochen später nach Rom, wo sie sich verstecken konnte, bis 7 Monate später die Alliierten kamen. 1950 kehrte sie mit ihrem Mann nach West-Berlin zurück.

D.N. wurde als unterhaltsame Erzählerin bekannt. Ihr 1938 erschienener Roman ›ich an dich‹ erreichte bisher eine halbe Million Auflage. D.N. ist auch Film-, Fernseh- und Funkautorin, schreibt Essays und Lyrik. Gesellschaftskritische und antifaschistische Haltung prägen vor allem ihre jüngeren Werke.

Sie erhielt zahlreiche Preise, u.a. VS (1920), P.E.N. (1954), Literaturpreis des Ministers für Kultur, DDR (1954).

WERKE: Die Erwachenden, R. 1925; Eineinhalb-Zimmer-Wohnung, R. 1932 (1933); ich an dich, R. 1938 (verfilmt u.d.T. Eine Frau wie du, 1939) (N 1965); ich an mich. Ein Tgb., R. 1951 (verfilmt u.d.T. Tagebuch einer Verliebten, 1952); Caprifuoco (Caprifucco), Hörsp. 1958 (als Fernsehsp. u.d.T. Engel küssen keine fremden Herren, 1959; Bühnenfassung u.d.T. Der Engel mit dem Schießgewehr); Spring über deinen Schatten, spring!, R. 1954 (N u.d.T. Geständnis einer Leidenschaft, 1962) (N 1983); Addio Amore, R. 1957 (N 1985); Von ganzem Herzen. Ein heiter-ironischer R., 1964 (N 1981); Das angstvolle Heldenleben einer gewissen Fleur Lafontaine, R. 1971 (N 1983); Die ganze Zeit meines Lebens. Gesch., G., Ber., 1977 (N 1983); Lyrischer Lebenslauf einer dichtenden Dame, R. [im Druck?]
WEITERE FILMDREHBÜCHER: Das Abenteuer geht weiter; Stärker als Paragraphen; Mutter; Der junge Graf; Hilde Petersen postlagernd; Liebe ohne Illusion; Corinna Schmidt, 1953 (Drehbuch nach Theodor Fontane: ›Frau Jenny Treibel‹); Fleur Lafontaine.

LITERATUR: *H. W.-St.*, Eine Frau im Jugoslawischen Freiheitskampf. In: Die Buchbesprechung [Leipzig, Berlin] 8(1956). *W. Joho,* Echtes Gefühl und falscher Glanz. In: NDL 10(1956). *L. Schmidt-Renny,* D.N. ›Spring über deinen Schatten, spring!‹ In: Die Nation 8(1956). *K.B.,* Italien – kein Traum. In: Neues Deutschland. Zentralorgan der SED, Beil. (1959) 92. *P. Günnel,* D.N. ›addio amore‹. In: Der Bibliothekar [Leipzig] (1959) 6. *R. Christ,* [zu: Von ganzem Herzen]. In: Der Nationale Demokrat (1965) 3. *W.E.,* Ernstes und Heiteres im angstvollen Heldenleben [zu: Fleur Lafontaine]. In: National-Ztg. (1971) 116. *W. Eichler,* Glanz und Elend der Fleur Lafontaine. In: ebda. (1971) 143. *C. Rotzoll,* Leicht, nicht leer [zu: Fleur Lafontaine]. In: ebda. (1971) 65. *K. Geitel,* Aufstieg aus dem Fahrradkeller [zu: Fleur Lafontaine]. In: Die Welt vom 27. 1. 1972. In der Emigration: D.N. In: *Gerda Szepansky,* Frauen leisten Widerstand 1933–1945, 1983, 242–49.

Niese, Charlotte (Ps. Lucian Bürger), * 7. 6. 1851(1854) in Burg/Fehmarn, † 8. 12. 1935 in Altona-Ottensen.

Ein Bruder war der klassische Philologe Benediktus Niese. Der Vater war Kompastor in Burg auf der Ostseeinsel Fehmarn, seit 1862 Pastor in Rieseby und seit 1865 Seminar-Direktor in Eckernförde. An diesen Orten verbrachte Ch.N. ihre Kindheit. Siedelte 1869 nach Altona über. Bestand ihr Lehrerinnenexamen in Schleswig und unterrichtete in mehreren Familien in Nordschleswig, in der Rheinprovinz und in Ascheberg. Zog 1881 zu ihrer Mutter nach Plön, wo sie als freie Schriftstellerin lebte. Unternahm größere Reisen nach Italien und in die Schweiz. Lebte zwei Jahre bei ihrem ältesten Bruder in den USA; seit 1888 in Ottensen bei Altona.

Schrieb zahlreiche Romane und Erzählungen »mit zumeist kulturhistorischem Hintergrund ›für das Volk‹, mit denen sie eine moralische und religiös akzentuierte, doch nicht sehr anspruchsvolle Unterhaltungslektüre bot« (M. Dierks). Auch Jugendbuch-, vor allem Mädchenbuchautorin. Ein großer Erfolg wurde ihre Erzählung ›Das Lagerkind‹, in dem sie, in Anlehnung an Grimmelshausens ›Simplicissimus‹, die Geschichte eines weiblichen Findelkinds erzählt, das im Troß der Heere des Dreißigjährigen Krieges aufwächst und schließlich zur adligen Familie zurückfindet.

Werke: (u.d.N. Lucian Bürger) Cajus Rungholt. R. aus dem 17.Jh., 1886; Philipp Reiff's Schicksale. E. aus dem 16.Jh., 1886; Auf halb verwischten Spuren. Eine Familiengesch., 1888; (u.d.N. Charlotte Niese) Erzählungen für das Volk, 1890; (u.d.N. Lucian Bürger) Bilder und Skizzen aus Amerika, 1891; (u.d.N. Charlotte Niese) Aus dänischer Zeit. Bilder und Sk., 2 Bd. 1892–1894; Eine von den Jüngsten. E. für junge Mädchen, 1893; Die Allerjüngste. E. für junge Mädchen, 1895; Licht und Schatten. Eine Hamburger Gesch., 1895; Erika. Aus dem Leben einer einzigen Tochter, 1896; Geschichten aus Holstein, 1896; Die braune Marenz und andere Geschichten, 1896; Das Dreigespann. E. für junge Mädchen, 1898; Auf der Heide, R. 1898; Der Erbe, E. 1899; Vergangenheit. E. aus der Emigrantenzeit, 1902; Die Klabunkerstraße, R. 1904; Meister Ludwigsen. Herrn Meiers Hund, 2 En. 1904; Philipp Reiff's Schicksale und andere Geschichten. En. für das Volk, 1904; Gottes Wege. E. für das Volk, 1904; Georg, 1905; Revenstorfs Tochter und andere Erzählungen, 1905; Um die Weihnachtszeit, 1905; Auf Sandberghof, R. 1906; Fünf ausgewählte Erzählungen, 1907; Leute von Abseits. Kleine Gesch., 1907; Menschen Frühling, E. 1907; Der goldene Schmetterling. Lena Suhrs Tassenschrank, 1907; Sommerzeit, E. 1907; Aus dem Jugendland, En. 1908; Reifezeit, E. 1908; Minette von Söhlenthal, R. 1909; Was Michel Schneidewind als Junge erlebte, 1909; Römische Pilger, R. 1910; Mein Freund Kaspar und andere Erzählungen, 1911; Allerhand Sommergäste und andere Erzählungen, 1911; Aus schweren Tagen. Aus Hamburgs Franzosenzeit, 1911; Die Alten und die Jungen, R. 1912; Gäste und Fremdlinge und andere Erzählungen, 1912; Allzumal Sünder, R. 1912; Unter dem Joch des Korsen. Volksstück in fünf Aufzügen, 1913; Das Tagebuch der Ottony von Kelchberg, R. 1913; Der faule Tito. Eine Gesch. aus Amerika, 1913; Der verrückte Flinsheim und zwei andere Novellen, 1914; Die Hexe von Mayen, R. 1914; Das Lagerkind. Gesch. aus dem dt. Krieg, 1914; Barbarentöchter. Gesch. aus der Zeit des Weltkrieges für die weibliche Jugend, 1915; Von denen, die daheim geblieben, E. 1915; Als der Mond in Dorothees Zimmer schien, E. 1918; Damals!, R. 1919; Ein zerschlagenes Herz und andere Geschichten. En. für das Volk, 1919; Vom Kavalier und seiner Nichte. Gesch. eines Frauenlebens, 1919; Allerlei Schicksale. Aus der Emigrantenzeit, 1919; Tante Ida und die anderen, R. 1919; (MA:) Die falschen Weihnachtsbäume, 2 Weihnachtsgesch. 1920; Tilo Brand und seine Zeit, R. 1922; Am Gartenweg. Eine Gesch. von klugen und törichten Menschen, 1922; Alte und junge Liebe. Aus den Tagen des verrückten Rex, R. 1922; Um die Weihnachtszeit und andere Erzählungen, 1923; Von Gestern und Vorgestern. Lebenserinn. 1924; Der feine Hansjakob Karrel und sein Freund. Der Teepott, 1924; Er und sie und andere Novellen, 1925; Friede auf Erden. Allerlei Gedanken über Geschenke und übers Schenken, 1925; Erst du – dann ich, E. 1926; Die Reise der Gräfin Sibylle, R. 1926; Der Orgelpeter. Eine Weihnachtsgeschichte. Der Christbaum, 1926; Weihnachtswunder. Eine Weihnachtgesch. 1926; Schloß Emkendorf. Schleswig-holsteiner R. aus dem 18. und 19.Jh., 1928; Johnys Regenschirm. Mein Klaus, 1931; Die Seeräuberburg. Es war gut so, En. 1933; Um Haus Wildegg, 1935; Alles um deinetwillen, 1939; Endlich heimgefunden, 1939; Geheimnis um Helga, 1939.

Werkausgaben: Romane und Erzählungen, 8 Bd. 1922.

Nachlass: Staats- und Universitätsbibliothek Hamburg (Nachlaß-Rest, Teile in der Deutschen Staatsbibliothek Berlin/DDR, übriger Nachlaß im 2. Weltkrieg verschollen).

Literatur: *H. Krüger-Westend,* Ch.N., 1906. *E. Kammerhof,* Ch.N., 1910. *F. Castell,* Ch.N., 1914. *G.J. Petersen,* Ch.N. In: Köln. Ztg. (1934) [1924?] 279. *M. Dierks,* Ch.N. In: Lex. der Kinder- und Jugendlit., Bd. 2, 1977, 557f.

Nostitz, Helene von, * 18. 11. 1878 in Berlin, † 17. 7. 1944 in Bassenheim bei Koblenz.

Ihr Vater war der Generalmajor Conrad von Beneckendorff und von Hindenburg. Verbrachte ihre Jugend bei ihrem Großvater, dem deutschen Botschafter Fürst Münster, in Paris. Heiratete den sächsischen Minister Alfred von Nostitz-Wallwitz. Kehrte häufig nach Paris zurück (zuletzt im Winter 1943).

Essayistin und Memoirenschreiberin. Beschrieb die »alte« Welt des europ. Hochadels und die der neuen geistigen Aristokratie, zu deren Repräsentanten sie Künstler wie Rodin und Rilke zählte.

WERKE: Aus dem alten Europa. Menschen und Städte, 1924 (N 1982); Rodin in Gesprächen und Briefen, 1927; Potsdam, 1930; Talks with Rodin, 1932; Hindenburg at home, 1932; Aus dem alten Berlin, 1935; Berlin, Erinnerungen und Gegenwart, 1938; (MA:) Lettres d'Abano, 1939; Festliches Dresden. Die Stadt Augusts des Starken, 1941; (Hrsgin.) Auguste Rodin, Br. an zwei dt. Frauen, o.J.
BRIEFE: H.v. Hofmannsthal [u.] H.v.N., Briefwechsel, hrsg. v. O.v. Nostitz, 1965; R. M. Rilke, H.v.N., Briefwechsel, hrsg. v. O.v. Nostitz, 1976.
LITERATUR: *M. Krammer,* H.v.N. In: Berliner Hefte für geistiges Leben 3(1948), 395ff. *B. E. Werner,* Aus dem alten Europa. In: Rhein-Neckar-Ztg. (1948) 147. *L. Curtius,* Erinnerung an H.v.N. In: Torso. Verstreute und nachgelassene Schriften, 1957. *J. v. Dissow,* Adel im Übergang, 1961. *H. Graf Kessler,* Tagebücher 1918–1937, 1961. *O. v. Nostitz,* Das Gespräch zwischen Hofmannsthal und H.v.N. Zu zwei neuaufgefundenen Schriftstücken. In: Hofmannsthal-Blätter (1970) 5, 328–35. *W. Liersch,* Das Ereignis der Saison [Rilke 1913 in Heiligendamm bei H.v.N.]. In: NDL 29(1981) 11, 159ff.

Otto, Louise (Ps. Otto Stern), * 26. 3. 1819 in Meißen, † 13. 3. 1895 in Leipzig.

Tochter der Charlotte geb. Matthäi (Tochter eines Porzellanmalers) und des Gerichtsdirektors Fürchtegott W. Otto. L. O. war die jüngste von vier Schwestern. Wurde zunächst von einem Hauslehrer unterrichtet, ab dem 9. Lebensjahr Besuch einer Schule. Nach Tod der Eltern zog sie 1836 mit einer Tante und zwei Schwestern auf eine Weinbergbesitzung am Baderberg an der Elbe. Bildete sich dort durch intensive Lektüre und vielfältige Studien weiter. Verlobte sich 1840 mit dem Advokaten Gustav Müller († 1841) in Dresden. Begann ihre schriftstellerische Tätigkeit (Gedichte), wurde Mitarbeiterin der Zeitschriften ›Unser Planet‹ (Ps. Otto Stern) und der ›Sächsischen Vaterlandsblätter‹. Bereits ihre ersten Romane zeigen Interesse für die Arbeiter- und Frauenfrage. Schloß sich der demokratischen Bewegung an. Veröffentlichte 1848 Beiträge in der ›Leipziger Arbeiterzeitung‹, u.a. die ›Adresse eines deutschen Mädchens‹. Gründete 1849 die erste ›Frauen-Zeitung für höhere weibliche Interessen‹ (eingestellt 1852). Danach vor allem historische Studien und Schriften. 1851 Verlobung im Gefängnis Bruchsal mit dem dort inhaftierten August Pe-

ters (Teilnehmer am Badischen Aufstand); 1858 Heirat; seit 1860 mit ihm wohnhaft in Leipzig. 1865 gründete L. O. dort einen Frauenbildungsverein und die erste Fortbildungsschule für Mädchen. Im gleichen Jahr Teilnahme an der ersten »Frauen-Konferenz« in Leipzig und der Gründung des Allgemeinen Deutschen Frauenvereins, dessen 1. Vorsitzende L.O. wurde. Mitherausgeberin des Vereinsorgans ›Neue Bahnen‹, das sie bis zu ihrem Todesjahr 1895 redigierte. Ungewöhnlich reges Engagement innerhalb der (bürgerlichen) Frauenbewegung und auch weiterhin schriftstellerische Tätigkeit. 1901 wurde ihr in Leipzig ein Denkmal gesetzt.
L. O.s umfangreiches Werk umfaßt Romane, Novellen, Erzählungen, Gedichte, Opernlibretti, historische Schriften, zahlreiche Beiträge zur Frauenfrage und -geschichte. In ihren frühen, in der Vormärz-Zeit veröffentlichten Tenzdenzromanen setzt sie sich kritisch mit gesellschaftlichen Problemen auseinander. Ihr Roman ›Schloß und Fabrik‹ (1846) konnte erst nach einigen von der Zensur verlangten Änderungen erscheinen. Während der Zeit der Reaktion, den 50er und 60er Jahren, entstanden ihre »besten Romane«: »die historischen ›Nürnberg‹-Romane von 1859 bis 1861 mit ihrem sorgfältig erforschten geschichtlichen Kolorit« (R. Boetcher Joeres). Besondere Aufmerksamkeit verdienen darin ihre Frauengestalten: mit Bildung und Verstand, Freiheitsliebe und Selbständigkeit.

Werke: Ludwig, der Kellner, R. 2 Bd. 1843; Kathinka, R. 2. Bd. 1844; Die Freunde, R. 3 Bd. 1845; Aus der neuen Zeit, Nn. 1845; Schloß und Fabrik, R. 3 Bd. 1846; Römisch und Deutsch, R. 4 Bd. 1847 ([2]u.d.T. Rom in Deutschland, 1872); Lieder eines deutschen Mädchens, G. 1847; Adresse eines deutschen Mädchens, 1848; Ein Bauernsohn. Eine E. für das Volk aus der neuesten Zeit, 1849; Westwärts, G. 1849; Buchenhain, R. 1851; Jesuiten und Pietisten oder Cäcilie Telville, R. 3 Bd. 1852; Die Kunst und unsere Zeit, 1852; Die Nibelungen, Operntext 1852; (Hrsgin.) Frauen-Zeitung für höhere weibliche Interessen, 1849–1850; Vier Geschwister, R. 2 Bd. 1852; Zwei Generationen, R. 1856; Andreas Halm, R. 3 Bd. 1856; Eine Grafenkrone, R. 3 Bd. 1857; Heimische und Fremde, R. 3 Bd. 1858; Nürnberg, R. 3 Bd. 1859; Die Erben von Schloß Ehrenfels, R. 3 Bd. 1860; Aus der alten Zeit, hist. En. 2 Bd. 1860; Die Mission der Kunst mit besonderer Berücksichtigung auf die Gegenwart, 1861; Die Schultheißentöchter von Nürnberg, R. 3 Bd. 1861; Kunst und Künstlerleben, Nn. 1863; Mädchenbilder aus der Gegenwart, Nn. 1864 (Inhalt: Sidonie; Eine Concertsängerin; Ein Mädchen aus dem Gebirge; Die Spitzenklöpplerin); Neue Bahnen, R. 1864; Nebeneinander, N. 1864; Das Recht der Frauen auf Erwerb, 1866; Zerstörter Friede, R. 1866; Theodor Körner, Operntext 1867; Drei verhängnisvolle Jahre, R. 2 Bd. 1867;

Die Idealisten, R. 4 Bd. 1867; Die Dioskuren, R. 1868; Rittersporn, N. 1868; Gedichte, 1868; Privatgeschichten der Weltgeschichte, 6 Bd. 1868–1872 (Inhalt: 1. Geschichte mediatis deutscher Fürstenhäuser; 2. Merkwürdige und geheimnisvolle Frauen; 3. Geistliche Fürsten und Herren Deutschlands bis zur Säkularisation; 4. Einflußreiche Frauen aus dem Volke; 5. Neufranzösisches und Altdeutsches; 6. Seltene Charaktere aus deutschen Adelsgeschlechtern); Der Genius des Hauses, 1869 (Inhalt: Der Genius des Hauses; Ein liebendes Herz; Idealismus und Realismus; Das Streben nach Schönheit, Dilettantismus und Kunstbegeisterung; Bücher; Geselligkeit und Einsamkeit; Die Familie; Die Jungfrau; Die Braut; Die Gattin; Die Mutter; Die Dienerin; Die Alleinstehenden); Victoria regia, N. 1869; Aus der Börsenwelt, N. 1869; Der Genius der Menschheit. Frauenwirken im Dienste der Humanität. Eine Gabe für Mädchen und Frauen, 1870; Der Genius der Natur, 1870; Musiker-Leiden und Freuden, 3 Nn. 1871; Deutsche Wunden, R. 4 Bd. 1872; Die Stiftsherren von Straßburg, R. 2 Bd. 1872; Rom in Deutschland, R. 3 Bd. 1873; Zwischen den Bergen, En. 2 Bd. 1873; Weihe des Lebens. Andachtsbuch, 1873; Ein bedenkliches Geheimnis, E. 1875; Frauenleben im Deutschen Reich, 1876: Einige deutsche Gesetz-Paragraphen über die Stellung der Frau, 1876; (u. d. N. Louise Otto-Peters) Aus vier Jahrhunderten, hist. En. 2 Bd. 1883 ([2] u. d. T. Zwei geistliche Kurfürsten aus dem 16. Jahrhundert, 1889); Gräfin Lauretta, hist. E. 1884; Die Nachtigall von Werawag, R. 4 Bd. 1887; Das erste Vierteljahrhundert des Allgemeinen Deutschen Frauenvereins, 1890; Mein Lebensgang, G. aus 5 Jahrzehnten, 1893.

BIBLIOGRAPHIEN: L. O.-P.-Bibliographie. Bibliographische Kalenderblätter der Berliner Stadtbibliothek, F. 3, 1969. *R. Boetcher Joeres* (Hrsgin.), Die Anfänge der dt. Frauenbewegung: L. O.-P., 1983.

LITERATUR: *P. A. Korn* (Hrsg.), Die erste deutsche Frauen-Konferenz in Leipzig. Erste Versammlung den 15. Oktober 1865, 1865. *H. Goldschmidt,* Vortrag, gehalten im Frauenbildungsverein zu Leipzig am 15. Juni 1868 zum 25jährigen Schriftstellerjubiläum der Frau L. O.-P., 1868. *F. v. D.,* Die Frauenbewegung in Deutschland. In: Die Gartenlaube 49 (1871), 817ff. *H. Groß,* L. O.-P. In: H. G., Deutschlands Dichterinnen und Schriftstellerinnen, [2]1882, 189f. *Ders.,* L. O.-P. In: H. G. (Hrsg.), Dt. Dichterinnen und Schriftstellerinnen in Wort und Bild, Bd. 2, 1885, 159–67. *L. Ramann,* L. O.-P., zu ihrem 70. Geburtstage. In: Neue Zs. für Musik vom 27. 2. 1889, 98ff. *L. Morgenstern,* L. O.-P. In: L. M., Die Frauen des 19. Jh.s. Biogr. und kulturhist. Zeit- und Charaktergemälde, Bd. 3, 1891, 41–48. *Dies.,* Frauenarbeit in Deutschland, 1893. *L. v. Gizycki,* Aus der Frauenbewegung. In: Frauenbewegung vom 1. 4. 1895, 54. *G. D.,* Die Begründerin des Allgemeinen Deutschen Frauenvereins. In: Der Bazar vom 16. 4. 1895, 179. *A. Leicht,* Lebensläufe verdienter Meißner: 6. L. O.-P. In: Mitt. des Vereins für Gesch. der Stadt Meißen 4 (1896) 2, 242–71. *A. Schmidt* u. *H. Rösch,* L. O.-P. Die Dichterin und Vorkämpferin für Frauenrecht. Ein Lebensbild, 1898. *I. Freudenberg,* Wie die Frauenbewegung entstanden und gewachsen ist. Vortrag, gehalten im Verein Frauenheil, 1899.

L. Fränkel, L. O.-P. In: ADB LII. *G. Bäumer* u. *H. Lange* (Hrsginnen.), Handbuch der Frauenbewegung. 1. Teil: Die Geschichte der Frauenbewegung in den Kulturländern, 1901. *A. Blos,* Aus den Anfängen der Frauenbewegung. In: Die Gleichheit vom 11. 11. 1907, 197f. u. vom 25. 11. 1907, 208. *Dies.,* L. O.-P. In: A. B., Frauen der deutschen Revolution 1848. Zehn Lebensbilder, o. J., 9–15. *A. Plothow,* Die Begründerinnen der deutschen Frauenbewegung, 1907. *H. Lange,* L. O.-P. Ein Gedenkblatt zum 100. Geb. In: Die Frau 26 (1919) 6, 169f. *J. B. Semmig,* Die Wege eines Deutschen. Ein Zeit- und Lebensbild, 1921. *F. Magnus-Hansen,* Ziel und Weg in der deutschen Frauenbewegung des 19. Jh.s. In: P. Wentzcke (Hrsg.), Deutscher Staat und deutsche Parteien. Friedrich Meinecke Fs., 1922, 201–26. *A. Gosche,* Die organisierte Frauenbewegung. 1. Teil: Bis zur Gründung des Bundes deutscher Frauenvereine 1894, 1927, 5f. u. 9f. *H. Lange,* L. O.-P. und die erste deutsche Frauenzeitung, 1927. *Dies.,* L. O.-P. In: H. L., Kampfzeiten. Aufsätze und Reden aus vier Jahrzehn-

ten., Bd. 2, 1928, 192–98. *E. Wex,* Staatsbürgerliche Arbeit deutscher Frauen 1865–1928, 1929, 13–17. *E. Underberg* (Hrsgin.), Die Dichtung der ersten deutschen Revolution 1848–1849, 1930, 66ff. *A. Salomon,* L. O.-P. In: A.S., Heroische Frauen. Lebensbilder sozialer Führerinnen, 1936, 223–60. *G. Bäumer,* L. O.-P. In: G. B., Gestalt und Wandel, 1939, 312–48.
S. Sieber, Ein Romantiker wird Revolutionär. Lebensgeschichte des Freiheitskämpfers August Peters und seiner Gemahlin L. O.-P., der Vorkämpferin deutscher Frauenrechte, o.J. (nach 1945). *H. Zinner,* Nur eine Frau, 1945. *H. Riedel,* Der Allgemeine Deutsche Frauenverein, 1955 (Masch.). *J. B. Semmig,* L. O.-P. Lebensbild einer deutschen Kämpferin, 1957. *L. Mallachow,* ›Das Lied der Lerche‹. Im Morgenlicht, 1958, 189–221.
L. O.-P. In: Große Frauen der Weltgeschichte. Tausend Biogr., 1960, 368. *H. Schneider,* Die Widerspiegelung des Weberaufstandes von 1844 in der zeitgenössischen Prosaliteratur. In: Weimarer Beiträge 7 (1961) 2, 255–77. *L. Mallachow,* Biographische Erläuterungen zu dem literarischen Werk von L. O.-P. In: ebda. 9 (1963) 1, 150–55. *E. Schmücker,* Frauen in sozialer Verantwortung. L. O.-P., H. Lange, P. Herber u.a., 1963. *M. Großmann,* Und weiter fließt der Strom, ²1966.
C. Zetkin, Zur Geschichte der proletarischen Frauenbewegung Deutschlands, Neudruck 1971. *H. M. Enzensberger u.a.* (Hrsg.), Klassenbuch I. Ein Lesebuch zu den Klassenkämpfen in Deutschland 1756–1850, 1972, 213f. *M. Twellmann,* Die deutsche Frauenbewegung. Ihre Anfänge und erste Entwicklung. Quellen 1843–1889, 1972. *W. Feudel (Hrsg.),* Morgenruf. Vormärzlyrik 1840–1850, 1974, 254f. u. 293ff. *H. u. M. Garland,* L. O.-P. In: The Oxford Companion to German Literature, 1976, 659. *C. Prelinger,* Religious Dissent, Women's Rights, and the Hamburger Hochschule für das weibliche Geschlecht in Mid-Nineteenth-Century Germany. In: Church History 35 (1976) 1, 1–14. *R. Bookhagen,* L. O.-P. In: Emma (1977) 2, 50f. *J. Menschik,* Feminismus. Geschichte, Theorie, Praxis, 1977. *Dies.* (Hrsgin.), Grundtexte zur Emanzipation der Frau, 1977, 25–28. *R. Möhrmann,* Die andere Frau. Emanzipationsansätze dt. Schriftstellerinnen im Vorfeld der 48er-Revolution, 1977. *G. Brinker-Gabler,* L. O.-P. In: G. B.-G. (Hrsgin.), Dt. Dichterinnen vom 16. Jh. bis zur Gegenwart, 1978, 207–11. *U. Gerhard,* L. O.-P. In: U. G., Verhältnisse und Verhinderungen. Frauenarbeit, Familie und Rechte der Frauen im 19. Jh. Mit Dokumenten, 1978, 257–60 u. 282–94. *R. Möhrmann,* L. O.-P. In: R. M. (Hrsgin.), Frauenemanzipation im dt. Vormärz. Texte und Dokumente, 1978, 45–54, 59–62 u. 198–205. *R.-E. Boetcher Joeres,* L. O. and her journals: a chapter in nineteenth-century German feminism. In: Internationales Archiv für Sozialgesch. der dt. Lit. 4(1979), 100–29. *G. Brinker-Gabler,* L. O.-P. In: G. B.-G. (Hrsgin.), Frauenarbeit und Beruf, 1979. *U. Linnhoff,* L. O.-P. In: U. L., »Zur Freiheit, oh, zur einzig wahren –«. Schreibende Frauen kämpfen um ihre Rechte, 1979. *H. Schröder,* L. O.-P. In: H. S. (Hrsgin.), Die Frau ist frei geboren. Texte zur Frauenemanzipation, Bd. 1: 1789–1870, 1979, 218–39.
H. Adler, L. O.: Schloß und Fabrik. In: H. A., Soziale Romane im Vormärz. Literatursemiotische Studie, 1980, 68–183. *U. Gerhard* (Hrsgin.), »Dem Reich der Freiheit werb' ich Bürgerinnen«. Die Frauenzeitung von L. O. Hrsg. und kommentiert von U. G., 1980. *W. H. McClain* u. *R.-E. Boetcher Joeres,* Three unpublished letters from Robert Schweichel to L. O. (Mit Textpublikation). In: Monatshefte. A journal devoted to the study of German language and literature 72 (1980), 39–50. *I. Strobl,* L. O. In: Emma (1980) 2, 35–39. *C. Koepcke,* L. O.-P.: die rote Demokratin, 1981. *N. Kohlhagen,* L. O.-P. 1819–1895. In: H. J. Schultz (Hrsg.), Frauen. Porträts aus 2. Jh., 1981, 102–13. *Dies.,* Frauen, die die Welt veränderten, 1982. *R.-E. Boetcher Joeres,* 1848 from a distance: German women writers on the revolution. In: Modern Language Notes 97 (1982), 590–614. *Dies.* (Hrsgin.), Die Anfänge der deutschen Frauenbewegung: L. O.-P., 1983.

Paalzow, Henriette von (Ps. Verfasserin von ›Godwie Castle‹), * Ende 1788 in Berlin, † 30. 10. 1847 ebda.
Ihr Vater, der preußische Kriegsrat Wach, ließ seinen beiden Töchtern eine nur begrenzte Bildung und Erziehung zuteil werden. Die Ausbildung des Zeichentalents des Bruders, des Malers Wilhelm Wach (1787–1845), wurde dagegen gefördert. Er richtete sich später im Haus der Eltern ein Atelier ein. Hier lernte H. P. Prinzessin Maria Anna, Frau des Prinzen Wilhelm von Preußen, kennen, mit der sie sich eng befreundete. Heiratete mit 28 Jahren auf Wunsch der Eltern den Major von Paalzow, mit dem sie in Westfalen und am Rhein lebte. Die Ehe wurde 1821 geschieden. Nach der Trennung kehrte H. P. zunächst zur Mutter zurück. Bezog nach deren Tod gemeinsam mit dem aus Italien zurückgekehrten Bruder ein Haus in Berlin. Pflegte geselligen Umgang mit Künstlern und Gelehrten, u. a. mit W. v. Humboldt und seiner Familie. Begann ihre schriftstellerische Tätigkeit. Schrieb Romane, die Ereignisse im aristokratischen Familienleben historischer Persönlichkeiten schildern und von den Zeitgenossen als spannende Lektüre sehr geschätzt wurden. Gelobt wurde ihre psychologisch glaubwürdige Personengestaltung, vor allem weiblicher Charaktere.

WERKE: Godwie Castle. Aus den Papieren der Herzogin von Nottingham, R. 3 Bd. 1836, [9]1892; Sainte Roche, R. 3 Bd. 1839; Thomas Thyrnau, R. 3 Bd. 1842 (1843), [8]1894; Maria Nadasti, Dr. 1845 (veröffentlicht in Hellers Taschenbuch ›Perlen‹); Jacob van der Nees, R. 3 Bd. 1845.
VERÖFF. A. D. NACHLASS: Ein Schriftstellerleben. Briefe der Verfasserin von Godwie Castle an ihren Verleger, 1855.
WERKAUSGABEN: Sämtliche Romane der Verfasserin von Godwie Castle, 12 Bd. 1855.
LITERATUR: *H. Gross,* H. v. P. In: H. G., Deutschlands Dichterinnen und Schriftstellerinnen, [2]1882, 87. *F. Brümmer,* H. P. In: ADB XXV.

Paoli, Betty (Ps. f. Barbara Elisabeth Glück, eigentl. Barbara Grund), * 30. 12. 1814 in Wien, † 5. 7. 1894 in Baden bei Wien.
Uneheliche Tochter eines ungarischen Edelmannes. Ihr Stiefvater, der angesehene Wiener Militärarzt Grund, starb früh. Schrieb bereits im Alter von zehn Jahren Gedichte. Erhielt eine gute Ausbildung (u. a. Sprachenunterricht), bis die Mutter (B. P. war 15 Jahre alt) ihr Vermögen verlor. Ging 1833 mit ihrer Mutter nach Rußland, wo sie eine Stelle als Erzieherin erhalten hatte. Nach Verlassen dieser Stelle und dem bald darauf folgenden Tod ihrer Mutter, arbeitete sie als Erzieherin in einer polnischen Adelsfamilie. 1835 ging sie nach Wien zurück. Bestritt ihren Lebensunterhalt durch Stundengeben, Übersetzungen und durch Veröffentlichungen ihrer Gedichte. War seit 1841 Gesellschafterin im Hause des Philanthropen Josef Wertheimer, wo sie u. a. Grillparzer, A. Stifter, H. Lorm, Ottilie von Goethe, Feuchtersleben und N. Lenau kennenlernte.

Schrieb in dieser Zeit für den Wiener ›Lloyd‹ Burgtheaterkritiken und Beiträge für das Feuilleton. 1843 wurde sie Gesellschafterin der Fürstin Schwarzenberg; zwischen den beiden Frauen entstand eine innige Freundschaft. Nach dem Tod der Fürstin (1848) unternahm B. P. Reisen nach Italien und Frankreich, Dresden und München, wo sie in Künstler- und Gelehrtenkreisen verkehrte. Seit 1852 lebte sie bei ihrer Freundin Ida Fleischl-Marrow in Wien. War u.a. befreundet mit Marie von →Ebner-Eschenbach, dem Ehepaar Gabillon und deren Tochter Helene (verh. Bettelheim).
Bedeutende Lyrikerin des 19. Jahrhunderts. Fand bereits bei ihren Zeitgenossen höchste Anerkennung für ihre »den Eindruck vollster Wahrheit« erweckenden Gedichte, die aneinandergereiht eine »Art Seelenbiographie der Verfasserin« genannt werden könnten (A. Schlossar). Grillparzer nannte sie den »ersten Lyriker Österreichs«. Veröffentlichte später auch Novellen, »feinsinnige Seelengemälde«, in deren Zentrum vor allem Frauen stehen. Auch begabte Essayistin und Übersetzerin.

WERKE: Gedichte, 1841; Nach dem Gewitter, G. 1843; Die Welt und mein Auge, Nn. 3 Bd. 1844 (Inhalt: Die Ehre des Hauses; Honorine; Aus den Papieren eines deutschen Arztes; Schuld und Sühnung; Leonore; Ein Gelübde; Bekenntnisse; Ein einsamer Abend; Auf- und Untergang); Romancero, G. 1845; Neue Gedichte, 1850; Lyrisches und Episches, 1855; Wien's Gemälde-Gallerien in ihrer kunsthistorischen Bedeutung, 1865; Julie Rettich. Ein Lebens- und Charakterbild, 1866; Neueste Gedichte, 1870; Grillparzer und seine Werke, 1875.

VERÖFF. A. D. NACHLASS: Gedichte. Auswahl und Nachlaß, hrsg. v. M. v. Ebner-Eschenbach, 1895 (mit Biogr.); Die Brüder. Anna. 2 En. 1898; Gesammelte Aufsätze, hrsg. v. H. Bettelheim-Gabillon, 1908.

WERKAUSGABE: Die schwarzgelbe Hyäne, Ausw., hrsg. v. J. Halper, 1958.

ÜBERSETZUNGEN: Th. de Banville, Gringoire, Schausp. 1872; P. Berton, Didier, Schausp. 1879.

LITERATUR: *A. Schlossar,* B. P. In: ADB LIII. *H. Gross,* Elisabeth Glück (B. P.). In: H. G., Deutschlands Dichterinnen und Schriftstellerinnen, ²1882, 152f. *A. Marchand,* Les poètes lyriques de l'autriche, 1898. *R. M. Werner,* B. P. In: Österreichisch-Ungarische Revue, Bd. 27, 1900 (Separatdruck: Preßburg 1898). *H. Bettelheim-Gabillon,* Zur Charakteristik B. P.s. In: Jb. der Grillparzer-Gesellschaft 10 (1900). *I. Wolf,* [B. P.]. In: ebda. 12 (1902). *F. Ilwolf,* B. P. und Ernst von Feuchtersleben. In: ebda. 12 (1902). *A. Schönbach,* B. P. In: Historisch-politische Blätter 142 (1908). *R. Missbach,* B. P. als Lyrikerin in ihrer Stellung zu Grillparzers und Lenaus Lyrik, Diss. München 1923. *A. A. Scott,* B. P. An Austrian Poetess of the 19. century, 1926. *H. Bettelheim-Gabillon,* B. P. In: Neue Österreichische Biogr. 5 (1928). Österreichisches Biographisches Lexikon 1815–1850, Bd. 2, 1959, 11f. *K. H. Zinck,* B. P. und

Adalbert Stifter. In: Vierteljahresschrift des Adalbert Stifter-Instituts des Landes Österreich 22 (1973) 3/4, 121–32. *Ders.,* B. P. (1814–1894) und Dr. Josef Breuer (1842–1925) in ihrer Zeit. In: ebda. 25 (1976), 143–59. *G. Brinker-Gabler,* B. P. In: G. B.-G. (Hrsgin.), Dt. Dichterinnen vom 16. Jh. bis zur Gegenwart, 1978, 175–79.

Pfeiffer, Ida, * 14. 10. 1797 in Wien, † 27. 10. 1858 ebda.

Ihr Vater war der Textilfabrikant Alois Reyer († 1806). Litt als junges Mädchen sehr unter den Einschränkungen der üblichen »weiblichen Erziehung«. Nachdem die Mutter jahrelang die Einwilligung zu einer Liebesheirat verweigert hatte, heiratete sie 1820 den um viele Jahre älteren Lemberger Rechtsanwalt Pfeiffer. Zwei Söhne. Nach unglücklichen Ehejahren 1835 Rückkehr nach Wien. Seit 1842 unternahm sie gefahrvolle, strapaziöse und entbehrungsreiche Reisen; zunächst in die Türkei, nach Syrien, Palästina und Ägypten, dann nach Skandinavien und Island. Aus dem Erlös ihrer Beschreibungen dieser beiden Reisen finanzierte sie ihre erste, zweieinhalb Jahre dauernde Weltreise von Brasilien, Chile, Tahiti nach China, Singapur, Ceylon, Indien, von dort nach Mesopotamien, nach Mosul, weiter nach Täbris, durch den Süden Rußlands, die Türkei und Griechenland nach Hause. 1851 unternahm sie eine zweite Weltreise: von London über Kapstadt, Singapur nach den Sunda-Inseln; besuchte von dort aus im Sommer 1853 San Francisco und Panama, überquerte zweimal die Kordilleren und kehrte über Nordamerika und die Azoren 1855 nach Wien zurück. Ihre letzte Reise ging nach Madagaskar, wo sie in politische Verwicklungen geriet und mit ihrem Gefährten, dem Franzosen Lambert, fliehen mußte. Krank und unter großer Gefahr erreichte sie die Insel Mauritius, von wo aus sie die Heimreise antreten konnte. Schrieb interessante Reiseberichte über ihre mutigen Unternehmungen. Wurde als Forschungsreisende von K. Ritter und A. v. Humboldt geschätzt. Erhielt die Ehrenmitgliedschaft der Berliner und Pariser Geographischen Gesellschaft sowie die goldene Medaille für Wissenschaft und Kunst vom preußischen Königspaar.

WERKE: Reise einer Wienerin in das Heilige Land, 2 Bd. 1833 (N 1981); Reiseerlebnisse, 2 Bd. 1844 (anonym); Reise durch den skandinavischen Norden und die Insel Island im Jahre 1845, 2 Bd. 1846; Eine Frauenfahrt um die Welt. Reise von Wien nach Brasilien, Chili, Otaheiti, China, Ostindien, Persien und Kleinasien, 3 Bd. 1850; Meine zweite Weltreise, 4 Bd. 1856.

VERÖFF. A. D. NACHLASS: Die Reise nach Madagaskar, hrsg. v. O. Pfeiffer, 2 Bd. 1861 (mit Lebensbeschreibung) (N 1980).

LITERATUR: *C. Wurzbach,* I. P. In: C. W., Biographisches Lexikon des Kaisertums Österreich, 22. Bd. 1870. *H. Gross,* I. P. In: H. G., Deutschlands Dichterinnen und Schriftstellerinnen, [2]1882, 104f. *E. Richter,* I. P. In: ADB XXV. *I. Buck, H. Grubitzsch, A. Pelz, S. Reineke,* Frauenleben. Lebensmöglichkeiten und -schwierigkeiten von Frauen in der bürgerlichen Gesellschaft. In: Beiträge zur feministischen Theorie und Praxis 7 (1982), 23–36.

Pichler, Caroline, * 7. 9. 1769 in Wien, † 9. 7. 1843 ebda.

Die Mutter, Karoline von Hieronymus, wuchs am Hof Maria Theresias auf und beschäftigte sich mit Naturwissenschaften, Astronomie, Mythen und Religionen. Der Vater war der künstlerisch begabte Hofrat Franz von Greiner. In ihrem Elternhaus, einem Mittelpunkt des künstlerischen Lebens in Wien, erhielt C. P. eine sorgfältige Ausbildung und vielseitige Anregungen. Gemeinsam mit ihrem Bruder lernte sie Latein, Französisch, Italienisch und Englisch. Heiratete 1796 den Regierungssekretär Andreas Pichler. Eine Tochter. Führte den Salon ihrer Eltern weiter. War bekannt mit Frau von Staël, den Brüdern Schlegel, Grillparzer, Oehlenschläger, Caroline von Woltmann, Wilhelm von Humboldt, Theodor Körner, Henriette Herz und unzähligen anderen Schriftstellern, Musikern, Gelehrten und bedeutenden Persönlichkeiten ihrer Zeit. Eine 30jährige Freundschaft verband sie mit Dorothea → Schlegel. Verbrachte die letzten Lebensjahre bei ihrer Tochter. Starb durch Selbstmord.

Erzählerin, Bühnenautorin, auch Lyrikerin und Essayistin. Einblicke in die zeitgenössische Gesellschaft, in die menschlich-familiären Beziehungen geben u. a. ihre Romane ›Leonore‹, ›Frauenwürde‹, ›Die Nebenbuhler‹. Von Zeitgenossen gelobt wurde insbesondere ihr antikisierender Briefroman ›Agathokles‹. C. P. behandelte vielfach auch historische Themen. Ihre Trauer- und Schauspiele wurden auf dem Burgtheater aufgeführt. C. P.s gesammelte Werke umfassen 60 Bände. Aufschluß über das geistige Leben ihrer Zeit und die Entstehungsgeschichte ihrer eigenen Werke geben ihre ›Denkwürdigkeiten‹ (1844), die nach ihrem Tod von F. Wolf herausgegeben wurden.

WERKE: Gleichnisse, 1800; Idyllen, 1803; Leonore. Gemälde aus der großen Welt, 2 Bd. 1804; Agathokles. Brief-R. aus der Antike, 3 Bd. 1808; Frauenwürde, R. 4 Bd. 1808; Die Grafen von Hohenberg, R. 2 Bd. 1811; Erzählungen, 2 Bd. 1812; Biblische Idyllen, 1812; Olivier, R. 1812; Germanicus, Dr. 1813; Gedichte, 1814; Dramatische Dichtungen, 3 Bd. 1815–1818; Neue Dramatische Dichtungen, 1818; Neue Erzählungen, 3 Bd. 1818–1820; Die Nebenbuhler, R. 2 Bd. 1821; Prosaische Aufsätze, 2 Bd. 1822; Dramatische Dichtungen, 3 Bd. 1822; Kleine Erzählungen, 10 Bd. 1822–1828; Ge-

dichte, 1822; Die Belagerung Wiens, 3 Bd. 1824; Die Schweden in Prag, 3 Bd. 1827: Die Wiedereroberung von Ofen, 2 Bd. 1829; Friedrich der Streitbare, R. 4 Bd. 1831; Henriette von England, Gemahlin des Herzogs von Orleans, N. 1832; Elisabeth von Guttenstein, R. 3 Bd. 1835; Zerstreute Blätter aus meinem Schreibtische, 1836; Zeitbilder, 2 Bd. 1839–1841.
VERÖFF. A. D. NACHLASS: Denkwürdigkeiten aus meinem Leben. 1769–1843, hrsg. v. F. Wolf, 4 Bd. 1844; Volksweisen deutscher Kirchenlieder, 1851; Argina oder die Geheimnisvolle Fee, 1879–1880; Die Stieftochter, 1879–1880; Siegbert von Reiflingstein oder die goldene Schale, 1879; Zwei Idyllen, 1887; Brief(e) an Theodor Körner, 1891; Der schwarze Fritz, N./Der Badeaufenthalt, E. in Briefen, 1891–1896; Quintin Messis. Stille Liebe, Nn. 1891–1896; Blütenkranz deutscher Dichtung, 1893; Briefe an Therese Hübner. In: Jb. der Grillparzer-Gesellschaft 3 (1893); Briefe an Hormayr. In: Jb. der Grillparzer-Gesellschaft 12 (1902).
WERKAUSGABEN: Sämtliche Werke, 24 Bd. 1813–1820; Sämtliche Werke, 53 Bd. 1820–1843; Sämtliche Werke, 60 Bd. 1828–1844 (N 1970, Ausw. aus dem Werk). Ausgewählte Erzählungen, 4 Bd. 1894; C. P. Madame Biedermeier (Teils.). Eingel. u. ausgew. v. E. J. Görlich, 1963.
NACHLASS: Stadtbibliothek Wien.
LITERATUR: *H. Gross,* K. P. In: H. G., Deutschlands Dichterinnen und Schriftstellerinnen, [2]1882, 33f. *A. Schlossar,* K. P. In: ADB XXVI. *L. Morgenstern,* C. P. In: L. M., Die Frauen des 19. Jh.s, Bd. 2, 1889, 35–53. *K. Glossy,* Hormayr und K. P. In: K. G., Kleinere Schriften, 1918. *A. Robert,* L'idée nationale autrichienne et les guerres de

Napoléon. L'Apostolat du Baron de Hormayr et le salon de C. P., 1933. *L. Jansen,* K. P.s Schaffen und Weltanschauung im Rahmen ihrer Zeit, 1936. *G. Prohaska,* Der literarische Salon der K. P., Diss. Wien 1947. *A. Neunteufel-Metzler,* K. P. und die Geschichte ihrer Zeit, Diss. Wien 1949. *K. Wache,* K. P., die Dichterin Alt-Wiens, 1966. *U. Schweikert,* Korrespondenzen Ludwig Tiecks und seiner Geschwister. 68 unveröffentlichte Briefe. In: Jb. des Freien Dt. Hochstifts 1971, 311–429. *K. Adel,* La biondina in gondoleta. In: Österreich in Gesch. und Lit. 18 (1974), 86–102. *B. Becker-Cantarino,* C. P. und die »Frauendichtung«. In: Modern Austrian Language 12 (1979) 3/4, 1–23. *B. Bittrich,* Österreichische Züge am Beispiel der C. P. In: Lit. aus Österreich – Österreichische Lit. 1981, 167–89.

Plönnies, Louise von, * 7. 11. 1803 in Hanau, † 22. 1. 1872 in Darmstadt.

Tochter der Sophie von Wedekind († 1807) und des Arztes und Naturforschers Johann Philipp Leisler († 1813). Seit ihrem 14. Lebensjahr wurde sie im Hause ihres Großvaters, Georg Freiherr von Wedekind, erzogen; erhielt insbesondere Fremdsprachenunterricht. Heiratete 1824 den Arzt August von Plönnies. Neun Kinder. Seit einer Reise nach Belgien Anfang der vierziger Jahre beschäftigte sie sich mit flämischer und niederländischer Sprache und Literatur. Es entstanden Übersetzungen und die ›Reiseerinnerungen aus Belgien‹ (1845). In Anerkennung dieser Schriften wurde sie Mitglied der Königlichen Akademie in Brüssel und der Literarischen Akademie von Gent und Antwerpen. Nach dem Tod ihres Mannes († 1847) zog L. v. P. nach Jugenheim an der Bergstraße. Seit 1860 lebte sie wieder in Darmstadt. War u. a. bekannt mit Freiligrath, Schücking, Uhland und Ludwig I. von Bayern.

Lyrikerin, Erzählerin, Dramatikerin und Übersetzerin. Griff in ihrer Lyrik häufig Themen der Zeit auf. Gestaltete in ihren epischen Dichtungen Stoffe aus der Mythen- und Sagenwelt (›Maryken von Nymwegen‹). In ihren Dramen und späten epischen Dichtungen wandte sie sich biblischen Stoffen zu.

WERKE: Dunkle Bilder, E. 1843 (1844); Gedichte, 1844; Ein Kranz den Kindern, G. 1844; Reiseerinnerungen aus Belgien, 1845; Abälard und Heloise. Ein Sonettenkranz, 1849; Oskar und Gianetta. Ein Sonettenkranz, 1850; Neue Gedichte, 1851; Wittekind, dramat. Oratorium, 1852; Maryken von Nymwegen, poet. Ep. 1853; Die sieben Raben, G. 1862: Sawitri, Dr. 1862; Lilien auf dem Felde, religiöse Dichtung, 1864; Ruth, biblische Dichtung, 1864; Joseph und seine Brüder, ep. Dichtung, 1866; Maria von Bethanien, neutestamentliches G. 1867; Maria Magdalena. Ein geistliches Dr. in 5 Aufzügen, 1870; Die heilige Elisabeth, ep. G. 1870; David. Ein biblisches Dr. in 5 Aufzügen, 1874; Sagen und Legenden nebst einem Anhang vermischter Gedichte, 1874.

ÜBERSETZUNGEN: Britannia. Eine Ausw. englischer Dichtungen, 1843; Ein fremder Strauß, G. 1845; Joost van den Vondels ›Lucifer‹, 1845; Die Sagen Belgiens, 1846; Englische Lyriker des 19. Jahrhunderts, 1864.

LITERATUR: *H. Kurz,* Geschichte der deutschen Literatur mit ausgewählten Stücken aus den Werken der vorzüglichsten Schriftsteller, Bd. 4, ^{4}1881, 218–22. *H. Gross,* L. v. P. In: H. G., Deutschlands Dichterinnen und Schriftstellerinnen, ^{2}1882, 112 ff. *F. Brümmer,* L. v. P. In: ADB XXVI. *E. Lauckhardt,* L. v. P. In: Hessische Biographien, 2. Bd. 1928. *G. Brinker-Gabler,* L. v. P. In: G. B.-G. (Hrsgin.:) Dt. Dichterinnen vom 16. Jh. bis zur Gegenwart, 1978, 185–93.

Polko, Elise, * 31. 1. 1823 in Wackerbarthsruhe bei Dresden, † 15. 5. 1899 in München.

Schwester des Afrikareisenden Eduard Vogel. Der Vater J. Karl Chr. Vogel war Pädagoge, später Direktor der Leipziger Bürger- und Realschule. E. P. erhielt unter der Leitung des Vaters eine sorgfältige Erziehung, vor allem mit Förderung ihrer musikalischen Talente. Wurde unterrichtet von Musikdirektor Polenz und dem Gesangsprofessor Fred Böhme in Leipzig, gefördert von Livia Frege und Felix Mendelssohn Bartholdy. Fand Aufnahme im Haus von dessen Schwester Fanny Hensel in Berlin. Trat als Sängerin in Leipzig, Dresden, Halle und Frankfurt auf. Setzte 1847 ihre Ausbildung in Paris bei Manuel Garcia fort und kehrte 1848 nach Ausbruch der Februar-Revolution nach Leipzig zurück. Gab ihre künstlerischen Ambitionen auf und heiratete 1849 den Ingenieur und späteren Eisenbahndirektor Eduard Polko, mit dem sie zunächst in Duisburg, dann Minden, ab 1877 in Wetzlar und seit 1880 in Köln-Deutz lebte. An die Stelle der Musik trat eine rege schriftstellerische Tätigkeit. Nach dem Tod ihres einzigen Sohnes und ihres Mannes zog sie 1891 zunächst nach Wiesbaden, 1895 nach Frankfurt und 1898 nach München.

Erzählerin, Jugend- und Kinderbuchautorin, Anthologistin. »P.s Hauptanliegen war, ›Bilder‹ aus der musikalischen Künstlerwelt zu gestalten. Dabei liebte sie es, im Plauderton lange Bildungsdialoge führen zu lassen, in denen Künstlerlob und -schwärmerei zum Ausdruck kommen. ... Ihre literarischen Äußerungen, Zeugnisse einer gesteigerten Sensibilität, lassen sich auf weite Strecken als Ausdruck wehmütiger Klage über den Verlust der künstlerischen Aktivitäten ihres eigenen Lebens verstehen.« (H. Bertlein)

WERKE: Musikalische Märchen, Phantasien und Sk. 3 Bd. 1852–1872; Ein Frauenleben, R. 2 Bd. 1854; Kleine Malereien für die Kinderstube, 2 Bd. 1854; Mädchenspielzeug, Blumenlieder, 1856; Sabbathfeier, R. 2 Bd. 1858; Aus der Künstlerwelt, 2 Bd. 1858–1863 (N u. d. T. Künstlermärchen und Malernovellen, 1879); Faustina Hasse. Ein musikalischer R., 2 Bd. 1860; (MA:) Erzählungen für den Silvesterabend, 1860; (Hrsgin.) ›Dichtergrüße, 1860, [18]1905; Neue Novellen, 1.–6. F. 1861–1866; Erinnerungen an einen Verschollenen. Aufzeichnungen und Briefe von und über Eduard Vogel, 1863; Notizen und Briefe von und über Karl Vogel, 1863; Unsere Pilgerfahrt von der Kinderstube bis zum eigenen Herd, 1862, [9]1892; Die Bettler-Oper, Lebensbild, 3 Bd. 1864; Genzianen, Sk.-Blätter, 1865; Schöne Frauen, Handzeichnungen, 2 Bd. 1865–1869;

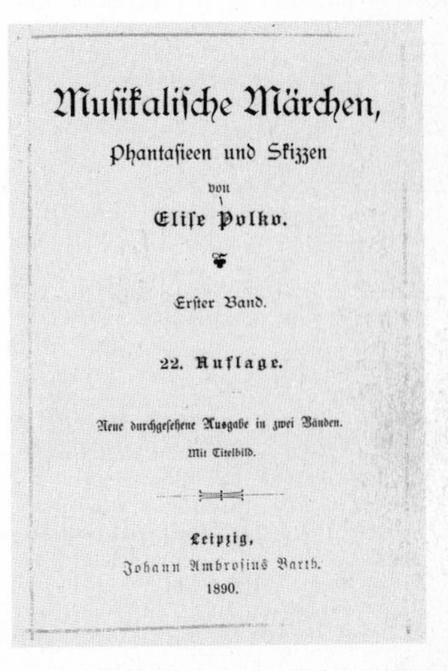
Musikalische Märchen,
Phantasieen und Skizzen
von
Elise Polko.
Erster Band.
22. Auflage.
Neue durchgesehene Ausgabe in zwei Bänden.
Mit Titelbild.
Leipzig,
Johann Ambrosius Barth.
1890.

Briefblätter und Frauenbilder, 1866; Alte Herren, die Vorläufer Bachs, 1866; Am Teetisch einer schönen Frau, 1866; Neue Novellen, 7.–8. F., 1867–1879 (Inhalt: Versunkene Sterne; Herzensgeheimnisse; Aus dem wunderlichsten Buche; Aus Staub und Asche; Frische Blätter; Freudvoll und leidvoll; Im Vorübergehen; Wolken-Schatten; Suchen und Finden; Weiße und rote Rosen; Glück ohne Ruh; Von der Staffelei im Lahntal); Verklungene Akkorde, Gedenkblätter, 1868; Erinnerung an Felix Mendelssohn-Bartholdy, 1868; Auf dunklem Grunde. Frauengestalten aus der franz. Revolution, 1869; Sie schreibt!, R. 1869; Haus-Album, Sk. 1870; Eine deutsche Fürstin: Pauline zur Lippe, R. 1870; (Hrsgin.) Hausgarten. Slg. von Zitaten und G. über das Leben der Frau, 1871; (Hrsgin.) Brautstrauß. Slg. dt., franz. und engl. G. und Zitate aus der neueren Lit. über die Liebe, 1871; (Hrsgin.) Dichtergrüße. Anthologie, 1872; Plaudereien, 2 Bd. 1872; Frauen-Album, Jb. 1872; Aus dem Jahre 1870, Briefblätter und Sk. 1873; (Hrsgin.) Kinderstube. Slg. von Zitaten und G. über Mütter, Kinder und Erziehung, 1873; Aquarellskizzen, 1874; Im Fluge. Reiseblätter und Sk. 1874; Nicolo Paganini und die Geigenbauer, 1876; Vom Gesange. Musikalische Winke und Lebensbilder, 1876; Selam. Blumensprache nebst Lebensbildern, 1876; Weder Glück noch Stern. Einfache Gesch. 1876; Aus Vergangenheit und Gegenwart, Bilder und Sk. 1877; Stephanie, N. 1878; Umsonst, R. 1878; In der Villa Diodat(t)i. Aus der Erinnerung eines Verstorbenen, 1878; Politische Albumsprüche, 1879; (Hrsgin.) Aus der Fremde. Neue Dichtergrüße aus vieler Herren Länder gesammelt, 1879; (Hrsgin.) Damen-Schreibmappe mit Sprüchen für das weibliche Leben und Auszügen aus der Blumen- und Fächersprache, 1879; Vom Herzen zum Herzen. Eine Plauderei, 1879; Unsere Musikklassiker. Sechs biogr. Lebensbilder, 1880; Miniaturen und Novellen, 1880; Ein Familienideal, R. 1880; Stimmungsbilder, Nn. u. Sk. 1881; Blumen und Lieder. Eine musikalische Blumensprache, 1881; Die Königin Luise, Porträt-Sk. 1881; Mitgeholfen. Ein Dombau-Märchen, 1882; Freundschafts-Album, 1882; Getrennt, R. 1882; Unsere Mama, R. 1882; Herzensfrühling, 1883; Im Silberkranz. Gedenkblätter zur silbernen Hochzeit des Kronprinzen von Preußen, 1883; (Hrsgin.) From garden and fields. A bouquet of english poems, 1883; (Hrsgin.) Am stillen Herd. G. und Sprüche aus dem dt. Dichterschatz, 1884; Herzensfrühling und Rosenzeit, Nn. 1884 (Inhalt: Im alten Schlosse; Die junge Gräfin; Ein blühendes Wunder; Dora); Neues Märchenbuch. Musikalische Sk. und Träumereien, 1884; Ein Vergißmeinnichtstrauß, Nn. u. Sk. 1884; Unser Heim, 1884; Ikarusflügel. Eine Gesch. in 4 Bildern, 1886; Kleine Bildermappe, Federzeichnungen, 1886; Frohe Augen, N. 1887; Dita, N. 1887; Eine zehnte Sinfonie, N. 1888; Im Banne der Erinnerung, Nn. 1888; Ins deutsche Heim. Grüße aus der Heimat, 1889; (Hrsgin.) Deutscher Mädchenkalender für das Jahr 1890, hrsg. unter der Mitwirkung hervorragender Schriftstellerinnen, 1889; Gesammelte Novellen, 1890; Kleine Blumen, kleine Blätter, 1891; Deutsches Märchenjahrbuch, 1891; Ohne Sang und Klang, N. 1891; (Hrsgin.) Unser Glauben, Lieben und Hoffen, Anthologie von Lyrik und G. 1891; (Hrsgin.) La belle France. Anthologie lyrique, 1891; Con amore!, Neueste Nn. 1892; (Hrsgin.) Unsere Kinder. Poetische Gedanken und Herzensworte dt. und ausländischer Dichter, 1892; Verwöhnt. Der Hausfreund. Wenn Wände reden, 3 Nn. 1892; Glück und Leid, R. u. Sk. 1894; Klingende Geschichten, 1894; (Hrsgin.) Blauveilchen. Ein frischer Strauß dt. Dichterblüten, 1894; Hell und dunkel. Neue Nn. 1895; Bedeutende Menschen. Porträt-Sk., Lebenserinn. und Nn., 1895; Verwehte und frische Spuren. Gesch. und Bilder, 1896; Meister der Tonkunst. Ein Stück Musikgeschichte in Biogr., 1897; Jugendliebe, Nn. 1898. Lavinia. R. über die englische Bohème aus der Zeit Georgs I., 2 Bd. 1903.

Nachlass: Stadt- und Landesbibliothek Dortmund (Slg.).

Literatur: *H. Gross,* E. P. In: H. G., Deutschlands Dichterinnen und Schriftstellerinnen, ^{2}1882, 203 ff. *H. Holland,* E. P. In: Biogr. Jb., 4. Bd. 1900. *F. Brümmer,* E. P. In: ADB LIII. *A. Marowsky,* E. P. In: Westfäl. Neueste Nachrichten vom 13. 7. u. 30. 8. 1938. *K. Vogel,* Zur Lebensgeschichte zweier Kinder des Rektors Vogel. In:

Die Heimat [Krefeld] 18 (1939). *K.-H. Schock,* Theodor Storm und E. P. Ein Beitr. zur Stormforschung und zur Mindener Heimatgesch. In: Mitt. des Mindener Geschichts- und Museumsvereins 39 (1967), 55–86. *H. Bertlein,* E. P. In: Lex. der Kinder- und Jugendlit., Bd. 4, 1982, 454f.

Popp, Adelheid (geb. Dwořak), * 11. 2. 1869 in Inzersdorf b. Wien, † 7. 3. 1939 in Wien.

15. Tochter einer Weberfamilie. Von den Geschwistern starben schon 10 im Säuglingsalter. Der Vater, ein Trinker, tyrannisierte die Familie und überließ die Sorge für die Ernährung der Kinder meist der Mutter. Er starb, als A. P. 6 Jahre alt war. Nach 3 Schuljahren mußte sie 10jährig die Schule verlassen. Die Mutter übersiedelte mit den Kindern nach Wien. Dort häkelte A. P. ein Jahr lang Schafwolltücher, arbeitete dann u. a. als Näherin, Dienstmädchen und Fabrikarbeiterin. Von der Arbeit überfordert mußte sie mehrfach ins Krankenhaus eingeliefert werden. Ihr einziges Vergnügen war von Kindheit an die Lektüre von Unterhaltungsliteratur. Fand schließlich Anschluß an die Arbeiterbewegung. Wurde 1892 Mitbegründerin und verantwortliche Redakteurin der ›Arbeiterinnen-Zeitung‹ in Wien. Seitdem unermüdlich als Publizistin und Agitatorin für die sozialistische Frauenbewegung tätig. Setzte sich für das Recht der Frau auf freie Entfaltung in der Öffentlichkeit, am Arbeitsplatz und in der Familie ein. Ihre damals zum Teil radikalen Thesen brachten ihr mehrfach Arreststrafen ein. 1893 Heirat mit dem sozialdemokratischen Funktionär Julius Popp. Zwei Kinder. Nach 1918 Mitglied des sozialdemokratischen Parteivorstandes, des österreichischen Parlaments und des Wiener Gemeinderats.

A. P.s 1909 veröffentlichte ›Jugendgeschichte einer Arbeiterin, von ihr selbst erzählt‹, in der sie ihre Kindheits- und Jugenderinnerungen schildert, gehört zu den wichtigsten frühen Arbeiter(innen)-Autobiographien. Sie ist gleichermaßen exemplarisch und agitatorisch, beispielhaft für das elende Los der Arbeiterinnen und ein Appell zur Veränderung der Gesellschaft im sozialistischen Sinn. Das Buch erschien zuerst anonym mit einem Geleitwort von August Bebel, erst die 3. Aufl., überarbeitet und fortgeführt bis 1910, unter dem Namen der Autorin. A. P.s

1915 veröffentlichte ›Erinnerungen‹ verarbeiten ebenfalls Jugenderlebnisse und sind zugleich eine Aufklärungsschrift über die Frauenfrage und die Arbeit in der sozialistischen Frauenbewegung.

WERKE: Die Arbeiterin im Kampf ums Dasein, 1895; Freie Liebe und bürgerliche Ehe. (Schwurgerichtsverhandlung gegen die ›Arbeiterinnen-Zeitung‹), 1895; Die Jugendgeschichte einer Arbeiterin, von ihr selbst erzählt. Mit einführenden Worten von August Bebel, 1909 ([2]1909; N 1977); Schutz der Mutter und dem Kinde, 1910; Mädchenbuch, 1911; Gedenkbuch. 20 Jahre österreichische Arbeiterinnenbewegung, 1912; Haussklavinnen. Ein Beitrag zur Lage der Dienstmädchen, 1912; Erinnerungen. Aus meinen Kindheits- und Mädchenjahren. Aus der Agitation und anderes, 1915 (N 1977); Frau – Arbeiterin – Sozialdemokratie, hrsg. vom Frauenkomitee Wien, 1916; Frauen der Arbeit, schließt euch an! Ein Mahnruf, 1919; Was die Frauen der Republik verdanken, 1919; Frauenarbeit in der kapitalistischen Gesellschaft, 1922; Vorkämpferinnen der Menschheit, 1925 (Merkblätter für Frauenvorträge); Der Weg zur Höhe. Die sozialdemokratische Frauenbewegung Österreichs. Ihr Aufbau, ihre Entwicklung und ihr Aufstieg, 1929.
LITERATUR: *F. Mehring/W. Holek,* Lebensgang eines dt.-tschech. Handarbeiters [darin über A. P.]. In: Die neue Zeit. Wochenschrift der dt. Sozialdemokratie Bd. 2, 27 (1908/09) (wiederh. in: F. M., Gesammelte Schriften, Bd. 11, 1961). *E. Lüders,* [Die Jugendgeschichte einer Arbeiterin]. In: Die Frauenbewegung 16(1910), 118f. *W. Zepler,* A. P. ›Aus meinen Erinnerungen‹. In: Sozialistische Monatshefte (1915). *W. Ellenbogen,* A. P. ›Aus meinen Erinnerungen‹. In: Der Kampf [Wien] 9(1916). A. P. ›Jugendgeschichte einer Arbeiterin‹. In: Correspondenzbl. des allg. dt. Gewerkschaftsbunds, Lit.-Beil. 1923. *M. Juchacz,* [A. P.]. In: Sie lebten für eine bessere Welt, 1955. *K. Böttcher,* Zu Unrecht vergessen. In: NDL (1959), 3. [A. P.]. In: Lex. sozialistischer dt. Lit. Von den Anfängen bis 1945, [Halle/Saale] 1963 ([2]Leipzig 1964). *H. J. Schütz,* Einleitung. In: H. J. S. (Hrsg.), A. P., Jugend einer Arbeiterin, 1977, 7–15. *N. Britz,* Wir haben sie alle vergessen. In: N. B. (Hrsg.), Arbeiterbewegung und Arbeiterdichtung. Referate, gehalten in Mattersburg (Burgenland) 1979, 1980, 97–113.

Prellwitz, Gertrud, * 5. 4. 1869 in Tilsit, † 13. 9. 1942 in Oberhof (Thüringen).
War Lehrerin, studierte später u. a. Theologie. Lebte seit 1901 in Berlin, seit 1905 in Mittel-Schreiberhau (Schlesien) und seit 1910 in Woltersdorf b. Erkner (Mark Brandenburg). War zuletzt wohnhaft in Oberhof (Thür.) und Blankenburg (Harz). – Dramatikerin, Erzählerin und Essayistin.

WERKE: Oedipus oder Das Rätsel des Lebens, Trag. 1898; Zwischen zwei Welten. Eine Weltanschauung im dramat. Bilde, 1901; Weltfrömmigkeit und Christentum, 1901; Michel Kohlhas, Trauerspr. 1905; Der religiöse Mensch und die moderne Geistesentwicklung. Sieben Vorträge, 1905 (N u. d. T. Unsere neue Weltanschauung, 1921); Vom Wunder des Lebens, Dichtung 1909; Die Legenden vom Drachenkämpfer, Dichtung 1912; Die Tat! Dr. aus den Tagen von Tauroggen, 3 Akte, 1912; Seine Welt, Lustsp. 1912; Durch welche Kräfte wird Deutschland siegen? Religiöser Vortrag, 1915; Der Kaisertraum. Ein Weihesp. [Entstanden im Sommer 1913] 1916; Von der schaffenden Liebe des Lichts in uns. Eine Anleitung zum Seeligwerden hinieden, 9 Briefe, 1917; Vier Volksspiele, 1919; Weltsonnenwende, 1919; Drude, 3 Bd. 1920–1926 (Inhalt: 1. Vorfrühling. Ein Sp.; 2. Neue Zeit. Den jungen Gottsuchern gewidmet; 3. Flammenzeichen); Mein Bekenntnis zu Muck-Lamberty, 1921; Deutschland! Deutschland! Die Gefangenen, 2 Tle. 1921 (Inhalt: 1. Frühling. Ein Sp.; 2. Weihnachten. Ein Sp. für die Jugend des neuen Deutschland geschrieben); Das Deutschlandlied. Für die neue Jugend, dem Volke zu spielen, 1921; Vom heiligen Frühling, Aufs. 1921; Gottesstimmen, G. [Entstanden 1896–1899] 1921; Das Osterfeuer. Eine E. aus der Welt des Armannentums, [Niedergeschrieben 1917] 1921; Ruth. Buch von Deutschlands Not und von Deutschlands Jugend, E. 1921; Was der Mensch säet, das wird er ernten, Straßensp. 1921; Schaffende, N. 1922; Vom Frühlingsschaffen, 8 Spruchkarten, 1923; Ein heiteres Märchenspiel, [Entstanden 1922] 1923; Des deutschen Willens Weg, 1923; Des Deutschen Willens Ziel, 1923; Der lebendige Quell. Ein Spruch-Jb. aus G. P.' Werken, zusgest. von W. Plaut, 1924; Baldurs Wiederkehr. Legende. Eine Schauung vom Völkerschicksal, 1924; Sonne über Deutschland, R. 1926; Das eigene Ich, R. 1926; Das Geheimnis hinter Liebe und Tod, 3 Nn. 1929; Meine Kindheitserinnerungen. In: Ostdt. Monatshefte 10(1929/30); Lebensanfänge. Erinnerungen aus Kindheit und Jugend, 1930; Treue, R. 1930; Die Kastanienkönigin, Sternenlegende, 1931; Pfingstflammen. R. in Tagebuchform, 1932; Maienspiel, 1933; Die letzte Wala. Eine Wotanslegende, Weihesp. 1935.

LITERATUR: *H. Spiero,* G. P. In: Geister der Zeit, 1910.

Preradović, Paula von, * 12. 10. 1887 in Wien, † 25. 5. 1951 ebda.

Tochter eines Offiziers und Enkelin des kroatischen Nationaldichters und österreichischen Generals Petar von Preradović. Wuchs in Pola an der Adria auf. Wurde bei den Englischen Fräulein in St. Pölten erzogen, wo sie Enrica von → Handel-Mazzetti kennenlernte. Unternahm weite Reisen. Heiratete 1916 Dr. Ernst Molden, Redakteur der Wiener ›Neuen Freien Presse‹. Lebte in Wien. Wegen Teilnahme an der Widerstandsbewegung wurden sie und ihr Mann vor Ende des Zweiten Weltkriegs verhaftet.

Lyrikerin, Erzählerin; Dichterin der neuen österreichischen Nationalhymne. Ihre Gedichte vergegenwärtigen zunächst im volksliedhaften Vers (›Südlicher Sommer‹) oder in der strengen Form des Sonetts (›Dalmatinische Sonette‹) die Schönheit der dalmatinischen Landschaft, beziehen später auch das Zeitgeschehen ein (›Ritter, Tod und Teufel‹). In ihrem erfolgreichen einzigen Roman ›Pave und Pero‹ gestaltete sie (z. T. auf der Grundlage eines vorliegenden Briefwechsels) die Geschichte ihres Großvaters Petar und seiner Frau Paolina de Ponte aus einem ital.-istrischen Adelsgeschlecht. Fragmente ihres autobiographischen Romans ›Kindheit am Meer‹ erschienen 1955.

WERKE: Südlicher Sommer, G. 1929; Dalmatinische Sonette, G. 1933; Lob Gottes im Gebirge, G. 1936; Ein Jugendreich. Die Neuland-Schulsiedlung in Grinzing-Wien, 1938; Pave und Pero, kroatischer R. 1940; Ritter, Tod und Teufel, G. 1946; [Hans Leifhelm]. In: Wort und Wahrheit 2(1947), 446ff.;

Gesamtwerk eines Lyrikers [Heinrich Suso Waldeck]. In: Wort und Wahrheit 3(1948), 780ff.; Königslegende, 1950; Die Versuchung des Columba, N. 1951; (MA:) Die Alpacher Elegie, 1952.
VERÖFF. A. D. NACHLASS: *E. Molden,* P. v. P. Porträt einer Dichterin, 1955 (m. Fragmenten aus dem autobiogr. R. ›Kindheit am Meer‹, den Prosastücken ›Lyrik aus dem Glauben‹ und ›Was ist gute Prosa‹ und einem Feuilleton aus der ›Neuen Freien Presse‹).
ÜBERSETZUNG: M. Zündel, Das hohe Lied der heiligen Messe, 1948.
WERKAUSGABEN: Gesammelte Gedichte, 3 Bd., hrsg. v. E. Molden, 1951–1952 (Inhalt: 1. Verlorene Heimat; 2. Schicksalsland; 3. Gott und das Herz); Meerferne Heimat, G., Ausw. 1960; Gesammelte Werke, hrsg. v. K. Eigl, 1967.
BIBLIOGRAPHIE: In P. v. P., Meerferne Heimat, 1960; In: P. v. P., Gesammelte Werke, 1967.
LITERATUR: *E. v. Handel-Mazzetti,* Von slavischer Seele. In: Kölnische Volkszeitung (1930) 252. *W. R[einerman]n,* P. v. P. In: Austria, Sept. 1946. *E. Waldinger,* P. v. P. ›Ritter, Tod und Teufel‹. In: Austro American Tribune, [New York] Juli 1947. *M. Schmid,* P. v. P. In: Die Zeit im Buch 2(1948), 21ff. *G. Zorn,* P. v. P. In: Jahresbericht(e) des Technologischen Gewerbemuseums Wien, 1948/49. *M. Mell,* [P. v. P.]. In: Wort und Wahrheit 6(1951), 477ff. *R. Henz,* P. v. P. In: Die Zeit im Buch (1951) 6. *F. Braun,* Gedenkrede. In: F. B., Das musische Land, 1952, 223–28. *H. Hockel,* In memoriam P. v. P. In: Die Presse (1952) 1210 [Gedichte]. *E. Kerssenbrock,* Dem Andenken P. v. P.s In: ebda. (1952) 1093 [Gedichte]. *G. C. Schoolfield,* P. v. P. – an introduction. In: German Life and Letters. NS. 7 (1953/54), 285–95. *E. Molden,* P. v. P. Porträt einer Dichterin, 1955. *N. Langner,* P. v. P. In: N. L., Dichter aus Österreich, F. 1 (1956, [2]1963), 106–09. *H. Vogelsang,* P. v. P.s episches Werk, 1956. *S. Kostić,* Jugoslovenski motivi u delima P. v. P. (1887–1951). In: Godišnjak Filozofskog fakulteta u Novom Sadu II (1957). *R. Henz,* P. v. P. Dichterin des Südens und Österreichs. In: Wort in der Zeit [Graz] 4(1958) 1. *F. Lennartz,* P. v. P. In: Dt. Dichter und Schriftsteller unserer Zeit, 8. erw. Aufl., 1959, 593f. *F. T. Csokor,* [P. v. P.] In: Große Österreicher 14(1960), 194–97. *A. Elsen,* Dichtung aus Heimat und Glauben. P. v. P. In: Die Warte [Luxemburg] 14(1961) 24, 4. *E. Mitterer,* P. v. P. In: Die Presse [Wien] vom 21. 5. 1961. *H. Vogelsang,* P. v. P.s episches Werk. In: Wort in der Zeit [Graz] 7(1961) 5, 60ff. *R. Vospernik,* P. v. P. Leben und Werk, Diss. Wien 1961. *M. Hofmann,* Dichterin ihrer zweiten Heimat. In: M. H., Konstellationen, 1966. *H. Vogelsang,* P. v. P. Dichterin der Ehrfurcht, der Demut und des Glaubens. In: Österreich in Gesch. und Lit. [Wien] 10(1966).

Preuschen, Hermione von, * 7. 8. 1854 (1857) in Darmstadt, † 12. 12. 1918 in Lichtenrade bei Berlin.

Ihr Vater war der Oberkonsistorial- und Regierungsrat Freiherr von Preuschen. Kam mit 19 Jahren in das Haus des Dichters Gustav zu Put(t)litz nach Karlsruhe; erhielt dort vielseitige literarische Anregungen. Studierte drei Jahre an der dortigen Malerakademie bei Ferdinand Keller. Unternahm dann ausgedehnte Studienreisen, u. a. nach Sizilien, Rom, Paris, Berlin. Heiratete 1882 den Arzt Oswald Schmidt; die Ehe wurde nach kurzer Zeit wieder geschieden. Als weitere Orte für ihre Malstudien wählte sie Rom, München, Berlin, Kopenhagen. Verstand sich selbst als Erfinderin des »Historischen Stillebens«. Aufsehen erregte, daß ihr Bild »Mors imperator« 1887 vom Vorstand der Berliner Kunstausstellung zurückgewiesen wurde. 1891 Heirat mit dem Schriftsteller Konrad Telmann (Ps. f. Konrad Zitelmann, † 1897). Lebte mit ihm in Italien und Höckendorf (b. Stettin). Nach einem Winteraufenthalt in Kairo 1897/98 nahm sie 1898 ihren ständigen Wohnsitz in Berlin. Bereiste 1905 bis 1907 Indien, Ceylon und Birma. – Malerin, Lyrikerin (u. a. erotische Thematik) und Erzählerin.

WERKE: Regina vitae, G. 1888; Tollkraut, Nn. 1893; Via passionis, G. 1895; (MA:) Ninfa, 1896; Noch einmal »Mors imperator«. Ein Requiem für Konrad Telmann, 1897; Vom Mondberg. Erlebte G. 1900; Von Ihm und Ihr. Nn. 1900; Dunkelkammer, Nn. 1900; Lebenssphinx, Nn. 1902; Astartenlieder, 1902; Flammenmal, G. 1903; Halbweiber, Nn. 1905; Kreuz des Südens, G. 1907; Durch Glut und Geheimnis, Reise-Ber. 1909; (Hrsgin.) Konrad Telmanns Briefe an H. v. Preuschen, 1911; Wie meine symbolistischen Bilder entstanden, 1911; Perlenkrönlein, G. 1912.

VERÖFF. A. D. NACHLASS: Roman meines Lebens, hrsg. von ihrer Tochter, 1926.

GEMÄLDE: Kleopatras Lager, Irene von Spilimberg in der Todesgondel, Traumgott, Mors Imperator, Regina vitae (1892), Evoë Bacche, Asrael, Lebenssphinx, Kirke u. die Schweine, Gloria, Vampyr, Lebenshunger, Leda, Moloch Liebe u. a.

LITERATUR: *F. v. Bötticher,* Malerwerke des 19. Jahrhunderts, Bd. II/1, 1898. Das geistige Deutschland, 1898. Die bildenden Künstlerinnen der Neuzeit, 1905. Deutschlands, Österreich-Ungarns und der Schweiz Gelehrte, Künstler und Schriftsteller in Wort und Bild, 1908. *F. Jansa,* Deutsche Bildende Künstler, 1912. *M. Geißler,* H. v. P.-Telmann. In: M. G., Führer durch die dt. Lit. des 20. Jh.s, 1913. *F. Noack,* Das Deutschtum in Rom, 1927. *Th. Storm,* Briefe an H. v. P., hrsg. von G. Ranft. In: Schriften der Theodor-Storm-Gesellschaft 22 (1973), 55–94.

Raven, Mathilde, * 16. 2. 1817 in Meppen, † nach 1898 in Dresden.
Ihr Vater war der königliche Kreiseinnehmer Beckmann. Besuchte die Elementarschule in Meppen. Lebte einige Jahre in Münster, dann in Osnabrück; dort lernte sie ihren späteren Mann, den Anwalt Karl Raven kennen, Verlobung 1843, Heirat 1849. 1853 zog das Ehepaar nach Celle. M. R. nahm lebhaften Anteil an den politischen Bewegungen der sechziger Jahre. In mehreren Flugschriften setzte sie sich für den Nationalverein ein. Nach dem Tod ihres Mannes († 1870) zog sie nach Berlin, später nach Bremen und Dresden. – Schrieb Romane, Erzählungen, Bühnenstücke und das Märchen ›Schwanwitt‹ (1852, ^{6}1880).

Werke: Eine Familie aus der ersten Gesellschaft, 1848; Welt und Wahrheit, R. 4 Bd. 1851; Schwanwitt, Märchen in 15 Gesängen, 1852 (^{6}1880); Eversburg, R. 3 Bd. 1855; Hermine. Der Briefträger, 2 En. 1856; Galileo Galilei. Ein geschichtlicher R., 2 Bd. 1860; Herr von Bennigsen und der Nationalverein, Flugschrift, 1860; Die deutsche Frage und die servile Presse, Flugschrift, 1861; Herz und Krone oder Wilhelm von Lecce, Trauersp. in 5 Akten, 1862, ^{4}1870; Aus vergangener Zeit, G. 1863; Eine Rolle Gold, E. 1864; Der erste April, dramat. Scherz, 1870; Der Zauberspiegel, dramat. Scherz, 1871; Glänzende Aussichten, R. 3 Bd. 1872; Elisabeth von Ungnad. Biogr. R. aus der Gesch. Oldenburgs und Ostfrieslands, 3 Bd. 1875 (N 1978); Ein Adjutant Bonapartes, hist. R. 3 Bd. 1876; Moderne Pharisäer, R. 1882; Die quade Foelke, hist. R. 1887.

Literatur: *H. Gross,* M. R. In: H. G., Deutschlands Dichterinnen und Schriftstellerinnen, ^{2}1882, 119f. *R. Gottschall,* Die dt. Nationallit. des 19. Jh.s, Bd. 4, ^{4}1875, 328.

Reicke, Ilse, * 4. 7. 1893 in Berlin.
Tochter des Berliner Bürgermeisters Georg Reicke. Studierte Philosophie, Geschichte und Germanistik in Berlin, Heidelberg und Greifswald, promovierte zum Dr. phil. War Dozentin an der Lessing-Hochschule in Berlin-Charlottenburg. Heiratete 1915 den Schriftsteller Hans von Hülsen. Begann ihre journalistische Arbeit als Kriegsberichterstatterin im Ersten Weltkrieg. Leitete 1919–1921 die erste täglich erscheinende ›Neue Frauen-Zeitung‹ in Charlottenburg. War außerdem Herausgeberin der

Zeitschrift ›Mutter und Kinderland‹ sowie der Jahrbücher ›Wir sind jung‹ und ›Herzblättchens Zeitvertreib‹. Bereiste Skandinavien, Finnland, Italien, Amerika und Frankreich. Lebt heute in Fürth.
Lyrikerin, Erzählerin, Essayistin, Biographin und Hörspielautorin. Zu den thematischen Schwerpunkten gehören Frauenfrage und -geschichte, Jugenderziehung. Erhielt 1951 die Medaille der Grotius-Gesellschaft.

WERKE: Das schmerzliche Wunder. Ein Buch Verse, 1914; Psychologische Probleme des dichterischen Schaffens, Diss. 1915; Der Weg nach Lohde, R. 1919 (Neuaufl. u.d.T. Leichtsinn, Lüge, Leidenschaft. Ein Schicksal aus dem jüdischen Rokoko, 1930); Frauenbewegung und -erziehung, 1921; Die neue Lebensform, 1921; Ewige Legende. Ein Kreis von sechzehn Gesängen, 1923; Das junge Mädchen. Ein Buch der Lebensgestaltung, 1924; Boote im Strom, 1925; Lucia ohne Talent. E. für junge Mädchen, 1927; Das unbeweinte Ehemals, 1927; Das größere Erbarmen, R. 1929 (Neuaufl. u.d.T. Der Weg der Irma Carus. R. einer Frauenärztin, 1931); Die Frauenbewegung. Ein geschichtlicher Überblick, 1929; Berühmte Frauen der Weltgeschichte. Sechs Betrachtungen, 1931; (Hrsgin.) Th. v. Gumpert, Töchter-Album, 2 Bd. 1932–1933; (Hrsgin.) Mutter und Kinderland. Monatlicher Ratgeber für Mütter und Kinderfreunde 4–6 (1932/34); (Hrsgin.) Herzblättchens Zeitvertreib, Jb. f.d. Kinderwelt, Bd. 76–77 (1932/33); Das Schifflein Allfriede, Jugend-R. 1933; (Hrsgin.) Mutter und Kind. Begleiter und Berater der jungen Mutter von heute 7–13 (1935/41) (Forts. v. Mutter und Kinderland); Treue und Freundschaft. Gesch. einer Familie, 1936; Das tätige Herz. Ein Lebensbild Hedwig Heyls, 1938; Die Welle steigt, die Welle sinkt, R. 1938; Durch gute Lebensart zum Erfolg. Wegweiser, 1939; Das Brautschiff. Berlinischer R. 1943; Geschichte des Friedensgedankens, 1951; Das Geheimnis der Klasse, Jugend-Kriminal-R. 1951 (N u.d.T. Schlimmes Geheimnis der Klasse, 1981); Bertha von Suttner. Ein Lebensbild, 1952; Ham Sie nich' 'nen Mann für mich, 1962; Reminiscences of Gerhart Hauptmann. In: The American-German Review, [Philadelphia] 29(1962) 1; (MA:) Katharina von Kardorff-Oheimb: Politik und Lebensbeichte, 1965; (Hrsgin.) Agnes von Zahn-Harnack, Schriften und Reden, 1964 (enthält: A. v. Z.-H. Ein Lebensbild, 189–207); Klang und Klage der Geschichte, G. 1968; Stimmen der Erdengeschlechter, G. 1969; Laßt euch lieben, Baum und Blume, G. 1979; Die Musikantin Olga Schwind, 1981; Eine Sippe aus Memel. 3 ostdt. Generationen, 1981; Die großen Frauen der Weimarer Republik. Erlebnisse im Berliner Frühling, 1983.

HÖRSPIELE: August Kopisch entdeckt die »Blaue Grotte«; Runkelzucker; Die Puppen-Kruse; Weihnacht an der Mauer; Tilsiter.

LITERATUR: *J. R. Preisendanz,* ›Der Weg nach Lohde‹. In: Die schöne Lit. 22(1921). *E. Rotheller,* I. R. ›Die neue Lebensform‹. In: Die Hochschule. Bl. f. ak. Leben u. studentische Arbeit 5(1921). *M. Weinberg,* I. R. ›Frauenbewegung und -Erziehung‹. In: Archiv f. Frauenkunde und Eugenik 9(1924). *K. M. Faßbinder,* I. R. ›Die Frauenbewegung‹. In: Literarischer Handweiser 65(1929). *E. Detmold,* I. R. ›Berühmte Frauen ...‹ In: Der Gral 25(1930). *K. M. Faßbinder,* I. R. ›Das größere Erbarmen‹. In: Literarischer Handweiser 66(1930). *R. R.,* ›Leichtsinn, Lüge, Leidenschaft‹. In: Braunschweigisches Magazin 37(1931).

Reuter, Gabriele, * 8. 2. 1859 in Alexandria (Ägypten), † 16. 11. 1941 in Weimar.

Tochter eines aus Pommern gebürtigen Großkaufmanns. Lebte von 1864–1869 mit der Mutter und Geschwistern in Dessau (Anhalt), wo sie ersten Unterricht erhielt (Braunsches Institut), von 1869–72 wieder in Alexandria. Nach dem Tod des Vaters (1872) Rückkehr nach Deutschland und Besuch des Breymannschen Instituts in Neu Watzum b. Wolfenbüttel. Lebte ab 1873 gemeinsam mit der oft kranken, später pflegebedürftigen Mutter († 1904) in Neuhaldensleben b. Magdeburg, Weimar (1880), München (1895), Berlin (1895) und wieder Weimar. G. R. beschloß schon früh, Schriftstellerin zu werden. Erste Arbeiten veröffentlichte sie 1875 und 1876 in der Magdeburger Zeitung (ägyptische Erinnerungsblätter) und der Elberfelder Zeitung (eine Novelle). 1889 lernte sie in München Ibsen und J. H. Mackay kennen, später in Berlin trat sie in Verbindung zum Kreis der ›Freien Bühne‹, wo sie mit ihrem späteren Verleger S. Fischer und namhaften Naturalisten bekannt wurde. Sie stand der bürgerlichen Frauenbewegung nahe.

Vorwiegend Erzählerin, auch Jugendbuchautorin, Publizistin und Dramatikerin. Gehörte um die Jahrhundertwende zu den bekannten Schriftstellerinnen. Ihr erfolgreichster und damals vieldiskutierter Roman ›Aus guter Familie‹ (1895) schildert eindrucksvoll die Einschränkungen geistiger und sozialer Entfaltungsmöglichkeiten bürgerlicher Frauen der damaligen Zeit. Die Probleme modernen Frauenlebens wie auch Ägyptengeschichten sind Schwerpunkte ihres erzählerischen Werks. Schrieb einfühlsame Monographien über Marie von Ebner-Eschenbach (1904) und Annette von Droste-Hülshoff (1905).

WERKE: Glück und Geld. R. aus dem heutigen Egypten, 1888; Episode Hopkins. Zu spät. Zwei Studien, 1889; Kolonistenvolk, R. aus Argentinien, 1891; Ikas Bild, Lustsp. 1894; Aus guter Familie. Leidensgeschichte eines Mädchens, R. 1895 ([18]1908); Der Lebenskünstler, Nn. 1897; Frau Bürgelin und ihre Söhne, R. 1899; Ellen von der Weiden. Ein Tgb. 1900; Frauenseelen, Nn. 1902; Marie von Ebner-Eschenbach, Ess. 1904; Gunhild Kersten, N. 1904; Margaretes Mission, R. 2 Bd. 1904; Das böse Prinzeßchen. Märchensp. für Kinder, 1904 (Musik M. Marschalk); Liselotte von Reckling, R. 1904; Annette von Droste-Hülshoff, Ess. 1905; Wunderliche Liebe, Nn. 1905; Der Amerikaner, R. 1907; Die Probleme der Ehe, Ess. 1907; Eines Toten Wiederkehr und andere Novellen, 1908; Sanfte Herzen. Ein Buch für junge Mädchen, 1909; Das Tränenhaus, R. 1909 (Neubearb. 1926); Frühlingstaumel, R. 1911; Liebe und Stimmrecht, Ess. 1914; Im Sonnenland. E. aus

Alexandrien, 1914; Ins neue Land, 1916; Was Helmut in Deutschland erlebte. Eine Jugendgesch. 1917; Vom weiblichen Herzen, Nn. 1917; Die Jugend eines Idealisten, R. 1917; Die Herrin, R. 1918; Großstadtmädel, Jugendgesch. 1920; Vom Kinde zum Menschen. Die Geschichte meiner Jugend, Autobiogr. 1921; Benedikta, R. 1923; Töchter. Der R. zweier Generationen, 1927: Das Haus in der Antoniuskirchstraße, E. 1928; Irmgard und ihr Bruder, R. 1930; Vom Mädchen, das nicht lieben konnte, R. 1933; Grete fährt ins Glück. E. 1935; Grüne Ranken um alte Bilder. Dt. Familien.-R. [Autobiogr.] 1937.

NACHLASS: Goethe-Schiller-Archiv, Weimar.

LITERATUR: *T. Mann,* G. R. [zu Liselotte von Reckling]. In: Der Tag [Berlin] (1904) 75 u. 79. Meister der modernen Erzählkunst: O. J. Bierbaum, O. Ernst, L. Ganghofer, R. Greinz, D. v. Liliencron, T. Mann, G. Reuter, 1908. G. R. Geschichten aus meinen Vortragsfahrten. In: Velhagen und Klasings Monatshefte 42(1927/28). *A. Schäfer,* G. R. In: Völkischer Beobachter (1934) 38. *E. Gottlieb,* G. R.†. In: Die Frau 48(1940/41). *H. Kreuzer,* Thomas Mann und G. R. Zu einer Entlehnung für den ›Doktor Faustus‹. In: Neue Dt. Hefte 10(1963) 96. *M. Rothe-Buddensieg,* Spuk im Bürgerhaus. Der Dachboden in der dt. Prosaliteratur als Negation der gesellschaftlichen Realität, 1974 (u. a. zu G. R.). *R. L. Johnson,* Men's power over women in G. R.s ›Aus guter Familie‹. In: Amsterdamer Beiträge zur neueren Germanistik 10(1980), 235–53. *M. L. Rowe,* A typology of women characters in the German naturalist novel, Diss. Rice Univ. 1981 (DA 42. 1981/82, 2, 721 A; u. a. zu G. R.). *G. A. Schneider,* Portraits of women in selected novels by G. R., Diss. Syracuse Univ. 1982. *R. L. Johnson,* G. R.: romantic and realist. In: S. Cocalis u. K. Goodman (Hrsg.), Beyond the eternal feminine. Critical essays on women and German literature, [Stuttgart] 1982, 225–44. *F. Alimadad-Mensch,* G. R. – Porträt einer Schriftstellerin, Diss. Hamburg 1983 (mit ausf. Bibl.). *A. B. Petersen,* »Macht etwas Ganzes aus ihr«. Eksempler på den tyske kvindeudviklingsroman i slutningen af det 19. århundrede. In: Udviklingsromanen – en genres historie, Red. af T. Jensen og C. Nicolaisen, [Odense] 1982, 317–35 u. 442f. *G. Brinker-Gabler,* Selbständigkeit oder/und Liebe: Über die Entwicklung eines Frauenproblems in drei Romanen aus dem Anfang des 20. Jh. In: Frauen sehen ihre Zeit. Katalog zur Literaturausstellung (Mainz), 1984, 41–53 (u. a. zu G. R.). *C. Katzmaier,* Die Frau als Naturwesen – eine Entmystifikation. Zur Wandlung des Naturbegriffs am Beispiel des emanzipatorischen Frauenromans am Ende des 19. Jh. In: ebda., 54–61 (u. a. zu G. R.). *H. Soltau,* Und die Mutter ist immer dabei. G. R. – eine vergessene Bestsellerautorin wird 125 (unveröff. Ms.).

Reventlow, Franziska Gräfin zu (eigentl. Fanny; Ps. F. v. Revent), * 18. 5. 1871 in Husum, † 25. 7. 1918 in Muralto (Schweiz).

Viertes Kind der geb. Reichsgräfin zu Rantzau und des Grafen zu Reventlow. Der Vater verwaltete als Landrat den schleswigschen Kreis Husum. Nach seiner Pensionierung zog die Familie nach Lübeck. F. R. besuchte dort das Lehrerinnenseminar und wurde Mitglied des Ibsenklubs. Volljährig geworden entzog sie sich elterlicher Autorität. Ging zuerst nach Hamburg, 1893 nach München, um sich als Malerin auszubilden. Heiratete 1894 den Hamburger Gerichtsassessor Lüpke, lebte seit 1895 von ihm getrennt (Scheidung 1897). 1897 Geburt des Sohnes Rolf, den sie allein

aufzog. Gehörte zur Schwabinger Künstlerboheme. Führte ein unkonventionelles, an äußeren Mitteln dürftiges Leben, berühmt als Bohemienne, gefeiert als »Mutter und Hetäre« von den Münchner Kosmikern. War befreundet u.a. mit L. Klages und R. M. Rilke. Betätigte sich aus finanziellen Gründen in vielen Berufen: Betreibung eines Milchgeschäfts, Glasmalerin, Übersetzerin und schließlich Schriftstellerin. Machte später häufig längere Reisen in den Süden. Ging 1911 eine Scheinehe mit dem Freiherrn von Rechenberg-Linten ein, verlor das dadurch erworbene Vermögen aber bald darauf durch Bank-Bankrott. Lebte seit 1909 überwiegend in der Schweiz.
Erzählerin, Übersetzerin. Schildert in ihrem ersten stark autobiographischen Roman ›Ellen Olestjerne‹ (1903) die Geschichte der Kindheit, Jugend und ersten Münchner Jahre. Kritisch-selbstkritisch schrieb sie später über die (geliebte) Boheme: in ›Herrn Dames Aufzeichnungen‹, einem Schlüsselroman, der Einblick u.a. in den Münchner George-Kreis gibt; in ›Von Paul zu Pedro‹, den Amouresken einer Dame. Äußere Hemmnisse und innere Widersprüche eines weiblichen Lebens jenseits bürgerlicher Normen vergegenwärtigt ihr bedeutendes Brief- und Tagebuchwerk.

WERKE: (MA:) Klosterjungen. Humoresken, 1897; Das Männerphantom der Frau, [Zürich] 1898; Viragenes oder Hetären?, [Zürich] 1897; Ellen Olestjerne, R. 1903 (N 1985); Von Paul zu Pedro. Amouresken, 1912; Herrn Dames Aufzeichnungen oder Begebenheiten aus einem merkwürdigen Stadtteil, 1913 (N 1969); Der Geldkomplex, R. 1916; Das Logierhaus zur Schwankenden Weltkugel und andere Novellen, 1917 (N 1972).
WERKAUSGABEN: Gesammelte Werke in einem Bande, hrsg. und eingel. v. E. Reventlow, 1925 (darin auch die Tagebücher 1897–1910) (N, ohne Tagebücher u. ohne ›Ellen Olestjerne‹, 1976); Autobiographisches (darin: Ellen Olestjerne, Novellen, Schriften, Selbstzeugnisse), hrsg. v. E. Reventlow. Mit einem Nachw. v. W. Rasch, 1980.
BRIEFE UND TAGEBÜCHER: Tagebücher. 1895–1910. Hrsg. v. E. Reventlow, 1971 (N 1976); Briefe. 1890–1917. Hrsg. v. E. Reventlow. Mit einem Nachw. v. W. Rasch, 1975 (N 1977).
ÜBERSETZUNGEN: M. Prévost, Eine Pariser Ehe, 1898; Ders., Liebesgeschichten, 1898 u.a.
LITERATUR: *Sr.*, F. R., ›Ellen Olestjerne‹. In: Die Neue Rundschau (1904). *R. M. Rilke,* F. R., ›Ellen Olestjerne‹. In: Die Zukunft 46(1904). *W. Mühlner,* F. R., ›Das Logierhaus zur Schwankenden Weltkugel‹. In: Die schöne Lit. 22 (1921). *R. Frank,* Wahnmochings Klassiker. In: Das lit. Echo 28(1925/26). *O. Flake,* F. R., ›Ges. Werke‹, In: Die Neue Rundschau (1926). *M. Rychner,* F. R., ›Ges. Werke‹. In: Neue Schweizer Rundschau [Zürich] 19(1926). F. R., ›Briefe‹. In: Die lit. Welt [Berlin] 4(1928), 49. *D. Wittner,* F. R., ›Tagebuch‹. In: Dt. Einheit [Hamburg]

8(1929). *G. v. Lieber,* F. R., Mensch und Dichterin. In: Sonntag [Berlin] (1947), 21. *A. Schmidt,* F. R., ›Der prädestinierte Phönix‹. In: Dt. Rundschau 70(1947), 9. *H. Kreuzer,* Die Boheme, 1968 (darin zu F. R. 101f.). *E. Skasa-Weiß,* Das charmante Schwarze Schaf (zu: ›Von Paul zu Pedro oder Von der Schwierigkeit, nur einen Mann zu lieben‹). In: Bücherkommentare 18(1969), 2. *M. Privat,* Vom Werden und Wesen der Schriftstellerin F. R. In: Nordelbingen 38 [Heide] 1969, 112–23. *U. Kirchhoff,* Die Darstellung des Festes im Roman um 1900, 1969 (darin zu: F. R., ›Herrn Dames Aufzeichnungen‹). Dazwischen ein Rausch (zu: Tagebücher 1895–1910). In: Der Spiegel 25 (1971) 30. *M. Franke,* Ich bin wie ein Sieb ... (zu: Tagebücher 1895–1910). In: Dt. Ztg. (1971) 38. *J. Schondorff,* Bücherschreck und Gräfin (zu: Tagebücher 1895–1910). In: Bücherkommentare 20(1971) 4. *K. Brockmeier* (zu: Tagebücher 1895–1910). In: Neue Rundschau 83 (1972) 2. *R. Huch,* Erinnerungen an Kreise und Krisen der Jahrhundertwende in München-Schwabing. In: Castrum Peregrini (1973) 110, 5–57 (darin zu F. R.). *J. A. v. Rantzau,* Zur Geschichte der sexuellen Revolution. Die Gräfin F. R. und die Münchner Kosmiker. In: Archiv für Kulturgeschichte 56(1974), 394–446. *H. E. Schröder,* F. Gräfin z. R. Schwabing um die Jahrhundertwende (Für die Ausstellung von Jan. bis Mai 1978. Mit e. Verz. der ausgestellten Stücke), [Marbach] 1978. *J. Székely,* F. Gräfin z. R. Leben und Werk, 1979 [mit ausf. Bibl.]. *H. Fritz,* Die erotische Rebellion. Das Leben der F. Gräfin z. R., 1980. *M. Gerhardt,* F. R. 1871–1918. In: H. J. Schultz (Hrsg.), Frauen. Porträts aus zwei Jh., 1981, 226–43. *G. Brinker-Gabler,* Der leere Spiegel. Zu F. R.s ›Ellen Olestjerne‹. Nachwort in F. R., ›Ellen Olestjerne‹, 1985, 239–55.

Rhoden, Emmy von (Ps. f. Emmy Friedrich, geb. Kühne), * 15. 11. 1829 in Magdeburg, † 17. 4. 1885 in Dresden.

Der Vater war Bankier. Erhielt eine sorgfältige Erziehung. Heiratete 1854 den Schriftsteller H. Friedrich-Friedrich. Ein Sohn, eine Tochter. Veröffentlichte erste Erzählungen im ›Familienbuch des Österreichischen Lloyd‹ und in der Berliner ›Victoria‹. Lebte seit 1867 in Berlin, seit 1872 in Eisenach und kehrte 1876 nach Leipzig zurück. Kurz vor ihrem Tod zog sie 1885 aus gesundheitlichen Gründen nach Dresden.

Erzählerin, Jugendschriftstellerin. Ihr letztes, postum erschienenes Buch ›Trotzkopf‹ (1885) erreichte bereits 1897 die 25. Auflage und gehört zu den erfolgreichsten Mädchenbüchern. Ihre Tochter Else Wildhagen schrieb zwei Fortsetzungen des ›Trotzkopf‹: ›Aus Trotzkopfs Brautzeit‹ (1892), ›Aus Trotzkopfs Ehe‹ (1894). Die Romanfolge vergegenwärtigt die Ziele der Mädchenerziehung im ausgehenden 19. Jh.: zwar Einbezug beruflicher Orientierung, aber nur vorübergehend bis zur Erfüllung »weiblicher Bestimmung« als Hausfrau und Mutter, unter Aufgabe des zu »Trotz« überzeichneten Ich-Anspruchs des Mädchens. (M. Dahrendorf)

Werke: Das Musikantenkind, E. 1884; Lenchen Braun, E. 1884; Der Trotzkopf. Eine Pensionsgeschichte für erwachsene Mädchen, 1885 (N 1983).
Literatur: [E. v. R.]. In: Illustriertes Unterhaltungsblatt (1874) 1. [E. v. R.]. In: Dresdner Anzeiger vom 15. 4. 1890. *F. Brümmer,* E. v. R. In: ADB IL. *G. Cwojdrak,* Vom Trotzkopf und Nesthäkchen. In: Die Zaubertruhe

12(1966), 190–201. *M. Dahrendorf,* Das Mädchenbuch und seine Leserin, 1970. *E. Kempe-Wiegand,* Seit 90 Jahren: Was ist an ›Trotzkopf‹ so fabelhaft? In: Börsenblatt für den Dt. Buchhandel (1975), 1480–82. *A. Kuhn,* Sentimentalität und Geschäft (zus. m. J. Merkel), 1977. *M. Dahrendorf,* E. R. In: Lex. der Kinder- und Jugendlit., 3 Bd. 1979, 173f. *D. Grenz,* »Das eine sein und das andere auch ...« Über die Widersprüchlichkeit des Frauenbildes am Beispiel der Mädchenliteratur. In: I. Brehmer et. al. (Hrsgin.), Frauen in der Geschichte IV, 1983, 282–301.

Rinser, Luise, * 30. 4. 1911 in Pitzling/Oberbayern.
Ihr Vater war Volksschullehrer. Sie wuchs in dörflicher Umgebung auf. Besuchte bis zum Abitur ein Internat. Studierte danach Psychologie und Pädagogik in München. 1935–39 Volksschullehrerin bei Salzburg. 1939 Heirat mit dem Opernkapellmeister Horst-Günther Schnell († 1943). Zwei Söhne. Begann zu schreiben. 1941 erste Buchveröffentlichung. Bald darauf Publikationsverbot. 1944 Heirat mit dem Schriftsteller und Nazi-Gegner Klaus Herrmann (um zu seinem Schutz seinen weiteren Aufenthalt in Bayern zu ermöglichen). 1944 wurde L. R. wegen »Hochverrat und Wehrkraftzersetzung« festgenommen und verbrachte ein halbes Jahr im Frauengefängnis in Traunstein (›Gefängnistagebuch‹, 1946). 1945–1953 Literaturkritikerin bei der ›Neuen Zeitung‹ in München. 1954–1959 verheiratet mit dem Komponisten Carl Orff. L. R. lebte in Dießen am Ammersee, in München, und ist heute ansässig in Rocco di Papa bei Rom. Unternahm Reisen durch Europa, in den Fernen und Nahen Osten, in die USA und nach Südamerika.
Bedeutende, auch im Ausland erfolgreiche zeitgenössische Autorin. Schrieb Erzählungen, Romane, Jugendbücher, Essays, Funk- und Fernsehspiele. Wurde in 21 Sprachen übersetzt. Ihr Werk ist von christlich-humanistischer Haltung geprägt. Im Mittelpunkt ihrer Romane und Erzählungen stehen häufig Frauen und Kinder, deren Probleme aus psychologischen, religiösen und gesellschaftlichen Bedrängnissen erwachsen. Z.B. in der Kindheits- und Entwicklungserzählung ›Die gläsernen Ringe‹ (1941), dem Ichbericht eines eigenwilligen Mädchens, oder in dem Roman ›Mitte des Lebens‹ (1950), der in komplizierter Erzähltechnik (Rückblenden aus Tagebuchblättern, Briefen, Dialogen, Berichten, Novellen, Reflexionen) die Identitätssuche einer Frau, anfangs Studentin der Psychologie, später Schriftstellerin, zwischen 1929 und 1948 schildert (Fortsetzung im Roman ›Abenteuer der Tugend‹, 1957). Seit Ende der sechziger Jahre verstärkt kritische Auseinandersetzung mit aktuellen politischen und gesellschaftlichen Fragen und (wie u.a. schon im ›Gefängnistagebuch‹, 1946) Hinwendung zur dokumentarischen Prosa, vor allem der Tagebuchform.
Erhielt den René-Schickele-Literaturpreis 1952, das Bundesverdienstkreuz 1977.

WERKE: Die gläsernen Ringe, E. 1941 (Neubearb. 1949; N 1984); Tiere in Haus und Hof, Kinderb. 1942; Gefängnistagebuch, 1946; Das Ohlstadter Kinder-Weihnachtsspiel, Hörsp. 1946; Erste Liebe, 1946 (N 1981); Pestalozzi und wir. Der Mensch und das Werk, 1947; Hochebene, R. 1948 (N 1984); Jan Lobel aus Warschau, E. 1948 (N 1984); (Hrsgin.) Pestalozzi. Eine Ausw. für die Gegenwart, 1948; Die Stärkeren, R. 1948; Martins Reise, Kinderb. 1949 (N 1966); Mitte des Lebens, R. 1950 (N 1983); Sie zogen mit dem Stern. Eine Buben-Weihnacht, Hörsp. 1952; Wagnis und Wandlung. Selbstporträt. In: Welt und Wort 7(1952) 12, 413ff.; Daniela, R. 1953 (N 1984); Eine Weihnachtsgeschichte, 1953; Die Wahrheit über Konnersreuth. Ein Bericht, 1954; Der Sündenbock, R. 1955 (N 1984; als Fernsehsp. 1964); Ein Bündel weißer Narzissen, En. 1956 (N 1984); Abenteuer der Tugend, R. 1957 (Forts. v. Mitte des Lebens; N 1984); (Nachw.) E., A. u. C. Brontë, Sturmhöhe, Agnes Grey, Jane Eyre, 1958; Magische Argonautenfahrt. Eine Einführung in die ges. Werke von E. Langgässer, 1959; Geh fort, wenn zu kannst, N. 1959 (N 1983); Der Schwerpunkt, Ess. 1960; Nina, 1961 (enth. Mitte des Lebens u. Abenteuer der Tugend; N 1980); Vom Sinn der Traurigkeit, 1962; Die vollkommene Freude, R. 1962 (N 1984); Ich weiß deinen Namen, 1963; Zusammenspiel des scheinbar Widersprüchlichen. Ein Selbstporträt. In: Welt und Wort 18(1963), 361f.; Über die Hoffnung, 1964; Septembertag, E. 1964 (N 1983); Weihnachtliches Triptychon, 1964; Die Kraft zu leben, 1964; Hat Beten einen Sinn?, 1966; Gespräche über Lebensfragen, 1966; Ich bin Tobias, R. 1966 (N 1984); Jugend unserer Zeit, 1967; Laie, nicht ferngesteuert, 1967; Gespräch von Mensch zu Mensch, 1967; Zölibat der Frau, 1968 (N 1974); Fragen – Antworten, [3]1968; Von der Unmöglichkeit und der Möglichkeit, heute Priester zu sein, 1968; (MA:) Nach seinem Bild, 1969; Baustelle. Eine Art Tgb., 1970 (N 1984); Unterentwickeltes Land Frau, Ess. 1970; Kardinal Galen, Dokumentarspielfilm, 1971; Grenzübergänge. Tgb.-Notizen, 1972 (N 1984); Er ist wer. In: Utopia und Welterfahrung. Stefan Andres und sein Werk im Ge-

dächtnis seiner Freunde, 1972, 67–68; Hochzeit der Widersprüche. Briefantworten an Leser, 1973; Dem Tode geweiht? Reisebericht von einer Lepra-Insel, 1974; Bruder Feuer, Jgbd. 1974 (N 1983); Der schwarze Esel, R. 1974 (N 1984); Wie wenn wir ärmer würden oder Die Heimkehr des verlorenen Sohns, 1974; Der Brief des Schriftstellers. In: Dt. Ak. für Sprache und Dichtung Darmstadt. Jb. 1975 (1976), 107–12; Wenn die Wale kämpfen. Porträt eines Landes: Süd-Korea, 1976; Leiden, Sterben, Auferstehen, Aufs. 1976; Versuch einer Deutung der ›Morgenlandfahrt‹ von Hermann Hesse. In: V. Michels (Hrsg.), Über Hermann Hesse, Bd. 2, 1977; Der verwundete Drache. Biogr. des koreanischen Komponisten Isang Yun, 1977; (MA:) Terroristen – Sympathisanten? Im Welt-Bild der Rechten. Eine Dokumentation, 1977; Kriegsspielzeug, Tgb. 1978 (N 1984); (Vorw.) G. Wilker, Kursbuch für Mädchen, 1978; Das Geheimnis des Brunnens, 1979 (N 1982); Der verwirrte Chefredakteur und die ›blinden Hühner‹: Zwei offene Briefe von L. R. In: Emma 4 (1979). Khomeini und der Islamische Gottesstaat, 1979; Elisabeth Langgässer. In: Personen und Wirkungen, biogr. Ess. 1979, 354–58; (Hrsgin.) Mein Lesebuch, 1980 (N 1982); Mit wem reden?, 1980 (N 1984); Nordkoreanisches Reisetagebuch, 1981 (N 1983); Seine Helden sind seine Wunschbilder. Über Carl Zuckmayer. In: Bl. der C.-Z.-Gesellschaft 7(1981) 1, 23–34; Die rote Katze, En. 1981; (Nachw.) U. Zydeck, Ein Haus, das hab ich nicht, G. 1981; Den Wolf umarmen, Autobiogr. 1981 (N 1984); (MA:) Frauen heute: eine Bestandsaufnahme, hrsg. v. W. Brandt, 1981; Über Elisabeth Langgässer. In: Die Eule, 1981, 98–101; (Nachw.:) E. Langgässer, Märkische Argonautenfahrt, 1981; (MA:) Literarische Fastenpredigten. Über die Laster in unserer Zeit, hrsg. v. R. Walter, 1981; (MA:) Was meinem Leben Richtung gab, 1982 (N 1984); Johanna Walser – Ein Talent wird seziert. In: Der Literat 24(1982), 293f.; Mirjam, R. 1982 (N 1984); Der Mond und sein Eigentum. Zu dem Roman ›Salware‹ von Carl Zuckmayer. In: Bl. der C.-Z.-Gesellschaft 9(1983), 9ff.; Winterfrühling 1979–1982, Tgb. 1983 (N 1984). Im Dunkeln singen. 1982–1985, 1985.

HÖRSPIELE: Martha; Prinz Mandalay (für Kinder); Un anno come gli altri, Hörsp. f. RAI, 1976; Nordkoreanisches Reisetagebuch, 1. Tl. 1980, 2. Tl. 1983.

FERNSEHFILM: Kinder unseres Volkes, 1983.

SCHALLPLATTEN: David, 1961; Ein alter Mann stirbt, Ein Bündel weißer Narzissen, o.J.; L. R. liest aus ihrer Autobiographie ›Den Wolf umarmen‹. Eine Aufnahme vom 3. 11. 1980, 1981; Die sieben letzten Worte unseres Erlösers. L. R. spricht dazu Meditationen. Musik von Haydn, 1982.

LITERATUR: *K. Virneburg,* L. R. und ihre Romane. In: Weltstimmen 18(1949) 10. *M. M. Gehrke,* L. R. – eine Frau und ihre Bücher. In: Die Weltwoche, Zürich 18(1950) 869. *H. Rein,* L. R. ›Gefängnistagebuch‹. In: H. R., Die neue Lit., 1950. *A. Andersch,* L. R. vorübergehend wichtig. In: Frankfurter Hefte 6(1951) 5. *M. Wyss,* L. R. In: Neue Zürcher Nachrichten (1950) 302. *H. E. Vallet,* La recherche de L. R. In L'age nouveau, [Paris] (1952) 73, 103–06. *W. Berghahn,* Die literarische Sünde. In: Wort und Wahrheit 8(1953), 619ff. *L. H.,* L. R. Höhen und Tiefen ihres literarischen Werkes. In: Die Warte, Beil. zum Luxemburger Wort (1953) 17. *K. Seeberger,* Die Bücher L. R.s In: Frankfurter Hefte 11(1956) 1. Maßstäbe der Kunstkritik. Zu den Romanen von Frisch und R. In: Stimmen der Zeit, Bd. 162 (1958). *I. Meidinger-Geise,* L. R. und die deutsche Frauendichtung. In: Die Seele, [Regensburg] 34(1958) 5. *H. Becher,* Maßstäbe der Kunstkritik. Zu den Romanen von Frisch und Rinser. In: Stimmen der Zeit (1958), 10. *H. Kesten,* L. R. In: H. K., Meine Freunde, die Poeten, 1959, 435–48 (N 1970). *W. H.,* Essays zu schreiben ist undankbar. In: Die Welt vom 16. 7. 1960. *L. Paepcke,* Der Bruch im falschen Ganzen. In: Frankfurter Hefte 15(1960). *L. Hoffmann,* L. R. Zum 50. Geburtstag. In: Die Warte, [Luxemburg] 14(1961) 17. *K. Ihlenfeld,* Zeitgesicht, 1961. *W. Grözinger,* Der Roman der Gegenwart. In: Hochland 54(1961/62). *P. Gordon,* Liebe im Abglanz. Zum neuen Roman von L. R. In: Erbe und Auftrag 38(1962). *G. Hartlaub,* Kunst und Religion. In: Sonntagsblatt (1962) 44. *K. Ihlenfeld,* Zu L. R.s Roman ›Die vollkommene Freude‹. In: Neue Dt. Hefte 9(1962) 88. *R. Krämer-Badoni,* Erbauliche Schattenkinder. In: FAZ vom 2. 6. 1962. *J. Pfeiffer,* Gestaltung und Gesinnung. Erläuterungen zu A. Goes' Erzählung ›Das Brandopfer‹, E. Langgässers Kurzgeschichte ›Glück haben‹ und L. R.s Roman ›Daniela‹. In: Jb. für Ästhetik und allg. Kunstwiss. 7(1962), 67–87. *L. Schiffer,* Immerwährendes Lächeln und stille Traurigkeit. In: Die Kultur 10(1962) 174. *M. Reich-Ranicki,* L. R. ›Die vollkommene Freude‹. In: M. R.-R., Deutsche Lit. in West und Ost, 1963, 298–302. *L. Hoffmann,* Jenseits der Nacht. Ein Versuch über L. R.s Werk, [Luxemburg] 1964. *C. Rotzoll,* Septembertag. In: FAZ vom 8. 12. 1964. *C. B.,* Eine Lebenshilfe? In: Christ und Welt 19(1966) 39. *P. Kipphoff,* L. R. schrieb ihren siebten Roman. In: Die Zeit 21(1966) 39, Beil. *C. Rotzoll,* Suche nach dem Vater. In: FAZ vom 20. 9. 1966. *N. Tinnefeld,* Zu L. R.s Roman ›Ich bin Tobias‹. In: Die Bücherkommentare 15(1966) 3. *K. Eichholz,* Zu L. R.s Roman ›Ich bin Tobias‹. In: Welt der Lit. 4(1967) 5. *J. Pfeiffer,* Ein religiöser Roman? Über L. R.s Erzählung ›Daniela‹. In: J. P., Über das Dichterische und den Dichter, 1967, 195–205. *A. Scholz,* Zu L. R.s Gefängnistagebuch. In: The German Quarterly 40(1967) 3, 384–92. *Ders.,* L. R.s Leben und Werk, [Syracuse (N. Y.)] 1968.

C. Brückner, Redliches Allerlei. In: Christ und Welt 23(1970) 21. *G. Funke,* Zu L. R.s Gefängnistagebuch. In: Zeichen der Zeit 24(1970) 7/8. *S. Hagen,* L. R.s ›Baustelle‹. In: Die Bücherkommentare (1970) 4. *L. Romain,* Frau Biedermann und die großen Fragen. In: FAZ vom 17. 3. 1970. *H. Buder,* Dichtung als Votum für die Humanität. Die Schriftstellerin L. R. feiert heute ihren 60. Geb. In: Neue Zeit. Zentralorgan der CDU (1971) 100. *C. Ferber,* L. R.s Tagebuch. In: Die Welt der Lit. 8(1971) 9. L. R. Zu ihrem 60. Geb. am 30. 4. 1971, 1971. *A. Bogaert,* L. R. In: La Nouvelle Revue Française, [Paris] 1972. Erstaunliche Großmut. In: Der Spiegel 26(1972) 46. *L. Romain,* Die Baustelle wurde größer. In: FAZ vom 7. 11. 1972. *J. Schondorff,* Progressiv und ratlos. In: Die Welt vom 19. 10. 1972. *C. Schultz-Gerstein,* Menschlichkeit unter Zeitdruck. In: Die Bücherkommentare 21(1972) 6. *S. Cramer,* Selbstdarstellung als Antwort auf Leserbriefe. In: ebda. 23(1974) 2. *E. Lee,* The idea of humanity in the short stories of L. R., Diss. Vanderbilt Univ. 1974. *G. Schloz,* Suche nach der Kindheit. In: Dt. Ztg. (1974) 44. *H. Weigel,* Im Schatten des schwarzen Esels. In: FAZ vom 13. 9. 1974. *H. Satter,* Stumme Beschämung. In: FAZ vom 26. 11. 1974. *R. Riedler,* Drei Gespräche: L. R., Peter Bamm, Johannes Mario Simmel. Fragen zur Person, zum Werk und zur Zeit, [Donauwörth] 1974. *M. Jurgensen,* Diarische Formfiktionen in der zeitgenössischen deutschen Literatur. In: D. Papenfuss u. J. Söring (Hrsg.), Rezeption der dt. Gegenwartslit. im Ausland, 1976, 385–95. *H. Ester,* Gespräch mit L. R. In: Deutsche Bücher 8(1978), 237–44). *E. McInnes,* L. R. and the religious novel. In: German Life & Letters 32 (1978/79), 40–45. *J. Serke,* L. R. In: J. S., Frauen schreiben. Ein neues Kapitel deutschsprachiger Literatur, 1979, 76–89.
E. Frederiksen, L. R. In: H. Puknus (Hrsg.), Neue Lit. der Frauen, 1980, 55–61. *T. Anz,* Eine streitbare Volksschriftstellerin. L. R. wird 70. In: FAZ vom 30. 4. 1981. *A. Bungert,* Die Hochzeit der Widersprüche. L. R. zum 70. Geb. In: Der Literat 23(1981) 3, 59f. *M. Konzag,* Gespräch mit Luise Rinser. In: Sinn und Form 36(1984), 815–25.

Rosmer, Ernst (Ps. f. Elsa Bernstein), * 28. 10. 1866 in Wien, † 2. 7. 1949 in Hamburg-Eimsbüttel.

Der Vater Heinrich Porges war Musikschriftsteller. Zog mit ihren Eltern früh nach München, wohin ihr Vater von König Ludwig II. berufen worden war. Gehörte kurze Zeit als Schauspielerin der Bühne an. Mußte diese Tätigkeit jedoch auf Grund eines Augenleidens aufgeben. Heiratete 1890 den Schriftsteller und Rechtsanwalt Max Bernstein.

Um die Jahrhundertwende vielgespielte Bühnenautorin. Schrieb

Wir Drei.

Fünf Akte.

Von

Ernst Rosmer.

München.

Druck und Verlag von Dr. E. Albert & Co.

Separat-Conto.

auch Novellen. Ihr Märchendrama ›Königskinder‹ (1895) wurde von E. Humperdinck vertont.

WERKE: Dämmerung, Schausp. 1893; Wir Drei, Dr. 1893; Madonna, Nn. 1894; Königskinder, Märchen-Dr. 1895; Tedeum, Kom. 1896; Themistokles, Trag. 1897; Mutter Maria. Totengedicht in fünf Wandlungen, 1900; Merete, 1902; Dagny, Dr. 1904; Johannes Herkner, Schausp. 1904 (u.d.N. Elsa Porges); Nausikaa, Trag. 1906; Maria Arndt, Schausp. 1908; Achill, Trag. 1910.

LITERATUR: *F. Mehring,* E. R. ›Dämmerung‹. In: Die Neue Zeit. Wochenschrift der dt. Sozialdemokratie 11(1892/93) 2 (Dass. In: F. M., Gesammelte Schriften, Bd. 11, 1961). *T. Lessing,* E. R. In: Die Gesellschaft, 1898. *H. Landsberg,* E. R. In: Nord und Süd, 1899. *A. Maucke,* E. R. In: Das neue Jh. (1899) 50. *S. Klett,* E. R. ›Mutter Maria‹. In: Die Frau 8(1901). *L. Weber,* E. R. ›Mutter Maria‹. In: Der Kunstwart 14(1901) 7. *A. Kerr,* E. R. In: A. K., Das neue Drama, 1905. *T. v. Scheffer,* E. R. ›Achill‹. In: Xenien, 1913. *K. Wiener,* Die Dramen Elsa Bernsteins, Diss. Wien 1923. *P. Witkop,* Elsa Bernstein. Eine Münchner Dramatikerin. In: Münchner Neueste Nachrichten (1926) 299.

Sachs, Nelly, * 10. 12. 1891 in Berlin, † 12. 5. 1970 in Stockholm.
Wuchs als einziges Kind einer jüdischen Fabrikantenfamilie auf. Wurde von Privatlehrern erzogen und zur vielseitigen musischen Ausbildung ermuntert. Wollte Tänzerin werden, begann dann mit dichterischen Versuchen. Stand seit dem 15. Lebensjahr in brieflichem Kontakt mit Selma Lagerlöf, die ihr und ihrer Mutter 1940 zur Flucht aus Deutschland verhalf. Lebte von da an in Stockholm.
Nach einer Zeit tiefster Depression begann sie schwedische Lyrik ins Deutsche zu übersetzen. Unter dem Eindruck der sich häufenden Todesnachrichten von Freunden und Verwandten entstand ihr lyrisches Werk, das sie als »Dichterin jüdischen Schicksals« weltberühmt machte. Schreiben bedeutete für sie die Möglichkeit, aus dem sprachlosen Entsetzen herauszufinden. Schrieb auch Legenden, Erzählungen, Mysterienspiele und szenische Dichtungen. Ihr im Exil entstandenes Werk greift auf die Quellen jüdischer Religiosität und christlicher Mystik zurück: die alttestamentarischen Propheten und Psalmisten, den Chassidismus und Jakob Böhme. An sie anknüpfend entwickelte sie die ihr eigene dichterische Sprachweise und Formkraft.
Erhielt 1958 den Preis des schwedischen Lyrikerverbandes; 1959 den Literaturpreis des Kulturkreises im Bundesverband der Deutschen Industrie; 1960 den Meersburger Droste-Preis für Dichterinnen; 1961 erhielt sie als erste den von der Stadt Dortmund gestifteten Literaturpreis, der Nelly-Sachs-Preis genannt wurde; 1965 den Friedenspreis des Deutschen Buchhandels; 1966 den Nobelpreis für Literatur. 1967 wurde sie Ehrenbürgerin der Stadt Berlin.

WERKE: Legenden und Erzählungen, 1921; Nachtwache, Dr. 1945; In den Wohnungen des Todes, G. 1947; Sternverdunkelung, G. 1949; Eli, Mysteriensp. 1951 (Ursendung 1959 im schwedischen Rundfunk; U. 1962 in Dortmund; U. als Oper mit der Musik von W. Steffens 1967); Leben unter Bedrohung. In: Ariel (1956) 3; Und niemand weiß weiter, G. 1957; Flucht und Verwandlung, G. 1959; Noch feiert Tod das Leben, 1961; Zeichen im Sand. Szenische Dichtungen, 1962 (N 1966) (Inhalt: Eli; Abram im Salz; Nachtwache; Simson fällt durch Jahrtausende; Der magische Tänzer; Versteckspiel mit Emanuel; Vergebens an einem Scheiterhaufen; Was ist ein Opfer?; Beryll sieht in der Nacht; Abschieds-Schaukel; Verzauberung; Viermal Galaswinte; Der Stumme und die Möwe; Eine Scheidelinie wird weiter hinausgezogen); Glühende Rätsel, G. 1964; Späte Gedichte, 1965 (N 1968); Die Suchende. G.-Zyklus, 1966; Nur eine Weltminute, Szenen-Fragment. In: Aus aufgegebenen Werken, 1968, 143–47.

VERÖFF. A. D. NACHLASS: Teile dich Nacht. Die letzten G., hrsg. von M. u. B. Holmqvist, 1971; Briefe der N. S., hrsg. von R. Dinesen u. H. Müssener, 1984.

SCHALLPLATTE: N. S. liest Gedichte, 1965.

WERKAUSGABEN: Fahrt ins Staublose, ges. G. 1961; Ausgewählte Gedichte, 1963; Das Leiden Israels, Ausw. 1964; Landschaft aus Schreien, Ausw. 1966; Simson fällt durch Jahrtausende und andere szenische Dichtungen, 1967; Das Buch der N. S. Ausw., hrsg. von B. Holmqvist, 1968 (N 1977); Verzauberung. Späte szenische Dichtungen, 1970; Suche nach Lebenden, G. 1971; Gedichte, ausgew. von H. Domin, 1977; Und Leben hat immer wie Abschied geschmeckt. Frühe G. und Prosa, hrsg. von H. D. Mück, 1983; Gedichte, hrsg. von R. Weigand, 1984.

ÜBERSETZ. A. D. SCHWEDISCHEN: Von Welle und Granit. Querschnitt durch die schwedische Lyrik des 20. Jh.s, 1947; Aber auch diese Sonne ist heimatlos. Schwedische Lyrik der Gegenwart, 1957; J. Edfelt, Der Schattenfischer, G. 1962; G. Ekelöf, Poesie, 1962; E. Lindegren, Weil unser einziges Nest unsere Flügel sind, G. 1963; K. Vennberg, Poesie, 1965; Schwedische Gedichte, Ausw. 1965.

ÜBERSETZ. A. D. HEBRÄISCHEN: D. Rokeah, Poesie, 1962.

NACHLASS: Literaturarchiv Kulturpreis der Stadt Dortmund – Nelly-Sachs-Preis bei der Stadt- und Landesbibliothek Dortmund (Teilnachlaß).

BIBLIOGRAPHIEN: *H. Bieber,* N.-S.-Bibliographie. In: N. S. Mit einem Beitrag von W. A. Berendsohn, 1963, 31–38. *H. Schwarz,* Kleine N.-S.-Bibliographie. In: Börsenblatt für den Dt. Buchhandel, [Frankfurt] 21(1965), 1101f. *W. A. Berendsohn,* Bibliographie. In: N. S. zu Ehren. Zum 75. Geb. am 10. 12. 1966. G., Beitr., Bibl., 1966, 221–34. *P. Kersten,* Bibliographie. In: B. Holmqvist (Hrsg.), Das Buch der N. S., 1968, 419–32. *Ders.,* Auswahlbibliographie. In: Text + Kritik (1969) 23, 48–51. N. S., eingel. von P. Kersten, Hamburger Bibliographien, Bd. 7, 1969. *E. Bahr,* Auswahlbibliographie. In: E. B., N. S., 1980. *R. Dinesen,* N. S. – Primärbibliographie. Verstreute Veröffentlichungen vor 1940. In: Text & Kontext 12(1984) 1, 164ff.

LITERATUR: *W. A. Berendsohn,* N. S. Mysterienspiel vom Leiden Israels ›Eli‹, 1969. *W. V. Blomster,* A theosophy of the creative word: the ›Zohar‹-cycle of N. S. In: The Germanic Review, [New York] 44(1969). *M. Kesting,* N. S. In: M. K., Panorama des Zeitgenössischen. 58 lit. Porträts, 1969, 274–77. *R. Michaelis,* N. S.' ›Eli‹. In: Theater heute 10(1969), 3. N.-S.-Sonderheft Text + Kritik 23(1969).

J. Anderegg, N. S. ›Chor der Toten‹. Versuch eines Kommentars. In: Schweizer Rundschau 69(1970), 31–34. *J. Bernfeld,* La vie et l'oeuvre de N. S. In: N. S., Brasier d'énigmes et autres poèmes, trad. de L. Richard, [Paris] 1970. *G. Bezzel-Dischner,* Poetik des modernen Gedichts. Zur Lyrik von N. S., 1970. *H. Buder,* Bleibende Zeichen im Staub. Zum Tode der Dichterin N. S. In: Neue Zeit. Zentralorgan der CDU Deutschlands (1970) 116. *G. Dischner,* Linguistische Interpretation eines poetischen Textes. Zu einem Gedicht von N. S. In: Linguistische Berichte 2(1970) 6, 67ff. *J. Edfelt,* Gedenkwort für N. S. In: Dt. Ak. für Sprache und Dichtung. Jb., 1970, 93ff. *H. Fink,* Lächeln – das Ziel schönster Eroberung. Notizen von einem Besuch bei

N. S. In: Neue Zeit. Zentralorgan der CDU Deutschlands (1970), 132. *W. Jens,* N. S. zu Ehren. In: Tribüne 9(1970), 3697–3701. *P. Kersten,* Die Metaphorik in der Lyrik von N. S. Mit e. Wort-Konkordanz und e. N.-S.-Bibliographie, 1970. *K. Lazarowicz,* N. S. In: Hbd. der dt. Gegenwartslit., Bd. 2 ([2]1970), 150f. *A. Osterling,* Le discours de réception. In: N. S., Brasier d'énigmes et autres poèmes, trad. de L. Richard, [Paris] 1970. *W. H. Rey,* ... Welch großer Empfang ... Zum Tode der Dichterin N. S. In: The Germanic Review, [New York] 45(1970), 273–88. *P. Sager,* N. S. Untersuchung zu Stil und Motivik ihrer Lyrik, Diss. Bonn 1970. *Ders.,* Die Lyrikerin N. S. In: Neue Dt. Hefte 17(1970) 4, 26–45. *K. Stromberg,* La »petite histoire« de l'attribution du Prix Nobel de Litterature à N. S. In: N. S., Brasier d'énigmes et autres poèmes, trad. de L. Richard, [Paris] 1970. *R. Trautmann,* ›Schon einen Stern weiter‹. Im Mai 1970 starb N. S. In: Die Zeichen der Zeit (1970) 9. *S. Unseld,* Zum Tode von N. S., Friedenspreisträgerin 1965. In: Börsenblatt für den Dt. Buchhandel, [Frankfurt a. M.] 26(1970), 1286–90. *B. Bolliger,* N. S., die Suchende. In: Schweizer Monatshefte für Politik, Wirtschaft, Kultur, 50(1970/71), 352–55. *W. Weber,* N. S. In: Jahresring (1971/72), 347–51. 80. Geburtstag der deutschen Schriftstellerin N. S., Bibliographische Kalenderblätter, F. 12, 1971. *J. Eyssen,* [Zu: Suche nach Lebenden. Die Gedichte der N. S., 2. Bd.: Teile dich, Nacht.] In: FAZ vom 28. 6. 1971. *H. Geissner,* N. S. In: Dt. Lit. seit 1945, [2]1971, 17–40. *P. Kersten,* Am mythischen Anfang der Worte. [Zu: Suche nach Lebenden. Die Gedichte der N. S. 2. Bd.: Teile dich, Nacht.] In: Die Welt der Lit., Beil. zu ›Die Welt‹ 8(1971) 17. *P. Sager,* Am Anfang der Worte [Zu: s. o.] In: Dt. Ztg. (1971) 22. *U. Willers,* Ein Gedicht von N. S. – Datierung und Lokalisierung. In: Moderna Språk, [Saltsjö-Duvnäs] 65 (1971), 235–38. *E. Bahr,* Shoemaking as a mystic symbol in N. S.' mystery play ›Eli‹. In: The German Quarterly 45(1972), 480–83. *W. Höfer* (Hrsg.), Deutsche Nobel-Galerie. Von Theodor Mommsen bis Heinrich Böll. Deutschlands Lit.preisträger aus 70 Jahren, 1972. *D. J. Dodds,* S., Schoenberg. A study on myth in word and music, Diss. Univ. of Colorado 1972. *M. Hofmann,* An die Dichterin N. S. In: Lit. + Kritik 7(1972), 65. *Dies.,* Die Gedichte der N. S. In: ebda. 7(1972), 66–69. *F. J. Raddatz,* Welt als biblische Saat. In: F.J.R., Verwerfungen. 6 lit. Ess., 1972, 43–51. *J. P. Wallmann,* Stockholmer Ehrung für N. S. In: Universitas 27(1972), 110ff. *A. Holschu,* Lyrische Mythologeme. Das Exilwerk von N. S. In: M. Durzak (Hrsg.), Die dt. Exillit. 1933–1945, 1973, 343–57. *B. Keller-Stocker,* Die Lyrik von N. S. Entwicklung und Grundstruktur anhand von Interpretationen, Diss. Zürich 1973. *K. Schwedhelm,* N. S. In: H. J. Schultz (Hrsg.), Der Friede und die Unruhestifter, 1973. *L. Simon,* N. S. In: B. v. Wiese (Hrsg.), Dt. Dichter der Gegenwart. Ihr Leben und Werk, 1973, 33–45. *U. Willers,* Kring N. S. väg till Sverige. In: Moderna Språk, [Stockholm] 67(1973). *W. A. Berendsohn,* N. S. Einführung in das Werk der Dichterin jüdischen Schicksals. Mit einem Prosatext ›Leben unter Bedrohung‹, einer Ausw. von 30 Briefen und einem Bericht über die N.-S.-Slg. in Dortmund, 1974. *B. Murdoch,* Transformations of the holocaust: Auschwitz in modern lyric poetry. In: Comparative literature studies, [Urbana/Ill.] 11(1974), 123–50. *L. Hardegger,* N. S. und die Verwandlungen der Welt, 1975. *L. L. Langer,* The holocaust and the literary imagination, 1975. *D. Dodds,* The process of renewal in N. S.' ›Eli‹. In: The German Quarterly 49(1976), 50–58. *K. Hamburger,* Kleine Schriften, 1976. *K. Weissenberger,* Zwischen Stein und Stern. Mystische Formgebung in der Dichtung von Else Lasker-Schüler, N. S. und Paul Celan, 1976. Human and divine justice in the works of German Christian and German Jewish authors. A symposium. In: Colloquia Germanica 10(1976/77), 297–335. *C. Vaerst,* Dichtungs- und Sprachreflexion im Werk von N. S., 1977. *G. Brinker-Gabler,* N. S. In: G. B.-G. (Hrsg.), Dt. Dichterinnen vom 16. Jh. bis zur Gegenwart, 1978. *J. Margetts,* N. S. and »Die haargenaue Aufgabe«: observations on the poem-cycle ›Fahrt ins Staublose‹. In: Modern Language Review 73(1978), 550–62. *L. Ronchetti,* Sprache als Heimat. In: Schweizer Rundschau 77(1978) 10, 20f. *H. L. Arnold* (Hrsg.), N. S., [2]1979. *H.-P. Bayerdörfer,* »Mit

Herrn Walther auf dem Steine« – Mit dem »Schreiber des Sohar«. Zur Berufung auf mittelalterliche Lit. in der dt. Lyrik vor und nach 1933. In: R. Schützeichel (Hrsg.), Studien zur dt. Lit. des Mittelalters, 1979, 198–222. *I. Langner,* Die deutsch-jüdischen Dichterinnen. In: Frankfurter Hefte 34(1979) 5, 37–45.

E. Bahr, N. S., 1980. *S. Bauschinger,* Hiob und Jeremias. Biblische Themen in der dt. Lit. des 20. Jh.s. In: Akten des VI. Internationalen Germanisten-Kongresses, Tl. 3, 1980, 466–72. *M. Gelber,* N. S.' ›In den Wohnungen des Todes‹: poetic structures for human suffering. In: Neue Germanistik, [Minneapolis] 1(1980), 5–24. *U. Klingmann,* Religion und Religiosität in der Lyrik von N. S., 1980. *W. H. McClain,* The imaging of transformation in N. S.' Holocaust poems. In: The Hebrew University Studies of Literature, [Jerusalem] 8(1980) 2, 281–300. *J. H. Thompson,* The Theme of rebirth in five dramas of N. S., Diss. of the Univ. of North Carolina at Chapel Hill, 1980. *R. Dinesen,* Hinübergerettet in die Heimatsprache. N. S. als Übersetzerin Johannes Edfelts. In: H. Müssener (Hrsg.), Aspekte des Kulturaustausches zwischen Schweden und dem deutschsprachigen Mitteleuropa nach 1945, 1981, 281–302. *D. Fink,* ›Diese Nacht ...‹. Aus dem Zyklus ›Glühende Rätsel‹ von N. S. In: Bulletin des Leo-Baeck-Instituts, [Tel Aviv] (1981) 59, 92ff. *P. Michel,* Mystische und literarische Quellen in der Dichtung von N. S., Diss. Freiburg i. Br. 1981. *J. Ryan,* N. S. In: K. Weissenberger (Hrsg.), Die dt. Lyrik von 1945 bis 1975. Zwischen Botschaft und Spiel, 1981, 110–18 u. 443ff. *E. Bahr,* Flight and metamorphosis: N. S. as a poet of exile. In: J. M. Spalek and R. F. Bell (Hrsg.), Exile: the writer's experience, [Chapel Hill] 1982, 267–77. *E. K. Cervantes,* Strukturbezüge in der Lyrik von N. S., 1982. *R. Dinesen,* Das Ziel des Kosmos. Zum Element »Fisch« in der Lyrik von N. S. In: Jb. der dt. Schiller-Gesellschaft 26(1982), 445f. *G. Dischner,* Zu den Gedichten von N. S. In: G. D., Über die Unverständlichkeit, 1982, 39–84 [zuerst 1977]. *H. Domin,* »Daß nicht Einer Tod meine, wenn er Leben sagt«. Die Dichtung der N. S. In: H. D., Aber die Hoffnung, 1982, 143–60 [zuerst als Nachwort zu: N. S., Gedichte, 1977]. *R. Foot,* The phenomenon of speechlessness in the poetry of Marie Luise Kaschnitz, Günter Eich, N. S. und Paul Celan, 1982. *G. Görgey,* Hier an dieser Stelle – Annäherung an einen Text von N. S. In: Walter Neumann (Hrsg.), Grenzüberschreitungen oder Lit. und Wirklichkeit, 1982, 100–07 [Und wir, die ziehen ...]. *U. Krechel,* Tochter des Propheten. N. S.: ›Wenn ich nur wüßte‹. In: U. K., Lesarten, 1982, 159–65. *L. L. Langer,* Versions of survival. The Holocaust and the human spirit, [Albany, N. Y.] 1982 [zu N. S. und Gertrud Kolmar]. *C. Vaerst-Pfarr,* N. S.: ›Das ist der Flüchtlinge Planetenstunde‹. In: W. Hinck (Hrsg.), Gedichte und Interpretationen, Bd. 6, 1982, 40–49. *V. Sialm-Bossard,* Einblick in die Arbeit mit der struktural-semiotischen Methode im Literaturunterricht. Beispiel einer Textanalyse: ›Auf den Landstraßen der Erde‹ von N. S. In: Linguistik und Didaktik 12(1981/82), 165–72. *H. Domin,* Zurückgekehrt als Boten der Versöhnung. Dankrede bei Entgegennahme des N. S.-Preises 1983. In: die horen 29(1984) 2, 127–32. *H. Falkenstein,* N. S., 1984.

Salis-Marschlins, Meta von, * 1. 3. 1855 auf Schloß Marschlins (Graubünden), † 1. 3. 1929 in Basel.
Da ihr zunächst das Universitätsstudium versagt war, wurde sie mit 19 Jahren Erzieherin. Reiste auf Einladung Malvida von Meysenbugs nach Italien, dann nach Deutschland, England und Irland. Von 1883 bis 1887 studierte sie an der Universität Zürich Geschichte und promovierte mit einer Arbeit über die Kaiserin Agnes von Poitou (1025–1077) zum Dr. phil. Seit dem Studium in Zürich mit Hedwig Kym befreundet, mit der gemeinsam sie dann auf Marschlins lebte, ab 1904 auf Capri, seit 1910 in Basel. – Lyrikerin, Erzählerin und Essayistin. Mit großem Engagement setzte sie sich für Frauenrechte ein.

Werke: Gedichte, 1881; Die Zukunft der Frau. Dichtungen, 1886 (²u. d. T. Präludien und Phantasien. Die Zukunft der Frau, 1891); Agnes von Poitou, Kaiserin von Deutschland. Eine hist.-krit.-psycholog. Abhandlung, Diss. 1887; Die Schutzengel. Ein R. aus der Gegenwart und Zukunft in 3 Büchern, 1889–1891 (nur 2 ersch.); (MA:) Lieder und Sprüche, 1892; Der Prozeß Farner-Pfrunder, 1893; Zur Verständigung, 1894; Philosoph und Edelmensch. Ein Beitrag zur Charakteristik Friedrich Nietzsches, 1897; Auserwählte Frauen unserer Zeit, 1900; Aristokratika, G. 2 Bd. 1902 u. 1909; Erinnerungen, 1916 (als Ms. gedruckt); Auserwählte Frauen unserer Zeit II, 1916; Aristokratika II, 1919; Gemma, 1919.
Veröff. a. d. Nachlass: Ein genialer Abenteurer, 1938.
Übersetzung: P. D. Pasolini, Katharina Sforza, 1895; Ders., Die Säkularjahre, 1907; Ders., Ravenna und seine großen Erinnerungen, 1930.
Literatur: *E. Graf,* Eine schweizer. Vorkämpferin für die Rechte der Frau. In: Jb. der Schweizerfrauen, 1923, 11–18. *H. Kym,* M.S.-M., 1929. *B. Schleicher,* M.S.-M., 1932. *M. Bindschedler,* Nietzsches Briefe an M. v. S. Zum 100. Geb. der Schriftstellerin. In: Neue Schweizer Rundschau, N. F. 22(1954/55), 707–21. *H. Ribi,* M. v. S. In: Festschrift Graubündner Kantonalbank, Sonderdruck, [Chur] 1970. *D. Stump,* Sie töten uns – nicht unsere Ideen. M. v. S.-M. (1855–1929). Schweizer Schriftstellerin und Frauenrechtskämpferin, [Thalwil b. Zürich] 1986 [m. ausf. Bibl.].

Sanzara, Rahel (auch Sansara; Ps. für Johanna Bleschke), * 9. 2. 1894 in Jena, † 8. 2. 1936 in Berlin.

Der Vater war Stadtmusiker. Besuchte als älteste von vier Geschwistern Grundschule und höhere Töchterschule mit angeschlossenem Handelsschuljahr. Früh Anzeichen besonderer Begabung für Musik und Tanz. Wurde 1912 zur Buchbinderlehre nach Blankenburg (Harz) geschickt. Ging 1913 nach Berlin. Lernte dort den Arzt und Schriftsteller Ernst Weiß kennen, mit dem sie über 20 Jahre (mit Unterbrechungen) verbunden blieb. Nach Schnellausbildung und Tätigkeit als Krankenschwester 1914/15, Ausbildung als Tänzerin bei Rita Sacchetto; Auftritte in Tanzpantomimen. 1917 Filmdebut, 1918 Schauspielschülerin bei Otto Falckenberg in München. Erfolgreiches Theaterdebut 1919 in Prag in Ernst Weiß' ›Tanja‹. Ab 1921 Engagement am Hessischen Landestheater Darmstadt; 1924 Rückzug vom Theater. Schrieb als Erstlingswerk den Roman ›Das verlorene Kind‹, der als Vorabdruck in der ›Vossischen Zeitung‹, kurz darauf in Buchform erschien (1926). Der Roman, dessen Geschehen um den Sexualmord an einer Vierjährigen auf einem brandenburgischen Gutshof kreist, erregte großes Aufsehen, vor allem als Roman einer Frau; er erreichte in kürzester Zeit mehrere Auflagen und wurde in elf Sprachen übersetzt. 1926 sollte R. S. dafür der Kleist-Preis verliehen werden; sie lehnte ab. Ihre weiteren literarischen Arbeiten fanden keine Resonanz bei ihrem Verlag (Ullstein). Heiratete 1927 den jüdischen Börsenmakler Walter Davidsohn, der später ins französische Exil ging. Sie selbst blieb trotz Schwierigkeiten während der Nazi-Herrschaft in Berlin, wo sie 1936 nach längerer Krankheit starb.

Werke: Das verlorene Kind, R. 1926 (N 1980 u. 1983); Die glückliche Hand, E. In: Vossische Zeitung, März 1933 und [Zürich] 1936 (N 1985); Hochzeit der Armen, R. (unveröff., verschollen).

Literatur: [R. S.]. In: Weiß-Blätter. Diskussionsforum und Mitteilungsorgan für die am Werk von Ernst Weiß Interessierten (1973) 2, 5f. *H. D. Kenter,* R. S. Eine Erinnerung an das Darmstädter Landestheater. In: ebda. (1975) 4, 14ff. *F. Hölzlin,* Erinnerung an R. S. In: ebda. (1975) 4, 16–19. *M. Pazi,* Neues über R. S. Der Briefwechsel der Schauspielerin mit Albert Ehrenstein. Mit Textpublikation. In: ebda. (1977) 5, 13–26. *D. Orendi-Hinze,* Die bleibende Rolle der R. S. In: ebda. (1978) 6/7, 28–37. *Dies.,* R. S. Eine Biographie, 1981. *J. v. Zerzschwitz,* R. S.s Roman ›Das verlorene Kind‹ und ihr Verhältnis zu Ernst Weiß. In: Weiß-Blätter (1985) 3, 22–29.

Schaefer, Oda, * 21. 12. 1900 in Berlin.

Tochter der aus Dorpat stammenden Kaufmannstochter Alice Baertels und des Journalisten Eberhard Kraus, zu dessen Vorfahren baltische Pastoren und die Malerfamilie von Kügelgen gehörten. Verlebte ihre Kindheit bis zu Beginn des Ersten Weltkriegs im Baltischen, die Jugendjahre in Berlin. Besuchte das Lyzeum, anschließend eine private, später die Städtische Kunstgewerbeschule. 1923 Heirat mit dem Maler Albert Schaefer-Ast in Weimar. Ein Sohn (vermißt seit 1944). 1926 bis 1931 in Liegnitz. Beginn journalistischer und dichterischer Tätigkeit. 1928 erste Veröffentlichungen in der schlesischen Presse. Ab 1931 wieder wohnhaft in Berlin, gemeinsam mit dem Schriftsteller Horst Lange; Heirat mit ihm 1933. Gehörte in Berlin zum Kreis um die Literaturzeitschrift ›Die Kolonne‹. Ab 1945 in Mittenwald, seit 1950 in München wohnhaft.

Lyrikerin, Erzählerin, Hörspielautorin, Feuilletonistin. Mit ihrer (Natur-) Lyrik und ihren Balladen vorwiegend der romantischen Tradition zugehörig. Als Erzählerin bewegt sie sich »zwischen Traum und Wirklichkeit ... auf der Suche nach dem wahren ›Sinn‹, der hinter den Erscheinungen liegt« (A. Groß-Denker). Zahlreiche Hörspiele seit den 30er Jahren, u.a. die Funkballade ›Das flandrische Eisfest‹ (1936), ›Die Windharfe‹ (1937, Szenen um Clara und Robert Schumann), eine biographische Darstellung ihrer Freundin ›Elisabeth Langgässer‹ (1956). O. Sch.s erste Buchpublikation war das von ihr herausgegebene ›Stille Tagebuch eines baltischen Fräuleins‹ (1936), die Erinnerungen ihrer Großmutter Sally von Kügelgen, Nichte des Malers Wilhelm von Kügelgen. Später Herausgeberin von Frauenlyrik (1957) und Texten aus und um Schwabing (1958). Veröffentlichte zahlreiche feuilletonistische Plaudereien, u.a. über die Mode (›Die Boutique‹, 1963) und die Kunst Dame zu sein (›Ladies only‹, 1963). Über ihr eigenes Leben berichtet sie in ihren zweibändigen Erinnerungen (1970 und 1977).

Erhielt den Preis der Akademie der Wissenschaften und der Literatur (1951), die Ehrengabe der Bayerischen Akademie der Schönen Künste (1952), den Preis der Gesellschaft zur Förderung des deutschen Schrifttums (1955), den Förderpreis für Literatur der Stadt München (1959), das Bundesverdienstkreuz 1. Klasse (1964), den Literaturpreis der Gesellschaft zur Förderung des Schrifttums (1970), die Goldmedaille ›München leuchtet den Freunden Münchens‹ (1970), den Literaturpreis des Kulturkreises im Bundesverband der Deutschen Industrie (1975), den Schwabinger Kunstpreis für Literatur (1973).

WERKE: Mozart auf der Reise nach Prag, Hörsp. 1934 (nach Mörike); Fliegerin über den Ozean, Hörsp. 1934; Die schöne Magelone, Hörsp. 1934; Der Schatzgräber, Hörsp. 1935 (nach Musäus); (Hrsgin.) Das stille Tagebuch eines baltischen Fräuleins, 1936; Der Traum Surinam, Hörsp. 1936; Das flandrische Eisfest, Hörsp. 1936; Die dreiste Magd von Brieg, Hörsp. 1936; Die Windharfe, Hörsp. 1937; Die Windharfe, Balladen u.G. 1939; Irdisches Geleit, G. 1946; (Hrsgin.) Madonnen. Bildbd. m.G., 1947; Die Kastanienknospe, En. 1947; Unvergleichliche Rose, kleine Prosa, 1947; Kranz des Jahres, G. 1947; Den Elementen verschwistert. Ein Selbstporträt. In: Welt und Wort. Lit. Monatsschr. 4(1949); Gösta Berling, Hörsp. 1950; In die Nacht hinein, Hörsp. 1952; Libellenbucht, Hörsp. 1956; Elisabeth Langgässer. Lebensbild, Hörsp. 1956; Katzenspaziergang, poet. Feuilleton, 1956; März, Monatsb. 1957; (Hrsgin.) Unter dem Sapphischen Mond. Dt. Frauenlyrik seit 1900, 1957; Die Göttliche, Hörsp. 1958; (Hrsgin.) Schwabing. Spinnete und erotische, enorme und neurotische Moritaten und Verse von Scharfrichtern und Schlawinern aus dem Münchner Künstlerviertel Wahnmoching, 1958 (N u.d.T. ›Schwabing verliebt verrückt vertan‹, 1972); Grasmelodie, G. 1959; Mein Leben, Meine Arbeit. Ein Selbstporträt. In: Welt und Wort. Lit. Monatsschr. 16(1961); Die Boutique. Von den schönen kleinen Dingen der Mode, 1963; Ladies only oder von der Kunst Dame zu sein, [Zürich] 1963; (Hrsgin.) Der Dandy, 1964; Belle Epoque, Hörsp. 1965; Und fragst du mich, was mit der Liebe sei ..., Aufsätze, 1968; Schwarze Sonne, Funksp. 1968 (n.d. Roman von H. Lange, Verlöschende Feuer); Auch wenn du träumst gehen die Uhren, Lebenserinn. 1970 (⁴1980); Horst Lange – ein schlesischer Dichter. In: Schlesien 16 (1971), 193–96; Der grüne Ton, G. 1973; Vom armen B.B. In: Jahresring 75–76(1975), 50–55; Die Haut der Welt, E. 1976; Die leuchtenden Feste über der Trauer, Lebenserinn. 1977.

WERKAUSGABE: Wiederkehr. Ausgew. Gedichte m.e. Nachw.v. W. Fritzsche, 1985.

LITERATUR: *R. Paoli,* Poesia delle rovine. In: Paragone [Firenze] 8(1950) 1. *V. O. Stomps,* O. S. in ihrer Dichtung. In: Dt. Rundschau 85(1959), 331–34. *J. Hoffbauer,* Unter dem sapphischen Mond, O. S. zum 65. Geburtstag. In: Der Schlesier 17(1965) 50. *J. Schondorff,* Auch wenn du träumst gehen die Uhren. In: Bücherkommentare (1970), 3. *J. Günther,* Auch wenn du träumst gehen die Uhren. [Rez.] In: Neue deutsche Hefte 17(1970) 4, 177–80. *J. Eggebrecht,* Laudatio auf O. S. In: Welt und Wort. Lit. Monatsschr. 26(1971), 72f.

Schanz, Frida, * 16. 5. 1859 in Dresden, † 17. 6. 1944 in Warmbrunn (Schlesien).

Tochter des Schriftstellerehepaars Pauline und Julius Schanz. Nach Schulbesuch und Lehrerinnenexamen in Dresden war sie als Lehrerin bei Verwandten in Böhmen tätig. Unternahm Reisen nach Venedig und Odessa. 1885 heiratete sie den Schriftsteller und Redakteur des Familienblatts ›Daheim‹, Ludwig Soyaux. Beginn reger schriftstellerischer Tätigkeit. Lebte bis 1891 in Leipzig, dann in Berlin. Nach dem Tod ihres Mannes (1905) arbeitete sie in der Redaktion des ›Daheim‹ und war als Lektorin zuständig für den lyrischen Teil von ›Velhagen und Klasings Monatsheften‹. Zusammen mit Clementine Helm gab sie von 1895–1904 den Almanach ›Junge Mädchen‹ heraus; bis 1905 das Jahrbuch ›Kinderlust‹. – Vielgelesene Kinder- und Jugendbuchautorin ihrer Zeit; auch Lyrikerin.

WERKE: (MA:) Unser Hausglück, 1885; In der Feierstunde. En. für kleine Mädchen, 1886; Mit Ränzel und Stab. Eine Pensions- und Reisegesch., 1887; (MA:) Neues goldenes Bilderbuch, 1887; Licht. Ein Märchen-G., 1888; (MA:) Prinzenreise, 1888; Gedichte, 1888; Kleine Leute von sonst und heute, 1888; 101 neue Fabeln, 1888; Die Reise mit dem Weihnachtsmann, E. 1889; Lichtstrahlen, G. 1889; Zwölf Kindergeschichten, 1889 (² u.d.T. Mütterchen erzählt. Gesch. für Kinder, 1897); Jung-Japan beim Spiel, mit Text und Beschreibung, 1889; Um Leben und Liebe. Nn. und Bilder, 1890; In der heiligen Nacht. Lieder, Märchen und Gesch. 1890; Blumen und Früchte. En. für Mädchen, 1890; Vogel-Lieder. Eine poetische Anthologie, 1890; Mit sechzehn Jahren. Lustige Mädchengesch., 1891; Fürs Kinderherz. Bilderb. mit Reimen, 1891; Harztagebuch. Sk. und Dichtung, 1891; Filigran. Nn. in Versen, 1891; Rottraut und Ilse. E. für junge Mädchen, 1892; Der Harz in Bildern. Eine Harzwanderung, 1892; Das Komteßchen und andere Erzählungen für die Jugend, 1892; Der Rhein. Dichtung, 1892; O du seelige Backfischzeit! Bilder und Vignetten, 1892; Am trauten Herd. Märchen und Gesch., 1892; (Hrsgin.) Deutsches Mädchenbuch. Ein Jb. für junge Mädchen, 1892–1894; Kinder-Paradies. Ein heiteres Bilderb. mit Reimen, 1892; Junges Blut. 3 Mädchengesch., 1893; Im Sonnengold! Lebensglück und Liebesglück im Liede. Lyrischer Hausschatz, 1893; (MA:) Blätter aus dem Buche des Lebens. Eine Idylle in Bildern, 1893; Bierblätter. 200 Spruchstrophen, 1893; Bunter Strauß. Märchen und En. 1893; Puppenspiel. Ein Buch für kleine Mädchen mit Bildern, 1893; Unsere Lieblinge. Ein Strauß dt. Dichtung, 1894; Ährenlese. Neue Sprüche, 1894; Neue Gedichte, 1894 (1895); Lieder des Lebens. Ausgew. G. und Sprüche dt. Dichter, 1894; Bunter Sang. Eine Slg. Kinderlieder, 1895; (Hrsgin.) Junge Mädchen. Ein Almanach, 1895–1904; Kinderlust. Ein Jb. für Knaben und Mädchen, 1895–1905; Die Alte, E. 1896; Kalender für das Jahr 1896, 1896; Aus dem Jugendland. Sport. Der Pensionär. Zwei En. für junge Mädchen, 1897; Hand in Hand. En. für junge Mädchen, 1898; Eine Millionenheirat und anderes, Nn. und Sk. 1898; Maiwuchs. Vier Mädchengesch. 1899; Unter dem Eschenbaum. Neue G. 1899; (MA:) Waldkind und Weltkind. Märchen-E. in Br., 1900; Herdfunken. Neue Sprüche und Sinn-G., 1900; Feuerlilie. E. für Mädchen, 1901; Morgenrot. Mädchengesch. 1901; Intermezzo, G. 1901; (MA:) Kinderglückwünsche, 1902; Schulkindergeschichten. 20 En. 1902; Heidefriedel. En. für Kinder, 1903; Huberta Sollacher. Eine Waldgesch. für Jung und Alt, 1903–1904; Unter der Tanne. En. und Märchen für Kinder, 1904, (MA:) Wachsende Kräfte, En. 1906; Hirtenhannel und andere Geschichten. 16 En. für die Jugend, 1906; Feldmohn. Ernstes und Heiteres, 1907; Wolken. Tgb. einer jungen Frau, 1907; Der Armenarzt und andere Erzählungen, 1908; Ekenhof und anderes, Nn. 1908; Hochwald, R. 1908; Kinderlieder. Für Eltern und Kinder, für Schule und Haus, 1908; April! April! und andere Erzählungen, 1909; (MA:) Szenen und Gedichte für Familienfeiern, 1909; Wintersaaten. Ein Buch Verse, 1909; Kinderballaden, 1909; Zweite Ehe. Ein Buch vom Tode und von der Liebe, 1909; Balladen, 1910; Italienische Pastelle, 1910; (MA:) In der Feierstunde, Kindergesch. 1911; Neue deutsche Lyrik, 1912; (Hrsgin.) Damen-Kalender. Schreib-Kalender. Geschichts-Kalender, 1912–1914; Der flammende Baum. Neue dt. Märchen, 1913; Aus dem alten Zauberbronnen. Neue dt. Märchen, 1914; Versöhnung, 4 Nn. 1916; Kleine Leutnants und andere Geschichten. Ein Jgdb. 1917; Frauenwerk im Kriege. 12 Kapitel über Frauenarbeit, 1918; Fridel. Ein Buch Jugenderinn., 1920; Sie kann nicht mit Kindern umgehen, 1920; Das Kind. Ein Slg. des Schönsten vom Kinde und für das Kind. Mit Bildern dt. Künstler, 1920; (MA:) Das kleine Albert-Henschelbuch. 20 ausgew. Sk. des Künstlers mit begleitenden Versen von F. S., 1921; Mit der Welle zum Meer. Ausgew. Gedichte. Altes und Neues, 1921; (MA:) Von fröhlichen Kindern. Ein Bilderb. in Versen, 1921; (MA:) Aus Großvaters Kinderzeit. Ausgew. Bilder mit Versen, 1921; Der goldene Reifen und andere Märchen und Erzählungen, 1922; Geschichtenbuch für die junge Welt, 1922; Ein Kreuzgang, En. 1922; Treue Freundschaft, E. – Der Heinzelmann. Ein Märchen, 1923; Die Glückserbse. Die Krötenkönigin, 1923; Knut, der Geiger. Ein Märchen, 1923; Die zauberhaften Kugeln. Vom Irmel, das fliegen wollte, 1923; (MA:) Ein buntes Bilderbuch mit Gedichten, 1924; Das Bilderbuch. Eine Plauderei über kleine Leser und was sie gerne lesen mögen. Werbeschrift, 1925; Bunte Blätter, En. 1925; (MA:) Für Buben und Mädels. Ein buntes Bilderb. für die Kleinen. Mit Versen von F. S., 1925; (MA:) Vom Hampelmann und anderem Spielzeug. Ein allerliebstes Bilderbüchlein mit Versen von F. S., 1925; Kinder und Blumen. Ein fröhliches Buch, 1925; Der Teufelsbub. Abenteuerliche Gesch. eines tollen, lieben Jungen, 1925; Das Armutszeugnis, 1925; (MA:) Klein-Kinder-Buch. 12 bunte Bilder für die Allerkleinsten, 1925; (MA:) Geliebte Leutchen. Ein Bilderb. mit eingedruckten künstlerischen Lichtbildern, 1926; Und dennoch immer Natur, 12 G. 1926–1927; Geschichten und Geschichtchen. Ein neues Kinderb. 1927; Das Schneekind. Ein Wintermärchen in Versen, 1927; Das Frida Schanz-Buch, hrsg. von W. Günther, neue Märchen, En., G. von F. S., E. Dauthendey, A. Dörfler [u. a.], 1927; Gastgeschenk. Sprüche, 1928; Schneewittchens Hochzeit und ›Wie unsere Märchen weiter gehen‹, 1928; Das neue Frida Schanz Buch. Jubiläumsband. Neue Märchen, En., G. von F. S., E. Dauthendey, E. Dorn [u. a.], 1929; Kinderglück. Ein fröhliches Buch, gedichtet, 1929; (MA:) Das Himmels-Hospital, 1929; (MA:) Märchen von kleinen Leuten, 1929; Die empörten Spielsachen und andere Gedichte, 1930 (N 1978); Das goldene Geschichtenbuch. Mit Beitr. von I. Manz, 1930; Hab mich lieb! 12 neue Gesch., 1931; Vom Häslein, das goldene Eier legte. Eine wunderbare Gesch., 1932; Sonnige Geschichten. Neue Jugend-En., 1932; Der Buntspecht. Fröhliches Buch für Jungen und Mädchen, 1932; Peters Neujahrswünsche und Wie er einmal schwindeln wollte, 2 En. 1933; Das Geheimnis der Bodenkammer, 1934; Heinos Nachtfahrt und 11 andere Erzählungen für die Jugend, 1934; (MA:) Neues vom Osterhasen. Ernstfröhliches Frühlingsbüchlein, 1934; Der Rosengarten. 10 Märchen, 1936; Frühling im Banat, G. 1939; Sudetenwinter. Neue Lyrik, 1939.

Werkausgaben: Gedichte, 1906; Mein Weg. Balladen, G., Sprüche. Gesamtausg. in 1 Bd. fürs dt. Haus, 1919 (erw. Aufl. u. d. T. Besonnte Strecke. G., Balladen, Legenden, En. in Versen, 1928; Das Frida-Schanz-Buch, hrsg. v. W. G. Schreckenbach, o. J.

Literatur: H. M. Elster, F. S. zu ihrem 80. Geb. In: Der Türmer 40 (1939) Bd. II. N. N., F. S. In: Lex. der Kinder- und Jugendlit. Bd. 3, 1979, 268f.

Schaumann, Ruth, * 24. 8. 1899 in Hamburg, † 13. 3. 1975 in München.

Die Mutter war Tochter eines Wassermühlenbesitzers aus Uelzen, der Vater aktiver Kavallerieoffizier aus Braunschweig. Wuchs in Hagenau (Elsaß), Hamburg und Lahr auf. Besuchte eine höhere Töchterschule, erhielt dann Privatunterricht. Lebte seit 1917 in München. Von 1918–1920 Besuch der Kunstgewerbeschule. Meisterschülerin des Bildhauers Wackerle. Veröffentlichte 1920 ihren ersten Gedichtband. 1924 Konversion zum Katholizismus und Heirat mit dem Redakteur der katholischen Zeitschrift ›Hochland‹, Friedrich Fuchs. Fünf Kinder. Lebte als Malerin und Schriftstellerin in München. Während des Nationalsozialismus waren einige ihrer Werke verboten.

Ihr vielfältiges literarisches Werk, das sie oft selbst illustrierte, ist geprägt von christlichem Glauben und trägt mystisch märchenhafte Züge. Es umfaßt Lyrik, Legenden, Märchen, Novellen, Erzählungen, Romane, Essays, Kinderbücher und Spiele. Nach ihrer frühen expressiven religiösen Lyrik (›Die

Kathedrale‹, 1920) traten später Themen über Liebe, Ehe und Mutterschaft in den Vordergrund. Autobiographisch sind ihre Bücher ›Amei. Eine Kindheit‹ (1932, erw. 1949) und ›Das Arsenal‹ (1968).
Erhielt den Dichterpreis der Stadt München (1931). Nach dem Zweiten Weltkrieg wurde sie mit dem Großen Bundesverdienstkreuz ausgezeichnet.
Zeichnungen, Gemälde, Plastiken arbeitete sie in verschiedenen Techniken (Mosaik, Holzschnitt, Holz, Bronze, Scherenschnitte); erstellte Glasfenster und Tafelbilder. Arbeiten von ihr sind u.a. in der Städt. Galerie München, im City Art Museum St. Louis und der Frauen-Friedenskirche in Frankfurt am Main.

WERKE: Die Kathedrale, G. 1920; Die Glasbergkinder. Ein Sp. 1924; Der Knospengrund, G. 1924; Werkblätter, 1925; Bruder Ginepro, Sp. 1926; Das Passional, G. 1926; Der Rebenhag, G. 1927; Die Rose, G. 1927; Rigi Klösterli, G. 1927; Die Kinder und die Tiere, G. 1929 (N 1954); Der blühende Stab. Neun Gesch. 1929; Die Weihnacht von Feldkirch, 1930; Die geliebten Dinge. Bilder und Verse, 1930; (MA:) Ein Maler deutscher Innigkeit. Zweiundvierzig Bilder von A. J. M. Beckert und Die Legende von dem Maler Unserer Lieben Frau von R. S., 1931; Der selige Streit. Ein hohes Lied der weihnachtlichen Liebe in zwei Bildern, 1931; Die Tenne, G. 1931; Amei. Eine Kindheit, Autobiogr. 1932 (erw. 1949, N 1961); Glaube und Liebe, 1932; Der Krippenweg, G. 1932; Ave vom Rebenhang, E. 1933; Das Schattendäumelinchen. Sp. für die dt. Kinder, 1933; Ruth Schaumann-Buch. Mit neuen G. und einer N. von R. S., hrsg. von R. Hetsch, 1933; Siebenfrauen, Nn. 1933; Yves, R. 1933; Der singende Fisch, En. 1934; Der Kreuzweg. Die vierzehn Stationen, gemalt, 1934; (MA:) Ecce Homo. Eine Passion in Meisterbildern. Dichtung von R. S., 1935; Der Major, R. 1935; Leben eines Weibes, das Anna hieß. Eine F. von 21 Scherenschnitten zu einem G., 1936; Der heilige Berg. Scherenschnitt-Kartenkalender, 1936; Lorenz und Elisabeth. Eine schattige Gesch. für die Jugend erzählt und gemalt, 1936; Ansbacher Nänie, N. 1936; Der mächtige Herr. Holzschnitte zum Heiland, 1937; (MA:) Lied vom Kinde. Bildfolge zu dem Gedicht von C. Brentano, 1937 (verm. N 1942); Der Petersiliengarten. Ein Märchen, 1937; Der Siegelring, G. 1937; (Hrsgin.) H. Ch. Andersen, Märchen. Neuhrsg. u. illustriert von R. S., 1938; Die Geheimnisse um Vater Titus. Geistliches Jgdb. 1938; Der schwarze Valtin und die weiße Osanna, R. 1938; Die Berufenen, G. 1939; Kommt ein Kindlein auf die Welt, G. 1939 (verm. N 1941); Die Schattenschere. R. S.-Scherenschnitt-Kalender 1940, 1939; Der Weihnachtsstern. Gesch., Legenden und G., 1939; Der schwarze König, E. 1940; Die Übermacht, R. 1940; Nun du das Leben hast …, 1941; Nun gilt der dunkle Flieder …, 1941; Die Silberdistel, E. 1941; Der Hirte im schönen Busch, E. 1942; Kind unterm Himmel, G. 1942; Die Zwiebel, E. 1943; Die Blumen, E. 1945; Elise, R. 1946 (N u.d.T. Die Geächtete, 1956); Der Federkranz, E. 1946; Myrtil und Merula, R. 1946; Der Ölzweig. E. 1946; Kleine Schwarzkunst. Scherenschnitte und Verse, 1946; Solamen, E. 1946; Die Uhr, R. 1946 (N 1958); Der Weinberg, E. 1946; Seltsame Geschichten, 1947; Klage und Trost, G. 1947; Die Vorhölle, G. 1947; Ländliches Gastgeschenk, G. 1948; Kuß und Umfangen, E. 1948; Herberg' des Hauches. Ein Selbstporträt. In: Welt und Wort 3 (1948); Muntrer Betrug, Schw. 1949; Der Federkranz. Der Tränenkrug, En. 1949; Die Kinderostern, 1949; Die Hochzeit zu Kana, E. 1949; Der Jagdhund, R. 1949; Der Engelberg, E. 1950; Die Mündigkeit, E. 1950; Die singende Witwenschaft, E. 1951; Neli und Berni, Jgdb. 1951; Zwei Geschichten. Der Kniefall. Der Apothekergehilfe, 1953; Die Karlsbader Hochzeit, R. 1953; Die Insel Cara. Der Jugend jeden Alters, 1954; Die Jungfrau Klar, En. 1954; Die Kinderostern, G. 1954; Die Wiedergefundene, E. 1954; Dreiunddreißig unter einem Hut. Tand und Flausen … dennoch Ernst, 1955; Der Esel. Eine Christnacht-Gesch., 1955; Die Taube, R. 1955; Die Frau des guten Schächers, R. 1956; Die Ölsiedelei, R. 1957; Akazienblüte und drei weitere Erzählungen, 1959; Die Haarsträhne, R. 1959; Die Messe von Gethsemane, E. 1959; Der Kreuzweg, G. 1960; (Beitr.) Leben was war ich dir gut. Agnes Miegel zum Gedächtnis. Stimmen der Freundschaft und Würdigung, hrsg. von R. M. Wagner, 1966; Das Arsenal, Autobiogr. 1968; Am Krippenrand. Weihnachts-G. 1969.

Werkausgaben: Die Sternennacht, G., hrsg. v. E. Hederer, 1959; Mensch unter Menschen. Ein R. S.-Buch mit Werken der Dichterin, Bildhauerin, Malerin und Graphikerin, ausgew. u. zusgest. v. E. Antkowiak, 1972.

Bibliographie: *E. Metelmann,* R.-S.-Bibliographie. In: Die schöne Lit. 28 (1927).

Literatur: *H. Federmann,* R. S. ›Passional‹. In: Zs. für Bücherfreunde, N. F. 19, Beil. (1927). *W. Rast,* R. S. ›Der Rebenhag‹, ›Die Rose‹. In: Allg. Rundschau 24 (1927). *H. Bücker,* R. S.s neues Schaffen. In: Der Gral 23 (1928/29). R. S. ›Bruder-Ginepro-Spiel‹. In: ebda. *T. Hafner,* R. S. In: Schweizer Rundschau 28 (1929). *Bergmann,* Katholisch religiöse Dichtung. In: Die Freie Welt 10 (1929) 211. *E. Heuss-Knapp,* R. S. ›Der Rebenhag‹. In: Eckart. Ein dt. Lit.blatt, 5 (1929). *M. Joachimi-Dege,* R. S. ›Die Rose‹. In: Die schöne Lit. 30 (1929). *H. Federmann,* R. S. ›Kinder und Tiere‹. In: Die Frau [Berlin] 37 (1929). *Schulz,* R. S. ›Der blühende Stab‹. In: Bayerisches Bildungswesen 3 (1929). *Gorm,* R. S. ›Die Kinder und die Tiere‹. In: Die Lit. 32 (1929). *R. Knies,* R. S. In: Lit. Handweiser [Münster] 64 (1930), 17. *N. Habermann,* R. S. ›Die geliebten Dinge‹. In: Der Gral 25 (1930/31). *W. Vesper,* R. S. ›Die geliebten Dinge‹. In: Die neue Lit. [Leipzig] 32 (1931). *O. Doderer,* R. S. ›Amei‹. In: ebda. 33 (1932). *Lissauer,* R. S. ›Die Tenne‹. In: Die Lit. 34 (1932). *Lützeler,* R. S. ›Der blühende Stab‹. In: Hochland 29 (1932) Bd. I. *R. N. Maier,* R. S.s. Wesen und Wandlung der lyrischen Form, Diss. Frankfurt 1935. *J. Nadler,* R. S. In: Die Frau [Berlin] 45 (1938). *E. Meyn-v. Westenholz,* R. S. ›Der mächtige Herr‹. In: Die Frau [Wien] 45 (1938). *A. Ritthaler,* R. S. ›Der Major‹. In: Weiße Blätter [Neustadt/Saale] 38 (1938). R. S. ›Der mächtige Herr‹. In: Die lit. Welt [Berlin], Das dt. Wort N. F. 14 (1938). R. S. ›Siegelring‹. In: Die neue Lit. [Leipzig] 39 (1938). *L. Glaser,* R. S. ›Der Siegelring‹. In: Schönere Zukunft [Wien] 14 (1938/39). *M. Heiss,* R. S. In: Das Münster [München] 1 (1947/48). *P. Richter,* R. S., Schriftstellerin, Bildhauerin und Graphikerin. In: Schwerhörige und Spätertaubte [München] 1 (1949), 35. *A. Wurm,* Aus den Werdejahren von R. S. In: Seele [Regensburg] 25 (1949). R. S. 50 Jahre. In: Sonntag [Freiburg] 1 (1949), 35. *J. Schomerus-Wagner,* R. S. In: J. Sch.-W., Dt. kath. Dichter der Gegenwart, 1950. *J. Vière,* R. S. In: Erdkreis [Würzburg] 2(1952), 9. R. S. In: Spektrum des Geistes [Ebenhausen/München], 1953. *D. Edinger,* R. S. In: The American-German Review 20 (1953/54), 3. *K. v. Grosch,* Auf dem Wege zur Barmherzigkeit. In: Begegnung. Zs. für Kultur und Geistesleben 10 (1955). *Ders.,* Zum literarischen Werk von R. S. In: Die Anregung. Zs. für die höhere Schule [München] 7, Beil. 1955. *F. Lennartz,* R. Sch. In: Dichter und Schriftsteller unserer Zeit, 8. erw. Aufl. 1959, 668–72. *H. Schade,* R. S. In: Stimmen der Zeit 165 (1959/60), 60ff. *M. Herzog,* Das Frauenproblem in den Romanen R. S.s, Diss. Innsbruck 1960 (Masch.). *J. B. Lotz,* Meditation und Dichtung. In: Der große Entschluß [Wien] 16 (März 1961). *M. Herzog,* R. S. In: Deutschunterricht für Ausländer 12 (1962), 129ff. *A. Kuchinke-Bach,* [R. S.] In: Hdb. der dt. Gegenwartslit., Bd. II, ^{2}1970, 166f. *L. Tanzer,* Die Lyrik R. S.s, Diss. Innsbruck 1972 (Masch.). *A. Spieler,* Erinnerung. R. S. zum 75. Geb. In: Mitt. der R.-Schneider-Gesellschaft [Aumühle bei Hamburg] (1974), 11.

Schieber, Anna, * 12. 12. 1867 in Eßlingen (Württ.), † 7. 8. 1945 in Tübingen.

Tochter einer kinderreichen schwäbischen Handwerkerfamilie. Besuchte die Mädchenschule; war anschließend als Haustochter, später in einer Buch- und Kunsthandlung tätig. Weiterbildung durch Selbststudium. Längerer Aufenthalt in einem Lungensanatorium. Während dieser Zeit Beginn ihrer schriftstellerischen Tätigkeit. Im Ersten Weltkrieg Arbeit in Kriegslazaretten. Nach 1918 wirkte sie am Aufbau der Volksbildungsarbeit in Württemberg mit. Lebte in Stuttgart-Degerloch und hatte Kontakt zu Gruppen der evangelischen Jugendbewegung. Wurde 1930 Mitglied des »Bundes der Köngener«, dessen Mitglieder nach 1933 Verbindung zur Bekennenden Kirche hielten. 1944 verlor A. Sch. bei einem Bombenangriff ihr Heim, ging nach Tübingen, wo sie 77jährig bald nach Kriegsende Selbstmord beging.

Erzählerin, Kinder- und Jugendbuchautorin. Ein Schwerpunkt ihres Werks sind die kenntnisreichen, oft humorvollen Schilderungen des Lebens und der Menschen im schwäbischen Raum. Dort vor allem fand sie auch Anfang des 20. Jahrhunderts einen großen Leserkreis. Ihre späteren Erzählungen greifen häufig soziale Themen auf. »Frauen und Mütter im Gefängnis (Sch. selbst suchte sie zum Gespräch in der Zelle auf), geistig und körperlich Behinderte jeden Alters, von Hause aus Schlechtweggekommene, Spannungen zwischen den Generationen, Resozialisierung und Gewinnung zwischenmenschlicher Kontakte waren die Themen einiger Sammelbändchen (Der Unnutz, Zugvögel, 1912; Zur Genesung, 1924; Echte Menschen. Erzählungen für die reifere Jugend, 1926).« (M. Dierks)

WERKE: Warme Herzen. Gesch. f. große u. kleine Leute, 1899; Was des anderen ist. Eine Kindergesch. auch für die Großen, 1900; Guckkastenbilder. Kindern und Kinderfreunden gezeichnet, 1901; Sonnenhunger. Gesch. von der Schattenseite, 1903 ([16]1921); Zugvögel und andere Gesch. für Kinder und Kinderfreunde, 1905; Alle guten Geister, R. 1905 ([100]1921); Röschen, Jaköble u. andere kleine Leute. Ein Gesch.buch für Kinder und Kinderfreunde, 1907 (u.d.T.: Röschen und Jaköble. Ein Gesch.buch f. kleine Leute, 1934); Immergrüngeschichten, En. 1910; Fröhlich, fröhlich Weihnacht überall! 3 kleine Weihnachtsspiele für Kinder, 1912; Sum, sum, sum! Ein Liederbüchlein für die Mutter und ihre Kinder, 1912; Der Unnutz. Zugvögel, 1912; Und hätte der Liebe nicht, E. 1912 ([125]1922); Amaryllis, E. 1913 ([75]1928); Heimat, E. 1915; Das Kind, E. 1916; Kameraden. Eine E. in Br. 1917; Ludwig Fugeler, R. 1918 ([35]1922); Alte Geschichten, En. 1919; Wanderschuhe, E. 1919; Der Lebens- u. Liebesgarten, E. 1919; Bruder Tod, ein Lied vom lebendigen Leben, Dicht. 1920; Opfer, E. 1920; Annegret. Eine Kindergesch. 1922; Zur Genesung, Nn. 1924; Das Hemd des Glücklichen. Ein Spiel, 1924; Der Narr Gottes, Sage, 1924; Vom Innesein, Gedanken u. Sk. 1924; Die Erfüllung, E. 1924; Lebenshöhe, Nn. 1925; Aber nicht weiter sagen. Ein Märchenb. 1926; Aus Gesprächen mit Martina, 1926; Bille Hasenfuß, Kindergesch. 1926; Echte Menschen, En. f. die reifere Jugend, 1926; Balladen u. Lieder, 1927; Der Zeitungsbub, Kindergesch. 1928; Bimberlein, Kindergesch. 1930; Das große Ich, R. 1930; Geschichten von gestern u. heute von mir u. Dir, 1930; Doch immer behalten die Quellen das Wort, 1932; Wachstum und Wandlung. Ein Lebensber. 1935; Veronika und ihr Bruder, 1936; Der Weinberg, E. 1937;

Das Unzerbrechliche, N. 1937; Das Große Angesicht, ein Lebensber. 1938.

LITERATUR: *M. L. Enckendorff,* Die Dichterin A. S. In: Die Frau 39 (1931). *H. Binder,* A. S. In: Die Neue Literatur, 1934 (m. Bibl. v. E. Metelmann). *H. Schotte,* Begegnung mit A. S. In: Köln. Volksztg. (1936) 149. *A. K.,* Ein Gedenkblatt f. A. S. In: Basler Nachrichten (1946) 217. *E. Ackerknecht,* Die schwäbische Dichterfamilie. Vortrag. Gedr. f. die Mitglieder der Deutschen Schiller-Gesellschaft, 1950. *M. Dierks,* A. S. In: Lex. der Kinder- und Jugendlit. Bd. 3, 1979, 289f.

Schirmacher, Käthe, * 6. 8. 1858 in Danzig, † 18. 11. 1930 in Meran. Der Vater, Richard Schirmacher, war Kaufmann. Absolvierte die höhere Töchterschule und das Lehrerinnenseminar in Danzig. Von 1885–1887 studierte sie an der Sorbonne Deutsch und Französisch. Ging dann als Oberlehrerin nach Liverpool. Kehrte 1890 nach Danzig zurück, wo sie schriftstellerisch tätig war und Realkurse für Frauen unterrichtete. 1893 Amerika-Reise und Teilnahme am Frauenkongreß in Chicago. Im Herbst des Jahres Übersiedlung nach Zürich. Studierte dort romanische Sprachen, deutsche Literatur und Philosophie und promovierte 1895 zum Dr. phil. Reiste nach Ägypten, lebte danach in Paris; von dort unternahm sie Vortragsreisen durch fast alle Staaten Europas und in die USA und war als Mitarbeiterin deutscher und österreichischer Zeitungen tätig. Mitbegründerin des Bundes fortschrittlicher Frauenvereine (1899) und des Weltbundes für Frauenstimmrecht (1904). Seit 1910 in Mecklenburg ansässig. Seitdem Entwicklung zur Vertreterin des konservativen Nationalismus. Ab 1919 deutschnationale Abgeordnete in der Nationalversammlung. – Vielfältige journalistische Tätigkeit, Erzählerin und Kulturschriftstellerin.

WERKE: Die Libertàd, N. 1891; Halb, R. 1893; Der internationale Frauenkongreß in Chikago 1893. Vortrag, 1894; Züricher Studentinnen, 1895; Herrenmoral und Frauenhalbheit, 1895; Reisebilder, 1896; Théophile de Viau. Sein Leben und seine Werke (1591–1626), Diss. 1896; Literarische Studien und Kritiken, 1896; Aus aller Herren Länder. Ges. Studien und Aufs., 1896; Le féminisme aux Etats-Unis, en Angleterre, France, Suède, Russie, 1897; Le féminisme en Allemagne, 1898; Voltaire, Biogr. 1898; Amalie, 1898; Salaires des femmes, 1898; Paris, 1900; Le travail des femmes en France, 1900 (dt. 1902); Le travail domestique des femmes, 1902; Frankreichs Schulen. In: Jahresbericht des Vereins für erweiterte Frauenbildung in Wien, 1903, 21–33; Die Frauenbewegung. Ihre Ursachen, Ziele und Mittel, 1904; Die moderne Frauenbewegung. Ihre ökonomische, rechtliche und soziale Wertung, 1905; Les travailleurs du bois de Danzig, 1905; Der junge Voltaire und der junge Goethe, 1905; Die wirtschaftliche Reform der Ehe. Referat, 1905; Deutschland und Frankreich seit 35 Jahren, 1906; Aus dem deutschen Osten, 1906; La spécialisation du travail, 1907; Wie und in welchem Maße läßt sich die Wertung der Frauenarbeit steigern?, 1908; (Hrsgin.) Voltaires Briefwechsel, 1908; Die östliche Gefahr, 1908; Die Verteidigung der Ostmark, 1910; Moderne Jugend. Ein Wegweiser für den Daseinskampf, 1910; Das Rätsel Weib. Eine Abrechnung, 1911; Was ist national? Vortrag,

1912; Die Sufragettes, 1912 (N u.d.T. The Sufragettes, 1976); 1813 und die Ostmark, 1914; Das Frauendienstjahr, 1915; Die deutsche Vertretung im Ausland, 1915; Deutsche Erziehung und feindliches Ausland, 1916; Deutschland über alles, 1916; Völkische Frauenpflichten, 1917; Frauendienstpflicht, 1918; Flammen. Erinn. 1921; Die Geknechteten, 1922; Unsere Ostmark, 1923; Grenzmarkgeist, 1924; Was verdankt die deutsche Frau der deutschen Frauenbewegung?, 1927; Die kollektive Frau, 1931.
ÜBERSETZUNG: E. Hosken-Woodward, Männer, Frauen und Fortschritt, 1893.
LITERATUR: *A. Kalähne,* K. S. In: Ostdt. Monatshefte 11 (1930/31). *H. Krüger,* Die unbequeme Frau. K. S. im Kampf für die Freiheit der Frau und die Freiheit der Nation 1865–1930, 1935. *A. Hackett,* The Politics of Feminism in Wilhelmine Germany. 1890–1918, Diss. Columbia Univ. [New York], 1976. *G. Brinker-Gabler* (Hrsgin.), Zur Psychologie der Frau, 1978, 350f. *E. Frederiksen* (Hrsgin.), Die Frauenfrage in Deutschland. 1865–1915, 1981, 491f.

Schlegel, Dorothea (seit 1815) **von,** * 24. 10. 1763 in Berlin, † 3. 8. 1839 in Frankfurt a. M.

Tochter der Fromet geb. Gugenheim und des Moses Mendelssohn, Philosoph und Teilhaber einer Berliner Seidenfabrik. Neun Geschwister. Erwarb Englisch- und Französischkenntnisse. 1778 Heirat auf Wunsch der Eltern mit dem Berliner Bankier Simon Veit. Vier Söhne (zwei verstarben früh). 1798 Scheidung von Veit. Seit 1797 befreundet mit dem Schriftsteller Friedrich Schlegel (1772–1829), der sie zu Übersetzungsarbeiten anregte. Nach ihrer Scheidung folgte sie ihm nach Jena, wo beide gemeinsam mit A. W. Schlegel und dessen Frau Caroline lebten. 1802 begleitete sie F. Sch. nach Paris. 1804 Heirat. Sie bekannte sich zum christlichen (ev.) Glauben und trat 1808 mit F. Sch. in Köln zum kath. Glauben über. 1809 folgte sie F. Sch. nach Wien, der dort die Stelle eines Hofsekretärs in der Wiener Staatskanzlei erhalten hatte. Befreundet u.a. mit der Schriftstellerin Caroline → Pichler und dem ihr zugehörigen literarischen Kreis. Lebte später mit F. Sch. in Frankfurt und Dresden. Nach dessen Tod (1829) zog sie nach Rom zu ihrem Sohn, dem Maler Philipp Veit. 1831 ging sie mit ihm nach Frankfurt a.M., wo er Direktor des Städelschen Instituts war.

D. Sch.s schriftstellerische Tätigkeit erfolgte im engen Zusammenhang mit den Bestrebungen des romantischen Kreises in Jena um 1800. In ihrem ersten und einzigen Roman ›Florentin‹, der 1801 anonym unter der Herausgabe von Friedrich Sch. erschien, romantisiert sie das vorgefundene Muster des aufklärischen Trivialromans, um dem neuen »romantischen« Lebensgefühl Ausdruck zu geben. Ein geplanter zweiter Teil des Romans blieb unvollendet. Sie veröffentlichte noch kleinere Beiträge und Übersetzungen.

WERKE: Florentin, 1. (und einziger) Bd., hrsg. v. F. Schlegel, 1801 (N in: Dt. Lit., Reihe Romantik, 7. Bd. 1933, Nachdruck u. d. T. ›Frühe romantische Erzählungen‹, 1970); Gespräch über die neuesten Romane der Französinnen. In: Europa (1803) 2, 88 ff. Weitere Beiträge in: Athenäum v. F. und A. W. Schlegel (Aufsätze); Europa v. F. Schlegel (Gedichte und Beiträge), Poetischer Almanach (m. D. unterzeichnet).
VERÖFF. a. d. NACHLASS: A. de la Motte Fouqué, Briefe an F. Baron de la Motte Fouqué von Chamisso ... usw., 1848 (N 1968) (Briefe v. D. Sch.); Briefwechsel mit ihren Söhnen Johannes u. Philipp Veit, hrsg. v. M. Raich, 2 Bd., 1881; Briefe von D. und F. Sch. an die Familie Paulus, hrsg. v. R. Unger, 1913 (N 1968); Briefe von D. Sch. an Friedrich Schleiermacher, hrsg. v. H. Meisner u. E. Schmidt, 1913; F. Bleyer, F. Sch. am Bundestage in Frankfurt. Ungedruckte Briefe F. u. D. Sch.s nebst Berichten und Denkschriften aus den Jahren 1815–18, 1913; Caroline und D. Sch. in Briefen, hrsg. v. E. Wieneke, 1914; Die Briefe der D. v. Sch. an Theresia Unterkircher geb. Primisser, 1915 [Forschungen und Mitteilungen zur Geschichte Tirols und Vorarlbergs]; Der Briefwechsel F. u. D. Sch. 1818–20 während Dorotheas Aufenthalt in Rom, hrsg. v. H. Finke, 1923; Briefe von u. an F. und D. Sch., hrsg. v. J. Körner, 1926; Konvertitenbriefe. A. Müller und D. Sch. an F. Leopold u. Sophie Stolberg, hrsg. v. D. W. Schumann. In: Lit. wiss. Jb. NF 3 (1962), 67–98; H. Eichner, ›Camilla‹. Eine unbekannte Fortsetzung von D. Sch.s ›Florentin‹. In: Jb. d. Freien Dt. Hochstifts 1965, 314–68; R. Samuel, F. Sch.s ›Ideen‹ in D. Sch.s Abschrift mit Randbemerkungen von Novalis. In: Jb. d. Dt. Schiller-Gesellschaft 10 (1966), 67–102.
ÜBERSETZUNGEN: Geschichte der Jungfrau von Orleans, 1802; Geschichte der Margarete von Valois, 1803; (mit Helmina von Chezy:) Valérie, Roman von Juliane Freiin von Krüdener; (MÜ:) Sammlung romantischer Dichtungen des Mittelalters, hrsg. v. F. Schlegel, 2 Bd. 1804 (enthält: 1. Geschichte des Zauberers Merlin [N 1984], 2. Geschichte der schönen und tugendsamen Euryanthe); (MÜ:) Lothar und Maller, Eine Rittergeschichte aus einer ungedruckten Handschrift, hrsg. u. bearb. v. F. Schlegel (!), 1805; Corinna oder Italien, von Frau von Staël, übersetzt v. F. Schlegel (!), 4 Tl. 1807-08 (N 1979).
LITERATUR: *F. Muncker,* D. Sch. In: ADB 31. *E. Hirsch,* D.s Florentin, 1902. *F. Deibel,* D. Sch. als Schriftstellerin im Zusammenhang mit der romantischen Schule, 1905. *M. Hiemenz,* D. v. Sch. 1911. *H. Finke,* Über F. u. D. Sch. (Görres-Ges. Vereinsschr. 2) 1918. *E. Mayer,* D. Sch. (Diss. Freiburg im Br.) 1923. *H. Abt,* D. Sch. bis zu ihrer Vereinigung mit der Romantik, Diss. Frankfurt (handschriftl.), 1924. *J. Körner,* Mendelssohns Töchter. In: Preußisches Jahrb. 214 (1928). *G. Schäfer,* Zur Konversion von F. und D. Sch. In: Begegnung. Zs. für Kultur und Geistesleben 2 (1947), 235–38. *T. Zondek,* D. Sch. u. Simon Veit. In: Bulletin des Leo Baeck Inst. 5 (1962), 302–05. *K. S. Thornton,* Enlightement and romanticism in the work of D. Sch. In: German Quarterly 39 (1966), 162–72. *H. Bühler,* Studien zum Menschenbild im Roman der Frühromantik, 1969 [zu D. Sch.s ›Florentin‹]. *G. Jäckel,* Frauen der Goethezeit in ihren Briefen, ²1969. *R. Stöckli,* Die Rückkehr des romantischen Romanhelden in seine Kindheit, [Freiburg (Schweiz)] 1970. *Jack D. Zipes,* The Great Refusal. Studies of the romantic hero in German and American literature, 1970 (z. D. Sch.s ›Florentin›). *K. K. Polheim* (Hrsg.), Der Poesiebegriff der deutschen Romantik, 1972. *I. Hoffmann-Axthelm,* »Geisterfamilie«. Studien zur

Geselligkeit der Frühromantik, 1973 [zu D. Sch., ›Die Kirche‹, 110–19]. *K. M. Newton,* Historical prototypes in Middlemarch. In: English Studies [Amsterdam, Bern] 56 (1975), 403–08. *I. Wirth,* Berlin-Museum. Berlinerinnen. Bekannte und unbekannte Frauen in Berlin aus 3 Jh. Gemälde. Plastik. Graphik. Photographien. Autographen. Bücher (Ausstellung u. Katalog) Ausstellung vom 24. 4.–29. 6. 1975, 1975. *R. Ayrault,* La genèse du romantisme allemand. 4. 1797–1804 (Tl. 2), [Paris] 1976 [zu D. Sch.s ›Florentin‹]. *Th. Lippelt,* Studien zum Wortgebrauch in den Romanen der deutschen Frühromantik: vergl. Wortfeld-Untersuchungen zu W. H. Wackenroders ›Herzensergießungen eines kunstliebenden Klosterbruders‹, L. Tiecks ›Franz Sternbalds Wanderungen‹, F. Schlegels ›Lucinde‹, Novalis' ›Heinrich von Ofterdingen‹ und D. Veits ›Florentin‹, 1976 (Diss. München 1978). *J. Hibberd,* D. Sch.s ›Florentin‹ and the precarious idyll. In: German Life & Letters, N. S. 30 (1976/77) 3, 198–207. *K. Feilchenfeldt,* Öffentlichkeit und Chiffrensprache in Briefen der späteren Romantik. In: W. Frühwald (Hrsg.), Probleme der Brief-Edition: Kolloquium der Dt. Forschungsgemeinschaft 1975, 1977, 125–45. *H. Kupferberg,* Die Mendelssohns. (The Mendelssohns. 3 generations of genius.), [2]1977. *S. Henke,* D. Mendelssohn, spätere Sch. In: mamas pfirsiche. frauen und literatur 6 [o.J.], 136–41. *G. Dischner,* Caroline und der Jenaer Kreis. Ein Leben zwischen bürgerlicher Vereinzelung und romantischer Geselligkeit, 1979. Frauenbriefe der Romantik, hrsg. und mit e. Nachw. von K. Behrens, 1981.

Schopenhauer, Adele, * 12. 6. 1797 in Hamburg, † 25. 8. 1849 in Bonn. Tochter der Schriftstellerin → Johanna geb. Trosiener und des Kaufmanns Heinrich Floris Schopenhauer. Ihr Bruder war der Philosoph Arthur Schopenhauer. Lebte bis zu ihrem 9. Lebensjahr in Hamburg, auch während der langen Reisen ihrer Eltern. Zog 1806, nach dem Tod des Vaters, mit der Mutter nach Weimar, wo sie in geistig anregender Atmosphäre unter dem Einfluß der im Haus der Mutter verkehrenden Künstler- und Gelehrtenzirkel aufwuchs. Enge Bindung bestand zum Hause Goethes; innige Freundschaft mit dessen späterer Schwiegertochter Ottilie. Zog 1828 mit der Mutter nach Bonn, wo sie mit Sibylle Mertens-Schaaffhausen und Annette von Droste-Hülshoff Freundschaft schloß. Ein Jahr nach dem Tod der Mutter (1838) gab sie deren Nachlaß heraus. Lebte nun an verschiedenen Orten, des öfteren auch in Italien, dessen Klima für ihr Brustleiden Heilung versprach. Zuletzt wieder in Bonn ansässig, wo sie von ihrer Freundin Sibylle Mertens-Schaaffhausen während ihrer letzten schweren Krankheit gepflegt wurde. – Schrieb Märchen, Gedichte, Romane und Tagebücher. War eine Meisterin des Scherenschnitts.

WERKE: (Hrsgin.) Jugendleben und Wanderbilder. Aus Johanna Schopenhauers Nachlaß, 2 Bd. 1839; Haus-, Wald- und Feldmärchen, 2 Bd. 1844; Anna, R. 2 Bd. 1845; Eine dänische Geschichte, R. 1848.
VERÖFF. A. D. NACHLASS: Tagebücher, hrsg. von K. Wolff, 2 Bd. 1909; Gedichte, hrsg. von H. H. Houben, 1920; Tagebuch einer Einsamen, hrsg. von H. H. Houben, 1921 (N 1986).
LITERATUR: Dreizehn Briefe an A. S., hrsg. von L. Geiger. In: Goethe-Jb. 19 (1898). *M. Knapp,* Deutsche Schatten

und Scherenschnitte, 1916. *A. Brandes,* A. S. in den geistigen Beziehungen zu ihrer Zeit, Diss. Frankfurt 1930. A. S. Gespräche, hrsg. von A. Hübscher. In: Jb. der Schopenhauer-Gesellschaft 20 (1933) u. 26 (1939). *C. Kahn-Wallerstein,* A. S. In: Sonntagsblatt Nr. 33 der Basler Nachrichten, 1949. *W. Pfeiffer-Belli,* Die Schwester des Philosophen. In: Die Neue Ztg. (1949) 125. *H. Bluhm* (Hrsg.), Henriette von Pogwisch. Weimar im Jahre 1832. Briefe an A. S., 1964. *D. W. Schumann,* Goethe und die Familie S. In: H.-J. Mähl und E. Mannack (Hrsg.), Studien zur Goethezeit. Erich Trunz zum 75. Geb., 1981, 257–80.

Schopenhauer, Johanna, * 3. 7. 1766 in Danzig, † 16. 4. 1838 in Jena. Tochter der Elisabeth geb. Lehmann und des Kaufmanns und Senators Heinrich Trosiener. Beschäftigte sich in ihrer Jugend mit fremden Sprachen und der Malerei. Ihr Wunsch, Malerin zu werden, wurde von den Eltern nicht akzeptiert. Heiratete 1785 den 20 Jahre älteren, reichen Kaufmann Heinrich Floris Schopenhauer, mit dem sie lange Reisen durch Deutschland, England, Frankreich und die Niederlande unternahm. 1788 Geburt eines Sohnes, Arthur, des späteren Philosophen. 1793 Umzug von Danzig nach Hamburg. 1797 Geburt der Tochter → Adele, die später auch als Schriftstellerin hervortrat. Zog nach dem Tod ihres Mannes 1805 nach Weimar. Führte dort einen Salon, in dem sich zweimal wöchentlich die Gebildeten von Weimar, wie Goethe, Wieland, Fernow, Schütz, Meyer und Kügelgen trafen. Besonders enge Freundschaft verband sie mit C. L. Fernow, der starken Einfluß auf ihre kunsthistorischen und schriftstellerischen Interessen ausübte. 1808 erkrankte Fernow schwer und wurde bis zu seinem Tod im selben Jahr in J. S.s Haus gepflegt. 1810 schrieb J. S. seine Biographie, ihr erstes veröffentlichtes Werk. 1814 erfolgte nach jahrelanger Entfremdung der endgültige Bruch mit ihrem Sohn Arthur. 1819 verlor J. S. den größten Teil ihres Vermögens durch den Bankrott ihrer Bank. War nun auf den Verdienst aus ihrer schriftstellerischen Tätigkeit angewiesen. Nach einem Schlaganfall 1823 blieben ihre Füße gelähmt. Lebte 1828–37 mit ihrer Tochter in Bonn; siedelte 1837 nach Jena um, auf Einladung des Großherzogs Karl Friedrich von Weimar, der ihr eine Ehrenpension gewährte.

Schrieb Reiseschilderungen, Erzählungen und Romane. Ihren damals viel beachteten Roman ›Gabriele‹ rezensierte u. a. Goethe positiv. Ihre Reiseschilderungen wurden bis heute mehrfach aufgelegt.

WERKE: Carl Ludwig Fernow's Leben, 1810, [2]1825; Erinn. von einer Reise in den Jahren 1803, 1804 und 1805, 3 Bd. 1813–1817 (Bd. 1 u. 2: verm. Neuaufl. u. d. T. Reise durch England und Schottland, 2 Bd. 1818; gek. Neuausg. bearb. v. L. Plakolb, 1965; u. d. T. Reise nach England, 1973. Bd. 3: u. d. T. Reise durch das südliche Frankreich, 1817; verm. Neuaufl. u. d. T. Reise von Paris durch das südliche Frankreich bis Chamouny, 2 Bd. 1824); Ausflucht an den Rhein und dessen nächste Umgebungen im Sommer des ersten friedlichen Jahres, 1818; Gabriele, R. 3 Bd. 1819–1820 (verb. Neuaufl. 1826, N 1985); Johann van Eyck und seine Nachfolger, 2 Bd. 1822; Die Tante, R. 2 Bd. 1823; Erzählungen, 8 Bd. 1825–1828; Erzählungen, 12 Bd. 1827; Sidonia, R. 3 Bd. 1827–1828; Novellen, 2 Bd. 1830; Ausflug an den Niederrhein und nach Belgien im Jahre 1828, 2 Bd. 1831 (Auszug u. d. T. Ausflug nach Köln im Jahre 1828, eingel. u. hrsg. von W. Leson, 1975); Meine Großtante. Aus den Papieren eines alten Herrn, 1831; Neue Novellen, 3 Bd. 1832; Der Bettler von Sanct Columba. Margaretha von Schottland, 2 Nn. 1836; Die Reise nach Italien, N. 1835; Richard Wood, R. 2 Bd. 1837.

VERÖFF. A. D. NACHLASS: Jugendleben und Wanderbilder. Aus J. S.s Nachlaß, hrsg. von ihrer Tochter, 2 Bd. 1839 (N 1958; Auszug in E. Volkmann (Hrsg.), Zeit der Klassik, 1970, 145–71); O. Fiebiger, Unveröffentlichte Briefe J. S.s an K. A. Böttiger. In: Jb. d. Schopenhauer-Gesellschaft 11 (1922); Erinnerungen, 1924; W. Deetjen, J. und Adele S. in ihren Beziehungen zum weimarischen Hofe [ungedruckte Briefe]. In: Ostdt. Monatshefte f. Kunst u. Geistesleben 10 (1929/30); A. Hübscher, Unbekannte Briefe v. J. S. an ihren Sohn. In: Jb. der Schopenhauer-Gesellschaft 54 (1973); Ihr glücklichen Augen. Jugenderinn., Tgb., Br., hrsg. von R. Weber, 1978 (^{2}1979).

WERKAUSGABEN: Sämmtliche Schriften, 24 Bd. 1830–31.

NACHLASS: Landesbibliothek Karlsruhe (Briefe).

LITERATUR: *Schütze,* Die Abendgesellschaft der Hofräthin S. in Weimar 1806–1830. In: Weimars Album, 1840, 183–204. *F. Kummer,* J. S. In: ADB XXXII. *L. Frost,* J. S., 1905. *B. Pompecki,* J. S. und Goethe. In: AltprRs (?) Bd. 2, 1914, 277–84. *Anon,* Die Abendgesellschaften der J. S. Zum 150. Geb. von J. S. In: Neue Zürcher Ztg. vom 10. 7. 1916, Nr. 1106. *H. Koegler,* J. S. und ihre Weimarer Abendgesellschaft. In: Schlesische Ztg. vom 8. 7. 1916, Nr. 472. *E. Merker,* J. S. In: Goethe-Hdb., Bd. 3, 1918. *O. Eichler,* Erleben und Weltanschauung der J. S. im Spiegel ihrer Schriften, Diss. Leipzig 1923. *W. Federau,* J. S. In: W. F., Danzigs Dichter und wir, 1924. Damals in Weimar. Erinn. und Br. von und an J. S., hrsg. von H. H. Houben, 1924. *A. Volkmann,* Die Romane der J. S., Diss. Leipzig 1926. *W. Milch,* J. S. Ihre Stellung in der Geistesgeschichte. In: Jb. d. Schopenhauer-Gesellschaft, Bd. 22 (1935), 201–38. *W. Drost,* J. S. In: Ostdt. Monatshefte 25 (1958/59), 201–04. J. S. In: H. Haberland und W. Pehnt (Hrsg.), Frauen der Goethezeit. In Briefen, Dokumenten und Bildern. Von der Gottschedin bis zu Bettina von Arnim, 1960. *I. Knoll,* Karoline von Wolzogen, J. S. Zwei Schriftstellerinnen der Goethezeit. In: Jena-Information (1972) 3, 19f. *W. Kloppe,* J. S.s Variolation nebst einigen Bemerkungen zur Geschichte der Pockenimpfung. In: Medizinische Monatsschrift, Stuttgart 28 (1974) 2. *U. Meyer,* Eine Danzigerin in Weimar: J. S. In: U. M., Lob der Mutter. 13 Mütter großer Söhne, 1976, 61–74. *A.-C. Andersen,* »Kvinne – lid med verdighet!« J. S.s resignasjonsroman Gabriele. In: Edda. Nordisk tidsskrift for litteraturforskning, [Oslo] 78 (1978), 201–06 u. 304. *K. Schleucher,* Das Leben der Amalie Schoppe und J. S., 1978. *D. W. Schumann,* Goethe und die Familie Schopenhauer. In: H.-J. Mähl u. E. Mannack (Hrsg.), Studien zur Goethezeit. Erich Trunz zum 75. Geb., 1981, 257–80. *H. Emmel,* Der Romandichter als Leser. Goethes Rezension von J. S.s Roman ›Gabriele‹ (1823). In: H. E., Kritische Intelligenz als Methode [Bern] 1981, 64–70 u. 197. *A. Hübscher,* In Schnepfenthal. In: Schopenhauer-Jb. 63 (1982), 144f. *B. Langer-Hagedorn,* Eine schriftstellernde Patrizierin. Die Geschichte der J. S. nach Br., Kritiken und Tgb. In: mamas pfirsiche. frauen und lit. 7 [Münster] o. J., 92–125. *J. Blackwell,* Die nervöse Kunst des Frauenromans im 19. Jahrhundert oder Der geistige Tod durch kränkende Handlung. In: Frauen. Weiblichkeit. Schrift, hrsg. v. R. Berger et al., 1985, 145–58.

Schoppe, Amalie (Ps. Adalbert von Schonen, Amalia, Marie), * 9. 10. 1791 in Burg auf Fehmarn, † 25. 9. 1858 in Shenectady (New York).
Der Vater Friedrich Wilhelm Weise war Arzt in Burg auf der Ostseeinsel Fehmarn. Dort verlebte A. S. erste glückliche Kindheitsjahre. Nach dem Tod des Vaters 1798 kam sie zunächst zu einem strengen Onkel nach Hamburg, bis die Mutter 1802 eine zweite Ehe mit dem Hamburger Kaufmann Johann Georg Burmeister einging. A. S. beschäftigte sich in ihrer Jugend mit verschiedenen Sprachen und der Medizin. Heiratete 1814 den späteren Juristen F. H. Schoppe († 1829). Drei Söhne. Nach unglücklichen Ehejahren und dem Tod des Mannes sorgte sie durch rege schriftstellerische Tätigkeit für den Unterhalt der Familie. Leitete zeitweise in Hamburg zusammen mit der Schriftstellerin Fanny → Tarnow eine Erziehungsanstalt für Mädchen. War befreundet mit Rosa Maria Assing, Justinus Kerner und Adelbert von Chamisso. Nahm sich des jungen Dichters Friedrich Hebbel an und verschaffte ihm einige Gönner, die ihm ein Studium ermöglichten. Gab von 1827 bis 1846 die ›Pariser Modeblätter‹ heraus, die auch poetische Beiträge enthielten. War außerdem Mitarbeiterin zahlreicher Zeitschriften und von 1831 bis 1839 Herausgeberin der Jugendzeitschrift ›Iduna‹. Lebte von 1842 bis 1845 in Jena, dann wieder in Hamburg. Zog 1851 zu ihrem Sohn nach Amerika.
Vielfältige schriftstellerische Tätigkeit; vorwiegend Erzählerin, Kinder- und Jugendbuchautorin. Ihr Werk umfaßt mehr als 200 Bände. »Schrieb zur Unterhaltung, zur moralischen Belehrung und zur praktischen Unterrichtung für ein breites und ständig wachsendes Lesepublikum, das in der Lektüre Illusion, Trost, Wissen und Lebenshilfe suchte.« (K. Schleucher) Einige Werke wurden ins Französische, Englische, Holländische und Tschechische übersetzt.

WERKE: (MA:) Erzählungen, 1820; Die Helden und Götter des Nordens oder Das Buch der Sagen, 1822; Abendstunden der Familie Hold, 1823; Eugenie. Eine Unterhaltungsschrift, 1824; Lebensbilder oder Franziska und Sophie. R. in Briefen, besonders für Frauen und Jungfrauen, 2 Bd. 1824; Die neue Armida, R. 1824 (1825); Glück aus Leid, R. 2 Bd. 1825; Schicksals-Wege, hist. R. 3 Bd. 1825; Die Verwaisten, R. 2 Bd. 1825; Antonie oder Liebe und Entsagung, R. 1826; Die Familie Ehrenstein, R. 1826; Erzählungen, 1826; Erzählungen aus der Gegenwart und Vergangenheit, 1826; Neue Erzählungen und Märchen für Geist und Herz, 1826; Die Erzählungsabende im Pfarrhause, 2 Bd. 1826; (Hrsgin.) H. Freese, Erzählungen und kleine Romane, 1826; Die Minen von Pasco, R. 3 Bd. 1826; Gran Tacano oder Leben und Taten eines Erzschelms. Komischer R., frei nach

dem Spanischen des Quevedo, 2 Bd. 1826; Angelika Kaufmann, N. 1826; Die Winterabende zu Sonnenfels oder Erzählungen für die Jugend, 1826; Bunte Bilder aus dem Jugendleben in Erzählungen, Märchen und Gesprächen, 1827; Die Heimatlose, R. 2 Bd. 1827; Iwan oder Die Revolution von 1762 in St. Petersburg, hist. R. 2 Bd. 1827; Leonhard oder Die Verirrungen des Schmerzes, R. 1827; (Bearb.) Erste Nahrung für Geist und Herz ... Frei nach dem Engl. der Early Lessons von M. Edgeworth, 4 Bd. 1827; Frederik und Arabella oder Die Erben von Kilmarnok, hist. R. 2 Bd. 1827 (1828); Die Auswanderer nach Brasilien oder die Hütte am Gigitonhonha. Nebst noch anderen moralischen und unterhaltenden En. 1828; Neue Erzählungsabende der Familie Sonnenfels, 1828; (Hrsgin.) H. Freese, Vier Erzählungen, 1828; Der Sang-König Hiarne. Nordlandssage, 1828; Lust und Lehre in unterhaltenden Märchen und Erzählungen, 1828; Kleine Märchen-Bibliothek, 2 Bd. 1828; Olivia oder Die Nebenbuhler, R. 1828; Wilhelm und Elfriede oder Die glücklichen Tage der Kindheit, 1828; Waldemar, R. 2 Bd. 1828 (1829); Neue Bilder aus dem Jugendleben, 1829; Erzählungen der kleinen Hamburgischen Auswanderer, 1829; (Bearb.) Franz und Marie oder Die unglücklichen Kinder. Eine moralische E. nach M. Edgeworth, 1829; (Bearb.) Jugendleben oder Franz und Rosamunde. Zwei moralische En. nach M. Edgeworth, 1829; Die Pflegemutter und ihre Pflegetöchter, 1829; Edle Rache. Schön und häßlich oder Die beiden Schwestern, 2 En. 1829; Neue nordische Sagen, 1829; Sontra oder Seelen- und Sittengemälde für die reifere gebildete weibliche Jugend, 1829; (Bearb.) Die schönen Tage der Kindheit in lehrreichen und unterhaltenden Erzählungen. Nach dem Engl. der M. Edgeworth, 1829; Asträa oder Heilige Lehren im Gewande der Dichtung. Eine Slg. moralischer En. 1830; Der Bildersaal oder Geist und Herz belehrende und erheiternde Erzählungen, 1830; Leben Elisabeths der Heiligen, Landgräfin von Thüringen. Ein hist. Gemälde aus dem 13. Jh., 1830; König Erich XIV. und die Seinen, hist. R. 2 Bd. 1830; Fest-Gaben. In moralischen En. und Märchen, 1830; Heinrich und Marie oder Die verwaisten Kinder. Eine rührende und belehrende Gesch., 1830; Der kleine Lustgarten oder Belehrende und erheiternde Erzählungen, 1830; Mathilde oder Liebe über Alles, R. 1830; (Hrsgin.) Iduna. Eine Zs. für die Jugend beiderlei Geschlechts, 1831–1839; Die Helden und Götter des Nordens, 1832; Marie oder Liebe bildet, R. 1832; (Hrsgin.) Sagenbibliothek oder Volkssagen, Legenden und Märchen der freien Reichsstädte Hamburg, Lübeck, Bremen und deren Umgebungen, nach mündlichen Überlieferungen und alten Chroniken, 1832 (verm. Neuaufl. 2 Bd. 1851); Florindo und Corralina oder Die beiden kleinen Savoyarden, 1833; Volkssagen und Erzählungen, 1833; Volkssagen, Märchen und Legenden aus Norddeutschland, 1833; Briefsteller für Damen, 1834; Feierstunden oder Märchen und Erzählungen, 1834; Licht und Schatten oder Bilder und Begebenheiten aus dem Jugendleben, 1834; Bunte Reihe oder Belehrende und unterhaltende Erzählungen aus der Jugendwelt, 1834; Rosen und Dornen, gesammelt oder Belehrende und unterhaltende Erzählungen, 1834; Kleines Schatzkästlein, 1835; Die beiden kleinen Seiltänzer oder Wunderbare Schicksale zweier Kinder, 1835; (Bearb.) Trifolium. Drei auserlesene En. nach dem Franz. des A. de Vigny, 1835; Die Kolonisten (auf Neuholland), R. 2 Bd. 1836; Briefsteller für die Jugend, 1836; Denkblätter aus dem Jugendleben, in lehrreichen En. und Märchen, 1836; Erzählungen für meine Töchter, 1837; Anna Lapukhin, hist. R. 2 Bd. 1837; Postkutsche und Wanderstab oder Merkwürdige Reisen Herrn Reinhards und seines Sohnes Theodor, 1837; Die Verlorne, R. 1837; Zeitlosen, Nn. und En. 2 Bd. 1837; Cyanen, Nn. und En. 2 Bd. 1838; Erinnerungen aus meinem Leben, in kleinen Bildern ..., 2 Bd. 1838; Zwei Veilchen, 1838; Marat, hist. R. 2 Bd. 1838; Octavia, R. 2 Bd. 1838; Vittoria, R. 3 Bd. 1838; (MA:) Aurora, En. 1839; Tycho de Brahe, hist. R. 2 Bd. 1839; (MA:) Christgabe, 1839; Christliche Erzählungen, 1839; Hundert kleine Geschichten. Das allerliebste Buch für gute kleine Kinder, 1839; Die Rache oder Leineweber von Segovia, hist. R. 2 Bd. 1839; Die Schlacht bei Hemmingstedt, hist. R. 2 Bd. 1840; Der hinkende Teufel in

Hamburg. Aus den Papieren eines Verstorbenen, 2 Bd. 1840; Elegantes Geschenk zur Fest-, Namens- und Geburtsfeier. Zugleich ein Gedenk- und Erinnerungsbüchlein für Reisende am Rhein-, Main-, Mosel- und Neckarstrande, 1841; Die erste Liebe eines Prinzen, hist. R. 2 Bd. 1841; Gilles de Raiz oder Die Geheimnisse des Schlosses Tiffauges, hist. R. 1841; Maria Stuart. Königin von Schottland, 1841; Pierre Vidal der Troubadour, R. 2 Bd. 1841; Aus Haß Liebe, R. 2 Bd. 1842; Myosotis, En. und Nn. 2 Bd. 1842 (Inhalt: Helene von Tournon. König Robert. Die Freundschaftsprobe. Peter Schöffer. Eine einfache Geschichte); (Hrsgin.) Album für Theater und Theater-Costüme, 1842; Bilder aus dem Familienleben, 2 Bd. 1843 (1. Bd. auch u. d. T. Der Vetter. Mutter und Sohn, 2 En.; 2. Bd. auch u. d. T. Die beiden Schwestern. Veronika, 2 En.); (Hrsgin.) Cornelia. Taschenbuch für dt. Frauen, 1843; Robinson in Australien, 1843; Der bürgerliche Haushalt in seinem ganzen Umfange, 1844 (Inhalt: Die bürgerliche Kochkunst. Das Haus- und Wirtschaftsbuch); Die Jüdin, R. 2 Bd. 1844; Polixena, hist. R. 3 Bd. 1844; Tabitha von Geyersberg, hist. R. 3 Bd. 1845; Der Prophet. Hist. R. aus der Neuzeit Nord-Amerikas, 3 Bd. 1846; Die Edelfrau von Kellingdorfen, hist. R. 3 Bd. 1847; Das Majorat, R. 1850; Ferdinand und Isabella, hist. R. 1467–1474, 2 Bd. 1851; Der Prinz von Viana, hist. R. 2 Bd. 1853; Die kleinen Waisen oder Gottesfügungen in Menschenschicksalen. Seitenstück zu ›Heinrich und Marie (1830)‹, 1853; Die Holsteiner in Amerika, E. 1858.

WERKAUSGABEN: Gesammelte Erzählungen und Novellen. Frühlingsgabe – Herbstgabe, 2 Bd. 1827–1828; Neue gesammelte Erzählungen und Novellen. Wintergabe, 1836; Für müßige Stunden. Neue ges. En. und Nn., 3 Bd. 1836.

NACHLASS: Landesbibliothek Kiel (Briefe); Staats- und Universitätsbibliothek Hamburg (Briefe).

LITERATUR: *D. R. Hupfeld,* Schriftstellernde Frauen vor 150 Jahren. In: Ruperto-Carola. Zs. d. Vereinigung der Studentenschaft der Univ. Heidelberg. 15 (1963) 33, 109–20. *H. Stolte,* A. S. Ein Beitrag zur Beurteilung ihrer Persönlichkeit. Vortrag. In: Hebbel-Jb. 1963, 149–78. *D. L. Ashliman,* A. S. in Amerika. In: ebda. 1973, 127–36. *K. Schleucher,* Das Leben der A. S. und Johanna Schopenhauer, 1978. *K. Schleucher,* A. S. In: Lex. der Kinder- und Jugendlit., Bd. 3, 1979, 305 f.

Schubin, Ossip (Ps. f. Aloi[y]sia [Lola] Kirschner), * 17. 6. 1854 in Prag, † 10. 2. 1934 auf Schloß Košatek (Böhmen).

Erhielt eine sorgfältige Erziehung. Wuchs in der Abgeschiedenheit des Gutes ihrer Eltern in Lochkow auf. Unternahm dann mit ihrer Mutter und ihrer Schwester große Reisen, u. a. nach München, Paris, Brüssel und Rom, wo sie in Künstler- und Gelehrtenkreise eingeführt wurde. Lernte Turgenjew, George Sand und Alfred Meissner kennen. Ihre erste Novelle ›Verkannt und verfehlt‹ erschien in der Prager ›Bohemia‹. Weitere Veröffentlichungen in ›Schorers Familienblatt‹, ›Deutsche Rundschau‹, ›Über Land und Meer‹ u. a. – Erzählerin; schilderte bevorzugt das Salon- und Gesellschaftsleben ihrer Zeit.

WERKE: Schuldig, R. 1883; Ehre, R. 1883; Die Geschichte eines Genies. Die Galbrizzi, Nn. 1884; Mal' occhio und andere Novellen, 1884 ([4]u. d. T. Es fiel ein Reif in der Frühlingsnacht, 1901); Unter uns, R. 2 Bd. 1884; Ein Frühlingstraum, N. 1884; Bravo rechts! Eine lustige Sommergesch., 1885; Gloria victis! R. 3 Bd. 1885; Erinnerungen eines alten Österreichers, E. 1886; Erlachhof, R. 2 Bd. 1887; Etiquette. Eine Rokoko-Arabeske, 1887; Asbéin. Aus dem Leben eines Virtuosen, 1888; Dolorata, N. 1888; Unheimliche Geschichten, 1889; Boris Lensky, R. 3 Bd. 1889; Bludička, E. aus dem slavischen Volksleben, 1890; O du mein Österreich, R. 3 Bd. 1890; Heil Dir im Siegerkranz, E. 1890; Ein müdes Herz, E. 1892; Gräfin Erikas Lehr- und Wanderjahre, R. 3 Bd. 1892; Torschlußpanik, E. 1892; Finis Poloniae, R. 1893; Toter Frühling, E. 2 Bd. 1893; Schatten, Nn. 1893; (MA:) Die Geschichte des Erstlingswerkes. Selbstbiogr. Aufs., 1894; Gebrochene Flügel, R. 1894; Woher tönt dieser Mißklang durch die Welt?, R. 3 Bd. 1894; Con fiocchi, R. 1896; Maximum, R. aus Monte Carlo, 1896; Wenn's nur schon Winter wär'!, R 1897; Die Heimkehr, R. 1897; Vollmondzauber, R. 2 Bd. 1899; Peterl. Eine Hundegesch., 1900; Slawische Liebe, Nn. 1900; Im gewohnten Geleis, R. 1901; Marška, E. 1902; Refugium peccatorum, R. 1903; Der Gnadenschuß, E. 1905; Blanche, 1905; Der arme Nicki. Gesch. eines aus der Reihe Gefallenen, 2 Bd. 1906; Primavera, N. 1908; Miserere nobis. Die Trag. eines Idealisten, R. 2 Bd. 1910; Monsieur Paul, Schausp. in 3 Akten mit einem Vorsp. 1912; Die Flucht nach Amerika, R. 1914; Der Rosenkavalier, 1924.

Werkausgabe: Gesammelte Romane, 5 Bd. 1921 (Teilslg.).

Literatur: *–a–,* O. S. ›Peterl‹. In: Hamburger Correspondent (1900) 170. *H. E.,* O. S. ›Im gewohnten Geleis‹. In: Neue Freie Presse [Wien] vom 18. 11. 1900. *C. Busse,* O. S. ›Refugium peccatorum‹. In: Dt. Monatsschrift für das gesamte Leben der Gegenwart [Berlin] 2 (Juli 1903). *A. E. Schönbach,* O. S. ›Refugium peccatorum‹. In: Die Kultur [Wien] 5 (1904). O. S. ›Marška‹. In: Mitt. des Vereins für Gesch. der Dt. in Böhmen [Prag] Bd. 42, 1904. *H. Bischof,* O. S. In: Das lit. Echo 8(1906). *A. L(auer),* O. S. In: Dt. Arbeit 8/10(1909/11). *M. Fuhrmann,* O. S. ›Tragödie eines Idealisten‹. In: Preußische Jb., Bd. 142, 1910. O. S. ›Der arme Nicki‹. In: Beil. zur Allg. Ztg. [München] (1906) 16.

Seghers, Anna (Ps. f. Netty Reiling), * 19. 11. 1900 in Mainz, † 1. 6. 1983 in Ost-Berlin.

Der Vater war der Antiquitätenhändler Isidor Reiling. Studierte ab 1919 in Köln und Heidelberg Philologie, Geschichte, Kunstgeschichte und Sinologie. Promovierte 1924 mit der Arbeit ›Jude und Judentum im Werke Rembrandts‹. Reiste in viele Länder. Heiratete 1925 den ungarischen Schriftsteller und Soziologen Laszlo Radvanyi. Schloß sich der Arbeiterbewegung an und trat 1928 in die KPD ein. War Mitglied des Bundes proletarisch-revolutionärer Schriftsteller und nahm 1930 am Kongreß der Internationalen Vereinigung Revolutionärer Schriftsteller in Charkow teil. 1933 wurden ihre Bücher verboten. Flucht nach Frankreich. Arbeitete in Paris an antifaschistischen Zeitschriften und Verlagen mit. War Mitherausgeberin der in Prag erscheinenden literarischen Zeitschrift ›Neue Deutsche Blätter‹. Nahm an Schriftstellerkongressen teil. Floh 1940 über Marseille nach Mexiko. Gab dort zusammen mit Ludwig Renn, Bodo Uhse und Alexander Abusch die Zeitschrift ›Freies Deutschland‹ heraus und war Vorsitzende des antifaschistischen »Heine-Clubs«. Kehrte 1947 nach Deutschland zurück (zur Annahme des Georg-Büchner-Preises) und

nahm in Ost-Berlin ihren Wohnsitz. Von der Gründung bis 1978 Vorsitzende des Deutschen Schriftstellerverbandes in der DDR, danach Ehrenvorsitzende.
Schrieb Romane und Erzählungen, die geprägt sind von ihrer politischen Überzeugung. Zentrale Themen sind der Kampf der Unterdrückten und Ausgebeuteten, Faschismus, Exil und, nach ihrer Rückkehr nach Deutschland, die Entwicklung in der Nachkriegszeit. Charakteristisch ist die strenge, verknappende Prosa, auch die Verarbeitung von Märchen, Sagen und Legenden. A. S. fand erste Anerkennung für die Erzählung ›Aufstand der Fischer von St. Barbara‹, für die sie 1928 den Kleist-Preis erhielt. Weltberühmt wurde sie mit dem KZ-Roman ›Das siebte Kreuz‹ (1942). Ihr Roman ›Transit‹ (engl. 1944, dt. 1948) über Flüchtlingsschicksale in Südfrankreich bezieht, eine Ausnahme in ihrem Werk, persönliches Erleben mit ein; darin nur noch vergleichbar der Erzählung ›Der Ausflug der toten Mädchen‹ (1946). Griff auch mehrfach in die ästhetische Auseinandersetzung um den »Sozialistischen Realismus« ein.
Erhielt den Kleist-Preis (1928), den Büchner-Preis – für ›Das siebte Kreuz‹ – (1947), den Internationalen Stalin-Friedenspreis (1951), den Nationalpreis der DDR (1951, 1959 und 1971), den Ehrendoktor der Universität Jena (1959); den Literaturpreis des FDGB (1969) und die Ehrenbürgerschaft der Stadt Mainz (1981).

WERKE: Jude und Judentum im Werke Rembrandts, Diss. 1924 (N 1981) (u.d.N. Netty Reiling); Aufstand der Fischer von St. Barbara, E. 1928 (N 1975); Auf dem Wege zur amerikanischen Botschaft und andere Erzählungen, 1930 (Inhalt: Die Ziegler; Auf dem Wege zur amerikanischen Botschaft; Grubetsch; Bauern von Hruschowo); Die Gefährten, R. 1932 (N 1981); Die Stoppuhr, E. 1933; Der Kopflohn. R. aus einem dt. Dorf im Spätsommer 1932, [Amsterdam] 1933 (N 1984); (Mithrsgin.) Neue Deutsche Blätter. Monatsschrift für Lit. und Kritik, [Prag] 1933ff.; (MA:) Ernst Thaelmann, what he stands for, 1934; Alpenwanderung und andere Erzählungen, [Prag] 1934; Der Weg durch den Februar, R. [Paris] 1935 (N 1984); Der letzte Weg des Koloman Wallisch, E. 1936; Der Prozeß der Jeanne d'Arc zu Rouen 1431, Hsp. 1937 (BA 1965); Die Rettung, R. [Amsterdam] 1937 (N 1982); Wiedersehen, 1938; Die schönsten Sagen vom Räuber Wojnok. Sagen von Artemis, 1940 (N ›Der Räuber Wojnok. Sagen und Legenden‹, 1978); Volk und Schriftsteller, Ess. 1942; Das siebte Kreuz. R. aus Hitlerdeutschland, [Mexiko] 1942 (N 1984); Transit, R. [Boston] 1944 (engl. Ausg.), [Konstanz] 1948 (dt.Ausg.) (N 1985); Der Ausflug der toten Mädchen und andere Erzählungen, [New York] 1946 (Inhalt: Der Ausflug der toten Mädchen [N 1982]); Post ins gelobte Land; Das Ende) (verm. Aufl. [Berlin] 1948); Das Obdach; Die Saboteure) (N 1984); Das Ende, E. 1948; Sowjetmenschen. Lebensbeschreibungen nach ihren Berichten, 1948; Die drei Bäume, 1949; Die Hochzeit von Haiti, 2 Nn. 1949 (Inhalt: Die Hochzeit von Haiti; Wiedereinführung der Sklaverei in Guadeloupe); Das Argonautenschiff, 1949 (N 1978); Die Toten bleiben jung, R. 1949 (N 1983); Die Linie, 3 En. 1950 (N 1960); (Vorw.) N. Rost, Goethe in Dachau, 1950 (N 1981); Friedensgeschichten, 1950; Die Schule des Kampfes, 1950; Crisanta, mexikan. N. 1951; Der Lehrer, E. 1951; Die Kinder, 3 En. 1951; Der Mann und sein Name, E. 1952; Frieden der Welt. Ansprachen und Aufsätze 1947–1953, 1953; Die Rückkehr, E. 1953; Der erste Schritt, E. 1953 (N 1963); (Einl.) G. Seitz, Studienblätter aus China, 1953; (MA:) Über unsere junge Literatur. Diskussionsmaterial zur Vorbereitung des 4. Dt. Schriftstellerkongresses, 1955; Der Führerschein, 1955; Die große Veränderung und unsere Literatur. Ansprache zum 4. Dt. Schriftstellerkongreß Januar 1956, 1956; (MA:) Hilfsmaterial für den Literaturunterricht an Ober- und Fachschulen, 1957; Die Tochter der Delegierten, En. [Budapest] 1957 (N 1970); Brot und Salz, 3 En. 1958 (N 1960); (Einl.) L.N. Tolstoj. Bibliographie der Erstausgaben deutschsprachiger Übersetzungen und der seit 1945 in Deutschland, Österreich und der Schweiz in deutscher Sprache erschienenen Werke, 1958; Die Kraft des Friedens, 1959; Die Entscheidung, R. 1959 (N 1985); Das Licht auf dem Galgen. Eine karibische Gesch. aus der Zeit der Franz. Revolution, 1961 (N 1968); Die Hochzeit von Haiti, N. 1961; Über Tolstoj. Über Dostojewski, 1963; Bewahrung und Entdeckung. Rede auf der Delegiertenkonferenz des Dt. Schriftstellerverbandes, 1963 (N 1973); Erzählungen, 2 Bd. 1964; Die Kraft der Schwachen, 9 En. 1965 (N 1983); Sagen von Artemis, En. 1965 (N 1978); Geschichten von heute und gestern, 1966 (N 1975); Die Aufgaben des Schriftstellers heute. Offene Fragen. In: NDL 14 (1966) 12, 3–15; Das wirkliche Blau, E. 1967 (N 1979); (MA:) Kuba zum Gedenken. In: Sinn und Form 20 (1968) 1, 5–10; Das Vertrauen, R. 1968 (N 1975); Das Schilfrohr, 1969; (MA:) VI. Deutscher Schriftstellerkongreß. Briefe, Vorträge, Diskussion. In: NDL 17 (1969) 9, 3–146; Glauben an Irdisches, Ess. 1969 (N 1974); Aus dem Briefwechsel. In: Weimarer Beiträge 16 (1970) 11, 13–17; Aufstellen eines Maschinengewehrs im Wohnzimmer der Frau Kamptschik, En. 1970; Fragen und Antworten. In: NDL 18 (1970) 2, 48–61; Geschichten aus Mexiko, 1970; Briefe an Leser, 1970; Über Kunstwerk und Wirklichkeit, Ess. 3 Bd. 1970–1971 (Inhalt: 1. Die Tendenz in der reinen Kunst; 2. Erlebnis und Gestaltung; 3. Für den Frieden der Welt) (N 1979); Überfahrt, Liebesgesch. 1971 (N 1983); Sonderbare Begegnungen, En. 1973; Über Ernst Weiß. In: Weiß-Blätter (1973) 1, 1–2; (MA:) Unser gemeinsamer Weg. Schriftsteller der DDR über ihr Verhältnis zur Sowjetliteratur. In: NDL 21 (1973) 12, 108–45; Wird der Roman überflüssig? In: NDL 21 (1973) 10, 13–15; Erzählungen, 1974; Der sozialistische Standpunkt läßt am weitesten blikken. Referat. In: NDL 22 (1947) 2, 15–22 (dass. in: Dt. als Fremdsprache 12 [1975] Sonderheft, 5–9); Willkommen, Zukunft!, Ess. 1975; Kleiner Bericht aus meiner Werkstatt. In: Frauenoffensive. Journal (1976) 5, 28ff. Von der Kraft unserer Kunst. In: NDL 24 (1976) 4, 3f. (MA:) Wirklichkeit und Phantasie. Fragen – Antworten. In: NDL 24 (1976) 11, 27–48; Steinzeit. Wiederbegegnung, 2 En. 1977 (N 1984); (MA:) Der Schriftsteller und der Frieden. In: NDL 25 (1977) 8, 3–10; Brief an Mohamed Bentineb. In: H. Hess und P. Liebers (Hrsg.), Arbeiten mit der Romantik heute, 1978; Die Macht der Worte. Reden, Schriften, Briefe, 1979; Für Christa Wolf. In: Sinn und Form 31 (1979), 282f.; Über Kunstwerk und Wirklichkeit, bearb. u. hrsg. v. S. Bock, 1979; (MA:) Die Vertreibung des Menschen, 1980; Woher sie kommen, wohin sie gehen, Ess. 1980; Aufsätze, Ansprachen, Essays 1927–1979, 2 Bd. 1980; Geschichte eines Manuskripts. In: NDL 28 (1980) 11, 87–90; Drei Frauen aus Haiti, 1980 (N 1982); Die Toten auf der Insel Djal. Eine Sage aus dem Holländischen. In: Blätter der Carl-Zuckmayer-Gesellschaft 6 (1980), 223–26; Die Reisebegegnung, 1981; Sonderbare Begegnung, E. 1984; Kleiner Bericht aus meiner Werkstatt. Über Kunst und Wirklichkeit, hrsg. v. I. Krüger, 1984.

WERKAUSGABEN: Gesammelte Werke in Einzelausgaben, 8 Bd. 1951–1953; Erzählungen, Teilslg. 1952; A. S. Eine Ausw. aus ihrem Werk, 1960; Karibische Geschichten, Nn.-Ausw. 1962 (N 1977); Ausgewählte Erzählungen, 1969 (N 1971); Werke in 10 Bänden, 1977 (einzelne Bände wurden neu aufgelegt); Gesammelte Werke in Einzelausgaben, 12 Bd. 1975–1977 (einzelne Bände wurden neu aufgelegt); Die Hochzeit von Haiti, karibische Gesch. 1984; Fünf Erzählungen, 1980; Bauern von Hruschowo und andere Erzählungen, 1982; Vierzig Jahre der Margarete Wolf und andere Erzählungen, 1982; Aufstand der Fischer von St. Barbara und andere Erzählungen, 1983; Ausgewählte Erzählungen, 1984; Crisanta. Das wirkliche Blau. 2 Gesch. aus Mexiko, 1984.

VERÖFF. A. D. NACHLASS: Der letzte Mann der »Höhle«. In: Sinn und Form 36 (1984), 225–28; Sechs Tage, sechs Jahre. Tagebuchseiten. In: Neue deutsche Literatur 32 (1984) 9, 5–9.

BIBLIOGRAPHIEN: *J. Scholz,* A. S. Leben und Werk. Ein Literaturverzeichnis, 1960. *K. Batt,* A. S.-Bibliographie. In: K. B. (Hrsg.), Über A. S. Ein Almanach zum 75. Geb. (1975), 333–410.

LITERATUR: (Auswahl) *C. Wolf,* A. S. über ihre Schaffensmethode. Ein Gespräch. In: NDL 7 (1959) 8, 52–57. *S. Brandt,* Die Entscheidung der A. S. Ein Roman als Purgatorium. In: Der Monat 12 (1959/60) 139, 77–81. Christa Wolf spricht mit A. S. In: NDL 13 (1965) 6, 7–18. *A. Auer,* ›Standorte – Erkundungen‹. 8 kritische Versuche, 1967 [darin Seghers-Rezeption]. *W. Girnus,* Gespräch mit A. S. In: Sinn und Form 19 (1967) 5, 1051–59. Verändern-Wollen und Verändern-Können (Diskussion mit A. S.). In: NDL 15 (1967) 4, 9–17. *K. Batt,* Unmittelbarkeit und Praxis. Zur ästhetischen Position von A. S. In: W. Mittenzwei (Hrsg.), Positionen. Beitr. zur marxistischen Lit.theorie in der DDR (1969), 134–78.

M. Reich-Ranicki, Bankrott einer Erzählerin. A. S. ›Das Vertrauen‹. In: M. R.-R., Lauter Verrisse (1970), 137–41. *M. Zimmering,* Das siebte Kreuz. In: NDL 18 (1970) 11, 18. Traditionsbeziehungen unserer Schriftsteller. Antworten auf eine Umfrage der Redaktion. In: Weimarer Beiträge 17 (1971) 12, 89–103. *V. Vochoč,* Briefe an A. S. In: Heinrich Mann am Wendepunkt der deutschen Geschichte. Internat. wiss. Konferenz aus Anlaß des 100. Geb.s von H. Mann, März 1971, 1971. *J. Nolte,* A. S. In: J. N., Grenzgänge. Berichte über Lit., [Wien] 1972. *D. Nsiff,* A. S. und Lateinamerika. ›Karibische Geschichten‹, Diss. Halle 1973. *H. Praschek,* Neue Deutsche Blätter. Prag 1933–35. Bibliographie einer Zs., 1973. *F. Seeger,* Beschreibend verändert sie. Ein dokumentarischer Bericht nach Gesprächen und Aufzeichnungen von A. S. und ihren Freunden. In: Wochenpost (1973) Nr. 46, 47, 48, 49. *K.-H. Höfer,* A. S. In: Dt. als Fremdsprache, Sonderheft 11 (1974), 22ff. *H. Plavius,* Wirklichkeit DDR. Gespräch mit A. S. In: NDL 22 (1974) 10, 3ff. *H. Pongs,* Symbolik zwischen West und Ost, 1974. *F. Wagner,* »... die Richtung auf die Realität«, das künstlerische Schaffen von A. S. 1935–1943, Diss. Berlin, Ak. d. Wiss. d. DDR 1974. *J. Thomaneck,* The iceberg in A. S.' novel ›Überfahrt‹. In: German Life & Letters 28 (1974/75), 36–45. *A. Abusch,* Briefe an A. S. In: Sinn und Form 27 (1975), 885–96 (dass. in: A. A., Ansichten über einige Klassiker, 1982, 273–86). A. S. zum 75. Geb. In: Weimarer Beiträge 21 (1975) 11, 5–20. *K. Batt,* Der Dialog zwischen A. S. und Georg Lukács. In: ebda. 21 (1975), 105–40 (dass. in: W. Mittenzwei [Hrsg.], Dialog und Kontroverse mit Georg Lukács. Der Methodenstreit dt. sozialistischer Schriftsteller, 1975). *E. Haas,* Ideologie und Mythos. Studien zur Erzählstruktur und Sprache im Werk von A. S., 1975. *H. Kamnitzer,* Der Mut ist nie müde geworden ... In: NDL 23 (1975) 11, 5–10. Lebendiges Wirken. In: ebda. 23 (1975) 11, 37–43. *H. Nalewski,* Anfang-Ende-Relation in Erzählungen von A. S. In: Weimarer Beiträge 21 (1975) 11, 35–55. *A. Stephan,* A. S. Künstlerische Anschauung und politischer Auftrag. In: H. Wagener (Hrsg.), Zeitkritische Romane des 20. Jh.s. Die Gesellschaft in der Kritik der dt. Lit., 1975, 167–91. *H. Szépe,* A. S. und die Tradition des deutschen politischen Zeitromans. In: Neue Dt. Hefte 22 (1975), 112–18. *F. Wagner,* »Autor und Leser sind im Bunde ...« A. S. über den antifaschistischen Auftrag sozialistischer Lit. im Exil. In: D. Schlenstedt u. a. (Hrsg.-Kollektiv), Funktion der Lit. Aspekte – Probleme – Aufgaben, 1975, 205–12 u. 406f. Worte über A. S. In: NDL 23 (1975) 11, 11–36. *K. Batt* (Hrsg.), Über A. S. Ein Almanach zum 75. Geb., 1975. *I. Abdul-Aziz,* Klassenkämpfe und nationale Kämpfe des 20. Jh.s im Spiegel der Erzählungen A. S., Diss. Halle 1976. *J. B. Bilke,* Staatsklassikerin A. S. Kritischer Nachtrag zum 75. Geb. In: Dt. Studien 14 (1976), 69–76. *A. P. Chazanovič* u. *A. V. Fedorov,* Überlegungen zum dt.-russ. A.-S.-Wörterbuch [anhand des Romans ›Die Toten bleiben jung‹]. In: Dt. als Fremdsprache 13 (1976), 262–68. *L. W. Freij,* Über A. S. In: Moderna Språk, [Saltsjö-Duvnäs] 70 (1976), 221–26. *W. Herzfelde,* Zur Sache geschrieben und gesprochen zwischen 18 und 80, 1976. *P. Keßler u. I. Wegner,* Ethos und epische Welt: A. S. In: H. Richter (Hrsg.), Schriftsteller und literarisches Erbe. Zum Traditionsverhältnis sozialistischer Autoren, 1976, 284–355 u. 377–82. *L. Kopelew,* Erregung von heute und die Märchenfarben. Randnotizen zu einigen Büchern von A. S. In: L. K., Verwandt und verfremdet. Ess. zur Lit. der Bundesrepublik und der DDR, 1976. *M. Maren-Grisebach,* A. S.' Roman ›Das siebte Kreuz‹. In: M. Brauneck (Hrsg.), Der dt. Roman im 20. Jh. Analysen und Materialien zur Theorie und Soziologie des Romans, Bd. 1, 1976, 283–98. *R. Opitz,* Heimatfindung und Vertrauen. In: M. Diersch u. W. Hartinger (Hrsg.), Lit. und Geschichtsbewußtsein. Entwicklungstendenzen der DDR-Lit. in den 60er und 70er Jahren, 1976, 184–98. *J. B. Bilke,* Vertreterin der Gegenaufklärung. In: Neue Dt. Hefte 24 (1977), 655–58. *F. Hassauer u. P. Roos* (Hrsg.), A. S. Materialienbuch, 1977. *H. Kraft,* Die Liebesgeschichte ›Überfahrt‹. Eine politische Allegorie von A. S. In: H. Anton u. a. (Hrsg.), Geist und Zeichen. Fs. für Arthur Henkel zu seinem 60. Geb., 1977, 208–18. *J.-P. Léonardini u. C. Prévost,* Eine nicht unwichtige Lektion. In: NDL 25 (1977) 10, 171–74. *K. Müller-Salget,* Totenreich und lebendiges Leben. Zur Darstellung des Exils in A. S.' Roman ›Transit‹. In: Wirkendes Wort 27 (1977), 32–44. *M. Reich-Ranicki,* A. S. In: M. R.-R., Nachprüfung. Aufsätze über dt. Schriftsteller von gestern, 1977 (N 1980). *M. Sperber,* Den Tod überleben. Erinnerungen an Freunde. In: Merkur 31 (1977), 735–48. *F. Wagner,* Thomas Mann in der Sicht sozialistischer Schriftsteller – beobachtet an A. S. In: Germanica Wratislaviensia, [Wroclaw] 29 (1977), 83–90. *K. Batt,* A. S. In: H. Hess u. P. Liebers (Hrsg.), Arbeiten mit der Romantik heute, 1978, 50 f. *Ders.,* Erlebnis des Umbruchs und harmonische Gestalt. Der Dialog zwischen A. S. und Georg Lukács. In: H.-J. Schmitt (Hrsg.), Der Streit mit Georg Lukács, 1978. *J. B. Bilke,* Ein überschaubares Werk. Lit. von und über A. S. In: Dt. Studien 16 (1978), 155–59 (dass. in: die horen 23 (1978) 3, 132–35). *P. Härtling,* A. S. In: NDL 26 (1978) 11, 172 ff. *H. Hauptmann,* Vertrauen in uns. In: ebda. 26 (1978) 3, 3–8. *R. Jaretzky u. H. Taubald,* Das Faschismusverständnis im Deutschlandroman der Exilierten. Untersucht am Beispiel von A. S. ›Das siebte Kreuz‹ u. a. In: Sammlung. Jb. für antifaschistische Lit. und Kunst 1 (1978), 12–36. *E. Mehnert,* Der Ausflug der toten Dichter. Zu einem Versuch der A. S. über das Erben. In: H. Hess u. P. Liebers (Hrsg.), Arbeiten mit der Romantik heute, 1978, 47–50. *H. Neugebauer,* A. S. Leben und Werk, 1978 (N 1980). *H. Plavius,* Weltsicht und Weltverständnis bei A. S. In: NDL 26 (1978) 11, 119–30. Probleme der Literaturinterpretation. Zur Dialektik der Inhalt-Form-Beziehungen bei der Analyse und Interpretation literarischer Werke, 1978 [darin zu: A. S. ›Das wirkliche Blau‹]. *K. Sauer,* A. S., 1978. *M. Straub,* Heislers Weg in das »gewöhnliche Leben«. Zur Wirklichkeitsaufnahme in A. S.' Zeitgeschichtsroman ›Das siebte Kreuz‹. In: H. Brandt u. N. Kakabadse (Hrsg.), Erzählte Welt. Studien zur Epik des 20. Jh.s, 1978, 210–33 u. 439–43. *R. Thieberger,* Le roman ›Transit‹ d'A. S. In: R. T. (Hrsg.), Etudes allemandes et autrichiennes, [Paris] 1978, 123–32. *S. Bock,* Erziehungsfunktion und Romanexperiment. A. S.: ›Die Toten bleiben jung‹. In: S. B. u. M. Hahn (Hrsg.), Erfahrung im Exil. Antifaschistische Romane 1933–1945. Analysen, 1979, 394–431 u. 467–71 ([2]1981, 364–98 u. 430–32). *H. Brandt u. B. Neuland u. I. Wegner,* Bewahrung und Erneuerung des Erzählens bei Thomas Mann, Bertolt Brecht und A. S. In: Weimarer Beiträge 25 (1979) 3, 165–71. *G. Gutzmann,* Schriftsteller und Literatur. Ihre gesellschaftliche Funktion im Werk von

A. S. 1935–1947, Diss. Univ. of Massachusetts 1979. *E. Mehnert,* Schlüssel zur Tür »hinter der der Weg sich zeigt«. Nationales und Internationales in den Traditionsbeziehungen von A. S., 2 Bd. Diss. Potsdam 1979. *W. Roggausch,* Das Exilwerk von A. S. 1933–1939. Volksfront und antifaschistische Literatur, 1979. *S. Schmidt,* Die Darstellung der Arbeit der sozialistisch-realistischen Menschengestaltung im Werk A. S.' Diss. Rostock 1979. *D. Schüssler,* A. S. ›Die Kraft der Schwachen‹ – eine thematische Untersuchung, Diss. Jena 1979. *L. Winckler,* »Bei der Zerstörung des Faschismus mitschreiben.« A. S.' Romane ›Das siebte Kreuz‹ und ›Die Toten bleiben jung‹. In: Antifaschistische Lit., Bd. 3, 1979, 172–201.
A. Abusch, Die kommunistische Dichterin A. S. In: Einheit. Zs. für Theorie und Praxis des wiss. Sozialismus (1980) 11, 1171–78 (dass. in: A. A., Ansichten über einige Klassiker, 1982, 287–301). A. S. zum 80. Geburtstag. In: Mitteilungen. Ak. d. Künste d. DDR 18 (1980) 6, 2f. *L. A. Bangerter,* The bourgeois proletarian. A study of A. S., 1980. *K. Batt,* A. S. Versuch über Entwicklung und Werke, [2]1980. *J. B. Bilke,* Auf der Suche nach Netty Reiling. In: Blätter der Carl-Zuckmayer-Gesellschaft 6 (1980) 4, 186–201. *S. Bock,* Historische Bilanz mit dem »Schreibzeug von heute«. Zum Roman ›Die Gefährten‹ von A. S. In: Sammlung. Jb. für antifaschistische Lit. und Kunst 3 (1980), 18–30. *Dies.,* Historische Bilanz als Moment der Auseinandersetzung mit der faschistischen Gefahr. A. S.' Roman ›Die Gefährten‹. In: Weimarer Beiträge 26 (1980) 11, 5–34. *C. Degemann,* Auf dem Wege zu A. S. Varianten westdeutscher S.-Rezeption. In: Sammlung. Jb. für antifaschistische Lit. und Kunst 3 (1980), 5–18. *C. Emmrich,* Weltliteratur für junge Leser – neuerzählt. In: NDL 28 (1980) 9, 131–49. *E. Haas,* Der männliche Blick der A. S. Das Frauenbild einer kommunistischen Schriftstellerin. In: Notizbuch (1980) 2, 134–49. *J. Heinzelmann,* Bewährung am Rhein. A. S. und Elisabeth Langgässer. In: Blätter der Carl-Zuckmayer-Gesellschaft 6 (1980) 4, 217–22. *W. Höppner,* Vom Glauben an Irdisches, A. S.' Erzählung ›Sagen von Unirdischen‹. In: Weimarer Beiträge 26 (1980) 11, 35–53. *B. Leistner,* Warten und Warten können. Beobachtungen zu einem Leitmotiv im Werk A. S.' In: Zs. für Germanistik 1 (1980), 389–97. [Zahlreiche Aufsätze zu A. S.] In: NDL 28 (1980) 11. *B. Polewoi,* Viele Jahre später. In: Sinn und Form 32 (1980), 981–86. *M. Reich-Ranicki,* Die Kraft der Schwachen. Zum 80. Geb. von A. S. In: FAZ Nr. 267 vom 15. 11. 1980, Beil. *E. Riesel,* Der Subtext im Sprachkunstwerk [u. a. zu A. S.]. In: Sprachkunst 11 (1980) 2, 205–21. *E. Rotermund,* »Spiegel« oder »Splitter«? Zur Kritik an A. S.' Dichtungen der Jahre 1932–1935. In: Blätter der Carl-Zuckmayer-Gesellschaft 6 (1980) 4, 207–16. *M. Schnabel,* A. S. zum 80. Geburtstag. Empfehlendes bio-bibliographisches Verzeichnis mit Veranstaltungsmaterialien, 1980. *R. Schneider,* Nachdenken über A. S. In: Blätter der Carl-Zuckmayer-Gesellschaft 6 (1980) 4, 202–06. *F. Wagner,* Der Niederschlag des gemeinsamen Kampfes um ein republikanisches Spanien in einem Text von A. S. aus dem Jahre 1938. In: Acta Universitatis Lodziensis, [Lodz] 1 (1980) 54, 125–33. *F. Wagner,* A. S., 1980. *C. Wolf,* Zu A. S. In: Sinn und Form 32 (1980), 976–80, A. S. – Mainzer Weltliteratur. Beiträge aus Anlaß des 80. Geb., 1981. *P. Beicken,* Eintritt in die Geschichte: A. S.' Frauen als Avantgarde. In: die horen 26 (1981) 4, 79–91. *M. Bergner u. A. Wejwoda,* Zur Ausprägung gesellschaftlicher Rezeptionsweisen in der Literaturkritik der DDR, dargestellt an Literaturdiskussionen der 60er und 70er Jahre zu den Romanen ›Die Aula‹ und ›Das Impressum‹ von Hermann Kant sowie den Erzählungsbänden ›Die Kraft der Schwachen‹ und ›Sonderbare Begegnungen‹, dem Roman ›Das Vertrauen‹ und der Erzählung ›Das wirkliche Blau‹ von A. S., Diss. Potsdam 1981. *S. Bock,* Erziehungsfunktion und Romanexperiment, A. S.: ›Die Toten bleiben jung‹. In: S. Bock/M. Hahn (Hrsg.), Erfahrung Exil. Antifaschistische Romane 1933–1945. Analysen, 1981, 364–98. *C. Degemann,* A. S. und das Lesebuch der BRD. In: Sammlung. Jb. für antifaschistische Lit. und Kunst 4 (1981), 175–85. *Dies.,* Versäumte Lektion: A. S. In: J. Eckhardt (Hrsgin.), Zeitgenössische Literatur im Deutschunterricht, 1981, 140–54. *A. Fried,* Begegnungen und Erinnerungen. In: Sinn und Form 33

(1981), 563–74. *G. Gutzmann,* Bei Gelegenheit der ›Transit‹-Lektüre. Die Erzählkonzeption der A. S. In: C. Fritsch u. L. Winckler (Hrsg.), Faschismuskritik und Deutschlandbild im Exilroman, 1981, 178–91. *F. Hassauer u. P. Roos,* Geschichte und Alltag – Zu A. S. Eine Annäherung. In: die horen 26 (1981) 4, 61–77. *P. Herminghouse,* Die Wiederentdeckung der Romantik: Zur Funktion der Dichterfiguren in der neueren DDR-Literatur. In: J. Hoogeveen u. G. Labroisse (Hrsg.), DDR-Roman und Literaturgesellschaft, [Amsterdam] 1981, 217–48. *B. Jaksch u. H. Maass,* Das siebte Kreuz. Ein dt. Volksstück. A. S., 1981. *G. P. Kaleyvias,* Reflections of history: the stories of A. S. in Weimar Germany and in exile 1924–1947, Diss. Univ. of Maryland 1981. *H. Kamnitzer,* Der Mut ist nie müde geworden. In: H. K., Das Testament des letzten Bürgers, 1981, 161–64. *E. Kaufmann,* A. S. ›Das wirkliche Blau‹. In: Probleme der Literaturinterpretation, 1981, 115–44. *A. M. Keim,* Das Mädchen Netty Reiling. A. S.' Jugend in Mainz. In: Mainz. Vierteljahreshefte für Kultur, Politik, Wirtschaft, Geschichte 1 (1981) 1, 24–30. *C. Klotz u. B. Spies,* A.-S.-Kolloquium. Ein Tagungsbericht. In: Blätter der Carl-Zuckmayer-Gesellschaft 7 (1981), 46–50. *V. Klotz,* Kollektiv als Hauptperson: Wie es sich erzählen und lesen läßt. Zu A. S.' ›Aufstand der Fischer von St. Barbara‹. In: G. Janetzke u. R. Klopfer (Hrsg.), Erzählung und Erzählforschung im 20. Jh. Tagungsbeiträge eines Symposiums der Alexander-von-Humboldt-Stiftung Bonn-Bad Godesberg, veranstaltet vom 9.–14. 9. 1980 in Ludwigsburg, 1981, 327–40. *H. Küntzel,* Von Abschied und Atemnot. Über die Poetik des Romans, insbesondere des Bildungs- und Entwicklungsromans, in der DDR. In: J. Hoogeveen u. G. Labroisse (Hrsg.), DDR-Roman und Lit.gesellschaft, [Amsterdam] 1981, 1–32. *H. Lohr,* Zur Funktion mythen-, märchen-, sagen- und legendenhafter Elemente in der Literatur der 60er und 70er Jahre (dargelegt an ausgewählten Werken von A. S. u.a.), Diss. Berlin 1981. *E. Mehnert,* Nationalliterarische Traditionen bei A. S. In: Weimarer Beiträge 27 (1981) 5, 124–48. *U. Püschel,* Das heftige Gebrauchtwerden. Über A. S. In: Kürbiskern (1981) 1, 59–72. *K. Reichelt,* Zur S.-Rezeption bei Heiner Müller. In: Hallesche Studien zur Wirkung von Sprache und Lit. 3 (1981), 28–37. *K. Schuhmann,* Auf der Suche nach dem »wirklichen Blau«. Künstler- und Schriftstellerproblematik in drei Erzählungen von A. S. In: H. Nalewski u. K. S. (Hrsg.), Selbsterfahrung als Welterfahrung. DDR-Lit. in den 70er Jahren, 1981, 136–48 u. 251f. *G. Starke,* Zur Spezifik der Textverflechtung in künstlerischer Prosa. In: Zs. für Germanistik 2 (1981), 300–13. *F. Wagner,* Selbstbehauptung und ihr geschichtliches Maß. Aus Anlaß der Geschichten ›Drei Frauen aus Haiti‹ von A. S. In: ebda. 2 (1981), 37–47. *H. Wald,* A. S.' ›Die Toten bleiben jung‹ und Thomas Manns ›Doktor Faustus‹. Epochenbilanz im Exil und das Erbe L. N. Tolstojs und F. M. Dostojewskis, Diss. Erfurt 1981. *C. Zehl Romero,* The rediscovery of romanticism in the GDR: a note on A. S.' role. In: Studies in GDR culture and society, [Washington] 2 (1981/82), 19–29. [Zahlreiche Aufsätze zu A. S.] In: *H. L. Arnold* (Hrsg.), A. S., 1982 (= Text + Kritik, Heft 38, 2. Aufl.). *R. F. Bell,* Literarische Darstellungen vom Ende des Faschismus: Ferdinand Bruckners ›Die Befreiten‹ und A. S.' ›Das Ende‹. In: D. G. Daviau u. L. M. Fischer (Hrsg.), Das Exilerlebnis, [Columbia] 1982, 212–23. *W. Buthge,* A. S.: Werk – Wirkungsabsicht – Wirkungsmöglichkeit in der Bundesrepublik Deutschland, 1982. *S. E. Cernyak,* A. S.: between Judaism and Communism. In: R. F. Bell u. J. M. Spalek (Hrsg.), Exile: the writer's experience, [Chapel Hill] 1982, 278–85. *A. Delius,* A. S.' ›Das siebte Kreuz‹ in einer 9. Klasse. In: Der Deutschunterricht 34 (1982) 2, 32–41. *G. Gutzmann,* A. S.' ›Ausflug der toten Mädchen‹ als ein Beitrag der Literatur zur Neugestaltung Deutschlands. In: D. G. Daviau u. L. M. Fischer (Hrsg.), Das Exilerlebnis, [Columbia] 1982, 476–85. *G. Haas,* A. S.: 5 Erzähungen. In: G. H. (Hrsg.), Lit. im Unterricht, 1982, 102–08. *U. Kändler,* Gibt es charakteristische Wortwendungsprozesse in der Epik? Ein Versuch an 2000 Wörtern aus dem Roman ›Die Entscheidung‹ von A. S. In: Linguistische Arbeitsberichte (1982) 36, 88–95. *C. Schulz,* Ästhetische Positionsbestimmung am literarhistorischen Modell. Zu A. S.' Erzählung

›Die Reisebegegnung‹. In: Brünner Beiträge zur Germanistik und Nordistik 3 (1982) [Brünn] 71–86. *R. Thieberger,* Le roman ›Transit‹ d'A. S. In: R. T., Gedanken über Dichter und Dichtungen, 1982, 413–25. *H. Tischer,* A. S.: Das siebte Kreuz. In: J. Lehmann (Hrsg.), Dt. Romane von Grimmelshausen bis Walser. Interpretationen für den Lit. unterricht, Bd. 2, 1982, 313–38. *S. Wirsing,* Das Kaff im Zentrum der Utopie. Über A. S.' ›Der Aufstand der Fischer von St. Barbara‹. In: FAZ Nr. 94 vom 23. 4. 1982 (dass. in: Blätter der Carl-Zuckmayer-Gesellschaft 11 [1985], 52–56) A. S. 1900–1983. In: NDL 31 (1983) 8, 4–6. *P. Beicken,* A. S.: Das siebte Kreuz (1942). In: P. M. Lützeler (Hrsg.), Dt. Romane des 20. Jh. Neue Interpretationen, 1983, 255–72. *C. Degemann,* Sie ließ sich vom Osten nehmen, mit Haut und Haar. Sexualmetaphorik als literaturkritische Kategorie. Anmerkungen zum Umgang mit A. S. in der BRD. In: die horen 28 (1983) 4, 62–67. *B. Greiner,* Der Bann der Zeichen: A. S.' Entwürfe der Identitätsfindung. In: Jb. zur Lit. in der DDR, [Bonn] 3 (1983), 131–55. *Ders.,* »Sujet barré« und Sprache des Begehrens: die Autorschaft »A. S.«. In: W. Schönau (Hrsg.), Lit.-psychologische Studien und Analysen, [Amsterdam] 1983, 319–51. *W. Lüder,* A. S. ›Drei Frauen aus Haiti‹. Hist. Dimension im Unscheinbaren. In: Weimarer Beiträge 29 (1983), 313–18. *C. Mathew,* A. S. In: German Studies in India. »Indo-German«. Trivandrum: Univ. of Kerala, Dept. of German 7 (1983), 131–35. *V. Merkelbach,* Rezeption und Didaktik von A. S.' Roman ›Das siebte Kreuz‹. In: Diskussion Deutsch 14 (1983), 532–50. *J. Milfull,* Juden, Frauen, Mulatten, Neger. Probleme der Emanzipation in A. S.' ›Karibische Erzählungen‹. In: M. Jurgensen (Hrsg.), Frauenliteratur. Autorinnen – Perspektiven – Konzepte, 1983, 45–55. [Zahlreiche Aufsätze zu A. S.]. In: NDL 31 (1983) 10. *E. Rotermund,* »Erzählen, was mich heute erregt ...« Zum Tode von A. S. In: Blätter der Carl-Zuckmayer-Gesellschaft 9 (1983), 125 ff. [Zahlreiche Aufsätze zu A. S.]. In: Sinn und Form 35 (1983). *F. Roy,* Beobachtungen zur Funktion und Gestaltung von Spanienkriegszügen in der Prosaliteratur der DDR. In: Wiss. Zs. der Pädagogischen Hochschule Potsdam 27 (1983), 229–43. *J. K. A. Thomaneck,* DDR-Literatur in englischer Übersetzung. A. S. und Johannes Bobrowski. In: Zs. für Germanistik 4 (1983), 382 ff. *S. Bock,* A. S. liest Kafka. In: Weimarer Beiträge 30 (1984), 900–15. Für A. S. [Mit Beitr. v.] J. Brězan [u. a.]. In: Sinn und Form 36 (1984), 977–86. Gespräch über A. S. [Mit Beitr. v.] H. Kant [u. a.]. In: NDL 32 (1984) 9, 10–73. *G. Jäckel,* A. S.' Der Baum des Odysseus. Erwägungen zur Interpretation und Genrediskussion kurzer Prosatexte. In: Germanica Wratislaviensia 44 (1984), 10–25. *U. Kändler,* Umgangssprachlicher Wortschatz, übertragener Wortgebrauch, stilistisch motivierte wörtliche und variierte Wiederholung – ›Die Birke da oben‹ von J. Knappe im Vergleich mit der ›Entscheidung‹ von A. S. In: Linguistische Arbeitsberichte [Leipzig] (1984) 43, 19–25. *E. Mehnert,* A. S.' ›Überfahrt‹. Eine Liebesgeschichte. In: Weimarer Beiträge 30 (1984), 629–42. *P. Frey,* »Und habt ihr denn etwa keine Träume...?« Die Pariser Jahre der A. S. In: Blätter der Carl-Zuckmayer-Gesellschaft 11 (1985), 34–41. *A. Stephan,* Vom Fortleben der Avantgarde im Exil. Das Beispiel A. S. In: ebda. 11 (1985), 42–51. *A. Waine,* The individual, politics and power: a study of A. S.' ›Das siebte Kreuz‹. In: Quinquereme. New studies in modern languages 8 (1985), 9–26. *Ch. Degemann,* A. S. in der westdt. Literaturkritik 1946–1983. Eine literatursoziologische Analyse, 1985.

Seidel, Ina, * 15. 9. 1885 in Halle, † 2. 10. 1974 in Ebenhausen bei München.
Die Mutter war Tochter eines Rigaer Kaufmanns und Stieftochter des Ägyptologen Georg Ebers; der Vater war Arzt und Bruder des Schriftstellers Heinrich Seidel (u. a. ›Leberecht Hühnchen‹). Sie wuchs in Braunschweig auf. Nach dem Freitod des Vaters siedelte die Familie 1896 nach Marburg und ein Jahr später nach München über. Heiratete 1907 ihren Vetter, den Pfarrer und Schriftsteller Heinrich Wolfgang Seidel, mit dem sie in Berlin lebte. Zwei Kinder. Seit 1908 war I. S. infolge einer Kindbettinfektion gehbehindert. Von 1914 bis 1923 in Eberswalde ansässig, dann wieder in Berlin. Seit 1934 wohnhaft in Starnberg.
Zunächst empfindsame, naturnahe Lyrikerin (auch Zeitbezug ›Neben der Trommel her‹, Gedichte 1915); dann Erzählerin mit formaler Spannweite von der historisch-biographischen zur realistischen und schließlich Traum und Imagination (›Unser Freund Peregrin‹) umfassenden Erzählweise und mit zentralen Themen, wie (historische) Familiengeschichte, evangelisch-christliche Glaubenswelt und Frauen- und Mütterschicksal. Neben ihren vielgelesenen Gedichten und Romanen, wie ›Das Labyrinth‹ (1922, Lebensgeschichte Georg Forsters) oder ›Lennacker‹ (1938, Geschichte eines lutherischen Pfarrhauses) wurde ihr größter Erfolg der Roman ›Das Wunschkind‹ (1930): die Geschichte einer Frau zwischen den Jahren 1792 und 1813, die zuerst ihren Mann und später auch, was sie voraus-ahnt, ihren Sohn »opfern« muß. Ihr letzter Roman ›Michaela‹ (1959) ist ein Versuch der Auseinandersetzung mit dem Nationalsozialismus und der Mitschuld des religiös orientierten Bildungsbürgertums. I. S. war auch Essayistin und rege Herausgeberin, u. a. von literarischen und kulturgeschichtlichen Frauenschriften.
Sie erhielt die Goethe-Medaille (1932), den Grillparzer-Preis der Stadt Wien (1941), den Wilhelm Raabe-Preis der Stadt Braunschweig (1948). War seit 1932 Mitglied der Preußischen Akademie der Künste.

WERKE: Gedichte, 1914; Familie Mutz. Ein Bilderb. 1914; Neben der Trommel her, G. 1915; Das Haus zum Monde, R. 1917; Weltinnigkeit. Neue G. 1918 (verm. N 1921); Hochwasser, Nn. 1920; Das Labyrinth. Ein Lebenslauf aus dem 18. Jh., 1922 (N 1983); Sterne der Heimkehr. Eine Junigesch., 1923 (Forts. v. Das Haus zum Monde, 1917); Das wunderbare Geißleinbuch. Neue Gesch. für Kinder, die die alten Märchen gut kennen, 1925; Die Fürstin reitet. E. 1926 (Neubearb. 1960, N 1979); Neue Gedichte, 1927 (erw. N u. d. T. Die tröstliche Begegnung, 1933); Brömseshof. Eine Familiengesch., 1928; Renée und Rainer, E. 1928; Die Brücke, E. 1929; Der volle Kranz, G. 1929; Der vergrabene Schatz, 3 En.

1929; Die Brücke und andere Erzählungen, hrsg. v. R. Tieffenbach, 1930; Das Wunschkind. R. 2 Bd. 1930 (N 1975); Das Geheimnis. Gesch. von Sachen allein, mit einem Hund und einer Kinderstimme am Schluß, 2 En. 1931; Die Entwicklung der Friedensbewegung in Europa bis zur Entscheidungsstunde der Gegenwart, 1932; (Mithrsgin.) Herz zum Hafen. Frauen-G. der Gegenwart, 1933; Der Weg ohne Wahl, R. 1933; Dichter, Volkstum und Sprache. Ausgew. Vorträge und Aufs., 1934; Luise, Königin von Preußen. Ber. über ihr Leben, 1934; Das russische Abenteuer und ausgewählte Gedichte, 1935; Meine Kindheit und Jugend. Ursprung, Erbteil und Weg, 1935; (Hrsgin.) Willy Seidel, Der Tod des Achilleus und andere Erzählungen, 1936; Spuk in des Wassermanns Haus, Nn. Mit einem autobiogr. Nachw., 1936; Lennacker. Das Buch einer Heimkehr, 1938 (N 1982); Verse, 1938; (Einl.) Deutsche Frauen. Bildnisse und Lebensbeschreibungen, 1939; Unser Freund Peregrin. Aufzeichnungen des Jürgen Brook, E. 1940; (Mithrsgin.) Dienende Herzen. Kriegsbriefe von Nachrichtenhelferinnen des Heeres, 1942; Achim von Arnim, Biogr. 1944; Bettina, Biogr. 1944; Gedichte, 1944; (Hrsgin.) Heinrich Wolfgang Seidel, Aus dem Tagebuch der Gedanken und Träume. Zum 70. Geb. am 28. August 1946 aus dem Nachlaß hrsg., 1946; Die Vogelstube, 3 Aufs. 1946; (Hrsgin.) C. Brentano und B. v. Arnim, Geschwisterbriefe, 1948; (Hrsgin.) A. Gryphius, Gedichte, 1949; Osel, Urd und Schummei, E. 1950; (Hrsgin.) Heinrich Wolfgang Seidel, Drei Stunden hinter Berlin. Briefe aus dem Vikariat 1902, 1951; (Hrsgin.) Um die Jahrhundertwende. Jugendbriefe, 1952; (Einl.) I. Forbes-Mosse, Ferne Häuser, En. 1953; Die Geschichte einer Frau Berngruber, E. 1953; Die Versuchung des Briefträgers Federweiß, E. 1953; Das unverwesliche Erbe, R. 1954 (N 1982); (MA:) Die Orange. En. für die Jugend, 1954; Die Fahrt in den Abend, E. 1955 (N 1979); (Hrsgin.) E. Seidel, Unvergeßliches Riga, 1955; Gedichte. Festausg. zum 70. Geb. der Dichterin, 1955; (Einl.) S. Lagerlöf, Jerusalem, R. 1955; Einflüsse geistiger Ahnen. Statt eines Selbstporträts. In: Welt und Wort 10 (1955); Gedichte und Worte von I. S., 1956; (MA:) Frau und Mutter-Kalender, 1957; Jakobus Johannes Lennacker. Anno 1667. Mit e. Werkbericht der Dichterin und e. Nachw. von K. Nussbächer, 1959; Michaela. Aufzeichnungen des Jürgen Brook, R. 1959; Drei Städte meiner Jugend, 1960; Ein seliges Sterben, 1960; Vor Tau und Tag. Gesch. einer Kindheit, Autobiogr. 1962; Berlin, ich vergesse dich nie. Erinn. 1962; Dresdner Pastorale, E. 1962; Quartett, 4 En. 1963 (N 1983); Die alte Dame und der Schmetterling. Gesch. 1964 (N 1982); Ricarda Huch. Rede, 1964; Frau und Wort. Ausgew. Betrachtungen und Aufs., 1965; Lebensbericht 1885–1923, Autobiogr. 1970; Aus den schwarzen Wachstuchheften, E. 1970; Sommertage, E. 1973 (N 1978).

Veröff. a. d. Nachlass: Aus den schwarzen Wachstuchheften, hrsg. v. Ch. Ferber, 1980.

Werkausgaben: Gesammelte Gedichte, 1937; Das Tor der Frühe. R. einer Jugend, 1952 (Inhalt: Das Haus zum Monde; Sterne der Heimkehr); Drei Dichter der Romantik, 1956 (Inhalt: Achim von Arnim; Bettina; Clemens Brentano); Dunkle Erzählungen, 1981 (Inhalt: Unser Freund Peregrin; Die Fahrt in den Abend; Vor Tau und Tag). Ausgewählte Kostbarkeiten, zusgest. v. G. Berron, 1982.

Übersetzung: Th. Wolfe, Briefe an die Mutter, 1949.

Nachlass: Dt. Lit. archiv/Schiller-Nationalmuseum, Marbach.

Bibliographien: *E. Metelmann,* I.-S.-Bibliographie. In: Die Neue Lit. [Leipzig] 32 (1931). *G. Schäfer,* Bibliographie [Mit chronolog. Verzeichnis der Werke von I. S.; Auswahlbibl. der Veröffentlichungen über I. S. einschl. v. Aufs. in Ztg. und Zss. bis Ende 1955]. In: K. A. Horst, I. S. Wesen und Werk, 1956.

Literatur: *J. Bab,* I. S. In: Die neue Rundschau 27 (1916). *A. Biese,* ›Weltinnigkeit‹. In: Konservative Monatsschrift 76 (1918/19) 10. *H. Klüglein,* Die Romane I. S.s. In: Imago. Zs. für Anwendung der Psychoanalyse auf die Geisteswissenschaften 12 (1926) 4. Two german women: L. v. Strauß und Torney and I. S. In: The Athenaeum [London] Tl. 2, 1920. *P. Bauer,* I. S. In: Bücherwelt 21 (1924). *H. Spiero,* I. S. In: Eckart 19 (1924/25) 1. *L. Tetzner,* Einige Worte über die Dichterin

I. S. In: Orplid. Literarische Monatsschrift in Sonderheften 1 (1924/25) 12. *W. Kühlhorn,* I. S. In: Der Bergfried (1925) 5. *W. Rutz,* I. S. In. Pädagogische Warte 32 (1925). *E. Kessler,* I. S. In: Der Kunstwart [Dresden] 41 (1927) 2. *A. Knoblauch,* Sendung und Wert weiblicher Prosadichtung. In: Hochland 27 (1930). *J. Bab,* Der Roman der Mutter [Das Wunschkind]. In: Die Lit. 33 (1930/31). *A. Mrugowski,* Über die Menschen und die Kunst. In: Das Wort 5 (1931). *R. Henry,* Un roman d'I. S. [Das Wunschkind]. In: L'Européen [Paris] vom 28. 1. 1931. *K. Schulz,* ›Die Burgkinder‹, ›Vor dem Sturm‹, ›Das Wunschkind‹. Lit.geschichtlicher Vergleich. In: Bücherei und Bildung. Fachzs. des Vereins dt. Volksbibliothekare (1931) 5. *H. Jaeger,* Weib und Erde. Studie zu I. S.s Lyrik. In: Germanic Review 6 (1931). *H. Brandenburg,* I. S. Mit Bibliographie bis 1931. In: Die Neue Lit. 32 (1931) 8, 358ff. *W. Deubel,* Schöpferische Erfüllung. In: Dt. Rundschau 58 (1931) 2. *H. Geyer,* I. S. und ihr Werk. In: Zeitwende. Die neue Furche 7 (Nov. 1931). *R. Mollenhauer,* I. S. in Braunschweig. In: Braunschweigisches Magazin, Bd. 37, 1931. *P. Wegwitz,* I. S. In: Das dt. Buch [Leipzig] 11 (1931) 3/4. *K. Frese,* I. S. als erzählende Dichterin. In: Bayerische Lehrerinnenzeitung 24 (1931). *E. van Randenborgh,* Gedanken zu I. S.s ›Wunschkind‹. In: Eckart 7 (1931/32) 4. Wege heutiger Frauendichtung. In: Die Lit. Welt [Berlin] 9 (1933) 20/21. *E. Langgässer,* Portät I. S.s. In: Die Neue Rundschau 44 (1933) 12. *W. Deubel,* Die Gedichte I. S.s. In: Die Lit. 36 (1933/34) 7. *C. W. Dittrich,* I. S.s lyrische Dichtung. In: Die Lit. Welt [Berlin] N. F. 10 (1934) 10. *H. Franck,* I. S. In: Berliner Börsen-Ztg. vom 15. 9. 1935. *S. D. Gallwitz,* Dichterin I. S. In: Die Frau 42 (1935), 717ff. *L. Biermer,* I. S. In: Dt. Volkstum 17 (1935). Echo der Zeitungen zum 50. Geb. von I. S. In: Die Lit. 38 (1935). *W. Bauer,* I. S. In: Die Propyläen (1935) 45. *H. Jaeger,* Die Lebensgestaltung im Werk I. S.s. In: Dichtung und Volkstum [vorübergehend für Euphorion] (1935) 4. *H. Grothe,* I. S. In: Ostdt. Monatshefte 16 (1935/36). *H. Langenbucher,* I. S. In: Nationalsozialistische Monatshefte (1936) 70. *H. Thomas,* Weltauffassung und künstlerischer Ausdruck im dichterischen Werk I. S.s, Diss. Bonn 1937. *P. v. Gebhardt/C. Pfingsthorn,* Ahnentafel Heinrich Wolfgang und I. S. In: Ahnentafel berühmter Deutscher, 4. F., 1937. *W. Dress,* Das Problem des Protestantismus. Zu I. S.s Büchern ›Lennacker‹ und ›Das unverwesliche Erbe‹, 1938. *M. McKittrick,* ›Weltinnigkeit‹. In: Monatshefte für dt. Unterricht, dt. Sprache und Lit., [Madison (Wisconsin)], Bd. 30, 1938. *M. Schulenburg,* Stellung und Bedeutung der Frau in den Romanen I. S.s, Diss. Marburg 1938. *C. di San Lazzaro,* I. S. Eine Studie, [Stuttgart] 1938. *W. Bauer,* Über I. S. In: Der Bücherwurm [München] 24 (1939). *A. Goes,* Ein Brief zu I. S.s ›Lennacker‹. In: Zeitwende 15 (1939). *G. Rosendahl,* I. S.s ›Das Wunschkind‹ im deutschen Unterricht. In: Zs. für Deutschkunde [Leipzig] 53 (1939). *K. Beyer,* I. S.s ›Wunschkind‹, 1940. *D. Hollatz,* I. S. In: Köln. Ztg. (1941) 99. *V. Ulbrich,* I. S. Die künstlerische Entwicklung ihrer Erzählkunst, Diss. Wien 1943 (Masch.). *H. Schneider,* Die Frauengestalten im epischen Schaffen der Dichterinnen der Gegenwart, Diss. Breslau 1943. *A. M. Bohle,* Welt und Gott in der Lyrik I. S.s, Diss. Innsbruck 1948 (Masch.). *W. Rehm,* Vitus Peregrinus. Ein Novalis-Erlebnis. In: DVjS für Lit.-wiss. und Geistesgesch. 23 (1949) 1, 33–70. *E. M. Elster,* Nachwort. In: I. S., ›Brömseshof. Eine Familiengeschichte‹, 1949. I. S. Zum 65. Geb. am 15. 9. 1950 [Lebensbericht, Buchanzeigen, Bibl.] zusgest. v. E. Lüpke, 1950. I. S. In: Westermanns illustrierte dt. Monatshefte 91 (1950) 6. *E. M. Humperdinck,* Pilgerschaft. Eine morphologische Untersuchung der Erzählung ›Unser Freund Peregrin‹, Diss. Bonn 1950 (Masch.). *W. Stadtler,* Probleme der dichterischen Biographie. Eine Untersuchung der Wirklichkeitsgestaltung in I. S. ›Das Labyrinth‹, Diss. Bonn 1951 (Masch.). *H. H. Pollack,* Die Religion bei I. S. Diss. Innsbruck 1951 (Masch). *K. v. Wistinghausen,* Früchte des Alters. Über I. S. und H. Hesse. In: Die Christengemeinschaft [Stuttgart] 23 (1951). *F. Lennartz,* I. S. In: Die Dichter unserer Zeit, 1952, 466ff. *B. Häussermann,* Die Technik der Darstellung in den Romanen I. S. s, Diss. Tübingen 1952 (Masch.). *G. Heinemann,* Das Weltbild der Frau in I. S. s ›Wunschkind‹, Diss. Göttingen 1953. *K. Ihlen-*

feld, Roman der Konfessionen. Über I. S. ›Das unverwesliche Erbe‹. In: Ev. Welt 8 (1954), 704ff. *P. Brucker,* Das geschichtliche Element im Werk I. S.s, Diss. Freiburg 1954 (Masch.). *H. Simon,* Das Element des Traumes im Werk I. S.s, Diss. Freiburg 1954 (Masch.). *F. Seekel,* I. S.s ›Philippus Sebastian Lennacker‹. In: Wirkendes Wort 5 (1954/55), 365–70. *K. A. Horst,* Porträt I. S.s aus ihrer Dichtung. In: Merkur 9 (1955), 1167–72. *H. Rieder,* I. S. In: Neue Volksbildung (1955) 2. I. S. Festgabe zu ihrem 70. Geb. 1955. *H. Bode,* I. S. Weg und Werk. In. Das Bücherschiff, September 1955. I. S. In: Dichter unserer Zeit, Bd. 1, 1955. *H. Friedmann,* I. S. In: H. F./O. Mann [Hrsg.], Christliche Dichter der Gegenwart, 1955. *J. Günther,* I. S., 70 Jahre. In: Die Kultur [Stuttgart] 3 (1955) 53. *Ders.,* ›Die Fahrt in den Abend‹. In: Christ und Welt 8 (1955). *J. C. Hampe,* ›Die Fahrt in den Abend‹. zum 70. Geb. I. S.s. In: Sonntagsbl. [Hamburg] vom 18. 9. 1955. *H. Simon,* Traum und Dichtung im epischen Werk I. S.s. In: Wirkendes Wort 6 (1955/56), 282–92. *K. A. Horst,* I. S. Wesen und Werk. Mit vier Bildern und einer ausf. Bibl. 1956. *G. Müller,* Die Lyrik I. S.s, Diss. München 1957 (Masch.). *W. Dress,* Das Problem des Protestantismus [zu: ›Lennacker‹ und ›Das unverwesliche Erbe‹], 1958. *G. G.* [zu: ›Michaela. Aufzeichnungen des Jürgen Brook‹]. In: Panorama 4 (1960) 7. Neues von I. S. [zu: ›Die Fürstin reitet‹, ›Lennacker‹]. In: Christ und Welt 13 (1960) 38. *K. Deschner,* Aus Deutschlands Vergangenheit – Abrechnung oder Rechtfertigung [›Michaela‹]. In: Geist und Zeit, 1960. *K. A. Horst,* Tagundnachtgleiche [zu: ›Vor Tau und Tag‹]. In: FAZ vom 10.11. 1962. *W. Wilk,* Neues von I. S. [zu: ›Vor Tau und Tag‹]. In: Tagesspiegel [W.-Berlin] vom 9. 12. 1962. *W. Schimming,* Deuterin kindlicher Seele [zu: ›Vor Tau und Tag]. In: Bücherkommentare (1962) 3. *K. Rauch,* Bunte weihnachtliche Gaben [zu: ›Quartett‹]. In: Telegraf [W.-Berlin] vom 22. 12. 1963. *W. Fehse,* I. S. In: Von Goethe bis Grass. Biographische Porträts zur Lit. 1963, 111–13. I. S. In: A. Soergel, C. Hohoff, Dichtung und Dichter der Zeit, Bd. 2, 1963, 677–82. *N. Honsza,* Georg Forster und das Labyrinth von I. S. In: Germanica Wratislaviensia (1964) 9, 105–26. *K. A. Horst,* I. S. zum 80. Geburtstag. In: Eckart (1965/66), 211–15. *W. Wien,* Die ersten und die letzten Bilder. I. S. zum 80. Geb., 1966. *B. v. Heiseler,* I. S. Das Ahnenbild. In: B. v. H., Gesammelte Essays zur alten und neuen Lit. 2. Bd. 1967, 81–84. *H. Friedmann,* I. S. In: O. Mann (Hrsg.), Christliche Dichter im 20. Jh., [2]1968, 341–48. *M. Jost,* I. S. ›Jemand erwarb ein Empfangsgerät‹. In: M. J., Dt. Dichterinnen des 20. Jh.s, 1968. *H. Jaeger,* Die Lebensgestaltung im Werk I. S.s. In: H. J., Essays on German literature. 1935–1962, [Bloomington] 1968 (1969), 13–34. *M. Beheim-Schwarzbach,* I. S. blickt zurück [zu: ›Lebensbericht 1885–1923]. In: Die Welt der Lit. [Hamburg] 7 (1970) 20. *M. Frisé,* Die Seidels [zu: ›Lebensbericht 1885–1923‹]. In: FAZ vom 15. 9. 1970. Niemals Brecht [zu: ›Lebensbericht 1885–1923‹]. In: Der Spiegel 24 (1970) 37. *W. Wien,* [zu: ›Lebensbericht 1885–1923‹]. In: Neue Dt. Hefte 17 (1970) 4. *K. A. Horst,* I. S. In: Hdb. der dt. Gegenwartslit. 2 ([2]1970), 210ff. HL, [zu: ›Lebensbericht 1885–1923‹]. In: Telegraf [W.-Berlin] vom 6. 6. 1971. *K. Schauder,* Distanzierter Rückblick [zu: ›Lebensbericht 1885–1923‹]. In: Frankfurter Hefte 26 (1971) 7. *A. Mechtel,* Alte Schriftsteller in der Bundesrepublik. Gespräch und Dokumente, 1972. *E. Werckmeister,* Begegnung mit I. S. In: Jb. des baltischen Deutschtums 19 (1972), 42–52. *H. v. Arnim,* I. S. In: H. v. A., Christliche Gestalten neuerer dt. Dichtung, 1972, 170–84. *R. Lennert,* [I. S.] In: Neue Dt. Hefte 21 (1974), 884ff. *R. Terras,* Ein unbekannter Brief Gottfried Benns an I. S. [Mit Textpublikation]. In: Jb. der Dt. Schillergesellschaft 23 (1979), 117–23. *C. Ferber,* Die Seidels. Geschichte einer bürgerlichen Familie. 1811–1977, [3]1979 (N 1982). *K. Harpprecht,* Auf chronische Weise deutsch. Über I. S.s Roman ›Das Wunschkind‹. In: FAZ vom 14. 11. 1980.

Spiel, Hilde (verh. Flesch von Brunningen), * 19. 10. 1911 in Wien. Schulausbildung u. a. auf der Schwarzwaldschule in Wien. Studierte Philosophie bei M. Schlick und K. Bühler. Promovierte 1936 zum Dr. phil. Im gleichen Jahr Heirat mit dem Journalisten Peter de Mendelssohn und Übersiedlung nach London. Zwei Kinder. Arbeitete u. a. für die Zeitschrift ›New Statesman‹, als deren Korrespondentin sie 1946 wieder nach Wien zurückging. Von 1946–48 u. a. Theaterkritikerin für ›Die Welt‹ in Berlin. Danach Rückkehr nach England, wo sie als Kulturberichterstatterin für mehrere deutsche und österreichische Zeitungen und Rundfunkanstalten tätig war. Seit 1963 lebt sie wieder in Wien. Mitarbeiterin zahlreicher deutschsprachiger und englischer Zeitungen und Zeitschriften.
Erzählerin, Biographin, Kritikerin, Autorin historischer Werke und Übersetzerin zahlreicher englischer und amerikanischer Autoren. Namhaft vor allem als glänzende Essayistin und Kennerin der europäischen Kultur- und Literaturwelt. Ihr erzählerisches Debut gab sie mit ihrem Roman ›Kati auf der Brücke‹ (1933), der im Zeitungs- und Literaturmilieu Wiens zu Beginn der 30er Jahre spielt. Ihr mehrfach übersetzter Roman ›Lisas Zimmer‹ (1965) vergegenwärtigt an zwei Frauenschicksalen die Situation deutscher und österreichischer Emigrantinnen und Emigranten in New York nach dem Zweiten Weltkrieg. Auf der Grundlage ihres eigenen Tagebuchs und der Ereignisse im Januar/Februar 1946 entstand die ›Rückkehr nach Wien‹ (1968). Die historische Biographie ›Fanny von Arnstein oder Die Emanzipation‹ schildert kenntnisreich und lebendig, in prägnanter und bildreicher Sprache die Lebensgeschichte einer preußischen Jüdin, die in Wien den ersten literarischen Salon gründete – ein Beitrag zur Emanzipationsgeschichte der Juden und der Frauen.
H. S. erhielt 1934 den Julius-Reich-Preis, 1962 den Professorentitel und das Bundesverdienstkreuz I. Klasse, 1970 den Salzburger Kritiker-Preis, 1972 das Österreichische Ehrenkreuz für Kunst und Wissenschaft I. Klasse und das Goldene Ehrenzeichen für Verdienste um Wien, 1976 den Preis der Stadt Wien für Publizistik, 1978 das Goldene Verdienstzeichen des Landes Salzburg, 1981 die Roswitha-von-Gandersheim-Medaille, den Johann-Heinrich-Merck-Preis und den Donauland-Preis.

WERKE: Kati auf der Brücke, R. 1933; Verwirrung am Wolfgangsee, 1935 (u. d. T. Sommer am Wolfgangsee, 1961); Flöte und Trommeln, R. 1947 (erschien zuerst 1939 in engl. Sprache); Heimito von Doderer. In: Monat (1951) 34, 428–31; Der Park und die Wildnis. Zur Situation der neueren engl. Lit., 1953; (MA:) London: Stadt, Menschen, Augenblicke, 1956; Alexander Lernet-Holenia. Zu seinem 60. Geburtstag. In: Monat 10 (1957/58) 109, 65–72; Sir Laurence Olivier, Biogr. 1958; Welt im Widerschein, Ess. 1960; (Hrsgin.) England erzählt, 1960; Fanny von Arnstein oder Die Emanzipation, Biogr. 1962 (N 1978); (Hrsgin.) William Shakespeare, König Richard, 1964; Für und wider die deutsche Literatur. In: F. Handt (Hrsg.), Deutsch – gefrorene Sprache in einem gefrorenen Land? Polemik, Analysen, Aufsätze, 1964, 27 ff.; Thomas Manns Briefwechsel. In: Wort und Wahrheit XIX (1964) 10, 646 ff.; König Richard der III. Dichtung und Wirklichkeit, 1964; (Hrsgin.) Der Wiener Kongreß in Augenzeugenberichten, 1965; Lisas Zimmer, R. 1965 (u. d. T. The Darkened Room, 1961, auch ital., holl., slow.) (N 1984); Haßliebe zum Journalismus. Karl Kraus. In: Zeitungsschreiber 1966, 235–39; (MA:) Verliebt in Döbling. Die Dörfer unter dem Himmel, 1965 (1966); (MA:) Heimito von Doderer. In: Jahresring (1967/68), 327–32; [Heimito von Doderer]. In: Protokolle 1967, 10–19; (MA:) Wer verteidigt nun Karl Kraus? Ein offener Brief und eine Antwort. In: Merkur 22 (1968), 965ff.; Kleines Nachwort zum Briefwechsel um Karl Kraus. In: ebda., 1067; Rückkehr nach Wien. Tgb. 1946, 1968 (N 1971); Kunst – weder Ende noch Anfang. In: Lit. und Kritik 4 (1969), 495–98; Jedermann in Brechts Nähe. In: Resonanz (1971), 512ff. [zuerst 1969]; (Beitr.) Ende der Bescheidenheit auch in Österreich. Interessengemeinschaft österreichischer Autoren in Gründung. In: Lit. und Kritik 6 (1971), 173–80; (Hrsgin.) Wien – Spektrum einer Stadt, 1971; Städte und Menschen, Ess. 1971; Vorstellung. In: Dt. Ak. für Sprache und Dichtung Darmstadt, Jb. 1972 (1973) 93f.; Heimito von Doderer (1960). In: Dt. Lit.-Kritik der Gegenwart (1972) IV, 2, 59–73; Keine Kerze für Florian. In: Merkur 27 (1973), 1195–98; Das vertauschte Werkzeug. Schriftsteller in 2 Sprachen. In: Lit. und Kritik 8 (1973), 549–52; Psychologie des Exils. Ein Vortrag [...]. In: Neue Rundschau 86 (1975), 424–39; Gedenkwort für Franz Nabl. In: Dt. Ak. für Sprache und Dichtung Darmstadt, Jb. 1974 (1975), 116f.; Gedenkwort für Robert Neumann. In: ebda. Jb. 1975 (1976), 157ff.; Kleine Schritte, Prosa, 1976; Verlorene Liebesmüh? Richard Friedenthal und der PEN. In: K. Piper (Hrsg.), R. Friedenthal, ... und unversehens ist es Abend. Von und über R. Friedenthal, 1976, 264–72; (Hrsgin.) Die zeitgenössische Literatur Österreichs, 1976; Gedenkwort für Alexander Lernet-Holenia. In: Dt. Ak. für Sprache und Dichtung Darmstadt, Jb. 1976 (1977), 191–96; Die Literatur des Wiener Jugendstils. In: ebda., 47–59; Rudolf Henz zum Achtzigsten. In: V. Suchy (Hrsg.), Dichter zwischen den Zeiten. Fs. für R. Henz zum 80. Geb., hrsg. im Auftrag der »Dokumentationsstelle für neuere österreichische Literatur«, 1977, 215–49; Freuden und Leiden des Übersetzens. In: Maske und Kothurn. Vierteljahresschrift für Theaterwiss. [Graz, Wien] 23 (1977), 224–28; (Nachw.) A. Lernet-Holenia, Der Baron Bagge, N. 1978; Poetischer Polyhistor. Zum Tode Richard Friedenthals. In: Arbeitskreis Heinrich Mann. Mitteilungsblatt (1979) 14, 30ff. (auch in: Jb. Dt. Ak. für Sprache und Dichtung [1979] 2, 113ff.); »Der Österreicher küßt die zerschmetterte Hand«. Über eine österreichische Nationalliteratur. In: Jb. dt. Ak. für Sprache und Dichtung (1980) 1, 34–42; Mirko und Franca, E. 1980 (N 1983); (Nachw.) A. Schnitzler, Traumnovelle, [2]1981; Laudatio auf Sarah Kirsch. In: Lit. und Kritik 16 (1981) 153, 132–36; In meinem Garten schlendernd, Ess. 1981 (N 1984);Die Früchte des Wohlstands, R. 1981 (N 1984); Ich lebe gern in Österreich. In: Lit. des Exils (1981), 150–54; Versuch über den deutschen Essay. Dankrede. In: Jb. Dt. Ak. für Sprache und Dichtung (1981) 2, 67–72; Lessing und die Juden. In: Lessing heute (1981), 298–303; Ein Ruhm von gestern. Zum 100. Geb. von Stefan Zweig. In: FAZ (28. 11. 1981) 276, Beil. Bilder und Zeiten; Kafka, Flaubert und das elfenbeinerne Dachkämmerchen. In: Die Feder, ein Schwert? [Graz] 1981, 170–75; Einfall des Herrn Kraus. Zum Jubiläum der österreichischen Gesellschaft für Literatur. In: FAZ (18. 12. 1981) 293, 25; (Essay) in: Virginia Woolf, Augenblicke. Skizzierte Erinn. 1981 (N 1984); Eine Welt voller Ekel. Über Joseph Roths ›Radetzkymarsch‹. In: FAZ (1. 9. 1982) 201, 23; Zeitlebens ein Schwieriger. Zum Tode von Heinrich Schnitzler. In: FAZ (16. 7. 1982) 161, 25; Das Ärgernis Goethe. Zu einem Wiener Symposium. In: FAZ (15. 6. 1982) 135, 27; (Nachw.) Peter de Mendelssohn, Die Kathedrale. Ein Sommernachtsmahr, 1983; Englische Ansichten. Berichte aus Kultur, Geschichte und Politik, 1984.

ÜBERSETZUNGEN: Peter de Mendelssohn, Festung in den Wolken, R. 1946; Rumer Godden, Black Narcissus, R. 1952 (u. d. T. Uralt der Wind vom Himalaja); Emlyn Williams, Die leichten Herzens sind, und andere Dramen, 1952–1956; Nigel Balchen, Elf Jahre und ein Tag, 1952; Elizabeth Bowen, Eine Welt der Liebe, R. 1958; Angus Wilson, Short Stories, 1958 (u. d. T. Welch reizende Vögel, N.); James Saunders, Sämtliche Dramen ab 1964;

Joe Orton, Seid nett zu Mr. Sloane, Dr. 1965; Tom Stoppard, Akrobaten; Travesties.
RUNDFUNK: Verborgene Wirklichkeit (Virginia Woolf); Der große Augenblick (Lord Byron, Bernard Shaw); Albtraum und Engelsschwinge (William Blake); Mirko und Franca, Fernsehstück, 1979.
BIBLIOGRAPHIE: *P. Pabisch,* H. S. – Femme de Lettres (mit Werkübersicht). In: Modern Austrian Literature 12 (1979) 3/4, 412–21.
LITERATUR: *C. Menck,* Auf europäischer Szene. In: FAZ vom 26. 11. 1960 [zu: Welt im Widerschein]. *G. P.,* Im Schatten der Heimat. In: Telegraf vom 24. 10. 1965 [zu: Lisas Zimmer]. Emigranten in New York. In: Welt der Lit. 2 (1965) 21 [zu: Lisas Zimmer]. [Lisas Zimmer]. In: Der Spiegel 19 (1965) 40. *W. Wilk,* H. S. als Erzählerin. In: Tagesspiegel [Berlin] vom 26. 2. 1966 [zu: Lisas Zimmer]. *O. F. Schuh,* Wiedersehen mit Wien. In: Die Welt der Lit. 5 (1968) 21 [zu: Rückkehr nach Wien]. *M. Schütze,* [Rückkehr nach Wien]. In: Bücherkommentare 18 (1969) 2. *W. Kraus,* [H. S.]. In: Hdb. der dt. Gegenwartslit. II ([2]1970), 219f. *S. Lietzmann,* Chronistin zweier Welten. H. S. zum 60. Geb. In: FAZ vom 19. 10. 1971. *P. Pabisch,* H.S. – Femme de Lettres. In: Modern Austrian Literature 12 (1979) 3/4, 392–421 [mit Werkübersicht]. *C. Kraus,* [Mirko und Franca]. In: Lit. und Kritik 16 (1981) 153, 186. *H. Kricheldorff,* [Die Früchte des Wohlstands]. In: Neue dt. Hefte 28 (1981) 2, 377f. *E. Zeller,* Nicht Figur geworden. Laudatio auf H. S. In: Jb. Dt. Ak. für Sprache und Dichtung (1981) 2, 63–66 [Anläßlich der Verleihung des Johann-Heinrich-Merck-Preises]. *M. Reich-Ranicki,* Laudatio auf H. S. zum 70. Geb. In: Börsenblatt für den dt. Buchhandel 38 (1982) 5, 148–51.

Spyri, Johanna, * 12. 6. 1827 in Hirzel (Kanton Zürich), † 7. 7. 1901 in Zürich.

Tochter der Schriftstellerin Meta Heusser-Schweizer und des Arztes Johann Jakob Heusser. Sechs Geschwister. Besuchte zunächst die Dorfschule, wurde dann vom Dorfpfarrer gemeinsam mit dessen Töchtern unterrichtet. In Zürich erhielt sie Unterricht in Musik und modernen Sprachen. Heiratete 1852 den Advokaten und Redakteur der Züricher ›Eidgenössischen Zeitung‹ Johann Bernhard Spyri, der 1868 das Amt des Stadtschreibers übernahm. J.S. stand der beginnenden Frauenbewegung ablehnend gegenüber und war gegen die Zulassung von Frauen zum Universitätsstudium.

Erzählerin, Jugendbuchautorin. Schilderte in ihren Werken Menschen und Landschaft ihrer Heimat und verarbeitete in ihnen die Erfahrungen und Erlebnisse ihrer Kindheit. Große Verbreitung fanden ihre Geschichten um das Waisenkind ›Heidi‹. Bereits Zeitgenossen würdigten sie als »herzerquickende Lektüre voll tiefen Ernstes und frischen Humors« (H. Gross). Allerdings gab es schon um die Jahrhundertwende Kritik an ihrer »unrealistischen Abkehr von der Gegenwart und der Wirklichkeit« (H. Wolgast). Die ›Heidi‹-Geschichten wurden in zahlreiche Sprachen übersetzt, mehrfach verfilmt und zählen noch heute zu den erfolgreichsten Jugendgeschichten der Welt.

WERKE: Ein Blatt auf Vronys Grab, E. 1871; Nach dem Vaterhause, 1872 (Inhalt: 1. Daheim in der Fremde; 2. Marie); Aus früheren Tagen, En. 1873; Ihrer keins vergessen, E. 1873; Geschichten für Kinder und auch solche, welche Kinder lieb haben, 16 Bd. 1879–1895 (Inhalt: 1. Heimatlos, 2 En.: Am Silser- und am Gardersee; Wie Wiselis Weg gefunden wird; 2. Aus nah und fern, 2 En.: Der Mutter Lied; Peppino, fast eine Räubergeschichte; 3. Heidis Lehr- und Wanderjahre; 4. Aus unseren Landen, 2 En.: Daheim und wieder draußen; Wie es in Waldhausen zugeht; 5. Heidi kann brauchen, was es gelernt hat; 6. Ein Landaufenthalt bei Onkel Titus; 7. Kurze Geschichten für Kinder, 1 Bd.; 8. Wo Gritlis Kinder hingekommen sind; 9. Gritlis Kinder kommen weiter; 10. Kurze Geschichten für Kinder, 2 Bd.: Der Toni vom Kandergrund; Beim Weiden-Joseph; Rosenresli; Und wer nur Gott zum Freunde hat, dem hilft er allerwegen!; In sicherer Hut; Am Felsensprung; Was Sami mit den Vögeln singt; Moni, der Geißbub; Was der Großmutter Lehre bewirkt; Vom This, der doch etwas wird; [N u.d.T. Geschichten für jung und alt im Volk, 1886]; 11. Arthur und Squirrel; 12. Aus den Schweizer Bergen, 3 En.: In Hinterwald; Die Elfe von Intra; Vom fröhlichen Herbili; 13. Cornelli wird erzogen; 14. Keines zu klein, Helfer zu sein; 3 En.: Allen zum Trost; Lauris Krankheit; Cromelin und Capella; 15. Schloß Wildenstein; 16. Einer vom Hause Lesa); Im Rhonetal, E. 1880; Am Sonntag, E. 1881; Verschollen, nicht vergessen. Ein Erlebnis, 1882; Volksschriften, 2 Bd. 1884–1891 (Inhalt: 1. Ein goldener Spruch; Wie einer dahinkam, wo er nicht hin wollte; 2. In Leuchtensee; Wie es mit der Goldhalde gegangen ist); Sina, E. 1884; Was soll denn aus ihr werden? En. für junge Mädchen, 1886; Verirrt und gefunden, En. 1887 ([2]u.d.T. Aus dem Leben, 5 En. 1900); Was aus ihr geworden ist, E. 1889; Die Stauffer-Mühle, E. 1901.

WERKAUSGABEN: Das große Heidi-Buch, 1968; Rosenresli. Und andere Geschichten für Kinder und solche, die Kinder lieb haben, 1977; Moni, der Geißbub. Und andere Geschichten für Kinder und solche, die Kinder lieb haben, 1977; Heidi. Die Gesamtausgabe,

1978; Am Felsensprung. Und andere Geschichten, 1978.

WEITERE AUSGABEN: Heidi. Rico und Stineli, 1978; Schloß Wildenstein, 1981; Gritlis Kinder, 1981; Heidis Lehr- und Wanderjahre, 1984; Wiseli, 1984; Heidi, 1984; Heidi kann brauchen, was es gelernt hat, 1984; Kleine Heldin Eveli; Heidi und Gritli; Das bunte Heidi Buch. [Die Ausgaben ohne Jahreszahl sind im VLB 1984/85 verzeichnet.]

BRIEFE: J.S./C.F. Meyer, Briefwechsel 1877–1897. Mit einem Anh. Briefe der J.S. an die Mutter und die Schwester C.F. Meyers 1853–1897, hrsg. v. H. u. R. Zeller, 1977.

LITERATUR: *H. Gross,* J.S. In: H.G., Deutschlands Dichterinnen und Schriftstellerinnen, [2]1882, 228. *F.A. Perthes,* J.S. und ihre Schriften. In: F.A.P., Weihnachtskatalog, Tl. 1, 1885. *L. Morgenstern,* J.S. In: L.M., Die Frauen des 19. Jh.s. Bd. 3, 1891, 235. *R. König,* J.S. In: Daheim 32 (1896) 50, 796–99. *H. Wolgast,* Das Elend unserer Jugendliteratur, 1896 (u.a. zu J.S.). *G. Villinger-Keller* (Hrsgin.), Die Schweizer Frau, 1910–1911. *A. Ulrich,* J.S. Erinnerungen aus ihrer Kindheit, 1920 (1919). *M. Paur-Ulrich,* J.S. Ein Lebensbild, 1927. Schweizer Frauen der Tat, Bd. 1 (Bd. 2), 1928 (1929). *A. Stucki,* J.S. In: A.S., Allerlei Werkleute Gottes, 1939, 207–24. *M. Paur-Ulrich,* J.S., 1940. *H. L[utz],* Welche schweizer Schriftsteller werden am meisten übersetzt? G. Ketter u. J.S. In: Schweizer Sammler [Bern] 16(1942). *A. Siemens,* J.S. In: A.S., Weg ins Freie, 1950, 223–32. *E. Rothemund,* J.S. und C.F. Meyer. In: Börsenblatt für den dt. Buchhandel. Frankfurter Ausgabe (1952) 53. *Ders.,* J.S. und das Mädchenbuch. In: Jugendbücher der Weltlit. 1952, 5–44. *K. Kerker,* J.S.s Jugendbuch Heidi. Eine Analyse des Werkes und seiner Wirkungsgeschichte. Schriftliche Hausarbeit dem staatl. Prüfungsamt an der Päd. Hochschule Rheinland, Abt. Bonn ... vorgelegt, Bonn 1966 (Masch.). *H. Kiepe,* Landschaft Gottes: Zur Rolle der Verbzusätze in J.S.s Heidi. In: Wirkendes Wort 17 (1967), 410–29. *F. Caspar,* J.S. Jugendschriftstellerin, 1968. *K. Doderer,* J.S.s ›Heidi‹. Fragwürdige Tugendwelt in verklärter Wirklichkeit. In: Klassische Kinder- und Jugendbücher, 1969, 121–34. *F. Hahn,* Zwischen Verkündigung und Kitsch, 1969. *A. Zogg-Landolf,* Das Liedgut in J.S.s Werk, 1977. *B. Hürlimann,* Laudatio auf ›Heidi‹. Eine Festrede auf die Hirzel zum 150. Geb. von J.S. Sommer 1977. In: B.H., Zwischenfall in Lerida und andere Texte, 1979, 163–74. *W. Kaminski,* J.S. In: Lex. der Kinder- und Jugendlit., Bd. 3, 1979, 446ff. *G. C. Rump* (Hrsg.), Gefängnis und Paradies. Momente in der Geschichte eines Motivs, 1982. *G. Thürer,* J.S. und ihre Heidi, [Bern] 1982. *E. Weissweiler,* Schwarz-weiße Heidiwelt. Die zwei Gesichter der J.S. In: FAZ vom 17. 4. 1982, Nr. 89.

Stach, Ilse von, * 17. 2. 1879 auf Haus Pröbsting bei Borken (Westf.), † September (Nov.) 1941 in Münster.

Tochter der Margarete geb. von Barby und des Rittergutsbesitzers Baron Georg Stach von Glotzheim. Gab mit 19 Jahren ihre erste Gedichtsammlung heraus. Lebte in jüngeren Jahren in Berlin. Verbrachte seit 1905 drei Jahre in Rom, wo sie 1908 zum katholischen Glauben konvertierte. Hier lernte sie auch den Kunsthistoriker Martin Wackernagel kennen, den sie 1911 heiratete. Mit ihm lebte sie längere Zeit in Leipzig, seit 1920 in Münster. – Schrieb religiös geprägte Romane, Novellen und Bühnenstücke; auch Meditationen und Gedichte.

WERKE: Wer kann dafür, daß seines Frühlings Lüfte weh'n! G. 1898; Das Christ-Elflein. Weihnachtsmärchen. Musik v. H. Pfitzner, 1906; Der heilige Nepomuk. Dramat. Dichtung, 1909; Die Sendlinge von Voghera, R. 1910; Missa poetica. Religiöse Dichtung, 1912; Die Beichte, N. 1913; Haus Elderfing, R. 1915; Requiem. Religiöse Dichtung, 1918; Genesius. Eine christliche Trag., 1919; Griseldis. Dramat. Dichtung in einem Vorsp. und drei Akten, 1921; Tharsicius. Ein Festsp. aus der Katakombenzeit, 1921 (Auszug u.d.T. Maranatha. Ein Bild aus dem Weihespiel Tharsicius, 1948); Weh dem, der keine Heimat hat, R. 1921 (N u.d.T. Non serviam, 1931); Melusine. Schausp. in drei Akten, 1922; Petrus. Eine göttliche Kom., 1924; Die Frauen von Korinth. Dialoge, 1929; Der Rosenkranz. Meditationen und G., 1929; Der Petrus-Segen. Erinn. und Bekenntnisse, 1940.

WERKAUSGABE: Wie Sturmwind fährt die Zeit. G. aus drei Jahrzehnten, 1948.

NACHLASS: Universitätsbibliothek Münster.

LITERATUR: I.v.S. ›Missa poetica‹. In: Zs. für Bücherfreunde N.F. 4(1913) 2. *H. Stegemann,* I.v.S. ›Beichte‹. In: ebda. N.F. 5(1914) 2. *H. Sturm,* I.v.S. ›Genesius‹. In: Hochland 17(1921). *H. Bücker,* I.v.S. In: Der Gral 16(1921/22). *M. Behler,* I.v.S. ›Griseldis‹. In: Die schöne Lit. 23(1922). *F. Herwig,* I.v.S. ›Weh dem, der keine Heimat hat‹. In: Hochland 19(1922) 7. *J. Sprengler,* I.v.S. ›Griseldis‹. In: ebda. 20(1922). I.v.S. ›Genesius‹. In: Das dt. Drama 5(1922). *Albani,* I.v.S. ›Melusine‹. In: Allg. Rundschau [München] 20(1923). *L. Birchler,* I.v.S. ›Melusine‹. In: Schweizer Rundschau 23(1923). *Hamann,* I.v.S. ›Weh dem, der keine Heimat hat‹. In: Allg. Rundschau [München] 20(1923). *S. Stange,* Religiöser Frauenroman [›Non serviam‹]. In: Stimmen der Zeit, Bd. 104, 1923. *I. Zimmermann,* I.v.S. ›Petrus‹. In: Die Bücherwelt (1924). *J. Sprengler,* I.v.S. In: Hochland 26(1928/29). *A. Vezin,* I.v.S. In: Köln. Volks-Ztg., Beil. (1929) 194. *L. Marschall,* I.v.S. ›Die Frauen von Korinth‹. In: Das neue Reich [Wien] 12(1930). [I.v.S. ›Die Frauen von Korinth‹]. In: Die Frau 37(1930), 316. *Rüegg,* I.v.S. ›Die Frauen von Korinth‹. In: Schweizer Rundschau 29(1930). *Hacker,* I.v.S. ›Non serviam‹. In: Altkath. Volksblatt [Freiburg] 62(1931). *Roselieb,* I.v.S. ›Die Frauen von Korinth‹. In: Die Lit. 33(1931). *Sleumer,* I.v.S. ›Non serviam‹. In: Die Bücherwelt 28(1931). *G. Schäfer,* I.v.S. In: Der Gral 31 (1936). I.v.S. ›Der Petrus-Segen‹. In: Die Frau 48(1941). *H. Bücker,* [I.v.S.]. In: Begegnung 3(1948), 516ff.

Stockert-Meynert, Dora von, * 5. 5. 1870 in Wien, † 24. 2. 1947 ebda.

Ihr Vater war der angesehene Psychiater und Lyriker Theodor Meynert. Erhielt vielseitige Anregung durch Gelehrte und Künstler, die im Elternhaus verkehrten. Heiratete 1889 den späteren Ministerialrat Leopold Ritter von Stokkert, mit dem sie seit 1907 in Wien lebte. War Präsidentin des Vereins der Schriftstellerinnen in Wien.

Erzählerin, Lyrikerin und Dramatikerin. Ihr Memoirenwerk ›Theodor Meynert und seine Zeit‹ (1930) gilt als bedeutender Beitrag zur österreichischen Geistesgeschichte. 1907 erhielt sie für ihr Drama ›Die Blinde‹ den Niederösterreichischen Landespreis,

1926 von der deutschen Schillerstiftung (Zweigverein Wien) den Ebner-Eschenbach-Preis.

WERKE: Grenzen der Kraft, R. 1903; Sabine. Trag. einer Liebe, R. 1905; Vom Baum der Erkenntnis und andere Novellen, 1908; Die Blinde. Dr. aus dem Volke, 1907; Der arme Schächer, Dr. 1910; Jour de Maraspin, Einakter, 1910; Herr Palejuk, R. 1911; Und sie gingen in ihr Königreich, R. 1912; Die Liebe der Zukunft, 1920; Euphorion, Nn. 1926; Das Bild der Ilje, R. 1928; Theodor Meynert und seine Zeit, Memoiren, 1930; Vor dem Spiegel, R. 1931; Das heilige Kind, Weihnachtssp. 1931; Kämpfer, Helden, Toren, Nn. 1932; Spiegelbilder, G. 1937; Der Ifer, Vers-Dr. o.J.; Erzählungen, o.J.
LITERATUR: *G. Meinel-Kernstock,* D.v.S.-M. und der Verein der Schriftstellerinnen und Künstlerinnen in Wien, Diss. Wien 1948 (Masch.).

Stöcker, Helene, * 13. 11. 1869 in Elberfeld (heute Wuppertal), † 24. 2. 1943 in New York.
Ältestes von acht Kindern einer calvinistischen Familie. Ihr Vater war der Kaufmann Ludwig Stöcker. Besuchte die höhere Töchterschule und ein Lehrerinnenseminar. Frühe schriftstellerische Neigung. Erste Gedichte und Novellen erschienen in den ›Breslauer Monatsblättern‹, dem ›Deutschen Dichterheim‹ und der ›Deutschen Heimat‹. Seit 1892 in Berlin, erste Kontakte mit führenden Frauen der Frauenbewegung und literarischen Kreisen. Seit 1896 an der Universität Studium der Germanistik (E. Schmidt), der Philosophie (W. Dilthey) und Sozialwissenschaft. Gründete 1897 mit M. Raschke den »Verein studierender Frauen«. Nach einem Studienaufenthalt in Glasgow wechselte sie an die Universität Bern (da an dt. Universitäten für Frauen noch keine Promotion möglich war) und promovierte Ende 1901 zum Dr. phil. 1902 Rückkehr nach Berlin, Engagement als Publizistin und Organisatorin in der Frauenbewegung, zu deren radikalem Flügel sie zählte. 1905 Mitbegründerin des »Bundes für Mutterschutz und Sexualreform«, langjährige Präsidentin des Bundes und Herausgeberin des Vereinsorgans ›Mutterschutz‹ (ab 1908 u.d.T. ›Neue Generation‹). Mit Beginn des Ersten Weltkriegs Engagement in der Friedensbewegung. Mitbegründerin der »Internationale der Kriegsdienstgegner«. 1923 und 1927 Reisen nach Rußland, um sich über die Entwicklung nach der Revolution, insbesondere die Stellung der Frau zu informieren. Während der mehrmaligen Reichstagswahlen 1932 verließ sie jedesmal Deutschland, obwohl ein Herzleiden ihr schwer zu schaffen machte. Kurz nach dem Reichstagsbrand Februar 1933 ging sie ins Exil. Starb in New York an Lungenkrebs. In Wuppertal erinnert das Helene-Stöcker-Ufer an sie.
Bedeutende Publizistin, Essayistin; Mitarbeiterin zahlreicher Zeitschriften zu Themen der Literatur, Sozialpolitik und der Frauenbewegung. Besonderes Interesse an Fragen der Liebe, Ehe und Moral. Beeinflußt von

der Philosophie Nietzsches und seiner Kritik (christlich-)bürgerlicher Gesellschaftsmoral. Erste Aufsätze dazu erschienen ab 1893, gesammelt im Band ›Die Liebe und die Frauen‹ (1906). In ihrem ersten und einzigen Roman ›Liebe‹ setzt sie sich mit dem romantischen Glauben an die *eine* »große Liebe« auseinander, einer damit, gerade für Frauen, verbundenen Gefahr der Abhängigkeit und Selbstaufgabe, auch bei gleichzeitigem Wunsch nach Selbständigkeit und Persönlichkeitsentfaltung.

WERKE: Das Mädchengymnasium im preußischen Abgeordnetenhaus. Rede, gehalten in der Protestversammlung des Vereins Frauenstudium am 18. Mai 1898, 1898; Zur Kunstanschauung des 18. Jahrhunderts, Diss. 1904; Die Liebe und die Frauen, 1906 (^{2}1908); Krisenmache. Eine Abfertigung, 1910; Ehe und Konkubinat, 1912; (Hrsgin.) Karoline Michaelis, Briefe, 1912; Zehn Jahre Mutterschutz, 1915; Geschlechterpsychologie und Krieg, 1915; Sexualpädagogik, Krieg und Mutterschutz, 1916; Moderne Bevölkerungspolitik, 1916; Petitionen des Deutschen Bundes für Mutterschutz 1905–16, 1916; Resolutionen des Deutschen Bundes für Mutterschutz 1905–16, 1916; Die Liebe der Zukunft, 1920; Das Werden der neuen Moral, 1921; Liebe, R. 1922; Erotik und Altruismus, 1924; Verkünder und Verwirklicher, 1928.
NACHLASS: Swarthmore College Peace Collection, Swarthmore, Pennsylvania, USA.
LITERATUR: *I. Richarz-Simon,* H. St. In: Wuppertaler Biographien, 9. F. [Wuppertal] 1970. *R. J. Evans,* The Feminist Movement in Germany 1894–1933, [London and Beverly Hills] 1976. *G. Brinker-Gabler,* H. St. In: G. B.-G. (Hrsgin.), Zur Psychologie der Frau, 1978, 352f. *Dies.* Frauenemanzipation im deutschen Kaiserreich (›Die neue Moral: H. St.‹). In: Ingeborg Drewitz (Hrsgin.), Die Frauenbewegung im 19. Jahrhundert, 1983, 53–87; bes. 74–77. *M. Janssen-Jurreit,* Nationalbiologie, Sexualreform und Geburtenrückgang – über die Zusammenhänge von Bevölkerungspolitik und Frauenbewegung um die Jahrhundertwende. In: G. Dietze (Hrsgin.), Die Überwindung der Sprachlosigkeit. Texte aus der neuen Frauenbewegung, 1979. *P. Rantzsch,* H. St. Eine Kämpferin für Frieden, Demokratie und die Emanzipation der Frau 1869–1943 (e. Beitr. zu ihrer Biogr.), Diss. Päd. Hochschule Leipzig 1980. *H. Schlüpmann,* Radikalisierung der Philosophie. Die Nietzsche-Rezeption und die sexualpolitische Publizistik H. St. s. In: Feministische Studien 3(1984) 1, 10–34. *H. Soltau,* Trennungs-Spuren. Frauenliteratur der zwanziger Jahre, 1984 (zu H. St. s Roman ›Liebe‹).

Stoecklin, Francisca (verh. Betz), * 11. 6. 1894 in Basel, † 1931.
Lebte in Zürich. Malerin, auch Holzschneiderin und Lithographin. Schrieb Lyrik und Prosa.

WERKE: Gedichte, 1920; Liebende, 2 Nn. 1921; Traumwirklichkeit. Prosadicht. 1923; Die singende Muschel, neue G. 1925.
LITERATUR: *W. Ueberwasser u. a.,* F. S. zum Gedächtnis. In: Sonntagsblatt Nr. 6 der Basler Nachrichten, 1932. *G. Brinker-Gabler* (Hrsgin.), Deutsche Dichterinnen vom 16. Jh. bis zur Gegenwart, 1978, 310–13.

Strauß und Torney, Lulu von (eigentl. Luise), * 20. 9. 1873 in Bückeburg, † 19. 6. 1956 in Jena.
Ihr Großvater war der Dichter Friedrich Victor v. S. u. T. Der Vater war Generalmajor und Adjutant beim Fürsten von Schaumburg-Lippe. Besuchte die höhere Mädchenschule in Bückeburg und bildete sich dann autodidaktisch weiter. Unternahm früh Reisen durch Europa. 1898 erschien ihr erster Gedichtband. Hatte ab 1900 Verbindung zum Göttinger Schriftstellerkreis (Börries von Münchhausen). Veröffentlichte erste Balladen im Göttinger Musenalmanach 1901. Verkehrte in literarischen Kreisen von Berlin und München. War befreundet mit Agnes → Miegel und Theodor Heuss, mit dem sie lange in Briefwechsel stand. Heiratete 1916 den Verleger Eugen Diederichs und lebte seitdem in Jena. Bestimmte in den zwanziger Jahren als Lektorin maßgeblich das literarische Programm des Verlags. Zog sich nach dem Tod ihres Mannes 1930 aus der Verlagstätigkeit zurück und arbeitete vorwiegend als Herausgeberin und Übersetzerin.
Lyrikerin und Erzählerin; fand vor allem in der Ballade die ihr gemäße Ausdrucksform. Gestaltete in ihren Balladen häufig historische Stoffe, auch Sagenmotive und Anekdoten, zum Teil mit sozialkritischem Aspekt (Glaubenskämpfe, Bauernaufstände, Französische Revolution). Bevorzugte in Lyrik und Ballade die Darstellung der heimatlich-bäuerlichen Welt, was später im Dritten Reich zur Popularität ihres Werks beitrug. Thematisch verwandt sind ihre traditionsgebundenen Romane und Novellen um Land und Leute der niedersächsischen Heimat. Von ihrer eigenen Jugend in einer kleinen Stadt und dem Leben der Eltern erzählt sie in den Erinnerungen ›Das verborgene Angesicht‹ (1943).
Erhielt 1921 den Ebner-Eschenbach-Preis, 1943 die Goethe-Medaille für Kunst und Wissenschaft.

WERKE: Gedichte, 1898; Das Kirchenbuch. Eine Dichtung in Versen, 1901; Bauernstolz. Dorfgesch. aus dem Weserlande, 1901; Als der Großvater die Großmutter nahm, 1901; Balladen und Lieder, 1902; Aus Bauernstamm, R. 1902; Eines Lebens Sühne, N. 1904; Das Erbe, N. 1905; Hinter Schloß und Riegel und andere Erzählungen, 1905 (Auszug aus: Bauernstolz, 1901); Ihres Vaters Tochter, R. 1905; Die Dorfgeschichte in der modernen Literatur, 1906; Der Hof am Brink. Das Meerminneke, 2 Gesch. 1906; Neue Balladen und Lieder, 1907; Lucifer. R. aus der Stedingerzeit, 1907; Sieger und Besiegte, Nn. 1909; Das Leben des heiligen Franz von Assisi, 1909; Judas, R. 1911 (N u. d. T. Der Judashof. Niederdt. Erbhof-R., 1937); Die Legende der Felsenstadt, N. 1911 (Auszug aus: Sieger und Besiegte, Nn. 1909); (Hrsgin.)

V. v. Strauß, Mitteilungen aus den Akten betreffend den Zigeuner Tuvia Panti aus Ungarn und Anderes, 1912; Aus der Chronik niederdeutscher Städte, 1912; Reif steht die Saat. Neue Balladen, 1919; (Hrsgin.) Totenklage, 1919; Der jüngste Tag. R. aus der Wiedertäuferzeit, 1922; Das Fenster, N. 1923 (N u. d. T. Das Kind am Fenster, E. 1938); (MA:) O. Soltau, Im Wettersturm. 7 Werke. Gedenkworte von L. v. S. u. T., 1923; Der Tempel. Ein Sp. aus der Renaissance. Zur 25jährigen Jubiläumsfeier des Verlages Eugen Diederichs in Jena am 16. Sept. 1921 aufgeführt, 1924; Das Leben der heiligen Elisabeth, 1926; Deutsches Frauenleben in der Zeit der Sachsenkaiser und Hohenstaufen, 1927; Selbstberichte. In: Die Neue Lit., 1932; Vom Biedermeier zur Bismarckzeit. Aus dem Leben eines 90jährigen, 1932; Auge um Auge, N. 1933 (Auszug aus: Sieger und Besiegte, 1909); Heimat und Herkunft. In: Die Neue Lit., 1933; (Hrsgin.) E. Diederichs, Leben und Werk. Ausgew. Briefe und Aufzeichnungen, 1936; (Hrsgin.) Angelus Silesius, Blüh auf, gefrorner Christ!, 1938; (Hrsgin.) A. v. Droste-Hülshoff, Einsamkeit und Helle. Ihr Leben in Briefen, 1938; Schuld, E. 1940; Das goldene Angesicht, G. 1943; Vom Werden meiner Bücher. In: Straßburger Monatshefte 7(1943); Das verborgene Angesicht, Erinn. 1943.

WERKAUSGABEN: Reif steht die Saat. Gesamtausg. der Balladen und Gedichte, 1926; Erde der Väter, ausgew. G. 1936 (31.–55. Tsd. Feldpostausg. 1943); Auslese, 1938; Tulipan. Balladen und En. 1966.

BRIEFE: Th. Heuss u. L. v. S. u. T. Ein Briefwechsel, 1965.

ÜBERSETZUNGEN: M. Maeterlinck, Das große Rätsel, 1924; M. de la Roche, Die Brüder und ihre Frauen. R. um Jalna, 1932; O. LaFarge, Der große Nachtgesang. Indianische E., 1933; M. de la Roche, Die Familie auf Jalna, Bd. 2: Das unerwartete Erbe, 1936 (Forts. v. Die Brüder und ihre Frauen, 1932), Bd. 3: Finch im Glück, R. 1937.

NACHLASS: Stadtbibliothek Hannover (Slg.); Stadt- und Landesbibliothek Dortmund (Teilnachlaß).

BIBLIOGRAPHIEN: *E. Metelmann,* L. v. S. u. T.-Bibliographie. In: Die Neue Lit. 34(1933), 505 ff. *W. G. Oschilewski,* L. v. S. u. T.-Bibliographie. In: W. G. O., Über L. v. S. u. T. (Sonderdruck zum 70. Geb. der Dichterin), 1944, 14–23.

LITERATUR: *L. Schröder,* Balladen und Lieder von L. v. S. u. T. In: Monatsblätter für dt. Lit. 6(1901/02) 11. *Th. Heuss,* L. v. S. u. T. In: Die Hilfe 12(1906) 51. *H. Spiero,* L. v. S. u. T. In: Das lit. Echo 12(1909/10) 17. *A. Drews,* L. v. S. u. T. In: Preußische Jb., Bd. 172 (1918) 1. *H. Benzmann,* ›Reif steht die Saat‹. In: Der Tag vom 19. 11. 1919. *O. Loerke,* ›Reif steht die Saat‹. In: Die Neue Rundschau 30(1919) 12. *P. Zaunert,* Neue Balladen von L. v. S. u. T. In: Die Tat 11(1919/20) 9. Two German women: L. v. S. u. T. and Ina Seidel. In: The Athenaeum, [London] 1920, Tl. 2. *A. Aulke,* L. v. S. u. T. In: Die Bücherwelt 21(1924) 11/12. *H. Löns,* Eine niedersächsische Dichterin. In: H. L., Gedanken und Gestalten, 1924. *P. Fechter,* L. v. S. u. T. In: Die Neue Lit. 39(1932/33) 9. *H. Getzeney,* Eine Meisterin der deutschen Ballade. In: Literarische Blätter der Kölnischen Volks-Ztg. (1933) 250. *H. Naumann,* Über die Balladendichtung der L. v. S. u. T. In: H. N., Die dt. Dichtung der Gegenwart 1885–1933, neubearb. [6]1933. *W. G. Oschilewski,* L. v. S. u. T. In: Der Bücherwurm 23(1933) 10. *A. Weinel,* L. v. S. u. T. In: Die christliche Welt 47(1933) 18. *B. Kötter-Anson,* L. v. S. u. T. In: Kreuz-Ztg., Nr. 239. *L. Biermer,* L. v. S. u. T. In: Dt. Volkstum, 1934. *I. Seidel,* Dichter, Volkstum und Sprache. Ausgew. Vorträge und Aufs. 1934; *L. F. Barthel,* Die volksgebundene Ballade. In: Kritische Gänge Nr. 34 der Berliner Börsen-Ztg., 1935. *R. Wiesinger,* L. v. S. u. T. Die Dichterin und ihr Werk, Diss. Wien 1936. *K. Beyer,* ›Der Hof am Brink‹ und das Phänomen der Kunst. In: Zs. f. Deutschkunde 55(1941) 2. *E. Behrend,* L. v. S. u. T.s Bauernromane. In: Zs. f. dt. Bildung 18(1942). *K. Beyer,* L. v. S. u. T.s Roman ›Luzifer‹. In: Zs. f. Deutschkunde 56(1942) 3/4. *I. Seidel,* L. v. S. u. T. In: Frauenkultur, 1942. *K. Beyer,* Die Bauernführer: Ballade von L. v. S. u. T. In: Dichtung und Volkstum, Bd. 43, 1943. *F. Hammer,* L. v. S. u. T. Zum 70. Geb. am 20. 9. 1943. In: Europäische Revue 19(1943) 9. *R. Ibel,* L. v. S. u. T. In: Zs. f. dt. Geisteswiss. 6(1943). *W. G.*

Oschilewski, L.v.S.u.T. In: Straßburger Monatshefte 7(1943). *Ders.,* Über L.v.S.u.T., 1944. *L. Zander,* Die Balladen der L.v.S.u.T., eine Würdigung, Diss. Greifswald 1951 (Masch.). *G. Schümer,* L.v.S.u.T. ›Die Mutter‹. In: Wirkendes Wort 6(1955/56), 345f. *A. Miegel,* In memoriam L.v.S.u.T. In: Niederdt. Almanach, 1959, 183–87. *R. Ziemann,* L.v.S.u.T.: Die Bauernführer. Versuch einer Interpretation. In: Wiss. Zs. d. Martin-Luther-Univ. Halle-Wittenberg. Gesellschafts- u. sprachwiss. Reihe 10(1961) 4, 993–98. *W. Reichert,* L.v.S.u.T. ›Die Tulipan‹. In: R. Hirschenauer u. A. Weber (Hrsg.), Wege zum Gedicht, Bd. 2, 1964, 509–16. *I. Seidel,* L.v.S.u.T. In: I.S., Frau und Wort, 1965, 66–75. *M. Meller,* Belehrender Charme. In: Christ und Welt 19(1966) 41. *G. Hartung,* L.v.S.v.T. In: G.H., Faschistische Lit. Tl. 1. In: Weimarer Beiträge 14(1968) 3. *W. Freund,* L.v.S.u.T. Eine Meisterin der dt. Ballade. In: Niedersachsen 81(1981) 1, 1–11.

Suttner, Bertha von (Ps. B. Oulot), * 9. 6. 1843 in Prag, † 21. 6. 1914 in Wien.

Tochter des schon vor ihrer Geburt gestorbenen Feldmarschalleutnants Franz Joseph Graf Kinsky von Chinic und Tettau und der Wilhelmine geb. von Körner. Erhielt langjährigen Sprach- und Musikunterricht. Aufenthalte in Paris und Italien. Begann 1873, nachdem das väterliche Vermögen aufgebraucht war, als Erzieherin bei der Familie des Barons von Suttner in Wien. 1876 kurze Zwischenstation als Sekretärin Alfred Nobels in Paris. Im gleichen Jahr Rückkehr nach Wien und Heirat mit dem jüngsten Suttner-Sohn Artur Gundaccar (1850–1902), gegen den Willen der Familie. Gemeinsam mit ihm ins »Exil« nach Georgien. Dort Musik- und Sprachlehrerin, Korrespondentin und später Schriftstellerin. 1885 Rückkehr auf den Suttner-Familiensitz nach Harmannsdorf (Niederösterreich). Nachdem sie von der Internationalen Friedens- und Schiedsgerichtsgesellschaft gehört hatte, schrieb sie ihren programmatischen Roman ›Die Waffen nieder!‹ (1889). Er wurde ein Welterfolg und brachte in den deutschsprachigen Ländern die Friedensbewegung in Gang. Seit 1891 aktiv an der Organisation der Friedensbewegung beteiligt. 1893 Mitgründerin und Präsidentin der Wiener Friedensgesellschaft. Vizepräsidentin des internationalen Friedensbüros in Bern. Herausgeberin der Zeitschrift ›Die Waffen nieder!‹ (1892–1899). Mitinitiatorin der Deutschen Friedensgesellschaft. Seit 1891 Teilnahme an fast allen jährlich stattfindenden Weltfriedenskongressen. Zahlreiche Vortragsreisen u.a. durch das Deutsche Reich (1905) und die USA (1912). Regte Nobel zur Stiftung des Friedensnobelpreises an (verliehen seit 1901), den sie 1905 als erste Frau erhielt.

Journalistin, Erzählerin und Verfasserin kulturphilosophischer Schriften. Ihre Romane sind überwiegend Gesellschaftsromane. In ›Die Waffen nieder!‹ verbindet sie den zeittypischen Konversationsstil mit naturalistisch beschriebenen Schlachtfeldszenen, die die Grausamkeit des Krieges dokumentieren. Der Roman wurde in alle Kultursprachen übersetzt und zweimal verfilmt (1916, 1952 u.d.T. ›Herz der Welt‹). B.v.S. war eine politische Journalistin von Rang (›Randglossen zur Zeitgeschichte‹). Wurde später als »larmoyante« Repräsentantin des unpolitischen Pazifismus kritisiert (C.v. Ossietzky). Sie selbst bekannte sich zu einer »Empörung des Verstandes *und* der Herzen«.

WERKE: Inventarium einer Seele, R. 1883; Ein Manuscript!, R. 1885; Ein schlechter Mensch, R. 1885; Daniela Dormes, R. 1886; High Life, R. 1886; Verkettungen, Nn. 1887; Schriftsteller-Roman, 1888; Erzählte Lustspiele. Neues aus dem High Life, 1889; Die Waffen nieder! Eine Lebensgesch. 2 Bd. 1889 ([28]1898, N 1982); Das Maschinenalter. Zukunftsvorlesungen über unsere Zeit. Von Jemand, 1889 (anonym) (N 1982); Doktor Hellmuts Donnerstage, R. 1892; (MA:) Es müssen doch schöne Erinnerungen sein! Mittheilungen der österr. Gesellschaft der Friedensfreunde, 1892; An der Riviera, R. in 2 Bd. 1892; Eva Siebeck, R. 1892; (Hrsgin.) Die Waffen nieder! Monatsschrift zur Förderung der Friedensbewegung, 8 Jg. je 12 H., 1892–1899; Im Berghause, N. 1893; Die Tiefinnersten, R. 1893; Trente-et-Quarante, R. 1893; Die Waffen nieder!, Dr. in drei Akten, bearb. von K. Pauli, 1893; (MA:) F. Simon: Wehrt Euch! Ein Mahnwort an die Juden. Mit einem offenen Brief der B.v.S. an den Verfasser, 1893; Hanna, R. 1894; Vor dem Gewitter, R. 1894; Es Löwos. Eine Monographie, 1894; Phantasien über den ›Gotha‹, 1894; (Einl.) K. P. Arnoldson: Pax mundi. Historische Darstellung der Bestrebungen für Gesetz und Recht zwischen den Völkern, 1896; Einsam und arm, R. 2 Bd. 1896; (Hrsgin.) Frühlingszeit. Eine Lenzes- und Lebensgabe, unseren erwachsenen Töchtern zur Unterhaltung und Belehrung gewidmet von den deutschen Dichterinnen der Gegenwart, 1896; Wohin? Die Etappen des Jahres 1895, 1896; Schmetterlinge. Noveletten und Sk. 1897; Schach der Qual. Ein Phantasiestück, 1898; La Traviata, R. 1898 (Neuaufl. v. ›An der Riviera‹, 1892); (Hrsgin.) Herrn Dr. Karl Freiherrn von Stengel's und Anderer Argumente für und wider den Krieg, v.N.N., 1899 (anonym); Ku-i-kuk. Niemals eine Zweite, 1899; Die Haager Friedensconferenz. Tagebuchblätter, 1900 (N 1984); Krieg und Frieden, Vortrag 1900; Martha's Kinder. Forts. zu ›Die Waffen nieder!‹, 1903; Briefe an einen Toten, 1904; Ketten und Verkettungen. Donna Sol, Zwei Nn. 1904; Der Krieg und seine Bekämpfung, 1904; Franzl und Mirzl. Langeweile. Ermenegildens Flucht, erzählte Lustsp. 1905; Babies siebente Liebe und Anderes. Neue Folge der ›Erzählten Lustspiele‹, 1905; Randglossen zur Zeitgeschichte. Das Jahr 1905, 1906; Zur nächsten intergouvernementalen Konferenz im Haag, 1907; Stimmen und Gestalten, 1907; Memoiren, 1909 (N 1965 u. 1968); Rüstung und Überrüstung, 1909; Der Menschheit Hochgedanken. R. aus der nächsten Zukunft, 1911; Die Barbarisierung der Luft, 1912; Aus der Werkstatt des Pazifismus. Aus der eigenen Werkstatt. Vortragszyklus, 1912.

WERKAUSGABEN BZW. AUSWAHL AUS DEN WERKEN: Krieg und Frieden. En., Aphorismen und Betrachtungen, zus.-gest. u. hrsg. v. L. Katscher, 1896; Gesammelte Schriften, 12 Bd. 1906–1907; Der Kampf um die Vermeidung des Weltkriegs. Randglossen aus zwei Jahrzehnten zu den Zeitereignissen vor der Katastrophe (1892–1900 u. 1907–1914), hrsg. v. A.H. Fried, 2 Bd. 1917; Rüstet ab [Werke, Auszüge]. Einl. u. Ausw. H. Schwarz, 1960; Die Zukunft gehört der Güte, zusgest., bearb. v. E. Binder u. A. Massiczek, 1966; Die Waffen nieder! Ausgew. Texte, hrsg. v. K. Mannhardt und W. Schwammborn, 1978; Kämpferin für den Frieden: Bertha von Suttner. Lebenserinnerungen, Reden und Schriften, hrsg. u. eingel. v. G. Brinker-Gabler, 1982.

NACHLASS: Bibl. der Vereinten Nationen, Genf.

LITERATUR: *I. Klein* [d.i. Isabella Nowotny], Kritische Studien über berühmte Persönlichkeiten. Bd. 1.2. [Prag] 1882–1891 [u.a. zu B.v.S.s Roman ›Die Waffen nieder!‹]. *L. Katscher,* B.v.S., die »Schwärmerin für Güte«, 1903. [*anonym*], B.v.S., der Frauenweltbund und der Krieg, 1905 [Polemik]. *A.H. Fried,* B.v.S., 1908. *H. Rost,* B.v.S. In: Historisch-politische Blätter, 143. Bd. 1909. *E. delle Grazie,* B.v.S. In: Neue Freie Presse, 23.6. 1914. *E. Key,* Florence Nightingale und B.v.S. In: Zwei Frauen im Kriege wider den Krieg, 1919. *C.E. Playne,* B.v.S. and the Struggle to Avert the World War, [London] 1936. *H. Paul,* Nur eine Frau. Biographischer R. 1937. *St. Zweig,* B.v.S. In: Große Österreicher [früher u.d.T. Neue österreichische Biogr.], 1946. *A.C. Breycha-Vauthier,* Dokumente um ein Leben. Die »Bertha-von-Suttner-Sammlung« der Vereinten Nationen. In: L. Santifaller (Hrsg.), Haus-, Hof- und Staatsarchiv-Fs. 1 (1949). *A. Siemsen,* B.v.S. In: A.S., Der Weg ins Freie, 1950. *I. Reikke,* B.v.S., 1952. *E. Rollett,* B.v.S. als Dramenheldin. In: Wiener Zeitung (1954) 88. *H. Braun,* Herz der Welt, 1954. *E. Prantl,* B.v.S. In: Frauenbilder aus Österreich, 1955. *H. Paul,* Das Genie eines liebenden Herzens, 1955. *St. Zweig,* B.v.S. In: Begegnungen mit Menschen, Büchern, Städten, 1956, 187–94. *T. Leitich,* B.v.S. In: Große Österreicher, 1957. *J. Stollreiter,* B.v.S. Lebensbild der erfolgreichsten Vorkämpferin für Weltfrieden, 1959. *I. Abrams,* B.v.S. and the Nobel Peace Prize. In: Journal of Central European Affairs XXII (1962/63), 286–307. *K.M. Faßbinder,* B.v.S. und ihre Töchter. Ein Versuch, 1964. *J.L. Schaffer* (Hrsg.), Vermächtnis und Mahnung zum 50. Todestag B.v.S.s. 1964. *B. Kempf,* B.v.S. Das Lebensbild einer großen Frau. Schriftstellerin, Politikerin, Journalistin, 1964 (N 1979) (m. ausf. Bibliographie u. Schriftenverzeichnis). *W. Bredendiek,* Stimme der Vernunft und Menschlichkeit. In: Internationales Institut für den Frieden, Vermächtnis und Mahnung zum 50. Todestag B.v.S.s., 1964. Gedenkblätter für B.v.S., 1964. *M. Isbășescu,* B.v.S. Vieța Românească [Bukarest] 17(1964) 10. *R. Hofmann,* [B.v.S.] In: Sudetendt. Kulturalmanach 5(1964), 30ff. *A. Hofman,* Die Waffen nieder! B.v.S. zum 50. Todestag. In: Wir und Sie, VI, [Prag] 1964. *Ders.,* B.v.S. Zum 50. Todestag der österreichischen Schriftstellerin. In: Philologica Pragensia. Academia Scientiarum Bohemoslovenica. Československá akademie ved. Kabinet pro moderni filologii, hrsg. v. B. Trnka, Z. Vančura, [Bd.] VII, 3, [Praha] 1964, 244–56. *W. Eichler,* Ein Roman erregt Anstoß. In: National-Ztg. [Berlin] (1964) 142, Beil. *O.J. Tauschinski,* Frieden ist meine Botschaft. B.v.S.s Leben und Werk, 1964. *H. Hatzig,* B.v.S. und Karl May. In: Jb. der Karl-May-Gesellschaft 2(1971), 246–58. *A. Donath,* B.v.S. und die Polen. In: Lenau-Forum. Vierteljahresschrift für vergleichende Lit.forschung 3(1971) 3/4, 79–96. *Ders.,* B.v.S. und die ›kleine Form‹. In: Germanica Wratislaviensia [Wroclaw] 20(1974), 83–95. *W. Beljéntschikov,* B.v.S. in Rußland. In: Lit. und Kritik 11(1976), 140–52. *E. Endres,* Über B.v.S. In: H.J. Schultz (Hrsg.), Journalisten über Journalisten, 1980, 87–98. *G. Brinker-Gabler,* Die Waffen nieder! B.v.S und die Anfänge der Friedensbewegung. In: Süddt. Ztg. (SZ am Wochenende 25./26. 9. 1982) 221, 112. *Dies.* »Wir leben im Rüstungskrieg« – B.v.S. und die Anfänge der Friedensbewegung. In: Frauen & Wiss., Ringvorlesung, WS 1982/83, [Köln] 1983, 146–49. *Dies.,* Kämpferin für den Frieden: B.v.S., 1983. *M. Wintersteiner,* Die Baronin: B.v.S. Eine erzählende Biogr., 1984.

Talvj (Ps. f. Therese Albertine Louise von Jacob; weiteres Ps. Ernst Berthold), * 26. 1. 1797 in Halle/Saale, † 13. 4. 1870 in Hamburg.
Der Vater Ludwig Heinrich von Jacob war Professor für Staatswissenschaften. Lebte seit 1806 mit den Eltern in Rußland; der Vater lehrte dort anfänglich an der Universität Charkow, danach in Petersburg. Rückkehr 1816 nach Halle. Erhielt in den dortigen Gelehrtenkreisen vielfältige Anregungen. Durch den Serben Vuk Stefanović Karadžić mit der serbischen Volkspoesie bekannt geworden, veröffentlichte sie nach Sprach- und Geschichtsstudien 1825–26 eine vielbeachtete Anthologie (von ihr metrisch übertragener) serbischer Volkslieder. Ihr erstmals für diese Ausgabe benutztes Pseudonym Talvj (nach den Anfangsbuchstaben ihres Mädchennamens) behielt sie auch später überwiegend bei. Heiratete 1828 den amerikanischen Gelehrten und Palästinaforscher Eduard Robinson. Reiste mit ihm durch die Schweiz, Italien und Frankreich. Lebte dann in den USA zunächst in Andower, später Boston und ab 1840 in New York. Deutschland-Besuch 1837–39. Kehrte 1864 nach dem Tod ihres Mannes mit ihren beiden Söhnen nach Deutschland zurück. Lebte u. a. in Baden-Baden, seit 1869 in Hamburg. – Autorin belletristischer und wissenschaftlicher Werke in englischer und deutscher Sprache. Zahlreiche Beiträge in Taschenbüchern und Zeitschriften.

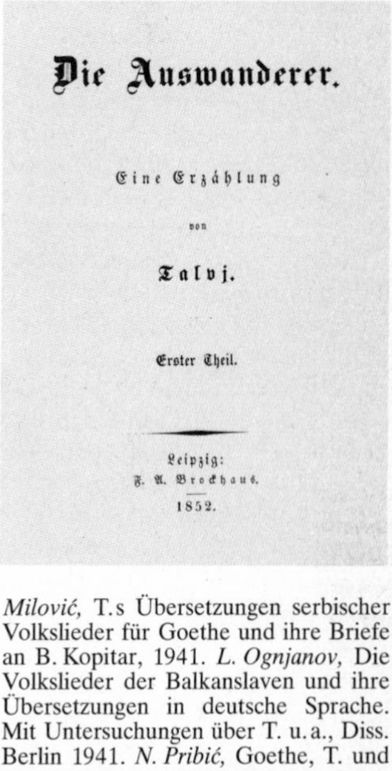
Die Auswanderer.

Eine Erzählung

von

Talvj.

Erster Theil.

Leipzig:
F. A. Brockhaus.
1852.

WERKE: Volkslieder der Serben, metrisch übers. und hist. eingel. von Talvj, 2 Bd. 1825–1826; Psyche. Ein Taschenbuch, 3 En. 1825; Versuch einer geschichtlichen Charakteristik der Volkslieder germanischer Nationen, mit einer Übersicht der Lieder außereuropäischer Völkerschaften, 1840; Die Unächtheit der Lieder Ossians und des Macphersonschen Ossian insbesondere, 1840; Geschichte der Kolonisation in Neu-England 1607–1692, 1847; Heloise, or the unrevealed secret, E. 1851 (dt. u. d. T. Heloise, 1852); The exiles, E. 1851 (dt. u. d. T. Die Auswanderer, 2 Bd. 1852); Marie Barcoczy, R. 1852; Übersichtliches Handbuch einer Geschichte der slavischen Sprachen und Literatur, 1852; Kurmark und Kaukasus oder Das Geheimnis, 1852; Fünfzehn Jahre. Ein Zeitgemälde aus dem vorigen Jh., 2 Bd. 1868.
WERKAUSGABE: Gesammelte Novellen. Nebst einer Ausw. bisher ungedruckter G. und einer biogr. Einl., 2 Bd. 1874.
ÜBERSETZUNG: John Pickering, Über die indianischen Sprachen Amerikas, 1834. Vermutlich auch Übersetzungen von Romanen Walter Scotts.
LITERATUR: *Beneke,* Therese Albertine Louise Robinson. In: ADB XXV. *L. Wagner,* T. 1797–1870, 1897. *J. M. Milović,* T.s Übersetzungen serbischer Volkslieder für Goethe und ihre Briefe an B. Kopitar, 1941. *L. Ognjanov,* Die Volkslieder der Balkanslaven und ihre Übersetzungen in deutsche Sprache. Mit Untersuchungen über T. u. a., Diss. Berlin 1941. *N. Pribić,* Goethe, T. und das südslavische Volkslied. In: A. Goet-

ze u. G. Pflaum (Hrsg.), Vergleichen und verändern. Fs. für Helmut Motekat, 1970. *Ders.*, T.s literary activities in America. In: Filološki pregled, [Belgrad] 8(1970) 3/4, 19–28. *M. Mojašević*, Eine Leistung Goethe zuliebe. T., Goethe und das serbokroatische Volkslied. In: Goethe Jb. 93(1976), 164–89. Serbische Volkslieder. Ges. u. hrsg. von Vuk Stefanović Karadžić. Teile einer hist. Slg., 1980. *F. Kraus*, Das Rußlanderlebnis im Schaffen der Therese Albertine Luise von Jacob-Robinson (T.). In: Zs. für Slawistik 27(1982) 4, 512–22.

Tarnow, Fanny (eigentl. Franziska, Ps. Fanny, F.T.), * 17. 12. 1779 in Güstrow (Mecklenburg), † 4. 7. 1862 in Dessau.
Erstes Kind der Amalie Justine geb. von Holstein und des Johann David Tarnow, Jurist und Stadtsekretär in Güstrow, später Gutsbesitzer. Wuchs in vermögenden und vornehmen Kreisen auf. Infolge eines Sturzes war sie seit ihrem vierten Lebensjahr gehbehindert. Nach dem Vermögensverlust des Vaters zog die Familie nach Neu-Buckow. F.T. wurde Erzieherin, zunächst auf Rügen (vier Jahre), später auf Rohlstorff. Begann 1805 in verschiedenen Journalen anonym zu veröffentlichen und knüpfte Kontakte zu Rochlitz, Hitzig, Fouqué u.a. Von 1807 bis 1812 Erzieherin in Wismar und auf Rankendorf. Pflege der kranken Mutter in Neu-Buckow bis 1815. Lebte dann von 1816 bis 1818 bei ihrer Jugendfreundin in Petersburg. Hatte dort Umgang mit Klinger, Kotzebue und Graf Sievers. Vorübergehende Aufenthalte in Berlin und bei der Schwester in Lübeck. Leitete dann mit der Schriftstellerin Amalie → Schoppe eine Erziehungsanstalt für Mädchen in Hamburg. Zog 1820 nach Dresden und vorübergehend nach Schandau. War zu dieser Zeit mit Helmina von → Chezy, Elisa von der Recke, Tieck, Tiedge und der Gräfin Egloffstein befreundet. Als F.T. durch eine Krankheit vorübergehend ihre Sehkraft einbüßte, zog sie 1829 zur Schwester Betty nach Weißenfels. Freunde besorgten daraufhin eine Gesamtausgabe ihrer Schriften auf Subskription, die ihr 5000 Taler einbrachte. War dann vor allem als Übersetzerin (aus dem Englischen und Französischen) tätig. Lebte seit 1841 in Dessau.
Vorwiegend Erzählerin und in ihrer Zeit »Liebling der weiblichen Lesewelt« (H. Gross). »In allen ihren zahlreichen Erzählungen, die sie theils als selbständige Werke herausgab, theils in den verschiedensten Taschenbüchern und Zeitschriften veröffentlichte, finden sich Anklänge an ihre Lebensschicksale, an ihre sehnsüchtige Liebe zu Arndt, Hitzig und Anderen, die ihr im Leben theuer waren, aber ihre Sehnsucht ewig unbefriedigt ließen.« (M. Mendheim)

WERKE: (anonym:) Alwine von Rosen. In: Journal für dt. Frauen, 1805 u. 1806; Thekla (?); Natalie, ein Beitrag zur Geschichte des weiblichen Herzens, 1812; Thorilde von Adlerstein, oder Frauenherz und Frauenglück, eine E. aus der großen Welt, 1816; Mädchenherz und Mädchenglück, En. f. Gebildete, 1817; Kleine Erzählungen, 1817; Briefe auf einer Reise nach Petersburg, an Freunde geschrieben, 1819; (MA:) Erzählungen, 1820 (gem. m. A. Schoppe); Lilien, En. 2 Bd. 1821 (Inhalt: Erinnerungen aus Franziskas Leben, Edle Minne, Eudoria, Glaubensansichten, Erinnerungen aus dem Leben eines schwedischen Grafen, Treue und Dankbarkeit); Lilien, En., 3. u. 4. Bd. 1825; Sidoniens Witwenjahre, nach dem Französ. frei bearb., 2 Tl. 1822; Lebensbilder, 2 Bd. 1824; Die Spanier auf Fühnen, hist. Schausp. 1827; Zwei Jahre in Petersburg. Aus den Papieren eines alten Diplomaten, 1833; Erzählungen und Novellen – fremde und eigene, 2 Tl. 1833; Reseda, 1837; Spiegelbilder, 1837; Gallerie weiblicher Nationalbilder, 1. u. 2. Tl. Deutschland, Frankreich, Rußland, Schweden, Spanien, 1838; Heinrich von England und seine Söhne. Eine alte Sage neu erzählt, 2 Tl. 1842.

WERKAUSGABEN: Ausgewählte Schriften, 15 Bd. 1830; Gesammelte Erzählungen, 4 Bd. 1840–1842.

ÜBERSETZUNGEN: V. Ducange, Meister Jacob's Söhne, 1833; Ders., Die Töchter der Witwe, 1834; Drouineau, Celeste, 1834; V. Ducange, Das Testament, 1835; H. v. Balzac, Eugenie, 1835; S. Gay, Septimania, Gräfin von Egmont, 1836; Drouineau, Emmanuel, 3 Bd. 1836; G. Sand, Indiana, 1836; v. M. Crequy, Denkwürdigkeiten einer Aristokratin. Aus den hinterlassenen Papieren der Verfasserin, 4 Bd. 1836; E. Gay-Girardin, Der Marquis von Portanges, 1837; S. Gay, Die Herzogin von Chateauroux, 1837; C. Reybaud, Mutter und Tochter, 1837; Chlorinde, 2 Bd. 1837; Pfarrer Moritz, 1837; G. Sand, Mauprat, 2 Bd. 1838; S. Pannier, Liebe über Alles, 3 Bd. 1838; C. Reybaud, Ehestandsgeschichten, 1838; Dies., Anton, 1839; de Custine, Die Welt wie sie ist, 1839; C. Bodin, Kleinstädtereien, 3 Bd. 1839; G. Bauer, Die Familie Flavy, 1839; Die Großmutter. Eine Familiengesch. 2 Bd. 1840; C. Bodin, Melchior, 2 Bd. 1840; de Custine, Ethel, 1840; H. v. Viel Castell, Oskar von Aizac. Ein aristokratischer R., 1840; S. Gay, Maria von Mancini, 1840; Soult, Heloise (?); J. Bastide, Anais, 2 Bd. 1841; v. Cubières, Leonore von Biran, 1842; C. Reybaud, Clemence, 2 Bd. 1843; Gräfin Dash, Der Graf von Sombreuil. Ein hist. R. 1845; Dies., Schloß Pinon, 1845.

LITERATUR: *A. Bölte,* F.T. Ein Lebensbild, 1865. *H. Gross,* F.T. In: H. G., Deutschlands Dichterinnen und Schriftstellerinnen, [2]1882, 40. *M. Mendheim,* F.T. In: ADB XXXVII. *K. Schröder,* F.T. In: Jb. des Vereins für mecklenburgische Gesch. und Altertumskunde 68(1903). *E. Gülzow,* E.M. Arndt und F.T. In: Unser Pommernland 4(1917). *A. Thimme,* F.T. In Petersburg vor 100 Jahren. Aus ihrem Tgb. hrsg. In: Dt. Rundschau 189(1921). *Ders.,* F.T. In: Jb. für mecklenburgische Gesch. und Altertumskunde 91(1927). *Ders.,* Aus den Briefen F.T.s an Luise von François. In: Dt. Rundschau 53(1927). *E. Gülzow,* Arndts Briefe an eine Freundin, 1928.

Tergit, Gabriele (Ps. f. Elise Reifenberg), * 1894 in Berlin, † 25. 7. 1982 in London.

Ihr Vater war Fabrikant. Besuchte Gymnasialkurse und begann nach dem Abitur ein Studium. 1925 Promotion zum Dr. phil. Seit 1920 Mitarbeiterin verschiedener Zeitungen, u. a. ›Berliner Börsen-Courier‹, ›Berliner Tageblatt‹, ›Vossische Zeitung‹, ›Weltbühne‹. Von 1925 bis 1933 Redakteurin des ›Berliner Tageblatt‹, wo ihre berühmten Gerichtsreportagen erschienen. Veröffentlichte 1931 ihren ersten Roman ›Käsebier erobert den Kurfürstendamm‹. Verheiratet mit dem Architekten Heinz Reifenberg. Ein Sohn. Mußte mit Beginn der Nazi-Herrschaft als Jüdin emigrieren. Lebte in der Tschechoslowakei, Palästina, seit 1938 in London. Nach dem Krieg erschien ihr »Lebenswerk«, der Familienroman ›Effingers‹ (1951). Seit 1957 Sekretärin des PEN-Zentrums deutschsprachiger Autoren im Ausland. Ihre Erinnerungen, ein bedeutendes Dokument deutsch-jüdischen Schicksals, erschienen 1983, ein Jahr nach ihrem Tod.

WERKE: Käsebier erobert den Kurfürstendamm, 1931 (N 1978); Effingers, R. 1951 (N 1982); Das Büchlein vom Bett, 1954; Kaiserkron und Päonien Rot, Kulturgeschichte der Blumen, 1958; (Bearb.) P.E.N. Zentrum deutschsprachiger Autoren im Ausland. Sitz London. Autobiogr. und Bibliogr. [London] 1959; Das Tulpenbüchlein, 1965; (Hrsgin.) Autobiographien, [London: Intern. P.E.N. A world Association of writers. Zentrum deutschsprachiger Autoren im Ausland] 1970; Die Exilsituation in England. In: Die dt. Exillit. 1933–1945, hrsg. v. Manfred Durzak, 1973, 135–44; Ernés [d.i. Nino Erné] Kellerkneipe und Elfenbeinturm. In: Europäische Ideen (1981) 51, 29f.; Berliner Tageblatt – Wahlen – Emigration. In: Sprache im technischen Zeitalter. Lit. im technischen Zeitalter (1981), 135–48; Kleine Geschichte der Blumen, 1981; Etwas Seltenes überhaupt, Erinn. 1983.

WERKAUSGABE: Blüten der zwanziger Jahre (Gerichtsreportagen und Feuilletons 1923–1933), hrsg. v. J. Brüning, 1984.

NACHLASS: Dt. Bibliothek, Abt. IX: Exil-Lit., Frankfurt/M. (Teilnachlaß).

LITERATUR: *M. Winkler,* Paradigmen der Epochendarstellung in Zeitromanen der jüngsten Generation Weimars. In: Weimars Ende, 1982, 360–75 [u.a. zu G.T.]. *H. Schlaeger,* Verbrannt und vergessen. In: Brigitte Sonderheft 23(1983), 23ff.

Tetzner, Lisa, * 10. 11. 1894 in Zittau (Sachsen), † 2. 7. 1963 in Carona-Lugano.

Der Vater war Arzt. In ihrer Jugend war L.T. zeitweise durch eine Krankheit an den Rollstuhl gefesselt. Auch später körperlich behindert. Besuchte gegen den Willen des Vaters die Soziale Frauenschule in Berlin. Belegte anschließend Kurse in Sprecherziehung und Stimmbildung. Mit Anschluß an die Jugendbewegung begann ihr politisches Engagement. Seit 1918 unternahm sie – mit Unterstützung des Jenaer Verlegers Eugen Diederichs – Wanderungen als Märchenerzählerin durch die Dörfer Mittel- und Süddeutschlands. Darüber berichtet sie in ihren ersten Büchern.

Heiratete 1924 den Schriftsteller Kurt Kläber (Ps. Kurt Held). Begann für Kinder und Jugendliche zu schreiben; zum Teil enge literarische Zusammenarbeit mit Kläber. Übernahm 1927 die Leitung der Kinderstunde beim Berliner Rundfunk. Emigrierte 1933, obwohl persönlich nicht gefährdet, in die Schweiz. Erhielt 1937 an der Universität Basel eine Dozentur für Stimmbildung und Sprecherziehung und einen Lehrauftrag für Märchenerzählung am kantonalen Lehrerseminar, den sie bis 1955 wahrnahm.

Trug entscheidend zur Wiederbelebung der Märchentradition bei. Hermann Hesse nannte L. T. »die wohl beste Märchenerzählerin Deutschlands«. In ihren frühen Jugendbüchern vermischen sich Wunder und Wirklichkeit (z. B. ›Hans Urian‹). Später verzichtete sie auf phantastische Elemente und wechselte zu einer realistisch-sozialkritischen Darstellung. Zu den Klassikern des Kinderbuchs zählt mittlerweile ihr ›Hans Urian‹ (1931), der auch als Bühnenstück aufgeführt wurde. Als ihr Hauptwerk gilt die neunbändige Kinderodyssee ›Erlebnisse und Abenteuer der Kinder aus Nr. 67‹, in der »zwölf Jahre Faschismus und Krieg an den Erlebnissen einer Gruppe von Kindern in all ihrer Brutalität geschildert werden« (E. Eberts).

WERKE: Vom Märchenerzählen im Volke, 1919; Aus Spielmannsfahrten und Wandertagen. Ein Bündel Berichte, 1923; Im Land der Industrie zwischen Rhein und Ruhr, 1923; (Hrsgin.) Deutsches Rätselbuch. Aus alten und neuen Quellen gesammelt, 1924; (Hrsgin.) Die schönsten Märchen der Welt für 365 und einen Tag, 1924 (u. d. T. Das Märchenjahr, 1956; N 1983); Im blauen Wagen durch Deutschland. Gedanken und Plaudereien über Landschaft und Volk, 1926; Siebenschön. Ein sommerliches Liebessp., 1926; Der Gang ins Leben. Die E. einer Kindheit, 1926; (Hrsgin.) Japanische Märchen, 1928; (Hrsgin.) Türkische Märchen, 1928; Die sieben Raben, 1928; (Hrsgin.) Indianermärchen, 1929; (Hrsgin.) Russische Märchen, 1929; (Hrsgin.) Sizilianische Märchen, 1929; (Hrsgin.) Irische Volksmärchen, 1929; Vom Märchenbaum der Welt. Ein Buch der Schicksale und Abenteuer, 1929; Hans Urian. Die Gesch. einer Weltreise, Jgdb. 1931 (als Stück u. d. T. Hans Urian geht nach Brot); Der große und der kleine Klaus, 1929; Vom Märchenbaum der Welt, 1929; (Hrsgin.) Negermärchen, 1931; Der Fußball. Kindergesch. aus Großstadt und Gegenwart, 1932; Erlebnisse und Abenteuer der Kinder aus Nr. 67. Odyssee einer Jugend, 9 Bd. 1933–1949 (Inhalt: 1. Erwin und Paul, 1933 (N 1985); 2. Das Mädchen aus dem Vorderhaus, 1938 (N 1985); 3. Erwin kommt nach Schweden, 1941 (N 1982); 4. Das Schiff ohne Hafen, 1943 (N 1982); 5. Die Kinder auf der Insel, 1944 (N 1981); 6. Mirjam in Amerika, 1945 (N 1981); 7. War Paul schuldig?, 1945 (N 1982); 8. Als ich wiederkam, 1946 (N 1982); 9. Der neue Bund,

1949); Was am See geschah. Gesch. von Rosmarin und Thymian, Jgdb. 1935; Die Reise nach Ostende, Jgdb. 1936 (N 1960); Der Wunderkessel und andere Märchen aus aller Welt, 1936; Belopazü, 1938; Die schwarzen Brüder. Erlebnisse und Abenteuer eines kleinen Tessiners, 2 Bd. 1940–1941 (N 1983); (Hrsgin.) Nordische Märchen, 1948; (Hrsgin.) Dänische Märchen, 1948; (Hrsgin.) Französische Märchen, 1948; (Hrsgin.) Englische Märchen, 1949; Sugus Märchenbuch, 1950; (Hrsgin.) Indische Märchen, 1950; (Hrsgin.) Märchen der Völker, 1950; Die kleine Su aus Afrika, 1952; Su und Agaleia, 1952; Die schwarze Nuß. Gesch. und Märchen von Indianern, Negern und Insulanern, 1952; Das Töpflein mit dem Hulle-Bulle-Bäuchlein und andere Märchen für die Kleinsten, 1953 (N 1967); Anselmo, 1956; Wenn ich schön wäre. Ein R. von jungen Menschen, 1956; (Hrsgin.) Bunte Perlen. Kindergesch. aus aller Welt, 1956; Das Mädchen in der Glaskutsche, 1957; Das Füchslein und der zornige Löwe. Tiermärchen aus aller Welt, 1958; (Hrsgin.) Europäische Märchen, 1958; Das war Kurt Held. 40 Jahre Leben mit ihm, 1961.

Weitere Ausgaben: Der Fußball. Mit Materialien (N); (Hrsgin.) Die schönsten Märchen der Welt, 12 Bd. 1984.

Übersetzungen: C. S. Lewis, Die Abenteuer im Wandschrank, 1957; Rascel di Majo, Piccoletto, 1958.

Filmwerk: Ferien in Tirol.

Nachlass: Dt. Lit.-archiv Marbach/Schiller-Nationalmuseum (Briefe).

Literatur: Kindertheater, Hans Urian geht nach Brot. In: Welt am Abend (1929) 266. *O. Basler,* L.T. In: Schweizer Annalen 6/7 (Kosch: Jg. 3) (1946/47). *M. Koelmann,* Ein Leben für das Märchen. In: Köln. Rundschau (1954) 260. *H. Bertlein,* Geschichte oder Politik? Zu L.T.s ›Odyssee einer Jugend‹. In: Jugendlit. [München] 4(1958), 514ff. *H. H. Wagner,* L.T. – Erzieherin zum Menschentum. In: Dt. Post 13(1961) 385. L.T. In: Proletarisch-revolutionäre Lit. 1918–1933, 1962. *D. Gerber,* L.T. In: Jugendschriften-Warte, N.F. 15 (1963). *W. Humm/H.L. Tetzner/H. Schmitthenner/H. Oprecht* (Hrsg.), Das Märchen und L.T., 1966 [mit biogr. Verzeichnis ihrer Schriften, Tagebuchauszügen, autobiogr. Schriften]. *C. Winther,* L.T. und Kurt Held, [Kopenhagen] 1969. *V. Mönckeberg,* Das Märchen und unsere Welt, 1972. *A. Loos,* Vier neue Kinderbücher. In: D. Richter (Hrsg.), Das politische Kinderb., 1973, 266–71. *H.J. Wehnert,* Humor und Satire in der proletarischen deutschen Kinderliteratur der zwanziger Jahre. In: Beiträge zur Kinder- und Jugendlit. (1974) 30, 43–50. *E. Eberts,* L.T. In: Lex. der Kinder- und Jugendlit. Bd. 3, 1979, 520ff.

Thomas, Adrienne (Ps. f. Hertha Adrienne Strauch), * 24. 6. 1897 in St. Avold (Lothringen), † 7. 11. 1980 in Wien.

Ihr Vater betrieb ein kleines Kaufhaus. Wuchs zweisprachig in St. Avold und Metz auf. Während des Ersten Weltkriegs siedelte sie mit den Eltern nach Berlin über. Arbeitete als Rotkreuzschwester. Nach einer Gesangs- und Schauspielausbildung schrieb sie ihren Antikriegsroman ›Die Katrin wird Soldat‹ (1930). Durch ihn wurde sie über Nacht berühmt (in 16 Sprachen übersetzt) und gehörte ab 1933 zu den »verbrannten« Schriftstellerinnen. Emigrierte zunächst nach Österreich, dann nach Frankreich, wo sie im Mai 1940 interniert wurde. Mit Hilfe des »Emergency Rescue Committee« gelang ihr die Flucht in die USA. Heiratete 1941 den österreichischen Politiker und Spanienkämpfer Julius Deutsch und kehrte mit ihm 1947 nach Wien zurück.

A. Th.' Welterfolg ›Die Katrin wird Soldat‹ ist eine »Mischung aus Zeitgeschichte und trivial-unterhaltendem (Liebes-)Melodram« (G. Kreis). Wie die folgenden Romane weist er deutliche lebensgeschichtliche Parallelen auf. Im Schreiben aus eigener Anschauung und persönlicher Betroffenheit lag A. Th.' Stärke. Die Annexion Österreichs, die Flucht vor Hitler, die Emigration von Land zu Land stellt sie in ›Reisen Sie ab, Mademoiselle!‹ (1944) dar, die Zeit des amerikanischen Exils behandelt ›Ein Fenster zum East River‹ (1945) – beide im Exil entstandene Romane sind ein bedeutender Beitrag zur Geschichte der Frauen im Exil.

WERKE: Die Katrin wird Soldat, R. 1930 (N 1964); Dreiviertel Neugier, R. [Amsterdam] 1934; Katrin! Die Welt brennt! R. [Amsterdam] 1936; Andrea, E. für Jugendliche, [Basel] 1937 (N 1976); Victoria, E. für junge Menschen, [Basel] 1937 (N 1976); Wettlauf mit dem Traum, R. [Amsterdam] 1939 (N 1949); Von Johanna zu Jane, R. [Amsterdam] 1939; Reisen Sie ab, Mademoiselle! R. [Stockholm] 1944, [Wien] 1947 (N 1982 u. 1985); Ein Fenster zum East River, R. [Amsterdam] 1945, [Wien] 1948; Da und dort, Nn. 1950. Ein Hund ging verloren, E. für Jugendliche, 1953 (N u.d.T. Ein Hund zweier Herren, 1973); Markusplatz um vier, 1955.

RUNDFUNK: Ein Hund ging verloren, E. für Jugendliche.

LITERATUR: *W. Sternfeld, E. Tiedemann,* Dt. Exil-Literatur 1933–1945, [2]1970, 502. *P. Parnass,* Vorwort. In: A. Th., Reisen Sie ab, Mademoiselle! 1982 (u. 1985). *G. Kreis,* Nachwort. In: ebda. 383–88.

Troll-Borostyáni, Irma von (Ps. Leo Bergen, Veritas), * 31. 3. 1847 in Salzburg, † 10. 2. 1912 ebda.

Das jüngste von vier Kindern der Josefine geb. von Appeltauer und des höheren Staatsbeamten Otto Ritter von Troll. Eine Zeitlang Zögling des Klosters Nonnberg, dann weitere Ausbildung für ein Jahr in Wien (Beginn einer Ausbildung als Pianistin?). Durch den frühen Tod des Vaters, der kein Vermögen hinterließ, gezwungen, ihren Lebensunterhalt selbst zu verdienen und für die kranke, später gelähmte Mutter zu sorgen. Ging 1871 als Erzieherin zu einer ungarischen Familie nach Budapest. Lernte dort den Redakteur und Schriftsteller Nandor von Borostyáni († 1902) kennen. Heirat 1874. Eine Tochter, die im 3. Lebensjahr starb. Durch die Geburt zog sie sich ein schweres körperliches Leiden zu. Begann ihre schriftstellerische und publizistische Tätigkeit. Während ihr Mann überwiegend im Ausland tätig war, kehrte sie 1882 nach Salzburg zurück; lebte dort in Pflege einer befreundeten Familie bis zu ihrem Tod. Erzählerin und Publizistin. Autorin bedeutender sozialpolitischer Schriften, vor allem zur Frauenfrage, in denen sie gleiche Rechte der Frauen in Erziehung, gesellschaftlicher und staatlicher Stellung forderte. Des weiteren Essays und Skizzen u. a. zu Themen wie Mutterrecht, Erziehung, Vererbungstheorie, Ethik und Frauenkleidung.

WERKE: Die Mission unseres Jahrhunderts. Eine Studie über die Frauenfrage, 1878 (Neuausg. in: Die Gleichstellung der Geschlechter und die Reform der Jugenderziehung, 1913); Im freien Reich. Ein Memorandum an alle Denkenden und Gesetzgeber zur Beseitigung sozialer Irrtümer und Leiden, 1884 (Neuausg. u. d. T.: Die Gleichstellung der Geschlechter und die Reform der Jugenderziehung, 1887 u. 1913; Auszug daraus in: G. Brinker-Gabler [Hrsgin.], Zur Psychologie der Frau, 1978, 61–70); Das Recht der Frau. Das Vermächtnis einer Unglücklichen an ihre Mitschwestern. Gedanken und Vorschläge aus dem Nachlasse einer Verstorbenen, 1885; Herzens- und Gedankensplitter, 1888; Aus der Tiefe, R. 2 Bd. 1892; Die Prostitution vor dem Gesetz. Ein Appell ans deutsche Volk und seine Vertreter, 1893 (u. d. N. Veritas); Das Recht der Frau. Eine sociale Studie, 1894; Die Verbrechen der Liebe. Eine sozial-pathologische Studie, 1896; Das Weib und seine Kleidung, 1897; Onkel Clemens, R. 1897; Was ich geschaut, N. 1898; Hunger und Liebe, N. 1900; Katechismus der Frauenbewegung, 1903 (³1903); Dem Verdienste seine Krone, N. 1903; Der Moralbegriff des Freidenkers. Vortrag, 1903; Die Schule des Lebens. In Pflicht und Treue, E. 1904; Höhenluft und andere Geschichten aus dem Hochgebirge, E. 1907; Irrwege, R. 1908; So erziehen wir unsere Kinder zu Vollmenschen. Ein Elternbuch, 1912.

WERKAUSGABE: Ausgewählte Schriften, hrsg. v. Wilhelmine von Troll. Mit einer Lebensskizze von H. Widmann, 1914.

LITERATUR: *H. Gross,* I. v. T.-B. In: H. G., Deutschlands Dichterinnen und Schriftstellerinnen, ²1882, 242. *L. G. Heymann,* Biographische Angaben. In: I. v. T.-B., Die Gleichstellung der Geschlechter und die Reform der Jugenderziehung, ³1913. *H. Widmann,* I. v. T.-B. In: Ausgewählte Schriften, hrsg. v. Wilhelmine von Troll, 1914.

Ullmann, Regina, * 14. 12. 1884 in St. Gallen, † 6. 1. 1961 in München.
Der Vater war Stickerei-Exporteur. R. U. verbrachte ihre Jugend in St. Gallen. Zog nach dem Tod des Vaters mit ihrer Mutter nach München. Verkehrte in den dortigen literarischen Kreisen. Lernte u. a. H. Carossa, I. Seidel kennen. Besondere Freundschaft verband sie ab 1908 mit R. M. Rilke, der die Veröffentlichung ihrer Dichtungen förderte. Trat 1911 in Altötting zur Katholischen Kirche über. Kehrte 1937 nach St. Gallen zurück.
Lyrikerin, Erzählerin. Ihr literarisches Werk kam erst nach 1945 zu breiterer Wirkung. In ihrer Prosa schildert sie häufig alltägliche, scheinbar unbedeutende Ereignisse von Kindern, einsamen Frauen, Müttern, einfältigen Greisen, den Bauern, Händlern und Handwerkern. Hermann Hesse lobte diese Erzählungen als echte Dichtungen ohne Vorbilder, »in denen es nach Brot und Honig, nach Kerze und Weihrauch, nach Stall und nach Volk duftet«, in denen alles das erreicht sei, »wonach die falschen Volks- und Heimatdichter so sehr streben«.
Erhielt 1956 den St. Gallener Kulturpreis und den Preis der Schweizer Schiller-Stiftung. Ehrenbürgerin von St. Gallen.

WERKE: Von der Erde des Lebens. Dichtungen in Prosa, 1910; Feldpredigt. Dramat. Dichtung, 1915; Gedichte, 1919; Die Landstraße, En. 1921; Die Barockkirche, von einer Votivtafel herab gelesen, zugleich mit etlichen Volkserzählungen, 1925; Vier Erzählungen, 1930; Vom Brot der Stillen, En. 2 Bd. 1932; Der goldene Griffel, 1934; Der Apfel in der Kirche und andere Geschichten, 1934; Der Engelskranz, En. 1942; Madonna auf Glas und andere Geschichten, 1944; (MA:) Erinnerungen an Rilke (enth. auch Briefe des Dichters und die Genfer Ansprache von C. J. Burckhardt für R. U.), [St. Gallen] 1945; Der ehrliche Dieb und andere Geschichten, 1946; Sammlung der Vergeßlichen. Ein Selbstporträt aus jungen Jahren, mit der Feder gezeichnet. In: Gruß der Insel an Hans Carossa, 1948, 221–36; Von einem alten Wirtshausschild, En. 1949; (Vorw.) E. Delp, Vergeltung durch Engel und Anderes, En. 1952; Münchner Jahre, En. 1955; Schwarze Kerze, En. 1954.
WERKAUSGABEN: Gesammelte Werke, 2 Bd. 1960 (N 1978); Kleine Galerie. Eine Ausw. aus ihren En., [Leipzig] 1975; Erzählungen, Prosastücke, Gedichte, hrsg. von F. Kemp, 2 Bd. 1978; Ausgewählte Erzählungen, hrsg. von F. Kemp, 1979.
NACHLASS: Stadtbibliothek München.
BIBLIOGRAPHIE: *A. Lück,* R. U. Eine Personalbibliographie, Hamburg: Bibliotheksschule an der Staats- und Universitäts-Bibliothek, 1962 (Masch.).
LITERATUR: *G. Schäfer,* R. U. In: Hochland 26 (1928/29). *K. Weiss,* R. U. In: Münchner Dichterbuch, 1929. *E. Schröder,* R. U. In: Hochland 30 (1933) 2. *W. Hausenstein,* R. U. ›Vom Brot der Stillen‹. In: Frankfurter Ztg. vom 11. 1. 1933. *J. Maasen,* R. U. ›Vom Brot der Stillen‹. In: Germania vom 21. 7. 1933 (wiederh. in: Kölnische Ztg. vom 29. 6. 1933). *K. Miethe,* R. U. ›Vom Brot der Stillen‹. In: Die neue Lit. 34 (1933). *Barth,* R. U. ›Der Apfel in

der Kirche und andere Geschichten‹. In: Die Lit. 37 (1934). *J. Lodenstein,* R. U. In: Augsburger Postztg. (1934) 287. *Helming,* Raum des Wunders. In: Die Schildgenossen, [Rothenfels] 15 (1935). *J. Sellmair,* R. U. In: Schweizer Rundschau 15 (1935/36). *B. Huber-Bindschedler,* R. U., 1943. *O. Brand,* R. U. In: O. B., Stilles Wirken. Schweizer Dichterinnen, 1949. *J. Schomerus-Wagner,* R. U. In: J. S.-W., Dt. kath. Dichter der Gegenwart, 1950. *W. M. Lehner,* Zum 70. Geburtstag von R. U. In: Neue Zürcher Nachrichten (1954) 290. *W. Tappolet,* R. U. In: Neue Schweizer Rundschau 22 (1954/55), 531–39. *Ders.,* R. U. Eine Einführung in ihre Erzählungen, 1955. *G. E. Merkel,* Das epische Werk R. U.s, Diss. Cornell Univ. 1956. *J. Scherer,* R. U. Zur Sprache und Welt der Dichterin, Diss. Innsbruck 1958 (Masch.). *F. Lennartz,* R. U. In: Dt. Dichter u. Schriftsteller unserer Zeit, 8. erw. Aufl., 1959, 769ff. *E. Delp,* R. U., 1960. *H. Kunisch,* R. U. In: Hochland 53 (1960/61), 475–79 (wiederh. in: H. K., Von der »Reichsunmittelbarkeit der Poesie«, 1979). *J. Scherer,* Bedrohung und Gnade im Werk der R. U. In: Schweizer Rundschau 60 (1960/61), 638–42. *J. Wyrsch,* Über Wort und Satzgefüge bei R. U. In: Schweizer Rundschau 60 (1960/61), 882–85. *A. Baldus,* Dank an R. U. In: Begegnung 16 (1961), 90f. *W. Weber,* R. U. 14. Dez. 1884 bis 6. Jan. 1961. In: Jahresring (1961), 310–13 (wiederh. in: W. W., Tagebuch eines Lesers. Bemerkungen und Aufs. zur Lit., 1965, 161–74). *E. Delp,* R. U. Eine Biographie der Dichterin. Mit erstmalig veröffentlichten Briefen, Bildern und Faksimiles, 1962. *J. A. Flach,* Dichterin der Stille. R. U. zum Gedächtnis. In: Begegnung 19 (1964), 212f. *W. Günther,* R. U. In: W. G., Dichter der neueren Schweiz, Bd. 2, 1968, 542–80. *H. Kunisch,* R. U. In: H. K. (Hrsg.), Hdb. d. dt. Gegenwartslit., Bd. 2, ²1970, 263f. *K. Weiß,* Literaturkritische und zeitkritische Aufsätze. In: Lit. wiss. Jb. 11 (1970), 323–55. *B. G. Blumenthal,* The writings of R. U. In: Seminar. A journal of Germanic studies, [Toronto] 9 (1973), 66–71. *M. Fuchs,* Die verborgenen Kräfte. Cécile Lauber und R. U. In: M. F., Begegnungen mit Menschen und Werken, 1975. *B. Binder, R. Schärer u. S. van den Bergh,* R. U. In: Helvetische Steckbriefe, 1981, 272–77.

Urbanitzky, Grete von, * 9. 7. 1893 in Linz, † 4. 11. 1974 in Genf. Der Vater, Rudolf von Urbanitzky, war Ingenieur. Sie studierte in Zürich.

War Redaktionsmitglied der Zeitung ›Der Tag‹ in Wien. Heiratete 1920 Peter Passini. Lebte später in Genf. – Schrieb Romane, Novellen und Gedichte; übersetzte aus dem Französischen (Claude Anet), Englischen und Italienischen. War Ehrenmitglied der Mark Twain-Society (USA).

WERKE: Sehnsucht, Nn. und Märchen, 1911; Wenn die Weiber Menschen werden … Gedanken einer Einsamen, 1913; Das andere Blut, R. 1913; Der verflogene Vogel, G. 1920; Das wilde Meer, 1920; Das Jahr der Marie, G. 1921; Die Auswanderer, R. 1921; Die goldene Peitsche, R. 1922; Masken der Liebe, Nn. 1922; Maria Alborg, R. 1923; Mirjams Sohn, R. 1926; Der wilde Garten, R. 1927; Sekretärin Vera, R. 1930; Zwischen den Spiegeln, R. 1930; Eine Frau erlebt die Welt, R. 1931; Durch Himmel und Hölle, R. 1932; Karin und die Welt der Männer, R. 1933; Ursula und der Kapitän, R. 1934; Das Preisausschreiben. Abenteuer zweier Mädchen in Dalmatien, 1935; Heimkehr zur Liebe, R. 1935; Nina. Gesch. einer Fünfzehnjährigen, R. 1935; Begegnung in Alassio, R. 1937; Unsre liebe Frau von Paris. Der R. eines dt. Steinmetzen, 1938; Das Mädchen Alexa, R. 1939; Sprung übern Zaun, R. 1940; Es begann im September, R. 1940; Miliza, R. 1941; Mademoiselle Viviane, R. 1941; Der große Traum, R. 1942; Der Mann Alexander, R. 1943.

Ury, Else, * 1. 11. 1877 in Berlin, † tot erklärt am 12. 1. 1943.
Tochter eines Tabakfabrikanten. Lebte in Berlin. Schrieb Märchen und Mädchenbücher. Erzielte ihren ersten großen schriftstellerischen Erfolg mit dem Buch ›Studierte Mädel‹ (1906, [5]1910), in dem sie den Anspruch der Frau auf Selbstentwicklung im Sinn der bürgerlichen Frauenbewegung vertritt. War später erfolgreich mit ihren humorvollen, was das Frauenbild betrifft wieder konventionelleren Mädchenbuchserien ›Nesthäkchen‹ (1918f.) und ›Professors Zwillinge‹ (1927f.). Erhielt 1934 als Jüdin Schreibverbot. Die Nesthäkchen-Serie wird bis heute z.T. in Neubearbeitungen aufgelegt. Die Gesamtauflage beträgt 5 Millionen Exemplare.

WERKE: Was das Sonntagskind erlauscht. En. und Märchen für Kinder im Alter von 6–9 Jahren, 1905; Studierte Mädel. Eine E. für junge Mädchen, 1906; Goldblondchen, Märchen und En. für Kinder von 7–11 Jahren, 1908; Baumeisters Rangen. Eine E. für junge Mädchen von 9–14 Jahren, 1910; Babys erstes Geschichtenbuch für die Kleinen von 2–5 Jahren, 1910; Kommerzienrats Olly. E. für junge Mädchen, 1913; Das graue Haus, 1914; Huschelchen und andere Schulmädchengeschichten. En. für Mädchen von 8–12 Jahren, 1914; Lotte Naseweis und andere Schulmädchengeschichten. En. für Mädchen von 8–12 Jahren, 1918; Nesthäkchen und ihre Puppen. Eine Gesch. für kleine Mädchen, 1918 (N VLB 1984/85); Vierzehn Jahr und sieben Wochen, o.J. ([22]1919); Lieb Heimatland, E. o.J. ([6]1919); Das Ratstöchterlein von Rothenburg. Eine E. für junge Mädchen, 1919; Dornröschen, o.J. ([9]1919); Nesthäkchens Backfischzeit. Eine Jungmädchengesch. 1920 (N VLB 1984/85); Lilli Liliput, 1920; Nesthäkchen fliegt aus dem Nest. E. für junge

Mädchen, 1921 (N VLB 1984/85); Nesthäkchen im Kinderheim. Eine E.

für junge Mädchen von 8–12 Jahren, 1922 (N VLB 1984/85); Nesthäkchen und der Weltkrieg. Eine E. für Mädchen von 8–12 Jahren, 1922; Nesthäkchen und ihre Küken. Eine E. für junge Mädchen, 1923 (N 1980); Bubi und Mädi. Eine Gesch. aus der Kinderstube für kleine Jungen und Mädchen, 1923; Nesthäkchen und ihre Enkel. E. für junge Mädchen, 1924 (N VLB 1984/85); Nesthäkchens Jüngste. E. für junge Mädchen, 1924 (N VLB 1984/85); Flüchtlingskinder. Eine E. für Kinder von 7–11 Jahren, 1924; Nesthäkchen im weißen Haar, 1925 (N VLB 1984/85); Lillis Weg, 1925; Die beiden Ilsen und andere Jungmädchengeschichten, [14.–16.] 1926; Professors Zwillinge in Italien. E. für die Jugend, 1927; Nesthäkchen. Eine Reihe En. 1928 (2. Nesthäkchens erstes Schuljahr [N VLB 1984/85]; 5. Nesthäkchens Backfischzeit); Professors Zwillinge. En. für die Jugend, 1928–1930 (2. Professors Zwillinge in der Waldschule; 3. Professors Zwillinge im Sternenhaus; 5. Professors Zwillinge. Von der Schule ins Leben); Das Rosenhäusel. Eine E. aus dem Riesengebirge für die reifere Jugend, 1930; Wie einst im Mai. Vom Reifrock bis zum Bubikopf. Ein E. für junge Mädchen, 1930; Für meine Nesthäkchenkinder. Gesch. für Kinder von 8–12 Jahren, 1932; Wir Mädels aus Nord und Süd, 5 Jungmädchengesch. 1932; Jugend voraus! En. für Knaben und Mädchen, 1933; Kläuschen und Mäuschen. Kleine Gesch. für kleine Kinder, 1933.

WERKAUSGABEN: Nesthäkchen. Eine Reihe En., 9 Bd. 1950; Professors Zwillinge, 3 Bd. 1951–1952 (1. Professors Zwillinge Bubi und Mädi; 2. Professors Zwillinge in der Waldschule; 3. Professors Zwillinge in Italien).

LITERATUR: *M. Dahrendorf,* Das Mädchenbuch und seine Leserin, 1970; *Ch. Oberfeld,* »Familienglück« im Mädchenbuch (zus. m. I. Weber-Kellermann). In: H. Schaller (Hrsg.), Umstrittene Jugendliteratur, 1976, 47–60; *M. Dahrendorf,* E. U. In: Lex. der Kinder- und Jugendlit. 3. Bd. 1979, 660f.; *D. Grenz,* »Das eine sein und das andere auch ...« Über die Widersprüchlichkeit des Frauenbildes am Beispiel der Mädchenliteratur. In: I. Brehmer et al. (Hrsgin.), Frauen in der Geschichte IV, 1983, 282–301.

Viebig, Clara, * 17. 7. 1860 in Trier, † 31. 7. 1952 in Berlin.

Ihr Vater war der aus Posen gebürtige Oberregierungsrat Ernst V. Nach ersten Kindheitsjahren in Trier (das sie später immer wieder besuchte) Umzug der Familie nach Düsseldorf (wegen beruflicher Versetzung des Vaters). C. V. besuchte dort die höhere Töchterschule und erhielt vielfältige Anregungen durch das Kunstleben der Stadt. Nach dem Tod des Vaters lebte sie gemeinsam mit der Mutter eine Zeitlang auf dem Gut von Verwandten in Posen, ab 1883 in Berlin. Beginn einer Ausbildung als Sängerin. Ab 1894 schriftstellerische Tätigkeit (kleinere Novellen und Skizzen in der ›Volkszei-

tung‹). Heiratete 1896 den Berliner Verlagsbuchhändler F. Th. Cohn, Mitinhaber von »Fontane & Co.«, ab 1901 »Fleischer & Co.«; dort erschienen bis 1914 alle ihre Romane. Im Dritten Reich bis zum Tod ihres (jüdischen) Mannes ständigen Repressalien ausgesetzt. Lebte 1942–45 in Mittelwalde (Schlesien), nach der Vertreibung aus Schlesien bis zu ihrem Tod in Berlin in ärmlichen Verhältnissen.
Erzählerin und (weniger erfolgreich) Dramatikerin. Mit ihren naturalistisch geprägten Werken (»die dt. Zolaide«) war sie um die Jahrhundertwende eine der bekanntesten Schriftstellerinnen. Anerkennung fanden ihre Charakterisierungskunst, besonders einfacher Menschen, ihre Landschaftsschilderung und Milieuerfassung, vor allem in ihren Romanen und Novellen aus der Eifel (z. B. ›Kinder der Eifel‹, ›Das Weiberdorf‹, ›Das Kreuz im Venn‹) und aus bzw. um Berlin, z. B. ›Das tägliche Brot‹ (Schicksal zweier Dienstmädchen) und ›Die vor den Toren‹ (Vertreibung von Bauern und Kleinbürgern durch die Ausbreitung Berlins). Die Behandlung zeitgeschichtlicher Themen blieb neben Einbezug kulturgeschichtlicher Themen (›Die Wacht am Rhein‹, ›Das schlafende Heer‹) ein Schwerpunkt auch ihres späteren Erzählwerks. Häufig auch Darstellung von Frauenschicksalen, z. B. ›Es lebe die Kunst‹ (ein Künstlerinnen-Roman) und ›Die mit den tausend Kindern‹ (über eine Volksschullehrerin), dabei häufig Auseinandersetzung mit Problemen um Mutterschaft.

WERKE: Barbara Holzer, Schausp. 1897; Kinder der Eifel, Nn. 1897; Rheinlandstöchter, R. 1897; Dilettanten des Lebens, R. 1898; Vor Tau und Tag, Nn. 1898; Es lebe die Kunst! R. 1899 (u. d. T. Elisabeth Reinharz' Ehe. Es lebe die Kunst!, 1928); Pharisäer, Kom. 1899; Das tägliche Brot, R. 2 Bd. 1900; Das Weiberdorf. R. aus der Eifel, 1900 (N 1984); Die Rosenkranzjungfer und anderes, 1901; Am Todtenmaar. Margrets Wallfahrt. Das Miseräbelchen. Der Osterquell, En. 1901 (Auszug aus ›Kinder der Eifel‹); Die Wacht am Rhein, R. 1902 (N 1985); Vom Müller-Hannes. Eine Gesch. aus der Eifel, 1903; Wen die Götter lieben. Vor Tau und Tag, Nn. 1903 (enth. u. a. Auszug aus ›Vor Tau und Tag‹); Gespenster. Sie müssen ihr Glück machen, 2 Nn. 1904; Das schlafende Heer, R. 1904; Simson und Delila, N. 1904; Der Kampf um den Mann, Dramenzyklus, 1905; Naturgewalten. Neue Gesch. aus der Eifel, 1905; Einer Mutter Sohn, R. 1906; Absolvo te!, R. 1907; Das Kreuz im Venn, R. 1908; Das letzte Glück, Schausp. 1909; Die vor den Toren, R. 1910; Die heilige Einfalt, Nn. 1910; Drei Erzählungen. Für das deutsche Volk und seine höheren Schulen, hrsg. v. P. Beer, 1910; Pittchen, Kom. 1910; Eifelgeschichten: Kinder der Eifel, 1911 (enth. ›Kinder der Eifel‹ und ›Vom Müller-Hannes‹); Das Eisen im Feuer, R. 1913; Heimat, Nn. 1914; Eine Handvoll Erde, R. 1913; Töchter der Hekuba. Ein R. aus unserer Zeit, 1917; Roter Mohn, E. 1918; Clara Viebig, 1920 (= Deutsche Dichterhandschriften 4); West und Ost, Nn. Mit einem Vorw. der Dichterin, 1920; Das rote Meer, R. 1920; Ein einfältiges Herz. Das Kind und das Venn. Ein Weihnachtsabend, 3 En. 1921; Unter dem Freiheitsbaum, R. 1922; Menschen und Straßen, Großstadtnovellen, 1923; Der einsame Mann, R. 1924; Franzosenzeit, 2 Nn. 1925; Die Passion, R. 1925; Die goldenen Berge, R. 1927; Die Schuldige. N. aus der Eifel, 1927; Die mit den tausend Kindern, R. 1929; Charlotte von Weiß. Der R. einer schönen Frau, 1930; Prinzen, Prälaten und Sansculotten, R. 1931; Menschen unter Zwang, R. 1932; Insel der Hoffnung, R. 1933; (Einl.) Mütter. Acht Bilder aus dem Leben der Mutter, 1933; Der Vielgeliebte und die Vielgehaßte, R. 1935.
WERKAUSGABEN: Ausgewählte Werke, 6 Bd. 1911; Ausgewählte Werke, 8 Bd. 1922; Berliner Novellen, 1952

[Ausw.]; Das Miseräbelchen und andere Erzählungen. Ausw. v. B. Jentzsch. Nachw. v. N. Oellers, 1981.

Nachlass: Staatsbibliothek Preußischer Kulturbesitz Berlin/West (Teilnachlaß); Heinrich-Heine-Inst. Düsseldorf (Briefe).

Literatur: *R. Steiner,* Das Weiberdorf. In: Magazin für Lit. (1900) 18. *S. Schott,* Ein Dienstbotenroman [›Das tägliche Brot‹]. In: Allg. Ztg. [München], Beil. Nr. 280 (1900). *G. Minde Pouet,* V.s Ostmarkenroman [›Das schlafende Heer‹]. In: Historische Monatsblätter für die Provinz Posen (1904) 5. *T. Klaiber,* C. V. In: T. K., Dichtende Frauen der Gegenwart, 1907. Zum sechzigsten Geburtstag der Volksdichterin. In: Vorwärts (1920) 356. *Kage* [d.i. K. Grünberg], Die Lustseuche im Roman [C. V., ›Die Passion‹]. In: Rote Fahne (1925) 300 (auch in: Welt am Abend 3 [1925] 300). *W. Gubisch,* Untersuchungen zur Erzählkunst C. V.s. Unter besonderer Berücksichtigung der Heimaterzählungen, Diss. Münster 1926. *G. Scheuffler,* C. V. In: Zeit und Jh. (1927). *M. M. Gehrke,* [C. V. ›Die mit den tausend Kindern‹]. In: Vossische Ztg. vom 12. 5. 1929. *H. Bauer,* Der Krieg draußen – Der Krieg drinnen [zu: Ettighoffer ›Gespenster am Toten Mann‹; C. V. ›Das rote Meer‹]. In: Vorwärts (1931) 500. *O. S. Fleißner,* Ist C. V. konsequente Naturalistin? In: PMLA 46(1931). *G. Scheuffler,* C. V. In: Die Lit. 37(1934/35). *S. Wingenroth,* C. V. und der Frauenroman des dt. Naturalismus, Diss. Freiburg 1936. *R. Birchardt,* Main problems in the works of C. V., M. A. Toronto 1937. *C. Coler,* C. V. als soziale Dichterin. In: Aufbau. Kulturpolitische Monatsschrift 3(1947) 10. *V. Klemperer,* Die dt. Jüngerin Zolas. Zum Geb. C. V. s. In: Deutschlands Stimme 2 (1948) 29. C. V. steht zum Volkskongreß. In: ebda. 2 (1948) 15. *L. Mallachow,* C. V. Zu ihrem 90. Geb. am 17. Juli. In: Börsenblatt für den dt. Buchhandel [Leipzig] 117 (1950) 29. *G. Pachnicke,* Am 17. 7. begeht C. V. ihren 90. Geb. In: Der Bibliothekar, [Leipzig] 4 (1950) 5. Im Geiste Emile Zolas. C. V. 90 Jahre. In: Deutschlands Stimme 4 (1950) 30. Der Parteivorstand der SED an C. V. [anläßlich ihres 90. Geb.]. In: Neues Deutschland. Zentralorgan der SED, Beil. Lit. vom 18. 7. 1950. *E. Fabian,* C. V. zum Gedenken. In: Heute und Morgen. Literarische Monatsschrift [Schwerin] (1952) 9. *W. Krenek,* »Wo ich geschaffen habe, will ich auch sterben«. Wenige Tage nach ihrem 92. Geb. starb C. V. in Berlin. In: Börsenblatt für den dt. Buchhandel [Leipzig] 119 (1952) 33. *A. Schneider,* C. V. esquisse biographic et bibliographic. In: Annales Universitatis Saraviensis. Philosophie. Lettres [Saarbrücken] 1 (1952), 392–400. *D. Rigaud,* Das Land um Mosel und Eifel im Schaffen C. V.s. In: Trierisches Jb., 1956, 47–54. *H. Schiel,* Das Geburtshaus der Dichterin C. V. In: ebda., 1956, 55f. C. V. In: Bibl. Kalenderblätter der Berliner Stadtbibliothek 2 F. F. (1960). *E. Hilscher,* Sie prangerte das kapitalistische Elend an. In: Neues Deutschland. Zentralorgan der SED, Beil. (1960) 194. *J. Poláček,* Deutsche soziale Prosa zwischen Naturalismus und Realismus. Zu C. V.s Romanen ›Das Weiberdorf‹ und ›Das tägliche Brot‹. In: Philologica Pragensia [Praha] 6 (1963) 3, 245–57. *A. Soergel/C. Hohoff,* In: A. S./C. H., Dichtung und Dichter der Zeit. Vom Naturalismus bis zur Gegenwart, Bd. 1, 1964, 308–14. *U. Michalska,* Problematyka kolonizacji w Wielkopolsce w ksiazce C. V. ›Das schlafende Heer‹. In: Filologia Poznań (1964) 6. *Dies.,* C. V. Versuch einer Monographie, [Poznań] 1968. *Dies.,* C. V.s Briefe (1943–1945) an Anni Krieger. In: Studia Germanica Posnaniensia [Poznań] 1 (1971), 27–34. *H. Knebel,* C. V., »das Naturtalent aus der Eifel« und Ostdeutschland. Zu ihrem 20. Todestag. In: Der Literat 14 (1972), 151. *J. Ruland,* C. V. In: Personen und Wirkungen, 1979, 250–54. *H. Jung,* C. V. neu entdeckt: Rehabilitiertes ›Weiberdorf‹. In: Aus dem Antiquariat. Beil. aus dem Börsenblatt für den Dt. Buchhandel, 1983, A 97–A 99.

Villinger, Hermine (Ps. H. Wilfried), * 6. 2. 1849 in Freiburg im Breisgau, † 4. 3. 1917 in Karlsruhe.

Stammte aus einer badischen Beamtenfamilie. Lebte ab 1850 in Karlsruhe, wohin ihr Vater, ein Geheimer Kriegsrat, versetzt worden war. Erhielt bis zu ihrem 13. Lebensjahr Unterricht in der dortigen höheren Töchterschule, besuchte von 1863 bis 1866 eine Klosterschule in Offenburg. Nach ihrer Rückkehr ins Elternhaus fand sie Kontakt zum Theater und zum literarischen Kreis um Anna Ettlinger. Wollte zunächst zur Bühne, beschloß dann, Schriftstellerin zu werden. Besuchte im Winter 1881 das neugegründete Viktoria-Lyzeum in Berlin. Lebte von einigen Reisen abgesehen bis zu ihrem Tod in Karlsruhe. War befreundet mit Marie von → Ebner-Eschenbach.

Vorwiegend Erzählerin. Schrieb zunächst in der Tradition der Dorfgeschichte, entwickelte dann, beeinflußt durch M. Ebner-Eschenbach, eine in »höherem Grad realistische und zugleich humorvolle Schreibweise« (R. Wild). Zentrale Themen ihrer von Zeitgenossen beachteten Romane und Erzählungen sind die Rolle der Frau in der bürgerlichen Gesellschaft und die »Möglichkeiten der Emanzipation aus den fixierten Rollenvorstellungen durch selbständige Tätigkeit«. H. V. schrieb auch zahlreiche, häufig autobiographisch geprägte Kinder- und Jugendbücher, die sich besonders an Mädchen wenden, und ebenfalls kritisch die eingeschränkten Wirkungsmöglichkeiten von Frauen behandeln. H. V.s liebevolle Schilderung des Lebens im Schwarzwald brachte ihr den Namen »Dichterin des Schwarzwalds« ein.

Werke: (u.d.N.H. Wilfried) Doris, R. 1880; Die Livergnas, R. 1882; (u.d.N. Hermine Villinger) Verloren und gewonnen, Lustsp. 1883; Der lange Hilarius, E. 1885; Aus dem Kleinleben, En. 1886; Zenz und andere Erzählungen, 1886; Sommerfrischen, Nn. 1887; Aus meiner Heimat, En. 1887; Der Lumpensammler. Im Bahnwarthäuschen. Der Karrenschieber. Castor und Pollux. Vagabunden, En. 1888; Das heilig Dirndl. Ungleiche Kameraden. Ein heiliger Abend. Der Eskimo, En. 1888; Der Gescheitere. Ein vergnügter Tag. Ben, En. 1888; Der Viertel. Der Holzsammler. Das geheilte Mäxl, En. 1888; Die Narren-Rosel. Die Geringsten. Ein Hausgenosse, En. 1888; Auch ein Roman und andere Geschichten, 1890; Ein Abgedankter, 1892; Schwarzwaldgeschichten, 1892; Schulmädelgeschichten, 1893; Unter Bauern und andere Geschichten, 1894; Kleine Lebensbilder, 1895; Aus unserer Zeit, Gesch., 1897; (MA:) Aus Wald und Grund. Gesch. vom Schwarzwald, 1897; Der Töpfer von Kandern. Eine Schwarzwaldgeschichte. In stenographische Debattenschrift übertragen, 1897;

Aus dem Badener Land, Gesch. 1898; Das Rätsel der Liebe, 1898; Stammes-Verwandt, 1898; Das dritte Pferd und andere Geschichten, 1898; Die Talkönigin, E. 1899; 's Tantele und anderes, Gesch. 1900; Allerlei Liebe, Gesch. 1901; Binchen Bimber, E. 1902; Die Insel des Friedens, R. 1902; Der neue Tag, E. 1903; Die Republik der Menschen, R. 1903; Der Weg der Schmerzen, E. 1904; Zenz, N. 1904; Aus der Jugendzeit, aus der Jugendzeit klingt ein Lied mir immerdar. Mein Klosterbuch, 1904; Mutter und Tochter, R. 1905; Eine Gewitternacht und anderes, En. 1905; Wo geht es hin?, Kleine Gesch. 1906; Kleine Leute, En. 1906; Im Wonnetal, Gesch. 1906; Zwei Landsmänninnen. Briefwechsel zwischen Louise Gräfin von Schönfeld-Neumann und H. V., 1906; Simplizitas, Jugendgesch. 1907; Der Dorfteufel, R. 1907; Das Erbschweinchen und andere Geschichten, 1907; Die Dachprinzeß, R. 1908; Der Stern des Niedergangs, 1908; Onkel Sigmund. Gegen den Grundsatz, Nn. 1908; Die Sünde des heiligen Johannes und andere Novellen, 1910; Randglossen. Das goldene Zeitalter der Büggebacher, En. 1910; Die Rebächle, R. 1910; Eingesteigert, 1911 (Auszug aus: Kleine Leute, 1906); Sterngucker, R. 1911; 's Büebli, 1911 (Auszug aus: Kleine Leute, 1906); Ein Lebensbuch, R. 2 Bd. 1911; Die goldenen Augen der Weldersloh, R. 1911; Dritter Klasse und andere Erzählungen, 1912; Das Erbe der Väter, R. 1912; Schuldig? Volksstück, 1912; Der Herr Stadtrat, R. 1912; Meine Tante Anna, 1916; Das Blumenkränzchen und andere Erzählungen für junge Mädchen, 1920; Lebenswege, Gesch. 1922.

NACHLASS: Landesbibliothek Karlsruhe.

LITERATUR: *K. Hesselbacher,* H. V. In: Westermanns Monatshefte, 1917. *Ders.,* Zum Gedächtnis an H. V. In: Velhagen und Klasings Monatshefte (1917) 9. *W. E. Oeftering,* H. V. In: Pyramide vom 11. März 1917. *K. Joho,* H. V. In: Eckart, 1936. *L. Barck-Herzog,* H. V. – Marie von Ebner-Eschenbach: Eine Dichterfreundschaft nach Briefen von H. V. dargestellt. In: Dt. Rundschau 87 (1961), 845–49. *R. Wild,* H. V. In: Lex. der Kinder- und Jugendlit., Bd. 3, 1979, 716ff.

Voigt-Diederichs, Helene (Ps. H. v. Ziegler), * 26. 5. 1875 auf Gut Marienhoff bei Eckernförde, † 3. 12. 1961 in Jena.

Der Vater, Chr. Theodor Voigt, war der Besitzer des Gutes Marienhoff. H. V.-D. unternahm von dort aus größere Reisen. Lernte in Florenz den Verlagsbuchhändler Eugen Diederichs kennen, den sie 1898 in Leipzig heiratete. Vier Kinder. Zog 1904 mit ihm nach Jena. Ließ sich 1911 scheiden. Lebte, unterbrochen von Reisen durch Deutschland, Italien, England und Spanien, bis 1931 in Braunschweig, danach wieder in Jena. Schrieb Gedichte, Romane und Erzählungen, in denen sie norddeutsches ländliches Leben, Kindergeschichten und Schicksale bäuerlicher Frauen schildert. Ihr Roman ›Dreiviertel Stund vor Tag‹ (1905), wurde von D. v. Liliencron und G. Falke als bester Roman innerhalb des niedersächsischen Kulturkreises preisgekrönt. Ein Buch der Erinnerung ist ›Auf Marienhoff‹ (1925), das »aus dem Leben einer Gutsfrau und vom Leben und von der Wärme einer Mutter« berichtet.

WERKE: (u. d. N. H. v. Ziegler) Ein Fliedersträußchen. Die Kinder im Walde, En. für die Jugend im Alter von 9–15 Jahren, 1896; In gefahrvoller Stunde.

Im Burgfrieden von Hoheneck, En. für die Jugend, 1898; (u. d. N. Helene Voigt) Schleswig-Holsteiner Landleute. Bilder aus dem Volksleben, 1898 (erw. Neuaufl. u. d. T. Schleswig-Holsteiner Leute, 1926); Abendrot. Aus dem schleswigschen Volksleben, 1899; (u. d. N. Helene Voigt-Diederichs) Unterstrom, G. 1901; Regine Vosgerau. Aus dem schleswigschen Volksleben, R. 1901 (Neuaufl. u. d. T. Regine, 1923); Leben ohne Lärmen, 1903; Dreiviertel Stund vor Tag. R. aus dem niedersächsischen Volksleben, 1905; Zwischen Lipp' und Kelchesrand, 1905 (Auszug aus: Schleswig-Holsteiner Landleute, 1898); Die Balsaminen. Mittagstunde, En. 1906; Vorfrühling, 5 ausgew. Nn., 1906; Aus Kinderland, En. 1907 (Neuaufl. u. d. T. Kinderland, 1938; erw. Neuaufl. 1955); Nur ein Gleichnis, 1909; Wandertage in England, 1912; Luise, E. 1916; Wir in der Heimat. Bilder aus der Kriegszeit, 1916; Zwischen Himmel und Steinen. Pyrenäenfahrt mit Esel und Schlafsack, 1919; Mann und Frau, 1922; Fünf Geschichten aus Schleswig-Holstein, 1925; Auf Marienhoff. Vom Leben und von der Wärme einer Mutter. Buch der Erinn., 1925; Schleswig-Holsteiner Blut, 1926 (enth. u. a. Leben ohne Lärmen, 1903 u. Nur ein Gleichnis, 1910); Ring um Roderich, R. 1929; (MA:) Von Müttern und ihrer Liebe. Aus den Lebenserinn., 1931; Junge Fru int Hus, Bühnensp. 1931; Eltern und Kind, En. 1932; Menschen in Schleswig-Holstein, 3 Gesch. 1932 (Auszug aus: Schleswig-Holsteiner Blut, 1926); Der grüne Papagei. Gesch. von Kindern, 1934; Aber der Wald lebt, E. 1935. Gast in Siebenbürgen, Tgb. 1936; Sonnenbrot, 1936; Vom alten Schlag, En. 1937; Autobiographisches. In: Dichter schreiben über sich selbst, 1940; (Einl.) O. Herbig, Welt des Kindes. Bilder, 1940; Das Verlöbnis, R. 1942; Strauß im Fenster, E. 1945; Der Zaubertrank, 1948; Die Bernsteinkette, En. 1951; Waage des Lebens, R. 1952.
BRIEFE: H. Hesse/H. V.-D.: Zwei Autorenporträts in Briefen 1897–1900, 1971.

NACHLASS: Landesbibliothek Kiel.
LITERATUR: *B. Wille,* H. V.-D. In: Das lit. Echo 3 (1900/01). *M. Schwamm,* H. V.-D. ›Weidenkätzchen‹. In: Die Gesellschaft, Bd. 2, 1901. *L. Weber,* H. V.-D. ›Regine Vosgerau‹. In: Der Kunstwart (1902) 17. *C. Busse,* H. V.-D. ›Leben ohne Lärmen‹. In: Dt. Monatsschrift für das gesamte Leben der Gegenwart 3 (1904) 3. *T. Klaiber,* H. V.-D. In: T. K., Dichtende Frauen der Gegenwart, 1907. *W. Lobsien,* H. V.-D. ›Wir in der Heimat‹. In: Die Heimat (1915/16). *K. Peter,* H. V.-D. In: Schleswig-Holsteiner Landleute. Norddt. Monatshefte 3 (1917). *J. Bödenwaldt,* H. V.-D. In: Klingsor 12 (1934/35). *H. Kindermann,* H. V.-D. In: Völkische Kultur, 1935. *R. Lösch,* H. V.-D. In: Kritische Gänge Nr. 25 der Berliner Börsenzeitung, 1935. *P. Wittko,* H. V.-D. In: Ostdt. Monatshefte 16 (1935/36). *J. Blumenröhr,* H. V.-D.' Menschengestaltung, Diss. Münster 1941. *F. Lennartz,* Deutsche Dichter und Schriftsteller unserer Zeit, 8. erw. Aufl., 1959, 786ff.

Waser, Maria, * 15. 10. 1878 in Herzogenbuchsee b. Bern, † 19. 1. 1939 in Zollikon b. Zürich.
Der Vater, Walther Krebs, war Arzt. Sie studierte in Lausanne und Bern Geschichte und deutsche Literaturgeschichte; 1901 Dr. phil. Bereiste von 1902–1904 Italien zwecks Kunststudien. Heiratete 1905 den Universitätsprofessor für Archäologie Otto Waser. Zwei Söhne. Redigierte von 1904–1919 mit ihrem Mann die Kunstzeitschrift ›Die Schweiz‹ in Zürich. Weitere Reisen nach Frankreich, England, Deutschland, Griechenland (1923) und wiederholt nach Italien.
Vorwiegend Erzählerin, auch Biographin, Essayistin. Erfolgreich wurde vor allem ihr Roman ›Die Geschichte der Anna Waser‹ (1913). Erhielt den Preis der Schweizer Schiller-Stiftung und den Zürcher Literaturpreis 1939.

WERKE: Die Politik von Bern, Solothurn und Basel in den Jahren 1466–68. Zeitgeschichtliches zum Mühlhäuser Krieg, 1902; Henzi und Lessing. Eine hist.-lit. Studie, 1903; (Mithrsgin.) Die Schweiz. Illustrierte Halbmonatsschrift (später Monatsschrift), 1904–1919; Nachspiel zu Schumanns ›Der Rose Pilgerfahrt‹, 1908; Unter dem Quittenbaum, 1912; Die Geschichte der Anna Waser. Ein R. aus der Wende des 17. Jh.s., 1913 (N Sonderausg. zum 100. Geb. der Dichterin [1978?]); Das Jätvreni, E. 1917; Scala santa, Nn. 1918; (Vorw.) F. Oschwald-Ringier, Alti Liebi, 1919; Von der Liebe und vom Tode. Nn. aus 3 Jh., 1920; Wir Narren von gestern. Bekenntnisse eines Einsamen, R. 1922 (N 1960); Das Gespenst im Antistitium, Nn. 1923; Wege zu Hodler, 1927; (Einl.) L. Wenger, Was mich das Leben lehrte. Gedanken und Erfahrungen, 1927; J. V. Widmann. Vom Menschen und Dichter, vom Gottsucher und Weltfreund. Eine Darstellung. In: Die Schweiz im dt. Geistesleben, Bd. 46 u. 47, 1927; Der heilige Weg. Ein Bekenntnis zu Hellas, 1927; Die Sendung der Frau, Ansprache, 1928; Wende. Der R. eines Herbstes, 1929; Land unter Sternen. Der R. eines Dorfes, 1930; Begegnung am Abend. Ein Vermächtnis, 1933 (Erinn. an den Neurologen K. v. Monakow); Lebendiges Schweizertum, 1934; Sinnbild des Lebens, Autobiogr. 1936; Das besinnliche Blumenjahr, G. zu Aquarellen von H. Krebs, 1938; Vom Traum ins Licht, G. 1939.
VERÖFF. A. D. NACHLASS: Nachklang, Ess. und En., Ausw. 1944; Gedichte, Briefe, Prosa, hrsg. v. E. Gamper, 1946 (mit Biogr.); Berner Erzählungen. Wende, Teil-Slg., 1959.
BIBLIOGRAPHIE: *E. Metelmann,* M. W.-Bibliographie. In: Die schöne Lit. 29 (1928).
LITERATUR: [Selbstbiogr.]. In: E. Kern (Hrsgin.), Führende Frauen Europas, 1928; *M. Joachim Dege,* M. W. In: Die schöne Lit. 29 (1928). [Selbstbiogr.]. In: Dichtung und Erlebnis. Vortragsreihe der Zürcher Volkshochschule, 1934. *K. M. Fassbinder,* Von der Liebe und vom Leben. In: Germania (1934) 284. *H. Weilemann,* Dichtung und Erlebnis, 1924. *L. Martini,* M. W. Sinnbild des Lebens. In: Weltstimmen. Weltbücher im Umriß 11 (1937). *E. Siebels,* Land unter Sternen. Ein Gruß an M. W. In:

Die Frau 46 (1938). *E. Odermatt,* M. W. In: Neue Zürcher Nachrichten (1938) 298 (293). *C. F. Wiegand,* M. W. Ein Wort zu ihrem 60. Geburtstage. In: Neue Schweizer Bibliothek 34 (1938). M. W. Pro memoria. In: Vereinigung Oltner Bücherfreunde, 1939. M. W. zum Gedächtnis, 1939. *F. Ammann-Meuring,* M. W. zum Gedenken. Erinn. an Gespräche mit der Dichterin, 1939. *O. Brand,* Zum Tode M. W.s. In: Neue Schweizer Rundschau [Zürich] N.F. 6 (1939). *C. Günther,* M. W. gestorben. In: Schweizer Monatshefte 18 (1939). *M. Kesselring,* Der erziehungspsychologische und lebenskundliche Ertrag in M. W. ›Sinnbild des Lebens‹. In: Zs. für pädagogische Psychologie und Jugendkunde 43 (1942). *G. Bohnenblust,* M. W. In: G. B., Vom Adel des Geistes, 1943. *E. Gamper,* Frühe Schatten – frühes Leuchten. M. W. Jugendjahre, 1945. *F. Ammann-Meuring,* Eingebung und Gestaltung in M. W.s Prosawerk. In: Schweizer Monatshefte 25 (1945/46), 630–37. *F. Ammann-Meuring,* Erinnerungen an M. W. In: Schweizer Monatshefte (1946) 10. M. W. In: Biographisches Lex. verstorbener Schweizer, Bd. 1, hrsg. v. Schweizerische Industrie Bibliographie, 1947. *S. Woodtli-Löffler,* M. W. In: Neue Zürcher Ztg., Fernausgabe (1948) 284. *O. Brand,* Stilles Wirken. Schweizer Dichterinnen, 1949. *A. Zäch,* Die Dichtung der deutschen Schweiz, 1951. *G. Küffer,* M. W. [Bern] 1971.

Weirauch, Anna Elisabeth, * 7. 8. 1887 in Galatz (Rumänien), † 21. 12. 1970 in Berlin.

War 1904–1914 Schauspielerin am Deutschen Theater bei Max Reinhardt in Berlin. Schrieb Romane, Kinderbücher und ein Filmwerk. Ihr dreibändiger Roman ›Der Skorpion‹ (1919–1921) war einer der ersten bedeutsamen Beiträge zum Thema lesbische Liebe. Erhielt die Goldene Medaille für Kunst und Wissenschaft.

WERKE: Die kleine Dagmar, R. 1919; Der Skorpion, R. 3 Bd. 1919–1921; Tag der Artemis, Nn. 1919; Sogno. Das Buch der Träume, R. 1919; Anja. Die Geschichte einer unglücklichen Liebe, R. 1919; Gewissen, R. 1920; Die gläserne Welt, R. 1921; Der Garten des Liebenden, 1921; Agonie der Leidenschaft, R. 1922; Ruth Meyer. Eine fast alltägliche Geschichte, R. 1922; Falk und die Felsen, Theater-R. 1923; Edles Blut, R. 1923; Nina van't Hell, R. 1924; Höllenfahrt, R. 1925; Tina und die Tänzerin, R. 1927; Ungleiche Brüder, R. 1928; Herr in den besten Jahren, R. 1929; Die Farrels, R. 1929; Lotte, R. 1930; Carmen an der Panke, R. 1931; Denken Sie an Oliver, R. 1931; Briefe in Bareiros Hand, R. 1932; Schlange im Paradies, R. 1932; Frau Kern, R. 1934; Geheimnis um Petra, R. 1934; Das seltsame Testament, R. 1934; Mädchen ohne Furcht, R. 1935; Haus in der Veenestraat, R. 1935; Junger Mann mit Motorrad, R. 1935; Mijnheer Corremans und seine Töchter, R. 1936; Café Edelweiss, R. 1936; Der große Geiger, R. 1937; Iduna auf Urlaub, R. 1937; Martina wird mündig, R. 1937; Rätsel Manuela, R. 1938; Donate und die Glückspilze, R. 1940; Die entscheidende Stunde, R. 1940; Die Geschichte mit Genia, R. 1941; Die drei Schwestern Hahnemann, R. 1941; Einmal kommt die Stunde, R. 1942; Wiedersehen auf Java, R. 1949; Schicksale in der Coco-Bar, R. 1949; Das Schiff in der Flasche, Kb. 1951; Karin und Kathi, Kb. 1954; Die letzten Tage vor der Hochzeit, R. 1955; Drei Monate, drei Wochen und drei Tage, R. 1957; Claudias großer Fall, R. 1957; Der Mann gehört mir, R. 1958; Und es begann so zauberhaft, R. 1959; Der Fall Vehsemeyer, R. 1959; Mit 21 beginnt das Leben, R. 1959; Der sonderbare Herr Sörrensen, R. 1959; Tanz

um Till, R. 1960; Überfall bei Valentin, R. 1960; Die geheimnisvolle Erbschaft, R. 1961; Bella und Bellinda, R. 1961; Tante Zinnober und das Wasserschloß, R. 1961; Die Flimfanny, R. 1962; Ein Leben am Rande, R. 1965; Anstatt der angekündigten Vorstellung, R. 1965.
DREHBUCH: Es lebe die Liebe.

Wenger, Lisa (geb. Ruutz), * 23. 1. 1858 in Bern, † 17. 10. 1941 in Carona bei Lugano.
Bildete sich in Paris, Florenz und Düsseldorf als Malerin aus. Gründete in Basel ein Atelier mit Schule für Porzellanmalerei. Heiratete 1890 den Fabrikanten Theo Wenger. Zwei Töchter. Lebte lange in Bern; Wohnsitz auch in Délemont (Delsberg) im Jura. Seit 1906 freie Schriftstellerin. – Phantasievolle Erzählerin. Schrieb Märchen, Erzählungen, Schauspiele, Jugend- und Bilderbücher.

WERKE: Das blaue Märchenbuch, 1905; Wie der Wald still ward, Tiergesch. 1906 (1907); Prüfungen, R. 1908; Joggeli söll ga Birli schüttle!, Kb. 1908; Die Wunderdoktorin, R. 1909 (1910); Der Kampf um die Kanzel, E. 1911; Das fünfte Rad. Die Schuldige, 2 En. 1911 (Das fünfte Rad auch als Schauspiel); Irrende, R. 1912; Das kluge Huhn, 1912; Das Zeichen, Schausp. 1914; Der Rosenhof, R. 1915; Er und Sie und das Paradies, 1918; Die drei gescheiterten Männer von Au. Vetter Jeremias und die Schwestern Tanzeysen, Nn. 1919; Amoralische Fabeln, 1920; Beni, der Tor. Gesch. eines jungen Grüblers, 1921; Die Altweibermühle. Frauenmärchen, 1921; Der Vogel im Käfig, R. 1922; Wie Anna-Marie ihre Mutter sucht. Ein Bilderb. mit Versen, 1923; Pfarrer Saller, En. 1923; Der Garten. En. aus dem Tessin, 1925; Sieh mich an – hast Freude dran! Ein Bilderb. mit Text, 1925; Vom ungehorsamen Jockel. Ein Bilderb. nebst Text, 1925; Im Spiegel des Alters, Erinn. 1926; Was mich das Leben lehrte, Gedanken und Erfahrungen, 1927; 'S fimft Rad, Schausp. 1928; Die Longwy und ihre Ehen, R. 1930; Es schwärs Warte, Einakter, 1930; Die Wirtin zur Traube, 1931; Hüt isch wider Fasenacht, wo-n-is d'Muetter Chüechli backt. Bilderb. nebst Text, 1934; Jorinde die siebzehnjährige, 1935; Aber, aber Kristinli! und andere Geschichten, 1935; Die Glücksinsel, 1936; Verenas Hochzeit, E. 1938; Was hab ich mit Dir zu schaffen? 3 Frauenschicksale, 1938; Baum ohne Blätter, R. 1938; Ein Mann ohne Ehre, R. 1940; Licht und Schatten in San Marto, R. 1940; Elisabeth sucht Gott, 1941; D's Lisa, E. 1942; Hans-Peter Ochsner, R. 1942; Oh wie bös – oh nit so bös! Die Geschichte vom Mannli und vom Fraueli, Bilder und Text, 1946.

LITERATUR: *A. Heine,* L. W.s Romane. In: Die Lit. 26 (1923/24). *H. Rychener,* L. W. In: Schweizer, 1941. Marianne, Erinnerungen an L. W. In: Sonntagsblatt Nr. 9 der Basler Nachrichten, 1946. *O. Brand,* Stilles Wirken. Schweizer Dichterinnen, 1949.

Wentscher, Dora, * 6. 11. 1883 in Berlin, † 3. 9. 1964 in Erfurt.
Ihr Vater war Landschaftsmaler. Sie wurde zunächst Schauspielerin (1903–1913), dann Bildhauerin und Malerin. Nach 1918 Mitarbeiterin an der ›Schaubühne‹ (›Weltbühne‹) und der Zeitschrift ›Frieden‹ (1919). Trat der Arbeiterbewegung nahe und wurde 1929 Mitglied der KPD. Emigrierte 1933 über Prag in die Sowjetunion; dort als Schriftstellerin, Übersetzerin und Kritikerin tätig (u.a. beim Moskauer Rundfunk). Kehrte 1946 nach Deutschland zurück. Lebte als freischaffende Schriftstellerin in Weimar; verheiratet mit dem Schriftsteller Johannes Nohl (1882–1963).
Vorwiegend Erzählerin. Trat zuerst mit dem teilw. autobiographischen Theaterroman ›Barbara Velten‹ (1920) an die Öffentlichkeit. Während der Exiljahre entstanden u.a. antimilitaristische Erzählungen. Langjährige Arbeit am Lesedrama ›Heinrich von Kleist‹.
Sie erhielt die Medaille »Kämpfer gegen den Faschismus« und den Vaterländischen Verdienstorden in Bronze (1959).

WERKE: Barbara Velten. Die Geschichte einer Theater-Passion, 1920; Zwei En., [Moskau] 1939 (enthält: Der Kamerad des Heldenjungen. Die Milch ist eingeteilt); Der Landstreicher, E. [Moskau] 1940; Die Schule der Grausamkeit, E. [Moskau] 1941; Nevanist' [Eifersucht], En. 1942 [russ.]; Rasskazy, En. 1942 [russ.]; Tante Tina, Nn. 1946; (Hrsgin.) Heine. Buch der Lieder, 1946; Das Parallelepiped des Leutnants, En. 1947; Sie suchen den Tod, E. 1947; Der Soldatenvater, E. 1947; Vergangenes, nicht Vergessenes, En. 1947; (Hrsgin.) A. Weil, Der Bauernkrieg, 1947; (Hrsgin.) Lenau. Ein Kämpfer, 1948; (Hrsgin.) J. G. Herder, Journal meiner Reise im Jahre 1769, 1949; An die Freude, E. 1950; Mein Kleistbild. Die Verfasserin der biogr. Dichtung ›H. v. Kleist‹ über ihr Werk und über ihren Helden. In: NDL (1954) 5; Helden, Frauen und Knechte, ausgew. En. 1956; Heinrich von Kleist, Lesedr. 1956; Flößstelle Iskitim, Sibirisches Tgb. 1941/42, 1962.
ÜBERSETZUNG: Jack Conroy, Die Enterbten, 1936.
LITERATUR: *U.B.,* D.W. ›Der Kamerad des Heldenjungen‹. In: Freies Dtld. [Mexiko] (1943) 11. *E. Hilscher,* Aus Deutschlands schwerer Zeit [›Helden, Frauen und Knechte‹]. In: Berliner Ztg. (1957) 103. *K. Liebmann,* H. v. Kleist‹. In: Börsenblatt für den deutschen Buchhandel [DDR] (1957) 12. *H.H.R.,* Nivellierter Kleist [Lesedrama ›H. v. Kleist‹]. In: Sonntag. Eine Wochenschrift für Kulturpolitik, Kunst und Unterhaltung [Berlin] (1957) 1. *R. Rothschild,* Das Lebensdrama H. v. Kleists. In: NDL (1957) 6. *K. Liebmann,* ›Flößstelle Iskitim, Sibirisches Tagebuch 1941/42‹. In: NDL (1963) 1. *Ders.,* Ein Tagebuch für uns. In: Neues Deutschland. Zentralorgan der SED, Beil. (1963) 86. *Ders.,* Ein Leben für den Humanismus. Zum 80. Geburtstag. In: Börsenblatt für den deutschen Buchhandel [DDR] (1963) 305. [D.W.] In: Lexikon sozialistischer deutscher Literatur. Von den Anfängen bis 1945 [Halle/Saale] 1963 [^{2}Leipzig 1964]. *L. Fürnberg,* Vorw. zu: D.W., Helden, Frauen und Knechte, Weimar 1956 (wiederh. in: L.F., Ges. Werke, Bd. 5: Reden/Aufsätze: Literatur und Kunst, Berlin/Weimar 1971, ^{2}1977).

Wied, Martina (Ps. f. Alexandrine Martina Augusta Schnab(e)l, verh. Weisl), * 10. 12. 1882 in Wien, † 25. 1. 1957 ebda.

Ihr Vater war der Jurist Josef Schnab(e)l. Sie studierte deutsche Philologie, Philosophie, Geschichte und Kunstgeschichte in Wien. Unternahm in dieser Zeit Reisen nach Polen, Frankreich, England und Italien. Heiratete 1910 den Fabrikanten Sigmund Weisl († 1930). Arbeitete an zahlreichen Zeitschriften mit, u.a. ab 1913 am ›Brenner‹. Bekanntschaft mit Paul Ernst. Wurde 1939 in Schottland vom Krieg überrascht. Blieb dort und war als Lehrerin tätig. Kehrte 1947 nach Österreich zurück.

Trat zuerst als Lyrikerin, auch als Essayistin und mit literaturkritischen Aufsätzen an die Öffentlichkeit; danach vorwiegend Erzählerin, später auch Dramenautorin. Erhielt 1924 zusammen mit Robert Musil, Richard Billinger und Otto Stoessl den Dichterpreis der Stadt Wien. 1952 wurde sie als erste Frau mit dem Großen Österreichischen Staatspreis für Literatur ausgezeichnet.

WERKE: Bewegung, G. 1919; Das unruhige Herz, N. 1927; Rauch über Sanct Florian oder Die Welt der Mißverständnisse, R. 1937; Das Einhorn. Aus dem Tagebuch eines schottischen Malers in Italien, hist. E. 1948 (N 1964); Kellingrath, R. 1950 (1934 in der ›Wiener Zeitung‹ erschienen u.d.T. ›Das Asyl zum obdachlosen Geist‹); Jakobäa von Bayern, ihr Leben und ihre Welt (1401–1436), 1951; Das Krähennest. Begebnisse auf verschiedenen Ebenen, Zeit-R. 1951; Brücken ins Sichtbare. Ausgew. G. 1912–1952, 1952; Die Geschichte des reichen Jünglings, R. 1952; Jeder hat sein Grundmotiv. Ein Selbstporträt. In: Welt und Wort 8 (1953), 298ff.; Der Ehering, E. 1954; Das unvollendete Abenteuer, N. 1955; Aperspektivische Novellen-Kunst. In: Der Wille zur Form 5 (1960), 181–84.

ÜBERSETZUNG: W. Cohn, Chinesische Malerei, 1947.

LITERATUR: *L. Bäte,* M. W. ›Bewegung‹. In: Die schöne Lit. 22 (1921). *K. Vancsa,* M. W. ›Rauch über St. Florian‹. In: Unsere Heimat, [Wien] 10 (1937). *V. Suchy,* M. W. und die österreichische Literatur. In: Die Österreichische Furche (1950) 13. *O. M. F.,* M. W. In: Die Presse, [Wien] (1952) 1259. *A. M.,* M. W. In: Wiener Ztg. (1952) 287. *R. Y.,* M. W. In: Neue Wiener Tages-Ztg. (1952) 288. *E. Waldinger,* M. W. ›Brücken ins Sichtbare‹. In: Books abroad. An international literary quarterly, [Norman (Oklahoma)] 1955. *N. Langer,* M. W. In: N. L., Dichter aus Österreich, F. 1, 1956 (N 1963). *H. Winter,* M. W. In: Wort in der Zeit, [Graz u. Wien] 3 (1957), 257–62. *N. Langer,* M. W. und P. Ernst. In: Der Wille zur Form (1960) 5. *J. L. Berry,* M. W., Austrian novelist, Diss. Vanderbilt Univ. 1966. *W. Mauser,* M. W. In: Hdb. d. dt. Gegenwartslit. Bd. 2 (^{2}1970), 311. *H. Brunmayr,* Les romans de M. W. (1882–1957). In: Austriaca [Rouen] 3 (1977) 4, 45–54.

Wildermuth, Ottilie, * 22. 2. 1817 in Rottenburg/Neckar, † 12. 7. 1877 in Tübingen.

Erstes Kind der Leonore geb. Scholl und des Kriminalrats und schwäbischen Heimaterzählers Gottlob Christian Roosschütz. Drei Brüder. Wuchs in Marbach auf, wohin der Vater als Oberamtsrichter versetzt worden war. Erhielt zunächst Privatunterricht; besuchte dann bis zum 14. Lebensjahr die Volksschule. Kam 1833 für ein halbes Jahr nach Stuttgart, wo sie in einer privaten Haushaltungsschule Kochen und Nähen lernte. Da sie im Gegensatz zu ihren Brüdern keine Weiterbildungsmöglichkeiten hatte, erwarb sie durch Selbststudium vielfältige sprachliche (Englisch, Französisch) und literarische Kenntnisse. Heiratete 1843 den Gymnasialprofessor Johann David Wildermuth, mit dem sie in Tübingen lebte. Fünf Kinder, zwei früh verstorben. O.W. unterrichtete Mädchen, betätigte sich karitativ und versorgte in ihrem gastlichen Haus Kostgänger. Pflegte von 1847 bis 1874 ihre Mutter, die sie nach dem Tod des Vaters bei sich aufgenommen hatte. 1847 schrieb sie ihre erste Erzählung ›Eine alte Jungfer‹, die im ›Morgenblatt‹ veröffentlicht wurde. Damit begann eine rege schriftstellerische Tätigkeit. U.a. war sie Mitarbeiterin von rund 16 Zeitschriften. Hatte Verbindung zu bekannten Zeitgenossen wie Uhland, Keller, Klüpfel, Landerer, Öhler, Palmer, Reusch, Kerner, Gotthelf, Stifter, Schelling, Heyse, Schubert, Bodenstedt u.a. Hielt engen Kontakt zu den Zirkeln praktizierender evangelischer Christen und zu verschiedenen Frauenvereinigungen. Kleinere Reisen führten sie in die Schweiz, das Elsaß, nach Baden-Baden und Schleswig. Erkrankte in den sechziger Jahren an einem immer wieder auftretenden Nervenleiden.

Beliebte Erzählerin und Jugendschriftstellerin ihrer Zeit. Schilderte vor allem mit Lokalkolorit und Humor Familien- und Lebensbilder ihrer schwäbischen Heimat. Wurde in allen Gesellschaftsschichten gelesen. Zu ihrem Erfolg trug bei, »daß sie das tatkräftige Beispiel einer sozial engagierten Frau aus christlicher Überzeugung gab und mit verschiedenen Schriften ›aus dem Frauenleben‹, mit einer Bearbeitung der ›Olympia Morata‹ von Jules Bonnet und der Übersetzung von ›La Femme‹ (›Die Aufgabe und das Leben des Weibes im Lichte des Evangeliums‹) von Adolphe Monod ein Frauenbild vervielfältigte, das der nach 1848 herrschenden politischen und religiösen Restauration frommte« (W. Promies).

Erhielt 1871 die Große Medaille für Kunst und Wissenschaft. Die Frauen Tübingens errichteten ihr 1887 auf dem Wörth in Tübingen ein Denkmal.

WERKE: Bilder und Geschichten aus dem schwäbischen Leben, 1852 (Inhalt: Genrebilder aus einer kleinen Stadt; Bilder aus einer bürgerlichen Familiengalerie; Die alten Häuser von K.; Schwäbische Pfarrhäuser [N 1976]; Heiratsgeschichten); Neue Bilder und Geschichten aus Schwaben, 1854 (Inhalt: Gestalten aus der Alltagswelt; Krumme und gerade Lebenswege; Hagestolze; Vom Dorfe); Aus der Kinderwelt. Ein Buch für jüngere Kinder, 1854; Olympia Morata. Ein christliches Lebensbild, 1854; Erzählungen und Märchen für die Jugend, 1855 (N u.d.T. Von Berg und Tal, 1865); Aus dem Frauenleben, En. 1855 (Inhalt: Ein sonnenloses Leben; Morgen, Mittag und Abend; Die Verschmähte; Unabhängigkeit; Der erste Ehezwist; Die Lehrjahre der zwei Schwestern; Mädchenbriefe; Lebensglück; Ein Herbsttag bei Weinsberg; Tote Treue); Auguste. Ein Lebensbild, 1857; Die Heimat der Frau, 1859 (Inhalt: Heimkehr; Verfehlte Wahl; Daheim); (MA:) Erzählungen für den Sylvesterabend, 1860; Sonntag-Nachmittage daheim. Betrachtungen für häusliche Erbauung. Nach dem Engl. 1860; (Vorw.) Der weibliche Beruf. Gedanken einer Frau. Frei nach dem Engl. von A.v. Wächter, 1861; Aus Schloß und Hütte. En. für Kinder, 1861; Im Tageslicht. Bilder aus der Wirklichkeit, 1861 (Inhalt: Frauengalerie; Vor dem letzten Haus; Herr Wezler und seine Frau; Wiedersehen; Eugenie); Dichtungen, 1863; Lebensrätsel, gelöste und ungelöste, En. 1863 (Inhalt: Klosterfräulein; Liebeszauber; Mußte es sein? Eine dunkle Familiengeschichte; Drei Feste); Jugendgabe, 1864; Kindergruß. En. für die Kinder, 1864; Erzählungen, 1866; Der Einsiedler vom Walde, 1867; Perlen aus dem Sande (Inhalt: Aus trüben Wassern; Die Schule der Demut; Marie und Maria; Taube Blüten); Für Freistunden. En. für die Jugend, 1869; Zur Dämmerstunde, En. 1871; Jugendschriften, 22 Bd. 1871–1900 (Inhalt: 1. Ein einsam Kind. Die Wasser im Jahre 1824, 2 En.; 2. Drei Schulkameraden. Der Spiegel der Zwerglein, 2 En.; 3. Eine seltsame Schule. Bärbeles Weihnachten, 2 En.; 4. Eine Königin. Der Kinder Gebet, 2 En.; 5. Spätes Glück. Die drei Schwestern vom Walde, 2 En.; 6. Die Ferien auf Schloß Bärenburg. Der Sandbub' oder Wer hat's am besten? 2 En.; 7. Cherubino und Zephirine. Kann sein, 's ist auch so recht, 2 En.; 8. Brüderchen und Schwesterchen. Der Einsiedler im Walde, 2 En.; 9. Der Peterli vom Emmenthal. Zwei Märchen für die Kleinsten; 10. Krieg und Frieden. Emmas Pilgerfahrt, 2 En.; 11. Das braune Lenchen. Des Königs Patenkind, 2 En.; 12. Nach Regen Sonnenschein. Frau Luna. Das Bäumlein im Walde, 3 En.; 13. Die Nachbarskinder. Kordulas erste Reise. Balthasars Äpfelbäume; 14. Die wunderbare Höhle. Das Steinkreuz. Unsre alte Marie; 15. Der kluge Bruno. Eine alte Schuld. Heb' auf, was Gott dir vor die Tür legt; 16. Elisabeth. Die drei Christbäume. Klärchens Genesung. Das Feental; 17. Vom armen Unstern. Eine wahrhafte Geschichte; 18. Es ging ein Engel durch das Haus. Des Herrn Pfarrers Kuh. Die erste Seefahrt, 3 En.; 19. Schwarze Treue. E.; 20. Das Osterlied. Die Kinder der Heide, 2 En.; 21. Hinauf und Hinab, E.; 22. Der rote Hof. Eine Geschichte aus der Marsch); Kinder-Glückwünsche, 3 Bd. 1874–1875 (Inhalt: 1. Zum Geburtstag, 1874; 2. Zu Weihnachten und Neujahr, 1875; 3. Zu Polterabend und Hochzeit, 1875); Aus Nord und Süd, En. 1874; (Hrsgin.) Der Jugendgarten. Eine Festausg. für die dt. Jugend, 22 Bd. 1876–1896, gegründet von O.W. Fortgeführt von ihren Töchtern A. Willms und A. Wildermuth.

VERÖFF. A. D. NACHLASS: Mein Liederbuch, G., hrsg. v. A. Willms, 1877; Beim Lampenlicht. Aus ihrem Nachlaß ges. v. A. Willms, 1878; Die Salome weiß Rat, 1879; Kleine Geschichten, 1880; Ottilie Wildermuths Leben. Nach ihren eigenen Aufzeichnungen zusgest. und ergänzt von ihren Töchtern A. Willms/A. Wildermuth, 1888 ([4]1911); Briefe an einen Freund. Mit einer Lebensskizze, hrsg. v. B. Schulze-Smidt, 1910; Briefwechsel zwischen Justinus Kerner und O.W. 1853/62, hrsg. v. A. Wildermuth, 1927 (wiederh. 1960 u.d.T. Justinus Kerner und O.W.); O.W./Hermann Wildermuth, Ach, die Poesie im Leben ... O.W. Briefwechsel mit ihrem Sohn Hermann, hrsg. v. R. Wildermuth, 1979.

WERKAUSGABEN: Werke, 8 Bd. 1862; Gesammelte Werke, 10 Bd., hrsg. v. A. Wildermuth, 1891–1894; Ausgewählte Erzählungen für die Jugend, 22 Bd. 1910.

WEITERE AUSGABEN: Bilder und Geschichten aus Schwaben mit den ›Schwäbischen Pfarrhäusern‹, hrsg. v. R. Wildermuth, 1977; Der Prinz aus Mohrenland. Und andere Geschichten aus Schwaben, hrsg. v. R. Wildermuth, 1981.

NACHLASS: Dt. Lit.archiv Marbach/ Schiller-Nationalmuseum.

LITERATUR: [O.W.] In: Unsere Zeit,

N.F. 13 (1877) II, 952. O.W. In: Gegenwart, 12 (1877), 102ff. *H. Gross,* O.W. In: H.G., Deutschlands Dichterinnen und Schriftstellerinnen, ²1882, 187f. *A. Merget,* Geschichte der deutschen Jugendliteratur, ³1882 (N 1967). [O.W.] In: Schwäbischer Merkur (1888) 589. *A. Willms/A. Wildermuth,* O.W.s Leben (nach ihren eigenen Aufzeichnungen zusgest. und ergänzt), 1888. *T. Schott,* O.W. In: ADB XLII. *A. Bousset,* Lebens- und Charakterbilder deutscher Frauen, 1897. *A. Blos,* Frauen in Schwaben. Fünfzehn Lebensbilder, 1929. *F. Weller,* O.W. In: Württemberg (Aug. 1937), 333–38. *V. Vollmer,* O.W. In: M. Miller/R. Uhland (Hrsg.), Schwäbische Lebensbilder 5 (1950), 354–78. *W. Promies,* O.W. In: Lex. der Kinder- und Jugendlit., Bd. 3, 1979, 804–07.

Winsloe, Christa, *23. 12. 1888 in Darmstadt, †10. 6. 1944 b. Cluny (Frankreich).

Tochter einer Offiziersfamilie. Wurde zunächst im strengen Potsdamer Kaiserin-Augusta-Stift erzogen. Danach Höhere-Töchter-Ausbildung in einem Schweizer Internat. Ausbildung zur Bildhauerin in München-Schwabing. Heirat mit dem ungarischen Zuckerfabrikanten Baron Hadvany. Beginn ihrer schriftstellerischen Tätigkeit. Nach dem Scheitern der Ehe als Tierbildhauerin in München tätig. Veröffentlichte Feuilletons in Münchner Zeitungen und der angesehenen Zeitschrift ›Querschnitt‹. Häufige Reisen nach Berlin, wo sie zum Kreis der Berliner Bildhauerinnen gehörte. Beginn ihrer Liebesbeziehung mit der amerikanischen Zeitungskorrespondentin Dorothy Thompson, die bereits 1930 nach einem Interview mit Hitler vor diesem gewarnt hatte, woraufhin sie in USA lächerlich gemacht wurde. Aufenthalt Ch.W.s in USA. Trennung von Dorothy Thompson und Rückkehr nach Europa. Während der Exiljahre in Südfrankreich lebte sie in ärmlichen Verhältnissen; versteckte Flüchtlinge, die in die Schweiz emigrieren wollten. Plante später die Rückkehr nach Deutschland. Auf dem Weg zur Kommandantur in Cluny (um den Passierschein zu besorgen) wurde sie gemeinsam mit ihrer Lebensgefährtin, der Schweizer Schriftstellerin Simone Gentet, in einem Wald bei Cluny von einem Franzosen erschossen, einem gewöhnlichen Kriminellen, wie später ein französisches Gericht feststellte.

Erzählerin, Bühnen-, Drehbuchautorin. Ihre eigenen Erfahrungen der Pensionserziehung verarbeitete sie in ihrem Theaterstück ›Der Ritter Nerestan‹, das 1930 in Leipzig uraufgeführt wurde, in Berlin unter dem Titel ›Gestern und heute‹ lief und, was sie berühmt machte, 1931 unter dem Titel ›Mädchen in Uniform‹ verfilmt wurde. Das Buch zum Film konnte in Deutschland nicht mehr erscheinen und wurde 1934 im Ausland veröffentlicht mit dem Titel ›Das Mädchen Manuela‹. Im Gegensatz zum Film endet der Roman tragisch mit dem Tod des Mädchens. Seit diesem Erfolg galt Ch. W. als Expertin für Mädchenfragen, was sie in ihrer schriftstellerischen Arbeit, zusätzlich erschwert durch die Emigrantinnensituation, sehr einengte. Sie schrieb weitere Romane, ein Drehbuch für G. W. Pabst, Gesellschaftskomödien; ihr letzter Roman ›Aiono‹ schildert die Geschichte eines finnischen Flüchtlingsmädchens, das sich in Männerkleidern durchschlägt.

WERKE: Das schwarze Schaf, R. (ungedr.); Männer kehren heim, N. (?); Das Mädchen Manuela, R. [Amsterdam] 1934 (u.d.T. ›Mädchen in Uniform‹ 1931 verfilmt; u.d.T. ›Der Ritter Nerestan‹ 1930 U als Theaterstück in Leipzig, u.d.T. ›Gestern und heute‹ als Theaterstück in Berlin; auch engl., französ.) (N 1983); Life begins, [London] 1935 (u.d.T. ›Girl alone‹, [New York] 1936); Passeggiera, R. [Amsterdam] 1938; Der Schritt hinüber, Kom. [Basel] um 1940; Schicksal nach Wunsch, Kom. 1941; Aiono, R. 1943; Jeune filles en détresse, Drehb. (?).

LITERATUR: *W. Sternfeld, E. Tiedemann,* Dt. Exil-Literatur 1933–1945, [2]1970, 547. *Ch. Reinig,* Nachw. zu ›Mädchen in Uniform‹, 1983, 241–48. *G. Tergit,* Etwas Seltenes überhaupt, Erinn. 1983 (u.a. zu Ch.W.). *H. Schlaeger,* Verfemte Dichterinnen. Verbrannt und vergessen. In: Bücher. Brigitte Sonderheft, 1983, 22–25.

Wörishöffer, Sophie (Ps. W. Höffer, Sophie von der Horst, K. Horstmann, S. Fischer), * 6. 10. 1838 in Pinneberg (Holstein), † 8. 11. 1890 in Hamburg-Altona.

Ihr Vater, Otto Andresen, war Advokat. Heiratete 1866 den Architekten Albert Fischer-Wörishöffer, der schon nach fünfjähriger Ehe starb. S.W. zog nach Hamburg-Altona, wurde Mitarbeiterin der Zeitschrift ›Hamburger Reform‹ und begann ihre schriftstellerische Tätigkeit. War eine Kusine Detlev von Liliencrons.

Erzählerin und vor allem beliebte Jugendschriftstellerin. Nach dem Erfolg ihres Buchs ›Robert des Schiffsjungen Fahrten und Abenteuer auf der deutschen Handels- und Kriegsflotte‹ (1877) wurde das abenteuerliche Jugendbuch mit naturwissenschaftlichen und geographischen Belehrungen ihr Hauptgebiet. Ihre Bücher erreichten zahlreiche Auflagen. »In ihrem Erfolg wurde die Autorin nur noch von Karl May übertroffen.« (H. Müller) Stieß allerdings auch schon bei Zeitgenossen wegen »Unglaublichkeiten« (E. Wolgast, 1896) auf Kritik. S.W. hatte die Weltgegenden nie gesehen, von denen sie erzählte. Der Verlag Velhagen und Klasing, für den sie vorwiegend schrieb, versorgte sie mit Material. Er bestand auch darauf, daß sie ihren Vornamen mit S. abkürzte, damit sie als weibliche Autorin nicht kenntlich war.

Werke: Aus den Erfahrungen einer Hausfrau, 1874; Lagervorräte, Nn. 1874; Eine Doppelehe im Hause Werkenthin, N. 1875; Robert des Schiffsjungen Fahrten und Abenteuer auf der deutschen Handels- und Kriegsflotte, 1877; Am Abgrund, N. 1878; Das Naturforscherschiff oder Fahrt der jungen Hamburger mit der »Hammonia« nach den Besitzungen ihres Vaters in die Südsee, E. 1880; Das Buch vom braven Mann. Bilder aus dem Seelenleben, 1883; Die Töchter des Advokaten, E. 1884; Gerettet aus Sibirien. Erlebnisse und Abenteuer einer verbannten deutschen Familie, E. 1885; Onnen Visser, der Schmugglersohn von Norderney, E. 1885; Kreuz und quer durch Indien. Irrfahrten zweier deutscher Leichtmatrosen in der indischen Wunderwelt, 1886; Durch Urwald und Wüstensand, E. 1886; Verlorene Ehre, E. 1886; Lionell Forster, der Quaterone. Eine Gesch. aus dem amerikanischen Bürgerkriege, E. 1887; Ein Wiedersehen in Australien, E. 1888; Die Diamanten des Peruaners. Fahrten durch Brasilien und Peru, E. 1888; Von Geschlecht zu Geschlecht, R. 2 Bd. 1888; Unter Korsaren. Irrfahrten, Abenteuer und Kämpfe auf der Südsee und Erlebnisse von Christensklaven in Tripolis, E. 1889.

Veröff. a. d. Nachlass: Der letzte Arnsteiner, R. 1891; Sensitive, R. 1891 (u.d.T. Um 60000 Taler, 1905); Im Goldlande Kalifornien. Fahrten und Schicksale goldsuchender Auswanderer, R. 1891; Der Väter Schuld, E. 1892 (u.d.T. Vom Tode erstanden, 1905); Dämon Geld, E. 1892; Das Geheimnis des Hauses Wolfram, R. 1896; Der Fluch der Schönheit, R. 1901.

Werkausgaben: S.W.s Romane, 1891 (Inhalt: 1. Der letzte Arnsteiner; 2. Sensitive).

Literatur: *H. Gross,* S.W. In: H.G., Deutschlands Dichterinnen und Schriftstellerinnen, ^{2}1882, 211. *H. Wolgast,* Das Elend unserer Jugendliteratur, 1896. *H.L. Köster,* Geschichte der deutschen Jugendliteratur, ^{3}1920. *H. v. Marchtaler,* Der Dichter Detlev von Liliencron und die Jugendschriftstellerin S.W. Vetter und Base. In: Nordelbingen 26 (1958). *H. Klasing,* S.W. Ein wohlgehütetes Verlagsgeheimnis. In: Börsenblatt für den dt. Buchhandel 17 (1961), 657–61. *G. Sichelschmidt,* Liebe, Mord und Abenteuer. Eine Gesch. der dt. Unterhaltungslit., 1969. *H. Müller,* S.W. In: Lex. der Kinder- und Jugendlit. Bd. 3, 1979, 820ff.

Wolff, Johanna, * 30. 1. 1858 in Tilsit, † 4. 5. 1943 in Locarno-Orselina (Schweiz).

Der Vater, Johann Adolf Kielich, war Schuhmacher in Tilsit. Trat 1875, mit siebzehn Jahren, in den Diakonissendienst; war seit 1887 Rot-Kreuz-Schwester in Hamburg. Heiratete dort 1897 den Prokuristen Gustav Wolff. Lebte zuletzt in der Schweiz.

Lyrikerin, Dramatikerin und Erzählerin. Den größten Erfolg erreichte sie mit ihrer Autobiographie ›Hanneken. Ein Buch der Armut und Arbeit‹ (1912).

WERKE: Namenlos. Frauenlieder, 1896; Die Meisterin, Dr. 1906; Susannes Rosengarten, Dr. 1906; Du schönes Leben. Dichtungen, 1906 (1907); Hanneken. Ein Buch der Armut und Arbeit, Autobiogr. 1912 (auch u.d.T. Das Hanneken. Ein Buch von Arbeit und Aufstieg); Von Mensch zu Mensch, G. 1917; Die Töchter Sauls, Trauersp. 1919; Die Totengräberin, N. 1920; Hans Peter (Pater) Kromm der Lebendige. Eine Geschichte von Ufer zu Ufer, R. 1921; Der liebe Gott auf Urlaub. Zeitlose Legenden, 1926; Schwiegermütter. Kleine En. 1928 (daraus N Mutter auf Erden, 1940); Sonnenvögel. Märchen und Gesch. für kleinere Kinder, 1929; Grüne Märchen. Märchen und Gesch. für größere Kinder, 1929; Die Grabe-Dore, En. 1930; Frauen zwischen gestern und morgen, Nn. 1930; Lebendige Spur, G. 1931; Die Beichte, Dr. 1932; Mutter Trapp, 1932; Andres Verlaten. Ein deutsches Schicksal, R. 1933; Hannekens große Fahrt, R. 1935; Wir bleiben jung. Eine heitere hanseatische Gesch., 1935; Das Wunderbare. Gesch. von Seelen und Geigen, R. 1936; Der Fischpastor. Aus dem Merkbüchlein des Pfarrers Ulrich Drossel, N. 1936; Ein bißchen Freude. Tagesworte durch den Jahresring, Kalender, 1937; Vogelreuthers Mühle, R. 1938; Wanderer Wir, G. 1939.

WERKAUSGABE: Das Hanneken aus Ostpreußen. Vom Leben und Dichten einer deutschen Frau, 1927.

LITERATUR: *C. Lange,* J.W. In: Ostdt. Monatshefte 10(1929/30). *Ders.,* J.W.s Ehrentage in Tilsit. In: ebda, 11(1930/31). *A. Petrau,* J.W.s Märchen. In: ebda. *G. Helmers,* J.W. – ihr Werden und ihr Werk. In: ebda. 13(1932/33). *C. Lange,* An J.W. In: ebda. (Gedichte). *G. Prellwitz,* Gruß an J.W. In: ebda. *F. Droop,* J.W. In: Kölnische Ztg. (1933) 55. *H. Grothe,* Über J.W. In: Ostdt. Monatshefte 15(1934/35). *F. Ludwig,* Ein Besuch bei J.W. In: ebda. *B. Diederich,* J.W. In: Kritische Gänge Nr. 29 der Berliner Börsenzeitung, 1935. *H. Krüger,* Hanneken. In: Ostdt. Monatshefte 16(1935/36). *A. Petrau,* Deutsches Leben und Dichten im Gleichnis J.W.s. In: ebda. *C. Lange,* Unser Hanneken. In: Ostdt. Monatshefte 18(1937/38). *P. Wittko,* J.W. In: Dt. Volkstum 41(1939). *Ders.,* J.W. In: Monatsschrift für das dt. Geistesleben, 1939.

Wolff, Victoria (geb. Victor, Ps. Eleanor Colling, Claudia Martell), * 10. 12. 1908 in Heilbronn.
Besuchte die Mädchenschule und das Realgymnasium in Heilbronn. Schrieb schon als Schülerin Geschichten, die in der ›Neckar-Zeitung‹ ihrer Heimatstadt veröffentlicht wurden. Abitur als Sechzehnjährige; studierte Naturwissenschaften in Heidelberg und München (kein Abschluß). Heiratete 1927 Alfred Wolf. Veröffentlichte Erzählungen, Essays und Reiseberichte in der ›Frankfurter Zeitung‹ und dem ›Stuttgarter Tageblatt‹. Im Auftrag der ›Kölnischen Zeitung‹ ging sie nach Rußland, um eine Artikelserie über das Leben der Frauen in diesem Land zu schreiben. Im März 1933 wurde ihr von der Reichsschrifttumskammer Schreibverbot erteilt. Flüchtete zunächst mit ihren zwei Kindern in die Schweiz. Reiste im Auftrag der Baseler ›National-Zeitung‹ nach Ägypten und Palästina. Es entstanden Reiseberichte, später das Buch ›König im Tal der Könige‹. Lebte fünf Jahre in Ascona im Tessin. Zu ihrem dortigen Bekanntenkreis gehörten Tilla Durieux, die Malerin Marianne von Werefkin, Emil Ludwig, Albert Ehrenstein, Bertolt Brecht und Ignazio Silone; war befreundet mit Erich Maria Remarque und Leonhard Frank. 1938 Aufenthalt in den USA als Szenenschriftstellerin für die Tanzgruppe Trudi Schoop. 1939 mußte V. W. die Schweiz verlassen. Lebte dann zwei Jahre im Château de la Tour in Nizza. Im Juni 1940 wurde sie auf der Flucht vor den einmarschierenden italienischen Truppen in Südfrankreich als angebliche Spionin verhaftet. Erst der Waffenstillstand zwischen Deutschland und Frankreich führte zu ihrer Entlassung aus dem Gefängnis. Über Spanien und Portugal gelang ihr 1941 mit Hilfe Edmund Billings die Einwanderung in die Vereinigten Staaten. Lebte zunächst in New York, wo sie sechs Monate lang die Columbia-Universität besuchte. 1942 zog sie mit ihren Kindern nach Beverly Hills und arbeitete als Drehbuchautorin. War u. a. befreundet mit Emigrantinnen und Emigranten wie Gina → Kaus, Ludwig Marcuse, Heinz Haber, Lion Feuchtwanger, insbesondere Fritzi Massary und den Amerikanern Stephen Longstreet (Schriftsteller) und Jacob Gimpel (Pianist). 1949 ging sie eine zweite Ehe mit Dr. Erich Wolff ein. Ein fünf Jahre dauernder Prozeß um die Eigentumsrechte an einem Drehbuch führten 1951 zur Aufgabe ihrer Filmarbeit. Seit Mitte der 50er Jahre widmet sie sich wieder dem Schreiben von Romanen. Korrespondentin deutscher und schweizerischer Zeitungen. Lebt in Los Angeles.
Erhielt 1972 das Certificate of MERIT of distinguished historical biogr. in London und den Preis der Hollywood Foreign Press Assoc.

WERKE: Eine Frau wie du und ich. R. der Liebe um George Sand, 1932; Mädchen wohin, R. 1933; Eine Frau hat Mut, 1933; Die Welt ist blau. Ein Sommer-R. [Zürich] 1934; Gast in der Heimat, R. [Amsterdam] 1935 (Stockholm 1936, Kopenhagen 1938); Drei Tage, R. [Zürich] 1937 (auch als Schausp., u. d. T. Der gebieterische Ruf als Film); Glück ist eine Eigenschaft, R. 1937 (u. d. N. Eleanor Colling); Every Man for Herself, 1943; König im Tal der Könige, R. 1945 (u. d. T. Spell of Egypt, 1943, N 1980); Das weiße Abendkleid, R. 1951 (u. d. T. The White Evening Dress, 1939, N 1982); Mein Haus in der Wüste. In: Aufbau [New York] XIX(12. 6. 1953) 24, 30; Hinter den

Türen der anderen Häuser. In: ebda. XIX(28. 8. 1953) 35, 20; Lotte Lehmann unterrichtet. In: ebda. XIX (30. 10. 1953), 25f.; Ein Dichter liest vor. In: ebda. XIX(13. 11. 1953) 46, 21f.; Ein gutes Geschäft. Eine wahre Gesch. In: ebda. XIX(25. 12. 1953) 52, 16; Keine Zeit für Tränen, R. 1954 (u.d.N. Claudia Martell) (gekürzte Fass. u.d.T. Die Zeit der Tränen geht vorbei, 1969 u.d.N. V.); Verborgene Schätze in Hollywoods Hügeln. In: Aufbau [New York] XX(9. 7. 1954) 28, 15; Bittersüßer Nachruf auf 1954. Ludwig Marcuse im Jewish Club. In: ebda. XX(24. 12. 1954) 52, 26; Liebe ist immer anders, R. 1955; Guilty Without Trial. In: K. Singer (Hrsg.), The World's Greatest Spy Stories. Fact and Fiction, [London] 1954, 217–36; Der Mann ohne Fehlschläge. Besuch bei Richard Neutra. In: Aufbau [New York] XXI(29. 4. 1955) 17, 21; Wenn man an Filmstars schreibt. In: ebda. XXI(22. 7. 1955) 29, 26; Der mutigste Reporter von Los Angeles. In: ebda. XXI(2. 9. 1955) 35, 32; Stadt ohne Unschuld, R. 1956 (N 1977); Der Mann, der (beinahe) zu viel weiß. Über Stephen Longstreet. In: Aufbau [New York] XXIII (15. 3. 1957) 11, 26 u. 31; Besuch bei Erich Pommer. In: ebda. XXIII(10. 5. 1957) 19, 26; Mein Vaterland sind die Freunde. In: ebda. XXIII(18. 10. 1957) 42, 15; Ein romantischer Wissenschaftler. Begegnung mit Heinz Haber. In: ebda. XXIV(30. 5. 1958) 22, 19f.; Zu verkaufen: Gemälde. Die Geschichte des Martin Lowitz. In: ebda. XXIV(19. 12. 1958) 51, 28; Ein anderer Mann, R. 1962 (u.d.T. Brainstorm, 1958); Bräute für Amerika, R. 1962; Jacob Gimpel – am Piano und privat. In: Aufbau [New York] XXVIII(16. 11. 1962) 46, 30; Wie bekommt man 10 Millionen Leser. In: ebda. XXIX(10. 5. 1963) 19, 17f.; Lügen haben lange Beine, R. 1964 (N 1968); Amüsante Kustodin. In: Aufbau [New York] XXXII(18. 2. 1966) 7, 26f.; Mutter und Tochter, R. 1964 (N 1967); Gegen die Trägheit des Herzens. In: Aufbau [New York] XXXIII(24. 3. 1967) 12, 32; Dritte Karriere beginnt mit 65 ... William Melnitz verläßt Los Angeles. In: ebda. XXXIII(23. 6. 1967) 25, 30; Mondfahrt-Interview mit meinem Sohn. In: ebda. XXXIV(1. 11. 1968) 44, 21f. (Dass. in: W. Schaber (Hrsg.), Aufbau Reconstruction. Dokumente einer Kultur im Exil [New York, Köln] 1972, 187–93); Liebe auf Kap Kennedy, R. 1970 (N 1972); Die herrliche Unruhe des Lebens. Erinnerungen an Erich Maria Remarque. In: Aufbau [New York] XXXVII(18. 6. 1971) 25, 13; ›Mit 80 geh' ich nich auf jede Party‹. In: Vital (Juni 1972) 6, 30ff.; Der Feuersturm, R. 1977.

ROMANE UND ERZÄHLUNGEN, DIE IN FORM VON FORTSETZUNGSFEUILLETONS ERSCHIENEN SIND: Geflügelte Sonne. In: National-Ztg. [Basel] vom 21. 12. 1940–13. 3. 1941; Keinen Schritt rückwärts. In: ebda. vom 27. 12. 1945–16. 1. 1946; Das listige Herz. In: ebda. vom 24. 5.–13. 6. 1946; Die Notlüge. In: ebda. vom 16. 2.–18. 2. 1949; Dreimal Carol Hansen. In: ebda. vom 9. 4.–26. 5. 1952.

DREHBÜCHER: Tales of Manhattan; Tal der Könige; Salute to a Lady; (MA:) The Careful Dreamer; (MA:) He Married His Widow.

LITERATUR: *R. Hirschmann,* V.W. In: J.M. Spalek, J. Strelka u.a. (Hrsg.), Dt. Exillit. seit 1933, Bd. 1, TL. 1. 2., 1976, 668–75.

Wolzogen, Karoline von (Ps. Verfasserin der ›Agnes von Lilien‹), * 3. 2. 1763 in Rudolstadt, † 11. 1. 1847 in Jena.

Erstes Kind der Louise geb. Wurmb (geb. Muscus bei *Schindel*) und des Carl Christoph von Lengefeld, Oberlandjägermeister. Heiratete 1784 den Freiherrn Wilhelm von Beulwitz, mit dem sie bereits seit ihrem 16. Lebensjahr verlobt war. Unternahm ein Jahr vor der Eheschließung gemeinsam mit der Mutter, der Schwester Charlotte und dem Verlobten eine Bildungsreise in die Schweiz. U. a. lernte sie Lavater und auf der Rückreise Schiller kennen. Die Verbindung mit Beulwitz, eine Konvenienzehe, war nicht glücklich. Zu dieser Zeit war K. v. W. mit Karoline von Dacheröden, der späteren Frau Humboldts, und Karl von Dalberg befreundet. Ende der 80er Jahre lernte sie, ebenso wie die Schwester Charlotte, Schiller näher kennen und lieben. Schiller heiratete 1790 Charlotte, Karoline trennte sich von ihrem Mann und zog nach Schwaben. Wurde literarisch tätig und veröffentlichte in Sophie La Roches Zeitschrift ›Pomona‹ ihre ›Briefe aus der Schweiz‹. 1794 erfolgte die Scheidung ihrer Ehe. Im gleichen Jahr heiratete sie ihren Vetter Wilhelm von Wolzogen. Ein Sohn. 1797 zogen sie nach Weimar, wo Wolzogen als Kammerherr am Hof tätig war. Ihr Haus wurde zu einem Mittelpunkt der Weimarer Gesellschaft, in dem Goethe, Wieland, Fichte, Schelling, W. v. Humboldt, Dalberg und die Angehörigen des Weimarer Hofes verkehrten. Nach dem Tod Schillers (1805) und ihres Mannes (1809) zog K. v. W. sich immer mehr von der Öffentlichkeit zurück. Sie wohnte abwechselnd in Weimar, Jena und auf ihrem Gut Bösleben. Nach dem Tod ihres Sohnes (verunglückt 1825) zog sie ganz nach Jena und widmete sich hauptsächlich ihrer literarischen Arbeit, die nur von kurzen Reisen unterbrochen wurde.

Erzählerin und Biographin. Ihr erster, autobiographisch geprägter Roman ›Agnes von Lilien‹, der 1796 und 1797 anonym in Schillers ›Horen‹ erschien, fand bei Zeitgenossen große Beachtung. Die Brüder Schlegel hielten ihn für ein Werk Goethes, der für diesen Roman auch großes Interesse zeigte. Schiller unterstützte K. v. W.s literarische Tätigkeit, nahm aber auch in seinem Sinne Einfluß auf ihr Werk. Besondere Anerkennung fand K. v. W. mit ihrer 1830 veröffentlichten Biographie Schillers, in der sie Briefe und Berichte aus dem Kreis der Familie verwendete. Fast alle späteren Schillerbiographien basieren auf diesem Werk.

WERKE: Agnes von Lilien, 2 Bd. 1798 (anonym); Die Zigeuner. Walter und Nanny, und eine dritte E. In: Taschenbuch für Damen, [Cotta, Tübingen] 1800, 1801 u. 1802; Erzählungen von der Verfasserin der Agnes von Lilien, 2 Bd. 1826–1827; Schillers Leben, verfaßt aus Erinnerungen der Familie, seinen eigenen Briefen und den Nachrichten seines Freundes Körner, 2 Bd. 1830; Cordelia. Von der Verfasserin der Agnes von Lilien, R. 2 Bd. 1840; Aus einer kleinen Stadt, erzählt von F.(!) v. W., 1842.

VERÖFF. A. D. NACHLASS: Literarischer Nachlaß der Frau Caroline von Wolzogen, 2 Bd., hrsg. v. K. Hase, 1848–1849.

NACHLASS: Goethe- und Schiller-Archiv Weimar (Slg.); Schiller-Nationalmuseum und Dt. Lit.archiv Marbach (Teilnachlaß).

LITERATUR: *Meusel,* Gelehrtes Teutschland, Bd. VIII, 622 u. Bd. X, 842.

C. W. O. A. von Schindel, Die deutschen Schriftstellerinnen des 19. Jh. 3, Bd. 1826; *A. v. Wolzogen,* Wilhelm und K. v. W. In: Prutz, Dt. Museum (1857), 37f. *A. v. Wolzogen,* Geschichte des von Wolzogenschen Geschlechts, 1859, II, 129–88. *H. Gross,* K. v. W. In: H. G., Deutschlands Dichterinnen und Schriftstellerinnen, ^{2}1882, 68f. *L. Morgenstern,* K. v. W. In: L. M., Die Frauen des 19. Jh.s, Bd. 1, 1888. *J. Burggraf,* Schillers Frauengestalten, 1897. *E. Müller,* K. v. W. In: Münchner Allg. Ztg. (1897) 133, Beil. *P. Schwenke,* Kleine Beiträge zur Schillerliteratur (Festgruß f. d. Geh. Staatsrat D. J. Schomburg zu s. 50 j. Doktorjubiläum, 20. Juni 1890). *E. Müller,* K. v. W. In: ADB XLIV. *H. Bierbaum,* K. v. W. aus ihren Werken und aus Briefen, Diss. Greifswald 1900 (BA 1909). *S. Brock,* K. v. W. ›Agnes von Lilien‹, Diss. Berlin 1914. *E. Merker,* K. v. W. In: Goethe-Hdb., 1918. *C. Touaillon,* Der deutsche Frauenroman im 18. Jahrhundert, 1919, 451–500. *E. Anemüller,* Schiller und die Schwestern von Lengefeld, 1920. *M. D. v. Beulwitz,* F. W. L. v. Beulwitz und Caroline von Lengefeld. In: Schwäbischer Schillerverein 34, Rechenschaftsbericht, 1930. *S. Hoechstetter,* Caroline und Lotte, R. 1937. *C. Kahn-Wallerstein,* K. v. W. Ein Frauenbildnis aus Weimars klassischer Zeit. In: Dt. Rundschau 81 (1955), 1277–87. *A. Götze,* Unveröffentlichtes aus dem Briefwechsel der Frau von Staël (u. a. Briefe an K. v. W.). In: Zs. für franz. Sprache und Lit. 78 (1968). *C. Kahn-Wallerstein,* Die Frau im Schatten. Schillers Schwägerin K. v. W., 1970. *I. Knoll,* K. v. W., Johanna Schopenhauer. Zwei Schriftstellerinnen der Goethezeit. In: Jena-Information (1972) 3, 19f.

Zinner, Hedda (Ps. Elisabeth Frank, Hannchen Lobesam), * 20. 5. 1905 in Lemberg.

Ihr Vater war Staatsbeamter. Sie studierte 1923–25 an der Wiener Schauspielakademie. Folgte dann Engagements in Stuttgart, Baden-Baden, Breslau und Zürich. Angeregt durch Ludwig Renn wandte sie sich der Arbeiterbewegung zu. Zog 1929 nach Berlin, trat dort in die KPD ein. Arbeitete als Korrespondentin für ›Die rote Fahne‹, ›Welt am Abend‹ und die ›Arbeiter-Illustrierte-Zeitung‹. Schrieb seit 1930 neben Berichten, politische Erzählungen, auch politische Gedichte und Songs, die sie auf Arbeiterversammlungen selbst vortrug. Emigrierte 1933 nach Wien, dann Prag, wo sie das Kabarett »Studio 1934« gründete. Übersiedelte 1935 gemeinsam mit ihrem Mann, dem Schriftsteller und Journalisten Fritz Erpenbeck (1897–1975), nach Moskau. War dort als Hörspielautorin und Kommentatorin für den Moskauer Rundfunk tätig. Kehrte 1945 nach Berlin zurück, ist bis heute in Berlin-Ost wohnhaft.

Dramatikerin, Erzählerin, Hörspiel- und Fernsehspielautorin, Verfasserin von Zeitgedichten, Liedern, Reportagen; Übersetzerin. H. Z.s frühe literarische Arbeiten sind satirisch-agitatorische Texte, die aktuelle politische Ereignisse oder Geschehnisse des Alltagslebens aufgreifen. Die Hinwendung zum Drama erfolgte im Zusammenhang mit ihrem Kabarett »Studio 1934« und der späteren Arbeit für den Moskauer Rundfunk. Ihre Stücke behandeln aktuelle politische Fragen (darin den dramatischen Arbeiten F. Wolfs verwandt), wie z. B. die Mitschuld der Generalität am Zweiten

Weltkrieg (›General Landt‹, 1950/51 – ein Gegenstück zu Zuckmayers ›Des Teufels General‹), die Protestbewegung westdeutscher Wissenschaftler gegen den Atomkrieg (›Auf jeden Fall verdächtig‹, 1959). Ebenso griff sie historische Themen auf, wie die antinapoleonischen Befreiungskriege 1813/14 (›Lützower‹, 1955), und wandte sich vor allem der Thematik des antifaschistischen Widerstands zu, wie in ›Der Teufelskreis‹ (1953), Dimitroffs Kampf im Reichstagsbrand-Prozeß, und in ›Ravensbrücker Ballade‹ (1961), ein Stück, das beispielhaft eine internationale Solidaritätsaktion von Widerstandskämpferinnen vorstellt. Besondere Aufmerksamkeit widmete H. Z. dem Thema der Gleichberechtigung der Frau und dem Beitrag der Frauen zur Veränderung der gesellschaftlichen Verhältnisse. Ihr Roman ›Nur eine Frau‹ (1954) schildert Leben und Arbeit der Vorkämpferin der Frauenemanzipation Louise → Otto-Peters. Autobiographische Züge prägen die Romantrilogie ›Ahnen und Erben‹, in der sie vor dem Hintergrund der Gesellschaft des frühen 20. Jahrhunderts den Möglichkeiten und Schwierigkeiten des Frauenlebens und der Befreiung aus einengenden Normen nachgeht.
H. Z. erhielt den Nationalpreis der DDR 1954, den Goethepreis 1958, den Lessingpreis 1961 und den Lion-Feuchtwanger-Preis der Akademie der Künste der DDR 1974.

WERKE: Unter den Dächern, G. [Moskau] 1936; Das ist geschehen, G. [Moskau] 1939; Volkslieder und Volksdichtungen, Nachdichtungen [Kiew], 1939; Freie Völker – freie Lieder, Nachdichtungen [Kiew] 1939; Caféhaus Payer, Schausp. [U] 1945 (entst. 1940/41) (auch tschech., ungar.); Fern und Nah, G. 1947; Alltag eines nicht alltäglichen Landes, Ber., En., G. 1950; Spiel ins Leben, Schausp. 1951 (auch poln., slowen.); Der Mann mit dem Vogel, Kom. 1952; Glückliche Frauen und Kinder, En., Ber., G. 1953; Der Teufelskreis, Schausp. 1953 (verf. 1955) (auch franz., tschech., japan., chines.); Wir fahren nach Moskau, Kinderb. 1953; Nur eine Frau, R. 1954 (verf. 1958) (N 1981; N BRD 1984); Erste Anfänge u. Nie werde ich vergessen. In: Hammer und Feder, 1955; Lützower, Schausp. 1955; General Landt, Schausp. [U] 1957 (entst. 1950/51); Das Urteil. Polit. Revue. In: NDL 1958/59; Auf jeden Fall verdächtig, Schausp. 1959; Was wäre, wenn? Kom. 1959 (verf. 1960); Plautus im Nonnenkloster, Libr. 1959; Fischer in Niezow, Libr. 1959; Leistungskontrolle, Sch. 1960 (verf. u.d.T. ›Die aus der 12b‹, 1962); Ravensbrücker Ballade, Schausp. 1961; Ein Amerikaner in Berlin, Schausp. 1963; Wenn die Liebe stirbt, 4 Nn. 1965; Ohne breites Fundament keine Pyramide, Forum der Prominenten, Das Gespräch [m. H.Z.] führte H. Schirrmeister. In: Tribüne [Berlin], 1967, Nr. 27; A. Zimmermann, ›Schwiegermutter‹ eroberte den Bildschirm, Frauen im Mittelpunkt des Geschehens, Gespräch mit der Schriftstellerin H.Z. In: Der Morgen [Berlin], 1967, Nr. 55; Ahnen und Erben. Bd. 1: Regina, R. 1968 (N 1982); Bd. 2: Die Schwestern, R. 1970 (N 1983); Bd. 3: Fini, R. 1973; Wir sprechen aus, was ist, Studio 1934. In: G. Albrecht (Hrsg.), Erlebte Geschichte, 2. Bd. 1972; Elisabeth Trowe, Film-E. 1969 (Fsp. U 1967); Auf dem roten Teppich. Erfahrungen, Gedanken, Impressionen, 1978; Katja, 1980 (BRD 1981); Die Lösung, 1981; Arrangement mit dem Tod, [BRD] 1985.
WERKAUSGABE: Stücke, 1973; Erzählungen, 1975; Ausgewählte Werke in Einzelausgaben, 1982 ff.
ÜBERSETZUNGEN: M. Swetlow, Das goldene Tal, 1950; S. Marschak, Mister Twister, Kinderb. 1950.
RUNDFUNK: [Hörsp.] Kolchis; Erde; Grisodubowa; Das siebte Kreuz (nach A. Seghers); Kleine Stadt; Singende Knöchleich u. a.
FERNSEHEN: [Fernsehsp.] Cafehaus Pay-

er; Was wäre, wenn; Auf jeden Fall verdächtig; General Landt; Die Schwiegermutter; Der Fall Sylvia Karsinke; Der Fall Detlev Kamrath, 1982; Der Fall Marion Neuhaus.

BIBLIOGRAPHIEN: Bibliogr. Kalenderbll. der Berliner Stadtbibliothek, F. 5, 1970. Internationale Bibl. zur Gesch. der dt. Lit. von den Anfängen bis zur Gegenwart ... unter Leitung und Gesamtredaktion von G. Albrecht und G. Dahlke (1969–1972), II, 2, 656f.

LITERATUR: *E. Weinert,* Vorw. zum G.band ›Unter den Dächern‹ von H.Z., 1936 (wieder abgedr. in: E.W., Ein Dichter unserer Zeit, Ges. W. Bd. 7, 1958); *I. Galfert,* ›Der Teufelskreis‹ von H.Z. In: Theater der Zeit 8 (1953) 12. *L. Remané,* Unser Schriftstellerporträt der Woche: H.Z. In: BDB [DDR] 121 (1954) 26. *F. Erpenbeck,* Hier wurde Mut zum Theater bewiesen [zu ›Teufelskreis‹]. In: Theater der Zeit 11 (1956), April (wieder abgedr. in: F.E. Aus dem Theaterleben, 1959); *H. Jhering,* Arrangement oder Dichtung? Zur Aufführung des Schauspiels ›Lützower‹ im Deutschen Theater. In: Sonntag 11 (1956) 2. *W. Joho,* Der Teufelskreis. Zu dem DEFA-Film nach dem Bühnenstück von H. Z. In: Sonntag 11 (1956) 5. *H. Keisch,* ›Lützower‹, Schausp. von H. Z. In: Theater der Zeit 11 (1956) 3. *H. Scheel,* Über die Geschichte laßt uns sprechen. Zur hist. Wahrheit in H.Z.s ›Lützower‹ In: Theater der Zeit 11 (1956) 5. *K. Wischnewski,* Auf halbem Wege zwischen Theater und Film. Zur Verfilmung von H.Z.s Schauspiel ›Der Teufelskreis‹ In: Dt. Filmkunst, 1956, 2. *H. Hofmann,* ›Lützower‹ in neuer Fassung. H.Z.s Schauspiel an den Städtischen Bühnen Erfurt. In: Theater der Zeit 12 (1957) 1. *Ders.,* Dramatik, die gebraucht wird. Einige dramaturgische Überlegungen zu ›General Landt‹ von H.Z. In: Theater der Zeit 12 (1957) 7. *M. Heidicke,* Zeitstück neu entdeckt, ›Caféhaus Payer‹ von H.Z. in Anklam. In: Theater der Zeit 13 (1958) 4. *C. Hammel,* Komödie der Besinnungen ›Was wäre, wenn ...?‹ von H.Z. in der Volksbühne. In: Sonntag 14 (1959) 42. *W. Köhler,* ›Auf jeden Fall verdächtig‹. Uraufführung eines neuen Stückes von H.Z. in Erfurt. In: Neues Deutschland vom 11. 4. 1959. *D. Kranz,* Ein echtes Volksstück, ›Was wäre, wenn ...?‹ von H.Z. in: Theater der Zeit 14 (1959) 11. *G. Piens,* Konsequenz der Friedensliebe, ›Auf jeden Fall verdächtig‹ von H.Z. ... In: Theater der Zeit 14 (1959) 5. *H. Schöbel,* Oberschülerprobleme auf der Bühne, ›Leistungskontrolle‹ von H.Z. am Theater der Freundschaft. In: Theater der Zeit 15 (1960) 9. *H. W. Lukas,* H.Z. In: Die Frau von heute [Berlin] 15 (1960) 48. *G. Ebert,* Niemals wieder, Uraufführung der ›Ravensbrükker Ballade‹ von H.Z. In: Sonntag 16 (1961) 43. *H.-R. John,* Ein dramatisches Mahnmal. H.Z.s ›Ravensbrücker Ballade‹. In: Theater der Zeit 16 (1961) 11. H.Z. In: Lexikon sozialistischer deutscher Litaratur: Von den Anfängen bis 1945, 1963, 563ff. *L. Becher,* Gruß an H.Z. In: Berliner Ztg. Nr. 14, 1965. Glückwünsche für H.Z. zum 60. Geburtstag. In: Neues Deutschland, Nr. 138, 1965. *W. Neubert,* H.Z. ›Was wäre, wenn ... ?‹. In: W.N., Die Wandlung des Juvenal, 1966. E. Scheibner, Liebe in der Gegenwart [zu: Wenn die Liebe stirbt]. In: Neues Deutschland, Nr. 106, Beil., 1966. *B. Heimberger,* Leidenschaft und Sachlichkeit. Heute begeht H.Z. ihren 60. Geburtstag. In: Berliner Ztg., Nr. 136, 1967. *H. Heitzenröther,* H.Z. zum Sechzigsten. In: Sonntag 22 (1967) 21. *S. Hoffmeister,* Unserer Zeit auf der Spur. Die Helden diesmal sind weiblich. In: für dich [Berlin], Nr. 9, 1967. Der Fall hinauf, Fernsehspiel. In: Berliner Ztg., Nr. 60, 1967; *E. Mollenschott,* Kein Grund zum Lächeln [zu: Der Fall hinauf]. In: Neues Deutschland, Nr. 71, 1967. *Dies.,* Ärger mit der Schwiegermutter [zum Fernsehspiel: Die Schwiegermutter]. In: Neues Deutschland, Nr. 15, 1967. *K. Stern,* Eine Frau aus unserer Mitte [zu: Elisabeth Trowe]. In: Neues Deutschland, Nr. 210, 1967. *R. Bernhardt,* Ein großangelegter Familienroman [zu Ahnen und Erben. Regina]. In: Ich schreibe [Leipzig], H. 1/2, 1969. *A. v. Bormann,* ›Wohltönend, aber dumm?‹ Die Stimme der Kultur im Widerstand. In: Amsterdamer Beiträge zur neueren Germanistik 1 (1972), 149–72 [u.a. zu H.Z.]. *S. Barck,* Gespräch mit H.Z. In: Weimarer Beiträge 24 (1978) 11, 84–90. *H. J. Geerds* [H.Z.s ›Katja‹]. In: NDL 28 (1980) 10, 124–27. *H. Herting,* H.Z.s ›Die Lösung‹ In: Weimarer Beiträge 28 (1982) 5, 152–57. *H. Mayer* [H.Z.s ›Die Lösung‹]. In: NDL 30 (1982) 6, 136–139.

Zitz, Kathinka (geb. Halein; Ps. K.Th. Zianitzka, Theophile Christlieb, Emeline, August Enders, Johann Golder, Rosalba, Stephanie, Tina, Viola; in Journalen auch Auguste, Emilie, Eugenie, Pauline, Rosalba, Stephanie), * 4. 11. 1801 in Mainz, † 8. 3. 1877 ebda.

Der Vater war Kaufmann. Erhielt zunächst im Elternhaus, später in einem Straßburger Pensionat eine sorgfältige Erziehung. Veröffentlichte 1826 ihr erstes Gedichtbuch. Da sich die Vermögensverhältnisse des Vaters verschlechtert hatten, war sie seit 1825 als Erzieherin in Darmstadt tätig, seit 1827 als Vorsteherin eines Erziehungsinstituts in Kaiserslautern. Mußte krankheitshalber diese Anstellung nach einem Jahr aufgeben. Löste um diese Zeit auch ihre 10jährige Verlobung mit dem preußischen Offizier Wild, da der Heiratsantrag ausblieb. Heiratete 1837 den Rechtsanwalt Franz Zitz, späteren Oberst der Frankfurter Bürgergarde und Mitglied des Frankfurter Parlaments (er verstieß sie zwei Jahre später). K.Z. schrieb unter verschiedenen Pseudonymen, so daß ein lückenloser Überblick über ihr Werk nicht möglich ist. Stand durch finanzielle Not später immer mehr unter Produktionszwang. Starb fast erblindet im St. Vinzenz-Pensionat bei den Barmherzigen Schwestern in Mainz. War mit der Schriftstellerin und Komponistin Johanna → Kinkel befreundet.

Vorwiegend Erzählerin; auch Lyrikerin mit z.T. kritischer Darstellung der politischen, sozialen und kirchlichen Verhältnisse vom freisinnigen Standpunkt aus. Schrieb später bevorzugt Lebensbilder in Romanform, u.a. über Goethe, Heine, Lord Byron und Rahel Varnhagen. Auch Übersetzerin aus dem Französischen.

WERKE: Phantasieblüten und Tändeleien, G. 1826; Die Fremde (nach dem Franz.), 2 Bd. 1826; Marion de Lorme, Dr. nach dem Franz., 1833; Triboulet, oder: Des Königs Hofnarr (Trag. nach V. Hugo), 1835; Cromwell, hist. R. 1836; Erzählungen, fremd und eigen, 1845; Sonderbare Geschichten aus den Feenländern, 1845; Herbstrosen. Poesie und Prosa, 1846; Variationen in humoristischen Märchenbildern, 1849; Donner und Blitz, 1850; Novellenstrauß, 1850; Süß und Sauer, 1851; Rheinsandkörner, Nn. 1852; Maikräuter, Nn. u. En. 1852; Neue Rheinsandkörner, 1852; Neueste Rheinsandkörner, Nn. 1853; Champagnerschaum, En. u. Nn. 1854; Ernste und heitere Lebensbilder, En. 1854; Die Najade des Soolsprudels zu Nauheim und andere Erzählungen, 1854; Letzte Rheinsandkörner, Nn. 1854; Korallenzinken, 1855; Kaiserin Josephine, nebst anderen Erzählungen, 1855; Strohfeuer, En. 1855; Schillers Laura, nebst anderen Novellen u. Erzählungen, 1855; Welt-Pantheon, Festgabe, 1856; Beiträge zur

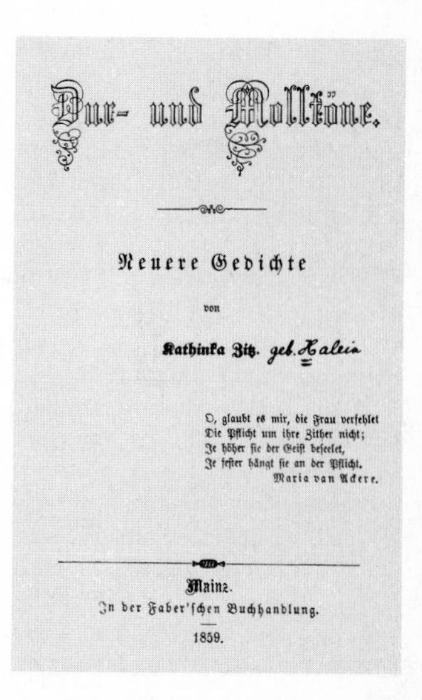

Dur- und Molltöne.

Neuere Gedichte

von

Kathinka Zitz. geb. Halein

O, glaubt es mir, die Frau verfehlet
Die Pflicht um ihre Zither nicht;
Je höher sie der Geist beseelet,
Je fester hängt sie an der Pflicht.
Maria van Ackere.

Mainz.
In der Faber'schen Buchhandlung.
1859.

Unterhaltungslektüre, 1856; Magdalene Horix, Zeitbild, 1858; Dur- und Molltöne, neuere G. 1859; Starkhand, R. nach dem Franz., 1862; Der Roman eines Dichterlebens (Goethe), 11 Bd. 1863; Rahel, oder Dreiunddreißig Jahre aus einem edlen Frauenleben, 6 Bd. 1864; Heinrich Heine der Liederdichter, R. 4 Bd. 1864; Lord Byron, R. 5 Bd. 1867.

NACHLASS: Hessische Landesbibliothek Wiesbaden, Stadtarchiv Mainz.

LITERATUR: *H. Gross,* K.H.-Z. In: Deutschlands Dichterinnen und Schriftstellerinnen, [2]1882, 110f. *L. Morgenstern,* Kathinka Therese Pauline Modesta Zitz, geb. Halein. In: L.M., Die Frauen des 19. Jh.s, 1. Bd. 1888, 169f. *L. Fränkel,* K.Z. In: ADB LIV. *E. Leppla* (Hrsg.), Johanna und Gottfried Kinkels Briefe an K.Z. 1849/61. In: Bonner Geschichtsblätter 12(1958), 7–82; *G. Brinker-Gabler,* K.Z.-H. In: G.B.-G. (Hrsgin.), Dt. Dichterinnen vom 16. Jh. bis zur Gegenwart, 1978, 213–17.

Zur Mühlen, Hermynia (Ps. Maria Berg, Franziska Marisa Rautenberg, Lawrence H. Desberry, Traugott Lehmann), * 12. 12. 1883 in Wien, † 19. 3. 1951 in Radletts/Hertfordshire (England).

Entstammte dem österreichischen Hochadel. Der Vater, Victor Graf Crenneville, war österr.-ungar. Gesandter. Lernte bereits in ihrer Jugend einige Länder Europas, Vorderasiens und Afrikas kennen. Wurde zunächst von der Großmutter auf dem Familiensitz in Gunden erzogen, kam 1898 in ein Pensionat für höhere Töchter in Dresden, machte 1901 ihr Examen als Lehrerin. Die Ausübung des Berufs wurde ihr aber als nicht standesgemäß untersagt. H.Z.M. interessierte sich schon früh für soziale und politische Fragen. Ergriff Partei für Dreyfus und Zola. Studierte die Schriften Max Stirners. Wurde 1903 in Genf mit politischen Emigranten, vor allem aus Rußland, bekannt. Arbeitete 1905 in einer Frankfurter Buchdruckerei, um die Arbeitswelt kennenzulernen. Heiratete in Rußland 1907 den baltischen Gutsbesitzer Zur Mühlen, von dem sie sich bald wegen politischer Differenzen wieder trennte. Verbrachte seit 1914 mehrere Jahre lungenkrank in Davos. Studierte in dieser Zeit die marxistische Theorie. 1919 zog sie nach Frankfurt am Main und trat der KPD bei. Veröffentlichte zwischen 1919 und 1933 literarische Arbeiten u.a. im ›Revolutionär‹, der ›Roten Fahne‹ und im ›Jungen Genossen‹. Wegen ihrer Erzählung ›Schupomann Karl Müller‹ (1924) wurde sie 1924 des Hochverrats angeklagt. 1933 ging sie nach Wien zurück; floh von dort 1938 in die Tschechoslowakei und schließlich nach England.

Vorwiegend Erzählerin, bedeutende Kinderbuchautorin (»proletarische Märchen«), Übersetzerin von nahezu 150, meist sozialkritischen Werken russischer, französischer, englischer und amerikanischer Autoren (z.B. Upton Sinclair) sowie Hörspielautorin. Als kritische Beobachterin griff sie soziale Probleme auf und trat für eine revolutionäre Veränderung der Gesellschaft ein. Setzte sich mit der politischen Reaktion und dem Nationalsozialismus auseinander. Viele ihrer Arbeiten wurden in mehrere Sprachen übersetzt, ihre Hörspiele auch im Ausland gesendet.

WERKE: (Beitr.) Junge Mädchen Literatur. In: Die Erde 1(1919) 14/14, 473f.; Was Peterchens Freunde erzählen, 6 Märchen, 1921, [2]1924; Die Affen und die Peitsche. In: Der junge Genosse 2(1922) 21; Der blaue Strahl, R. 1922; Der Rosenstock, Märchen, 1922; Warum, Märchen, 1922; Der kleine graue Hund, Märchen, 1922; Der Tempel, R. 1922; Licht, R. 1922; Märchen, 1922; Der Spatz, Märchen, 1922; Ali, der Teppichweber, 5 Märchen, 1923; Nachtgesicht. In: Der junge Genosse 3(1923) 3, 8; Der Droschkengaul. In: ebda. 3(1923) 10, 5ff.; Die Freunde. In: ebda. 3(1923) 12, 5ff.; Schupomann Karl Müller, E. 1924; Der Deutschvölkische, E. 1924; Der rote Heiland, N(n). 1924; Das Schloß der Wahrheit, Märchen, 1924; Ejus, R. 1925; An den Ufern des Hudson, R. 1925; Kleine Leute, E. 1925; Die weiße Pest, R. 1926 (u.d.N. T. Lehmann); Lina. E. aus dem Leben eines Dienstmädchens, 1926; Abenteuer in Florenz, R. 1926; Der Muezzin, Märchen, 1927; Said, der Träumer, Märchen, 1927; Die Söhne der Aischa, Märchen 1927; Ende und Anfang. Ein Lebensbuch, 1929; Im Schatten des elektrischen Stuhls, R. 1929; Die rote Fahne. In: Es war einmal ... und es wird sein. Märchen, 1930; Reise durch ein Leben, autobiogr. R. 1933; Nora hat eine famose Idee, Ehe-R. 1933; (MA:) Briefe, die den Weg beleuchten. In: Neue dt. Bl. (1933) 3; Die kleinen Verbündeten, Märchen nach 1933; Kleine Geschichten von großen Dichtern, En. nach 1933 (neu hrsg. 1945–1946); Ein Jahr im Schatten, R. 1935; Unsere Töchter, die Nazinnen, R. 1935 (1938); Fahrt ins Licht, Autobiogr. 1936; Schmiede der Zukunft, Märchen, 1936; We poor shadows, R. 1942; Came the strangers, R. 1946; Geschichten von heute und gestern, Nn. 1946; Als der Fremde kam, 1947; Little allies, Märchen [?]; Guests in the house, R. 1947; Eine Flasche Parfüm, humoristischer R. 1947; Insel der Verdammnis, R. 1955.

ÜBERSETZUNGEN: F. André, Hunger ohne Anklage, 1933; N. Asch, Das Tal, 1935; J.K. Jerome, Der Nebel steigt, 1946; N. Shute, Streng geheim, R. 1946; L.C. Douglas, Rauhe Laufbahn, 1947; E. Ferber, Saratoga, R. 1947; B.A. Williams, Hol sie der Himmel, R. 1947; H.S. Walpole, Der Turm am Meer, R. 1948; K. Roberts, Lydia Bailey, 1948; J. Owen, Wind am Himmel, 1948; U. Sinclair, 100%. R. eines Patrioten, 1948; Ders., Jimmie Higgins, 1948; Ders., Der Sumpf. R. aus Chikagos Schlachthäusern, 1949; Ders., König Kohle, 1949; M. G. Llewelyn, Das Tal von Glamorgan, 1949; E. Ferber, Die großen Söhne, 1950; H.S. Walpole, Der grüne Spiegel, R. 1950.

LITERATUR: Literatur des Malikverlags [›Was Peterchens Freunde erzählen‹]. In: Die Rote Fahne. Zentralorgan der KPD (1920) 263. *F. Schulz,* Ein Märchenbuch für Arbeiterkinder [›Was Peterchens Freunde erzählen‹]. In: Der Gegner [Berlin] 2(1920/21) 5. H.Z.M. ›Kindermärchen‹. In: Die junge Garde [Berlin] (1922) 6. *G.G.L.* [oder G. Alexander], Kindermärchen. In: Die Rote Fahne. Zentralorgan der KPD 5(1922) 515. *E. Hoernle,* Etwas über Erzählungen, Fabeln und Märchen. In: Das proletarische Kind 2(1922) 11, 16–19. *Ep.,* H.Z.M. ›Der Deutschvölkische‹. In: Internationale Presse-Korrespondenz (1924) 43. Neue Bücher: ›Schupomann Müller‹. In: Volkswacht [Rostock] (1924) 74. ›Das Schloß der Wahrheit‹. In: Freiheit [Düsseldorf] (1924) 231. ›Das Schloß der Wahrheit‹. In: Sozialistische Republik [Köln] (1924) 198. *H. Wertheim,* H.Z.M. Das Schloß der Wahrheit. In: Interntionale Pressekorrespondenz 4(1924) 166, 2290. *M.K. Engel,* H.Z.M. ›Kleine Leute‹. In: Internationale Presse-Korrespondenz 5(1925) 25. *W.H.,* Z.M. ›Der rote Heiland‹. In: Kommunistische Revue [Praha] (1924) 10. *Oku,* ›Der rote Heiland‹. In: Heimstunden (1925) 7. Zensur in Ungarn [gegen Märchenbuch der H.Z.M.]. In: Der Schriftsteller [Berlin] 13(1926). Grundfragen proletarischer Erziehung, 1929. *M.F.,* H.Z.M. ›Ende und Anfang‹. In: Internationale Presse-Korrespondenz 9(1929) 54. *v.H.M.,* H.Z.M. ›Ende und Anfang‹. In: Die lit. Welt [Berlin] 5(1929) 38. *K. Kersten,* ›Ende und Anfang‹. In: Die Welt am Abend [Berlin] 7(1929) 111. *H. Gilbeaux,* H.Z.M. In: Die Weltbühne [Berlin] 26(1930) 28. *K. Heuser,* H.Z.M. ›Das Riesenrad‹. In: Die lit. Welt [Berlin] 8(1932) 22. *C. Pfeil,* H.Z.M. ›Reise durch ein Leben‹. In: Neue Dt. Bl. 1(1933) 4. *W. Sternfeld,* Eine antifaschistische Schriftstellerin. In: Einheit. Zs. für Theorie und

Praxis des wiss. Sozialismus [Berlin] 4(1944) 2 (und in: Einheit [London] (1943) 25). *Ders.,* H.Z.M. Zu ihrem 60. Geburtstag. In: Freies Deutschland [Mexiko] (1944) 2. *Hub* [d.i. F. Hubalek], H.Z.M. In: Arbeiter-Ztg. [Wien] (1951) 66. *G. Rudloff,* Die proletarisch-revolutionäre Jugendliteratur. In: Proletarisch-revolutionäre Lit. 1918–1933. Schriftsteller der Gegenwart, hrsg. vom Kollektiv für Lit.gesch. im volkseigenen Verlag Volk und Wissen [Berlin] (1962) 9, [4]1970. [unter Mühlen, H.] In: Lex. sozialistischer dt. Lit. von den Anfängen bis 1945, 1963, [2]1964. Autorenkollektiv, Proletarisch-revolutionäre Literatur 1918–1933, 1967. *M. Freiberger,* Gesellschaftliche Wirklichkeit und kindliche Phantasie. In: Kürbiskern (1974) 1, 51–67. *J. Merkel/D. Richter,* Märchen. Phantasie und soziales Lernen, 1974. *I. Dreher,* Die deutsche proletarisch-revolutionäre Kinder- und Jugendliteratur zwischen 1918 und 1933, 1975. *B. Dolle,* »Seid mutig, haltet zusammen …«. In: Dt. Volksztg. 24(1976) 48. *W. Psaar/M. Klein,* Wer hat Angst vor der bösen Geiß? Zur Märchendidaktik und Märchenrezeption, 1976. Das Märchen des industriellen Zeitalters. In: J. Merkel/D. Richter (Hrsg.), Carl Dantz: Peter Stoll (Anhang), 1978. *B. Dolle,* H.Z.M. In: Lex. der Kinder- und Jugendlit., Bd. 3, 1979, 861ff.

Verzeichnis der Schriftstellerinnen

Unter den halbfett gesetzten Namen ist der Artikel über die Schriftstellerin zu finden. Bei allen anderen Namen (Pseudonym, Mädchenname usw.) ist auf das entsprechende Stichwort verwiesen.

Abkürzungsverzeichnis

Abb. – Abbildung(en)
Abt. – Abteilung(en)
ADB – Allgemeine Deutsche Biographie
afr. – afrikanisch
Ak. – Akademie
allg. – allgemein
amerik. – amerikanisch
Anh. – Anhang
Anm. – Anmerkung(en)
Aufl. – Auflage(n)
Aufs. – Aufsatz, Aufsätze
Aufz./aufgez. – Aufzeichnung(en)/aufgezeichnet
ausf. – ausführlich
Ausg. – Ausgabe(n)
ausgew. – ausgewählt
Ausw. – Auswahl

B. – Buch, Biographie
BA – Buchausgabe
Bd. – Band, Bände
Bearb./bearb. – Bearbeitung(en)/bearbeitet
begr. – begründet
Beil. – Beilage
Beitr. – Beitrag, Beiträge
Ber. – Bericht(e)
Bh. – Beiheft(e)
Bibl./bibl. – Bibliographie/bibliographisch
Bilderb. – Bilderbuch
Biogr./biogr. – Biographie/biographisch
Bl. – Blatt, Blätter
Br. – Brief(e)
Brslg. – Briefsammlung
Bühnensp. – Bühnenspiel

chines. – chinesisch

DA – Dissertation Abstracts
dass. – dasselbe
ders. – derselbe
d.h. – das heißt
dies. – dieselbe
Diss. – Dissertation
Dr. – Drama, Dramen
dramat. – dramatisch
dt. – deutsch
Dtd. – Deutschland
DVjs – Deutsche Vierteljahresschrift

E(n). – Erzählung(en)
ebda. – ebenda
Ed. – Editor
Einf. – Einführung
Einl. – Einleitung
eingel. – eingeleitet
engl. – englisch
enth. – enthält
entst. – entstanden
Ep. – Epos, Epen
Erg.Bd. – Ergänzungs-Band
Erinn. – Erinnerung(en)
erl. – erläutert
Erstdr. – Erstdruck
erw. – erweitert
Ess. – Essay(s)
ev.(-luth.) – evangelisch(-lutherisch)

f. – für
f. ff. – folgend(e)
F. – Folge(n)
Fass. – Fassung(en)
FAZ – Frankfurter Allgemeine Zeitung
Fernsehsp. – Fernsehspiel
Festsp. – Festspiel
Forsch. – Forschung(en)
Forts. – Fortsetzung(en)
franz. – französisch
Fs. – Festschrift

G. – Gedicht(e)
GA – Gesamtausgabe
Geb./geb. – Geburtstag/geboren
gek. – gekürzt
Geleitw. – Geleitwort
Ges. – Gesellschaft
ges. – gesammelt

Gesch./gesch. – Geschichte(n)/geschichtlich
geschr. – geschrieben

H. – Heft(e)
Hdb. – Handbuch
Heimatb. – Heimatbuch
hist. – historisch
Hörsp. – Hörspiel
holl. – holländisch
Hrsg.(in.)/hrsg. – Herausgeber(in)/herausgegeben
Hs(s) – Handschrift(en)

Inst. – Institut
ital. – italienisch

J. – Jahr(e)
Jb. – Jahrbuch
jap., japan. – japanisch
JEGPh. – Journal of English and Germanic Philology
Jg. – Jahrgang, Jahrgänge
Jgdb. – Jugendbuch
Jh. – Jahrhundert
Jt. – Jahrtausend

Kap. – Kapitel
kath. – katholisch
Kb. – Kinderbuch
Kl. – Klasse
Kom. – Komödie
Krim.-R. – Kriminalroman
Krippensp. – Krippenspiel
krit. – kritisch
Kunstb. – Kunstbuch

Laiensp. – Laienspiel
LDS – Lexikon deutschsprachiger Schriftsteller. Gesamtredaktion: K. Böttcher [2]1972–1974
Lex. – Lexikon
Liefg. – Lieferung
Lit./lit. – Literatur/literarisch
LTLS – London Times Literary Supplement
Lustsp. – Lustspiel
Lyr./lyr. – Lyrik/lyrisch

m. – mit
MA – Mitautorin
Märchensp. – Märchenspiel
Masch. – Maschinenschriftlich
mexikan. – mexikanisch
Mitt. – Mitteilung(en)
Mitw. – Mitwirkung
mod. – modern
Ms. – Manuskript

N – Neu
N.(n.) – Novelle(n)
Nachdr. – Nachdruck
Nachr. – Nachricht(en)
Nachtr. – Nachtrag
Nachw. – Nachwort
NDB – Neue Deutsche Biographie
NDL – Neue Deutsche Literatur
N.F. – Neue Folge
NS – New Series
NYTBR – New York Times Book Review

öffentl. – öffentlich
o.J. – Ohne Jahr
Ostersp. – Osterspiel

PMLA – Publications of the Modern Language Association of America
poln. – polnisch
Prov. – Provinz
Ps. – Pseudonym
Publ. – Publikation

R.(e.) – Roman(e)
ref. – reformiert
Rez. – Rezension
russ. – russisch

S. – Seite(n)
sämtl. – sämtliche
Schausp. – Schauspiel
Schw. – Schwank
selbst. – selbständig
Sk. – Skizze(n)
Slg. – Sammlung(en)
slowen. – slowenisch
sog. – sogenannt
Sp. – Spiel
SRL – Saturday Review of Literature
städt. – städtisch

Tgb. – Tagebuch/-bücher
Tl(e) – Teil(e)
Trag. – Tragödie

Trauersp. – Trauerspiel
Traumsp. – Traumspiel
tschech. – tschechisch

u. – und
U. – Uraufführung
UB – Universitätsbibliothek
u. a. – unter anderem, und anderes
Übers./übers. – Übersetzung/übersetzt
Überarb./überarb. – Überarbeitung/überarbeitet
u. d. N. – unter dem Namen
u. d. T. – unter dem Titel
umgearb. – umgearbeitet
ungar. – ungarisch
Univ. – Universität
Univ. Pr. – University Press
unselbst. – unselbständig
unveröff. – unveröffentlicht

veränd. – verändert
verb. – verbessert
verh. – verheiratet
verm. – vermehrt
Veröff. – Veröffentlichung
Verz./verz. – Verzeichnis/verzeichnet
VLB – Verzeichnis lieferbarer Bücher
Vorb. – Vorbereitung
Vorw. – Vorwort

W. – Werk(e)
Weihnachtssp. – Weihnachtsspiel
Wiss./wiss. – Wissenschaft/wissenschaftlich

z. B. – zum Beispiel
Zs.(s) – Zeitschrift(en)
z. T. – zum Teil
Ztg. – Zeitung
zus. – zusammen
zusgest. – zusammengestellt

Verzeichnis der Nachschlagewerke und Referatorgane

Die folgenden Nachschlagewerke und Referatorgane wurden für die einzelnen Schriftstellerinnen-Artikel benutzt, ohne daß sie immer in den Literaturangaben genannt würden. Regelmäßig erfolgt dort nur der Hinweis auf Beiträge der Allgemeinen Deutschen Biographie oder Neuen Deutschen Biographie.

Allgemeine Deutsche Biographie (ADB). Hrsg. von der Historischen Comission bei der Königlich Bayrischen Akademie der Wissenschaften. Bd. 1–56. Leipzig 1875–1912.

Autorenlexikon deutschsprachiger Literatur des 20. Jahrhunderts. Hrsg. von Manfred Brauneck. Reinbek b. Hamburg 1984.

Bibliographisches Handbuch der deutschen Literaturwissenschaft. Hrsg. von Clemens Köttelwesch. Bd. 1–3 (Bd. 1: 1945–1969; Bd. 2 u. 3: 1945–1972). Frankfurt a. M. 1973–1979.

Bode, Ingrid: Die Autobiographien zur deutschen Literatur, Kunst und Musik 1900–1965. Bibliographie und Nachweise der persönlichen Begegnungen und Charakteristiken. Stuttgart 1966 (= Repertorien zur Dt. Literaturgeschichte. Bd. 2).

Cowen, Roy C.: Neunzehntes Jahrhundert (1830–1880). Bern u. München 1970 (= Handbuch der dt. Literaturgeschichte. Abt. 2: Bibliographien. Bd. 9).

Deutsche Exilliteratur seit 1933. Bd. I: Kalifornien. München u. Bern 1976 (Tl. 1 hrsg. von John M. Spalek u. Joseph Strelka; Tl. 2 hrsg. von J. M. Spalek, J. Strelka u. Sandra H. Hawrylchak).

Deutsches Dichter-Lexikon. Biographische und bibliographische Mittheilungen über deutsche Dichter aller Zeiten. Unter bes. Berücksichtigung der Gegenwart. Zusgest. von Franz Brümmer. Bd. 1–2. Eichstätt u. Stuttgart 1876–1877.

Die Frauenfrage in Deutschland. Strömungen und Gegenströmungen 1790–1930. Sachlich geordnete und erläuterte Quellenkunde. Hrsg. von Hans Sveistrup und Agnes von Zahn-Harnack. 3. Aufl. (unveränd. Nachdr. der Ausg. von 1934). München u. a. 1984.

Die Frauenfrage in Deutschland. Bibliographie. Hrsg. vom Deutschen Akademikerinnenbund. München u. a. Bd. 10: 1931–1980, 1982 u. N. F. Bd. 1: 1983. Bearb. von Ilse Delwendahl.

Friedrichs, Elisabeth: Die deutschsprachigen Schriftstellerinnen des 18. und 19. Jahrhunderts. Ein Lexikon. Stuttgart 1981 (= Repertorien zur Dt. Literaturgeschichte. Bd. 9).

Geißler, Max: Führer durch die deutsche Literatur des 20. Jahrhunderts. Weimar 1913.

Germanistik. Internationales Referatenorgan mit bibliographischen Hinweisen. Tübingen 1 (1960) – 26 (1985) 1.

Goedeke, Karl: Grundriß zur Geschichte der deutschen Dichtung. Aus den Quellen. 2. bzw. 3. ganz neu bearb. Aufl. Bd. 1 f. Dresden 1884 f.

Gross, Heinrich: Deutschlands Dichterinnen und Schriftstellerinnen. Eine literarhistorische Skizze. 2. Aufl. Wien 1882.

Groß, Johannes: Biographisch-literarisches Lexikon der deutschen Dichter und Schriftsteller vom 9. bis zum 20. Jahrhundert. Leipzig 1922.

Handbuch der deutschen Gegenwartsliteratur. 2., verb. und erw. Aufl. (des von Hermann Kunisch unter Mitw. von Hans Henecke hrsg. einbändigen ›Handbuchs der deutschen Gegenwartsliteratur‹). Red.: Herbert Wiesner. Bd. 1–3. (Bd. 2 u. 3 in Zus.arbeit mit Irena Žvisa und Christoph Stoll). München 1969–1970.

Internationale Bibliographie zur deutschen Klassik 1750–1850. Bearb. von Hans Henning und Siegfried Seifert. Hrsg.: Nationale Forschungs- und Gedenkstätten der klassischen deutschen Literatur in Weimar. F. 11/12 (1964/65) – F. 26 (1979).

Internationale Bibliographie zur Geschichte der deutschen Literatur von den Anfängen bis zur Gegenwart. Unter Leitung und Gesamtredaktion von Günter Albrecht und Günther Dahlke. Tl. 1 – Tl. 4, 2. München, Berlin (ab Tl. 4, 1: München, New York) 1969–1984.

Internationale Germanistische Bibliographie (IGB). Hrsg. von Hans-Albrecht Koch und Uta Koch. Bd. 1–3 (1980–1982). München, New York u.a. 1981–1984.

Internationales Archiv für Sozialgeschichte der deutschen Literatur. Hrsg. von Georg Jäger, Alberto Martino und Friedrich Sengle. Bd. 1–7. Tübingen 1976–1982.

Kosch, Wilhelm: Deutsches Literatur-Lexikon. Biographisches und bibliographisches Handbuch. 2., vollst. neu bearb. u. stark verm. Aufl. Bd. 1–4. Bern 1949–1958.

Kosch, Wilhelm: Deutsches Literaturlexikon. Biographisch-bibliographisches Handbuch. Begr. von Wilhelm Kosch. 3., völlig neu bearb. Aufl. Hrsg. von Bruno Berger und Heinz Rupp. Bd. 1–9. Bern, München 1968–1984.

Kürschners Deutscher Literatur-Kalender. Hrsg. von Werner Schuder. Berlin, New York 57 (1978), 58 (1981), 59 (1984).

Kürschners Deutscher Literatur-Kalender. Nekrolog. Berlin, New York. 1901–1935 hrsg. von Gerhard Lüdtke, 1936; 1936–1970 hrsg. von Werner Schuder, 1973.

Lennartz, Franz: Deutsche Dichter und Schriftsteller unserer Zeit. Einzeldarstellungen zur Schönen Literatur in deutscher Sprache. 8., erw. Aufl. Stuttgart 1959.

Lexikon der deutschen Dichter und Prosaisten vom Beginn des 19. Jahrhunderts bis zur Gegenwart. Bearb. von Franz Brümmer. 6., völlig neu bearb. Aufl. Bd. 1–8. Leipzig o.J. [1913].

Lexikon der Frau. Hrsg. von Gustav Keckeis und Blanche Christine Olschak. Zürich 1953–1954.

Lexikon der Kinder- und Jugendliteratur. Erarbeitet im Institut für Jugendforschung der Johann-Wolfgang-Goethe-Universität in Frankfurt/Main. Hrsg. von Klaus Doderer. Bd. 1–4. Weinheim u. Basel 1975–1982.

Lexikon der Weltliteratur im 20. Jahrhundert. Bd. 1–2. Freiburg u.a. 1960–1961.

Lexikon deutscher Frauen der Feder. Eine Zusammenstellung der seit dem Jahre 1840 erschienenen Werke weiblicher Autoren, nebst Biographien der lebenden und einem Verzeichnis der Pseudonyme. Hrsg. von Sophie Pataky. Bd. 1–2. Berlin 1898.

Lexikon deutschsprachiger Schriftsteller. Von den Anfängen bis zur Gegenwart. Leitung des Autorenkollektivs und Gesamtredaktion: Kurt Böttcher. 2., überarb. Aufl. Bd. 1–2. Leipzig 1972–1974.

Lexikon sozialistischer deutscher Literatur. Von den Anfängen bis 1945. Monographisch-biographische Darstellungen. Halle (Saale) 1963.

Die Nachlässe in den Bibliotheken der Bundesrepublik Deutschland. Bearb. von Ludwig Denecke. 2. Aufl., völlig neu bearb. von Tilo Brandis. Boppard a.Rh. 1981. (= Verzeichnis der schriftlichen Nachlässe in deutschen Archiven und Bibliotheken. Bd. 2).

Neue Deutsche Biographie (NDB). Hrsg. von der Historischen Kommission bei der Bayrischen Akademie der Wissenschaften. Bd. 1–14. Berlin 1953–1985.

Österreichische Schriftstellerinnen 1880–1938. Eine Bio-Bibliographie. Hrsg. von Sigrid Schmid-Bortenschlager und Hanna Schnedl-Bubenček. Stuttgart 1982. (= Stuttgarter

Arbeiten zur Germanistik. Nr. 119; Salzburger Beiträge. Nr. 4).

Osborne, John: Romantik. Bern, München 1971 (= Handbuch der dt. Literaturgeschichte. Abt. 2: Bibliographien. Bd. 8).

Raabe, Paul: Die Autoren und Bücher des literarischen Expressionismus. Ein bibliographisches Handbuch in Zus.arbeit mit Ingrid Hannich-Bode. Stuttgart 1985.

Raabe, Paul u. Georg Ruppelt: Quellenrepertorium zur neueren deutschen Literaturgeschichte. 3., vollst. neu bearb. Aufl. Stuttgart 1981.

Rowohlt Literaturlexikon 20. Jahrhundert. Hrsg. von Helmut Olles. Hamburg 1971.

Schindel, Carl Wilhelm Otto August von: Die deutschen Schriftstellerinnen des 19. Jahrhunderts. 3 Theile. Leipzig 1823–25.

Stern, Desider: Werke von Autoren jüdischer Herkunft in deutscher Sprache. Eine Bio-Bibliographie. 3. Aufl. Wien 1970.

Sternfeld, Wilhelm u. Eva Tiedemann: Deutsche Exilliteratur 1933–1945. Eine Bio-Bibliographie. 2. verb. und stark erw. Aufl. 1970.

Wiesner, Herbert u. Irena Živsa u. Christoph Stoll: Bibliographie der Personalbibliographien zur deutschen Gegenwartsliteratur. München 1970.

Wilpert, Gero von u. Adolf Gühring: Erstausgaben deutscher Dichtung. Eine Bibliographie zur deutschen Literatur 1600–1960. Stuttgart 1967.

Verzeichnis von Persönlichkeiten, die in den Artikeln erwähnt werden

Abusch, Alexander (1902–1982), Journalist, kommunist. Politiker.

Adam, Madame = Juliette Adam-Lamber (1836–1936), franz. Schriftstellerin.

Adler, Alfred (1870–1937), Arzt und Tiefenpsychologe.

–, Victor (1852–1918), seit 1905 Führer der österr. Sozialdemokraten.

Alexis, Willibald (1798–1871), Schriftsteller (›Die Hosen des Herrn von Bredow‹).

d'Alton, Eduard Josef (1772–1840), Anatom, Archäologe, Prof. für Kunstgeschichte in Bonn.

Anthony, Susan B. (1820–1906), amerikan. Lehrerin und Frauenrechtskämpferin, Präs. der Woman's Suffrage Association.

Anzengruber, Ludwig (1839–1889), volkstümlicher Schriftsteller.

Assing, Rosa Maria (1783–1840), Lyrikerin, Schwester v. K. A. Varnhagen v. Ense.

Auerbach, Berthold (1812–1882), Schriftsteller (›Schwarzwälder Dorfgeschichten‹).

Baum, Marie (1874–1964), Dr. phil., Schriftstellerin.

Bebel, August (1840–1913), sozialdemokrat. Politiker.

Behn, Aphra (1640–1689), erste engl. Berufsschriftstellerin, Dramatikerin.

Bell, Currer (1816–1855), Ps. der engl. Schriftstellerin Charlotte Brontë (›Jane Eyre‹).

Benn, Gottfried (1886–1956), Arzt und Dichter.

Billinger, Richard (1890–1965), Lyriker, Dramatiker, Erzähler.

Blei, Franz (1871–1942), Schriftsteller, Kritiker.

Bodenstedt, Friedrich v. (1819–1892), Schriftsteller, Übersetzer v. a. oriental. Dichtung.

Böcklin, Arnold (1827–1901), Maler (›Toteninsel‹).

Böhme, Jakob (1575–1624), Philosoph, Mystiker.

Börne, Ludwig (1786–1837), Schriftsteller und Journalist.

Brecht, Bert(olt) (1898–1956), Schriftsteller, Dramatiker, Regisseur.

Broch, Hermann (1886–1951), Industrieller und Schriftsteller (›Tod des Vergil‹).

Büchner, Georg (1813–1837), Schriftsteller (›Woyzeck‹), Arzt.

–, Ludwig (1824–1899), Arzt, Philosoph, Vertreter des rad. Materialismus (›Kraft und Stoff‹).

Bühler, Karl (1879–1963), Psychologe; Sprachtheorie, Kinderpsychologie.

Bülow, Hans v. (1830–1894), Pianist und Dirigent.

Burckhardt, Jacob (1818–1897), Kultur- und Kunsthistoriker.

Carlyle, Thomas (1795–1881), engl. Schriftsteller, Historiker.

Carmen Sylva, Dichtername der Königin Elisabeth v. Rumänien, geb. Prinzessin zu Wied (1843–1916).

Carossa, Hans (1878–1956), Arzt und Schriftsteller.

Caspari, Karoline (1808–?), Übersetzerin aus dem Spanischen.

Cauer, Minna (1842–1922), Frauenrechtskämpferin, Hrsg. der Zeitschrift ›Die Frauenbewegung‹ (1895 f.).

Chamisso, Adelbert v. (1781–1838), Naturforscher und Dichter (Lyrik, ›Peter Schlemihl‹).

Claudel, Paul (1868–1955), Diplomat, kath. Schriftsteller.

Conrad, Michael Georg (1846–1927), Schriftsteller (naturalist. Romane).

Constant de Rebecque, Benjamin (1767–1830), Schriftsteller und Politiker, Freund von Mme. de Staël.

Creuzer, Georg Friedrich (1771–1858), klass. Philologe, Mythologe.

Däubler, Theodor (1876–1934), Schriftsteller (Versepos ›Das Nordlicht‹).

Dalberg, Karl Reichsfreiherr v. (1744–1817), letzter Kurfürst von Mainz und Erzkanzler.

Darwin, Charles (1809–1882), Naturforscher.

Dehmel, Richard (1863–1920), Schriftsteller.

Diede, Charlotte (1769–1846), Brieffreundin W. v. Humboldts.

Diederichs, Eugen (1867–1930), Gründer des gleichnamigen Verlags.

Dilthey, Wilhelm (1833–1911), Philosoph.

Dimitroff (Dimitrow), Georgi Michajlowitsch (1882–1949), bulgar. kommunist. Politiker, 1933 im Reichstagsbrand-Prozeß in Berlin freigesprochen.

Dreyfus, Alfred (1859–1935), frz. Offizier, wegen angeblichen Landesverrats 1894 verurteilt, 1906 rehabilitiert.

Durieux, Tilla (1880–1971), Schauspielerin.

Ebers, Georg (1837–1898), Ägyptologe, Romanschriftsteller.

Ehrenstein, Albert (1886–1950), expressionist. Schriftsteller.

Eich, Günter (1907–1972), Schriftsteller (v. a. Lyrik, Hörspiele).

Eisler, Hanns (1898–1962), Komponist.

Engels, Friedrich (1820–1895), Kaufmann, Sozialist (›Die Lage der arbeitenden Klasse‹).

Ernst, Paul (1866–1933), Schriftsteller.

Ettlinger, Anna, Frau von Josef Ettlinger (1869–1912, Schriftsteller).

Falke, Gustav (1853–1916), Musiker und Schriftsteller.

Fassbinder, Rainer Werner (1946–1982), Regisseur, Drehbuchautor.

Fernow, K.L. (1762–1808), Kunstschriftsteller.

Feuchtersleben, Ernst v. (1806–1849), Arzt und Lyriker.

Feuchtwanger, Lion (1884–1958), Schriftsteller.

Fichte, Johann Gottlieb (1762–1814), Philosoph.

Fischer, Ernst (1899–1972), österr. Politiker (SPÖ/KPÖ), Schriftsteller.

– , Samuel (1859–1934), Gründer des S. Fischer Verlags.

Fontane, Theodor (1819–1898), Schriftsteller.

Frank, Leonhard (1882–1961), Schriftsteller.

Franzos, Karl Emil (1848–1904), Schriftsteller.

Frege, Livia (1818–1891), Sängerin in Leipzig und Berlin.

Freiligrath, Ferdinand (1810–1876), Lyriker, Übersetzer, Journalist.

Freud, Sigmund (1856–1939), Arzt, Begründer der Psychoanalyse.

Gabillon, Ludwig (1828–1896) und Zerline (1835–1892), Schauspieler.

Garcia, Manuel (1805–1906), Gesangslehrer, Erfinder des Kehlkopfspiegels.

Garibaldi, Giuseppe (1807–1882), italien. Freiheitskämpfer.

Genlis, S.F. Comtesse de (1746–1830), Schriftstellerin.

George, Stefan (1868–1933), Lyriker.

Goethe, J.W. v. (1749–1832), Dichter, Staatsmann.

– , Ottilie v., geb. v. Pogwisch (1796–1872), Schriftstellerin, Schwiegertochter Goethes.

Goll, Yvan (1891–1950), Schriftsteller.

Gotthelf, Jeremias (1797–1854), Pfarrer, Erzähler.

Gottschall, Rudolf (1823–1909), Schriftsteller.

Grillparzer, Franz (1791–1872), Jurist, Dichter, v. a. Dramatiker.

Grimm, Jacob (1785–1863) und Wilhelm (1786–1859), Sprach- und Altertumsforscher; Hrsg. der Kinder- und Hausmärchen.

Gussow, Karl (1834–1907), Maler.

Gutzkow, Karl (1811–1878), Journalist, Schriftsteller.

Haber, Heinz (geb. 1913), Physiker und Schriftsteller.

Haeckel, Ernst (1834–1919), Zoologe, Naturphilosoph.

Haecker, Theodor (1879–1945), Schriftsteller, Kulturkritiker.

Harden, Maximilian (1861–1927), Journalist.

Harnack, Adolf v. (1851–1930), ev. Theologe.

Hatzfeld, Sophie Gräfin v. (1805–1881), Sozialistin.

Hebbel, Friedrich (1813–1863), Dramatiker, Lyriker.

Heine, Heinrich (1797–1856), Schriftsteller (›Buch der Lieder‹).

Helvig, Amalie v. (1776–1831), Schriftstellerin.

Hendrichs, Hermann (1809–1871), Schauspieler.

Hensel, Fanny, geb. Mendelssohn Bartholdy (1805–1847), Pianistin, Komponistin.

Herder, Johann Gottfried (1744–1803), Schriftsteller, Theologe, Philosoph.

Herwegh, Georg (1817–1875), Schriftsteller, beteiligt am Badischen Aufstand 1848.

Herz, Henriette (1764–1847). Ihr Salon in Berlin war Sammelpunkt u.a. der Frühromantiker.

Herzen, Alexander (1812–1870), russ. Schriftsteller und Politiker.

Hesse, Hermann (1877–1962), Schriftsteller.

Heuss, Theodor (1884–1963), Politiker und Schriftsteller.

Heyse, Paul (1830–1914), Schriftsteller.

Hille, Peter (1854–1904), Schriftsteller.

Hillebrand, Karl (1829–1884), Historiker und Publizist.

Hirth, Georg (1841–1916), Journalist, Zeitungsverleger.

Hitzig, Julius Eduard (1780–1849), Kriminalist, Verleger, Schriftsteller.

Hoffmann, E.T.A. (1776–1822), Dichter, Komponist, Zeichner.

Hofmannsthal, Hugo v. (1874–1929), Dichter.

Huchel, Peter (1903–1981), Schriftsteller.

Hülsen, Hans v. (1890–1968), Journalist, Schriftsteller.

Humboldt, Alexander v. (1769–1859), Naturforscher.

– , Karoline v., geb. v. Dacheröden (1766–1829), seit 1791 verh. m. Wilhelm v. H.

– , Wilhelm v. (1767–1835), Gelehrter und Staatsmann.

Humperdinck, Engelbert (1854–1921), Komponist.

Ibsen, Henrik (1828–1906), norweg. Dramatiker.

Ihering, Herbert (1888–1977), Theaterkritiker.

Jacobsen, Jens Peter (1847–1885), dän. Schriftsteller.

Jean Paul → Paul, Jean.

Jesenska-Polak, Milena († 1944 ?), Journalistin, Freundin Kafkas.

Kainz, Josef (1858–1910), Schauspieler.

Kalb, Charlotte v. (1761–1843), Schriftstellerin, befreundet mit Schiller, Jean Paul, Hölderlin.

Karadžić, Vuk Stefanović (1787–1864), serb. Philologe, Schöpfer der mod. Schriftsprache.

Karpeles, Gustav (1848–1909), Schriftsteller.

Keller, Ferdinand (1842–1922), Historienmaler.

– , Gottfried (1819–1890), Staatsschreiber von Zürich, Dichter.

Kerner, Justinus (1786–1862), Arzt und Dichter.

Kinkel, Johann Gottfried (1815–1882), Schriftsteller, beteiligt am Badischen Aufstand 1848.

Kipling, Rudyard (1865–1936), engl. Schriftsteller.

Klages, Ludwig (1872–1956), Philosoph, Psychologe.

Klinger, Friedrich Maximilian (1752–1831), Dramatiker (›Sturm und Drang‹), russ. Offizier.

Klinger, Max (1857–1920), Maler, Radierer, Bildhauer.

Klüpfel, Karl August (1810–1894), Historiker, Universitätsbibliothekar.
Körner, Theodor (1791–1813), Schriftsteller.
Kortner, Fritz (1892–1970), Schauspieler, Regisseur.
Kotzebue, August (1761–1819), Dramatiker.
Kraus, Karl (1874–1936), Schriftsteller, Kritiker.
Kroetz, Franz Xaver (geb. 1946), Dramatiker.
Kügelgen, Gerhard v. (1772-1820), Maler.
– , Wilhelm v. (1802–1867), Maler, Schriftsteller.
Kurland, Dorothea Herzogin v., geb. Gräfin Medem (1761–1821). Ihr Mann trat 1795 Kurland an Rußland ab.

Lagerlöf, Selma (1858–1940), schwed. Schriftstellerin.
Lange, Helene (1848–1930), Führerin der Frauenbewegung.
La Roche, Sophie v. (1731–1807), Schriftstellerin (›Das Fräulein von Sternheim‹).
Lassalle, Ferdinand (1825–1864), Publizist und Politiker.
Lavater, Johann Kaspar (1741–1801), philosoph.-theolog. Schriftsteller.
Lee, Vernon (1856–1935), engl. Schriftstellerin.
Leifhelm, Hans (1891–1947), Schriftsteller.
Lenau, Nikolaus (1802–1850), Lyriker.
Lewald, August (1791–1871), Schauspieler, Schriftsteller, Gründer der Zeitschrift ›Europa‹ (1835f.).
Liebknecht, Wilhelm (1826–1900), Politiker.
Liliencron, Detlev v. (1844–1909), Schriftsteller.
Lorm, Hieronymus (1821–1902), Schriftsteller.
Ludwig I. (1786–1868), König von Bayern 1825–1848.
Ludwig II. (1845–1886), König von Bayern 1864–1886.
Ludwig, Emil (1881–1948), Schriftsteller.
Luxemburg, Rosa (1871–1919), sozialist. Politikerin.

Mackay, John Henry (1864–1933), sozialist. Schriftsteller.
Marc, Franz (1880–1916), Maler.
Marcuse, Ludwig (1894–1971), Journalist und Schriftsteller.
Marées, Hans v. (1837–1887), Maler.
Massary, Fritzi (1882–1969), Operettensängerin.
Mazzini, Giuseppe (1805–1872), Advokat, ital. radikaler Politiker.
Mecklenburg-Schwerin, Herzog Johann-Albrecht v. (1857–?), verh. seit 1886 mit Elisabeth v. Sachsen-Weimar (1854–?).
Mehring, Franz (1846–1919), sozialdemokrat. Schriftsteller.
Meissner, Alfred (1822–1885), Schriftsteller.
Mendelssohn Bartholdy, Felix (1808–1847), Komponist.
Mertens-Schaaffhausen, Sibylle (1797–1857), Kölner Bankierstochter, Archäologin, Brief- und Tagebuchschreiberin von Rang.
Meyer, Conrad Ferdinand (1825–1898), Lyriker, Erzähler.
Meyer, Heinrich (1760–1832), Maler, Prof. an der Weimarer Zeichenakademie.
Mill, John Stuart (1806–1873), engl. Philosoph und Volkswirt.
Minghetti, Marco (1818–1886), ital. Politiker.
Morgenstern, Christian (1871–1914), Schriftsteller, Dichter (Galgenlieder).
Müllner, Adolf (1774–1829), Dramatiker, Begr. der Schicksalstragödie (›Die Schuld‹, 1816), Literaturkritiker.
Münchhausen, Börries von (1874–1945), Balladendichter.
Mulford, Prentice (1843–1891), amerikan. Schriftsteller.
Mundt, Theodor (1808–1861), Schriftsteller.
Musil, Robert (1880–1942), Schriftsteller.

Nathusius, Philipp (1815–1872), Gutsbesitzer, Journalist, Philanthrop.

Naumann, Friedrich (1860–1919), Politiker.

Nietzsche, Friedrich (1844–1900), Philosoph.

Nobel, Alfred (1833–1896), schwed. Chemiker, Industrieller.

Novalis (Friedrich v. Hardenberg; 1772–1801), Dichter.

Oehlenschläger, Adam Gottlob (1779–1850), dän. Lyriker, Dramatiker.

Öhler, Gustav Friedrich (1812–1872), ev. Theologe.

Orff, Carl (1895–1982), Komponist (›Carmina Burana ‹).

Palmer, Christian (1811–1875), ev. Theologe.

Paul, Jean (J.P.F. Richter, 1763–1825), Schriftsteller.

Peters, Carl (1856–1918), Kolonialpolitiker.

Piloty, Karl (1826–1886), Historienmaler.

Pinthus, Kurt (1886–1975), Schriftsteller.

Preußen, Prinz Georg v. (1826–1902), Offizier, Dramatiker.

Przybyszewski, Stanislaw (1868–1927), poln. Schriftsteller.

Przywara, Erich (1889–1972), kath. Theologe.

Pückler-Muskau, Hermann Fürst v. (1785–1871), Schriftsteller.

Putlitz, Gustav zu (1821–1890), Jurist, Theaterintendant, Lustspieldichter.

Rausch, Franz Heinrich (1825–1900), altkath. Theologe.

Recke, Elisa v. der, geb. Reichsgräfin v. Medem (1756–1833), Schriftstellerin.

Rée, Paul (1849–1901), Philosoph (›Die Entstehung des Gewissens‹).

Remarque, Erich Maria (1898–1970), Schriftsteller, Journalist.

Renn, Ludwig (1889–1979), Schriftsteller.

Ries, Franz Anton (1755–1846), Musiker (Violinist).

Rilke, Rainer Maria (1875–1926), Lyriker, Erzähler.

Ritter, Karl (1779–1859), Geograph.

Rochlitz, Friedrich (1769–1842), Erzähler und Musikschriftsteller.

Rodenberg, Julius (1831–1914), Schriftsteller.

Rodin, Auguste (1840–1917), Bildhauer.

Roethe, Gustav (1859–1926), Germanist.

Rolland, Romain (1866–1944), franz. Schriftsteller.

Rosegger, Peter (1843–1918), Volks- und Heimatschriftsteller.

Roth, Joseph (1894–1939), Schriftsteller.

Rüdiger, Elise, geb. v. Hohenhausen (1812–1899), Schriftstellerin.

Rudolphi, Karoline v. (1754–1811), Schriftstellerin, Pädagogin.

Saar, Ferdinand v. (1833–1906), Lyriker, Erzähler.

Sacher-Masoch, Leopold v. (1836–1895), Schriftsteller.

Sachsen-Coburg, Herzog Ernst v. (1818–1893), schrieb Erinnerungen, Opernlibretti.

Salomon, Alice (1872–1948), Sozialpädagogin, Frauenrechtskämpferin.

Sand, George (1804–1876), franz. Schriftstellerin.

Scheffel, Joseph Victor (1826–1886), Schriftsteller.

Schelling, Friedrich Wilhelm Joseph (1775–1854), Philosoph.

—, Caroline (1763–1809), verh. mit F.W.J.S., gesch. von A.W. Schlegel.

Schickele, René (1883–1940), Schriftsteller.

Schiller, Friedrich v. (1759–1805), Dichter.

Schlegel, August Wilhelm (1767–1845), Schriftsteller.

– , Friedrich (1772–1829), Schriftsteller.

Schlick, Moritz (1882–1936), Philosoph.

Schlüter, Klemens (1835–1906), Paläontologe.

Schmidt, Erich (1853–1913), Literarhistoriker, Entdecker des ›Urfaust‹.

Schneider, Reinhold (1903–1958), Schriftsteller.
Schnitzler, Arthur (1862–1931), Schriftsteller (›Der Reigen‹), Arzt.
Schopenhauer, Arthur (1788–1860), Philosoph.
Schreiber, Adele (1872–1957), Frauenrechtskämpferin.
Schubert, Gotthilf Heinrich v. (1780–1860), Naturphilosoph.
Schücking, Levin (1814–1883), Schriftsteller.
Schütz, Wilhelm (1776–1847), Dramatiker.
Schurz, Carl (1829–1906), Politiker und Publizist.
Schwab, Gustav (1792–1850), Schriftsteller.
Shaw, George Bernard (1856–1950), engl.-irischer Schriftsteller.
Sievers, Jakob Johann Graf (1731–1808), russ. Staatsmann.
Silone, Ignazio (1900–1978), ital. Schriftsteller.
Simrock, Karl (1802–1876), Germanist, Lyriker.
Sinclair, Upton (1878–1968), amerikan. Schriftsteller.
Sperr, Martin (geb. 1944), Dramatiker.
Sprickmann, Anton Matthias (1749–1833), Jurist, Schriftsteller.
Staël-Holstein, Anne Louise Germaine v. (1766–1817), franz. Schriftstellerin.
Stahr, Adolf (1805–1876), Schriftsteller.
Stanton, Elizabeth Cady (1815–1902), amerik. Frauenrechtskämpferin und Schriftstellerin.
Stein, Charlotte v. (1742–1827), Hofdame in Weimar, Freundin Goethes.
– , Edith (1891–1942), Philosophin, Ordensschwester.
– , Heinrich Friedrich Karl Reichsfreiherr vom und zum (1757–1831), Staatsmann.
Stifter, Adalbert (1805–1868), Schriftsteller und Maler.
Stirner, Max (1806–1856), Philosoph, Journalist.
Stoessl, Otto (1875–1936), Schriftsteller.
Strindberg, August (1849–1912), schwed. Schriftsteller.

Tieck, Friedrich (1776–1851), Bildhauer.
– , Ludwig (1773–1853), Schriftsteller.
Tiedge, Christoph August (1752–1841), Schriftsteller.
Trakl, Georg (1887–1914), Lyriker.
Troeltsch, Ernst (1865–1923), ev. Theologe, Philosoph.
Turgenjew, Iwan Sergejewitsch (1818–1883), russ. Schriftsteller.

Uhland, Ludwig (1787–1862), Germanist, Dichter.
Uhse, Bodo (1904–1963), Schriftsteller.

Varnhagen v. Ense, Karl August (1785–1858), Diplomat, Schriftsteller.
Viertel, Salka (ca. 1895–1975), Drehbuchautorin.
Vischer, Friedrich Theodor (1807–1887), Ästhetiker, Schriftsteller.
Voß, Johann Heinrich (1751–1826), Dichter, Übersetzer (Homer).

Wackerle, Joseph (1880–1959), Bildhauer.
Wagner, Richard (1813–1883), Komponist.
Waldeck, Heinrich Suso (1873–1943), Schriftsteller.
Weber, Carl Maria v. (1786–1826), Komponist.
Wedekind, Frank (1864–1918), Schriftsteller (›Lulu-Tragödie‹: ›Erdgeist‹, ›Die Büchse der Pandora‹).
Weininger, Otto (1880–1903), Psychologe.
Weiß, Ernst (1882–1940), Arzt und Schriftsteller.
Werefkin, Marianne v. (1860–1938), Malerin.
Werfel, Franz (1890–1945), Schriftsteller.
Widmann, Joseph Viktor (1842–1911), Schriftsteller.
Wieland, Christoph Martin (1733–1813), Dichter.

Wilhelm II. (1859–1941), Deutscher Kaiser, König v. Preußen (bis 1918).
Wobeser, Wilhelmine Karoline v. (1769–1807), Schriftstellerin.
Wolf, Friedrich (1888–1953), Schriftsteller, Arzt.
– , Hugo (1860–1903), Komponist (v. a. Lieder).
Woltmann, Caroline v. (1782–1847), Schriftstellerin.
Zetkin, Clara (1857–1933), Politikerin, Führerin der proletarischen Frauenbewegung.
Zola, Emile (1840–1902), franz. Schriftsteller.
Zuckmayer, Carl (1896–1977), Schriftsteller.